CHRONOLOGIE
DES ŒUVRES DE DOSTOÏEVSKI

Les Pauvres Gens, 1846.
Le Double, 1845-1846.
Un roman en neuf lettres, 1846.
Monsieur Prokhartchine, 1846.
La Logeuse, 1847.
Les Annales de Pétersbourg, 1847.
Polzounkov, 1848.
Un cœur faible, 1848.
La Femme d'un autre et le Mari sous le lit, 1848.
Le Voleur honnête, 1848.
Un sapin de Noël et un mariage, 1848.
Les Nuits blanches, 1848.
Nétotchka Nezvanova, 1848-1849.
Le Petit Héros, 1849.
Le Rêve de l'oncle, 1855-1859.
Le Bourg de Stépantchikovo et sa population, 1859.
Humiliés et Offensés, 1861.
Les Carnets de la maison morte, 1860-1862.
Une sale histoire, 1862.
Notes d'hiver sur impressions d'été, 1863.
Les Carnets du sous-sol, 1864.
Le Crocodile, 1864.
Crime et châtiment, 1866.
Le Joueur, 1866.
L'Idiot, 1868.
L'Éternel Mari, 1870.
Les Démons, 1871.
Journal de l'écrivain 1873 (récits inclus) :
I. "Bobok" ;
II. "Petites images" ;
III. "Le Quémandeur".
Petites images (En voyage), 1874.
L'Adolescent, 1874-1875.
Journal de l'écrivain 1876 (récits inclus) :
I. "Le Garçon «à la menotte»" ;
II. "Le Moujik Mareï" ;
III. "La Douce" ;
IV. "La Centenaire".
Journal de l'écrivain 1877 (récit inclus) :
"Le Rêve d'un homme ridicule".
Le Triton, 1878.
Les Frères Karamazov, 1880.
Discours sur Pouchkine, 1880.

LES FRÈRES KARAMAZOV

Ouvrage traduit avec le concours
du centre national du livre

Titre original :
Bratia Karamazovy

ISBN 978-2-7427-3704-8

FÉDOR DOSTOÏEVSKI

LES FRÈRES KARAMAZOV

Volume II

roman traduit du russe
par André Markowicz

BABEL

TROISIÈME PARTIE

Livre septième

ALIOCHA

I

L'ODEUR DE DÉCOMPOSITION[1]

Le corps du défunt père Zossima, hiéromoine de la stricte observance[2], fut préparé pour l'ensevelissement selon le rite établi. Les moines et les ermites morts, comme on le sait, ne sont pas lavés. "Lorsqu'un moine se présente devant le Seigneur (est-il dit dans le grand euchologe[3]), le moine à ce préposé essuie son corps à l'eau tiède, ayant tracé préalablement à l'éponge une croix sur le front du défunt, sa poitrine, ses mains, ses pieds et ses genoux, et rien de plus." Tout cela fut exécuté

1. Rappelons que le mot utilisé par Dostoïevski pour "odeur" est *doukh*, qui signifie, dans un usage beaucoup plus fréquent, "esprit". *(Sauf mention contraire, toutes les notes sont du traducteur.)*
2. Les moines dits "de la stricte observance" n'avaient pas le droit de sortir de leur monastère.
3. L'euchologe est le livre liturgique donnant l'ordinaire des offices secondaires.

sur le défunt par le père Païssy lui-même. Après cette toilette, il l'habilla de son habit de moine et l'entoura d'une chape ; à cette fin, selon la règle, il la fendit légèrement, afin de l'entourer en forme de croix. Il lui mit sur la tête la cuculle[1] à croix à huit branches. La cuculle fut laissée ouverte, quant au visage du défunt, il fut recouvert d'un voile noir. On lui posa entre les mains une icône du Sauveur. C'est ainsi qu'au matin on le déposa dans son cercueil (un cercueil préparé depuis longtemps). Ce cercueil, quant à lui, l'intention était de le laisser dans la cellule (dans la première grande pièce, celle-là même où le défunt starets recevait la communauté et les mondains) pour toute la journée. Comme le défunt était hiéromoine de la stricte observance, les hiéromoines et les hiérodiacres devaient lire à son chevet, non le psautier mais l'Evangile. La lecture fut entamée, tout de suite après l'office des morts, par le père Iossif ; quant au père Païssy, qui avait souhaité lire lui-même par la suite pendant toute la journée et toute la nuit, en attendant, il était très occupé et soucieux, en même temps que le père supérieur de l'ermitage, car il venait de se découvrir soudain, et plus le temps passait, plus cela s'amplifiait, tant dans la communauté des frères que chez les laïcs accourus en foule depuis les hôtels du monastère comme de la ville, quelque chose d'extraordinaire, une espèce d'agitation inouïe voire “inconvenante” et une attente toute pleine d'impatience. Le supérieur et le père Païssy mettaient

1. La cuculle est la coiffure des moines de la stricte observance ; c'est une espèce de calotte pointue couverte d'un voile. L'insistance de Dostoïevski sur l'emploi de termes précis et rares (souvent obscurs même au lecteur russe) est, bien sûr, signifiante en elle-même.

tous leurs efforts à apaiser autant que possible ces gens qui s'agitaient si vainement. Quand le jour se fut vraiment levé, on vit venir de la ville des gens qui avaient même pris avec eux leurs malades, surtout des enfants, – comme s'ils attendaient tout exprès cette minute, en espérant visiblement une force thaumaturge immédiate qui, selon leur croyance, ne pouvait plus tarder à se manifester. Et c'est seulement là qu'on découvrit à quel point tout le monde s'était accoutumé à considérer le défunt starets, encore de son vivant, comme un saint avéré et très grand. Et ceux qui arrivaient étaient loin d'être uniquement des gens du peuple. Cette grande attente des croyants, exprimée d'une façon si précipitée, si nue, avec, même, cette impatience, comme quasiment une exigence, le père Païssy la voyait comme une tentation avérée[1] et, il avait beau l'avoir pressentie depuis longtemps, dans les faits, elle était plus puissante que ce qu'il avait imaginé. Croisant des moines qui s'agitaient, le père Païssy avait même commencé à leur faire des reproches : "Une attente pareille, et aussi immédiate, de quelque chose de grand, disait-il, est une frivolité qui n'est possible que chez les laïcs et qui nous est inconvenante." Mais on l'écoutait peu, et le père Païssy le remarquait avec inquiétude, et, lui-même d'ailleurs (si l'on retrace la chose en toute justice), il avait beau s'indigner de ces attentes trop impatientes et

1. Dostoïevski emploie pour la première fois dans ce chapitre un mot qui ne cessera de revenir, formant, avec celui des notations d'odeur, sa deuxième ligne de force, *soblazn*, mot de caractère religieux, dont le sens recouvre un vaste spectre qui correspond en français à la fois à "scandale" et à "tentation". J'ai pris le parti, quitte à forcer un peu l'usage courant, de traduire systématiquement par "tentation".

les trouver trop frivoles et trop vaines, en lui-même, au fond, tout au fond de son âme, il attendait quasiment la même chose que ceux qui s'agitaient, ce qu'il ne pouvait pas ne pas s'avouer. Malgré cela, certaines rencontres lui étaient particulièrement désagréables parce qu'elles éveillaient en lui, par un certain pressentiment, des doutes profonds. Dans la foule qui se massait dans la cellule du défunt, il avait remarqué, non sans dégoût spirituel (dégoût qu'il se reprocha immédiatement), la présence, par exemple, de Rakitine, ou de ce visiteur lointain – le moine d'Obdorsk, qui séjournait toujours au monastère – et, ces deux-là, le père Païssy, il ne savait pourquoi lui-même, il les considéra comme très suspects – même s'ils étaient loin d'être les seuls qu'on pût remarquer de ce point de vue-là. Parmi tous ceux qui s'agitaient le moine d'Obdorsk était celui qui se montrait le plus affolé ; on pouvait le remarquer partout, dans tous les lieux ; partout il posait des questions, partout il écoutait, partout il chuchotait avec une sorte d'air mystérieux. L'expression qu'il affichait était des plus impatiente, et comme déjà énervée de voir que ce qu'il attendait mettait tellement de temps à s'accomplir. Quant à Rakitine, on devait apprendre plus tard que, s'il s'était retrouvé dans l'ermitage, c'était sur une mission instante de Mme Khokhlakova. Cette femme, gentille mais sans caractère, qui, elle-même, ne pouvait pas être admise à l'intérieur de l'ermitage, ayant appris la nouvelle dès son réveil, s'était trouvée soudain pénétrée d'une curiosité si vive qu'elle avait envoyé sur-le-champ Rakitine à sa place à l'ermitage, pour qu'il observe tout et lui fasse des rapports écrits, plus ou moins toutes les demi-heures sur *ce qui devait arriver*. Quant à Rakitine, elle le considérait comme le jeune homme le plus pieux et le plus croyant – tant il savait rouler son monde et se montrer à chacun sous le jour qu'il voulait, pour peu qu'il y trouvât quelque profit. La journée était claire et lumineuse et, parmi les pèlerins qui arrivaient, nombreux étaient ceux qui se pressaient auprès des tombes de l'ermitage, les plus entassées autour du temple, ou qui s'étaient éparpillés dans l'ermitage tout entier. En faisant le tour de l'ermitage, le père Païssy se souvint brusquement d'Aliocha et du fait qu'il ne l'avait pas vu depuis longtemps, presque depuis la nuit. Et à peine s'était-il souvenu de lui qu'il le remarqua tout de suite dans le coin le plus éloigné de l'ermitage, près de l'enceinte, assis sur la pierre tombale d'un moine décédé là depuis très longtemps et célèbre par son avancement spirituel. Il était assis de dos à l'ermitage et c'était comme s'il se cachait derrière le monument. S'approchant tout près, le père Païssy découvrit que, le visage caché dans ses deux mains, sans bruit, certes, mais amèrement, il pleurait, tout son corps secoué de sanglots. Le père Païssy resta un certain temps auprès de lui.

— Allons, mon gentil fils, allons, l'ami, prononça-t-il enfin avec émotion, que t'arrive-t-il ? Réjouis-toi au lieu de pleurer. Ou tu ne sais pas que ce jour-ci est le plus grand de *ses* jours ? Où est-il en ce moment, à la minute où nous parlons, penses-y un peu !

Aliocha voulut lever les yeux vers lui, découvrant un visage tout gonflé de larmes comme celui d'un enfant, mais, tout de suite, sans avoir dit un mot, il se détourna et, de nouveau, se cacha dans ses deux paumes.

— Ou peut-être non, alors, prononça pensivement le père Païssy, si tu veux, pleure, c'est le Christ qui t'envoie ces larmes. "Tes larmes d'attendrissement, ce n'est qu'un apaisement spirituel, elles contribueront fort à la gaieté de ton cœur", ajouta-t-il, cette fois pour lui-même, s'éloignant d'Aliocha et pensant à lui avec amour. Il s'était éloigné, du reste, au plus vite, car il avait senti que, lui-même, peut-être, en le regardant, il risquait de fondre en larmes. Le temps passait, les offices du monastère et les messes des morts se poursuivaient dans l'ordre. Le père Païssy prit à nouveau la place du père Iossif près du cercueil et, de nouveau, reprit sa lecture de l'Evangile. Mais il n'était pas encore trois heures de l'après-midi quand il arriva une chose dont j'ai un peu parlé à la fin du dernier livre, une chose à laquelle personne d'entre nous n'était un tant soit peu préparé et qui allait tellement à l'encontre de l'espérance commune que, je le répète, un récit vain et détaillé de cette aventure circule toujours avec une vivacité extraordinaire dans notre ville et tous les alentours. Ici, j'ajouterai, cette fois à titre personnel : il me répugne presque de me souvenir de cet événement vain et tentateur, qui était, au fond, le plus creux et le plus naturel, et, bien sûr, je l'aurais complètement omis dans mon récit sans la moindre mention s'il n'avait pas eu l'influence des plus profonde qu'on sait sur l'âme et sur le cœur du héros principal, *quoique futur*, de mon récit, Aliocha, en formant dans son âme une sorte comme de rupture et de tournant, en bouleversant et renforçant aussi d'une façon définitive sa raison, pour toute sa vie, vers le but qu'on sait.

Donc, racontons. Lorsque, avant l'aube, on déposa le corps du starets prêt pour l'ensevelissement dans le cercueil et qu'on le porta dans sa première pièce, celle qui avait servi de pièce de réception, une question surgit parmi ceux qui se trouvaient là : fallait-il ouvrir les fenêtres de la pièce ? Mais cette question, posée par je ne sais plus qui et en passant, et sans y insister, demeura sans réponse et presque non remarquée – quelques-uns se contentèrent juste de la remarquer, et encore, en eux-mêmes, et au sens où l'attente d'une décomposition et d'une odeur de décomposition de la part d'un tel défunt était une ineptie totale, digne même de compassion (sinon de moquerie) pour le manque de foi et la frivolité de celui qui l'avait énoncée. Parce qu'on attendait absolument le contraire. Et voilà que très vite dans l'après-midi on sentit commencer quelque chose qu'au début ceux qui entraient et qui sortaient ne percevaient qu'en silence et que pour eux-mêmes, et même avec une peur visible de faire part à qui que ce soit de cette idée qui commençait à poindre en eux, mais qui, à trois heures de l'après-midi, s'était manifestée d'une façon si claire et si irrépressible que la nouvelle en parcourut en un clin d'œil tout l'ermitage et tous les pèlerins visiteurs de l'ermitage, qu'elle parvint tout de suite au monastère et plongea dans l'étonnement tous les moines et, finalement, en un délai très court, atteignit la ville et y bouleversa tout le monde, croyants et incroyants. Les incroyants se réjouirent, et, quant aux croyants, il s'en trouva parmi eux pour s'en réjouir plus encore que les incroyants parce que les gens "aiment la chute du juste et sa honte", comme l'avait dit le starets défunt dans l'une de ses leçons. Le fait est qu'il se mit à sortir de la tombe, petit à petit, mais de façon de plus en plus sensible, une odeur de décomposition qui, à trois heures de l'après-midi, ne s'était affirmée que trop clairement et continuait d'aller croissant. Et l'on n'avait pas vu depuis longtemps, il était même difficile de se rappeler, dans toute l'histoire de notre monastère, une tentation pareille, aussi grossièrement avérée et, dans toute autre situation, même impossible, que celle qui se découvrit tout de suite après cet événement, même parmi les moines. C'est seulement par la suite, et même de nombreuses années plus tard, que certains de nos moines raisonnables, repensant à cette journée dans ses moindres détails, restaient surpris et effrayés de la façon dont la tentation avait pu alors atteindre un degré pareil. Car on avait déjà vu mourir des moines à la vie la plus juste, et dont la justice était patente aux yeux de tous, des starets craignant Dieu, et, malgré cela, leurs humbles cercueils, eux aussi, laissaient sortir une odeur de décomposition, qui paraissait naturellement, comme pour n'importe quel cadavre, et cela ne provoquait pas de tentation ni même la moindre agitation. Bien sûr, nous avions eu quelques défunts dans le passé lointain, défunts dont le souvenir restait vivace dans notre monastère, dont les dépouilles, selon la légende, n'avaient été soumises à aucune décomposition, ce qui avait eu une influence attendrissante et mystérieuse sur la communauté et s'était conservé dans sa mémoire comme quelque chose de beau et de miraculeux et comme la promesse dans le futur d'une gloire encore plus grande pour leurs tombes, si seulement ce temps venait par la grâce de Dieu. Parmi ceux-là, on gardait particulièrement la mémoire du starets Job, qui avait vécu jusqu'à l'âge de cent cinq ans, un ascète célèbre, grand jeûneur et grand adepte du silence, décédé depuis déjà longtemps, dans les années dix de notre siècle, et dont on indiquait la tombe avec un respect particulier et extraordinaire à tous les pèlerins qui arrivaient pour la première fois, en mentionnant sur un ton mystérieux on ne sait trop quelles grandes espérances. (C'était sur cette même tombe que le père Païssy, au matin, avait retrouvé Aliocha.) Outre ce starets anciennement décédé, on gardait mémoire d'un grand moine de la stricte observance, le starets Varsonofy, décédé, lui, assez récemment – celui-là même dont le père Zossima avait repris la charge de starets, et que, de son vivant, tous les pèlerins qui se présentaient au monastère prenaient quasiment pour un innocent de village. De ces deux moines, la légende disait qu'ils gisaient tous les deux dans leur cercueil comme s'ils étaient vivants, qu'ils avaient été inhumés tout à fait intacts et que, même, soi-disant, leur visage s'était encore illuminé. Et certains disaient même se rappeler que c'était un parfum bien réel qui émanait de leur cadavre. Mais, malgré cela et ces souvenirs si impressionnants, il aurait tout de même été difficile d'expliquer la raison directe qui faisait qu'un phénomène si frivole, si absurde et méchant avait pu se produire autour du cercueil du starets Zossima. Pour ce qui me concerne personnellement, je suppose qu'il y eut une coïncidence de beaucoup d'autres choses, de bien des causes diverses, qui conjuguèrent leur influence. Ainsi, par exemple, il y avait une haine enracinée de l'institution des starets comme d'une innovation nuisible qui se cachait profondément dans le monastère, dans l'esprit de nombreux ermites. Ensuite et, bien sûr, surtout, c'était la jalousie envers la sainteté du défunt qui s'était si fortement établie de son vivant, au point qu'il était même comme interdit de la mettre en doute. Car le défunt starets avait beau avoir attiré à lui de nombreux moines, et moins par des miracles que par l'amour, et même s'il s'était élevé autour de lui comme tout un monde de gens qui l'aimaient, malgré cela, et justement à cause de cela, il avait multiplié les envieux, et puis des ennemis farouches, tant affirmés que secrets, et non seulement parmi les gens du monastère, mais aussi parmi les laïcs. Il n'avait, par exemple, fait de mal à personne, mais, voilà : "Pourquoi est-ce qu'on le prend tellement pour un saint ?" Et cette seule question, se répétant peu à peu, avait fini par faire naître un abîme de haine des plus insatiable. Voilà pourquoi je me dis que de nombreuses personnes, sentant l'odeur de décomposition qui émanait de son corps, et qui en émanait si vite – car il ne s'était pas passé un jour depuis sa mort –, en furent infiniment contentes ; de la même façon, parmi ceux qui étaient dévoués au starets et l'avaient vénéré jusqu'alors, il s'en trouva tout de suite qui se virent offensés et comme personnellement blessés par l'événement. Les choses, donc, se passèrent dans l'ordre suivant.

A peine eut-on commencé à découvrir la décomposition qu'à la seule vue des moines qui entraient dans la cellule du défunt on pouvait deviner pourquoi ils venaient. Ils entraient, restaient quelques instants et ressortaient confirmer la nouvelle aux autres, qui faisaient foule dehors. Certains de ceux qui attendaient secouaient la tête d'un air consterné, mais d'autres ne cherchaient même pas à cacher la joie qui luisait clairement dans leur regard haineux. Et personne ne leur faisait plus le moindre reproche, personne ne disait plus une bonne parole, ce qui en devenait étonnant, car les moines dévoués au starets formaient tout de même la majorité ; mais non, visiblement, le Seigneur Lui-même autorisait cette minorité à prendre le pas, temporairement, sur le plus grand nombre. Très vite, on vit aussi se présenter dans la cellule, aussi à titre de badauds, quelques laïcs, surtout issus des cercles cultivés. Les gens du simple peuple entraient peu, même s'ils étaient nombreux à se presser devant le portail de l'ermitage. Il est indiscutable qu'après trois heures de l'après-midi le flot des visiteurs s'accrut sensiblement, et, ce, à la suite de cette rumeur tentatrice. Ceux qui, peut-être, ne seraient jamais venus ce jour-là et n'avaient pas du tout l'intention de venir se présentaient tout exprès à présent, et, parmi eux, des personnes d'un rang des plus notable. Du reste, extérieurement, les convenances étaient respectées et le père Païssy, d'un ton ferme et distinct, le visage sévère, continuait de lire à haute voix l'Evangile comme s'il ne remarquait pas ce qui se passait, encore que, depuis longtemps, il avait remarqué quelque chose d'extraordinaire. Mais voilà que, lui aussi, il se mit à percevoir des voix, d'abord tout à fait chuchotantes, mais qui, peu à peu, s'animaient et se renforçaient. "Il faut croire que le jugement de Dieu ce n'est pas celui des hommes !" entendit soudain le père Païssy. Cela venait d'être dit, plus fort que tous les autres, par un laïc, un fonctionnaire de la ville, homme déjà d'un certain âge, tout à fait pieux, mais, qui, ayant dit cela à haute voix, n'avait fait que répéter ce que les moines se répétaient à l'oreille depuis déjà longtemps. Ceux-là avaient depuis longtemps lancé ce mot désespéré et le pire était qu'à chaque minute quasiment on sentait naître et s'affirmer à ce mot une espèce de triomphe. Très vite, pourtant, la convenance elle-même commença à être violée, comme si, même, tout le monde s'était senti dans son bon droit de la violer. "Et pourquoi donc *une chose pareille* a-t-elle pu arriver, disaient certains des moines, au début comme avec regret, son corps, il n'était pas grand, il était sec, rien que la peau sur les os, l'odeur d'où pourrait-elle venir ? – Donc, Dieu a voulu indiquer quelque chose", ajoutaient précipitamment quelques autres, et leur opinion était acceptée sans discussion, tout de suite, car, là encore, ils indiquaient que si cette odeur avait été naturelle, comme pour n'importe quel défunt pécheur, de toute façon, elle serait apparue plus tard, et pas avec une précipitation tellement patente, au moins un jour plus tard, alors que, "là", cela avait "devancé la nature", donc, cela venait de Dieu Lui-même, c'était un signe de Dieu. Dieu avait voulu indiquer. Ce jugement-là frappait, il était sans réplique. Le doux hiéromoine père Iossif, le bibliothécaire, bien-aimé du défunt, voulut répliquer à certains médisants que "ce n'est pas tout le temps que ça se passe comme ça", et que ce n'est pas un dogme de l'Eglise orthodoxe que la nécessité de la conservation du cadavre des justes, que c'est seulement une opinion, et que, même, dans les pays les plus orthodoxes, au mont Athos, par exemple, on accorde beaucoup moins d'importance à l'odeur de décomposition, et que ce n'est pas la décomposition du corps qui est considérée comme le signe décisif de l'arrivée en gloire des élus, mais la couleur de leurs os, une fois que leurs corps sont restés de longues années en terre et même qu'ils y ont pourri, "si les os deviennent jaunes comme cire, voilà le signe essentiel de ce que Dieu a mis le juste défunt en gloire ; et s'ils ne sont pas jaunes, mais qu'ils deviennent noirs, cela signifie que Dieu ne l'a pas jugé digne de la gloire – voilà ce qui se passe au mont Athos, pays sublime, où, depuis toujours l'orthodoxie est gardée indestructible et dans sa plus grande pureté", conclut le père Iossif. Mais les paroles de l'humble père restèrent sans aucune influence et reçurent même une réplique moqueuse : "Tout ça, c'est trop de science et de nouveauté, pas la peine d'écouter", conclurent les moines en eux-mêmes. "Chez nous, tout est comme dans l'ancien temps ; il y en a des nouveautés qui arrivent de nos jours, s'il fallait les suivre toutes !" ajoutaient quelques autres. "Nous, on n'a pas moins de saints ascètes qu'eux. Eux, là-bas, ils sont soumis aux Turcs, ils ont tout oublié. Chez eux, l'orthodoxie, elle est troublée depuis longtemps, d'ailleurs, ils n'ont même pas de cloches", ajoutaient les plus ricaneurs. Le père Iossif s'écarta avec douleur, d'autant que, lui-même, il avait exprimé son opinion sur un ton qui était tout sauf ferme, comme si, au fond du cœur, il en était assez peu convaincu. Mais il comprenait non sans trouble qu'il y avait quelque chose de très laid qui commençait, et que le refus d'obéissance en tant que tel relevait la tête. Peu à peu, après le père Iossif, toutes les voix réfléchies firent silence. Et nul ne sait comment il advint que ceux qui avaient aimé le défunt starets et avaient reçu avec une obéissance attendrie l'instauration de cette institution, soudain, se virent comme saisis d'une sorte de peur panique et, quand ils se retrouvaient, ne faisaient que se lancer de brefs et de timides coups d'œil. Quant aux ennemis de l'institution, comme d'une nouveauté, ils redressèrent la tête fièrement. "Avec le défunt starets Varsonofy, non seulement il n'y avait pas d'odeur, c'était même un parfum, se souvenaient-ils avec une joie méchante, mais ce n'étaient pas ses mérites de starets, c'était parce qu'il était juste dans sa personne." Et, à la suite de cela, le nouveau défunt fut abreuvé de condamnations voire d'accusations : "Son enseignement était injuste ; il enseignait que la vie est une grande joie et pas l'humilité des larmes", disaient les uns, parmi les plus stupides. "Sa foi, elle suivait la mode, il ne reconnaissait pas le feu matériel de l'enfer", ajoutaient les autres, encore plus stupides. "Il n'était pas strict envers le jeûne, il s'autorisait des douceurs, il mettait de la confiture de cerises dans son thé, il adorait – les dames qui lui en envoyaient. Est-ce que ça se fait, pour un ermite, de boire du thé ?" disaient les autres, jaloux. "Il restait dans l'orgueil, se souvenaient cruellement les plus méchants, il se prenait pour un saint lui-même, on se mettait à genoux devant lui, il prenait ça comme un dû." "Il abusait du sacrement de la confession", ajoutaient dans un chuchotement haineux les ennemis les plus farouches des starets, et, ce, parmi les moines les plus anciens et les plus austères dans leur prière, jeûneurs et taiseux authentiques, qui s'étaient tus du vivant du défunt, mais qui, brusquement, se remettaient à parler, ce qui était vraiment affreux, car ces paroles avaient une influence très forte sur les moines les plus jeunes et les moins assurés. Le visiteur d'Obdorsk, le petit moine de Saint-Sylvestre, ouvrait de grandes oreilles à tout cela, poussant des soupirs très profonds, tête basse : "Non, faut croire, le père Féraponte, hier, il avait bien jugé", se disait-il en lui-même, et c'est justement là que le père Féraponte parut ; il était sorti justement comme pour accroître encore le choc.

J'ai déjà dit qu'il ne sortait que rarement de sa petite cellule en bois derrière les ruches, qu'il pouvait même ne pas se montrer pendant longtemps à l'église, et qu'on le lui permettait comme à un innocent de village, sans le lier d'une règle qui était commune à tous. Mais tant qu'à dire toute la vérité, cela, on le lui permettait suite même à une espèce de nécessité. Car avec un taiseux et un jeûneur si émérite, qui priait jour et nuit (il allait jusqu'à s'endormir alors qu'il était encore à genoux), il était comme inutile d'être tatillon et de le charger d'un respect de la règle commune, si lui-même il ne voulait pas s'y soumettre. "Il est le plus saint de nous tous, ce qu'il accomplit est plus dur que la règle, auraient alors dit les moines, et, s'il ne va pas à l'église, c'est qu'il sait lui-même quand il doit y aller. Il a sa règle à lui." C'est à cause de ces murmures vraisemblables et de cette tentation qu'on laissait tranquille le père Féraponte. Quant au père Zossima, c'était une chose connue de tous que le père Féraponte ne l'aimait pas du tout ; et c'est là, dans sa petite cellule, qu'il fut soudain touché par la nouvelle que "le jugement de Dieu, donc, n'était pas celui des hommes", et qu'il avait même "devancé la nature". Il faut supposer que l'un des premiers à être accouru vers lui avec cette nouvelle avait été le petit moine d'Obdorsk, qui lui avait rendu visite la veille et l'avait quitté tout à fait épouvanté. J'ai déjà dit aussi que le père Païssy, qui restait ferme et inébranlable à lire au chevet du cercueil, même s'il était forcé de voir et d'entendre ce qui se passait au-dehors de la cellule, avait deviné l'essentiel dans son cœur, et sans risque d'erreur, car il connaissait parfaitement son milieu. Rien ne le troublait, il attendait tout ce qui pouvait encore arriver, sans crainte, suivant d'un regard perçant l'issue future de l'agitation qui se présentait déjà à l'œil de sa raison. Or, brusquement, un bruit extraordinaire, et qui, cette fois, violait clairement le rituel, résonna dans l'entrée et vint frapper son oreille. La porte s'ouvrit toute grande et l'on vit paraître sur le seuil le père Féraponte. Derrière lui, comme on pouvait le remarquer, et même comme on le voyait clairement depuis l'intérieur de la cellule, un grand nombre de moines qui l'avaient accompagné s'étaient massés en bas du perron, avec, parmi eux, quelques laïcs. Ceux qui l'accompagnaient n'étaient pourtant pas entrés et n'avaient pas voulu gravir le perron mais s'étaient arrêtés et attendaient ce que le père Féraponte allait dire et faire, car, comme ils le pressentaient, et même avec une certaine peur, malgré toute leur audace, il n'était pas venu pour rien. S'arrêtant sur le seuil, le père Féraponte leva les bras au ciel, et, de sous son bras droit, on vit paraître les petits yeux acérés et curieux du visiteur d'Obdorsk, le seul qui n'y avait pas tenu et s'était précipité sur les petites marches derrière le père Féraponte, suite à sa curiosité intempérée. Les autres à part lui, dès que la porte se fut ouverte avec fracas, au contraire, se pressèrent tous en reculant sous l'effet d'une frayeur soudaine. Les bras dressés au ciel, le père Féraponte se mit d'un coup à hurler :

— Hors d'ici les démons ! et il commença tout de suite, en se tournant dans les quatre directions tour à tour, à signer les murs et les quatre coins de la cellule.

Ceux qui l'accompagnaient comprirent tout de suite ce geste du père Féraponte ; car on savait que c'est toujours ce qu'il faisait, où qu'il entrât, et qu'il ne s'assoirait pas et ne dirait pas un mot avant d'avoir chassé tous les démons.

— Hors d'ici, Satan, hors d'ici, Satan ! répétait-il à chaque signe de croix. Hors d'ici les démons ! se remit-il à hurler. Il était vêtu de sa grosse bure, avec pour toute ceinture une corde. Sa chemise de chanvre laissait voir sa poitrine nue, couverte de poils gris. Ses pieds étaient complètement nus. Mais à peine s'était-il mis à agiter les bras qu'on entendit tinter et trembler les disciplines cruelles qu'il portait sous sa bure. Le père Païssy interrompit sa lecture, fit un pas en avant et se plaça devant lui, dans l'attente.

— Pourquoi viens-tu, vénérable père ? Pourquoi violes-tu le rituel ? Pourquoi viens-tu troubler l'humble troupeau ? murmura-t-il enfin, posant sur lui un regard sévère.

— Pourquoi je suis venu ? Tu le demandes ? Quelle est ta foi ? cria le père Féraponte, jouant les innocents de village. Je viens chasser les hôtes de ce lieu, les diables maudits. Regarde combien il y en a, depuis que j'ai le dos tourné. Je veux les chasser avec ma balayette.

— Tu chasses le malin, mais, va savoir, c'est lui que tu sers, continuait sans peur le père Païssy, et qui peut dire de lui-même : "Il est saint" ? Toi, mon père ?

— Je suis souillé, pas saint. Je ne m'assoirai pas dans un fauteuil et je ne voudrai pas qu'on m'adore telle une idole ! tonna le père Féraponte. Il en est qui font mourir la sainte foi. Le défunt, votre saint, à vous, fit-il, se tournant vers la foule et désignant le cercueil du doigt, il rejetait les diables. Contre les diables, il donnait du purgatif. Et regardez ce qu'ils pullulent chez vous, comme des araignées dans les coins. Et maintenant, le voilà lui-même qui pue. Là, nous voyons un grand signe du Seigneur.

Or, cela était réellement arrivé un jour du vivant du père Zossima. Un des moines s'était mis à voir en rêve le malin, puis, pour finir, à se le représenter en vrai. Quand, pris d'une peur des plus profonde, il avait découvert cela au starets, ce dernier lui avait conseillé une prière ininterrompue et un jeûne accentué. Mais quand cela aussi fut resté sans effet, il lui avait conseillé, sans abandonner ses prières et son jeûne, de prendre un certain médicament. Là, ils furent nombreux ceux qui tombèrent dans la tentation et en parlèrent entre eux, indignés, et surtout le père Féraponte, à qui certains moines malintentionnés s'étaient empressés sur-le-champ de faire connaître cette disposition "extraordinaire" et si particulière de ce cas.

— Sors d'ici, père ! prononça le père Païssy d'un ton sans appel. Ce n'est pas l'homme qui juge, mais Dieu. Peut-être, le "signe" que nous voyons ici, personne d'entre nous n'est en état de le comprendre, ni toi, ni moi, ni personne. Va-t'en, père, et n'agite pas le troupeau ! répéta-t-il avec insistance.

— Il ne respectait pas les jeûnes selon le rang de sa robe, voilà d'où vient le signe. La chose est claire, la cacher est péché ! continuait le fanatique, qui s'embrasait dans un zèle dépassant les forces de sa raison. Il se laissait séduire par le bonbon, les dames lui amenaient ça dans leurs poches, il prenait plaisir au thé, il sacrifiait au ventre, le remplissant de douceurs, et, son esprit, par des méditations d'orgueil... Pour ça qu'il a subi la honte...

— Frivoles sont tes paroles, père ! lança le père Païssy, haussant la voix à son tour. J'admire ton jeûne et ta prière, mais tes paroles sont frivoles, on dirait un adolescent du monde, inconstant et sans force. Sors donc d'ici, père, je te l'ordonne, tonna pour conclure le père Païssy.

— Moi, je sors ! répliqua le père Féraponte, comme un petit peu troublé mais sans renoncer à sa rage. Eh vous, les savants ! L'orgueil de votre grande raison qui vous hausse au-dessus de mon insignifiance. Je suis venu ici, je n'avais que peu de lettres, et, ici, ce que je savais, je l'ai oublié, le Seigneur Dieu Lui-même, dans ma petitesse, qui m'a protégé de votre science...

Le père Païssy se tenait devant lui et attendait avec fermeté. Le père Féraponte se tut un moment, puis, soudain, d'un air douloureux, se plaquant la paume droite sur la joue, il prononça d'une intonation chantante, en regardant le cercueil du starets défunt :

— Lui, demain, on lui chantera "Soutien et protecteur", hymne très noble, et, moi, quand je serai crevé, ce sera "Douceur de vie", petit verset de rien[1], poursuivit-il d'un ton de regret larmoyant. Ils se sont pris d'orgueil, ils se sont haussés, qu'il soit désert, ce lieu ! glapit-il comme un fou et, avec un geste d'abandon, il se tourna très vite et, très vite, descendit les marches du perron.

1. A la levée du corps (de la cellule jusqu'à l'église, puis, après l'office, de l'église jusqu'au cimetière) du moine ou du moine ermite, on chante le verset "Douceur de vie". Si le défunt est un moine de la stricte observance, on chante l'hymne "Soutien et protecteur". *(Note de l'auteur.)*

La foule qui l'attendait en bas fut prise d'hésitation ; certains le suivirent tout de suite, mais d'autres s'attardèrent car la cellule était encore ouverte et le père Païssy, sortant derrière le père Féraponte sur le perron, se dressait en les observant. Mais le vieillard effréné n'avait pas encore fini : il n'avait pas fait une vingtaine de pas qu'il se tourna soudain du côté du soleil couchant, leva les deux mains au ciel et – comme si quelqu'un venait de le faucher – il s'écroula par terre dans un grand cri :

— Mon Seigneur a vaincu ! Le Christ a vaincu au soleil couchant ! cria-t-il d'une voix frénétique, et, levant les bras vers le soleil, et, s'effondrant la face contre terre, il se mit à sangloter violemment, comme un petit enfant, tout secoué de larmes, les bras étendus contre terre. Là, tout le monde se précipita vers lui, on entendit des exclamations, des sanglots en réponse… Une espèce de folie s'empara de chacun.

— Voilà le vrai saint ! voilà le juste ! lançaient des voix, cette fois sans crainte. Voilà celui qui doit être starets, ajoutaient quelques autres, cette fois avec dépit.

— Il ne voudra pas, être starets… Il refusera… il ne servira pas cette nouveauté maudite… il n'ira pas imiter leurs bêtises, reprirent tout de suite d'autres voix, et il est difficile de s'imaginer jusqu'où les choses auraient continué, mais, juste à ce moment-là, ce fut la cloche qui sonna, appelant à l'office. Tous, d'un seul coup, ils se mirent à se signer. Le père Féraponte se leva, lui aussi, se signant, et repartit vers sa cellule, sans se retourner, continuant toujours de s'exclamer, mais cette fois d'une sorte de façon complètement incohérente. Quelques-uns voulurent d'abord le suivre, mais la majorité commença à se disperser, s'empressant de se rendre à l'office.

Le père Païssy remit la lecture au père Iossif et descendit les marches du perron. Les cris farouches des fanatiques ne pouvaient pas le troubler, mais son cœur fut soudain empli de tristesse et d'angoisse, surtout pour une raison particulière, et il le ressentit bien. Il s'arrêta et s'interrogea : "D'où vient donc cette tristesse que j'ai, au point même que j'en ai l'âme saisie ?" – et, à sa surprise, il comprit tout de suite que cette tristesse soudaine provenait visiblement de la raison la plus petite et la plus restreinte : le fait est que, dans la foule massée devant le perron, il venait de remarquer parmi les moines qui s'agitaient Aliocha, et le fait est que, quand il l'avait vu, il avait tout de suite senti dans son cœur comme une espèce de douleur. "Mais ce petit-là prend donc une telle place dans mon cœur ?" se demanda-t-il soudain avec surprise. A ce moment-là, justement, Aliocha passait devant lui, comme pressé de se rendre quelque part, mais pas du côté de l'église. Leurs regards se croisèrent. Aliocha détourna les yeux très vite et les baissa à terre, et à la seule apparence du jeune homme le père Païssy devina le changement énorme qui se produisait à cette minute-là en lui.

— Ou toi aussi, tu t'es laissé tenter ? s'exclama soudain le père Païssy. Toi aussi, tu es donc avec ceux qui ont peu de foi ? ajouta-t-il avec douleur.

Aliocha s'arrêta et lança vers le père Païssy une espèce de regard indéfini, mais, de nouveau, très vite, il détourna les yeux et les baissa à terre. Il se tenait de biais, il ne s'était pas tourné vers celui qui l'interrogeait. Le père Païssy l'observait attentivement.

— Où cours-tu ? On sonne l'office, demanda-t-il à nouveau, mais, là encore, Aliocha ne donna pas de réponse. Ou tu quittes l'ermitage ? Mais comment ça, sans même rien demander, sans te faire bénir ?

Aliocha répondit soudain par une espèce de ricanement étrange, leva, d'une façon très étrange les yeux vers le père qui l'interrogeait, vers celui à qui l'avait confié en mourant son ancien directeur, l'ancien maître de son cœur et de son esprit, son starets bien-aimé, et, brusquement, toujours sans rien répondre, il fit un geste d'abandon, comme s'il ne se souciait même plus du respect, et, à pas vifs, il se dirigea vers le portail extérieur de l'ermitage.

— Tu reviendras encore ! chuchota le père Païssy, le regardant s'éloigner avec une surprise douloureuse.

II

UNE MINUTE COMME ÇA

Le père Païssy ne s'était pas trompé, bien sûr, quand il avait conclu que son "gentil garçon" reviendrait encore, et même, peut-être (même si ce n'était pas, malgré tout, avec une lucidité totale), il avait compris le sens réel de l'humeur spirituelle d'Aliocha. Malgré cela, je l'avoue tout net, moi-même j'aurais beaucoup de mal aujourd'hui à faire sentir clairement le sens précis de cette minute étrange et indéfinie dans la vie du héros de mon récit, un héros que j'aime si fort et qui est encore si jeune. A la question douloureuse que le père Païssy avait lancée à Aliocha : "Ou toi aussi, tu es avec ceux qui ont peu de foi ?", j'aurais, bien sûr, répondu pour Aliocha : "Non, il n'est pas avec ceux qui ont peu de foi." Bien plus, c'était là tout le contraire : tout son trouble venait de ce qu'il avait beaucoup de foi. Mais le trouble était là quand même, il avait quand même eu lieu, et il était si torturant que, même bien plus tard, longtemps après, Aliocha devait considérer ce jour de douleur comme l'un des plus pénibles et des plus fatals de sa vie. Et si l'on me demande directement : "Mais est-ce que réellement toute cette angoisse et toute cette inquiétude pouvaient ne provenir que du fait que le corps du starets, au lieu de produire tout de suite des guérisons miraculeuses, avait été soumis, au contraire, à une décomposition précoce ?", je répondrai sans chercher de faux-fuyant : "Oui, c'était vraiment pour cette raison." Je demanderai juste au lecteur de ne pas trop s'empresser de rire du cœur pur de mon jeune homme. Moi-même, non seulement je n'ai pas l'intention de demander pardon pour lui, de chercher à l'excuser ou à justifier sa foi naïve par son jeune âge, par exemple, ou les faibles succès de ses études, etc., je ferai même le contraire, et j'affirmerai clairement que j'éprouve un respect sincère pour la nature de son cœur. Sans aucun doute, un autre jeune homme, recevant avec prudence les impressions de son cœur, ayant su apprendre à aimer non plus avec chaleur, mais d'une façon tiède, à l'esprit, certes, juste, mais trop, à en juger par l'âge, raisonnable (et donc facile), ce jeune homme-là, dis-je, aurait évité ce qui est arrivé à mon jeune homme à moi, mais, dans certains cas, vraiment, il est plus digne de succomber à telle ou telle passion, même une passion irraisonnable, mais provenant néanmoins d'un amour des plus grand, plutôt que de ne pas y succomber du tout. Et, ce, surtout quand on est jeune, parce que le jeune homme trop constamment réfléchi est trop peu fiable, et son prix est trop bon marché – voilà ce que je pense ! "Mais, s'exclameront ici, me dis-je, les hommes raisonnables, tous les jeunes gens ne peuvent quand même pas croire en un préjugé pareil, et votre jeune homme n'est pas un exemple pour les autres." A cela, voilà ce que je répondrai : Oui, mon jeune homme croyait, il avait une foi sacrée et indestructible, mais, là encore, je ne demande pas qu'on le pardonne.

Voyez-vous : j'ai, certes, déclaré plus haut (et d'une façon peut-être trop précipitée) que je n'irais pas expliquer, excuser ou justifier mon héros, mais je vois qu'il y a tout de même quelque chose qu'il est indispensable que j'explique pour la compréhension ultérieure du récit. Voilà ce que je dirai : ce n'était pas une question de miracles. Pas une question d'impatience frivole dans l'attente des miracles. Et, les miracles, Aliocha n'en avait pas eu besoin pour le triomphe de je ne sais quelles convictions (ça, pas du tout), ce n'était pas pour je ne sais quelle idée du passé, quel préjugé qui aurait triomphé d'un autre le plus vite possible – oh non, pas du tout : ce qu'il y avait dans tout cela, et avant tout, en premier lieu, c'est le visage qui se tenait devant lui, et seulement le visage – le visage du starets qu'il aimait tant, le visage du juste qu'il vénérait jusqu'à l'adoration. Le problème était bien là, que tout l'amour contenu dans son cœur jeune et pur, cet amour "pour tout et tous", à ce moment-là et pendant toute l'année précédente, semblait se concentrer tout entier, et peut-être à tort, seulement, au fond, sur un seul être, du moins dans les élans de son cœur les plus puissants – sur son starets bien-aimé, lequel venait de mourir. Certes, cet être était resté devant lui comme un idéal indiscutable pendant si longtemps que toutes ses jeunes forces et son élan ne pouvaient pas ne pas se diriger exclusivement vers cet idéal, et, par instants, au point d'oublier ce "tout" et ce "tous". (Aliocha devait se souvenir par la suite comment, en ce pénible jour, il avait complètement oublié son frère Dmitri pour lequel il avait éprouvé la veille tant d'inquiétude et d'angoisse ; il avait également oublié d'apporter ses deux cents roubles au père du petit Ilioucha, alors que, la veille, il s'apprêtait à le faire avec une telle ardeur.) Mais, là encore, ce n'était pas des miracles dont il avait besoin, mais seulement de la "justice suprême", qui s'était vue, selon sa foi, bafouée, ce qui avait blessé son cœur d'une façon si cruelle et si inattendue. Et quelle importance que cette "justice", dans les attentes d'Aliocha, par le cours même des événements, ait pu prendre la forme de miracles attendus tout de suite de la part des cendres de cet ancien directeur qu'il adorait ? D'ailleurs, tout le monde au monastère pensait et attendait la même chose, même ceux devant l'esprit desquels Aliocha s'inclinait, le père Païssy, par exemple, et donc, Aliocha, sans s'inquiéter du moindre doute, avait coulé ses propres rêves dans la forme de celle de tous les autres. Et cela s'était établi dans son cœur depuis longtemps, depuis toute une année de vie au monastère, et son cœur s'était déjà habitué à cette attente. Mais c'est la justice, la justice qu'il attendait, pas seulement des miracles ! Et voilà que celui qui devait, selon ses espérances, être porté au sommet dans le monde entier – celui-là même, au lieu de la gloire qui lui revenait, soudain, se trouvait renversé, déshonoré ! Pour quoi ? Sur le jugement de qui ? Qui avait pu raisonner ainsi ? – voilà des questions qui, tout de suite, poussèrent son cœur vierge et inexpérimenté à la torture. Il ne pouvait pas supporter sans offense, sans rage, même, au fond du cœur, que le plus juste des justes se voie livré à un sarcasme si ironique et si méchant, celui d'une foule si frivole et tellement plus vile que lui. Bon, et même s'il n'y avait pas eu le moindre miracle, même si rien de merveilleux ne s'était révélé et si son attente immédiate n'avait pas été justifiée, pourquoi donc était-ce cette honte qui s'était déclarée, pourquoi cette vague d'infamie, pourquoi cette décomposition précipitée "qui avait devancé la nature", comme le disaient les moines haineux ? Pourquoi ce "signe" qu'ils exhibaient si triomphalement aujourd'hui avec le père Féraponte, et pourquoi pouvaient-ils croire qu'ils avaient reçu le droit de tirer ces conclusions ? Où donc était la providence et sa dextre ? Pourquoi avait-elle caché sa dextre "à la minute la plus nécessaire" (se disait Aliocha) et pourquoi avait-elle voulu elle-même se soumettre aux lois aveugles, muettes, impitoyables de la nature ?

Voilà pourquoi le cœur d'Aliocha pleurait des larmes de sang, et, bien sûr, comme je l'ai déjà dit, ce qui était essentiel là-dedans, c'était ce visage qu'il aimait le plus au monde, et qui était "couvert de honte", qui était "déshonoré" ! Tant pis si le murmure de mon jeune homme était frivole et irraisonné, mais, là encore, je le répète une troisième fois (et, je suis d'accord, là aussi, peut-être, avec frivolité) : je suis heureux que mon jeune homme se soit révélé si peu réfléchi à cette minute-là, car l'heure de la raison viendra toujours pour qui n'est pas stupide, mais si dans une minute aussi exceptionnelle il n'y a aucun amour dans le cœur du jeune homme, alors, quand pourra-t-il venir ? Je ne voudrais pas, néanmoins, taire à cette occasion un certain phénomène étrange qui se fit jour malgré tout, certes juste une seconde, dans son esprit en cette minute d'égarement pour Aliocha. Ce nouveau *quelque chose* qui s'était fait jour et avait jailli consistait dans une certaine impression torturante que lui avait laissée sa conversation de la veille avec son frère Ivan et qui, à présent, n'arrêtait pas de lui revenir à la mémoire. Justement à présent.

Oh, non pas que, d'une façon ou une autre, son âme ait pu être ébranlée dans ses croyances essentielles, pour ainsi dire élémentaires. Il aimait son Dieu, sa foi en Lui était inébranlable, même si, soudainement, il avait murmuré contre Lui. Mais, malgré tout, une espèce d'impression trouble, torturante et rageuse au souvenir de sa conversation avec son frère Ivan, soudain, là, maintenant, s'était réveillée dans son âme et demandait, à chaque minute davantage, à sortir vers l'extérieur. Alors que le jour descendait déjà sensiblement, Rakitine, qui traversait le bois de sapin pour se rendre de l'ermitage au monastère, remarqua soudain Aliocha couché sous un arbre, le visage contre terre, immobile et comme en train de dormir. Il s'approcha et l'appela.

— Tu es là, Alexeï ? Mais tu n'es quand même pas... voulut-il prononcer, étonné, mais, laissant sa phrase en suspens, il s'arrêta. Il avait voulu dire : "Tu n'en es quand même pas *à ce point* ?"

Aliocha ne tourna pas les yeux vers lui, mais, par un certain mouvement qu'il fit, Rakitine comprit tout de suite qu'il l'entendait et le comprenait.

— Mais qu'est-ce qui t'arrive ? reprit-il, continuant de s'étonner, mais sa surprise commençait à céder la place sur son visage à un sourire qui prenait de plus en plus une expression moqueuse. Ecoute, mais ça fait bien deux heures que je te cherche. Et qu'est-ce que tu fais ici ? C'est quoi, ces saintes bêtises ? Mais regarde-moi enfin, quand je parle.

Aliocha releva la tête, s'assit et s'adossa contre un arbre. Il ne pleurait pas mais son visage exprimait de la souffrance et son regard trahissait, lui, de la nervosité. Il regardait, du reste, non pas Rakitine, mais quelque part à côté de lui.

— Tu sais, ta figure a complètement changé. Plus la moindre trace de cette douleur, là, fameuse, que tu avais. Tu en veux à quelqu'un ou quoi ? On t'a vexé ?

— Laisse-moi ! murmura soudain Aliocha, toujours sans le regarder, avec un geste de lassitude.

— Hou là, jusqu'où ça va ! On crie, maintenant, comme les simples mortels. Et ça se disait un ange ! Bon, Aliocha, tu m'épates, là, tu sais, ça ? je te le dis sincèrement. Ça fait longtemps que je ne m'étonne plus de rien ici. Moi qui te prenais, n'est-ce pas, pour un homme cultivé…

Aliocha finit par le regarder, mais d'une espèce de regard distrait, comme s'il ne le comprenait pas encore totalement.

— Tu ne vas quand même pas me faire croire que c'est parce que ton vieux, il pue ? Tu ne croyais quand même pas sérieusement qu'il vous ferait des miracles à tour de bras ? s'exclama Rakitine, retombant dans la stupeur la plus sincère.

— Je croyais, je crois et je veux croire, et je croirai, bon, qu'est-ce que tu veux encore ! cria Aliocha, les nerfs à fleur de peau.

— Mais rien du tout, mon petit gars. Ah diable, mais un écolier de treize ans, maintenant, il n'y croit plus. Diable, mais remarque… alors, donc, c'est ça, maintenant, c'est à ton bon Dieu que tu en veux, tu te rebelles : on ne le traite pas, n'est-ce pas, selon le grade, on lui refuse une médaille pour sa fête ! Ah vous, alors !

Aliocha regarda longuement Rakitine, en plissant les yeux d'une sorte de façon bizarre, et il y eut quelque chose, soudain, qui jaillit dans ses yeux… mais pas de la rage contre Rakitine.

— Ce n'est pas contre mon bon Dieu que je me rebelle, c'est seulement "Son monde que je n'accepte pas", fit soudain Aliocha avec un ricanement torve.

— Comment ça tu n'acceptes pas Son monde ? fit Rakitine après une seconde de réflexion sur la réponse. C'est quoi, ce galimatias ?

Aliocha ne répondit pas.

— Bon, assez de bêtises. Maintenant, l'essentiel : tu as mangé aujourd'hui ?

— Je ne sais plus… Si, je crois que oui.

— Il faut que tu prennes des forces, à en juger par ta figure, je veux dire. Tu fais pitié à voir. T'as pas dormi de la nuit, on me l'a dit, une réunion que vous aviez là-bas. Bon, et ensuite, tout ce chahut, tout ce tracas… T'as juste mâché un petit morceau de pain bénit, si ça se trouve. Tiens, j'ai du saucisson dans la poche, tout à l'heure je l'ai pris en ville, au cas où, en venant ici, mais, toi, le saucisson, tu voudras pas…

— Va pour le saucisson.

— Hou là ! Alors, c'est ça ! Donc, c'est la rébellion totale, les barricades ! Bon, vieux, c'est pas la peine de prendre ça à la légère. Passons chez moi… Moi aussi, je me prendrais bien une petite vodka, je suis mort de fatigue. La vodka, je parie, tu oseras pas… ou si ?

— Va aussi pour la vodka.

— Ça alors ! Tu m'épates, vieux ! fit Rakitine avec un regard ahuri. Bon, mais, d'une façon ou d'une autre, vodka ou saucisson, c'est une aventure, c'est bien, faut pas laisser passer, suis-moi !

Aliocha se leva de terre sans rien dire et suivit Rakitine.

— Ton frérot Vanétchka il te verrait, il resterait bouche bée ! A propos, ton frérot, oui, Ivan Fiodorovitch, ce matin, il a filé à Moscou, tu le savais ?

— Je le savais, prononça Aliocha avec indifférence, et, brusquement, c'est l'image de son frère Dmitri qui fusa dans son esprit, mais elle ne fit que fuser, et, même si elle lui rappela quelque chose, une espèce d'affaire urgente qu'il n'y avait plus aucun moyen de repousser davantage une seule seconde, une espèce de devoir, une obligation terrifiante, ce souvenir non plus ne lui fit pas la moindre impression, ne toucha pas son cœur, sortit tout de suite de sa mémoire et se laissa oublier. Mais, cela, Aliocha devait en garder le souvenir très longtemps par la suite.

— Ton frérot Vanétchka, il a dit de moi un jour que j'étais "une nullité de paillasse libérale". Et toi aussi, un jour, ça a été plus fort que toi, tu m'as fait comprendre que j'étais "sans honneur"... Bon ! Je les vois, maintenant, tiens, vos talents et votre sens de l'honneur (cela, Rakitine l'avait fini pour lui-même, en chuchotant). Zut, écoute ! reprit-il à haute voix. Laissons un peu le monastère, prenons le sentier directement vers la ville... Hum. Il faudrait justement que je passe chez Khokhlakova. Tu t'imagines : je lui ai fait une description de tout ce qui s'est passé, et, figure-toi, elle, en une seconde, elle me répond par un billet, au crayon (c'est fou ce qu'elle aime écrire des billets, cette dame), qu'elle était "loin de s'attendre de la part d'un starets aussi vénérable que le père Zossima *à un geste pareil*" ! C'est ça qu'elle a écrit : "un geste" ! Elle aussi, elle s'est mise en rage ; tous pareils, tiens ! Attends ! cria-t-il soudain, s'arrêtant d'un seul coup, et, prenant Aliocha par l'épaule, il l'arrêta à son tour. Tu sais, Aliochka, fit-il, le regardant fixement dans les yeux, tout entier sous l'impression d'une nouvelle idée qui l'avait brusquement illuminé – et, même si, lui-même, il en riait intérieurement, il avait visiblement peur d'exprimer cette nouvelle idée à haute voix, tellement il avait du mal à croire à cette humeur étrange et si inattendue pour lui qu'il voyait à présent en Aliocha. Aliochka, tu sais où ce serait mieux qu'on aille maintenant ? prononça-t-il enfin d'une voix timide et insinuante.

— N'importe… où tu veux.

— Si on allait chez Grouchenka, hein ? Tu veux bien ? finit par dire un Rakitine qu'une attente timide faisait trembler.

— Allons chez Grouchenka, répondit tranquillement et tout de suite Aliocha, et cela fut tellement inattendu pour Rakitine, c'est-à-dire cet accord si rapide et si tranquille, qu'il faillit faire un bond en arrière.

— Nnoon ?!… Ah bah !… cria-t-il, stupéfait, mais, brusquement, saisissant de toutes ses forces le bras d'Aliocha, il entraîna le jeune homme sur le sentier, toujours avec une peur affreuse que sa résolution ne s'évanouisse.

Ils marchaient en silence, Rakitine avait même peur d'ouvrir la bouche.

— Et ce qu'elle sera contente, ce qu'elle sera contente… marmonna-t-il, mais, là encore, il se tut. Et puis, ce n'est pas du tout pour faire plaisir à Grouchenka qu'il entraînait Aliocha ; c'était un homme sérieux et il n'entreprenait rien s'il n'y trouvait pas lui-même un profit véritable. Le but qu'il poursuivait à présent était double, d'abord, pour se venger, c'est-à-dire pour voir "la honte du juste", et la "chute" vraisemblable "du rang des justes à celui des pécheurs", ce qui l'enivrait par avance, et, deuxièmement, il y avait aussi là pour lui un certain but matériel, un bénéfice réel, dont nous allons parler plus bas.

"Donc, c'est une minute de ce genre-là, se disait-il avec joie et rage, et on lui saute dessus, à cette minute-là, parce que, ça, c'est réellement du pain bénit."

III

LE PETIT OIGNON

Grouchenka habitait à l'endroit le plus agité de la ville, près de la place de la Cathédrale, dans la maison de la veuve du marchand Morozov, chez laquelle elle louait dans la cour un petit pavillon de bois. La maison de Morozova, quant à elle, était spacieuse, une maison de pierre à un étage, vieille et fort peu ragoûtante ; elle abritait dans sa solitude la propriétaire elle-même, une vieille femme, avec deux de ses nièces, elles aussi des vieilles filles d'un âge certain. Elle n'avait pas besoin pour vivre de louer ce pavillon dans la cour, mais tout le monde savait qu'elle n'avait accepté l'installation de Grouchenka (cela faisait quatre ans de cela) que pour faire plaisir à un de ses parents, le marchand Samsonov, le protecteur affiché de Grouchenka. On disait que le vieillard jaloux, installant sa "favorite" chez Morozova, avait pensé au début à l'œil perçant de la vieille pour surveiller la conduite de la nouvelle locataire. Mais l'œil perçant s'avéra assez vite inutile, et, pour finir, Morozova croisait très rarement Grouchenka et ne l'embêtait plus du tout de la moindre surveillance. Certes, il s'était déjà passé quatre ans depuis que le vieillard avait amené dans cette maison, du chef-lieu de la province, cette jeune fille de dix-huit ans, timide, toute fine, toute maigre, pensive et triste, et, depuis ce temps, beaucoup d'eau avait passé sous les ponts. Dans notre ville, cela dit, on ne connaissait que peu de chose et très vaguement de la biographie de cette fillette ; on n'en savait pas beaucoup plus ces derniers temps, et, ce, même quand les gens furent si nombreux à s'intéresser à cette “belle parmi les belles” qu’était devenue Agraféna Alexandrovna en l’espace de quatre ans. Il y avait seulement des rumeurs selon lesquelles, jeune fille de dix-sept ans, elle avait été trompée par quelqu’un, soi-disant, il paraît, un officier, et tout de suite abandonnée. L’officier, dirait-on, était parti et il s’était marié, on ne sait où, par la suite, tandis que Grouchenka restait dans la honte et dans la misère. On racontait, du reste, que même si, de fait, Grouchenka avait été tirée de la misère par le vieillard, elle était d’une famille honnête, qu’elle venait, je crois, d’une famille du clergé, qu’elle était la fille de je ne sais plus quel diacre en disponibilité, ou quelque chose dans ce genre-là. En l’espace de quatre ans, la petite orpheline sensible, blessée et pitoyable était devenue une beauté russe au teint frais, bien en chair, une femme au caractère audacieux et résolu, fière et insolente, qui s’y connaissait en affaires d’argent, se remplissait les poches, une femme avare et regardante, et qui, par des moyens honorables ou pas, avait déjà réussi, à ce qu’on disait d’elle, à se mettre de côté son petit capital personnel. Les gens n’étaient convaincus que d’une seule chose : c’est que l’abord de Grouchenka n’était pas des plus simple et qu’en dehors du vieillard, son protecteur, il n’y avait encore eu personne, en quatre ans, qui ait pu se vanter de ses faveurs. Le fait était certain parce que, pour acquérir lesdites faveurs, il y avait pas mal de prétendants, surtout depuis deux ans. Mais toutes les tentatives s’étaient révélées vaines, et certains prétendants s’étaient même vus obligés de battre en retraite dans un dénouement comique et peu glorieux, dû à la défense ferme et sarcastique que leur avait opposée cette jeune personne de caractère. On savait également que cette jeune personne, surtout depuis un an, s’était lancée dans ce qu’on appelle le *geschäft*, et, de ce point de vue-là, qu'elle avait démontré des dons extraordinaires, au point qu'à la fin beaucoup de gens l'appelaient une vraie youpine. Non point qu'elle prêtât à usure, mais on savait, par exemple, qu'associée à Fiodor Pavlovitch Karazamov elle s'était réellement occupée un certain temps de rachat de traites à bas prix, à dix kopecks le rouble, et que, par la suite, ces traites lui avaient fait gagner un rouble les dix kopecks. Samsonov, malade, qui, cette dernière année, avait perdu l'usage de ses jambes enflées, un veuf, le tyran de ses fils adultes, quasiment millionnaire, homme près de ses sous et sans pitié, s'était retrouvé néanmoins sous l'influence de sa "protégée" qu'il avait d'abord tenue d'une main de fer, au pain et à l'eau, au "saindoux", comme disaient les moqueurs. Mais Grouchenka avait réussi à s'émanciper, en lui inspirant, néanmoins, une confiance totale quant à sa fidélité. Ce vieillard, un grand brasseur d'affaires (aujourd'hui mort depuis longtemps), avait lui aussi un caractère remarquable, il était surtout avare et dur comme le silex, et même si Grouchenka lui avait fait une impression puissante, au point qu'il n'arrivait même plus à vivre sans elle (les deux dernières années, du reste, c'était vrai au sens strict), son capital considérable, impressionnant, il se garda bien de le lui offrir, et quand bien même elle aurait menacé de l'abandonner complètement, même à ce moment-là, il n'aurait pas cédé. Il lui fixa, en revanche, un capital assez médiocre, au point que, lorsque la chose fut connue, la surprise qu'elle provoqua fut générale. "T'es déjà assez douée comme bonne femme, lui avait-il dit en lui faisant un don de huit mille roubles, débrouille-toi toute seule, mais sache qu'en dehors de ce que je te donne tous les ans pour vivre, jusqu'au jour de ma mort, tu ne toucheras rien de moi, et je te mettrai plus rien d'autre dans mon testament." Il devait tenir parole : à sa mort, il laissait tout à ses fils, qu'il avait toute sa vie traités comme des valets, avec leurs épouses et leurs gosses, et le nom de Grouchenka n'apparaissait même pas dans le testament. Tout cela, on devait l'apprendre par la suite. Par ces conseils, en revanche, sur le meilleur usage de "son propre capital", il avait pas mal aidé Grouchenka et lui avait indiqué des "affaires". Quand Fiodor Pavlovitch Karamazov, qui, au début, s'était lié avec Grouchenka à propos d'un *geschäft* fortuit, avait fini, à sa grande surprise à lui-même, par tomber amoureux fou, au point même, que, devant elle, c'était comme s'il perdait complètement la tête, le vieux Samsonov, qui, déjà à ce moment-là, sentait fort le sapin, ne manqua pas de ricaner. Il est remarquable que Grouchenka se fût montrée avec lui, pendant tout le temps de leur amitié, d'une sincérité totale et comme même cordiale, et, semble-t-il, il était le seul au monde avec qui elle le fût. Les tout derniers temps, quand Dmitri Fiodorovitch avait fini par surgir soudain, lui aussi, avec son amour, le vieillard avait cessé de rire. Au contraire, un jour, il avait dit à Grouchenka d'un air grave et sérieux : "Tant qu'à choisir entre les deux, le père ou le fils, choisis le père, mais à la condition que cette vieille crapule t'épouse sans faute, et, avant ça, qu'il te fixe un capital. Et, pour le capitaine, te mêle pas avec lui, ça donnera rien." Voilà quels furent les mots exacts que le vieux débauché avait dits à Grouchenka, en pressentant sa mort prochaine, et, de fait, cinq mois après ce conseil, il devait rendre l'âme. Je remarquerai aussi en passant que, chez nous, en ville, il y avait déjà beaucoup de gens qui étaient au courant de la rivalité absurde et monstrueuse des Karamazov, père et fils, dont Grouchenka était l'objet, mais peu de monde comprenait alors le sens réel des relations qu'elle entretenait, elle, avec eux, le vieux et le fils. Même les deux servantes de Grouchenka (après la catastrophe dont je parlerai plus tard) dirent par la suite dans leurs dépositions au tribunal qu'Agraféna Alexandrovna ne recevait Dmitri Fiodorovitch que seulement par peur, parce que, soi-disant, il avait "menacé de la tuer". De servantes, elle en avait deux, l'une, une très vieille cuisinière, qui venait encore de la famille de son père, malade et presque sourde, et la petite-fille de cette dernière, une demoiselle alerte et toute jeunette, la bonne de Grouchenka. Grouchenka menait quant à elle une vie très modeste, et sans le moindre luxe. Elle n'avait dans son pavillon que trois pièces, meublées par la logeuse avec ses propres meubles, en acajou, à la mode des années vingt. Quand Aliocha et Rakitine entrèrent, il faisait déjà nuit noire, mais les pièces n'étaient pas encore éclairées. Grouchenka elle-même était couchée dans son salon, sur son grand divan inconfortable, au dossier d'acajou, dur et couvert d'une moleskine usée et trouée depuis longtemps. Elle avait sous la tête deux oreillers de duvet blancs qu'elle avait pris sur son lit. Elle était allongée de tout son long, étendue immobile, les deux mains derrière la tête. Elle était habillée comme si elle attendait quelqu'un, d'une robe de soie noire, une petite coiffe de dentelles dans les cheveux, qui lui allait très bien ; elle avait jeté sur ses épaules un fichu de dentelles, agrafé par une lourde broche en or. Oui, elle attendait quelqu'un, elle était allongée comme pleine d'angoisse et d'inquiétude, le visage un peu pâle, les lèvres et les yeux rouges, tapotant nerveusement du bout de son pied droit l'accoudoir du divan. Dès l'apparition de Rakitine et d'Aliocha, il y eut comme une espèce de petit affolement : on entendit depuis l'entrée que Grouchenka bondissait à toute vitesse du divan et criait, soudain, épouvantée : “Qui est là ?” Mais les hôtes furent accueillis par la jeune fille, qui répondit tout de suite à sa maîtresse.

— C’est pas le monsieur, c’est d’autres messieurs, c’est rien.

— Qu’est-ce qui se passe donc ? marmonna Rakitine, conduisant Aliocha dans le salon par le bras. Grouchenka se tenait devant le divan comme toujours apeurée. Une longue mèche de ses cheveux châtain sombre avait jailli de sous la coiffe pour tomber sur son épaule droite, mais elle ne l’avait pas remarqué et ne l’arrangea pas aussi longtemps qu’elle ne concentra pas son regard sur ses hôtes et ne les reconnut pas.

— Ah, c’est toi, Rakitka ? Cette peur que tu m’as faite. Qui c’est que tu m’amènes ? Qui c’est qui t’accompagne ? Mon Dieu, qui il m’amène ! s’exclama-t-elle, reconnaissant Aliocha.

— Mais fais mettre des bougies, enfin ! répliqua Rakitine de l’air désinvolte d’un homme qui aurait été un ami des plus proche, et qui aurait eu le droit de donner des ordres lui-même chez elle.

— Des bougies… bien sûr, des bougies… Fénia, apporte-lui une bougie… Ah, t’as trouvé le bon moment pour l’amener ! s’exclama-t-elle à nouveau, indiquant Aliocha d’un signe de tête, et, se retournant vers la glace, elle se mit très vite, des deux mains, à arranger sa natte. Elle avait l’air comme mécontente.

— Ou je tombe mal ? demanda Rakitine, déjà presque vexé en l’espace d’une seconde.

— Tu m’as fait peur, Rakitka, voilà quoi, fit Grouchenka, se tournant avec un sourire vers Aliocha. N’aie pas peur de moi, toi, mon gentil Aliocha, c’est fou ce que je suis contente de te voir, moi qui comptais si peu sur ta visite. Mais toi, Rakitka, tu m'as fait peur ; je pensais, moi, que c'était Mitia qui défonçait la porte. Vois-tu, l'autre jour, je l'ai roulé, je lui ai donné ma parole d'honneur, pour qu'il me croie, et j'ai menti. Je lui ai dit que j'allais chez Kouzma Kouzmitch, le vieux que j'ai, pour toute la soirée, et que je resterais chez lui, avec lui, à compter de l'argent. Parce que, moi, toutes les semaines, je vais le voir et, pendant toute la soirée, je vérifie les comptes. On s'enferme à double tour ; lui, il fait claquer le boulier, moi, je suis là – je note dans les livres –, rien qu'à moi seule qu'il fait confiance. Mitia, donc, il m'a crue, que j'étais chez lui, et, moi, je me suis enfermée chez moi – je reste là, j'attends une nouvelle. Comment Fénia vous a laissés entrer ! Fénia, Fénia ! Cours au portail, ouvre et regarde partout autour, il n'est pas là, le capitaine ? Peut-être qu'il s'est caché et qu'il observe, ça me fait une peur mortelle !

— Il y a personne, Agraféna Alexandrovna, je viens de regarder partout, et par la fente aussi, je regarde tout le temps, moi aussi je frissonne.

— Les volets sont fermés, Fénia ? la tenture aussi, il faut la baisser – comme ça ! Elle baissa elle-même la tenture épaisse. Sinon, c'est à la lumière qu'il accourra. C'est de Mitia, de ton frère, Aliocha, que j'ai peur aujourd'hui. Grouchenka parlait fort et, quoique avec inquiétude, elle était pleine en même temps d'une sorte, presque, d'exaltation.

— Pourquoi tu as si peur de Mitenka aujourd'hui ? s'enquit Rakitine. J'avais l'impression que t'avais pas peur de lui, tu le fais danser sur ton pipeau.

— Je te dis que j'attends une nouvelle, une nouvelle, tu comprends, comme ça, toute en or, qui fait que, Mitenka, vraiment, j'ai pas du tout envie de le voir en ce moment. Et puis, il m'a pas crue, je sens ça, que je suis allée chez Kouzma Kouzmitch. Je parie qu'il est là-bas, chez lui, en ce moment, dans le fond du jardin, chez Fiodor Pavlovitch, il me surveille. Et donc, s'il est planté là-bas, ça fait qu'il viendra pas ici, moi, tout ce que je demande ! Mais c'est vrai que j'ai fait un tour chez Kouzma Kouzmitch, c'est Mitia qui m'a accompagnée, je lui ai dit que j'allais rester jusqu'à minuit, qu'il revienne, lui, sans faute, devant chez le vieux, à minuit, me raccompagner. Il est parti, et, moi, chez mon vieux j'y suis restée dix petites minutes, et je suis revenue, hou cette peur que j'avais – je courais, pour pas retomber sur lui.

— Et pourquoi tu es tout endimanchée ? Et c'est quoi, cette coiffe bizarre que tu t'es mise ?

— Et toi, t'es bien curieux, Rakitine ! Je te le dis, y a une nouvelle, là, que j'attends. Dès que la nouvelle arrive, moi, vlan – je vole, je file d'ici, adieu la compagnie. Pour ça que je suis habillée, pour être prête.

— Et tu voles où ?

— Moins on en sait, mieux on se porte.

— Tiens donc. Toute contente… Jamais encore je t'avais vue comme ça. Elle s'habille comme pour un bal, continuait Rakitine en l'examinant.

— Tu t'y connais beaucoup, toi, en bals.

— Et toi, tu t'y connais ?

— Moi, j'en ai vu un, de bal. Il y a deux ans, Kouzma Kouzmitch il a marié son fils, j'ai regardé de la tribune. Mais pourquoi je perds mon temps à te parler à toi, Rakitka, quand il y a un prince, comme ça, qu'est là. Ça, pour une visite ! Aliocha, mon mignon, je te regarde, j'arrive pas à y croire ; mon Dieu, comment ça se fait que tu apparais chez moi ! Pour te dire la vérité, ni en rêve ni en vrai, j'aurais jamais cru que tu viendrais. Et même si ça tombe mal, là, en ce moment, c'est fou ce que je suis contente ! Assieds-toi sur le divan, ici, là, comme ça, mon joli petit faucon. C'est vrai, j'arrive même pas encore à me remettre… Ah, Rakitka, si tu l'avais amené hier, ou alors avant-hier !… Mais bon, même comme ça, je suis contente. Peut-être, c'est mieux que ce soit maintenant, une minute pareille, et pas avant-hier…

Elle s'était assise vivement près d'Aliocha sur le divan, à côté de lui, et elle le regardait d'un air vif et enthousiaste. Et c'est vrai qu'elle était contente, elle ne mentait pas en le disant. Ses yeux brûlaient, ses lèvres riaient, mais elles riaient d'un rire gentil et simple. Aliocha ne s'attendait pas du tout à découvrir une expression si pleine de gentillesse sur son visage… Il n'avait vu Grouchenka que très peu, avant la journée de la veille, il s'était fait d'elle une idée effrayante, et, la veille, il avait été si terriblement bouleversé par cette attaque si méchante et si perverse contre Katérina Ivanovna, et il était très surpris à présent de voir un être comme complètement différent, inattendu. Toutes ses manières avaient elles aussi comme totalement changé depuis la veille, changé en mieux : il n'y avait plus la moindre trace de cette suavité dans l'élocution, de ces gestes alanguis et maniérés… tout était simple, franc, ses mouvements étaient vifs, droits, confiants, mais elle était quand même très agitée.

— Mon Dieu, tout ce qui se réalise aujourd'hui, je vous jure, se remit-elle à babiller. Et pourquoi je suis si contente de te voir, Aliocha, je me le demande moi-même. Pose-moi la question, tiens, j'en sais rien.

— Parce que tu en sais vraiment rien, de quoi tu es contente ? ricana Rakitine. Avant, quand même, il y avait une raison, si t'arrêtais pas de me houspiller : amène-le, amène-le-moi, t'en avais un, de but.

— Avant, c'est un autre but que j'avais, mais, maintenant, c'est passé, plus la même minute. Je vous offre quelque chose, voilà. Je suis devenue gentille, maintenant, Rakitka. Mais assieds-toi, toi aussi, Rakitka, pourquoi tu restes debout ? Ou bien tu t'es assis ? Rakitouchka, je parie, il ne s'oubliera jamais. Regarde-le, Aliocha, maintenant, il est assis en face de nous, il est vexé : pourquoi j'ai mis tout ce temps avant de lui demander de s'asseoir. Hou, il est soupe au lait, mon Rakitka, il est très soupe au lait ! fit Grouchenka en éclatant de rire. Ne te mets pas en rage, Rakitka, maintenant, je suis gentille. Pourquoi tu restes tout triste, comme ça, mon mignon Aliocha, ou bien t'as peur de moi ? fit-elle, le regardant droit dans les yeux avec un air de moquerie plaisante.

— Il a un malheur. Un refus de promotion, fit Rakitine de sa voix de basse.

— De promotion ?

— Son starets, il empeste.

— Comment il empeste ? Tu racontes de ces bêtises, une saleté, je sais pas, que tu veux dire. Tais-toi, imbécile. Tu me laisses, Aliocha, rester un peu sur tes genoux, comme ça ! Et, brusquement, en un clin d'œil, elle fit un bond et se retrouva, en riant, sur ses genoux, comme un petit chat caressant, lui enserrant tendrement le cou de son bras droit. Je t'égaierai, moi, mon petit enfant de chœur ! Non, c'est vrai, tu me permets de rester sur tes genoux, tu te mets pas en colère ? Tu me dis, je me lève.

Aliocha se taisait. Il était là, craignant de faire un geste, il avait entendu ses paroles "tu me dis, je me lève", mais ne répondit rien, comme s'il était paralysé. Mais ce qu'il y avait en lui, c'était autre chose que ce que pouvait attendre, ou bien imaginer, par exemple, Rakitine, qui le regardait avidement de sa place. Le grand malheur de son âme engloutissait toutes les sensations qui pouvaient naître dans son cœur, et si seulement, à la minute présente, il avait pu être pleinement lucide, il aurait deviné qu'à ce moment-là il était entièrement cuirassé contre toute tentation ou tout piège de séduction. Malgré cela, malgré toute l'inconscience trouble de son état mental et tout le malheur qui l'oppressait, il restait étonné malgré lui d'une certaine impression aussi nouvelle qu'étrange qui naissait dans son cœur : cette femme, cette femme "terrifiante", non seulement ne le terrifiait plus de cette terreur qu'il avait ressentie devant elle, une terreur qui naissait auparavant en lui à la moindre pensée à propos d'une femme, si seulement cette pensée pouvait fuser en son esprit, mais, au contraire, cette femme qui le terrorisait plus que toutes les autres, qui se trouvait assise sur ses genoux et gardait son bras autour de son cou, elle éveillait soudain en lui à présent une sensation complètement différente, inattendue, particulière, la sensation d'une sorte de curiosité extraordinaire, insatiable et absolument pure qu'il éprouvait à son égard, et, cela, cette fois sans la moindre terreur, sans la moindre épouvante – c'était surtout cela qui, malgré lui, l'étonnait.

— Mais arrêtez de raconter vos bêtises, cria Rakitine, tu ferais mieux de servir le champagne, c'est une dette que tu as, tu sais bien !

— C'est vrai, c'est une dette. Parce que je lui avais promis le champagne, en échange de toi, en plus du reste, s'il pouvait t'amener. Amène le champagne, moi aussi, je vais boire ! Fénia, Fénia, apporte-nous du champagne, la bouteille que Mitia a laissée, cours vite. J'ai beau être avare, je sors la bouteille, pas pour toi, Rakitka, toi, t'es un crapaud, pour lui, c'est un prince ! Et si mon cœur en ce moment, il est plein d'autre chose, bon, c'est pas grave, moi aussi, je vais boire avec vous, je veux faire un peu de débauche !

— Mais qu'est-ce que c'est, cette minute que tu dis, et c'est quoi, cette "nouvelle", on peut te le demander, ou c'est un secret ? reprit Rakitine avec la même curiosité, en faisant semblant, de toutes ses forces, qu'il ne faisait pas du tout attention aux chiquenaudes qui n'arrêtaient pas de lui tomber dessus.

— Eh, ce n'est pas un secret, et tu la connais toi-même, dit soudain Grouchenka d'un air soucieux, tournant la tête vers Rakitine et s'écartant un peu d'Aliocha, même si elle continuait de rester sur ses genoux, le bras autour de son cou, l'officier arrive, Rakitine, c'est mon officier qui arrive !

— Je suis au courant qu'il arrive, mais il est donc si près ?

— Il est à Mokroïé[1] en ce moment, il va envoyer une estafette, c'est qu'il m'a écrit, j'ai reçu une lettre hier. Je suis là, j'attends son estafette.

— Hou là ! Pourquoi à Mokroïé ?

— Trop long à te raconter, et puis ça te suffira.

— J'imagine Mitenka, maintenant – ouille, ouille, ouille ! Il est au courant, lui ?

— Lui, au courant ? Pas du tout ! Il saurait, il tuerait. Mais j'ai plus du tout peur de ça maintenant, je n'ai plus du tout peur de son couteau. Tais-toi, Rakitka, me parle plus de Dmitri Fiodorovitch ; il m'a bousillé tout le cœur. Et même, je veux plus du tout penser à rien en ce moment. Tiens, je veux penser à mon petit Aliocha, c'est mon petit Aliocha que je regarde... Mais

1. Le nom du village (littéralement, "le village mouillé") semble signifiant. L'expression familière *mokroïé délo* (littéralement, "une affaire mouillée") désigne un meurtre.

fais-moi un sourire, mon petit mignon, égaie-toi, à mes bêtises, tiens, souris, oui, à cette joie que j'ai... Ah, il m'a fait un sourire, il a souri ! Le gentil regard qu'il me fait. Tu sais, Aliocha, j'ai toujours pensé que tu m'en voulais pour avant-hier, pour la demoiselle, je veux dire. J'ai été chienne, voilà... Mais, là encore, c'est bien que ça se soit passé comme ça. C'était pas bien, et c'était bien en même temps, fit Grouchenka avec un sourire soudain, et une espèce de trait cruel jaillit soudain dans ce sourire. Mitia a dit qu'elle a crié que je méritais le fouet ! Oh, je l'ai vexée drôlement, ce jour-là... Elle m'avait appelée, elle voulait m'écraser, me séduire avec son chocolat... Non, c'est bien que ça se soit passé comme ça, fit-elle avec le même sourire. Mais j'ai toujours peur, moi, que tu m'en veuilles...

— Mais c'est vrai, n'empêche, reprit soudain Rakitine avec un air d'étonnement sérieux. C'est vraiment vrai, Aliocha, qu'elle a peur de toi, un poussin comme t'es.

— C'est pour toi, Rakitka, que c'est un poussin, voilà... parce que t'as pas de honte, voilà ! Moi, tu vois, je le vois de toute mon âme, voilà ! Tu me crois, Aliocha, que je t'aime de toute mon âme ?

— Elle est pas gênée ! Elle te fait une déclaration d'amour, Alexéï !

— Eh oui, je l'aime.

— Et l'officier ? Et la nouvelle en or, à Mokroïé ?

— Ça, c'est une chose, là c'est une autre.

— C'est comme ça, les bonnes femmes !

— Ne me mets pas en colère, Rakitka, reprit Grouchenka avec fougue, ça c'est une chose, là c'en est une autre. Moi, Aliocha, je l'aime autrement. C'est vrai, Aliocha, j'avais tramé une chose contre toi, dans le temps. Mais je suis ignoble, mais je suis frénétique, et il y a d'autres minutes, tiens, Aliocha, ça m'arrivait, je te regardais comme ma propre conscience. Je me disais toujours : “Comme il doit me mépriser, sale comme je suis.” Avant-hier, je me disais ça, quand je suis partie en courant de chez la demoiselle. Ça fait longtemps que je t’avais remarqué comme ça, Aliocha, et Mitia il le sait, je lui avais dit. Mitia, tiens, il comprend. Tu me croiras, des fois, je te jure, Aliocha, je te regardais, j’avais honte, de moi tout entière j’avais honte... Et comment je me suis mise à penser à toi, et depuis quand, je sais pas, je me souviens plus...

Fénia entra et posa sur la table un plateau avec une bouteille débouchée et trois coupes pleines.

— Le champagne est servi ! cria Rakitine. Tu es bien agitée, Agraféna Alexandrovna – dans tous tes états. Tu bois une coupe, tu te mets à danser. Eh, même ça vous savez pas le faire, ajouta-t-il, examinant le champagne. La vieille, elle a tout renversé à la cuisine, la bouteille est déjà débouchée, le champagne est tiède. Bah, à la guerre comme à la guerre.

Il s’approcha de la table, prit une coupe, but d’un trait et s’en servit une nouvelle.

— Le champagne, c’est pas tous les jours qu’on en voit, murmura-t-il en se pourléchant, allez, Aliocha, prends une coupe, montre-toi un peu. A quoi on boit ? Aux portes du paradis ? Prends une coupe, Groucha, toi aussi, bois aux portes du paradis.

— Quelles portes du paradis ?

Elle prit une coupe. Aliocha prit la sienne, but une gorgée et reposa la coupe.

— Non, plutôt pas ! fit-il avec un sourire posé.

— Il se vantait, encore ! cria Rakitine.

— Ben moi non plus, alors, je boirai pas, reprit Grouchenka, d’ailleurs ça me dit rien. Rakitka, finis la bouteille tout seul. S’il boit, Aliocha, moi aussi, je boirai.

— Les lécheries de veaux qui reprennent ! reprit Rakitine en la narguant. Et elle, toujours sur ses genoux. Il a, mettons, un malheur, mais toi ? Lui, c'est contre Dieu qu'il s'est rebellé, il se préparait à bouffer du saucisson…

— Comment ça ?

— Son starets qui est mort aujourd'hui, le starets Zossima, le saint.

— Alors le starets Zossima est mort ! s'exclama Grouchenka. Mon Dieu, et moi qui ne savais pas ! Elle se signa pieusement. Mon Dieu, mais moi, alors, assise sur ses genoux ! s'écria-t-elle soudain, comme prise de peur, et elle bondit d'un seul coup de sur ses genoux, se rasseyant sur le divan. Aliocha lui adressa un long regard surpris, et ce fut comme s'il y avait quelque chose qui s'illuminait dans son visage.

— Rakitine, dit-il soudain d'une voix ferme et sonore, n'essaie pas de me narguer, que je me sois rebellé contre mon Dieu. Je ne veux pas avoir de colère contre toi, toi aussi, donc, sois moins méchant. J'ai perdu un trésor comme, toi, tu n'en as jamais eu, et tu ne peux pas me juger en ce moment. Elle, regarde-la plutôt : tu vois comme elle m'a épargné ? J'allais ici pour trouver une âme méchante – tellement c'est ça qui m'entraînait, parce que, moi aussi, j'étais sale et méchant, et j'ai trouvé une sœur sincère, j'ai trouvé un trésor – une âme aimante… Elle vient de m'épargner… Agraféna Alexandrovna, c'est de toi que je parle. Tu viens de me faire retrouver mon âme.

Les lèvres d'Aliocha se mirent à trembler, son souffle se coupait. Il s'arrêta.

— Comme si elle t'avait sauvé, tiens ! fit Rakitine, éclatant d'un rire méchant. Elle voulait t'avaler, tu le sais, ça ?

— Arrête, Rakitine ! fit Grouchenka, bondissant soudain, taisez-vous tous les deux. Maintenant, je dirai tout : toi, Aliocha, tais-toi, parce que, des mots que tu dis, j'ai la honte qui me prend, parce que je suis méchante, et pas gentille – voilà comment je suis. Et toi, Rakitka, tais-toi, parce que tu mens. J'ai eu une idée sale, comme ça, que je voulais l'avaler, mais, maintenant, tu mens, maintenant, c'est tout sauf ça… et que je t'entende plus dire un mot, Rakitka ! Tout cela, Grouchenka l'avait prononcé avec une agitation extraordinaire.

— Tous les deux, le diable au corps ! fit Rakitine, vipérin, les regardant tous les deux avec surprise. On dirait des fous, comme si je me retrouvais dans un asile. Tous les deux les grandes orgues, ils vont se mettre à pleurer !

— Oui, je vais me mettre à pleurer, je vais me mettre à pleurer ! répétait Grouchenka. Il vient de m'appeler sa “sœur”, et, ça, jamais je l'oublierai ! Seulement, voilà, Rakitka, j'ai beau être méchante, moi, malgré tout, je l'ai donné, mon petit oignon.

— Ton petit oignon ? Bordel de diable, mais ils sont vraiment toqués !

Rakitine s'étonnait de leur exaltation et, vexé, enrageait méchamment, même s'il aurait pu comprendre que, pour ces deux-là, tout ce qui pouvait bouleverser leur âme coïncidait comme cela n'arrive que rarement dans la vie. Mais Rakitine, qui avait une très bonne intuition pour tout ce qui le concernait lui-même, était très grossier quand il s'agissait de comprendre les sentiments et les sensations de ses proches – un peu par inexpérience de jeunesse, et un peu à cause de son égoïsme gigantesque.

— Tu vois, mon petit Aliocha, fit Grouchenka en s'adressant soudain à lui avec un rire nerveux, je me suis vantée à Rakitka que j'ai donné un petit oignon, mais, devant toi, je me vanterai pas, ça, je te le dis pour autre chose. C'est seulement une fable, mais c'est une belle fable, moi, j'étais encore toute petite, je l'ai apprise par cœur, c'est Matriona, ma cuisinière, maintenant, qui me l'a dite. Voilà ce qu'elle dit : "Il était une fois une commère, mais méchante méchante, et elle est morte. Elle n'a pas laissé la moindre vertu à sa mort. Les diables, donc, ils la prennent et la jettent dans un lac de flammes. Et son ange gardien, lui, il reste là, il se demande : qu'est-ce que je pourrais me rappeler comme vertu qu'elle aurait eue, pour le dire au bon Dieu ? Ça lui revient, et il Lui dit, au bon Dieu : Un jour, il dit, elle est allée arracher un petit oignon dans son potager et elle l'a donné à une mendiante. Et Dieu qui lui répond : Prends-le, Il lui dit, ce petit oignon, tends-le dans le lac, qu'elle s'accroche à lui et qu'elle essaie de se hisser, et si tu arrives à la sortir du lac, alors, qu'elle entre au paradis, mais si l'oignon casse, alors qu'elle reste, la commère, là où elle est. L'ange accourt vers la commère, il lui tend cet oignon : tiens, il lui dit, commère, accroche-toi, je te tire de là. Et le voilà qui commence à tirer, lentement, et il l'a déjà presque tirée tout entière, mais, les autres pécheurs, dans le lac, quand ils l'ont vue, qu'elle est en train de se faire hisser dehors, ils se mettent tous à s'accrocher à elle, pour qu'on les hisse dehors, eux aussi, avec elle. Et la commère, elle était méchante, mais méchante, elle commence à agiter les jambes : «C'est moi qu'on tire, pas vous, il est à moi, le petit oignon, il est pas à vous.» Et elle n'avait pas dit ça que le petit oignon, il a cassé. Elle est retombée, la commère, dans le lac, et elle y brûle encore. Et l'ange, il a pleuré, et il est reparti[1]." La voilà,

1. Dostoïevski écrivait le 19 septembre 1879 qu'il avait collecté cette légende lui-même auprès d'une paysanne. Une légende similaire, que Dostoïevski ne connaissait visiblement pas, se trouve dans un recueil de légendes du folkloriste Afanassiev publié en 1859.

cette fable, Aliocha, et je m'en souviens par cœur, parce que, cette commère méchante, c'est moi. A Rakitka je me suis vantée que j'ai donné un petit oignon, mais, toi, je te le dirai autrement : j'ai donné *seulement* un petit oignon de toute ma vie, et voilà tout ce que j'ai comme vertu. Et ne me dis pas de bien après ça, Aliocha, ne dis pas que je suis gentille, je suis méchante, oui, méchante méchante, et, si tu me dis du bien de moi, tu vas me faire honte. Et puis, tiens, que je me repente complètement. Ecoute, Aliocha : j'ai tellement voulu te séduire, j'en ai tellement parlé à Rakitka que je lui ai promis vingt-cinq roubles s'il t'amenait chez moi. Attends, Rakitka, empoche ! Elle alla, à pas vifs, vers son bureau, ouvrit un tiroir, sortit un porte-monnaie, et y prit un billet de vingt-cinq roubles.

— Quelles bêtises ! Quelles bêtises ! s'exclamait Rakitine, ahuri.

— Touche ton salaire, Rakitka, je parie que tu refuseras pas, tu l'as demandé toi-même. Et elle lui lança le billet de banque.

— Que je refuse encore ! fit Rakitine de sa voix de basse, visiblement confus mais en cachant sa honte sous un air gaillard. Ça nous fera le plus grand bien – les crétins, ils sont sur terre pour le profit des gens intelligents.

— Et maintenant, tais-toi, Rakitka, maintenant, c'est fini, tout ce que je vais dire ça sera plus pour toi. Assieds-toi là-bas dans le coin et tais-toi, tu nous aimes pas, toi, donc, tais-toi.

— Et pourquoi je vous aimerais ? répliqua Rakitine, sans cacher sa rage méchante. Il avait fourré le billet de vingt-cinq roubles dans sa poche, et il avait résolument honte devant Aliocha. Il escomptait se faire payer plus tard, pour que ce dernier ne soit pas au courant, et, à présent, c'était la honte qui le rendait méchant.

Jusqu'à cet instant, il avait cru plus adroit de ne pas contredire Grouchenka, malgré toutes ses piques, car on voyait qu'elle exerçait une espèce de pouvoir sur lui. Mais, à présent, il était en colère.

— Quand on aime, c'est pour quelque chose, mais vous, pour moi, vous avez fait quoi, tous les deux ?

— Eh bien, aime pour rien, toi, comme, tiens, Aliocha il aime.

— Et comment est-ce qu'il t'aime, et qu'est-ce que c'est qu'il t'a montré que tu deviens folle ?

Grouchenka se tenait au milieu de la pièce, elle parlait avec fougue et on entendit quelques petites notes hystériques dans sa voix.

— Tais-toi, Rakitka, tu comprends rien du tout chez nous ! Et je t'interdis, désormais, de me dire *tu*, je veux pas te le permettre, et d'où tu as pris cette audace, voilà ! Assieds-toi dans ton coin et tais-toi, comme mon laquais. Et maintenant, Aliocha, je vais te dire toute la pure vérité, rien qu'à toi seul, pour que tu voies ce que je suis comme créature ! C'est pas à Rakitka que je parle, c'est à toi. J'avais voulu te perdre, Aliocha, ça c'est une vérité vraie, j'avais décidé ça : tellement je le voulais que j'ai payé Rakitka, pour qu'il t'amène. Et pourquoi donc est-ce que j'ai voulu ça ? Toi, Aliocha, t'étais au courant de rien, tu te détournais devant moi, tu passais – tu baissais les yeux, et, moi, cent fois je t'avais regardé avant ça, j'interrogeais tout le monde, à la fin, sur toi. Ton visage qui m'était resté dans le cœur : "Il me méprise, je me disais, il veut même pas me regarder." Et le sentiment, tu sais, qui m'a prise à la fin, ça finissait par m'étonner moi-même : pourquoi j'ai peur d'un petit garçon comme ça ? Je l'avalerai tout entier et ça me fera rire. La rage qui me tenait. Tu me croiras ? personne, ici, n'ose dire ou penser que quelqu'un puisse venir chez Agraféna Alexandrovna pour cette chose sale ; il y a que mon vieillard que j'ai, lui, je suis liée à lui, je suis vendue, Satan nous a mariés ; de tous les autres – personne. Mais, en te regardant, j'avais décidé ça : lui, je vais l'avaler. Je l'avalerai et je vais rire. Tu vois la chienne méchante que je suis, et toi tu m'appelles ta sœur ! Voilà, mon offenseur, il est revenu, je suis là, j'attends de ses nouvelles. Et tu sais ce qu'il a été pour moi, cet offenseur ? Il y a cinq ans de ça, quand Kouzma m'a amenée ici – moi, je restais là, je me souviens, je me cachais des gens, qu'on me voie pas, qu'on m'entende pas, toute fine, toute bête, je reste là et je sanglote, je dors pas la nuit – je me dis toujours : “Où est-ce qu'il est, en ce moment, mon offenseur ? Il se moque, je parie, de moi avec une autre, et moi, tout ce que je demande, je me dis, c'est juste de le revoir, de le rencontrer : là, alors, je me vengerai, là, je me vengerai !” La nuit, dans le noir, je sanglote dans mon oreiller, et, tout ça, je me retourne, je me déchire le cœur, exprès, je me le rassasie, mon cœur, avec ma rage : “Oh, je me vengerai, je me dis, comme je vais me venger !” J'en criais, des fois, la nuit. Et quand j'y repense, d'un coup, que je lui ferai rien du tout, et, lui, qu'il se moque de moi en ce moment, ou alors, peut-être même, il m'aura complètement oubliée, il se souvient plus, je me jette par terre, alors, au bas du lit, les larmes qui me viennent, d'impuissance, et je tremble, je tremble jusqu'à l'aube. Le matin, je me lève plus enragée qu'un chien, je boufferais la terre entière, j'en serais heureuse. Et ensuite, qu'est-ce que tu crois : je me suis mise à faire ma pelote, je suis devenue sans pitié, j'ai grossi – je suis devenue moins bête, tu penses, hein ? Mais pas du tout, personne qui puisse le voir, personne dans l'univers, mais quand le noir de la nuit revient, moi, je suis toujours pareille, une petite gamine, comme il y a cinq ans, je reste allongée, des fois, je grince des dents, je pleure toute la nuit : "Oh ce que je lui ferai, je me dis, ce que je lui ferai !" Tu l'entends, tout ça ? Et maintenant, alors, comment tu me comprendras : il y a un mois, cette lettre, brusquement, qui m'arrive ; il revient, il est veuf, il voudrait me revoir. Sur le coup, tiens, ça m'a coupé le souffle, mon Dieu, et, brusquement, je me suis dit : il va venir, il va me siffler, il va m'appeler, et moi, comme un petit chien, je vais ramper, un chien battu, coupable ! Je me dis ça, et j'arrive pas à y croire moi-même : "Je suis sale, ou je suis pas sale, je cours chez lui, oui, ou alors non ?" Et une telle rage qui m'a prise maintenant contre moi-même, pendant tout ce mois-ci, que c'était encore pire qu'il y a cinq ans. Tu le vois, maintenant, Aliocha, comme je suis frénétique, comme je suis effrénée, je t'ai dit toute la vérité ! Je m'amusais avec Mitia, pour pas courir chez l'autre. Tais-toi, Rakitka, c'est pas à toi de me juger, pas à toi que je parlais. Maintenant, avant que vous arriviez, j'étais couchée, là, j'attendais, je pensais, je refaisais tout mon destin, et jamais vous le saurez, ce que j'avais sur le cœur. Non, Aliocha, dis à ta demoiselle qu'elle m'en veuille pas pour avant-hier !... Et personne au monde ne le sait, ce que je ressens maintenant, personne ne peut le savoir... Pour ça, si ça se trouve, que je prendrai un couteau avec moi, j'ai pas encore décidé...

Et, après avoir dit ces paroles "de pitié", Grouchenka, d'un seul coup, n'y tint plus, cacha son visage entre ses mains, se jeta sur le divan contre les oreillers et sanglota comme une petite enfant. Aliocha se leva de sa place, s'approcha de Rakitine.

— Micha, déclara-t-il, ne te fâche pas. Elle t'a blessé, mais ne te fâche pas. Tu as entendu ce qu'elle vient de dire ? Personne n'a le droit de demander ça de personne, il faut un peu de miséricorde…

Aliocha avait dit cela poussé par un élan du cœur irrépressible. Il avait besoin de s'exprimer et il s'était tourné vers Rakitine. Si Rakitine n'avait pas été là, il se serait mis à parler tout seul. Mais Rakitine lui lança un regard ironique, et Aliocha s'arrêta soudain.

— Ils t'ont bourré le mou avec ton starets, tout à l'heure, et, toi, tu me le ressors, au canon, maintenant, mon petit Aliocha, mon petit bonhomme de Dieu, murmura Rakitine avec un sourire de haine.

— Ne ris pas, Rakitine, ne ricane pas, ne parle pas du défunt : il est plus haut que tous ceux qui ont vécu sur terre ! s'écria Aliocha, des larmes dans la voix. Ce n'est pas comme un juge que je t'ai parlé, mais, moi-même, comme le dernier de ceux qu'on juge. Qu'est-ce que je suis devant elle ? J'allais chez elle pour me perdre, je disais : "Tant mieux, tant mieux !" – et ça, à cause de ma lâcheté, et elle, après cinq ans de souffrances, le premier qui arrive et qui lui dit un mot sincère, elle pardonne tout, elle oublie tout et elle pleure ! Son offenseur est revenu, il l'appelle, et, elle, elle lui pardonne tout, elle court vers lui, dans le bonheur, et, le couteau, elle ne le prendra pas, elle ne le prendra pas ! Non, je ne suis pas comme ça. Je ne sais pas si, toi, tu es comme ça, Micha, mais, moi, je ne suis pas comme ça ! Aujourd'hui, tout de suite, là, cette leçon que j'ai reçue… Elle te l'avait déjà dit, à toi, ce qu'elle vient de dire ? Non, jamais ; si elle te l'avait dit, tu aurais compris depuis longtemps… et l'autre, celle qu'elle a offensée avant-hier, celle-là aussi, qu'elle lui pardonne ! Et elle pardonnera, si elle apprend… elle apprendra… Cette âme n'est pas encore apaisée, il faut la préserver… dans cette âme, il peut y avoir un trésor…

Aliocha se tut, parce qu'il était hors d'haleine. Rakitine, malgré toute sa rage, avait l'air étonné. Jamais il ne se serait attendu à une tirade pareille de la part du paisible Aliocha.

— Elle s'est trouvé un avocat ! Mais t'es tombé amoureux d'elle, ou quoi ? Agraféna Alexandrovna, notre jeûneur, c'est vrai qu'il est tombé amoureux de toi, tu l'as vaincu ! s'écria-t-il avec un rire insolent.

Grouchenka releva la tête de l'oreiller et posa sur Aliocha un regard d'attendrissement, qui rayonna comme d'un coup sur son visage gonflé de larmes.

— Laisse-le, Aliocha, mon chérubin, tu vois bien comme il est, tu as trouvé à qui parler. Moi, Mikhaïl Ossipovitch, continua-t-elle, se tournant vers Rakitine, je voulais te demander pardon de t'avoir insulté, mais, maintenant, je veux plus. Aliocha, viens vers moi, assieds-toi là, fit-elle, l'appelant avec un sourire joyeux, comme ça, là, assieds-toi ici, dis-moi, toi (elle lui prit la main et regardait son visage, en souriant), dis-moi : je l'aime, l'autre, ou je l'aime pas ? Mon offenseur, je veux dire, je l'aime ou je l'aime pas ? J'étais là, avant que vous veniez, dans le noir, j'interrogeais mon cœur, tout le temps : je l'aime, l'autre, ou je l'aime pas ? Réponds, toi, pour moi, Aliocha, l'heure a sonné ; ce sera comme tu diras. Je lui pardonne ou je lui pardonne pas ?

— Mais tu lui as déjà pardonné, répondit Aliocha en souriant.

— Et c'est vrai que j'ai pardonné, prononça pensivement Grouchenka. Ce qu'il peut être sale, le cœur ! Allez, à mon cœur sale ! fit-elle, saisissant soudain une coupe sur la table, et elle la but d'un trait, puis elle la brandit et, de tout son élan, la jeta sur le sol. La coupe se brisa à grand bruit. Une sorte d'éclair de cruauté fusa dans son sourire.

— Ou peut-être, si ça se trouve, je lui ai pas encore pardonné, reprit-elle comme avec menace, et comme si elle se parlait à elle-même. Le cœur, si ça se trouve, il se prépare encore juste à lui pardonner. Je vais me battre encore, avec mon cœur. Tu comprends, Aliocha, mes larmes, moi, de tous ces cinq ans, c'est fou ce que je les aime… Moi, si ça se trouve, c'est mon offense, seulement, que j'aime, pas du tout lui !

— Ben, j'aimerais pas être dans sa peau ! reprit Rakitine, vipérin.

— T'y seras pas, Rakitine, jamais tu seras dans sa peau. Tu me cireras mes souliers, Rakitka, voilà à quoi je t'utiliserai, mais jamais, toi, t'en auras une comme moi… Et lui non plus, si ça se trouve, il m'aura pas…

— Lui ? Pourquoi tu t'es mise en dimanche, alors ? ricana Rakitine d'un ton sarcastique.

— Me reproche pas mes habits, Rakitka, tu sais pas encore tout ce qu'il y a dans mon cœur ! Si je veux, je les déchire, mes habits, je les déchire là tout de suite, à la minute, cria-t-elle d'une voix sonore. Tu sais pas encore pourquoi je les ai mis, ces habits, Rakitka ! Si ça se trouve, je me présenterai à lui, et je lui dirai : “Tu m'as déjà vue comme ça, oui ou non ?” Moi, il m'a laissée ici, j'avais dix-sept ans, une petite pleurnicheuse phtisique. Je m'assois à côté de lui, et je le séduis, et je le fais brûler : “T'as vu comment je suis, maintenant, eh bien, reste comme ça, mon bon monsieur, ça coule sur les moustaches, rien dans la bouche !” – voilà, si ça se trouve, à quoi ils vont me servir, ces habits-là, Rakitka, conclut Grouchenka avec un petit rire rageur. Je suis frénétique, Aliocha, je suis effrénée. Je les arracherai, mes atours, je me défigure, moi, ma beauté, je me brûle le visage, je me lacère au couteau, je vais partir sur les routes, demander la charité. Si je veux, maintenant, j'irai nulle part, retrouver personne, si je veux – dès demain, je renvoie à Kouzma tout ce qu'il m'a offert, et tout son argent, et, moi-même, toute ma vie, j'irai travailler comme servante !... Tu penses que je le ferai pas, Rakitka, que j'aurai pas le cran de le faire ? Je le ferai, je le ferai, je peux le faire tout de suite, me poussez pas trop, seulement... lui, je le chasse, l'autre, je l'envoie balader, lui, il m'aura plus jamais !

Ces dernières paroles, elle les avait criées d'une voix hystérique, mais, là encore, elle n'y tint pas, se cacha le visage dans les mains, se jeta sur son oreiller et se remit à sangloter, secouée de tout son corps. Rakitine se leva de sa place.

— C'est l'heure, dit-il, il est tard, ils nous laisseront pas entrer au monastère.

Grouchenka bondit littéralement de sa place.

— Tu veux quand même pas partir, Aliocha ! s'exclama-t-elle, pleine d'une surprise douloureuse. Qu'est-ce que tu fais de moi, maintenant : tu m'appelles, tu me déchires, et ça recommence, maintenant, cette nuit, ça recommence, je reste seule !

— Il va quand même pas passer la nuit chez toi ? Remarque, si ça lui chante – qu'il le fasse ! Moi, je rentre tout seul ! ricana fielleusement Rakitine.

— Tais-toi, âme méchante, lui cria frénétiquement Grouchenka, jamais tu m'avais dit ces mots qu'il est venu me dire.

— Qu'est-ce qu'il est venu te dire ? grogna, très énervé, Rakitine.

— Je sais pas, j'en sais rien, je sais rien du tout de ce qu'il m'a dit, mais ça s'est dit au cœur, tout le cœur qu'il m'a retourné... Il m'a prise en pitié, le premier, le seul, voilà ! Pourquoi, mon chérubin, t'es pas venu avant, fit-elle, tombant soudain à genoux devant lui, comme dans un état second. Moi, toute ma vie, j'en ai attendu un comme toi, je savais qu'un jour il allait venir et qu'il me pardonnerait. Je le croyais, qu'il y en aurait un qui m'aimerait, dégoûtante comme je suis, pas seulement pour la honte !...

— Mais qu'est-ce que je t'ai fait ? répondit Aliocha avec un sourire attendri, penché vers elle et la prenant tendrement par les mains, je t'ai juste donné un petit oignon, ce tout petit oignon, c'est tout, c'est tout !...

Et, à ces mots, il fondit en larmes, lui aussi. A cette minute, on entendit soudain du bruit dans l'entrée, quelqu'un entrait dans le vestibule ; Grouchenka bondit, comme prise d'une peur terrible. Fénia se précipita dans la pièce, avec grand fracas et à grands cris.

— Madame, ma toute douce, madame, l'estafette ! s'exclamait-elle, joyeuse et haletante. Un équipage de Mokroïé pour vous, Timoféï, le cocher et sa troïka, ils sont en train de changer les chevaux... La lettre, la lettre, madame, voilà la lettre !

Elle tenait la lettre dans ses mains et, pendant tout le temps qu'elle avait crié, elle avait secoué cette lettre dans l'air. Grouchenka lui arracha cette lettre des mains et la porta vers la bougie. C'était juste un billet, quelques lignes, et elle la lut en un instant.

— Il m'appelle ! cria-t-elle, toute blême, le visage déformé par un sourire douloureux. Il me siffle ! Rampe, mon petit toutou !

Mais elle ne resta indécise qu'un instant ; soudain, tout son sang lui monta à la tête et lui empourpra les joues de flammes.

— J'y vais ! s'exclama-t-elle soudain. Cinq ans de vie ! Adieu ! Adieu, Aliocha, il est tranché, le destin... Laissez-moi, laissez-moi, laissez-moi maintenant, tous, que je ne vous revoie plus !... Grouchenka s'envole vers une vie nouvelle… Ne repense pas à moi en mal, toi non plus, Rakitka. C'est peut-être à la mort que je vais ! Hou ! Comme si j'étais soûle !

Elle les abandonna soudain et se précipita dans sa chambre.

— Bon, maintenant, elle a d'autres soucis que nous ! grogna Rakitine. Viens, sinon, je parie, ces cris de bonne femme vont recommencer, j'en ai jusque-là, moi, de ces cris et de ces larmes…

Aliocha se laissa emmener machinalement. Dans la cour, il y avait l'équipage, on dételait, on marchait avec une lanterne, on s'agitait. Par le portail ouvert, on amenait une nouvelle troïka de chevaux. Mais Aliocha et Rakitine avaient à peine eu le temps de descendre du perron que la fenêtre de la chambre à coucher de Grouchenka s'ouvrit soudain et elle cria dans le dos d'Aliocha, d'une voix sonore :

— Mon gentil Aliocha, salue de ma part ton frère Mitenka, et dis-lui qu'il se souvienne pas de moi en mal, de son mauvais génie. Et transmets-lui aussi ce que je vais te dire : "C'est une crapule qui a eu Grouchenka, pas un cœur noble comme toi !" Et puis ajoute aussi que Grouchenka l'a aimé une petite heure de temps, juste une toute petite heure elle l'a aimé – que cette heure de sa vie, maintenant, il s'en souvienne, voilà, n'est-ce pas, ce qu'elle lui demande, Grouchenka !…

Elle avait fini avec une voix pleine de sanglots. La fenêtre se referma en claquant.

— Hum, hum ! meugla Rakitine en riant. Elle assassine ton frérot Mitenka, et elle lui demande de se souvenir toute la vie. La cannibale !

Aliocha ne répondit rien, comme s'il n'avait pas entendu ; il marchait à côté de Rakitine à grandes enjambées, comme s'il était pressé terriblement ; il était comme dans un état second, il marchait machinalement. Rakitine se sentit soudain comme piqué, à croire qu'on venait de toucher du doigt une petite blessure toute fraîche. Ce n'était pas du tout cela qu'il attendait tout à l'heure quand il avait imaginé la rencontre entre Grouchenka et Aliocha ; il était arrivé quelque chose de tout autre, pas du tout ce dont il avait tellement envie.

— C'est un Polonais, son officier, reprit-il, se retenant, et plus du tout un officier, maintenant, il a été fonctionnaire dans les douanes en Sibérie, quelque part à la frontière chinoise, je parie, un sale petit Polack de merde. Il a perdu son poste, il paraît. Il a entendu dire que Grouchenka avait un capital, et il revient – voilà tout le miracle.

Là encore, c'était comme si Aliocha n'entendait pas. Rakitine n'y tint plus :

— Alors, tu l'as convertie, la pécheresse ? fit-il, avec un rire rageur vers Aliocha. Tu as remis la prostituée sur le chemin de la vérité ? Tu as chassé les sept démons, c'est ça ? Voilà où ils se sont faits, les miracles de tout à l'heure, ceux qu'on attendait tant !

— Arrête, Rakitine, répondit Aliocha, de la souffrance dans la voix.

— C'est parce que tu me méprises, maintenant, pour les vingt-cinq roubles ? J'ai vendu, n'est-ce pas, un bon ami. Mais t'es pas le Christ, et, moi, je suis pas Judas.

— Ah, Rakitine, je t'assure, j'avais oublié, s'exclama Aliocha, c'est toi qui m'y refais penser.

Mais Rakitine était définitivement enragé.

— Mais que le diable vous prenne, tous ensemble, et chacun ! hurla-t-il soudain. Et pourquoi, bon Dieu de diable, est-ce que je me suis lié avec toi ! Je ne veux plus te connaître ! Rentre tout seul, c'est là-bas que tu seras le mieux !

Et il obliqua violemment dans une autre rue, laissa Aliocha seul dans noir. Aliocha sortit de la ville et rentra au monastère à travers champs.

IV

CANA DE GALILÉE

Il était déjà très tard selon les horaires du monastère quand Aliocha rentra dans l'ermitage ; le portier le laissa entrer par un chemin détourné. Neuf heures avaient déjà sonné – l'heure du repos général et du sommeil après une journée si agitée pour tous. Aliocha ouvrit timidement la porte et entra dans la cellule du starets dans laquelle, à présent, il y avait son cercueil. Outre le père Païssy qui lisait, solitaire, l'Evangile devant le cercueil du défunt, et du jeune novice Porphiry, épuisé par l'entretien de la nuit précédente et l'agitation de la journée, qui dormait dans l'autre pièce, par terre, de son profond sommeil de jeune homme, il n'y avait personne dans la cellule. Le père Païssy, qui avait entendu Aliocha entrer, n'avait même pas levé les yeux vers lui. Aliocha tourna à droite de la porte, dans un coin, s'agenouilla et se mit à prier. Son âme était pleine, mais comme d'une façon trouble, et aucune sensation ne se laissait isoler, en s'exprimant plus fort, au contraire, l'une chassait l'autre dans une espèce de tournis paisible, tranquille. Mais il y avait une douceur dans le cœur, et, chose étrange, Aliocha ne s'en étonnait pas. A nouveau, il voyait devant lui ce cercueil, ce mort si cher, entièrement voilé, mais il ne sentait plus dans son âme cette pitié plaintive, geignante, torturante qu'il avait ressentie le matin. Devant le cercueil, dès qu'il était entré, il était tombé comme devant un sanctuaire, mais c'est la joie, la joie qui rayonnait dans son esprit et dans son cœur. Une fenêtre de la cellule était ouverte, l'air était frais, un peu froid – "Donc, l'odeur a dû devenir encore plus forte, s'ils ont décidé d'ouvrir une fenêtre", se dit Aliocha. Mais, là encore, cette pensée sur l'odeur de décomposition, qui, tout à l'heure encore, lui paraissait si affreuse, si déshonorante, n'élevait plus à présent la moindre angoisse, la moindre indignation. Il se mit à prier tout bas, mais, très vite, il sentit lui-même que sa prière était presque machinale. Des bribes de pensées fusaient dans son esprit, s'allumaient comme de petites étoiles, et s'éteignaient tout de suite, remplacées par d'autres, mais, en revanche, il régnait dans son âme quelque chose de compact, de solide, quelque chose qui rassasiait, et il en avait bien conscience. Parfois, il commençait une prière avec flamme, et il avait tellement envie de remercier et d'aimer… Mais, la prière commencée, il passait brusquement à autre chose, restait un peu pensif, et oubliait, et la prière, et ce qui l'avait interrompue. Il voulut écouter ce que lisait le père Païssy, mais, très fatigué, peu à peu, se mit à somnoler…

"Le troisième jour il y eut une noce à Cana de Galilée, lisait le père Païssy, *et la mère de Jésus y était. Jésus aussi fut invité à la noce avec ses disciples."*

"La noce ? Qu'est-ce que c'est… la noce… (cela tournoyait, un tourbillon dans l'esprit d'Aliocha)… elle aussi, elle vit un bonheur… elle est partie à un festin… Non, elle n'a pas pris le couteau, pas pris le couteau… C'était juste une parole «de pitié»… Bon… les paroles «de pitié», il faut les pardonner, absolument. Les paroles de pitié, elles vous soulagent l'âme… sans elles, le malheur serait trop lourd dans le cœur des gens. Rakitine est parti dans une ruelle. Tant que Rakitine pensera à ses offenses, il partira toujours dans la ruelle… Et le chemin… le chemin, il est grand, il est droit, lumineux, cristallin, et, tout au bout, il y a le soleil… Hein ?… qu'est-ce qu'on lit ?"

"Le vin venant à manquer, la mère de Jésus lui dit : Ils n'ont pas de vin…" entendait Aliocha.

"Ah oui, j'ai laissé passer, là, et je ne voulais pas, j'aime beaucoup ce passage : c'est Cana de Galilée, le premier miracle… Ah, ce miracle, ce miracle, quel joli miracle ! Ce n'est pas un malheur, mais la joie des gens que le Christ a visitée, en faisant un premier miracle, il a aidé la joie des gens… «Qui aime les gens, aime aussi leur joie…» Le défunt répétait ça tout le temps, c'était une de ses idées essentielles… On ne peut pas vivre sans joie, dit Mitia… Oui, Mitia… Tout ce qui est vrai et ce qui est beau est toujours plein de pardon universel – ça aussi, il le disait…"

"… Jésus lui dit : Qu'importe, femme ? ce n'est pas encore mon heure. Sa mère dit aux serviteurs : Faites ce qu'il vous dira."

"Faites… la joie, la joie des pauvres, n'importe qui, la joie de gens très pauvres… Evidemment, des pauvres, si le vin vient à manquer pour un mariage… Les écrivains, tiens, ils écrivent qu'autour du lac de Génézareth, et partout dans les environs, c'était la population la plus pauvre qu'on puisse imaginer qui habitait… Et l'autre grand cœur de l'autre grand être qui était là, Sa mère, le savait bien, que ce n'était pas seulement pour cette tâche terrible et grande qu'Il était descendu, mais que Son cœur était accessible à la gaieté toute simple, pas compliquée de ces êtres obscurs, ô très obscurs et simples, qui L'avaient gentiment invité à leur pauvre mariage. «Ce n'est pas encore mon heure», dit-Il avec un sourire paisible (Il lui a souri, sans le moindre doute, timidement...) C'est vrai, est-ce que c'était pour multiplier le vin dans les mariages pauvres qu'Il était descendu sur terre ? Et pourtant Il a dit oui, et Il l'a fait à Sa demande... Ah, il se remet à lire."

"Jésus leur dit : Remplissez d'eau les urnes. Et ils les remplirent jusqu'en haut.

Il leur dit : Puisez maintenant et portez-en au maître d'hôtel. Et ils lui en portèrent.

Dès que le maître d'hôtel eut goûté l'eau changée en vin, ne sachant d'où venait ce vin, quoique les serviteurs qui avaient puisé l'eau le sussent bien, il appela l'époux.

Et lui dit : Tout homme sert d'abord le bon vin ; puis, après qu'on en a beaucoup bu, il en sert de moins bon ; mais toi tu as réservé le bon vin jusqu'à maintenant."

"Mais qu'est-ce que c'est, qu'est-ce que c'est ? Pourquoi est-ce que la pièce s'élargit... Ah oui... c'est les noces, le mariage... oui, bien sûr. Voilà les convives, voilà les jeunes mariés, et la foule joyeuse et... où donc est le très sage maître d'hôtel ? Mais qui est-ce ? Qui ? A nouveau, la pièce qui s'élargit... Qui est-ce qui se lève, là-bas, de derrière la grande table ? Comment... Lui aussi, il est là ? Mais il est dans le cercueil... Et il est là en même temps... il s'est levé, il m'a vu, il arrive... Seigneur !

Oui, vers lui, vers lui, il était venu, le petit vieillard tout sec, avec ses petites rides sur le visage, joyeux, riant tout doucement. Il n'y a plus de cercueil, et, lui, il porte ces mêmes habits qu'hier quand ils étaient ensemble, quand les hôtes s'étaient réunis chez lui. Le visage tout ouvert, les yeux rayonnent. Mais comment donc, alors lui aussi, il est à ce festin, lui aussi, invité à la noce à Cana de Galilée...

— Moi aussi, mon gentil, moi aussi, invité, invité et appelé, fait la voix douce au-dessus de lui. Pourquoi tu te caches ici pour qu'on ne te voie pas... toi aussi, viens nous retrouver.

Sa voix à lui, la voix du starets Zossima... Evidemment que c'est lui, puisqu'il l'appelle. Le starets soulève Aliocha en l'aidant de son bras, Aliocha se relève.

— Nous nous réjouissons, poursuit le petit vieillard tout sec, nous buvons le vin nouveau, le vin de la joie nouvelle, de la joie grande ; tu vois, tous les convives ? Voilà l'époux et la fiancée, voilà le très sage maître d'hôtel, il goûte le vin nouveau. Pourquoi tu me regardes si surpris ? J'ai donné le petit oignon et, donc, je suis ici. Et ils sont nombreux, ici, qui n'ont donné qu'un petit oignon, juste un tout petit oignon unique... Qu'est-ce qu'il en est de nos œuvres ? Et toi aussi, mon gentil, toi aussi, mon garçon timide, toi aussi, tu as su donner un petit oignon à celle qui le voulait. Commence, mon gentil, commence ton œuvre, mon timide !... Et tu vois notre soleil, est-ce que, Lui, tu Le vois ?

— J'ai peur... je n'ose pas regarder... chuchota Aliocha.

— N'aie pas peur de Lui. Il est terrible par Sa grandeur sur nous, Il est effrayant de hauteur, mais Sa miséricorde est infinie, Il s'est mis à notre semblance par amour et Il se réjouit avec nous, Il transforme l'eau en vin, pour que la joie des convives ne s'arrête pas, Il attend de nouveaux convives, Il en appelle sans cesse de nouveaux, pour les siècles des siècles. Regarde, on apporte le vin nouveau, tu vois, on apporte les jarres..."

Quelque chose brûlait dans le cœur d'Aliocha, quelque chose l'avait empli jusqu'à lui faire mal, des larmes d'exaltation cherchaient à jaillir de son âme... Il tendit les bras, poussa un cri et se réveilla...

De nouveau, le cercueil, la fenêtre ouverte et la lecture douce, grave, distincte de l'Evangile. Mais Aliocha n'écoutait plus ce qui était lu. Etrangement, il s'était endormi à genoux, et à présent il se retrouvait debout, mais brusquement, à pas rapides et fermes, il s'approcha du cercueil. Il frôla même de l'épaule le père Païssy et ne le remarqua pas. Lui, une seconde, il leva les yeux de son livre, mais les détourna tout de suite à nouveau, comprenant qu'il était arrivé quelque chose d'étrange au jeune homme. Aliocha regarda le cercueil une demi-minute, le défunt recouvert, immobile, étendu dans le cercueil, l'icône sur la poitrine, la cuculle avec croix à huit branches sur la tête. Il venait d'entendre sa voix, et cette voix résonnait encore dans ses oreilles. Il tendait encore l'oreille, il attendait encore des sons... mais, brusquement, il se tourna violemment et ressortit de la cellule.

Il ne s'arrêta pas non plus sur le petit perron, il redescendit très vite. Son âme pleine d'exaltation avait soif de liberté, d'espace, d'étendue. La coupole céleste, pleine d'étoiles douces, rayonnantes, s'étendait sur sa tête, au loin, à l'infini. Une Voie lactée encore trouble se dédoublait du zénith jusqu'à l'horizon. Les tours blanches et les coupoles d'or de l'église rayonnaient dans un ciel de saphir. Les fleurs d'automne somptueuses dans les parterres autour de la maison s'étaient endormies jusqu'au matin. Le silence de la terre était comme en train de se fondre avec celui du ciel, le mystère de la terre touchait à celui des étoiles... Aliocha se tenait là, il regardait et, brusquement, comme fauché d'un coup, il tomba sur le sol.

Il ne savait pas pourquoi il l'embrassait, il n'essayait pas de se l'expliquer, pourquoi il avait un désir tellement irrépressible de l'embrasser, de l'embrasser tout entière, mais il l'embrassait en pleurant, en sanglotant, en pleurant à chaudes larmes, et jurait avec ivresse de l'aimer, de l'aimer dans les siècles des siècles. "Inonde la terre des larmes de ta joie et aime ces larmes que tu verses..." entendit-il au fond de son âme. Sur quoi pleurait-il ? Oh, il pleurait, dans son exaltation, même sur ces étoiles qui rayonnaient pour lui du fond de l'abîme, et "il n'avait pas peur de cette ivresse". Comme si tous les fils de ces mondes de Dieu innombrables venaient de se rejoindre d'un seul coup dans son âme, et elle frissonnait tout entière, "au contact des autres mondes". Il voulait pardonner à tous les humains, pour tout, et leur demander pardon pour tout, oh ! pas pour lui-même, mais pour tous, pour tout et pour tous, et "pour moi, ce sont les autres qui demandent", entendit-il à nouveau dans son âme. Mais à chaque seconde il sentait clairement, et d'une façon comme charnelle, qu'il y avait quelque chose de ferme, d'inébranlable comme cette voûte céleste qui descendait en son âme. Il y eut comme une espèce d'idée qui s'instaura dans son âme – et, cette fois, pour toute sa vie, pour les siècles des siècles. Il était tombé à terre comme un pauvre jeune homme, il se releva pour toute sa vie comme un combattant ferme, et, cela, il en eut conscience, il le sentit tout de suite, à la minute même de son exaltation. Et jamais, jamais Aliocha ne put oublier par la suite, de toute sa vie, cette minute-là. "Quelqu'un est entré en mon âme à cet instant", disait-il par la suite, avec une foi ferme dans ses paroles...

Trois jours plus tard, il quittait le monastère, en accord avec la parole de son défunt starets qui lui avait ordonné "de rester dans le monde".

Livre huitième

MITIA

I

KOUZMA SAMSONOV

Quant à Dmitri Fiodorovitch, à qui Grouchenka, en s'envolant vers une vie nouvelle, avait "demandé" de transmettre son dernier salut et qu'elle avait prié de se souvenir pour toujours de la petite heure qu'avait duré son amour, il était, à cette minute-là, sans rien savoir de ce qui venait de lui arriver, lui aussi, dans un trouble et une agitation terribles. Ces deux derniers jours, il s'était vu dans un état tellement inimaginable que, réellement, il aurait pu avoir un transport au cerveau, comme il devait le dire plus tard. Aliocha, la veille au matin, n'avait pas réussi à le retrouver, et son frère Ivan, le même jour, n'avait pas réussi à organiser une rencontre avec lui à la taverne. Les propriétaires du petit logement où il logeait avaient effacé toutes ses traces, sur son ordre. Lui, pendant tous ces deux jours, littéralement, il s'était jeté dans toutes les directions, "luttant contre son sort et essayant de se sauver", comme il le dit par la suite, et même, pendant quelques heures, il fit une course hors la ville, pour une certaine affaire urgente, quoiqu'il eût peur de s'éloigner, de laisser Grouchenka ne fût-ce qu'une petite minute sans surveillance. Tout cela s'expliqua par la suite de la façon la plus précise et la plus documentaire, mais pour le moment nous ne noterons factuellement que le plus indispensable de l'histoire de ces deux jours affreux de sa vie qui précédèrent la catastrophe terrible qui devait éclater si brusquement dans son destin.

Grouchenka l'avait, certes, aimé pendant une petite heure d'une façon sincère et véritable, c'est vrai, mais il lui était tout de même arrivé de le torturer cruellement et sans pitié. L'essentiel était que, lui, il n'arrivait absolument pas à comprendre ses intentions : il n'y avait pas non plus moyen de s'emparer d'elle par la tendresse ou par la force : elle n'aurait cédé pour rien au monde, elle se serait seulement mise en colère et se serait détournée de lui pour toujours, cela, il le comprenait parfaitement. Il soupçonnait alors (et il avait raison) qu'elle aussi elle se trouvait dans une espèce de lutte, dans une sorte d'indécision extraordinaire, qu'elle essayait toujours de se décider et n'arrivait pas à le faire, et c'est pourquoi il supposait, non sans fondement, le cœur figé, que, par minutes, elle devait tout simplement le haïr, lui, avec sa passion. C'était peut-être vrai, mais quel était précisément l'objet de l'angoisse de Grouchenka, cela, malgré tout, il n'arrivait pas à le comprendre. En fait, pour lui, toute la question qui le torturait s'exprimait en une simple alternative : "Soit lui, Mitia, soit Fiodor Pavlovitch." Il faut ici à propos que je note un fait objectif : il était totalement persuadé que Fiodor Pavlovitch ne manquerait pas de proposer à Grouchenka (s'il ne l'avait déjà fait) un mariage légitime, et il ne croyait pas une seule minute que ce vieux jouisseur pût la gagner avec seulement trois mille roubles.

Cela, Mitia l'avait conclu, connaissant Grouchenka et son caractère. Voilà pourquoi il pouvait réellement avoir l'impression par moments que toute la torture de Grouchenka et toute son indécision ne venaient, là encore, que du fait qu'elle ne savait pas lequel choisir d'entre eux et lequel lui serait le plus profitable. Quant au retour imminent de "l'officier", c'est-à-dire de cet homme fatal dans la vie de Grouchenka, cet homme dont elle attendait l'arrivée avec une telle inquiétude, une telle peur, chose étrange, cela ne lui avait même pas effleuré l'esprit. Certes, Grouchenka elle-même, pendant les derniers jours, s'était montrée des plus muette devant lui. Pourtant, elle lui avait pleinement fait connaître l'existence de la lettre qu'elle avait reçue un mois auparavant de son ancien séducteur, il connaissait même en partie le contenu de cette lettre. En une minute de méchanceté, Grouchenka la lui avait montrée, cette lettre, mais, à sa grande surprise, lui, cette lettre, il n'y avait presque pas accordé d'importance. Et il aurait été très difficile d'expliquer pourquoi : peut-être, tout simplement parce que, lui-même, oppressé par toute la monstruosité, toute l'épouvante de sa lutte avec son propre père pour cette femme, il n'était plus en état d'imaginer qu'il pût y avoir pour lui quelque chose de plus effrayant et de plus dangereux, du moins à ce moment-là. Quant au fiancé, qui avait brusquement surgi après ces cinq années de disparition, il n'y croyait tout simplement pas, et surtout qu'il pût revenir très vite. Et puis, dans cette première lettre de "l'officier" qu'on avait montrée à Mitenka, on ne parlait de l'arrivée du nouveau rival qu'en termes des plus vagues ; la lettre était très brumeuse, très emphatique et emplie seulement de sensibleries. Il faut remarquer que, ce soir-là, Grouchenka lui avait caché les dernières lignes de la lettre, dans lesquelles le retour était évoqué d'une manière un peu plus précise. De plus, Mitenka se souvint plus tard qu'à cette minute-là il avait senti comme une espèce de mépris involontaire et orgueilleux pour cette épître de Sibérie de la part de Grouchenka elle-même. Ensuite, Grouchenka ne lui avait plus rien dit de la suite de ses relations avec ce nouveau rival. Ainsi, et peu à peu, lui-même, il était venu à oublier cet officier complètement. Il ne pensait qu'à une seule chose, peu importait ce que cela pourrait donner, sur quoi cela déboucherait, l'altercation définitive qui s'annonçait avec Fiodor Pavlovitch était trop proche et devait se résoudre avant tout. L'âme figée, il attendait de minute en minute la décision de Grouchenka et se disait qu'elle se ferait comme d'un coup, sur une inspiration. Soudain, elle lui dirait : “Prends-moi, je suis à toi pour toujours” – et tout serait fini : lui, il s'emparerait d'elle et l'emmènerait au bout du monde, séance tenante. Oh, il l'emmènerait tout de suite aussi loin, mais aussi loin qu'il pourrait, peut-être pas au bout du monde, mais au bout de la Russie, là-bas il l'épouserait, et il s'installerait avec elle incognito, pour que plus personne ne les connaisse, ni ici, ni là-bas, ni nulle part. Alors, oh alors, ce serait une vie entièrement nouvelle qui commencerait pour eux ! Cette autre vie, cette vie renouvelée et, cette fois, “vertueuse” (“absolument, absolument vertueuse”), il en rêvait à chaque instant, d'une façon frénétique. Il avait soif de cette résurrection, de ce renouvellement. Le marais trouble dans lequel il s'était englué lui-même, de sa propre volonté, lui pesait trop, et comme bien des gens dans ce genre de situation il croyait d'abord à un changement de lieu : tout mais plus ces gens, tout mais plus ces circonstances, pourvu qu'on puisse s'envoler hors de cet endroit maudit et – tout doit se ranimer, tout doit changer ! Voilà ce à quoi il croyait et ce qui le rongeait.

Mais, cela, ce n'était que pour la première solution, la solution *heureuse* de la question. Il y avait aussi une seconde solution, cette solution se représentait à lui également, mais, là, l'issue aurait été affreuse. Soudain, elle pouvait lui dire : “Va-t'en, je viens de trancher pour Fiodor Pavlovitch et je l'épouse, je n'ai pas besoin de toi” – et là… mais, là… Mitia, du reste, ne savait pas ce qu'il y aurait, jusqu'à la toute dernière heure il ne le savait pas, il faut au moins lui rendre cette justice. Il n'avait pas d'intentions précises, il n'avait prémédité aucun crime. Il ne faisait que surveiller, espionner et se ronger mais ne se préparait malgré tout qu'à la première issue, à l'issue heureuse de son destin. Même, il chassait toute autre pensée. Mais là commençait une torture complètement différente, se dressait une circonstance absolument nouvelle, et pourtant, elle aussi, fatale et insoluble.

Précisément : au cas où elle lui dirait : “Je suis à toi, emmène-moi”, comment pourrait-il l'emmener ? Où trouverait-il les moyens, l'argent ? Justement, à ce moment-là, tous les revenus des petites aumônes que Fiodor Pavlovitch lui avait faites pendant de si longues années étaient venus à s'épuiser. Bien sûr, Grouchenka avait de l'argent, mais, Mitia, brusquement, de ce point de vue-là, s'était découvert une fierté terrible : il voulait l'emmener tout seul et commencer avec elle une vie nouvelle sur ses propres fonds à lui, non sur les siens ; il ne pouvait même pas imaginer qu'il puisse lui prendre de l'argent, et cette idée le faisait souffrir d'un dégoût torturant. Je ne m'étends pas ici sur le fait, je ne l'analyse pas, je ne fais que le noter : tel était son état d'esprit à cette minute-là. Tout cela pouvait venir par la bande et comme inconsciemment même des tortures secrètes de sa conscience pour l'argent de Katérina Ivanovna qu'il s'était accaparé comme un voleur : "Devant l'une, je suis une crapule, et, devant l'autre, tout autant, je serai une crapule, pensait-il alors, ainsi qu'il l'avouait lui-même par la suite, et Grouchenka, si elle apprend, elle-même, elle refusera une crapule pareille." Et donc, où les prendre, les moyens, où prendre cet argent fatal ? Sinon, tout sera perdu et rien ne se fera, "et juste parce qu'il n'y a pas eu assez d'argent, oh quelle honte" !

Je prends les devants : le fait est bien là, que, si ça se trouve, il le savait peut-être, où le prendre, cet argent, il savait peut-être où il était caché. Je ne dirai rien de plus précis sur ce point, parce que tout s'expliquera par la suite ; mais en quoi consistait son malheur principal, cela, je le dirai, même d'une façon obscure : pour prendre ces moyens qui étaient quelque part, pour *avoir le droit* de les prendre, il fallait d'abord rendre les trois mille roubles à Katérina Ivanovna – sinon "je suis un voleur à la tire, je suis une crapule, et je ne veux pas commencer ma nouvelle vie comme une crapule", avait conclu Mitia, et c'est pourquoi il avait décidé de retourner le monde entier s'il le fallait, mais de rendre coûte que coûte ces trois mille roubles à Katérina Ivanovna, et, ce, *avant toute chose*. Le processus final de cette décision eut lieu, pour ainsi dire, aux toutes dernières heures de sa vie, précisément après sa rencontre avec Aliocha, deux soirs auparavant, sur la route, après que Grouchenka eut tellement humilié Katérina Ivanovna, et que Mitia, entendant le récit qu'en faisait Aliocha, avait réalisé qu'il était une crapule, et avait demandé de transmettre cela à Katérina Ivanovna, "si ça pouvait la soulager un peu". A ce même moment, au cours de la même nuit, après avoir quitté son frère, il avait senti, au fond de sa frénésie, qu'il valait même mieux "tuer ou détrousser quelqu'un et rendre sa dette à Katia". "Mieux vaut que je passe devant l'autre, celui que j'aurai tué et détroussé, pour un assassin et un voleur, et devant la terre entière, et que j'aille en Sibérie, plutôt que Katia soit en droit de dire que je l'ai trahie, et que je lui ai volé de l'argent, et, que, sur son argent à elle, je me suis enfui avec Grouchenka pour commencer une vie de vertu ! Ça, je ne peux pas !" Voilà ce qu'avait dit Mitia, grinçant des dents, et, réellement, il pouvait par instants imaginer qu'il finirait par attraper un transport au cerveau. Mais, d'ici là, il luttait...

Chose étrange : on aurait pu croire qu'avec cette décision, la seule chose qui lui restait, c'était le désespoir ; car où pouvait-il, d'un seul coup, prendre une telle somme, et, lui, un va-nu-pieds comme lui ? Et néanmoins, jusqu'au bout, pendant tout ce temps, il espérait qu'il les trouverait, ces trois mille roubles, qu'ils viendraient jusqu'à lui, qu'ils descendraient jusqu'à lui, d'eux-mêmes, d'une façon ou d'une autre, ne serait-ce que du ciel. Mais c'est justement ce qui arrive avec des gens qui, comme Dmitri Fiodorovitch, n'ont su faire de toute leur vie que dépenser et jeter par les fenêtres l'argent qu'ils ont reçu pour rien, par héritage, et qui n'ont pas la moindre idée de ce qu'on peut faire pour en gagner. Le tourbillon le plus fantastique s'était levé dans sa tête tout de suite après le moment où, deux jours auparavant, il avait quitté Aliocha, et ce tourbillon avait troublé toutes ses idées. Il se fit ainsi qu'il commença par l'entreprise la plus délirante. Mais c'est peut-être dans ce genre de situations que ce genre de gens imaginent les entreprises les plus impossibles et les plus fantastiques comme les premières possibles. Il décida soudain d'aller trouver le marchand Samsonov, le protecteur de Grouchenka, et de lui proposer un certain “plan”, de trouver chez lui d’un coup grâce à ce “plan” toute la somme qu’il cherchait ; ce plan, du point de vue commercial, il n’en doutait pas du tout, ce qui le faisait douter, c’était la façon dont Samsonov lui-même pouvait prendre son initiative, s’il voulait la regarder d’un point de vue un peu autre que le point de vue commercial. Mitia, certes, avait déjà vu ce marchand, mais il ne le connaissait pas, ne lui avait même jamais adressé la parole. Mais, bizarrement, et même depuis longtemps, il s’était persuadé que ce vieux débaucheur, qui sentait alors déjà le sapin, ne protesterait peut-être pas, à la minute où il était, si Grouchenka pouvait se bâtir une vie honnête et se marier avec un homme “de confiance”. Et que, non seulement, il pourrait ne rien avoir contre, mais que, lui-même, c’était ce qu’il voulait, et qu’il suffisait que l’occasion se présente pour qu’il la favorise. Sur une rumeur ou sur je ne sais quelles paroes de Grouchenka, il avait aussi conclu que le vieillard l’aurait peut-être préféré pour Grouchenka à Fiodor Pavlovitch. Plus d’un lecteur de notre récit trouvera peut-être ce calcul d’un soutien pareil et cette intention de tirer sa fiancée des bras, pour ainsi dire, de son protecteur comme quelque chose de trop grossier, d’assez répugnant de la part de Dmitri Fiodorovitch. Je peux juste faire remarquer que Mitia se représentait le passé de Grouchenka comme définitivement passé. Il considérait ce passé avec une compassion infinie et avait décidé avec toute la flamme de sa passion qu’à partir du moment où Grouchenka lui aurait dit qu’elle l’aimait et acceptait de l’épouser, ce serait aussitôt une nouvelle Grouchenka qui commencerait, et, en même temps qu’elle, un Dmitri Fiodorovitch entièrement nouveau, cette fois sans le moindre vice, avec seulement rien que des vertus : tous les deux, ils se pardonneraient tout et commenceraient une vie complètement renouvelée. Quant à Kouzma Samsonov, il le considérait, dans cet ancien passé disparu de Grouchenka, comme un homme fatal dans sa vie, mais qu'elle n'avait jamais aimé et qui, voilà l'essentiel, lui aussi, était "passé", était fini, de telle sorte qu'il n'existait même plus du tout. Qui plus est, Mitia, à présent, ne pouvait même plus le considérer comme un être humain, parce que tout le monde savait qu'il n'était plus qu'une ruine malade, qui ne conservait des relations pour ainsi dire que paternelles avec Grouchenka, et pas du tout sur les mêmes bases qu'avant, et que c'était ainsi depuis longtemps, depuis presque un an. De toute façon, il y avait là beaucoup de naïveté de la part de Mitia, parce que, malgré tous ses vices, c'était un homme très naïf. C'est suite à cette naïveté, peut-être, qu'il était sérieusement persuadé que le vieux Kouzma, prêt à entrer dans l'autre monde, ressentait un remords sincère pour son passé avec Grouchenka et qu'elle n'avait pas de protecteur et d'ami plus sincère que ce vieillard qui, à présent, ne pouvait plus faire aucun mal.

Le lendemain de sa conversation avec Aliocha dans les champs, conversation après laquelle Mitia n'avait presque pas dormi de la nuit, il se présenta chez Samsonov vers dix heures du matin et demanda qu'on l'annonce. C'était une maison vieille, sombre, très vaste, à un étage, avec des dépendances et un pavillon. Le rez-de-chaussée était occupé par les deux fils mariés de Samsonov et leurs familles, par sa vieille sœur et une fille encore vieille fille. Le pavillon, lui, abritait deux de ses commis, dont l'un, lui aussi, avait une famille nombreuse. Tant les enfants que les commis s'entassaient dans leurs logements, mais l'étage supérieur était, lui, occupé par le vieillard tout seul, qui ne laissait même pas vivre auprès de lui sa fille, laquelle le soignait et, à certaines heures précises, ou bien s'il l'appelait, quand il voulait, se voyait obligée de courir dans les escaliers pour le retrouver, malgré le souffle court qui l'accablait. Ce "haut" était composé d'une multitude de vastes pièces d'apparat meublées selon l'ancien goût des marchands, avec de longues et mornes files de fauteuils inconfortables et de chaises d'acajou contre les murs, des lustres de cristal recouverts de housses, des glaces lugubres entre les fenêtres. Toutes ces pièces restaient complètement vides et inhabitées, parce que le vieillard malade n'occupait qu'une seule pièce, minuscule, sa petite chambre à coucher, tout au fond, où le soignait une vieille servante, en foulard, et un "petit gars", qui vivait sur un banc dans l'entrée. Le vieillard n'arrivait presque plus à marcher à cause de ses jambes enflées et pouvait seulement, de loin en loin, se lever de son fauteuil de cuir, tandis que la vieille, le tenant par le bras, lui faisait faire quelques pas tout autour de la pièce. Il était dur et peu bavard même avec cette vieille. Quand on lui fit part de l'arrivée du "capitaine", il donna tout de suite l'ordre de ne pas l'introduire. Mais Mitia insista et se présenta une nouvelle fois. Kouzma Kouzmitch soumit le petit gars à un interrogatoire serré : qu'est-ce qu'il avait ? de quoi il avait l'air ? est-ce qu'il n'était pas soûl ? Est-ce qu'il était violent ? La réponse fut : "Il a pas bu, mais il veut pas sortir." Le vieillard opposa un nouveau refus. Alors, Mitia, qui avait tout prévu, et avait tout exprès emporté du papier et un crayon, écrivit très distinctement cette ligne sur un bout de papier : "Pour une affaire des plus urgente, touchant de près Agraféna Alexandrovna" – et la fit parvenir au vieillard. Après une courte réflexion, le vieillard ordonna au petit gars d'introduire le visiteur dans la salle, et envoya la vieille en bas, avec ordre de dire à son fils cadet de monter le retrouver sans délai. Ce fils cadet, homme de bien deux mètres et d'une force gigantesque, qui se rasait et s'habillait à l'allemande (alors que Samsonov, lui, portait le caftan et la barbe), apparut sur-le-champ, sans répliquer. Ils tremblaient tous devant leur père. Ce gaillard, le père ne l'avait pas fait venir parce qu'il avait peur du capitaine – son caractère était tout sauf timide –, mais juste comme ça, à tout hasard, plutôt pour avoir un témoin. En compagnie de ce fils, qui le tenait par le bras, et du petit gars, il finit par paraître dans la salle. Il faut croire qu'il ressentait tout de même une assez forte curiosité. La salle dans laquelle attendait Mitia était immense, lugubre, une pièce qui vous tuait l'âme de tristesse, à double rang de fenêtres, avec une galerie, des murs en "similimarbre" et trois énormes lustres en cristal recouverts par des housses. Mitia était assis sur une petite chaise près de la porte d'entrée et attendait, dans une impatience nerveuse, que son sort se décide. Quand le vieillard parut à l'entrée opposée, à une vingtaine de mètres de la chaise de Mitia, ce dernier bondit brusquement et, de ses pas fermes, militaires, immenses, il s'avança à sa rencontre. Mitia était vêtu très décemment – un veston boutonné, un chapeau rond qu'il tenait à la main et des gants noirs, exactement ce qu'il avait mis trois jours auparavant pour se rendre au monastère, chez le starets, pour le conseil de famille avec Fiodor Pavlovitch et ses frères. Le vieillard l'attendait debout, d'un air grave et sévère, et Mitia sentit en une seconde que, le temps qu'il s'approche, l'autre l'avait toisé des pieds à la tête. Mitia fut aussi très frappé par le visage, très bouffi ces derniers temps, de Kouzma Kouzmitch ; sa lèvre inférieure, qui avait toujours été enflée, avait l'air à présent d'une espèce de galette pendante. Ce dernier salua son hôte d'un air grave et silencieux, lui indiqua un fauteuil près du divan et, lui-même, lentement, en s'appuyant sur le bras de son fils, et en grognant de douleur, entreprit de s'installer, face à Mitia, sur le divan, si bien que ce dernier, voyant ses efforts douloureux, ressentit tout de suite au fond de lui du remords et une honte gênée pour son insignifiance présente devant un personnage si important qu'il venait déranger.

— Que puis-je pour vous, monsieur ? demanda le vieillard, d'un ton posé, distinct, sévère, mais poli, après s'être enfin installé.

Mitia tressaillit, voulut bondir mais se rassit. Ensuite, immédiatement, il se mit à parler, d'une voix sonore, rapide, nerveuse, avec des gestes, pris d'une vraie frénésie. On voyait qu'il était réduit au dernier stade, qu'il était perdu et cherchait une dernière issue, et que, si c'était un échec, il n'avait plus qu'à aller se noyer. Tout cela, vraisemblablement, le vieux Samsonov le comprit à la seconde, même si son visage demeura inchangé et froid comme celui d'un totem.

"Le très honorable Kouzma Kouzmitch a sans doute entendu parler de mes démêlés avec mon père, Fiodor Pavlovitch Karamazov, qui m'a volé tout l'héritage de ma propre mère… parce que toute la ville ne parle plus que de ça… parce que tout le monde ici parle de ce qui ne le regarde pas… Et, en plus, vous pouvez être au courant par Grouchenka… je m'excuse : Agraféna Alexandrovna… Agraféna Alexandrovna, que je respecte et que je vénère à l'infini…", ainsi commença-t-il, et il s'interrompit au premier mot. Mais nous ne reproduirons pas son discours mot pour mot, nous n'en ferons qu'un exposé. L'affaire, n'est-ce pas, elle consistait en ceci que, lui, Mitia, il y a encore trois mois de ça, expressément, il avait pris conseil (et il venait de dire "expressément", et non "exprès") avec un avocat dans le chef-lieu de la province, "avec le célèbre avocat, Kouzma Kouzmitch, Pavel Pavlovitch Kornéplodov, vous connaissez peut-être ? Un front large, un esprit quasiment d'homme d'Etat… il vous connaît aussi… il disait le plus grand bien…" coupa Mitia une nouvelle fois. Mais ces coupures ne l'arrêtaient pas, il sautait tout de suite par-dessus et galopait toujours de plus en plus loin. Donc, n'est-ce pas, ce fameux Kornéplodov, après un interrogatoire serré et un examen de tous les documents que Mitia avait pu lui présenter (à propos des documents, Mitia fut très loin d'être clair, et galopa tout particulièrement), a répondu qu'au sujet du village de Tchermachnia, qui devrait, n'est-ce pas, lui appartenir à lui, Mitia, selon la ligne maternelle, de fait, on pourrait songer à intenter une procédure pour le laisser sur le flanc, ce vieux dénaturé… "parce que ce ne sont pas toutes les portes qui sont fermées, et elle sait bien, Thémis, par où elle peut se faufiler". Bref, on pourrait espérer disons même dans les six mille de la part de Fiodor Pavlovitch, et sept, même, parce que, Tchermachnia, elle vaut, quand même, au minimum, au bas mot vingt-cinq mille, c'est-à-dire sûrement vingt-huit, "et trente, trente, Kouzma Kouzmitch, et, moi, imaginez, cet homme sans cœur, il m'en refuse même dix-sept !… Et donc, moi, n'est-ce pas, Mitia, bon, j'ai laissé tomber le procès, parce que Thémis et moi… mais, arrivé ici, j'ai été scié net par une procédure en réponse (ici Mitia s'embrouilla à nouveau, et, à nouveau, il y eut un saut brusque) ; alors donc, voilà, n'est-ce pas, vous ne souhaiteriez pas, vous, très honoré Kouzma Kouzmitch, prendre mes droits contre ce monstre et, vous-même, me donner trois mille roubles… Parce que, n'est-ce pas, vous ne pouvez pas perdre, et, ça, je vous le jure sur l'honneur, sur l'honneur, mais tout au contraire, vous pouvez vous faire six mille ou sept mille au lieu de trois… Et l'essentiel, c'est de tout régler «ne serait-ce qu'aujourd'hui». Moi, je vous ferai tout, là, enfin, chez le notaire, ou comment… Bref, je suis prêt à tout, je vous donne tous les papiers que vous demanderez, je vous signe tout… et, nous, ce papier, on se le commet tout de suite, et si c'était possible, oh si c'était seulement possible, là, aujourd'hui, ce matin… Vous, vous me donnez ces trois mille… parce que, qui est-ce qu'il y a comme capitaliste, à part vous-même, dans cette sale ville… et donc, vous me sauvez de… bref, vous sauvez ma pauvre vie pour une œuvre des plus noble, pour une œuvre sublime, on peut dire… car je nourris les sentiments les plus nobles envers la personne que vous ne connaissez que trop et que vous protégez paternellement. Sinon, je ne serais pas venu, si ce n'était pas paternel. Et, si vous voulez, on est trois qui se cognent de front, vu que le destin – c'est une monstruosité, Kouzma Kouzmitch ! Le réalisme, Kouzma Kouzmitch, le réalisme ! Et comme, vous, il faut vous exclure depuis longtemps, il reste deux fronts, comme je l'ai dit, peut-être maladroitement, car je ne suis pas homme de lettres. C'est-à-dire, le premier front, c'est le mien, et, le deuxième – c'est l'autre monstre. Donc, choisissez : moi ou le monstre ? Tout est maintenant entre vos mains – trois destins et deux sorts… Excusez-moi, je m'embrouille, mais vous comprenez… je le vois dans vos très honorables yeux, que vous avez compris… Et si vous n'avez pas compris, alors, aujourd'hui même, je me noie, voilà !"

Mitia coupa son discours incohérent sur ce "voilà" et, bondissant de sa place, attendit une réponse à sa proposition stupide. Sur sa dernière phrase, il sentit brusquement que tout avait raté, et, surtout, qu'il avait raconté des bêtises terribles. "C'est étrange, en chemin, ça paraissait très bien, et, maintenant, quelles bêtises !" se sentit-il penser en un éclair, au désespoir. Tout le temps qu'il avait parlé, le vieillard était demeuré immobile et l'avait suivi des yeux avec une expression glaciale. Après l'avoir tenu, pourtant, une minute à attendre, Kouzma Kouzmitch s'exprima finalement sur le ton le plus ferme et le plus décourageant :

— Vous me pardonnerez, ces affaires-là, ce n'est pas notre branche.

Mitia sentit qu'il avait les jambes qui flageolaient.

— Mais comment je fais, maintenant, Kouzma Kouzmitch, murmura-t-il avec un sourire pâle. Mais je suis perdu maintenant, vous ne pensez pas ?

— Vous me pardonnerez...

Mitia restait toujours sans bouger et le regardait fixement, quand, brusquement, il remarqua comme un petit mouvement sur le visage du vieillard. Il tressaillit.

— Voyez-vous, monsieur, nous, ces affaires-là, on ne pourra pas les suivre, reprit lentement le vieillard, il y aura des procès, les avocats, une calamité ! Mais si vous voulez, on connaît quelqu'un, adressez-vous à lui...

— Mon Dieu, mais qui est-ce donc !... Vous me ressuscitez, Kouzma Kouzmitch, balbutia soudain Mitia.

— Il n'est pas d'ici, cet homme-là, et d'ailleurs il n'est pas là en ce moment. C'est un paysan, il vend du bois, on l'appelle "Chien-d'Arrêt". Ça fait un an qu'il marchande avec Fiodor Pavlovitch pour un bois, mais ils n'arrivent pas à s'entendre sur le prix, vous êtes peut-être au courant. En ce moment, justement, il est revenu, il habite chez le père Ilinski, douze verstes de la gare de Volovia, ou quoi, dans le village d'Ilinskoïé. Il m'a écrit, à moi aussi, au sujet de cette affaire, c'est-à-dire de ce bois, il me demandait conseil. Fiodor Pavlovitch a l'intention d'aller le voir en personne. Eh bien, si vous devanciez Fiodor Pavlovitch et que vous proposiez à Chien-d'Arrêt la chose que vous m'avez dite, lui, peut-être…

— Une idée de génie ! l'interrompit Mitia, exalté. Mais c'est à lui, c'est pour lui, cette affaire-là ! Il marchande, on lui demande cher, et, là, un document pour posséder le total, ha ha ha ! Et Mitia éclata soudain d'un petit rire mécanique, absolument inattendu, au point que même Samsonov eut un sursaut de la tête. Comment vous remercier, Kouzma Kouzmitch, continuait un Mitia qui bouillonnait.

— Ce n'est rien, fit Samsonov, baissant la tête.

— Mais vous ne savez pas que vous m'avez sauvé, oh, c'est un pressentiment qui me poussait vers vous… Oui, donc, allons trouver le pope !

— Ce n'est pas la peine de me remercier.

— Je cours, je vole. J'ai abusé de votre santé. Jamais je n'oublierai, un Russe qui vous le dit, Kouzma Kouzmitch, un Rrrusse !

— Mmoui.

Mitia voulut saisir la main du vieux pour la secouer mais quelque chose de haineux brilla soudain dans son regard. Mitia retira sa main, mais se reprocha tout de suite d'être trop soupçonneux. "Il est fatigué…" se dit-il en un éclair.

— Pour elle ! Pour elle, Kouzma Kouzmitch ! Vous comprenez que c'est pour elle ! lança-t-il soudain d'une voix tonitruante, il salua, tourna sur ses talons, et, de ses mêmes pas rapides et gigantesques, sans se retourner, se dirigea vers la sortie. Il frissonnait de joie. "Tout était perdu, et, vlan, mon ange gardien qui m'a sauvé, se disait-il dans un tourbillon. Et si un homme d'affaires comme ce vieillard (le vieillard le plus noble, et quelle allure !) m'a indiqué cette voie, alors... alors, bien sûr, le chemin est conquis. Je vole, tout de suite. Je serai de retour avant la nuit, je reviens dans la nuit, mais l'affaire est vaincue. Le vieillard ne pouvait quand même pas se moquer de moi ?" Ainsi s'exclamait Mitia, marchant à grandes enjambées jusqu'à chez lui, et, bien sûr, son esprit ne pouvait pas s'imaginer autre chose, à savoir : soit un conseil sérieux (d'un homme d'affaires pareil) – de quelqu'un qui s'y connaissait, qui connaissait ce Chien-d'Arrêt (quel drôle de nom !) ; soit – soit ce vieillard s'était moqué de lui ! Hélas ! c'est cette idée-là qui était la seule juste. Par la suite, beaucoup plus tard, quand toute la catastrophe se fut réalisée, le vieux Samsonov avoua lui-même en riant qu'il s'était bien moqué du "capitaine". C'était un homme méchant, froid et sarcastique, sujet, de plus, à des antipathies maladives. Etait-ce l'air exalté du capitaine, la conviction stupide de "ce panier percé, ce flambeur" que, lui, Samsonov, pût mordre à une ineptie comme son "plan", ou bien sa jalousie pour Grouchenka, au nom de laquelle ce "va-nu-pieds" était venu le déranger pour lui proposer cette ineptie parce qu'il avait besoin d'argent – je ne sais ce qui avait alors poussé le vieil homme, mais, à la minute où Mitia se tenait devant lui, les jambes flageolantes et s'exclamait d'un air absurde qu'il était perdu, à cette minute-là, le vieillard lui avait lancé un regard plein d'une haine infinie et s'était imaginé ce moyen de se moquer de lui. Quand Mitia fut ressorti, Kouzma Kouzmitch, pâle de colère, se tourna vers son fils et lui dit de prendre des mesures pour que ce va-nu-pieds ne revienne plus jamais, qu'on ne le laisse même pas entrer dans la cour, sans quoi...

Il n'acheva pas sa phrase de menace, mais, même son fils, qui l'avait souvent vu en colère, tressaillit de frayeur. Une heure plus tard, le vieillard était même tout entier secoué de tremblements de rage, et, au soir, il tomba malade et envoya chercher le "toubib".

II

CHIEN-D'ARRÊT

Et donc, il fallait "galoper", or, l'argent pour les chevaux, il n'en avait pourtant pas le premier kopeck, c'est-à-dire qu'il avait deux pièces de vingt, et c'était tout – tout ce qui lui restait de tant d'années de son ancienne aisance ! Mais il avait chez lui une vieille montre en argent, qui s'était arrêtée depuis longtemps. Il courut la chercher et la porta à un horloger juif, qui faisait son commerce dans son gourbi, au marché. Le Juif lui en donna six roubles. "Je m'attendais à moins !" s'écria Mitia, exalté (il se trouvait toujours dans un état d'exaltation), il saisit ses six roubles et courut chez lui. Là, il compléta la somme en empruntant trois roubles à ses logeurs, qui les lui donnèrent avec plaisir, même si c'étaient leurs derniers sous qu'ils lui donnaient, tant ils l'aimaient. Mitia, dans son état d'exaltation, leur révéla sur-le-champ, tout en étant terriblement pressé, bien sûr, que son destin était en train de se jouer et leur raconta l'ensemble de ce "plan" qu'il venait de soumettre à Samsonov, puis le jugement de Samsonov, ses espoirs pour le futur, etc. Ses logeurs avaient déjà été mis dans la confidence de nombre de ses secrets, ce pourquoi ils le considéraient comme *l'un des leurs*, et pas du tout un monsieur qui faisait le fier. Ayant réuni de cette façon neuf roubles, Mitia commanda tout de suite des chevaux jusqu'au poste de Volovia. Mais c'est ainsi qu'on put savoir et qu'on se souvint que "la veille de l'événement, à midi, Mitia n'avait pas un kopeck" et que, "pour trouver de l'argent, il avait vendu sa montre et emprunté trois roubles à ses logeurs, et, cela, devant témoins".

Je note ce fait par avance, la suite expliquera pourquoi.

Galopant vers Volovia à bride abattue, Mitia, rayonnait, certes, du pressentiment joyeux que, voilà, maintenant, il allait en finir et régler "toutes ces affaires", mais, néanmoins, il frissonnait de peur : qu'en serait-il, pendant ce temps, en son absence, de Grouchenka ? Et si c'était justement aujourd'hui qu'elle décidait de se rendre chez Fiodor Pavlovitch ? Voilà pourquoi il était parti sans rien lui dire et en ordonnant à ses logeurs de ne rien révéler de ce qu'il était parti faire, si quelqu'un venait prendre de ses nouvelles. "Il faut absolument, absolument être de retour ce soir, répétait-il, secoué dans la charrette, et, ce Chien-d'Arrêt, si ça se trouve, il faut l'amener ici… pour accomplir cet acte…", ainsi songeait Mitia, l'âme figée, mais, hélas, ses rêves n'étaient que trop destinés à ne pas se réaliser selon son "plan".

D'abord, il arriva en retard, parce qu'il avait pris un chemin vicinal après le poste de Volovia. Ce chemin s'avéra faire non pas douze verstes, mais dix-huit. Ensuite, le prêtre d'Ilinskoïé était absent, il s'était rendu au village voisin. Le temps que Mitia parvienne à l'y retrouver, après avoir couru jusqu'à ce village avec ses mêmes chevaux, déjà fourbus, il faisait déjà presque nuit. Le prêtre, un petit bonhomme à l'air doux et gentil, lui expliqua immédiatement que ce Chien-d'Arrêt, certes, il avait d'abord logé chez lui, mais qu'en ce moment il se trouvait au Hameau-Sec, où il passait la nuit, aujourd'hui, dans l'isba du garde forestier, parce que, là-bas aussi, il voulait acheter du bois. Devant les demandes insistantes de Mitia de le conduire tout de suite chez Chien-d'Arrêt, et, “pour ainsi dire, de le sauver, lui”, le prêtre, certes, commença par hésiter, mais accepta pourtant de l'accompagner jusqu'à ce Hameau-Sec, poussé, visiblement, par la curiosité ; mais, par malheur, il lui conseilla d'y aller “en faisant un peu de marche”, du fait qu'il n'y avait qu'à peine une verste à faire “ou juste un tout petit plus”. Mitia, on comprend bien, accepta, et se mit à marcher, de ses pas de géant, au point que le malheureux prêtre fut presque obligé de courir pour le suivre. C'était un petit bonhomme encore loin d'être vieux, et très prudent. Mitia lui parla tout de suite de ses plans, lui demandant avec fougue, nerveusement, des conseils au sujet de Chien-d'Arrêt, et parla pendant tout le trajet. Le prêtre écoutait avec attention mais conseillait peu. Aux questions de Mitia, il répondait par des esquives : “Je ne sais pas, oh, je ne sais pas, comment pourrais-je savoir”, etc. Quand Mitia lui parla de ses “démêlés” avec son père au sujet de l'héritage, le prêtre fut même pris de panique, parce qu'il se trouvait avec Fiodor Pavlovitch dans une espèce de relation de dépendance. Il s'enquit, ceci dit, avec surprise de savoir pourquoi il appelait Chien-d'Arrêt ce paysan commerçant qui s'appelait Gorstkine, et expliqua obligeamment à Mitia que, certes, c'était vraiment Chien-d'Arrêt, mais ce n'était pas Chien-d'Arrêt, parce que ce nom-là l'offensait cruellement et qu'il ne fallait l'appeler que Gorstkine, “sinon, vous ne ferez rien avec lui, et il refusera même de vous écouter”, conclut le père. Mitia s'étonna quelque peu et, dans sa hâte, il expliqua que c'est Samsonov lui-même qui l'appelait ainsi. Apprenant cette circonstance, le père changea tout de suite de conversation, alors qu'il aurait bien fait d'expliquer tout de suite à Dmitri Fiodorovitch ce qu'il venait de penser : que si c'était Samsonov lui-même qui l'envoyait chez ce petit paysan en l'appelant Chien-d'Arrêt, il aurait très bien pu le faire, pour une raison ou pour une autre, pour se moquer, ou bien n'y avait-il pas là quelque chose de pas clair ? Mais Mitia n'avait pas le temps de s'arrêter à "des vétilles pareilles". Il était pressé, il faisait de grandes enjambées et c'est seulement quand il fut arrivé au Hameau-Sec qu'il comprit qu'ils n'avaient pas fait une verste, et pas une verste et demie, mais sans doute trois ; cela le mit en rage, mais il ne dit rien. Ils entrèrent dans l'isba. Le forestier, ami du prêtre, occupait une moitié de l'isba, et, Gorstkine, lui, s'était installé dans l'autre, la partie d'apparat, de l'autre côté de l'entrée. Ils entrèrent dans cette partie d'apparat, et allumèrent une chandelle de suif. L'isba était surchauffée. Sur une table de sapin ils virent un samovar éteint, un plateau avec des tasses, une bouteille de rhum vide, un carafon de vodka pas encore entièrement vide et les restes d'un pain de froment. L'invité lui-même était étendu sur un banc, son manteau froissé en boule sous la tête pour tout oreiller, et ronflait pesamment. Mitia resta stupéfait. "Bien sûr, il faut le réveiller : mon affaire est trop importante, j'ai tellement couru, je suis pressé de rentrer aujourd'hui même", fit Mitia, tout inquiet ; mais le père et le forestier restaient sans rien dire, sans exprimer leur opinion. Mitia s'approcha et entreprit de le réveiller tout seul, il entreprit énergiquement, mais le dormeur ne se réveillait pas. "Il est soûl, conclut Mitia, mais qu'est-ce que je peux faire, mon Dieu, qu'est-ce que je peux faire !” Et, brusquement, pris d’une impatience terrible, il se mit à secouer le dormeur par les bras, par les jambes, à lui secouer la tête, à le relever et le faire asseoir sur le banc, et malgré cela, après des efforts bien prolongés, il ne parvint qu’à le faire meugler d’une façon absurde, et à jurer, très fort, quoique avec une élocution pâteuse.

— Non, vous feriez mieux de patienter, plaça enfin le prêtre, parce qu’il n’est visiblement pas en état.

— Il a bu depuis le matin, renchérit le garde.

— Mon Dieu ! s’écriait Mitia. Si vous saviez seulement à quel point j’ai besoin de lui et dans quel désespoir je me trouve en ce moment !

— Non, là, vous feriez mieux de patienter jusqu’au matin, répéta le prêtre.

— Jusqu’au matin ? Mais, miséricorde, c’est impossible ! Et, dans son désespoir, il en fut presque à se jeter à nouveau sur l’ivrogne, mais il abandonna tout de suite, comprenant toute la vanité de ses efforts. Le prêtre se taisait, le forestier, endormi, restait sombre.

— Il vous fait de ces tragédies terribles avec les gens, le réalisme ! fit Mitia, complètement désespéré. La sueur ruisselait sur son front. Saisissant l’occasion, le prêtre expliqua, très raisonnablement, que, quand bien même il réussirait à le réveiller, se trouvant dans cet état, Gorstkine resterait incapable de mener toute conversation, “et, vous, votre affaire est importante, et, donc, le mieux, c’est de laisser passer la nuit dessus”… Mitia fit un geste d’impuissance et tomba de son avis.

— Mon père, je resterai ici, avec la chandelle, et je guetterai l’instant. Quand il se réveillera, je m’y mettrai… La chandelle, je te la paierai, fit-il, s’adressant au garde, le séjour aussi, tu te souviendras de Dmitri Karamazov. Mais c’est seulement pour vous, mon père, que je ne sais pas comment faire : vous, où est-ce que vous vous coucherez ?

— Oh non, moi, je rentre chez moi. Je prends sa petite jument et je rentre, répondit-il, indiquant le garde. Et donc, adieu, je vous souhaite d'obtenir toute satisfaction.

Ainsi firent-ils. Le prêtre rentra avec la jument, heureux de s'être enfin défait de lui, mais non sans réfléchir et sans hocher la tête d'un air troublé : il allait sans doute, le lendemain, faire savoir cette aventure curieuse à son bienfaiteur Fiodor Pavlovitch, "sinon, sait-on jamais, il l'apprendra, il se fâchera, il arrêtera ses grâces". Le garde se gratta la tête et rentra sans mot dire dans son isba, tandis que Mitia s'asseyait sur le banc pour guetter, comme il l'avait dit, l'instant. Une angoisse profonde pénétra, comme un brouillard pesant, dans son âme. Une angoisse profonde, terrifiante ! Il restait là, il réfléchissait, il n'arrivait à rassembler aucune réflexion. La chandelle s'épuisait, le grillon criait, et l'air devenait de plus en plus irrespirable dans la pièce surchauffée. Soudain, il se représenta le jardin, le passage derrière le jardin, la porte de la maison de son père s'ouvre mystérieusement, et Grouchenka jaillit à l'intérieur… Il bondit de son banc.

— Une tragédie ! murmura-t-il, grinçant des dents. Il s'approcha machinalement du dormeur et se mit à examiner son visage. C'était un paysan efflanqué, mais pas encore vieux, le visage oblong, les cheveux châtains bouclés, et une petite barbiche rousse et longue, vêtu d'une chemise d'indienne et d'un gilet noir, dont la poche laissait voir la chaîne d'une montre en argent. Mitia examinait cette bouille avec une haine terrible, mais, bizarrement, ce qui l'emplissait de la haine la plus forte, c'est qu'il avait les cheveux bouclés. Ce qui était le plus insupportablement vexant, c'est que, lui, là, Mitia, il se tenait devant lui avec cette affaire si urgente, en ayant fait de tels sacrifices, abandonné tant de choses, complètement à bout, et que, lui, ce gobeur de mouches, "de qui tout mon destin dépend maintenant, il ronfle comme si de rien n'était, comme s'il était tombé d'une autre planète". "Oh, l'ironie du destin !" s'exclama Mitia, et, brusquement, perdant complètement la tête, il se jeta à nouveau sur le paysan ivre pour le réveiller. Il essaya de le réveiller avec une espèce de frénésie, le déchira, le poussa, il alla jusqu'à le battre, mais, après cinq minutes de folie, là encore sans aucun résultat, il revint à son banc, dans un désespoir impuissant, et se rassit.

— C'est bête, c'est bête ! s'exclamait Mitia, et... comme tout ça est sans honneur ! ajouta-t-il soudain, il ne savait pas pourquoi. Il fut pris d'une migraine terrible : "Ou je laisse tomber ? Je pars complètement, se sentit-il penser une seconde. Non, bon, j'attends le matin. Je reste exprès, là ! Pourquoi je serais venu, sinon ? Et puis, repartir sans rien, comment je repartirais, maintenant, oh, l'absurdité !"

Pourtant, son mal de tête ne faisait qu'augmenter toujours plus. Il était assis immobile et il n'eut pas conscience du moment où il se mit à somnoler, et, d'un seul coup, il s'endormit assis. Il dormit visiblement deux heures ou plus. Il reprit conscience à cause d'un mal de tête insupportable, insupportable à faire crier. Ça cognait dans ses tempes, le haut de son crâne brûlait ; il se réveilla et mit encore longtemps à revenir à lui et à comprendre ce qui lui était arrivé. Il finit par comprendre que, dans la pièce surchauffée, c'était le poêle qui fumait terriblement et que, si ça se trouve, il aurait pu en mourir. Le paysan ivre, lui, dormait toujours et continuait de ronfler ; la chandelle avait fondu et était près de s'éteindre. Mitia cria et se précipita, en chancelant, de l'autre côté de l'entrée, jusqu'à l'isba du garde. L'autre eut tôt fait de se réveiller, mais, entendant qu'il y avait un début d'asphyxie dans l'autre isba, il prit, certes, des dispositions, mais apprit la chose avec une indifférence très étrange, ce qui laissa Mitia aussi blessé que surpris.

— Mais il est mort, il est mort, et là… alors, quoi ? s'exclamait devant lui Mitia, dans un état second.

On ouvrit grandes les portes, on ouvrit la fenêtre, on dégagea le tuyau, Mitia ramena un grand seau de l'entrée, il se mouilla d'abord la tête lui-même, ensuite, trouvant une espèce de chiffon, il le trempa dans l'eau et l'appliqua sur la tête de Chien-d'Arrêt. Le garde, lui, continuait de considérer toute l'aventure avec une espèce, même, de dédain, et, après avoir ouvert la fenêtre, il prononça d'une voix sombre : "Ça ira comme ça" – après quoi il retourna se coucher, laissant à Mitia sa lanterne de fer allumée. Mitia passa une demi-heure à s'affairer avec l'ivrogne asphyxié, en lui mouillant la tête, et s'apprêtait déjà sérieusement à ne pas dormir de la nuit quand, épuisé, il s'assit, sans s'en rendre compte, une petite minute, pour reprendre haleine, et ferma les yeux à la seconde, ensuite de quoi, tout de suite, inconsciemment, il s'étendit sur son banc et s'endormit d'un sommeil de mort.

Il se réveilla affreusement tard. Il était déjà environ neuf heures du matin. Le soleil brillait violemment dans les deux fenêtres de l'isba. Le paysan frisé de la veille était assis sur son banc, déjà vêtu de sa blouse. Il était devant un nouveau samovar et un nouveau carafon. L'ancien carafon, celui d'hier, était à présent vide, et le nouveau déjà vidé plus qu'à moitié. Mitia bondit et comprit tout de suite que le maudit paysan était à nouveau soûl, soûl profondément – irrécupérable. Il le regarda une bonne minute, les yeux écarquillés. Le paysan, lui, le regardait sans rien dire, d'un air sournois, avec une espèce de tranquillité vexante, une espèce, même, d'arrogance méprisante – ce fut l'impression de Mitia. Il se jeta vers lui.

— Permettez, voyez-vous… je… le garde, ici, dans l'autre isba il vous a dit, sans doute : je suis le lieutenant Dmitri Karamazov, le fils du vieux Karamazov, à qui, n'est-ce pas, vous voulez acheter un bois…

— Ça, t'es un menteur ! répliqua soudain le paysan d'une voix ferme et tranquille.

— Comment un menteur ? Vous connaissez bien Fiodor Pavlovitch ?

— Je le connais pas, ton Fiodor Pavlovitch, répondit le paysan, en remuant la langue avec une espèce de lourdeur.

— Mais le bois, le bois vous voulez lui acheter ; mais réveillez-vous, reprenez vos esprits. Le père Pavel Ilinski m'a conduit jusqu'ici… Vous avez écrit à Samsonov, et c'est lui qui m'envoie… haletait Mitia.

— M-menteur ! trancha à nouveau Chien-d'Arrêt.

Mitia sentit ses jambes flageoler.

— Voyons, mais je ne plaisante pas ! Vous êtes peut-être encore ivre. Mais vous pouvez comprendre, enfin, parler… sinon… sinon, je ne comprends rien !

— T'es le teinturier !

— Mais voyons, je suis Karamazov, Dmitri Karamazov, j'ai une proposition à vous faire… une proposition rentable… vraiment rentable… justement à propos de ce bois.

Le paysan se lissait la barbe d'un air grave.

— Non, tu m'as fait un contrat, t'as été une crapule. T'es une crapule !

— Je vous assure que vous faites erreur ! continuait Mitia, se tordant les bras, désespéré. Le paysan continuait de se lisser la barbe et, brusquement, il plissa un œil d'un air sournois.

— Non, toi dis-moi une chose, toi : dis-moi, c'est quoi la loi qui permet de tramer des saletés, t'entends ! T'es une crapule, tu le comprends, ça ?

Mitia recula d'un air sombre et, brusquement, ce fut comme "s'il y avait quelque chose qui lui frappait le front", comme il devait le dire par la suite. En une seconde, il y eut une espèce d'illumination dans son esprit, "un flambeau s'est allumé, et, là, j'ai tout vu". Il restait pétrifié, incapable de comprendre comment, lui, un homme tout de même intelligent, il avait pu se laisser prendre dans une bêtise pareille, se trouver englué dans une telle aventure, et continuer tout ça pendant presque une journée entière, perdre son temps avec ce Chien-d'Arrêt, lui mouiller les tempes… "Mais il est soûl, ce gars-là, soûl comme un bourricot, et il se soûlera encore pareil pendant toute une semaine – qu'est-ce que vous voulez attendre ? Et si Samsonov m'avait envoyé là exprès ? Et si, elle… Oh, mon Dieu, ce que j'ai fait !…"

Le paysan, sur son banc, le regardait en ricanant. En d'autres circonstances Mitia l'aurait peut-être tué, cet imbécile, de rage, mais, à présent, lui-même il était faible comme un enfant. Il s'approcha doucement de son banc, reprit son manteau, l'enfila sans rien dire et sortit de l'isba. Dans l'autre isba, il ne trouva pas le garde, il n'y avait personne. Il sortit de sa poche cinquante kopecks en petite monnaie et les posa sur la table, pour la nuit, la chandelle et le dérangement. Sortant de l'isba, il vit qu'il n'y avait autour de l'isba que de la forêt, rien d'autre. Il partit au hasard, sans même se souvenir de la direction qu'il fallait prendre à partir de l'isba – à droite ou à gauche ; la veille au soir, marchant avec le prêtre, il n'avait pas fait attention au chemin. Il n'y avait aucun désir de vengeance dans son âme, même envers Samsonov. Il marchait le long d'un petit sentier forestier d'une façon absurde, perdu, avec "l'idée perdue", et sans se soucier du tout de la direction. Il aurait pu être renversé par un enfant de rencontre, tellement, soudain, il était faible, d'âme et de corps. D'une façon ou d'une autre, pourtant, il sortit de la forêt : il se trouva soudain devant des champs moissonnés à l'infini de l'horizon. "Quel désespoir, quelle mort autour !" répétait-il marchant toujours tout droit, tout droit.

Il fut sauvé par une voiture : un cocher conduisait un petit vieillard, un marchand, sur la route. Quand ils arrivèrent à son niveau, Mitia leur demanda le chemin et il s'avéra qu'eux aussi ils allaient à Volovia. On discuta le prix et Mitia fut accepté comme compagnon. Trois heures plus tard, ils y étaient. A Volovia, Mitia commanda tout de suite des chevaux de poste pour la ville, et, brusquement, il comprit qu'il mourait de faim. Le temps qu'on attelle les chevaux, on lui prépara une omelette. Il la mangea en un clin d'œil, il mangea toute une grosse miche de pain, il mangea un saucisson qui se trouvait là et but trois verres de vodka. Ayant repris des forces, il se ranima, et son âme s'éclaircit à nouveau. Il volait sur la route, pressait le cocher, et, brusquement, il se composa un nouveau plan, cette fois "immanquable", sur la façon dont il pourrait se trouver cet "argent maudit". "Et quand on pense, quand on pense qu'à cause de ces malheureux trois mille roubles, c'est tout le destin d'un homme qui est en train de se perdre ! s'exclama-t-il avec mépris. Aujourd'hui même, tout sera réglé !" Et s'il n'avait pas pensé tout le temps à

Grouchenka, s'il ne s'était demandé tout le temps s'il ne lui était rien arrivé, il se serait laissé aller, peut-être, à une gaieté totale. Mais cette pensée s'enfonçait dans son âme, de minute en minute, comme un couteau pointu. Ils arrivèrent enfin, et Mitia courut tout de suite chez Grouchenka.

III

LES MINES D'OR

C'était justement cette visite de Mitia dont Grouchenka parlait avec une telle crainte à Rakitine. A ce moment-là, elle attendait son "estafette" et était très contente que Mitia ne se soit montré ni ce jour-là ni la veille, elle espérait qu'il puisse ne pas se montrer jusqu'à ce qu'elle soit partie, quand, lui, brusquement, il était apparu. Nous connaissons la suite : pour se débarrasser de lui, elle le persuada dans l'instant de l'accompagner jusque chez Kouzma Samsonov, où il fallait absolument qu'elle aille pour "compter de l'argent", et quand Mitia l'accompagna aussitôt, en prenant congé de lui devant le portail de chez Kouzma, elle lui fit promettre de revenir la chercher à minuit, pour la ramener jusque chez elle. Mitia était, là encore, content de cette disposition : "Elle restera chez Kouzma, donc, elle n'ira pas chez Fiodor Pavlovitch… si seulement elle ne ment pas", ajouta-t-il aussitôt. Mais d'après lui, visiblement, elle ne mentait pas. Il était précisément ce genre de jaloux qui, séparé de la femme qu'il aime, s'invente immédiatement Dieu sait quelles horreurs sur ce qu'elle pourrait faire, et la façon dont elle pourrait le "trahir", mais qui, accourant à nouveau vers elle, bouleversé, effondré, assuré, cette fois, sans erreur, qu'elle est parvenue à le trahir, au premier regard qu'il lance sur son visage, sur le visage rieur, joyeux et tendre de cette femme, se sent tout de suite l'esprit ressuscité, perd tout de suite tous ses soupçons et se reproche sa jalousie avec une honte joyeuse. Après avoir raccompagné Grouchenka, il se précipita chez lui. Oh, tout ce qu'il devait avoir le temps de faire aujourd'hui ! Mais, au moins, il avait le cœur soulagé. "Il faut juste que Smerdiakov me dise le plus vite possible s'il n'y a rien eu hier soir, si elle n'est pas allée, sait-on jamais, retrouver Fiodor Pavlovitch, oh !..." se sentit-il penser en un éclair. Si bien qu'il n'était pas encore rentré chez lui que la jalousie s'était remise à remuer dans son cœur sans repos.

La jalousie ! "Othello n'est pas jaloux, il est confiant", a remarqué Pouchkine, et cette remarque à elle seule témoigne déjà de l'intelligence hors du commun de notre grand poète. Othello a juste l'âme anéantie, tout son univers s'est retourné, parce que *son idéal est mort*. Mais Othello n'ira pas se cacher, espionner, ou épier : il est confiant. Au contraire, c'est lui qu'il faut mettre sur la piste, pousser, exciter au prix d'efforts extrêmes, pour qu'il commence juste à se douter de la trahison. Tel n'est pas un jaloux véritable. On ne peut même pas s'imaginer la honte et la déchéance morale que le jaloux est capable d'accepter sans le moindre remords de conscience. Et ce n'est pourtant pas que tous les jaloux soient des âmes sales ou viles. Au contraire, en ayant le cœur noble, un amour pur, plein d'esprit de sacrifice, on peut en même temps se cacher sous les tables, acheter les pires crapules et vivre dans la saleté la plus répugnante en espionnant et en écoutant aux portes. Othello n'aurait jamais pu accepter la trahison – non pardonner, mais accepter le fait – quoique son âme fût incapable de colère et innocente comme celle d'un enfant. Un vrai jaloux, c'est autre chose : on a du mal à imaginer tout ce avec quoi un vrai jaloux peut cohabiter, ce qu'il peut accepter, ce qu'il est capable de pardonner ! Ce sont d'ailleurs les jaloux qui pardonnent plus vite que les autres, et toutes les femmes le savent. Le jaloux, très rapidement (après, bien sûr, une scène effrayante au début), peut et est capable de pardonner, par exemple, une trahison presque prouvée, des étreintes et des baisers qu'il aura vus lui-même, si, par exemple, au même moment, il aura pu se persuader, d'une façon ou d'une autre, que c'était "pour la dernière fois" et que le rival disparaîtra dorénavant, qu'il partira au bout du monde, ou que, lui-même, il emmènera celle qu'il aime quelque part où ce rival terrible ne pourra plus jamais revenir. Il va de soi que la réconciliation ne dure qu'une heure, parce que, quand bien même le rival aurait réellement disparu, lui-même, dès le lendemain, il s'en fabriquera un autre, un nouveau, et il sera jaloux de ce nouveau. Et on pourrait croire que si, dans votre amour, vous avez besoin d'épier, alors, que vaut-il, cet amour, s'il lui faut tant de sentinelles ? Mais c'est bien cela que le vrai jaloux ne sera jamais en état de comprendre, et pourtant, je vous jure, il existe des jaloux qui sont des cœurs sublimes. Ce qui est aussi remarquable, c'est que ces mêmes êtres au cœur sublime, cachés je ne sais où dans un cagibi, à écouter et espionner, même s'ils comprennent parfaitement avec leur "cœur sublime" toute la honte dans laquelle ils se sont mis volontairement eux-mêmes, dans le feu de l'action, du moins, tant qu'ils restent dans leur cagibi, ne ressentent jamais de remords. Quand Mitia voyait Grouchenka, sa jalousie disparaissait, et, pour un instant, il devenait confiant et noble, et il se méprisait pour ses sentiments vils. Mais cela signifiait simplement que, dans l'amour qu'il vouait à cette femme, il y avait quelque chose de beaucoup plus sublime que ce qu'il supposait lui-même, pas simplement une passion charnelle, pas seulement la "sinuosité du corps" dont il avait parlé à Aliocha. Mais en revanche, sitôt que Grouchenka disparaissait, Mitia se remettait tout de suite à soupçonner en elle toutes les vilenies et toutes les perfidies de la trahison. Et, ce faisant, il ne ressentait pas le moindre remords.

Et donc, la jalousie se remit à bouillir en lui. Toujours est-il qu'il fallait se presser. La première chose était de trouver ne serait-ce qu'un tout petit peu d'argent, pour faire le joint. Ces neuf roubles de la veille avaient presque tous été dépensés pour le trajet, et, complètement sans le sou, on le sait bien, on ne peut plus faire un pas. Mais, en même temps que son nouveau plan, il avait réfléchi au moyen de le trouver, cet argent pour faire le joint, encore dans sa charrette. Il avait une paire de très beaux pistolets de duel avec leurs munitions, et s'il ne les avait pas encore mis en gage, c'est qu'il aimait ces objets plus que tout ce qu'il possédait. Dans la taverne *La Ville capitale*, il avait rencontré, voici assez longtemps, un jeune fonctionnaire et il avait appris, là, dans la taverne, que ce fonctionnaire, célibataire et parfaitement à l'abri du besoin, aimait passionnément les armes, qu'il achetait des pistolets, des revolvers, des poignards, les accrochait à ses murs, les montrait à ses amis, qu'il s'en vantait, qu'il était expert dans l'art d'expliquer le système d'un revolver, la façon de le charger, la façon de tirer, etc. Aussitôt dit, aussitôt fait, Mitia se rendit chez lui tout de suite et lui proposa de prendre en gage ses pistolets contre dix roubles. Le fonctionnaire voulut, la joie au cœur, le convaincre de les vendre complètement, mais Mitia refusa, et l'autre lui donna dix roubles, en déclarant qu'il ne prendrait des intérêts pour rien au monde. Ils se quittèrent bons amis. Mitia courait, il se précipita chez Fiodor Pavlovitch, par l'arrière, dans sa gloriette, pour appeler au plus vite Smerdiakov. Mais, là encore – c'est ainsi que le fait fut établi –, trois ou quatre heures avant une certaine aventure dont je parlerai plus bas, Mitia n'avait pas un kopeck, il avait mis en gage pour dix roubles son objet préféré, alors que, brusquement, trois heures plus tard, il se retrouvait avec des milliers de roubles en poche… Mais je vais trop vite.

Chez Maria Kondratievna (la voisine de Fiodor Pavlovitch) l'attendait cette nouvelle de la maladie de Smerdiakov qui le frappa et le troubla au plus haut point. Il écouta l'histoire de la chute dans la cave, puis du haut mal, de la visite du docteur, des soucis de Fiodor Pavlovitch ; il apprit aussi avec curiosité que son frère Ivan Fiodorovitch avait déjà, dès le matin, mit les voiles vers Moscou. "Il a dû passer à Volovia avant moi, se dit Dmitri Fiodorovitch, mais Smerdiakov l'inquiétait affreusement. Comment faire maintenant, qui donc va surveiller, qui me fera savoir ?" Il se mit avidement à interroger ces femmes, n'avaient-elles rien remarqué hier soir ? Elles, elles comprenaient parfaitement ce qu'il cherchait à savoir, et elles le rassurèrent tout à fait : il n'y avait eu personne, Ivan Fiodorovitch avait passé la nuit ici, "tout était parfaitement en ordre". Mitia resta pensif. Sans aucun doute, il allait falloir surveiller aujourd'hui également, mais où : ici ou bien devant le portail de Samsonov ? Il conclut que ce serait ici et là, il verrait bien, mais, pour le moment, pour le moment…

Le fait est qu'à présent il avait son "plan" à mettre en œuvre, ce plan de tout à l'heure, ce plan tout neuf et, cette fois, certain, qu'il avait mis au point dans la charrette et qu'il était réellement impossible de retarder. Mitia décida de lui sacrifier une heure : "En une heure, je règle tout, et, là, d'abord chez Samsonov, je demande si Grouchenka y est, et puis, je file, je retourne ici, et puis, jusqu'à onze heures ici, et ensuite, je retourne chez Samsonov, pour la raccompagner chez elle." Voilà ce qu'il avait décidé.

Il vola chez lui, se lava, se coiffa, brossa ses habits, s'habilla et se rendit chez Mme Khokhlakova. Hélas, ce "plan" se trouvait là. Il avait décidé d'emprunter trois mille roubles à cette dame. Et, surtout, il s'était soudain, comme par surprise, senti tout plein de l'assurance extraordinaire qu'elle ne refuserait pas. On se demandera peut-être pourquoi, s'il avait pu avoir cette assurance, il ne s'était pas rendu là plus tôt, pour ainsi dire dans son monde, au lieu de se rendre chez Samsonov, un homme d'une tout autre mentalité, auquel il ne savait même pas comment parler. Mais le fait est que, ces derniers temps, il avait totalement cessé de fréquenter Khokhlakova, et qu'avant non plus, d'ailleurs, il ne la fréquentait que très peu, et qu'il savait parfaitement, de plus, qu'elle-même elle le détestait. Cette dame l'avait pris en haine dès le début, pour la raison qu'il était le fiancé de Katérina Ivanovna, alors qu'elle, d'un coup, nul ne savait pourquoi, elle avait été prise du désir de voir Katérina Ivanovna l'abandonner pour épouser "le brave, le chevaleresque et le si cultivé Ivan Fiodorovitch, qui a des manières si splendides". Les manières de Mitia, quant à elles, elle les détestait. Mitia s'était même moqué d'elle et un jour avait dit à son propos que cette dame était "aussi vive et désinvolte qu'elle [était] inculte". Et là, ce matin, dans sa charrette, c'est la pensée la plus brillante qui l'avait illuminé : "Si elle ne veur tellement pas que j'épouse Katérina Ivanovna, et si elle ne le veut pas à un tel point (il savait qu'elle en avait quasiment des crises de nerfs), pourquoi me refuserait-elle maintenant ces trois mille roubles, justement pour que, sur cet argent, je puisse laisser Katia et fiche le camp d'ici à tout jamais ? Ces grandes dames gâtées, quand elles veulent quelque chose jusqu'au caprice, elles n'épargnent plus rien pour faire ce qu'elles veulent. En plus, elle est si riche", se disait Mitia. Quant à son "plan" en tant que tel, c'était toujours la même chose, c'est-à-dire l'offre de ses droits sur Tchermachnia, mais, cette fois, non plus dans un but commercial, comme, hier, avec Samsonov, non pas pour séduire cette dame, comme, hier, Samsonov, par la possibilité de se mettre dans la poche au lieu des trois mille roubles deux fois plus, dans les six ou sept mille, mais, simplement sous forme de noble garantie pour un emprunt. En développant cette nouvelle idée qui lui était venue, Mitia était tombé dans l'enthousiasme, mais c'est ce qui lui arrivait toujours quand il entreprenait quelque chose, à toutes ses décisions soudaines. C'est avec passion qu'il se livrait à chacune de ses nouvelles idées. Néanmoins, montant sur le perron de la maison de Mme Khokhlakova, il sentit soudain dans son dos des frissons d'horreur : en l'espace de cette seule seconde, il ressentit complètement, avec une clarté mathématique, que c'était là, vraiment, son tout dernier espoir, et qu'il ne lui restait plus rien au monde, si, là, ça ne marchait pas, "que d'égorger ou de détrousser quelqu'un, pour ces trois mille, rien d'autre"... Il était environ sept heures et demie quand il fit tinter la clochette.

Au début, tout sembla lui sourire : sitôt qu'il se fut annoncé, on le reçut tout de suite avec une rapidité extraordinaire. “Comme si elle m’attendait”, se dit Mitia dans un éclair, et puis, soudain, sitôt qu’il fut introduit au salon, c’est la maîtresse de maison elle-même qui arriva, presque en courant, et qui lui déclara directement qu’elle l’attendait.

— Je vous attendais, je vous attendais ! Je ne pouvais pas même imaginer que vous puissiez me rendre visite, accordez-le vous-même, et, malgré cela, je vous attendais, étonnez-vous de mon instinct. Dmitri Fiodorovitch, pendant toute cette matinée, j’ai été persuadée que vous viendriez aujourd’hui.

— C’est réellement étonnant, madame, prononça Mitia, s’asseyant maladroitement, mais… ce qui m’amène, c’est une affaire d’une importance extrême… d’une importance mais la plus importante, enfin, pour moi, du moins, madame, pour moi seul, et je m’empresse…

— Je le sais, que c’est une affaire des plus importante, Dmitri Fiodorovitch, il ne s’agit pas, je ne sais pas, de pressentiments, pas d’une croyance rétrograde au miracle (on vous a dit pour le starets Zossima ?), non, là, là, c’est mathématique : vous ne pouviez pas ne pas venir, après tout ce qui s’est passé avec Katérina Ivanovna, vous ne pouviez pas, vous ne pouviez pas, c’était mathématique.

— Le réalisme de la vie réelle, madame, voilà ce que c’est ! Mais permettez, pourtant, de vous exposer…

— Parfaitement, le réalisme, Dmitri Fiodorovitch. Maintenant, je suis complètement pour le réalisme, on m’a trop déçue avec l’expérience des miracles. Vous avez vu que le starets Zossima est mort ?

— Non, madame, vous me l’apprenez, fit Mitia, un peu surpris. L’image d’Aliocha fusa dans son esprit.

— Cette nuit, et, figurez-vous…

— Madame, l’interrompit Mitia, je me figure seulement que je me trouve dans la situation la plus désespérée et que si vous ne m'aidez pas, la ruine totale, et moi je suis ruiné le premier. Pardonnez-moi la trivialité de l'expression, mais j'ai la fièvre, oui, j'ai la fièvre chaude…

— Je le sais, je le sais que vous avez la fièvre chaude, vous ne pouvez pas être dans un autre état d'esprit, et, quoi que vous disiez, je sais tout à l'avance. Il y a longtemps que j'ai pris votre destin en considération, Dmitri Fiodorovitch, je m'y intéresse et je l'étudie… Oh, croyez-moi, j'ai une grande expérience en médecine de l'âme, Dmitri Fiodorovitch.

— Madame, si, vous, vous avez l'expérience en médecine, moi, j'ai l'expérience de la maladie, fit Mitia, se forçant à être aimable, et je pressens que si vous étudiez tant mon destin vous l'aiderez à éviter la catastrophe, mais, pour cela, permettez-moi enfin de vous exposer le plan qui fait que j'ose me présenter… et ce que j'attends de vous… Je suis venu, madame…

— Ne m'expliquez rien, c'est secondaire. Quant à l'aide, vous n'êtes pas le premier que j'aide, Dmitri Fiodorovitch. Vous avez entendu parler, sans doute, de ma cousine Belmessova, son mari était au bord du gouffre, la ruine totale, selon votre expression si caractéristique, Dmitri Fiodorovitch, eh quoi, je lui ai indiqué l'élevage des chevaux, et, à présent, il prospère. Vous avez quelques notions d'élevage des chevaux, Dmitri Fiodorovitch ?

— Pas la moindre, madame – oh, madame, pas la moindre ! s'écria Mitia avec une impatience nerveuse, et il se leva même de son siège. Je vous supplie seulement, madame, de m'écouter, laissez-moi seulement deux minutes pour parler librement, que je puisse d'abord tout vous exposer, tout le projet qui m'amène. En plus, la moindre minute m'est précieuse, je suis affreusement pressé !… cria Mitia d'une voix hystérique, sentant que Mme Khokhlakova allait se remette à parler dans l'instant, et dans l'espoir de crier plus fort qu'elle. Je suis là au désespoir… au dernier degré du désespoir, pour vous demander un emprunt de trois mille roubles, un emprunt, mais avec une garantie de confiance, de toute confiance, madame, une assurance des plus digne de confiance ! Permettez-moi seulement d'exposer…

— Ça, vous le ferez plus tard, plus tard ! fit à son tour avec de grands gestes Mme Khokhlakova. Et puis, tout ce que vous pourriez dire, je le sais tout d'avance, je vous l'ai déjà dit. Vous demandez une somme d'argent, vous avez besoin de trois mille roubles, mais, moi, je vous donnerai plus, infiniment plus, je vous sauverai, Dmitri Fiodorovitch, mais il faut que vous m'obéissiez !

Mitia bondit littéralement de sa place une nouvelle fois.

— Madame, vous êtes donc vraiment si bonne ! s'écria-t-il, pris d'une émotion extrême. Mon Dieu, vous m'avez sauvé. Vous sauvez un homme, madame, d'une mort violente, du pistolet… Ma reconnaissance éternelle…

— Je vous donnerai infiniment, infiniment plus que trois mille ! cria Mme Khokhlakova, qui regardait l'exaltation de Mitia avec un sourire rayonnant.

— Infiniment ? Mais je n'ai pas besoin d'autant. J'ai juste absolument besoin de ces trois mille fatals, et, moi, de mon côté, je suis venu vous garantir cette somme avec une gratitude infinie et je vous propose un plan qui…

— Assez, Dmitri Fiodorovitch, c'est dit c'est fait, trancha Mme Khokhlakova avec le pudique triomphe de la bienfaitrice. J'ai promis de vous sauver et je vous sauverai. Je vous sauverai comme Belmessov. Que pensez-vous des mines d'or, Dmitri Fiodorovitch ?

— Des mines d'or, madame ! Je n'en ai jamais rien pensé.

— Mais, moi, j'ai pensé pour vous ! J'ai pensé, j'ai tout retourné dans ma tête ! Voilà déjà tout un mois que je vous observe dans ce but. Je vous ai regardé cent fois quand vous passiez, et je me répétais : voilà un homme énergique qui doit aller aux mines d'or. J'ai même étudié votre démarche et j'ai conclu : cet homme trouvera beaucoup de mines.

— A la démarche, madame ? fit Mitia, souriant.

— Eh quoi, oui, aussi à la démarche. Enfin, pouvez-vous donc nier qu'on puisse étudier un caractère à la démarche, Dmitri Fiodorovitch ? Ce sont les sciences naturelles qui le confirment. Oh, maintenant, je suis une réaliste, Dmitri Fiodorovitch. Depuis le jour d'aujourd'hui, après toute cette histoire au monastère qui m'a tellement déçue, je suis une réaliste totale et je veux me jeter dans l'activité pratique. Je suis guérie. Assez ! comme a dit Tourguéniev[1].

— Mais, madame, ces trois mille roubles que vous m'avez si généreusement promis de me verser…

— Ne vous échapperont pas, Dmitri Fiodorovitch, l'interrompit tout de suite Mme Khokhlakova, ces trois mille roubles, de toute façon, vous les avez dans la poche, et pas trois mille, mais trois millions, Dmitri Fiodorovitch, dans le délai le plus bref ! Je vais vous dire votre idée : vous trouverez des mines, vous vous ferez des millions, vous reviendrez et vous serez un réformateur, vous nous bougerez aussi, en nous dirigeant vers le bien. On ne va quand même pas tout laisser aux youpins ? Vous construirez des bâtiments et différentes

1. Allusion à *Assez !*, une œuvre de Tourguéniev déjà parodiée dans *Les Démons*.

entreprises. Vous aiderez les pauvres et, eux, ils vous béniront. Maintenant, nous sommes au siècle des chemins de fer, Dmitri Fiodorovitch. Vous deviendrez célèbre et indispensable au ministère des Finances, qui a tellement besoin de moyens en ce moment. La chute de notre rouble de crédit m'a ôté le sommeil, Dmitri Fiodorovitch, on me connaît peu de ce point de vue-là…

— Madame, madame ! l'interrompit une nouvelle fois Dmitri Fiodorovitch dans une espèce de pressentiment inquiet. Je suivrai tout à fait, mais tout à fait, peut-être, votre conseil, madame, et je me rendrai, peut-être, là-bas… dans ces mines… et je reviendrai encore vous en parler… même souvent… mais, maintenant, ces trois mille que vous m'avez si généreusement… Oh, ils me délieraient, si seulement, aujourd'hui, c'était possible… C'est-à-dire, voyez-vous, en ce moment, je n'ai pas une heure, mais pas une heure de temps…

— Assez, Dmitri Fiodorovitch, assez ! l'interrompit Mme Khokhlakova avec insistance. Question : partez-vous pour les mines d'or, vous êtes décidé définitivement ? je veux une réponse mathématique.

— J'irai, madame, plus tard… J'irai où vous voulez, madame… mais, maintenant…

— Attendez donc ! cria Mme Khokhlakova, elle bondit et se précipita vers son magnifique bureau aux tiroirs innombrables et se mit à remuer un tiroir après l'autre, en cherchant quelque chose, terriblement pressée.

“Trois mille ! se dit Mitia, le cœur figé. Et ça, tout de suite, sans le moindre papier, sans acte… oh, ça, c'est des façons d'aristocrate ! Une femme au grand cœur, si seulement elle n'était pas aussi bavarde…”

— Voilà ! cria, tout heureuse, Mme Khokhlakova, revenant vers Mitia. Voilà ce que je cherchais !

C'était une petite icône minuscule, pendue à un cordon, de celles qu'on porte parfois avec sa croix sur la poitrine.

— Ça vient de Kiev, Dmitri Fiodorovitch, poursuivit-elle avec vénération, des reliques de la grande martyre Varvara. Permettez-moi de la mettre moi-même à votre cou et de vous bénir pour une vie nouvelle et de nouveaux exploits.

Et, de fait, elle lui passa la petite icône autour du cou et entreprit de l'arranger. Mitia, très gêné, se pencha et se mit à l'aider, et il finit par glisser cette icône derrière sa cravate et le col de la chemise sur la poitrine.

— Maintenant, vous pouvez y aller ! prononça Mme Khokhlakova, se rasseyant avec solennité.

— Madame, je suis touché… je ne sais même pas comment vous remercier… pour de tels sentiments, mais… si vous saviez comme le temps m'est compté en ce moment !… Cette somme que j'attends tellement de votre générosité… Oh, madame, puisque vous êtes si bonne, que votre générosité envers moi est si touchante, s'écria soudain Mitia pris d'inspiration, permettez-moi de vous ouvrir… ce que, du reste, vous savez déjà… que j'aime ici un être… J'ai trahi Katia… Katérina Ivanovna, je veux dire. Oh, je me suis montré inhumain, sans honneur devant elle, mais, ici, j'en ai aimé une autre… une femme, madame, que vous méprisez peut-être, parce que vous la connaissez déjà, mais que je ne peux pas du tout laisser, non, pas du tout, et c'est pourquoi, maintenant, ces trois mille…

— Laissez tout, Dmitri Fiodorovitch ! l'interrompit Mme Khokhlakova du ton le plus tranchant. Laissez, et spécifiquement les femmes. Votre but, c'est les mines, et ce n'est pas la peine d'y emmener des femmes. Plus tard, quand vous reviendrez dans la richesse et dans la gloire, vous vous trouverez une amie de cœur dans la société la plus haute. Ce sera une jeune fille contemporaine, avec des connaissances et sans préjugés. En ce moment, la question féminine qui ne fait encore que poindre aura mûri, et paraîtra une nouvelle femme...

— Madame, ce n'est pas ça, pas ça... voulut reprendre Dmitri Fiodorovitch, joignant les mains dans un geste de prière.

— Mais si, Dmitri Fiodorovitch, c'est justement ça qu'il vous faut, ça dont vous avez soif sans le savoir vous-même. Je ne suis pas du tout une adversaire de la question féminine contemporaine, Dmitri Fiodorovitch. Le développement féminin et même le rôle politique de la femme dans l'avenir le plus proche – voilà mon idéal. J'ai une fille moi-même, Dmitri Fiodorovitch, et, de ce point de vue-là, on me connaît peu. J'ai écrit à ce sujet à l'écrivain Chtchédrine. Cet écrivain m'a indiqué tant de choses, mais tant de choses sur la destination de la femme, que, l'année dernière, je lui ai envoyé une lettre anonyme, de deux lignes : "Je vous prends dans mes bras et vous embrasse, mon écrivain, pour la femme contemporaine, continuez." Et j'ai signé : "Une mère." Je voulais signer "une mère contemporaine" mais j'ai hésité, et je me suis arrêtée simplement à "une mère" : il y a plus de beauté morale, Dmitri Fiodorovitch, et puis, le mot "contemporaine", ça aurait rappelé *Le Contemporain* [1] – un souvenir amer pour eux, vu la censure qui règne aujourd'hui... Ah, mon Dieu, mais qu'avez-vous ?

— Madame (Mitia avait fini par bondir, joignant les mains devant elle dans une prière impuissante), vous me

1. Allusion à la célèbre revue libérale fondée par Pouchkine puis dirigée par Nékrassov, interdite en 1866, c'est-à-dire au moment où le roman est censé se dérouler.

ferez pleurer, madame, si vous repoussez ce que, si généreusement…

— Mais pleurez donc, Dmitri Fiodorovitch, pleurez ! Ce sont des sentiments nobles… un tel chemin vous attend ! Les larmes vous soulageront, après vous reviendrez et vous vous réjouirez. Vous reviendrez tout exprès, au galop, de Sibérie, pour vous réjouir avec moi…

— Mais permettez-moi donc, à moi aussi, hurla enfin Mitia, je vous en supplie pour la dernière fois, dites-moi, est-ce que je peux toucher de votre part la somme que vous m'avez promise ? Si je ne peux pas, quand donc puis-je venir la toucher ?

— Quelle somme, Dmitri Fiodorovitch ?

— Les trois mille que vous avez promis… que vous avez si généreusement…

— Trois mille ? Des roubles, vous voulez dire ? Oh non, je ne les ai pas, ces trois mille, prononça Mme Khokhlakova avec une sorte d'étonnement tranquille. Mitia en resta stupéfait.

— Mais, comment, vous… à l'instant… vous avez dit… vous avez même dit que c'était comme si je les avais déjà dans la poche…

— Oh non, vous m'avez mal comprise, Dmitri Fiodorovitch. Si c'est comme ça, vous ne m'avez pas comprise. Je parlais des mines… C'est vrai, je vous ai promis plus, infiniment plus que trois mille, oui, maintenant, je me souviens de tout, mais je ne voulais parler que des mines.

— Et l'argent ? Et les trois mille ? fit Dmitri Fiodorovitch dans un cri absurde.

— Oh, si vous pensiez à l'argent, je ne les ai pas. En ce moment, je n'ai pas du tout d'argent, Dmitri Fiodorovitch, je suis justement en train de faire la guerre avec mon intendant, et, moi-même, j'ai emprunté cinq cents roubles à Mioussov. Non, non, d'argent, moi, je n'en ai pas. Et, vous savez, Dmitri Fiodorovitch, quand bien même j'en aurais eu, je ne vous en aurais pas donné. D'abord, je ne prête à personne. Prêter, ça veut dire se brouiller. Mais à vous, à vous tout particulièrement, je n'aurais jamais rien donné, parce que je vous aime, je ne vous aurais rien donné pour votre propre salut, je ne vous aurais rien donné parce que vous n'avez besoin que d'une seule chose : les mines, les mines et encore les mines !

— Oh que le diable !... hurla soudain Mitia, et il frappa de toutes ses forces du poing sur la table.

— A-aïe ! cria Khokhlakova et, terrorisée, elle courut jusqu'à l'autre bout du salon.

Mitia laissa tomber et, à pas vifs, ressortit de la pièce, de la maison, dans la rue, dans le noir ! Il marchait comme un fou, en se frappant la poitrine, ce même endroit de la poitrine qu'il s'était frappé deux jours auparavant devant Aliocha quand il l'avait vu pour la dernière fois, le soir, dans le noir, sur le chemin. Ce que signifiaient ces coups de poing sur la poitrine, sur *cet endroit de la poitrine*, et ce qu'il voulait indiquer par là – c'était pour l'instant encore un secret que personne au monde ne connaissait, qu'il n'avait même pas révélé à Aliocha, mais c'était plus que de la honte qu'il portait dans ce secret, il portait sa ruine et son suicide, cela, il l'avait décidé s'il n'arrivait pas à trouver ces trois mille roubles dont il avait besoin pour payer Katérina Ivanovna et ôter ainsi de sa poitrine, *"de cet endroit de sa poitrine"*, la honte qu'il portait et qui écrasait tellement sa conscience. Tout cela s'expliquera complètement un peu plus tard pour le lecteur, mais, pour le moment, après la disparition de son dernier espoir, cet homme, si fort physiquement, n'avait encore fait que quelques pas pour s'éloigner de chez Khokhlakova, qu'il se mit soudain à pleurer à chaudes larmes, comme un petit enfant. Il marchait et, dans un état second, il essuyait ses larmes avec son poing. Il déboucha ainsi sur la place et sentit brusquement que, de tout son corps, il s'était cogné contre quelque chose. Le hurlement ou plutôt le piaillement d'une espèce de petite vieille qu'il avait failli renverser éclata devant lui.

— Jésus, il a failli me tuer ! Attention quand tu marches, va-nu-pieds !

— Quoi, c'est vous ? s'écria Mitia, distinguant dans le noir la petite vieille. C'était la vieille servante qui servait Kouzma Samsonov et que, la veille, Mitia n'avait que trop remarquée.

— Et vous, vous êtes qui, monsieur ? dit la petite vieille, d'une voix complètement changée, je vous reconnais pas dans le noir.

— Vous habitez chez Kouzma Kouzmitch, vous le servez ?

— Oui, monsieur, je viens juste de faire une course chez Prokhorytch… Mais pourquoi j'arrive pas à vous reconnaître ?

— Dites-moi, ma bonne dame, Agraféna Alexandrovna elle est chez vous en ce moment ? prononça Mitia, fou d'attente. Tout à l'heure, je l'ai accompagnée jusque chez vous.

— Elle est venue, mon bon monsieur, elle est passée, elle est restée un peu et elle est repartie.

— Quoi ? Repartie ? s'écria Mitia. Repartie où ?

— Ben aussi vite elle est repartie, elle est juste restée une petite minute chez nous. Elle a raconté une histoire à Kouzma Kouzmitch, elle l'a fait rire, et elle est repartie aussi vite.

— Tu mens, sorcière ! hurla Mitia.

— A-aïe ! cria la petite vieille, mais Mitia avait disparu ; il courut, à toutes jambes, jusque chez Morozova. C'était précisément le moment où Grouchenka s'enfuyait pour Mokroïé, pas plus d'un quart d'heure après son départ. Fénia était avec sa grand-mère, la cuisinière Matriona, dans la cuisine, quand, brusquement, le "capitaine" se précipita à l'intérieur. L'apercevant, Fénia se mit à l'abreuver d'injures.

— Tu cries ? hurla Mitia. Où est-elle ? Mais sans laisser le temps de répondre à une Fénia paralysée de peur, il s'effondra brusquement à ses pieds. Fénia, au nom de Notre-Seigneur Jésus-Christ, dis, où est-elle ?

— Mon bon monsieur, j'en sais rien du tout, mon gentil Dmitri Fiodorovitch, je suis au courant de rien, vous pouvez me tuer, je suis au courant de rien, dit Fénia en jurant tous ses saints, c'est vous qui êtes sorti avec elle tout à l'heure…

— Elle est revenue !…

— Mon bon Dmitri Fiodorovitch, elle est pas revenue, je vous le jure sur le bon Dieu, elle est pas revenue !

— Tu mens ! s'écria Mitia. Rien qu'à ta peur, je sais où elle est !…

Il se précipita à l'extérieur. Fénia, apeurée, fut très heureuse de s'en être sortie à si bon compte, mais elle comprit parfaitement, que, là, c'était seulement qu'il n'avait pas le temps, et que, peut-être, elle, elle pouvait passer un mauvais quart d'heure. Pourtant, en s'enfuyant, il étonna Fénia et la vieille Matriona par une lubie des plus inattendue : il y avait sur la table un mortier de cuivre, avec, dedans, un pilon, un pilon de cuivre pas trop grand, long, en tout, d'une trentaine de centimètres. Mitia, se précipitant dehors, alors qu'une de ses mains avait déjà ouvert la porte, saisit soudain de l'autre dans son élan le pilon du mortier et se le fourra dans la poche, après quoi il disparut.

— Ah, mon Dieu, il veut tuer quelqu'un ! cria Fénia, lançant les bras au ciel.

IV

DANS LE NOIR

Où courut-il ? On le sait bien : “Où donc pouvait-elle être, sinon chez Fiodor Pavlovitch ? De chez Samsonov, elle avait couru chez lui directement, maintenant, là, c'était clair. Toute l'intrigue, tout le mensonge, maintenant, ils étaient évidents...” Tout cela volait comme un tourbillon dans sa tête. Il évita la cour de chez Maria Kondratievna : “Là, il ne faut pas, il ne faut pas du tout... pour qu'il n'y ait pas la moindre alerte... tout de suite, elles transmettront, elles trahiront... Maria Kondratievna, visiblement, est dans le complot, Smerdiakov aussi, aussi, tout le monde est acheté !” Une autre intention se forma en lui ; il fit, toujours courant, un grand détour par une ruelle, en contournant la maison de Fiodor Pavlovitch, il passa la rue Dmitrovskaïa, traversa le petit pont et se retrouva directement dans une ruelle déserte, à l'arrière, vide et inhabitée, bornée d'un côté par la haie du verger des voisins et, de l'autre, par une haute et puissante palissade qui faisait le tour du jardin de Fiodor Pavlovitch. Là, il choisit un endroit, et, semble-t-il, le même où, selon la légende qu'il connaissait, Lizavéta la Puante avait, jadis, escaladé la palissade. “Si, elle, elle a pu grimper (l’idée, Dieu sait pourquoi, lui jaillit dans la tête), comment, moi, je n’y arriverais pas ?” Et, de fait, il bondit et, dans l’instant, il réussit à attraper du bout des doigts le haut de la palissade, ensuite, il se hissa énergiquement, grimpa d’un coup et s’assit dessus à califourchon. Il y avait, tout à côté, les petits bains, mais, depuis la palissade, on voyait aussi les fenêtres éclairées de la maison. “Ça y est, de la lumière dans la chambre à coucher du vieux, elle est dedans !” et il sauta de la palissade dans le jardin. Il avait beau savoir que Grigori était malade, et que, peut-être, Smerdiakov, lui aussi, était vraiment malade, et que personne ne pouvait l’entendre, instinctivement, malgré tout, il se cacha, se figea sur place et se mit à écouter. Mais partout régnait un silence de mort, et, comme par hasard, c’était le calme le plus total, pas le moindre petit souffle de vent.

“Et seul chuchote le silence – ce vers, bizarrement, lui avait passé par la tête –, mais pourvu que personne n’ait entendu quand j’ai sauté ; je crois que non.” Il resta figé une petite minute, puis, tout doucement, il avança dans le jardin, sur l’herbe ; en contournant les arbres et les buissons, il marcha longtemps, se camouflant à chaque pas, en écoutant lui-même le moindre de ses pas. Il mit bien cinq minutes à arriver jusqu’à la maison éclairée. Il se souvenait que, là, juste sous les fenêtres, il y avait quelques buissons, épais, hauts et touffus, de sureaux et de viornes. La porte de la maison qui donnait sur le jardin, sur le côté gauche de la façade, était fermée à clé, et, cela, il l’avait vérifié, soigneusement et tout exprès, quand il était passé. Enfin, il arriva jusqu’aux buissons et se cacha derrière. Il ne respirait pas. “Maintenant, il faut attendre, se dit-il, s’ils ont entendu mes pas et s’ils écoutent en ce moment, qu’ils se persuadent qu'il n'y a rien… ne pas tousser, surtout, ne pas éternuer…"

Il attendit deux trois minutes, mais son cœur battait terriblement, et, par instants, lui, il étouffait presque. "Non, il continuera de battre comme ça, se dit-il, je ne peux plus attendre." Il se tenait derrière le buisson, dans l'ombre ; la moitié avant du buisson était éclairée par la fenêtre. "La viorne, ses baies, ce qu'elles sont rouges !" chuchota-t-il sans savoir pourquoi. Doucement, à pas comptés, silencieux, il s'approcha de la fenêtre et se mit sur la pointe des pieds. Toute la petite chambre à coucher de Fiodor Pavlovitch apparut devant lui comme dans le creux de la main. C'était une pièce minuscule, divisée en deux par un petit paravent rouge, "chinois", comme l'appelait Fiodor Pavlovitch. "Chinois – ce mot avait fusé dans l'esprit de Mitia –, et, derrière le paravent, Grouchenka." Il se mit à examiner Fiodor Pavlovitch. Ce dernier portait sa nouvelle robe de chambre en soie à rayures que Mitia ne lui avait encore jamais vue, nouée à la ceinture par un cordon de soie à glands. Le col de la robe de chambre laissait entrevoir du linge flambant neuf, une fine chemise de Hollande avec des boutons de manchette dorés. Fiodor Pavlovitch portait toujours sur la tête le bandage rouge que lui avait vu Aliocha. "Endimanché", se dit Mitia. Fiodor Pavlovitch se tenait près de la fenêtre, visiblement pensif, brusquement, il redressa la tête, comme écoutant à peine, puis, n'entendant rien, il s'approcha de la table, se prit un petit demi-verre de cognac au carafon et le but. Ensuite, il respira à pleins poumons, resta à nouveau indécis, puis, d'un air distrait, s'approcha de la glace du trumeau, remonta un petit peu de sa main droite le bandage rouge sur son front et se mit à examiner les bleus et les bosses qui n'étaient pas encore résorbés. “Il est seul, se dit Mitia, selon toute vraisemblance seul.” Fiodor Pavlovitch s’éloigna de la glace, se retourna soudain vers la fenêtre et regarda dedans. Mitia, en une seconde, avait bondi en arrière, dans l’ombre.

“Elle est peut-être derrière son paravent, elle dort peut-être déjà.” (L’idée venait de lui piquer le cœur.) Fiodor Pavlovitch s’écarta de la fenêtre. “C’est lui qui essayait de la voir par la fenêtre, donc, elle n’est pas là : pourquoi est-ce qu’il regarderait dans le noir ?… l’impatience, donc, qui le ronge…” Mitia bondit aussitôt et se remit à regarder par la fenêtre. Le vieux, maintenant, était assis à sa table, visiblement dans un accès de tristesse. Enfin, il s’accouda et posa sa paume gauche contre sa joue. Mitia observait avidement.

“Il est seul, il est seul ! répétait-il à nouveau. Si elle était ici, il n’aurait pas du tout cette tête.” Chose étrange : une espèce de dépit absurde et fantastique se mit à bouillonner au fond de son cœur à l’idée qu’elle ne soit pas là. “Pas le fait qu’elle ne soit pas là, réfléchit Mitia pour lui donner lui-même un sens immédiatement, mais le fait que je n’arrive pas à savoir à coup sûr si elle est là ou si elle n’est pas là.” Mitia se souvenait par la suite qu’à cette minute-là son esprit était d’une lucidité incroyable et qu’il réalisait tout jusqu’au dernier détail, il saisissait le moindre trait. Mais l’angoisse, l’angoisse de l’incertitude et de l’indécision grandissait dans son cœur à une rapidité extraordinaire. “Elle est là, finalement, oui ou non ?” (La question rageuse bouillonna dans son cœur.) Et, soudain, il se décida, il tendit la main et, tout doucement, tapota sur le cadre de la fenêtre. Il tapota le signal convenu avec Smerdiakov : les deux premiers coups pas trop fort, puis trois autres coups plus vite : toc, toc, toc – signal qui signifiait que “Grouchenka est arrivée”. Le vieillard tressaillit, redressa la tête, bondit rapidement et se précipita vers la fenêtre. Mitia se rejeta dans l'ombre. Fiodor Pavlovitch ouvrit la fenêtre et sortit toute sa tête.

— Grouchenka, c'est toi ? C'est toi vraiment ? murmura-t-il dans une espèce de semi-chuchotement tremblant. Où es-tu, ma chérie, mon petit ange, où es-tu ? Il était dans une agitation terrible, il haletait.

“Seul”, trancha Mitia.

— Où es-tu donc, cria à nouveau le vieillard et il sortit la tête encore davantage, il la sortit avec les épaules, scrutant de tous les côtés, à droite et à gauche, viens ici ; je t'ai préparé un petit cadeau, viens que je te le montre !...

“C'est le paquet de trois mille”, l'idée, comme un éclair, avait traversé Mitia.

— Mais où tu es ?... Ou à la porte, alors ? Attends que j'ouvre...

Et le vieillard faillit sortir par la fenêtre en scrutant vers la droite, du côté de la porte du jardin, en s'efforçant de percer la nuit. Une seconde plus tard, il n'aurait pas manqué de courir ouvrir la porte, sans attendre la réponse de Grouchenka. Mitia regardait de biais et restait immobile. Tout ce profil du vieillard qu'il détestait tant, toute cette pomme d'Adam pendante, ce nez crochu, souriant de son attente sensuelle, ses lèvres, tout cela était violemment éclairé par le rayon oblique de la lampe, à gauche de la pièce. Une rage terrifiante, frénétique, se mit soudain à bouillir dans le cœur de Mitia : “Le voilà, son rival, son bourreau, le bourreau de sa vie !” C'est de l'afflux de cette rage la plus soudaine, la plus vindicative et la plus frénétique dont, la pressentant, il avait parlé à Aliocha pendant sa conversation dans la gloriette quatre jours auparavant, quand il avait répondu à la question d'Aliocha : "Comment peux-tu dire que tu tueras le père ?"

"Mais je ne sais pas, je ne sais pas, avait-il répondu, Peut-être que je ne le tuerai pas, mais peut-être que je le tuerai. J'ai peur que je ne me mette à le haïr, d'un coup, *à cette minute-là, avec cette figure qu'il a*. Je déteste, tu comprends, sa pomme d'Adam, son nez, ses yeux, son sourire indécent. C'est un dégoût personnel que je ressens. Voilà de quoi j'ai peur, je peux ne pas me retenir..."

Le dégoût personnel grandissait insupportablement. Mitia n'avait plus conscience de lui-même et, d'un seul coup, il sortit de sa poche le pilon de cuivre...

....

"Dieu, comme devait le dire Mitia plus tard, veillait sur moi à ce moment" : juste à ce même moment, Grigori Vassiliévitch se réveilla sur son lit de douleur. Au soir de ce jour-là il avait procédé sur lui-même à cette médication que nous savons, celle dont Smerdiakov avait parlé à Ivan Fiodorovitch, c'est-à-dire qu'il avait frotté tout son corps de vodka ajoutée à une espèce de liqueur des plus forte, et, le reste, il l'avait bu "avec une certaine prière", que son épouse avait chuchotée sur lui, et il s'était couché. Marfa Ignatievna y avait goûté aussi, et, ne buvant jamais, elle s'était endormie auprès de son époux d'un sommeil de mort. Mais voilà que, soudain, Grigori, brusquement, se réveilla au milieu de la nuit, réfléchit une petite minute et, même s'il ressentit aussitôt une douleur cuisante dans les reins, se leva de son lit. Ensuite, là encore, il réfléchit à quelque chose, se leva et s'habilla à la hâte. Peut-être est-ce un remords de conscience qui l'avait piqué d'être ainsi à dormir, tandis que la maison restait sans garde “en un moment si dangereux”. Smerdiakov, brisé par son haut mal, gisait dans l’autre pièce, immobile. Marfa Ignatievna ne bougeait pas. “Elle est faible, la commère”, se dit Grigori Vassiliévitch en lui lançant un regard, et, en grognant, il sortit sur le perron. Bien sûr, il voulait seulement jeter un coup d’œil depuis le perron, parce qu’il n’avait pas la force de marcher, la douleur dans les reins et la jambe droite était insupportable. Mais là, justement, il se souvint que, le portillon qui donnait dans le jardin, il ne l’avait pas fermé à clé le soir. C’était un homme soigneux et des plus méticuleux, l’homme de l’ordre établi et des habitudes immuables. Boitant et grimaçant de douleur, il descendit du perron et se dirigea vers le jardin. Eh oui, le portillon était grand ouvert. Machinalement, il entra dans le jardin ; peut-être était-ce juste une impression, ou peut-être entendit-il un bruit, mais, jetant un regard à gauche, il aperçut la fenêtre ouverte de son maître, une fenêtre déjà vide, personne ne regardait dehors. “Pourquoi c’est ouvert ? on n’est pas en été !” se dit Grigori et, brusquement, juste à ce même instant, il vit fuser devant lui dans le jardin quelque chose d’extraordinaire. A une quarantaine de pas de lui, il y avait comme un homme en train de courir, une espèce d’ombre qui bougeait très vite. “Seigneur !” murmura Grigori, et, dans un état second, oubliant sa douleur dans les reins, il s’élança pour couper la route au fuyard. Il prit un raccourci, le jardin, visiblement, il le connaissait mieux que le fuyard ; ce dernier se dirigeait vers les petits bains, il courut derrière les petits bains, se jeta vers le mur… Grigori le suivait des yeux, sans le perdre de vue un seul instant, et il courait, à perdre haleine. Il parvint jusqu’à la palissade à la minute précise où le fuyard était en train de l’escalader. Grigori, hors de lui, se mit à hurler, se jeta sur lui et agrippa sa jambe des deux mains.

C'était sûr, son pressentiment ne l'avait pas trompé ; il l'avait reconnu, c'était lui, "le monstre parricide" !

— Parricide ! cria Grigori d'une voix qui se répandit dans tous les environs, mais il eut juste le temps de lancer ce cri ; il s'effondra soudain comme frappé par la foudre. Mitia sauta à nouveau dans le jardin et se pencha sur le vieillard foudroyé. Mitia tenait dans ses mains le pilon de cuivre, il le jeta machinalement dans l'herbe. Le pilon tomba à deux pas de Grigori, mais pas dans l'herbe, dans le sentier, à l'endroit le plus visible. Il examina pendant quelques secondes l'homme étendu devant lui. La tête du vieillard était toute en sang ; Mitia tendit la main et se mit à palper. Il devait clairement se souvenir par la suite qu'il avait une envie terrible à cette minute "de s'assurer complètement" s'il avait fracassé le crâne du vieux ou si le vieux était juste "sonné" par ce coup de pilon sur le haut du crâne. Mais le sang coulait, coulait terriblement, et, en un clin d'œil, il inonda de son jet chaud les doigts tremblants de Mitia. Il se souvint qu'il tira de sa poche le mouchoir blanc tout neuf qu'il avait pris en réserve en se rendant chez Khokhlakova, et le posa sur la tête du vieillard, s'efforçant d'une façon absurde d'essuyer le sang de son front et de son visage. Mais le mouchoir lui aussi fut imbibé de sang à la seconde. "Seigneur, mais pourquoi j'ai fait ça ? fit Mitia, reprenant soudain conscience. Si je l'ai fracassé, comment le savoir, maintenant… Oh, puis quelle importance, maintenant ? ajouta-t-il soudain, au désespoir. Si je l'ai tué, je l'ai tué… Tu t'es fait prendre, le vieux, bah restes-y !" se dit-il à haute voix, et il se jeta brusquement vers la palissade, sauta dans la ruelle et se mit à courir. Son mouchoir mouillé de sang restait serré dans son poing, et, dans sa course, il le fourra dans la poche arrière de sa veste. Il courait à toutes jambes, et les quelques rares passants qu'il croisa dans le noir, dans les rues de la ville, se souvinrent par la suite qu'ils avaient croisé un homme qui courait comme un fou. Il volait à nouveau vers la maison de Morozova. Tout à l'heure, Fénia, tout de suite après son départ, s'était précipitée chez le gardien principal, Nazar Ivanovitch, et, "au nom du Christ Sauveur", avait commencé à le prier de ne plus laisser "entrer le capitaine, ni aujourd'hui, ni demain". Nazar Ivanovitch avait écouté et dit "bon", mais, par malheur, il avait dû se rendre en haut chez sa maîtresse, qui l'avait soudain appelé, et, en parlant, croisant son neveu, un gars de douze ans, qui venait juste d'arriver de son village, il lui avait ordonné de rester dans la cour, mais avait oublié de lui parler du capitaine. Mitia courut jusqu'au portail et se mit à frapper. Le petit gars le reconnut tout de suite : Mitia lui avait déjà souvent donné des pourboires. Il lui ouvrit tout de suite le portillon, le laissa entrer, et, avec un sourire joyeux, s'empressa avec prévenance de lui annoncer que, n'est-ce pas, "Agraféna Alexandrovna, eh bien, elle est plus là".

— Mais où est-elle, Prokhor ? fit Mitia, stoppé net.

— Elle est partie tout à l'heure, ça fait deux heures de ça, avec Timoféï, à Mokroïé.

— Pour quoi faire ? cria Mitia.

— Ça, je sais pas, monsieur, retrouver un officier, ou quoi, quelqu'un qui a appelé madame, et il a envoyé des chevaux…

Mitia l'abandonna et, comme un fou, se précipita chez Fénia.

V

LA DÉCISION SUBITE

Cette dernière était à la cuisine avec sa grand-mère, elles s'apprêtaient à aller se coucher. Confiantes en Nazar Ivanovitch, elles ne s'étaient pas enfermées de l'intérieur. Mitia se précipita, se jeta sur Fénia et la saisit à la gorge, de toutes ses forces.

— Parle, tout de suite, où est-elle, avec qui est-ce qu'elle est à Mokroïé ? hurla-t-il dans un état second.

Les deux femmes poussèrent un cri.

— Aïe, je vais le dire, aïe, mon gentil Dmitri Fiodorovitch, je vous le dis tout de suite, je vous cacherai rien, cria Fénia, à toute vitesse, mortellement effrayée. Elle est partie à Mokroïé retrouver l'officier.

— Quel officier ? hurlait Mitia.

— Son officier d'avant, l'autre, là, le premier, celui d'il y a cinq ans, qu'il l'a laissée tomber et il est reparti, débitait Fénia à la même vitesse.

Dmitri Fiodorovitch ôta les mains qui lui serraient la gorge. Il se tenait devant elle, pâle comme la mort et sans voix, mais ses yeux disaient qu'il avait tout compris d'un coup, tout, tout d'un seul coup, qu'il avait compris à demi-mot tout jusqu'au dernier trait, qu'il avait tout deviné. Mais la pauvre Fénia, bien sûr, à la minute qu'elle vivait, avait autre chose à faire que d'observer s'il avait tout compris. Telle qu'elle était, assise sur une malle au moment où il s'était précipité à l'intérieur, elle restait, frissonnante, et, les mains en avant, comme pour se défendre, elle s'était figée dans cette position. De ses prunelles effrayées, dilatées par la peur, elle restait collée à lui. Et lui, justement, il avait les deux mains en sang. En chemin, dans sa course, il avait dû se toucher le front, en essuyant la sueur, si bien que, sur le front également, et sur sa joue droite, il restait des taches rouges d'un sang étalé. Fénia pouvait être prise d'une crise de nerfs, mais la vieille cuisinière, elle, avait bondi et avait l'air d'une folle, comme quasiment saisie de démence. Dmitri Fiodorovitch resta comme il était une petite minute – puis, machinalement, il s'affaissa sur une chaise auprès de Fénia.

Il était là, et ce n'est pas qu'il réfléchissait, non, il était comme sous le coup de l'épouvante, comme dans une espèce d'hébétude. Mais tout était clair comme le jour : cet officier – il avait entendu parler de lui, il savait tout parfaitement, il le savait de la bouche même de Grouchenka, il savait que, voici un mois, il avait envoyé une lettre. Donc, pendant un mois, pendant tout un mois, l'affaire s'était menée en grand secret de lui, jusqu'à cette arrivée, à présent, de cet homme nouveau, et, lui, il n'avait même plus pensé à lui ! Mais comment avait-il pu, comment avait-il pu ne pas penser à lui ? Pourquoi, encore une fois, avait-il oublié cet officier, l'avait-il oublié tout de suite après avoir appris son existence ? Voilà la question qui se dressait devant lui, comme une espèce de monstre fantastique. Et, lui, ce monstre fantastique, il le contemplait réellement dans l'épouvante, oui, glacé d'épouvante.

Mais, d'un seul coup, doucement, timidement, comme un petit enfant doux et gentil, il se mit à parler à Fénia, comme s'il avait complètement oublié qu'il venait de la terroriser, lui avait fait offense et mise à la torture. Brusquement, avec une sorte, même, de précision étonnante dans sa situation, il entreprit d'interroger Fénia. Et Fénia, tout en posant un regard frénétique sur ses mains ensanglantées, elle aussi, avec une promptitude et une bonne volonté étonnantes, entreprit de répondre à chacune de ses questions, comme pressée, même, de lui exposer toute "la vérité vraie". Peu à peu, et même avec une espèce de joie, elle commença à lui exposer tous les détails, et pas du tout parce qu'elle voulait le faire souffrir, mais comme pressée, du plus profond de son cœur, de lui rendre service. C'est jusqu'au dernier détail qu'elle lui conta aussi toute la journée qu'elles venaient de vivre, la visite de Rakitine et d'Aliocha, comment elle, Fénia, avait été mise en sentinelle, comment sa maîtresse était partie et qu'elle avait crié par la fenêtre à Aliocha de le saluer, lui, Mitenka, qu'il "se souvienne éternellement, comme elle l'avait aimé une petite heure". Apprenant ce salut, Mitia eut un ricanement brusque et une rougeur parut sur ses joues pâles. Fénia lui dit aussitôt, sans aucune peur, dorénavant, pour sa curiosité :

— Mais ces mains que vous avez, Dmitri Fiodorovitch, elles sont tout en sang !

— Oui, répondit machinalement Mitia ; il regarda ses mains d'un air distrait et les oublia tout de suite, et elles et la question de Fénia. Il s'était à nouveau plongé dans le silence. Depuis qu'il s'était précipité chez elle, il s'était déjà passé vingt minutes. Son épouvante avait passé, mais, visiblement, une espèce de nouvelle et inflexible résolution venait de s'emparer de lui. Il se leva subitement et eut un sourire pensif.

— Monsieur, qu'est-ce qui vous est arrivé là ? reprit Fénia en lui montrant à nouveau ses mains – elle avait dit cela avec compassion, comme un être qui lui était à présent proche dans son malheur.

Mitia regarda ses mains une nouvelle fois.

— C'est du sang, Fénia, dit-il, la regardant avec une expression étrange, c'est du sang humain, et, Dieu, pourquoi il a été versé ! Mais… Fénia… il y a une palissade (il la regardait comme s'il voulait lui poser une énigme), il y a une palissade, elle est haute, elle fait peur à voir, mais… demain à l'aube, quand "le soleil s'élancera", Mitenka, il va sauter par-dessus cette palissade… Tu ne comprends pas, Fénia, quelle palissade, mais, bon, c'est rien… de toute façon, demain, tu sauras et tu comprendras tout… et, maintenant, adieu ! Je ne dérangerai pas, je m'écarte, je saurai m'écarter. Vis, toi, ma joie… tu m'as aimé une petite heure, souviens-toi, toi, pour toujours, de Mitenka Karamazov… Parce qu'elle m'appelait Mitenka, tu te souviens ?

Et, à ces mots, il ressortit soudain de la cuisine. Fénia, elle, après cette sortie, fut encore plus effrayée que par son entrée, quand il s'était précipité sur elle.

Exactement dix minutes plus tard, Dmitri Fiodorovitch entrait chez ce jeune fonctionnaire, Piotr Ilitch Perkhotine à qui il avait laissé ses pistolets en gage. Il était déjà huit heures et demie, et Piotr Ilitch, après avoir pris son thé à la maison, avait revêtu son nouveau veston pour se rendre à la taverne *La Ville capitale*, y faire quelques parties de billard. Mitia tomba sur lui comme il sortait. L'autre, le découvrant, lui et son visage souillé de sang, poussa un cri :

— Seigneur ! Mais qu'est-ce qui vous arrive ?

— Voilà, reprit très vite Mita, je viens chercher mes pistolets et je vous apporte l'argent. Avec reconnaissance. Je suis pressé, Piotr Ilitch, je vous en prie, vite.

Piotr Ilitch s'étonnait de plus en plus : dans les mains de Mitia il venait d'apercevoir une masse d'argent, et, surtout, cette masse, il la tenait, et il était entré avec, comme personne ne tient son argent et personne n'entre nulle part avec : il tenait tous les billets dans sa main droite, comme s'il les montrait à tous, le poing en avant.

Le gamin, domestique du fonctionnaire, qui avait accueilli Mitia dans le vestibule, devait dire plus tard que c'était ainsi qu'il était entré dans le vestibule, avec son argent dans le poing, et que, donc, il devait s'être promené ainsi dans la rue, en tenant son argent devant lui dans son poing droit. Ces billets, c'étaient des billets de cent roubles, arc-en-ciel, et il les maintenait entre ses doigts sanglants. Piotr Ilitch, plus tard, aux questions de ceux qui s'intéressaient de savoir combien il y avait là d'argent, devait déclarer qu'il était difficile de compter comme ça, à vue d'œil, qu'il y avait peut-être deux mille, peut-être trois, mais que la liasse était grosse, "bien rondelette". Quant à Dmitri Fiodorovitch lui-même, ainsi qu'il devait en témoigner plus tard également, "il était lui aussi comme tout à fait dans un état second, mais pas soûl, non, un peu dans une espèce d'exaltation, très distrait, et, en même temps, comme très concentré, on aurait dit qu'il pensait à quelque chose, qu'il essayait de réfléchir et n'arrivait pas à trouver la réponse. Il était très pressé, répondait brutalement, d'une façon très étrange, et, par moments, il n'était comme pas du tout plongé dans le malheur, mais carrément joyeux."

— Mais vous, là, vous, qu'est-ce qui vous arrive donc ? cria à nouveau Piotr Ilitch, posant sur son hôte un regard frénétique. C'est vous qui avez saigné à ce point ? vous êtes tombé, ou quoi, regardez !

Il le saisit par le coude et le plaça devant une glace. Mitia, découvrant son visage taché de sang, tressaillit et se rembrunit avec colère :

— Ah, diable ! Il ne manquait plus que ça ! marmonna-t-il avec rage. Il fit rapidement passer les billets de banque de sa main droite à sa main gauche, et sortit convulsivement son mouchoir de sa poche. Mais le mouchoir, lui aussi, s'avéra être tout en sang (c'est avec ce mouchoir qu'il avait essuyé la tête et le visage de Grigori) : il n'y avait autant dire plus un seul espace blanc, et ce n'était pas qu'il eût commencé à sécher, il s'était comme encroûté en boule et refusait de se laisser déplier. Mitia le jeta rageusement sur le sol.

— Ah, diable ! Vous n'auriez pas un chiffon… m'essuyer, ou comment…

— Alors vous vous êtes sali, vous n'êtes pas blessé ? Vous feriez mieux de vous laver, répondit Piotr Ilitch. Voilà une cuvette, je vous aide.

— Une cuvette ? C'est bien… mais où est-ce que je mettrai ça ? fit-il, désignant à Piotr Ilitch, dans une espèce de perplexité réellement étrange, sa liasse de billets de cent, en lui lançant un regard interrogateur, comme si c'était à Piotr Ilitch de décider où, lui, il devait mettre son argent.

— Fourrez ça dans la poche ou, non, posez ça sur la table, tenez, ils ne s'envoleront pas.

— Dans la poche ? Oui, dans la poche. C'est bien… Non, voyez-vous, tout ça, c'est des bêtises ! s'écria-t-il, comme s'il sortait de sa distraction. Vous voyez : d'abord, on règle cette affaire, les pistolets, je veux dire, vous me les rendez, et voilà votre argent… parce que j'ai vraiment, vraiment besoin… et, de temps, mais pas une once, pas une once…

Et, prenant le premier billet de cent roubles de la liasse, il le tendit au fonctionnaire.

— Mais je n'aurai pas la monnaie, remarqua celui-ci, vous n'auriez pas plus petit ?

— Non, dit Mitia après un nouveau coup d'œil à sa liasse et, comme pas assuré de ce qu'il disait, il essaya deux trois billets du dessus – non, ils sont tous pareils, ajouta-t-il avec un nouveau regard interrogateur vers Piotr Ilitch.

— Mais comment avez-vous fait pour devenir si riche ? demanda ce dernier. Attendez, je vais envoyer mon gamin chez les Plotnikov. Ils ferment tard – peut-être qu'ils nous feront la monnaie. Eh, Micha ! cria-t-il dans le vestibule.

— Au magasin des Plotnikov – une affaire magnifique ! cria à son tour Mitia, comme visité soudain par une idée. Micha, fit-il, se tournant vers le gamin qui venait d'entrer, dis donc, cours donc chez les Plotnikov et dis-leur qu'ils ont le salut de Dmitri Fiodorovitch et qu'il arrive tout de suite… Mais, écoute, écoute : que pour son arrivée ils aient préparé du champagne, disons trois douzaines de bouteilles, et qu'ils aient tout empaqueté, comme l'autre fois, quand je suis allé à Mokroïé… L'autre fois, je leur en avais pris quatre douzaines, fit-il, se tournant soudain vers Piotr Ilitch, ils connaissent, ne te fais pas de mouron, Micha, reprit-il, se retournant vers le gamin. Et écoute : qu'il y ait aussi du fromage, des pâtés de Strasbourg, des lavarets fumés, du jambon, du caviar, enfin tout, quoi, tout ce qu'ils peuvent avoir, pour, disons, quoi, cent roubles, ou tiens, non, cent vingt, comme la première fois… Et écoute : qu'ils n'oublient pas les desserts, les bonbons, les poires, une pastèque ou deux, ou trois, ou non, quatre – non, là, non, la pastèque, ça suffira d'une seule, mais du chocolat, des berlingots, des sucres d'orge, des caramels – enfin, de tout ce qu'ils m'avaient emballé pour Mokroïé, avec le champagne que ça fasse pour dans les trois cents roubles… Bon, maintenant aussi, que ça fasse exactement pareil. Et souviens-toi, Micha, si tu t'appelles Micha… Il s'appelle Micha, non ? reprit-il, se tournant à nouveau vers Piotr Ilitch.

— Mais attendez, l'interrompit Piotr Ilitch qui l'examinait et l'écoutait avec inquiétude, allez-y vous-même, vous commanderez, sinon, il va tout mélanger.

— Il va tout mélanger, je le vois qu'il va tout mélanger ! Ah, Micha, je voulais t'embrasser, tiens, pour ta peine… Si tu ne mélanges pas, dix roubles pour toi, galope vite… Le champagne, l'essentiel c'est le champagne, qu'ils me le sortent, et du cognac, et du rouge, et du blanc, et tout, la même chose que l'autre fois… Ils sont déjà au courant, ils se rappellent.

— Mais écoutez, vous ! l'interrompit Piotr Ilitch, cette fois avec impatience. Je dis : qu'il coure juste changer la monnaie et demander qu'ils ne ferment pas ; et, vous, vous irez et vous commanderez… Donnez-moi votre billet. En avant marche, Micha, le temps d'y aller et de revenir !

Piotr Ilitch s'était sans doute empressé de chasser Micha au plus vite, parce que l'autre restait éberlué devant son hôte, les yeux écarquillés sur son visage sanglant et sur ses mains sanglantes, avec cette liasse de billets entre ses doigts tremblants, il restait là, la bouche ouverte de surprise et de peur, et, visiblement, il n'avait pas compris grand-chose à ce que lui avait commandé Mitia.

— Bon, maintenant, allons nous laver, dit Piotr Ilitch d'une voix sévère. Posez cet argent sur la table ou fourrez-le dans votre poche… Comme ça, on y va. Et enlevez donc votre veste.

Et il entreprit de l'aider à enlever son veston quand, brusquement, il cria à nouveau :

— Regardez, mais, votre veston aussi, il est en sang !

— Ce… ce n'est pas le veston. C'est juste un peu la manche… C'est juste ici, à la place du mouchoir. Ça a goutté de la poche. Je me suis assis sur le mouchoir, chez Fénia, le sang, il a goutté, lui expliqua tout de suite Mitia avec une sorte de confiance étonnante. Piotr Ilitch écouta, sourcils froncés.

— Vous vous êtes bien débrouillé ; vous vous êtes battu, je parie, marmonna-t-il.

On commença la toilette. Piotr Ilitch tenait le broc et versait l'eau, Mitia se hâtait et s'était mal savonné les mains. (Ses mains tremblaient, Piotr Ilitch devait s'en souvenir plus tard.) Piotr Ilitch lui ordonna tout de suite de les savonner mieux et de frotter plus fort. C'était comme s'il commençait à dominer Mitia à cette minute, et, plus le temps passait, plus il prenait de l'ascendant sur lui. Remarquons-le à propos : ce jeune homme n'était pas une poule mouillée.

— Regardez, vous n'avez pas nettoyé sous les ongles ; bon, maintenant, frottez-vous la figure, ici, là : les tempes, près de l'oreille… C'est avec cette chemise-là que vous irez ? Où est-ce que vous allez comme ça ? Regardez, tout le bout de votre manche droite est en sang.

— Oui, en sang, remarqua Mitia, examinant le bout de la chemise.

— Mais changez-vous donc.

— Pas le temps. Tenez, regardez, je fais ça… continuait Mitia avec la même confiance, en s'essuyant déjà le visage et les mains avec une serviette et en remettant son veston – je remonte, comme ça, le coin de la manche, on ne verra rien sous le veston… Vous voyez !

— Parlez, maintenant, comment vous vous êtes débrouillé ? Vous vous êtes battu, ou quoi, et avec qui ? Pas à l'auberge, quand même, comme l'autre fois ? Pas encore une fois avec le capitaine, comme l'autre fois, vous l'avez tabassé et traîné par la barbe ? lui rappela Piotr Ilitch avec comme un reproche. Qui donc est-ce que vous avez cogné… ou bien assassiné, je parie ?

— Des bêtises ! marmonna Mitia.

— Comment ça des bêtises ?

— Pas la peine, dit Mitia et il ricana soudain. C'est la petite vieille que je viens d'écraser sur la place.

— Ecraser ? La petite vieille ?

— Le vieux ! cria Mitia, regardant Piotr Ilitch droit dans les yeux, riant et criant comme s'il pensait qu'il était sourd.

— Eh, que le diable… le vieux, la petite vieille… Vous avez tué quelqu'un, ou quoi ?

— J'ai fait la paix. On s'est accrochés et on a fait la paix. A un endroit. On s'est quittés bons amis. Un imbécile… il m'a pardonné… maintenant, c'est sûr qu'il m'a pardonné… S'il s'était relevé, il m'aurait jamais pardonné, fit Mitia, avec un clin d'œil brusque, seulement, vous savez, qu'il aille au diable, vous entendez, Piotr Ilitch, au diable, pas la peine ! A la minute, là, je ne veux pas ! trancha résolument Mitia.

— Si je dis ça, c'est que vous aviez bien besoin de vous lier avec le premier venu, comme l'autre jour, avec ce capitaine, pour Dieu sait quoi… Vous vous êtes battu et, maintenant, vous courez faire la noce – c'est ça, votre caractère. Trois douzaines de bouteilles de champagne – pour quoi faire autant ?

— Bravo ! Maintenant, donnez les pistolets. Je vous jure, je n'ai pas le temps. J'aimerais bien te parler, mon vieux, mais je n'ai pas le temps. Et puis, ce n'est plus la peine du tout, c'est trop tard pour parler. Ah ! mais où est donc l'argent, où est-ce que je l'ai fourré ? s'écria-t-il, se mettant à farfouiller ses poches.

— Vous l'avez posé sur la table… vous-même… tenez, il est là. Vous aviez oublié ? Je vous jure, l'argent, chez vous, c'est comme des ordures ou de l'eau. Voilà vos pistolets. C'est bizarre, à cinq heures, tout à l'heure, vous les avez mis en gage pour dix roubles, et, maintenant, regardez, combien vous en avez de milliers. Deux ou trois, je parie ?

— Trois, je parie, fit Mitia en riant et fourrant les billets de banque dans la poche de son pantalon.

— Vous le perdrez comme ça. C'est des mines d'or que vous avez, ou quoi ?

— Des mines ? Des mines d'or ! cria Mitia de toutes ses forces et il se retrouva plié de rire. Ça vous dit, Perkhotine, les mines ? Je connais une dame qui vous allongera tout de suite trois mille, juste pour que vous y alliez. Elle me les a allongés, tellement ça lui plaît, les mines d'or ! Khokhlakova, vous connaissez ?

— Non, mais j'ai entendu parler d'elle, et je l'ai déjà vue. Alors, elle vous a donné trois mille ? Comme ça, de but en blanc ? continuait Piotr Ilitch, incrédule.

— Mais vous, demain, quand le soleil s'élancera, le toujours jeune Phébus, quand il s'élancera, louant et glorifiant le Seigneur, vous, demain, allez donc la trouver, Khokhlakova, et demandez-lui vous-même : elle me les a allongés, les trois mille roubles, ou pas ? Faites votre enquête.

— Je ne connais pas vos relations… si vous êtes si affirmatif, c'est que c'est vrai… Et, vous, les sous, vous les gardez, au lieu de la Sibérie, et, tous les trois mille… Mais c'est vrai, où est-ce que vous allez comme ça, hein ?

— A Mokroïé.

— A Mokroïé ? Mais on est en pleine nuit !

— J'avais tout, je n'ai plus rien ! lança soudain Mitia.

— Comment plus rien ? Avec tous ces milliers, plus rien ?

— Je ne parle pas des milliers. Au diable les milliers. C'est du cœur féminin que je parle :

Cœur de femme, si frivole,
Si menteur et si pervers[1]…

Je suis d'accord avec Ulysse, c'est lui qui le dit.

1. Extrait du poème de F. Tiouttchev, *Souvenir*, d'après Schiller (1851).

— Je ne vous comprends pas !

— Je suis ivre, d'après vous ?

— Non, pas ivre, mais pire.

— Je suis ivre spirituellement, Piotr Ilitch, ivre spirituellement, et ça suffit, ça suffit…

— Quoi, vous chargez le pistolet ?

— Je charge le pistolet.

Mitia, de fait, ouvrant la boîte de pistolets, avait ouvert la corne de poudre, l'avait versée soigneusement et tassé la charge. Puis, il prit une balle et, avant de l'enfoncer, la leva entre ses deux doigts devant lui, à la bougie.

— Qu'est-ce que vous avez à regarder cette balle ? demanda Piotr Ilitch avec une curiosité inquiète.

— Comme ça. L'imagination. Si l'idée te venait de te mettre cette balle dans le cerveau, toi, en chargeant le pistolet, tu la regarderais ou non ?

— Pourquoi je la regarderais ?

— Elle va entrer dans ton cerveau, c'est intéressant de lui jeter un coup d'œil, comment elle est… Remarque, c'est des bêtises, des bêtises d'une minute. Voilà, fini – ajouta-t-il, quand il eut introduit la balle et l'eut calée avec l'étoupe. Piotr Ilitch, mon gentil, c'est des bêtises, tout est des bêtises, si seulement tu savais à quel point c'est des bêtises ! Donne-moi un petit morceau de papier, maintenant.

— Voilà du papier.

— Non, un papier lisse, propre, sur lequel on puisse écrire. Là.

Et Mitia, saisissant une plume sur la table, écrivit très vite deux lignes sur le papier, plia le papier en quatre et le fourra dans la poche de son gilet. Les pistolets, il les rangea dans leur boîte, ferma à clé et prit la boîte dans les mains. Ensuite, il regarda Piotr Ilitch et eut un sourire prolongé, méditatif.

— Maintenant, on y va, dit-il.

— On va où ? Non, attendez... C'est dans le cerveau que vous voulez vous la mettre, la balle, là... prononça Piotr Ilitch avec inquiétude.

— La balle, c'est une bêtise ! Je veux vivre, moi, j'aime la vie ! Comprends ça. J'aime Phébus aux boucles d'or et sa lumière chaude... Mon bon Piotr Ilitch, est-ce que tu sais t'écarter ?

— Comment ça, m'écarter ?

— Céder la route. A l'être que tu aimes, et à celui que tu hais, céder la route. Et pour que tu l'aimes, celui que tu hais – voilà comment céder la route ! Et leur dire : Dieu vous protège, allez, passez, moi...

— Vous ?

— Assez, on y va.

— Je vous jure, je vais aller le dire, fit Piotr Ilitch en continuant de le regarder, qu'on vous empêche. Qu'est-ce que vous allez faire, en ce moment, à Mokroïé ?

— Il y a une femme là-bas, une femme, et ça doit te suffire, Piotr Ilitch, et *kaput* !

— Ecoutez, vous avez beau être sauvage, mais, je ne sais pas, vous m'avez toujours plu... et donc, quoi, je me fais du mauvais sang.

— Merci, frère. Je suis sauvage, tu dis. Les sauvages, les sauvages ! Moi, je ne dis plus que ça : les sauvages ! Ah oui, voilà Micha, moi qui l'avais oublié.

Micha se précipita, hors d'haleine, avec une liasse de billets échangés et lui fit savoir que chez les Plotnikov c'était "le branle-bas", tout le monde transportait les bouteilles, et le poisson, et le thé – tout serait prêt à la seconde. Mitia saisit un billet de dix roubles et le tendit à Piotr Ilitch, tandis qu'il jetait à Micha un autre billet de dix.

— J'interdis ! s'écria Piotr Ilitch. Chez moi, c'est interdit, c'est des gâteries qui pervertissent. Cachez-moi votre argent, mettez-le ici, là, à quoi bon le jeter par les fenêtres ? Demain, vous en aurez besoin, vous reviendrez me demander dix roubles. Mais pourquoi vous fourrez tout dans votre poche extérieure ? Sûr, vous allez tout perdre !

— Ecoute, mon bon ami, si on y allait ensemble, à Mokroïé ?

— Moi, qu'est-ce que j'y ferais ?

— Ecoute, si tu veux, je débouche une bouteille tout de suite, buvons à la vie ! J'ai envie de boire, et plus encore de boire avec toi. Jamais on n'avait bu ensemble, non ?

— A l'auberge, ça peut se faire, venez, j'y allais, de toute façon.

— Pas le temps pour l'auberge, mais chez les Plotnikov, dans la pièce du fond. Tu veux, je te pose une énigme ?

— Posez.

Mitia sortit son papier de son gilet, le déplia et le montra. D'une écriture grosse et nette, on pouvait y lire :

“Je me châtie pour toute la vie, toute ma vie je la punis.”

— Je vous jure, je vais aller voir quelqu'un, j'y vais tout de suite et je le dis, prononça Piotr Ilitch après avoir lu le papier.

— T'auras pas le temps, mon petit gars, allez, viens et buvons, en avant marche !

La boutique des Plotnikov se trouvait quasiment à une maison de chez Piotr Ilitch, au coin de la rue. C'était le plus grand magasin d'épicerie fine de notre ville, appartenant à de riches commerçants, un magasin, en lui-même, tout à fait recommandable. Il y avait là tout ce qu'on trouve dans n'importe quel magasin de la capitale, toute l'épicerie : les vins “de la cave des frères

Elisséïev", des fruits, des cigares, du thé, du sucre, du café, etc. On y trouvait toujours trois commis et deux garçons de courses. Quoique notre pays se fût appauvri, que les propriétaires se fussent dispersés, que le commerce eût chuté, l'épicerie, elle, continuait de prospérer, et toujours davantage d'année en année ; ces produits-là ne manquaient jamais d'acheteurs. Dans la boutique, Mitia était attendu avec impatience. On se souvenait trop comment, voici deux ou trois semaines, il avait pris, d'un coup, exactement la même quantité de marchandise et de vin, pour plusieurs centaines de roubles d'argent comptant (jamais, bien sûr, on ne lui aurait fait crédit), on se souvenait que, de même que cette fois-là, il tenait dans son poing toute une liasse de billets de cent roubles, et qu'il les jetait à tort et à travers, sans marchander, sans réfléchir et sans vouloir réfléchir à quoi pouvaient bien lui servir tant de marchandises, de vins, etc. On avait dit ensuite dans toute la ville que, ce jour-là, après avoir filé avec Grouchenka à Mokroïé, "il avait mangé dans la nuit et le jour qui avait suivi trois mille roubles d'un seul coup, et qu'il était rentré de sa noce sans un kopeck, nu comme au jour de sa naissance". Il avait engagé ce jour-là toute une troupe de Tziganes (qui se trouvaient avoir établi leur campement chez nous), lesquels, en deux jours, lui avaient soutiré, alors qu'il était ivre, des sommes inouïes et avaient bu à ses frais beaucoup de vin très cher. On racontait, en se moquant de Mitia, qu'à Mokroïé il avait abreuvé de champagne des paysans bouseux, qu'il avait nourri les filles et les commères du village de bonbons et de pâtés de Strasbourg. On se moquait aussi de lui, surtout à la taverne, de sa propre sincérité, et de l'aveu public qu'il avait fait (on ne se moquait pas en face, bien sûr, se moquer de lui en face comportait un certain danger), comme quoi, pour toute cette "escapade" avec Grouchenka, lui, tout ce qu'il avait obtenu, c'était "la permission" de lui baiser le pied, et qu'il n'avait rien eu de plus.

Quand Mitia et Piotr Ilitch approchèrent de la boutique, ils trouvèrent à l'entrée une troïka[1] de chevaux toute prête, attelée à une carriole recouverte d'un tapis, munie de clochettes et de grelots et de son cocher Andréï, qui attendait Mitia. Les gens de la boutique avaient presque eu le temps "d'arranger" une caisse de marchandises et n'attendaient plus que l'apparition de Mitia pour tout clouer et la charger dans la carriole. Piotr Ilitch s'étonna.

— Où tu as trouvé le temps de prendre cette troïka ? demanda-t-il à Mitia.

— Je courais chez toi, je l'ai croisé, lui, Andréï, et je lui ai dit de venir me retrouver là, devant la boutique. Pas de temps à perdre ! La dernière fois, j'avais pris Timoféï, mais, Timoféï, maintenant, envolé, il galope devant moi avec une magicienne. Andréï, on sera très en retard ?

— Ils arriveront juste à peine une heure avant nous, et encore, même pas, ils auront, quoi, une heure d'avance ! répondit à la hâte Andréï. Timoféï, qui l'a équipé ? c'est moi, je sais comment ils vont faire. Nous, notre trajet, il aura rien à voir, Dmitri Fiodorovitch, ils en sont loin, de nous. Ils auront pas une heure d'avance ! coupa avec fougue Andréï, un cocher encore loin d'être âgé, un gars un peu rouquin, maigre, vêtu d'une blouse russe, son gros manteau au bras.

— Cinquante roubles de pourboire si on a juste une heure de retard.

1. Une troïka de chevaux est un attelage de trois chevaux.

— Une heure de temps, je vous le garantis, Dmitri Fiodorovitch, eh mais c'est une demi-heure qu'ils vont avoir d'avance, pas une heure !

Mitia avait beau s'être mis à s'agiter, à se lancer dans les préparatifs, il parlait et ordonnait d'une façon comme étrange, hachée, jamais d'une façon cohérente. Il commençait une chose et oubliait de la poursuivre. Piotr Ilitch pensa nécessaire de s'en mêler et d'apporter son aide.

— Pour quatre cents roubles, pas moins de quatre cents roubles, que ce soit exactement comme l'autre fois, commandait Mitia. Quatre douzaines de bouteilles de champagne, pas une bouteille de moins.

— Pourquoi il t'en faut tellement, à quoi ça te sert ? Arrête ! hurla Piotr Ilitch. C'est quoi, cette caisse ? Qu'est-ce qu'il y a dedans ? Il n'y en a quand même pas pour quatre cents roubles !

Les commis s'agitèrent et lui expliquèrent tout de suite, avec leur discours doucereux, que cette première caisse ne contenait rien qu'une demi-douzaine de bouteilles de champagne, et "tous les objets les plus indispensables en cas d'urgence", hors-d'œuvre, bonbons, sucres d'orge, etc. Mais que l'essentiel "du consommé" serait chargé et envoyé tout de suite à part, comme la dernière fois, par une carriole spéciale, et, là encore, en troïka, et que ça arriverait à l'heure, "avec juste, peut-être, une petite heure de retard sur Dmitri Fiodorovitch, ça serait livré".

— Pas plus d'une heure, pas plus d'une heure, et le plus de sucres d'orge et de caramels possible ; elles aiment ça, les filles, là-bas, insistait avec fougue Mitia.

— Les caramels, ça va. Mais à quoi bon quatre douzaines de bouteilles ? Une seule, ça sera assez, continuait Piotr Ilitch qui en était presque à se fâcher. Il se mit à marchander, il exigea le compte, il ne voulait pas se calmer. Il ne sauva, néanmoins, qu'une petite centaine de roubles. On s'entendit pour que la marchandise fournie dans son ensemble n'excède pas trois cents roubles.

— Eh mais que le diable vous prenne ! s'écria Piotr Ilitch, comme s'il changeait soudain d'avis. Moi, en quoi ça me regarde ! Jette ton argent, si tu l'as eu pour rien !

— Par ici, l'économe, par ici, ne te fâche pas, fit Mitia, l'entraînant dans l'arrière-salle. Ici, on va nous servir une bouteille, on va trinquer. Allez, Piotr Ilitch, allons-y ensemble, parce que tu es brave, comme gars, un gars comme j'aime.

Mitia s'assit sur une petite chaise cannée devant une table minuscule, couverte d'une nappe des plus sale. Piotr Ilitch s'installa en face de lui, et le champagne parut à la seconde. On demanda si les messieurs ne désiraient pas des huîtres "de la toute dernière livraison".

— Au diable les huîtres, je n'en mange pas, et on n'a besoin de rien du tout, répliqua Piotr Ilitch, presque rageur.

— Pas le temps pour les huîtres, remarqua Mitia, et je n'ai pas l'appétit. Tu sais, l'ami, lança-t-il soudain d'une voix émue, je n'ai jamais aimé tout ce désordre, là.

— Tu connais quelqu'un qui aime ? Trois douzaines, non mais des fois, pour des moujiks, ça peut être révoltant.

— Je ne parle pas de ça. Je parle de l'ordre suprême. Je n'ai pas d'ordre en moi, d'ordre suprême… Mais… tout ça, c'est fini, plus la peine de regretter. Trop tard, et puis au diable ! Toute ma vie a été un désordre, et il faut mettre un ordre. Un calembour, non ?

— Un délire, pas un calembour.

— Gloire à Dieu de par le monde,
Gloire à Dieu au fond de moi !...

Ce petit poème, il a jailli de mon âme, un jour, pas un poème, mais une larme... moi qui l'ai composé... mais pas le jour, non, où j'ai traîné le capitaine par la barbe...

— Pourquoi tu repenses à lui, tout à coup ?

— Pourquoi je pense à lui ? Des bêtises ! Tout a une fin, tout s'égalise – un trait – et, le total.

— Je te jure, tes pistolets, ils ne me sortent pas de la tête.

— Les pistolets aussi, c'est des bêtises ! Bois, et ne fabule pas. Je l'aime, la vie, je l'ai aimée trop fort, la vie, si fort, tiens, que ça dégoûte. Suffit ! A la vie, mon vieux, buvons à la vie, je propose un toast à la vie ! Pourquoi je suis content de moi ? Je suis sale, mais je suis content de moi. Et pourtant, ça me torture, que je sois sale, mais je suis content de moi. Je bénis la création, je serais prêt à bénir le Seigneur et Sa création, mais... il y a un insecte puant qu'il faut exterminer, qu'il ne vienne plus ramper, gâcher la vie des autres... Buvons à la vie, mon cher frère ! Qu'est-ce qu'il peut y avoir de plus précieux que la vie ? Rien, rien ! A la vie, et à une reine des reines.

— Buvons à la vie, et, si tu veux, en même temps, à ta reine.

Ils burent chacun un verre. Mitia était, certes, exalté et distrait, mais il était comme triste. Comme si une sorte de souci indéfini et oppressant lui restait sur le cœur.

— Micha... c'est ton Micha qui vient d'entrer ? Micha, mon gentil, Micha, arrive ici, bois-moi ce verre, là, à Phébus aux blondes boucles, à celui de demain...

— Mais pourquoi tu lui donnes ! cria Piotr Ilitch avec agacement.

— Mais laisse-moi, allez, je veux.

— Ah là !…

Micha but son verre, s'inclina et s'enfuit.

— Il se souviendra plus longtemps, remarqua Mitia. Une femme, que j'aime, une femme ! Qu'est-ce que c'est, une femme ? La reine de la terre ! Je me sens triste, mais triste, Piotr Ilitch. Tu te souviens de Hamlet : “Je me sens si triste, si triste, Horatio… Ah, pauvre Yorick !” C'est moi, si ça se trouve, Yorick. Maintenant, tiens, justement, je suis Yorick, et le crâne plus tard.

Piotr Ilitch écoutait sans rien dire, Mitia aussi se tut un moment.

— C'est quoi, ce petit chien que vous avez ? demanda-t-il soudain distraitement à un commis, remarquant dans un coin un joli petit caniche aux yeux tout noirs.

— C'est le petit caniche à Varvara Alexéïevna, à notre patronne, répondit le commis, madame l'a amené tout à l'heure et elle l'a oublié chez nous. Il faudra qu'on le ramène.

— J'en ai vu un jour, un comme ça… au régiment… prononça pensivement Mitia, sauf qu'il avait une patte arrière cassée… Piotr Ilitch, je voulais te demander, à propos : ça t'est arrivé de voler, dans ta vie ?

— Qu'est-ce que c'est que cette question ?

— Non, rien. Tu vois, je ne sais pas, dans la poche de quelqu'un ? Je ne parle pas des finances publiques, les finances publiques tout le monde les vole, toi aussi, bien sûr, avec…

— Fiche-moi le camp au diable.

— Je parle du bien d'autrui : directement dans la poche, dans le porte-monnaie, hein ?

— J'ai volé une pièce de vingt kopecks à ma mère, j'avais neuf ans, sur la table. Je l'ai prise en douce, je l'ai serrée dans mon poing.

— Et alors ?

— Alors, rien. Je l'ai gardée trois jours, j'ai eu honte, j'ai avoué et je l'ai rendue.

— Et ensuite ?

— C'est clair, je me suis fait corriger. Mais pourquoi tu me le demandes, tu as volé quelque chose, toi ?

— J'ai volé, fit Mitia avec un clin d'œil malin.

— Tu as volé quoi ? demanda Piotr Ilitch avec curiosité.

— Une pièce de vingt à ma mère, j'avais neuf ans, je l'ai rendue trois jours après. A ces mots, Mitia se leva soudain de sa place.

— Dmitri Fiodorovitch, il ne faudrait pas qu'on se presse ? cria soudain Andréï à la porte de la boutique.

— C'est prêt ? On y va ! fit Mitia en s'agitant. Encore un dernier dit[1] et… un verre de vodka pour Andréï, pour la route, tout de suite ! Et du cognac pour lui, en plus de la vodka ! Cette caisse (avec les pistolets) sous mon siège. Adieu, Piotr Ilitch, ne te souviens pas en mal.

— Mais tu reviens demain ?

— Sans faute.

— Notre petit compte, on le règle maintenant ? fit le commis qui venait de surgir.

— Ah oui, le compte ! Sans faute !

Il reprit dans sa poche une liasse de ses billets, en prit trois multicolores, les jeta sur le comptoir et, en se pressant, ressortit de la boutique. Tout le monde le suivit, en s'inclinant, on le raccompagna avec des saluts et des souhaits. Andréï grogna après avoir avalé son cognac et bondit sur son siège. Mais à peine Mitia avait-il commencé de s'installer que brusquement, soudain, il découvrit tout près de lui Fénia. Elle accourut, hors

1. Mitia reprend ironiquement un extrait fameux du *Boris Godounov* de Pouchkine.

d'haleine, joignit les mains en prière devant lui et s'effondra à ses pieds :

— Mon bon monsieur, Dmitri Fiodorovitch, mon gentil, me tuez pas ma maîtresse ! Moi qui vous ai tout raconté !… Lui non plus, le tuez pas, c'est son premier, vous comprenez, le sien ! Maintenant, il épousera Agraféna Alexandrovna, pour ça qu'il revient de Sibérie… Mon bon monsieur, Dmitri Fiodorovitch, leur ruinez pas leur vie !

— Tiens, tiens, tiens, c'est donc ça ! Hou, tu en feras maintenant, des choses ! marmonna Piotr Ilitch en lui-même. Maintenant, je comprends tout, évidemment que je comprends. Dmitri Fiodorovitch, rends-moi les pistolets tout de suite, si tu veux être humain, lança-t-il tout haut à Mitia, tu entends, Dmitri !

— Les pistolets ? Attends, mon petit vieux, les pistolets, si ça se trouve, en chemin, je les jetterai dans une flaque, répondit Mitia. Fénia, relève-toi, ne reste pas prostrée devant moi. Il ne tuera pas, Mitia, il ne tuera plus personne, cet imbécile. Et voilà, quoi, Fénia, lui cria-t-il, déjà assis, je t'ai fait offense tout à l'heure, alors, pardonne-moi, et fais-moi grâce, pardonne à cette ordure… Et si tu ne me pardonnes pas, pareil ! Parce que, maintenant, tout est pareil ! Fouette, Andréï, vole, à fond de train !

Andréï fit voler son fouet ; la clochette tinta.

— Adieu, Piotr Ilitch ! A toi la dernière larme !…

“Et il n'est pas soûl, mais ces délires qu'il raconte !” pensa Piotr Ilitch en le regardant s'éloigner. Il s'était disposé à rester surveiller la façon dont on chargerait la carriole (attelée, elle aussi, à une troïka) avec le reste des denrées et des vins, pressentant que Mitia se ferait voler et gruger, mais, brusquement, se fâchant contre lui-même, il cracha par terre et s'en retourna vers sa taverne faire sa partie de billard.

— Un crétin, même si c'est un brave gars… marmonnait-il pour lui-même en chemin. Cet officier de Grouchenka, "son premier", je crois que j'en ai entendu parler… Bon, s'il est revenu, alors… Oh, ces pistolets ! Ah, diable, je suis son chaperon, ou quoi ? Qu'ils fassent ce qu'ils veulent. De toute façon, il ne va rien se passer. Des braillards, rien d'autre. Ils se soûlent et ils se battent, ils se battent et ils se réconcilient. Est-ce que c'est des hommes sérieux ? Qu'est-ce que c'est, ce "je m'écarte", "je me châtie" – tu parles ! Mille fois, il a crié avec ce style d'ivrogne à la taverne. Mais, maintenant, il n'est pas soûl. "Soûl spirituellement" – les canailles, ça aime le style. Je suis son chaperon, ou quoi ? Et il ne pouvait pas ne pas se battre, toute la trogne en sang. Mais avec qui ? Je le saurai à la taverne. Et le mouchoir en sang… Ah, diable, par terre, sur mon plancher… m'en fiche !

Il se présenta à la taverne d'une humeur on ne peut plus massacrante et commença sur-le-champ une partie. La partie l'égaya. Il en joua une autre et, soudain, il se mit à parler avec l'un de ses partenaires du fait que Dmitri Fiodorovitch était redevenu riche, il avait dans les trois mille roubles, lui, il les avait vus, et que Dmitri était reparti faire la bringue à Mokroïé avec Grouchenka. Cela fut reçu avec une curiosité presque inattendue de la part de ses auditeurs. Et, tous, ils se mirent à parler sans aucune ironie, mais d'une espèce de façon très sérieuse. La partie elle-même fut interrompue.

— Trois mille ? Et d'où il les aurait pris, ces trois mille ?

On le questionna encore. L'explication de Khokhlakova fut reçue avec une moue dubitative.

— Il n'aurait pas volé le vieux, dis donc ?

— Trois mille ! Il y a quelque chose qui ne colle pas.

— Il s'est vanté qu'il allait tuer son père, à haute voix, tout le monde l'a entendu ici. Il parlait justement de trois mille…

Piotr Ilitch écoutait et, d'un coup, il se mit à répondre aux questions d'une façon sèche et brève. Le sang qu'il avait vu sur le visage et sur les mains de Mitia, il n'en dit pas un mot, or, sur le chemin vers la taverne, il voulait en parler. On entama une troisième partie, Piotr Ilitch ne voulut plus jouer, il reposa sa queue et, sans avoir dîné comme il s'apprêtait à le faire, il sortit de la taverne. Se retrouvant sur la place, il s'arrêta, perplexe, voire stupéfait de lui-même. Il réalisa soudain qu'il venait d'avoir l'intention de se rendre chez Fiodor Pavlovitch, savoir s'il ne s'était rien passé. "A cause d'une bêtise, ce que ça ne manquera pas d'être, je réveillerai une maison et je ferai du scandale. Ah diable, je suis son chaperon, ou quoi ?"

D'une humeur on ne peut plus massacrante, il se dirigea directement chez lui, et, d'un coup, il repensa à Fénia : "Ah, diable, je l'aurais interrogée, tout à l'heure, se dit-il, plein de dépit, je saurais tout." Et le désir le plus impatient et le plus têtu de lui parler sur-le-champ et de savoir s'alluma en lui si fort qu'il fit un demi-tour violent à mi-chemin et repartit en direction de la maison de Morozova, où habitait Grouchenka. Arrivé au portail, il frappa, et le coup qui résonna dans le silence de la nuit sembla comme le réveiller à nouveau, et le mettre en rage. De plus, il n'y eut personne pour lui répondre, tout le monde dormait dans la maison. "Là encore, je vais faire du scandale !" se dit-il avec une espèce de souffrance dans l'âme, mais, au lieu de partir définitivement, il se remit soudain à frapper et, cette fois, de toutes ses forces. Ce fut un tintamarre dans toute la rue. "Ah non, je les ferai ouvrir, je les ferai ouvrir !" marmonnait-il, rageant jusqu'à la frénésie contre lui-même à chaque coup, tout en tapant toujours de plus en plus fort.

VI

J'ARRIVE, MOI !

Dmitri Fiodorovitch, lui, volait sur la route. Il y avait un peu plus de vingt verstes jusqu'à Mokroïé, mais la troïka d'Andréï galopait tellement qu'on pouvait les faire en une heure et quart. La course folle sembla soudain avoir rafraîchi Mitia. L'air était frais, un peu froid, de grosses étoiles luisaient dans un ciel pur. C'était cette même nuit, et peut-être cette même heure où Aliocha, s'effondrant à terre, "avait juré frénétiquement de l'aimer pour les siècles des siècles". Mais l'âme de Dmitri était pleine de trouble, d'un trouble immense et même si bien des choses, à présent, venaient lui déchirer l'âme, à ce moment-là, tout son être s'était irrévocablement concentré sur elle seule, sur sa reine, celle vers laquelle il volait, pour la regarder une dernière fois. Je ne dirai qu'une chose : son cœur ne protestait même pas à cette minute. On ne me croira pas, peut-être, si je dis que ce jaloux ne ressentait pas la moindre jalousie envers cet homme nouveau, ce nouveau rival, qui venait de surgir de sous terre, envers cet "officier". De n'importe qui d'autre qui serait venu à surgir, il aurait été jaloux aussitôt, et peut-être bien aurait-il à nouveau mouillé de sang ses mains effrayantes, alors que pour lui, pour son "premier", il ne ressentait à présent, volant dans sa troïka, non seulement aucune haine jalouse, mais pas le moindre sentiment d'hostilité – certes, il ne l'avait pas encore vu. "Là, c'est indiscutable, là, c'est leur droit, à elle et à lui ; elle, c'est son premier amour, elle ne l'a pas oublié en cinq ans ; donc, c'est seulement lui qu'elle a aimé pendant ces cinq années, et moi, moi, qu'est-ce que je suis venu faire ici ? Qui je suis, là, qu'est-ce que je fais ? Ecarte-toi, Mitia, cède le passage ! Et en ce moment, qu'est-ce que je fais ? Maintenant, même sans l'officier, tout est fini, même s'il n'était pas venu, de toute façon, tout aurait été fini..."

Voilà en quels termes il aurait pu, plus ou moins, exposer ses sensations, si seulement il avait été capable de réfléchir. Mais, à ce moment-là, il n'était plus capable de réfléchir. Toute sa résolution du moment avait surgi sans réflexion, en une seconde, elle avait été ressentie et acceptée d'un coup tout entière avec toutes ses conséquences dès le moment chez Fénia, dès les premières paroles qu'elle avait dites. Et néanmoins, malgré toute cette résolution qu'il avait prise, c'est le trouble qui régnait dans son âme, un trouble si grand qu'il faisait mal : cette résolution, elle ne lui avait pas non plus donné la paix. Il y avait trop de choses derrière lui qui le torturaient. Et cela lui était étrange par instants : car son verdict, il se l'était écrit lui-même sur le papier : "je me châtie et je me punis" ; et, ce papier, il était là, dans sa poche, tout prêt ; le pistolet était déjà chargé, et il avait déjà décidé comment, le lendemain, il allait saluer le rayon brûlant de ce "Phébus aux boucles d'or", et, pourtant, avec tout ce passé, avec tout ce qu'il avait derrière lui et qui le torturait, malgré cela, il n'y avait pas moyen d'être quitte, cela, il le ressentait jusqu'à en avoir mal, et, cette idée, elle s'enfonçait dans son âme avec désespoir. Il y eut un moment sur le trajet où il eut soudain envie d'arrêter Andréï, de bondir hors de la voiture, de sortir son pistolet chargé et d'en finir d'un coup, sans attendre l'aube. Mais cet instant passa comme une petite étincelle. Et la troïka volait, "avalant l'espace", et, à mesure qu'on se rapprochait du but, l'idée de cette femme, d'elle seule, lui saisissait le souffle de plus en plus fort et repoussait tous les autres fantômes effrayants de son cœur. Oh, il avait tellement envie de la voir, ne fût-ce qu'une seule seconde, ne fût-ce que de loin ! "Maintenant, elle est avec *lui*, mais, bon, je la regarderai un petit peu, comment elle est avec lui, avec son premier amour, et c'est la seule chose dont j'aie besoin." Et jamais encore tant d'amour pour cette femme si fatale dans son destin ne s'était levé dans sa poitrine – tant de cette sensation nouvelle, qu'il n'avait encore jamais ressentie, une sensation inattendue même pour lui-même, une sensation tendre jusqu'à la prière, jusqu'à vouloir disparaître devant elle. "Et je vais disparaître !" dit-il soudain dans un accès d'une espèce d'exaltation hystérique.

On galopait depuis déjà presque une heure. Mitia se taisait, et Andréï, même si c'était un moujik qui aimait bien causer, ne faisait que pousser ses "montures" toujours plus vite, sa troïka baie, étique mais alerte. Quand, soudain, pris d'une inquiétude effrayante, Mitia lança un cri :

— Andréï ! Eh quoi, s'ils dorment ?

D'un seul coup, cela lui avait traversé l'esprit, alors que jusqu'à présent il n'y avait pas pensé une seconde.

— Faut croire qu'ils sont déjà couchés, Dmitri Fiodorovitch.

Mitia eut une grimace de douleur : c'est vrai, quoi, s'il se précipitait... avec des sentiments pareils... et, eux, ils dorment... elle aussi, elle dort, peut-être, là... Un sentiment de haine se mit à bouillir dans son cœur.

— Fouette, Andréï, file, Andréï, vite ! cria-t-il dans un état second.

— Mais peut-être qu'ils sont pas encore couchés, raisonna Andréï, après un silence. Tout à l'heure, Timoféï disait qu'ils s'étaient réunis à beaucoup, là-bas...

— Au relais ?

— Pas au relais, mais chez les Plastounov, à l'auberge, un relais libre, quoi.

— Je connais ; pourquoi tu dis qu'ils sont nombreux ? Comment, nombreux ? Qui donc ? se lança Mitia dans une inquiétude terrible devant cette nouvelle inattendue.

— Bah, Timoféï il a dit que c'est que des messieurs : deux de la ville, qui c'est – je sais pas, Timoféï il a juste dit que c'était deux messieurs d'ici, et eux, à deux, qui viennent d'arriver, et peut-être encore aussi quelqu'un d'autre, j'ai pas trop demandé précisément. Aux cartes, il paraît, qu'ils jouent.

— Aux cartes ?

— Bah, donc, alors, ils dorment pas, s'ils jouent aux cartes. Faut penser qu'il doit être juste un peu moins de onze heures, pas plus.

— Fouette, Andréï, fouette !

— Qu'est-ce que c'était, je vous demanderais, monsieur, reprit Andréï après un nouveau temps de silence, sauf que j'ai peur de vous fâcher, seigneur…

— Qu'est-ce que tu veux ?

— Tout à l'heure, Fédossia Markovna[1], elle s'est jetée à vos pieds, elle a prié que vous tuiez pas sa maîtresse et je sais pas qui encore… alors, donc, monsieur, si, moi, je vous y amène, là-bas… Pardonnez-moi, monsieur, comme ça, c'est de ma conscience que je parle, je l'ai dit bêtement, si ça se trouve.

Mitia le saisit de derrière par les épaules.

— Tu es un cocher ? Un cocher ? commença-t-il dans un état second.

1. Fédossia Markovna est le prénom et le patronyme complet et officiel de Fénia.

— Je suis un cocher…

— Donc, tu sais qu'il faut céder la route. Il y a des cochers, ils ne céderont plus la route à personne, écrase qui je veux, je passe ! Non, cocher, n'écrase pas ! On n'a pas le droit d'écraser les gens, on n'a pas le droit de ruiner la vie des gens : et si tu as ruiné une vie – alors, châtie-toi… si seulement tu as ruiné une vie, si tu as démoli la vie de quelqu'un – châtie-toi, et va-t'en.

Tout cela avait jailli de la bouche de Mitia comme dans une hystérie totale. Andréï fut étonné, certes, par ce monsieur, mais il reprit la conversation.

— C'est vrai, mon bon Dmitri Fiodorovitch, là, vous avez raison qu'il faut pas écraser les gens, et pas leur faire du mal non plus, exactement comme toute autre créature, parce que n'importe quelle créature – c'est une créature de la création, ne serait-ce que, tenez, le cheval, y en a ils les ruinent pour de rien, même s'ils sont des cochers… Ils ont pas de retenue, ils foncent, n'est-ce pas, ils foncent toujours tout droit.

— Jusqu'en enfer ? interrompit soudain Mitia et il éclata du rire sec le plus inattendu. Andréï, mon âme simple, fit-il, le reprenant très fort par les épaules, réponds-moi : il s'y retrouvera, Dmitri Fiodorovitch Karamazov, en enfer, ou il s'y retrouvera pas ?

— Je ne sais pas, mon bon monsieur, parce que vous, n'est-ce pas… Tu vois, monsieur, quand le Fils de Dieu a été crucifié sur la croix et qu'Il est mort, Il est descendu de sa croix droit en enfer et Il a libéré tous les pécheurs qui se tourmentaient. Et, l'enfer, il a gémi qu'il n'y en aurait plus, il se disait, de pécheurs, n'est-ce pas, maintenant, qu'allaient venir. Et le Seigneur, alors, Il a dit à l'enfer : “Ne gémis pas, enfer, parce que, dorénavant, il en viendra chez toi, toutes sortes de grands notables, des puissants, des juges principaux et des richards, et tu seras exactement aussi plein que tu l'as été dans les siècles des siècles, jusqu'à mon nouveau retour." C'est sûr, il y a une parole comme ça...

— Une légende populaire, magnifique ! Fouette la gauche, Andréï !

— Alors, donc, monsieur, c'est pour eux que l'enfer il est prescrit, fit Andréï en fouettant la gauche, mais vous, monsieur, vous, vous êtes juste comme un petit enfant... comme ça qu'on vous regarde... Et même si vous êtes coléreux, monsieur, c'est sûr, Dieu vous pardonnera pour votre cœur simple.

— Et toi, toi, tu veux me pardonner, Andréï ?

— De quoi je vous pardonnerais, moi, vous m'avez rien fait.

— Non, pour tous, pour tous, toi seul, là, maintenant, sur-le-champ, ici, sur la route, tu me pardonneras pour tous ? Parle, âme du peuple !

— Oh, monsieur ! Ça me fait un peu peur de vous conduire, votre entretien il est bizarre, comme ça...

Mais Mitia n'entendit pas. Il priait dans un état second et chuchotait frénétiquement en lui-même.

— Seigneur, reçois-moi dans toute mon iniquité, mais ne me juge pas. Laisse-moi passer sans Ton jugement... Ne me juge pas, parce que je me suis condamné tout seul ; ne me juge pas, parce que je T'aime, Seigneur ! Je suis vil et je T'aime ; Tu m'enverras en enfer, et, là-bas, je T'aimerai, et, de là-bas, je crierai que je T'aime dans les siècles des siècles... Mais laisse-moi aimer jusqu'au bout... ici, maintenant, aimer jusqu'au bout, juste cinq heures avant Ton rayon brûlant... Parce que j'aime la reine de mon cœur. Je l'aime et je ne peux pas ne pas l'aimer. Tu me vois tout entier. Je déboulerai, je tomberai devant elle : tu as raison d'être passée devant moi... Adieu et oublie ta victime, ne t'inquiète jamais !

— Mokroïé ! cria Andréï, indiquant devant lui avec son fouet.

A travers les ténèbres pâles de la nuit on aperçut soudain une masse sombre et solide de bâtiments éparpillés sur un espace immense. Le bourg de Mokroïé comptait deux mille âmes, mais, à cette heure, il était déjà tout entier endormi, et c'est seulement de loin en loin qu'on voyait clignoter dans les ténèbres quelques rares petites lumières.

— File, file, Andréï, j'arrive ! s'exclama Mitia, comme pris de fièvre.

— Ils dorment pas ! marmonna Andréï, indiquant de son fouet l'auberge des Plastounov qui se dressait à l'entrée de la ville, une auberge dont les six fenêtres sur rue étaient toutes violemment éclairées.

— Ils ne dorment pas ! reprit avec joie Mitia. Fais tinter les clochettes, Andréï, au grand galop, les grelots, qu'on arrive dans un tintamarre. Que tout le monde le sache, que j'arrive, là ! J'arrive ! J'arrive, moi ! s'exclamait Mitia, frénétique.

Andréï lança sa troïka au galop et c'est vraiment avec fracas qu'il s'arrêta devant un petit perron surélevé et fit arrêter ses chevaux écumants, à demi morts. Mitia bondit de la carriole, et, justement, le patron de l'auberge, qui, certes, lui, s'apprêtait déjà à aller se coucher, sortit, se demandant qui c'était donc qui venait d'arriver ainsi.

— Trifone Borissytch, c'est toi ?

Le patron se pencha, plissa les yeux, descendit les marches à toute vitesse et, pris d'une exaltation obséquieuse, se précipita vers son hôte.

— Mon bon monsieur, Dmitri Fiodorytch ! C'est donc vous qu'on revoit !

Ce Trifone Borissytch était un gars trapu et costaud, de taille moyenne, le visage un peu gras, l'air sévère et inflexible, surtout avec les paysans de Mokroïé, mais qui avait le don de se donner tout de suite une expression des plus obséquieuse quand il y entrevoyait quelque profit. Il s'habillait à la russe, en chemise et en blouse paysannes, possédait un petit capital rondelet, mais rêvait, sans fin ni cesse, d'un rôle supérieur. Il tenait un peu plus de la moitié des paysans entre ses griffes, tout le monde à la ronde lui devait de l'argent. Il louait des terres aux aristocrates, et en achetait lui-même, mais, cette terre, c'étaient les paysans qui la lui travaillaient pour payer des dettes dont ils n'arrivaient jamais à se libérer. Il était veuf et avait quatre filles adultes : l'une était déjà veuve, et vivait chez lui avec deux enfants en bas âge, ses petits-enfants, et travaillait chez lui comme bonne à tout faire. Une autre fille paysanne avait épousé un fonctionnaire, un genre de scribe promu en grade, et, dans l'une des pièces de l'auberge, on pouvait aussi voir, pendue au mur, au nombre des photographies de famille de format miniature, la photographie de ce fonctionnaire, dans son uniforme, avec les épaulettes de son rang. Les deux filles cadettes, le jour de la fête du village, ou quand elles partaient en visite, revêtaient des robes bleu ciel ou vertes, à la mode, serrées derrière et dotées d'une traîne de deux mètres, mais, le lendemain, au matin, comme tous les autres jours, se levaient à l'aurore et, leur balayette de bouleau à la main, elles faisaient le ménage dans les chambres, sortaient les ordures et enlevaient les saletés laissées par les clients. Malgré les jolis milliers qu'il avait déjà acquis, Trifone Borissytch aimait beaucoup arnaquer le client en ribote et, se souvenant qu'il ne s'était pas passé un mois après qu'il eut gagné, en un seul jour, grâce à Dmitri Fiodorovitch, le temps de sa fête avec Grouchenka, un peu plus de deux cents roubles, voire carrément trois cents, il l'accueillit cette fois avec joie et promptitude, sentant déjà à la manière dont Mitia venait de s'arrêter devant son perron une nouvelle arrivée de butin.

— Mon bon monsieur Dmitri Fiodorovitch, c'est donc vous qu'on retrouve ?

— Attends, Trifone Borissytch, commença Mitia, l'essentiel avant tout : où est-elle ?

— Agraféna Alexandrovna ? reprit tout de suite le patron, scrutant le visage de Mitia. Mais elle est là… ici…

— Avec qui, avec qui ?

— Des hôtes, n'est-ce pas, de passage… Un fonctionnaire, un Polonais, sans doute, d'après le parler, c'est lui qui l'a envoyée chercher, il a envoyé des chevaux d'ici ; et un autre, avec lui, son collègue, ou quoi, son compagnon de voyage, allez savoir ; tous les deux en civil…

— Eh quoi, ils font la noce ? Ils sont riches ?

— La noce, pensez-vous ! Une dimension modeste, Dmitri Fiodorovitch.

— Modeste ? Bon, et les autres ?

— Y en a de la ville, deux messieurs… Ils revenaient de Tcherny, ils sont restés. Y en a, un jeune, je crois qu'il est parent de M. Mioussov, j'oublie, juste, comment il s'appelle… l'autre, faut croire, vous le connaissez aussi : le propriétaire Maximov, il est venu, il dit, en pèlerinage, il est passé dans votre monastère, là, et il voyage, comme ça, avec ce jeune parent de M. Mioussov…

— Et c'est tout ?

— C'est tout.

— Attends, tais-toi, Trifone Borissytch, maintenant dis-moi l'essentiel : elle, comment elle va, comment elle est ?

— Bah, elle est arrivée tout à l'heure, et elle est avec eux.

— Elle est gaie ? Elle rit ?

— Non, je crois qu'elle rit pas trop... Même elle est toute morne, elle lui a peigné ses cheveux, au jeune homme.

— Au Polonais, à l'officier ?

— Lui, il est pas jeune du tout, et c'est tout sauf un officier : non, monsieur, pas à lui, à ce jeune neveu de M. Mioussov, au jeune-là, j'oublie son nom...

— Kalganov ?

— Parfaitement, Kalganov.

— Bon, je verrai. Ils jouent aux cartes ?

— Ils ont joué, ils y jouent plus, ils ont fini le thé, le fonctionnaire a demandé des liqueurs.

— Attends, Trifone Borissytch, attends, mon gentil, je verrai. Maintenant, dis-moi, l'essentiel : il n'y a pas de Tziganes ?

— Les Tziganes, maintenant, on les entend même plus du tout, Dmitri Fiodorovitch, l'Autorité qui les a chassés, mais y a les youpins, tenez, ils jouent de la cymbale et du violon, à Rojdestvenskoïé, on peut les envoyer chercher ne serait-ce que maintenant. Ils viendraient.

— Envoie, envoie absolument ! s'écria Mitia. Les filles aussi, on peut les réveiller, comme l'autre fois, Maria surtout, Stépanida aussi, Arina. Deux cents roubles pour un chœur !

— Mais, pour une somme comme ça, je te rassemble tout le village, même si qu'ils ronflent tous en ce moment. Mais est-ce qu'ils méritent ça, mon bon Dmitri Fiodorovitch, les paysans ou bien les filles du coin, une gentillesse comme ça ? Pour une bassesse pareille, une grossièreté, mettre une telle somme ! Est-ce qu'il mérite, un paysan de chez nous, de fumer du cigare – toi, tu leur donnais ? Notre paysan, il pue, le brigand. Et toutes les filles, toutes comme elles sont, elles sont pouilleuses. Mais c'est mes propres filles, moi, que je vais te faire lever, gratis, pas pour une somme pareille, sauf qu'elles sont toutes au pieu, à coups de pied où je pense je te les ferai chanter. Les moujiks, l'autre fois, leur donner du champagne, ah la la !

C'est en vain que Trifone Borissytch plaignait Mitia : la première fois, il lui avait barboté lui-même une demi-douzaine de bouteilles de champagne et il avait ramassé un billet de cent roubles, sous la table, en le serrant dans son poing. Et il l'avait gardé, comme ça, serré dans son poing.

— Trifone Borissytch, hein, ce jour-là, j'ai flambé plus d'un millier de roubles. Tu te souviens ?

— Si vous en avez flambé, mon bon monsieur, je vous crois que je me souviens, trois mille, je parie, vous m'avez bien laissé.

— Bon, et tu vois avec quoi je reviens, tu vois ?

Et il sortit et fourra juste sous le nez du patron toute sa liasse de billets de banque.

— Maintenant, écoute et saisis : dans une heure, le vin va arriver, avec les hors-d'œuvre, les pâtés et les bonbons – tout ça, tout de suite, là-bas, en haut. Cette caisse, là, à côté d'Andréï, elle aussi, tout de suite là-haut, tu l'ouvres, et tu sers le champagne tout de suite... Et surtout – des filles, des filles, et Maria, ici, coûte que coûte...

Il se tourna vers la carriole et sortit de sous son siège sa boîte de pistolets.

— Fais-toi payer, Andréï ! Tiens, quinze roubles pour la troïka, et voilà cinquante de pourboire... pour le zèle, pour ton amour... Souviens-toi de M. Karamazov !

— J'ai peur, monsieur... fit Andréï, hésitant, cinq roubles de pourboire, si vous voulez, mais je prendrai pas plus. Trifone Borissovitch est témoin. Pardonnez-moi la parole bête que je dis...

— De quoi tu as peur, fit Mitia, le toisant du regard, eh bien va au diable, si c'est comme ça ! cria-t-il, lui jetant ses cinq roubles. Maintenant, Borissytch, conduis-moi sans bruit et laisse-moi d'abord jeter un coup d'œil sur eux, mais qu'ils ne me remarquent pas. Où est-ce qu'ils sont, chez toi, dans la pièce bleu ciel ?

Trifone Borissytch jeta un coup d'œil craintif à Mitia, mais obéit immédiatement à ce qu'il lui demandait : il le fit passer prudemment dans l'entrée, entra lui-même dans la première grande pièce, contiguë à celle qu'occupaient les hôtes, et en sortit une bougie. Ensuite, il conduisit en cachette Mitia et le plaça dans un coin, dans le noir, d'où il pouvait tranquillement observer les hôtes sans qu'ils le voient eux-mêmes. Mais Mitia ne resta pas longtemps à regarder, et il ne pouvait pas les observer : il l'avait vue, elle, et son cœur s'était mis à battre, un voile était retombé sur ses yeux. Elle était à la table, de biais, dans un fauteuil, avec, à côté d'elle, sur le divan, le joli et encore très jeune Kalganov ; elle lui tenait la main et, semble-t-il, elle riait, et lui, sans lever les yeux vers elle, il disait quelque chose à haute voix, avec comme du dépit, à Maximov, qui était assis de l'autre côté de la table, en face de Grouchenka. Maximov, lui, riait beaucoup de quelque chose. Il le vit, *lui*, assis sur le divan, et, à côté du divan, sur une chaise, face au mur, il y avait un inconnu. Celui qui était assis sur le divan, affalé, fumait une pipe, et Mitia se sentit juste remarquer en un éclair que c'était un genre de petit bonhomme rondouillard, à la bouille ronde, d'une taille sans doute pas très grande, et qui était comme fâché de quelque chose. Son camarade, quant à lui, l'autre inconnu, parut à Mitia d'une taille réellement très haute ; mais il fut incapable d'en observer plus. Son souffle se coupa. Il fut incapable de rester là même une minute, posa la boîte sur la commode et se dirigea tout droit, le cœur glacé, figé, vers la pièce bleu ciel, vers les gens qui parlaient.

— Ah ! cria, prise de peur, Grouchenka, qui l'avait remarqué la première.

VII

LE PREMIER ET L'INDISCUTABLE

Mitia, de ses longues et vives enjambées, arriva droit devant la table.

— Messieurs, commença-t-il à haute voix, presque en criant, mais en bafouillant à chaque mot… je… enfin, je… rien ! N'ayez pas peur, s'exclama-t-il, je ne veux rien, rien, fit-il, se tournant soudain vers Grouchenka qui s'était rejetée sur le dossier de son fauteuil vers Kalganov et lui tenait la main serrée très fort. Je… Moi aussi, je m'en vais. J'en ai jusqu'au matin. Messieurs, un voyageur de passage… il peut rester avec vous jusqu'au matin ? Seulement jusqu'au matin, une dernière fois, dans cette même pièce ?

Il n'acheva même pas, s'adressant au petit rondouillard assis sur le divan avec sa pipe. L'autre ôta sa pipe de sa bouche d'un air grave et prononça d'un ton sévère :

— *Panie*[1], nous sommes ici en privé. Il existe d'autres pièces.

1. Vocatif de *pan*, “monsieur”, en polonais. Le traducteur exprime sa vive reconnaissance à Mmes Dorota Sikora-Pouivet et Lila Grillon, qui, chacune de son côté, ont pris la peine de vérifier et de relire tout ce qui a trait à la langue polonaise dans ce chapitre.

— Mais c'est vous, Dmitri Fiodorovitch, mais qu'est-ce qui vous arrive ? répliqua soudain Kalganov. Mais asseyez-vous donc avec nous, bonsoir !

— Bonsoir, jeune homme… inestimable ! Je vous ai toujours estimé… répondit Mitia précipitamment et avec joie, en lui tendant la main tout de suite par-dessus la table.

— Hou, cette poigne que vous avez ! Vous m'avez cassé les doigts, fit Kalganov en riant.

— Mais c'est toujours comme ça qu'il serre, toujours ! reprit joyeusement, avec un sourire encore timide, Grouchenka qui, semble-t-il, s'était persuadée en regardant Mitia qu'il ne ferait pas de scandale, mais continuait toujours de l'observer avec une curiosité terrible et avec inquiétude. Il y avait quelque chose en lui qui l'avait frappée à l'extrême, et puis, elle ne s'attendait pas du tout, le connaissant, qu'il puisse ainsi, en une minute pareille, entrer et dire ce qu'il était en train de dire.

— Bonjour, monsieur, fit en écho, à gauche, le propriétaire Maximov d'une voix doucereuse. Mitia se précipita vers lui aussi :

— Bonjour, vous aussi, vous êtes là, comme je suis content que, vous aussi, vous soyez là ! Messieurs, messieurs, je… Il se tourna de nouveau vers le *pan* à la pipe, le tenant visiblement pour le personnage essentiel dans la pièce. Je volais… Je voulais passer mon dernier jour, ma dernière heure dans cette pièce, dans cette pièce-ci… là où, moi aussi, j'ai adoré… ma reine !… Pardon, *panie* ! cria-t-il, frénétique. Je volais, et j'ai fait la promesse… Oh, n'ayez pas peur, c'est ma dernière nuit ! Buvons, *panie,* à la concorde ! On va servir le vin tout de suite… J'ai amené, regardez, ça. Soudain, bizarrement, il venait de sortir sa liasse de billets. Permets-moi, *panie* ! Je veux de la musique, du tonnerre, du tintamarre, tout ce qu'il y a eu avant... Mais le vermiceau, le vermiceau inutile ira ramper plus loin, et il n'existera plus ! Que je fête le souvenir du jour de ma joie pour ma dernière nuit !...

Il n'arrivait presque plus à respirer ; il voulait dire beaucoup, beaucoup de choses, mais n'avaient pu jaillir que des exclamations étranges. Le *pan* le considérait d'un regard immobile, lui, sa liasse de billets, il regardait Grouchenka et montrait une perplexité évidente.

— Si le *povolit moja królowa*[1]... commença-t-il.

— C'est quoi, *kroulova*, c'est "reine", que tu veux dire ? l'interrompit soudain Grouchenka. Ça me fait rire, comment vous parlez, tous. Assieds-toi, Mitia, et qu'est-ce que tu racontes là ? Ne nous fais pas peur, s'il te plaît. Tu ne nous feras pas peur, hein, promis ? Si tu ne nous fais pas peur, je suis contente que tu sois là...

— Moi, moi te faire peur ? s'écria soudain Mitia, lançant ses bras au ciel. Oh, passez devant moi, poursuivez votre chemin, je ne dérangerai pas !... Et, brusquement, d'une façon complètement inattendue pour tout le monde, et, bien sûr, pour lui-même, il se jeta sur une chaise et fondit en sanglots, tournant sa tête de l'autre côté, vers le mur, et saisissant de toutes ses forces le dossier de la chaise, comme s'il voulait le serrer dans ses bras.

— Non mais, non mais, ah, toi alors ! s'exclama Grouchenka d'un air de reproche. Voilà, exactement, comment il venait me voir – il se met à parler, d'un coup, et moi je ne comprends rien. Déjà, une autre fois, il s'est mis à pleurer, exactement pareil, et, maintenant, voilà

1. En polonais, "si ma reine le permet". Le mot *królowa* (reine), très proche du russe *koroléva*, est prononcé *kroulova*.

que ça le reprend – quelle honte ! Mais pourquoi est-ce que tu pleures ? *S'il y avait une raison, encore !* ajouta-t-elle soudain mystérieusement en insistant sur cette expression avec une certaine nervosité.

— Je… je ne pleure pas… Allez, bonsoir à vous ! fit-il, se retournant soudain sur sa chaise et éclatant de rire, mais pas de ce petit rire sec et saccadé qu'il avait, non, d'une espèce de rire inaudible et nerveux, qui le secouait de tout son corps.

— Ah voilà, ça revient… Allez, de la gaieté, de la gaieté ! le sermonnait Grouchenka. Je suis très contente que tu sois là, très contente, Mitia, tu l'entends, que je suis très contente ! Je veux qu'il reste ici avec nous, continua-t-elle, se tournant impérieusement, on aurait pu croire vers tout le monde, même si ses paroles n'étaient visiblement adressées qu'à l'homme assis sur le divan. Je veux, je veux ! Et s'il s'en va, moi aussi, je m'en vais, voilà ! ajouta-t-elle, les yeux soudain brûlants.

— Ce que souhaite ma reine, c'est une loi ! prononça le *pan*, baisant fort galamment la main de Grouchenka. Je prie *pan* de nous faire l'honneur ! s'adressa-t-il aimablement à Mitia. Mitia bondit à nouveau, dans l'intention évidente de sortir une tirade, mais cela donna autre chose.

— Buvons, *panie* ! cria-t-il, coupant net tout discours. Ce fut un éclat de rire général.

— Seigneur ! Et moi qui me disais qu'il voulait se remettre à parler, s'exclama nerveusement Grouchenka. Tu entends, Mitia, ajouta-t-elle avec insistance, arrête de sauter comme ça, mais c'est bien que tu aies apporté du champagne. Je vais boire, moi aussi, je ne supporte pas les liqueurs. Et le mieux, c'est que, toi, tu débarques, sinon, ce qu'on s'ennuie… Pour faire la noce, ou quoi, tu es venu ? Mais cache-les dans ta poche, tes sous ! Où est-ce que t'en as trouvé tant ?

Mitia, qui gardait toujours froissés dans la main ses billets que tout le monde, et surtout les *pans*, avait bien remarqués, les fourra aussitôt dans sa poche, d'un air confus. Il rougit. A cet instant, le patron amena une bouteille de champagne qu'il venait de déboucher, sur un plateau, avec des verres. Mitia saisit la bouteille, mais se mit à trembler si fort qu'il oublia ce qu'il devait en faire. C'est Kalganov qui la lui prit des mains et remplit les verres.

— Et encore, et encore une bouteille ! cria Mitia au patron et, oubliant de trinquer avec le *pan*, alors qu'il l'avait solennellement invité à boire à leur concorde, il but soudain son verre tout seul, sans attendre qui que ce soit. Tout son visage s'était brusquement transformé. Au lieu de l'expression solennelle et tragique avec laquelle il était entré, c'est comme quelque chose d'enfantin qui paraissait en lui. Il s'était soudain, tout entier, comme adouci et abaissé. Il posait sur tout le monde un regard timide et joyeux, avec un petit rire récurrent et nerveux, et cet air reconnaissant d'un petit chien coupable qu'on vient de pardonner et de laisser rentrer. Il avait comme tout oublié et regardait tous les autres avec exaltation, avec un sourire d'enfant. Il regardait Grouchenka sans arrêter de rire, et il avait poussé sa chaise de façon qu'elle touche son fauteuil. Petit à petit, il avait observé les deux *pans*, même s'il les comprenait encore peu. Le *pan* sur le divan le frappait par son maintien, son accent polonais et – surtout – par sa pipe. "Et alors ? c'est bien qu'il fume la pipe", pensait Mitia en le contemplant. Le visage un peu avachi, de bientôt quarante ans, du *pan* avec un nez tout petit sous lequel on voyait une petite moustache toute fine, pommadée et insolente, lui non plus n'éveillait pas pour l'instant en Mitia la moindre interrogation. Même la petite perruque bien moche du *pan*, faite en Sibérie, si bêtement arrangée sur les tempes, n'avait pas trop frappé Mitia : “C'est qu'il en a besoin, s'il a une perruque”, se disait-il, continuant de l'observer avec béatitude. L'autre *pan*, qui, lui, assis contre le mur, était plus jeune que le *pan* sur le divan, regardait toute la compagnie d'un œil arrogant et provocant et écoutait la conversation générale avec un dédain silencieux, là encore, ne frappait Mitia que par sa taille réellement très élevée, affreusement disproportionnée avec celle du *pan* assis sur le divan. “S'il se lève de tout son haut, il fera bien deux mètres”, se sentit penser Mitia. Il se sentit penser aussi que ce *pan* très grand était visiblement l'ami et l'acolyte du *pan* sur le divan, un peu comme “son garde du corps”, et que le petit *pan* avec sa pipe était, bien sûr, le chef du grand. Mais, cela aussi, Mitia pensait que c'était terrible comme c'était bien, et comme c'était indiscutable. Toute rivalité était morte dans le petit chien. Il n'avait rien compris non plus à Grouchenka et au ton mystérieux de certaines de ses phrases ; la seule chose qu'il comprenait, tremblant de tout son cœur, c'était qu'elle se montrait gentille avec lui, qu'elle lui avait “pardonné” et l'avait fait asseoir près d'elle. Il avait été fou d'exaltation quand il avait vu qu'elle lampait une gorgée de vin. Le silence de la compagnie pourtant le saisit comme d'un coup, et il se mit à parcourir tout le monde d'un regard d'attente : “Mais pourquoi est-ce qu'on reste comme ça, pourquoi vous ne commencez rien, messieurs ?”, voilà ce que semblait dire son regard grimaçant.

— Il ne raconte que des craques, et, nous, là, tous, on rit, commença soudain Kalganov, comme s'il avait deviné sa pensée, en désignant Maximov.

Mitia riva ses yeux sur Kalganov puis, tout de suite, sur Maximov.

— Des craques ? fit-il, éclatant de son petit rire sec, tout de suite heureux d'on ne savait trop quoi. Ha ha !

— Oui. Figurez-vous qu'il affirme que, soi-disant, toute notre cavalerie, dans les années vingt, s'est mariée à des Polonaises ; mais ça, c'est des bêtises terribles, n'est-ce pas ?

— Des Polonaises ? reprit Mitia, cette fois réellement exalté.

Kalganov comprenait très bien les relations de Mitia et de Grouchenka, il devinait aussi pour le *pan*, mais tout cela ne l'occupait guère, et même, peut-être, ne l'occupait pas du tout, c'était surtout Maximov qui l'occupait. Il s'était retrouvé là avec Maximov par hasard et avait rencontré les *pans* ici, à l'auberge, pour la première fois de sa vie. Grouchenka, il la connaissait déjà et même, un jour, il lui avait déjà rendu visite ; à ce moment-là, il lui avait déplu. Mais, ici, elle le regardait avec une grande tendresse ; avant l'arrivée de Mitia, même, elle le caressait, mais, lui, bizarrement, il restait insensible. C'était un jeune homme, âgé de guère plus de vingt ans, habillé en dandy, avec un très mignon petit visage blanc et de splendides et épais cheveux châtains. Mais il y avait dans ce joli petit visage blanc des yeux bleu clair adorables, avec une expression intelligente et même parfois profonde, hors de proportion avec son âge, quoique le jeune homme, parfois, eût l'air ou bien parlât vraiment comme un enfant, et sans en avoir honte le moins du monde, en le reconnaissant même tout à fait. En général, il était très original, voire capricieux, quoique toujours gentil. Parfois, on voyait surgir dans l'expression de son visage quelque chose d'immobile et de têtu : il vous regardait, vous écoutait, et, lui-même, c'était comme s'il songeait obstinément à quelque chose qui n'était qu'à lui. Tantôt il devenait veule et paresseux, tantôt, soudain, il se mettait à s'agiter, parfois, visiblement, pour une raison des plus insignifiante.

— Figurez-vous que je le traîne avec moi depuis quatre jours, poursuivit-il, étirant comme un peu paresseusement ses mots, mais sans la moindre afféterie, d'une façon totalement naturelle. Vous vous souvenez, depuis que votre frère l'a poussé hors de la voiture et qu'il est parti. A ce moment-là, il avait éveillé tout mon intérêt, je l'ai pris avec moi au village, et, lui, maintenant, il ne raconte que des craques, au point que j'ai honte d'être avec lui. Je le ramène…

— *Pan polskiej pani nie widzial* et *mówi*[1] des choses tout à fait im*pos*sibles[2], fit remarquer à Maximov le *pan* à la pipe.

Le *pan* à la pipe parlait un russe correct, du moins bien meilleur qu'il ne voulait le faire croire. Quant aux mots russes qu'il utilisait, il les déformait à la mode polonaise.

— Mais, moi-même, j'ai été marié à une *pani* polonaise, rit en réponse Maximov.

— Tiens, parce que vous avez servi dans la cavalerie ? Mais vous parliez de la cavalerie. Alors, vous êtes dans la cavalerie ? reprit tout de suite Kalganov.

— Oui, bien sûr, lui, dans la cavalerie ? ha ha ! cria Mitia, qui écoutait avidement et faisait passer très vite

1. "Vous n'avez jamais vu de dame polonaise et vous dites…" Cette phrase polonaise, censée être prononcée par un Polonais, est très maladroite, comme la plupart des expressions employées par Dostoïevski. Celui-ci, comme à son habitude, se soucie peu d'exactitude documentaire. Rappelons d'autre part que l'accent tonique du polonais, très marqué, tombe invariablement sur l'avant-dernière syllabe.

2. Dans ce passage, l'italique indique l'accent tonique.

son regard interrogateur sur tous ceux qui prenaient la parole, comme s'il s'attendait à entendre Dieu sait quoi de leur part.

— Eh non, voyez-vous, fit Maximov, se tournant vers lui, je ne le dis pas dans ce sens-là, c'est sur ces *panienki*… toutes mignonnes… quand elles dansent la mazurka avec nos uhlans… elle la danse avec lui, sa mazurka, et, là, tout de suite, elle lui saute sur ses genoux, comme, n'est-ce pas, un petit chat… tout blanc, n'est-ce pas… et le *pan-ojc*[1] et la *pani-matka*[2], ils voient et ils permettent… oui, n'est-ce pas, ils permettent… et le uhlan, n'est-ce pas, le lendemain, il revient, et il fait sa demande… voilà, n'est-ce pas… il la fait, sa demande… hi hi ! fit Maximov avec un petit rire.

— *Pan lajdak*[3] *!* grommela soudain le *pan* de haute taille en faisant passer une jambe sur l'autre. Mitia ne vit que son énorme botte cirée à la semelle épaisse et boueuse. En général, les deux *pans* n'étaient pas trop bien fagotés.

— Ça y est, *lajdak* ! Pourquoi est-ce qu'il l'insulte ? s'insurgea soudain Grouchenka.

— *Pani Agrippina*, *pan widzial*[4] en *Po*logne que des paysannes et pas des *pani* de la noblesse, fit remarquer à Grouchenka le *pan* à la pipe.

— *Możesz na to rachować*[5] *!* trancha avec dédain le *pan* de haute taille sur sa chaise.

1. Littéralement, "monsieur-père". Maximov (ou Dostoïevski) fait une faute de polonais : la formule exacte est *pan ojciec*.
2. Littéralement, "madame-mère".
3. "Vous êtes une canaille." (Dostoïevski oublie le verbe "être", indispensable en polonais, non employé au présent en russe.)
4. "Madame Agrippine, il n'a vu…" Agraféna est la forme russe du prénom Agrippine.
5. "Tu peux compter dessus."

— Et ça recommence ! Mais laissez-le parler ! Les gens, ils parlent, pourquoi les empêcher ? On s'amuse avec eux, lança Grouchenka.

— Je n'empêche pas, *pani*, remarqua gravement le *pan* à la petite perruque avec un regard insistant sur Grouchenka, et, se taisant d'un air grave, il se remit à sucer sa pipe.

— Mais non, non, *pan*, là, il vient de dire une vérité ! s'échauffa à nouveau Kalganov, comme si l'on parlait d'une affaire de Dieu sait quelle importance. Il n'est jamais allé en Pologne, alors pourquoi il parle de la Pologne ? Ce n'est pas en Pologne que vous vous êtes marié, n'est-ce pas ?

— Non, monsieur, dans la province de Smolensk. Sauf que, le uhlan, il l'avait enlevée avant, mon épouse, n'est-ce pas, je veux dire, future, avec sa *pani-matka*, et sa tantine, et encore une autre parente avec un fils adulte, et là, de Pologne directement, n'est-ce pas… et il me l'a cédée. Un lieutenant de chez nous, un jeune homme très très bien. Au début, il voulait se marier lui-même, mais il ne s'est pas marié, parce qu'elle s'est avérée boiteuse…

— Alors, vous vous êtes marié avec une boiteuse ? s'exclama Kalganov.

— Une boiteuse. Pour ça, ils m'avaient un petit peu roulé dans la farine, ils me l'avaient caché. Je pensais qu'elle sautillait… qu'elle sautillait toujours, et, moi, je pensais que c'était par gaieté de cœur…

— Par gaieté de cœur, de vous épouser ? hurla Kalganov avec une espèce de voix enfantine.

— Eh oui, n'est-ce pas, par gaieté. Et au total, c'était une raison qui n'avait rien à voir. Ensuite, quand on s'est mariés, après l'église, elle m'a tout avoué, le soir même, et m'a demandé pardon, d'une façon très émotionnante, une flaque, elle disait, dans son jeune temps, qu'elle avait voulu sauter, et elle s'était fait mal au pied, hi hi !

Kalganov éclata du rire le plus enfantin et faillit en tomber du divan. Grouchenka aussi se mit à rire. Mitia, lui, était au sommet du bonheur.

— Vous savez, vous savez, ce qu'il dit, maintenant, cette fois, c'est vrai, maintenant, ce n'est pas des craques ! s'exclamait Kalganov, s'adressant à Mitia. Et, vous savez, il a été marié deux fois – c'est de sa première femme qu'il parle – et sa deuxième femme, vous savez, elle s'est enfuie, elle vit toujours, vous le saviez ?

— Sérieux ? fit Mitia, se tournant vers Maximov, son visage exprimant une stupeur des plus extrême.

— Eh oui, n'est-ce pas, elle s'est enfuie, j'ai eu ce désagrément, confirma modestement Maximov. Avec un certain *moussiou*. Et surtout, ce qu'elle avait commencé par faire, préventivement, c'est de mettre mon petit domaine à son nom à elle. Tu es un homme cultivé, elle me dit, tu sauras toujours t'en sortir. Et elle m'a eu comme ça. Un jour, un évêque très digne m'a dit comme ça : toi, ta première épouse, elle a été boiteuse, et, ta deuxième, c'est la cuisse qu'elle avait trop légère, hi hi !

— Ecoutez, écoutez, bouillonnait littéralement Kalganov, s'il ment – et il ment très souvent –, s'il ment, c'est seulement pour faire plaisir à tout le monde : ça, n'est-ce pas, ce n'est pas une crapulerie, n'est-ce pas que ce n'est pas une crapule ? Vous savez, je l'aime bien, des fois. C'est une crapule intégrale, mais c'est naturellement que c'est une crapule, vous ne pensez pas ? Un autre fait des crapuleries dans un but précis, pour avoir un profit, lui, c'est tout simple, c'est de nature… Figurez-vous, par exemple, qu'il prétend (hier, il me l'a juré pendant tout le trajet) que, Gogol, dans *Les Ames mortes*, c'est de lui qu'il a parlé. Vous vous souvenez, il y a un propriétaire Maximov que Nozdriov a fouetté, et à cause de qui il s'est retrouvé devant le tribunal : "pour offense personnelle portée au propriétaire Maximov au moyen de verges et en état d'ivresse" – hein, vous vous souvenez ? Eh bien, figurez-vous qu'il prétend que c'était lui, et que c'est lui qui s'est fait fouetter ! Mais est-ce que c'est possible ? Tchitchikov a voyagé, au plus tard, dans les années vingt, au début, ce qui fait que les dates ne concordent pas du tout. On n'a pas pu l'avoir fouetté à ce moment-là. On n'a pas pu, hein on n'a pas pu ?

Il était difficile de comprendre pourquoi Kalganov s'échauffait, mais il s'échauffait sincèrement. Mitia entrait de tout cœur dans ses vues.

— Mais s'il s'est fait fouetter ! cria-t-il en riant.

— Ce n'est pas, n'est-ce pas, qu'on m'a fouetté, c'était juste comme ça, glissa soudain Maximov.

— Comment, comme ça ? On t'a fouetté ou non ?

— *Która godzina, panie ?* (Quelle heure est-il ?) demanda d'un air morne le *pan* à la pipe au *pan* sur la chaise. L'autre haussa les épaules en réponse : ni l'un ni l'autre n'avait de montre.

— Pourquoi on ne parlerait pas ? Laissez aussi parler les autres. Si vous vous ennuyez, les autres aussi, il faudrait qu'ils se taisent, s'insurgea à nouveau Grouchenka, qui cherchait visiblement à se montrer agressive. Mitia sentit pour la première fois qu'il y avait comme quelque chose qui fusait dans son esprit. Cette fois, le *pan* répondit d'un air visiblement agacé :

— *Panie, ja nic ne mówię przeciw, nic ne powiedzilem.* (Je ne dis rien contre, je n'ai rien dit[1].)

— Bon, c'est bien, alors, toi, raconte, cria Grouchenka à Maximov. Pourquoi est-ce que personne ne dit rien ?

1. La phrase est totalement incorrecte en polonais.

— Mais il n'y a rien, n'est-ce pas, à raconter, parce que ce n'est rien que des bêtises, reprit aussitôt Maximov avec un plaisir évident, mais en minaudant un peu, et, chez Gogol, c'est juste sous une forme allégorique, parce que, tous les noms de famille, il les a faits allégoriques : Nozdriov, n'est-ce pas, il ne s'appelait pas Nozdriov, mais Nossov[1], et Kouvchinnikov – lui, même, ça n'avait même rien à voir, parce qu'il s'appelait Chkvorniov. Mais Fénardi, lui, vraiment il s'appelait Fénardi[2], sauf qu'il n'était pas italien, mais russe, Pétrov, et mamzelle Fénardi, elle, était très mignonne, n'est-ce pas, ses petites jambes, n'est-ce pas, avec ses bas résille, sa petite jupe à paillettes, comme elle tournicotait, mais pas quatre heures, seulement, juste quatre minutes, voilà tout... et tout le monde était sous le charme...

— Mais pourquoi est-ce qu'on t'a fouetté, hein, tu t'es fait fouetter pour quoi ? hurlait Kalganov.

— Pour Piron, répondit Maximov.

— Pour quel Piron ? cria Mitia.

— Pour Piron, le célèbre écrivain français, n'est-ce pas. On buvait du vin, n'est-ce pas, en grande compagnie, dans une taverne, à cette fameuse foire. Eux, ils m'avaient invité, et, moi, ce par quoi j'avais commencé, c'était par dire des épigrammes : "Bigre, c'est toi, Boileau, quel costume étonnant[3]..." Et, Boileau, n'est-ce pas, il répond qu'il va au bal masqué, c'est-à-dire, n'est-ce pas, aux

1. Le nom Nozdriov vient de *nozdria*, "narine" ; Nossov vient de *nos*, "nez". Kouvchinnikov est aussi un personnage des *Ames mortes*.

2. Prestidigitateur célèbre du XIXe, mentionné par Gogol dans *Les Ames mortes*.

3. Référence à une épigramme du fabuliste Ivan Krylov sur une mauvaise traduction de *L'Art poétique* de Boileau (1814).

étuves, et eux, ils ont pris ça pour eux. Moi, vite fait, je leur ai en dit une autre, que tous les gens instruits connaissent très bien, une méchante, n'est-ce pas :

Tu es Sapho, je suis Phaon – cela, c'est clair,
Pourtant, ô sort amer,
Toi, tu ne connais pas le chemin de la mer[1].

Là, ils se sont mis encore plus en colère, et ils ont commencé à me traiter, malpoliment, de tous les noms, et, moi, juste à ce moment-là, pour redresser la situation, je leur ai raconté une anecdote très érudite sur Piron, comment il s'est fait refuser à l'Académie française, et, pour se venger, il a écrit cette épitaphe pour la pierre de son tombeau :

Ci-gît Piron qui ne fut rien,
Pas même académicien.

Et là, bon, ils m'ont fouetté.

— Mais pourquoi, en quel honneur ?

— Pour ma culture. Il y en a, des raisons de se faire fouetter, conclut Maximov d'un ton aussi modeste que sentencieux.

— Eh, ça suffit, c'est moche tout ça, je ne veux pas l'entendre, je me disais que ce serait gai, trancha soudain Grouchenka. Mitia fut soudain bouleversé et s'arrêta de rire. Le *pan* de haute taille se leva de son siège et se mit à arpenter la pièce d'un coin à l'autre, de l'air hautain d'un homme qui s'ennuie dans une compagnie qui n'est pas la sienne, les mains derrière le dos.

— Regardez-moi cet arpenteur ! fit Grouchenka, avec un regard de mépris. Mitia commença à s'inquiéter ; de plus, il avait remarqué que le *pan* sur le divan lui lançait des regards agacés.

1. Epigramme de Konstantin Batiouchkov (1787-1855).

— *Pan*, cria Mitia, buvons, *panie* ! Et avec l'autre *pan* aussi : buvons, *panowie*[1] ! Il prit aussitôt trois verres et les emplit de champagne. A la Pologne, *panowie*, je bois à votre Pologne, je bois au *kraj polskij*[2] ! s'exclama Mitia.

— *Bardzo mi to milo, panie, wypijem*[3] (cela m'est très agréable, monsieur, buvons), prononça d'une voix grave et bienveillante le *pan* sur le divan et il prit son verre.

— Et l'autre *pan,* comment il s'appelle, eh, Excellence, prends ton verre ! s'agitait Mitia.

— *Pan* Wróblewski, souffla le *pan* sur le divan.

Pan Wroblewski, se balançant un peu, s'approcha de la table et, dressé de tout son haut, brandit son verre.

— A la Pologne, *panowie*, hourra ! cria Mitia, levant son verre.

Ils burent tous les trois. Mitia saisit la bouteille et remplit aussitôt les trois verres.

— Maintenant, à la Russie, *panowie*, et soyons frères !

— Nous aussi, sers-nous, dit Grouchenka, à la Russie, moi aussi, je boirai.

— Moi aussi, dit Kalganov.

— Et moi pareil, n'est-ce pas, peut-être bien… à notre bonne vieille Russie, notre bonne vieille grand-mère, fit Maximov avec un petit rire.

— Tout le monde, tout le monde ! s'exclamait Mitia. Patron, encore des bouteilles !

1. Vocatif pluriel de *pan*.

2. Littéralement, “le pays de Pologne”. Mitia reprend en russe, et en la déformant, une expression polonaise, *polski kraj*.

3. La traduction donnée par Dostoïevski est inexacte, et montre, là encore, qu'il se soucie peu d'exactitude en polonais. *Wypijem* est une forme vieillie du futur *wypijemy.* L'impératif serait *wypijmy*.

On apporta les trois bouteilles qui restaient de celles qu'avait apportées Mitia. Mitia remplit les verres.

— A la Russie, *hourra* ! proclama-t-il à nouveau. Tous, à part les *pans*, ils burent, tandis que Grouchenka vidait son verre, quant à elle, d'un seul trait. Les *panowie*[1], eux, n'avaient pas touché à leur verre.

— Et alors, *panowie* ? s'exclama Mitia. Vous, qu'est-ce qui vous arrive ?

Pan Wroblewski prit son verre, le leva et, d'une voix de stentor, prononça :

— A la Russie dans ses limites d'avant 1772 !

— *Oto bardzo pięknie !* (Ça, c'est bien !) cria l'autre *pan*, et, tous les deux, ils vidèrent leur verre d'un trait.

— Vous êtes quand même crétins, *panowie* ! laissa soudain échapper Mitia.

— *Pa-nie !!* crièrent les deux *pans* d'un ton de menace, dressés contre Mitia comme des coqs. C'était surtout *pan* Wroblewski qui s'était mis à bouillir.

— *Ale ne można nie mieć slabości do swojego kraju ?* s'exclama-t-il. (Est-ce qu'on peut ne pas aimer son pays ?)

— Silence ! Pas de disputes ! Qu'il n'y ait pas de disputes ! cria Grouchenka d'une voix impérieuse et tapant de son joli pied sur le plancher. Son visage s'était empourpré, ses yeux s'étaient mis à briller. Le verre qu'elle venait de boire se trahissait. Mitia fut pris d'une peur terrible.

— *Panowie*, pardon ! C'est ma faute à moi, je ne le ferai plus. Wroblewski, *pan* Wroblewski, je ne le ferai plus !...

1. Dostoïevski emploie dans le même paragraphe la forme pseudo-russe *pany* (que je traduis par *pans*) et la forme polonaise.

— Mais tais-toi donc, toi, au moins, assieds-toi, qu'il est bête ! lui lança Grouchenka, avec un dépit rageur.

Ils se rassirent, ils se turent, ils se regardaient tous les uns les autres.

— Messieurs, c'est ma faute pour tout ! reprit Mitia qui n'avait rien compris à l'exclamation de Grouchenka. Bon, pourquoi on reste comme ça ? Hein, qu'est-ce qu'on pourrait faire… pour qu'on s'amuse, hein, pour qu'on se remette à s'amuser ?

— Ah, c'est vrai, c'est affreux ce qu'on ne s'amuse pas, marmonna paresseusement Kalganov.

— Ou alors une petite partie, n'est-ce pas, de pharaon, comme tout à l'heure… fit soudain Maximov avec son petit rire.

— Un pharaon ? Splendide ! reprit Mitia. Si seulement ces *panowie*…

— *Późno, panie !* répliqua, comme à contrecœur, le *pan* sur le divan.

— C'est vrai, reprit aussi *pan* Wroblewski.

— *Pouzno* [1] ? Ça veut dire quoi, *pouzno* ? demanda Grouchenka.

— Ça veut dire "tard", *pani*, tard, l'heure est tardive, expliqua le *pan* sur le divan.

— C'est toujours tard pour eux, on n'a jamais le droit de rien ! lança Grouchenka dans une espèce, presque, de hurlement de dépit. Ils sont là, ils s'ennuient à mourir, et il faut que, les autres aussi, ils s'ennuient pareil. Avant que tu arrives, Mitia, c'est comme ça qu'ils restaient, sans rien dire, juste à dresser la crête devant moi…

1. La remarque de Grouchenka est ironique. Le mot *pouzno* fait penser, en russe, au mot *pouzo*, "ventre", "bedaine".

— Ma déesse ! cria le *pan* sur le divan, *co mowisz to sie stanie*[1]. *Widzę nielaskię, jestem smutny.* (Je vois de l'antipathie, c'est ce qui me rend triste.) *Jestem gotów* (je suis prêt), *panie*, conclut-il, s'adressant à Mitia.

— Commence, *panie* ! reprit Mitia, sortant ses billets de sa poche et posant sur la table deux billets de cent roubles. Je veux t'en perdre beaucoup, *panie*. Prends les cartes et tiens la banque !

— Que les cartes soient fournies par le patron, *panie*, prononça le petit *pan* d'un ton sérieux et insistant.

— *To najlepszy sposób* (c'est le meilleur moyen), approuva *pan* Wroblewski.

— Du patron ? C'est bien, je comprends, va pour le patron, c'est bien, ça, *panowie* ! Des cartes ! ordonna Mitia au patron.

Le patron apporta un jeu de cartes neuf et déclara à Mitia que les filles se rassemblaient déjà, les youpins, eux aussi, allaient arriver très vite avec leurs cymbales, mais la troïka avec la marchandise, elle, n'était pas encore là. Mitia se leva de table d'un bond et courut dans la pièce voisine prendre ses dispositions. Mais les filles n'étaient que trois et Maria n'était pas encore arrivée. Et, lui-même, il ne savait pas quelles dispositions il pouvait prendre, ni pourquoi il s'était levé de table d'un bond : il commanda seulement de sortir de la caisse les friandises, les bonbons et les caramels, et d'en offrir aux filles. "Et de la vodka pour Andréï, de la vodka pour Andréï ! ajouta-t-il à la hâte. J'ai offensé Andréï !" Là, c'est Maximov, qui, accourant vers lui, lui toucha brusquement l'épaule.

— Donnez-moi cinq roubles, chuchota-t-il à Mitia, moi aussi, je risquerais bien un petit pharaon, hi hi !

1. "Ce que tu dis, cela se fait."

— Splendide, magnifique ! Prends-en dix, voilà ! Il sortit de sa poche tous les billets et trouva dix roubles dans sa liasse. Et si tu perds, redemande, redemande…

— C'est bien, chuchota joyeusement Maximov et il courut vers la salle. Mitia revint aussitôt derrière lui et demanda pardon de s'être fait attendre. Les *pans* s'étaient déjà installés et avaient décacheté le jeu. Le *pan* sur le divan avait allumé une nouvelle pipe et se préparait à tenir la banque.

— *Na miejsca, panowie*[1] *!* proclama *pan* Wroblewski.

— Non, moi, je ne jouerai plus, répliqua Kalganov, tout à l'heure je leur ai déjà laissé cinquante roubles.

— *Pan* a été *nieszczęśliwy*[2], *pan* peut-être est plus *szszęśliwy*[3], lui fit remarquer le *pan* sur le divan.

— Il y a combien à la banque ? Vous couvrez ? s'échauffait Mitia.

— *Slucham, panie, może sto, może dwieście*[4], autant que tu vas miser.

— Un million ! fit Mitia en éclatant de rire.

— *Pan* capitaine a peut-être entendu parler du *pan* Podwysocki ?

— Podwysocki ?

— A Varsovie, la banque couvre toutes les mises. Podwysocki se *pré*sente, il voit mille *zlo*tys, il mise : banco. Le *ban*quier *mówi*[5] : "*Panie* Podwysocki, tu mises l'or ou le *honor* ? – Le *honor*, *panie*", *mówi* Podwysocki.

1. "A vos places, messieurs."
2. "Malheureux."
3. "Heureux."
4. "A vos ordres, monsieur, on peut cent, on peut deux cents." La phrase est, là encore, incorrecte.
5. "Dit."

“Tant mieux, *panie.*” Le *ban*quier joue une taille, Podwysocki ramasse mille złotys. “Attends, *panie*, *mówi* le *ban*quier, il sort son tiroir et lui donne un million, prends, *panie,* voilà ton *rachunek* (voilà ton compte) ! C’était une banque à un million. – Je ne savais pas”, *mówi* Podwysocki. “*Panie* Podwysocki, *mówi* le *ban*quier, tu as misé sur le *honor*, et nous aussi, sur le *honor.*” Podwysocki a pris le million.

— Ce n’est pas vrai, dit Kalganov.

— *Panie* Kalganov, *w szlachetnej kompanii tak mówić nie przystoi.* (Ce ne sont pas des choses qui se disent dans une bonne société).

— Tu parles qu’un joueur polonais te donnerait un million ! s’exclama Mitia, mais il se reprit tout de suite. Pardon, *panie*, ma faute, encore ma faute, il te le donnera, il te le donnera, le million, pour le *honor*, pour le *polski honor* ! Tu vois comme je parle polonais, ha ha ! Tiens, je mise dix roubles, sur le valet.

— Et moi, n’est-ce pas, un petit rouble, sur la dame, de cœur, la mignonne, la jolie *panienochka*[1], hi hi ! reprit Maximov, sortant sa dame et, comme s’il voulait cacher ce qu’il faisait à tout le monde, il s’appuya contre la table, et se signa par-dessous. Mitia gagna. Le petit rouble gagna aussi.

— Je corne ! cria Mitia.

— Et moi, encore un petit rouble, moi, une taillounette toute simplounette, moi, n’est-ce pas, je reste, n’est-ce pas, dans le simple.

— Crevée ! cria Mitia. Le sept à *paix* !

La carte fut aussi crevée à *paix.*

— Arrêtez, dit soudain Kalganov.

1. “Petite dame.” Maximov emploie un mot polonais auquel il ajoute un diminutif russe.

— *A paix, à paix*, continuait Mitia en doublant les mises, et tout ce qu'il misait à *paix* était crevé. Or, les petits roubles, eux, étaient gagnants.

— *A paix !* rugit Mitia, frénétique.

— Tu as perdu *dwieście*[1], *panie*. Tu joues encore *dwieście* ? s'enquit le *pan* sur le divan.

— Comment, j'ai déjà perdu deux cents ? Alors, encore deux cents ! Tous les deux cents *à paix* ! Et, sortant l'argent de sa poche, Mitia voulait jeter les billets sur la dame quand, brusquement, Kalganov la couvrit de sa main.

— Assez ! cria-t-il de sa voix sonore.

— Qu'est-ce qui vous prend ? lui demanda Mitia, interloqué.

— Assez, je ne veux pas ! Vous ne jouerez plus.

— Pourquoi ?

— Parce que. Laissez tomber et partez, voilà pourquoi. Je ne vous laisserai plus jouer !

Mitia le regardait, stupéfait.

— Arrête, Mitia, c'est peut-être vrai, ce qu'il dit ; tu as déjà beaucoup perdu comme ça, prononça à son tour Grouchenka avec une petite note étrange dans la voix. Les deux *pans* se levèrent soudain de leur place avec une mine terriblement vexée.

— *Zartujesz* (tu plaisantes), *panie ?* marmonna le petit *pan*, toisant Kalganov d'un regard sévère.

— *Jak się poważasz to robić, panie !* (Comment osez-vous faire ça !) aboya contre Kalganov *pan* Wroblewski.

— Je vous interdis, je vous interdis de crier ! cria Grouchenka. Espèces de dindons, tiens !

Mitia les regardait tous, les uns après les autres ; mais il y eut soudain quelque chose qui le stupéfia dans

1. "Deux cents."

le visage de Grouchenka, et, à cet instant, une chose toute nouvelle fusa dans son esprit – une idée nouvelle des plus étrange !

— *Pani Agrippina !* voulut reprendre le petit *pan*, tout rouge de colère, quand, d'un seul coup, Mitia s'approcha de lui et lui tapa sur l'épaule.

— Excellence, deux mots.

— *Czego chcesz, panie ?* (Que voulez-vous, monsieur ?)

— Dans l'autre pièce, l'autre *pokój*, je te dirais bien deux mots, très bien, les mots les mieux du monde, tu ne le regretteras pas.

Le petit *pan* s'étonna et posa un regard craintif sur Mitia. Il accepta, néanmoins, aussitôt, mais à la condition expresse d'être accompagné par le *pan* Wroblewski.

— Ton garde du corps ? Je veux bien, lui aussi on a besoin de lui ! Il est même indispensable ! s'exclama Mitia. En avant marche, *panowie* !

— Où vous allez comme ça ? demanda Grouchenka d'un ton inquiet.

— On revient dans une seconde, répondit Mitia. Une espèce d'audace, une espèce d'animation inattendues venaient de luire dans son visage ; il n'avait pas du tout ce visage-là quand il était entré, une heure auparavant, dans cette pièce. Il fit passer les *pans* dans la petite pièce de droite, pas dans la grande où le chœur des filles était en train de s'assembler et où l'on s'affairait à dresser la table, mais dans une chambre à coucher où l'on avait placé des malles, des coffres et deux grands lits sur lesquels s'amoncelaient des oreillers d'indienne. Là, sur une petite table de bois blanc, au fond d'un coin, brûlait une bougie. Le *pan* et Mitia se disposèrent autour de cette table, face à face, tandis que l'immense *pan* Wroblewski, lui, restait adossé au mur, les mains derrière le dos. Les *pans* avaient un air sévère, mais visiblement curieux.

— *Czym mogę sluzyc panu*[1] *?* balbutia le petit *pan*.

— Voilà, *panie*, je ne vais pas faire de longs discours : tiens, de l'argent, dit-il, sortant ses billets de banque. Tu veux trois mille, prends-les et va-t'en aux quatre vents.

Le *pan* le scrutait, de tous ses yeux, ses yeux s'étaient littéralement collés au visage de Mitia.

— *Trzy tysiące, panie*[2] *?* Il échangea un regard avec Wroblewski.

— *Trzy, panowie, trzy !* Ecoute, *panie*, je vois que tu es un homme raisonnable. Prends trois mille et file-moi donc à tous les diables, et emmène Wroblewski – tu l'entends, ça ? Mais tout de suite, à la minute, et, ça, pour toujours, tu comprends, *panie*, à tout jamais, là, tu ressors par cette porte. Qu'est-ce que tu as, tiens : un manteau, une pelisse ? Je te l'apporte. A la seconde, on t'attelle une troïka et – *dovidzenia, panie !* Hein ?

Mitia attendait la réponse avec assurance. Il ne doutait pas. Quelque chose d'extrêmement résolu passa sur le visage du *pan*.

— Et les roubles, *panie* ?

— Les roubles, tiens, les voilà, *panie* : cinq cents roubles séance tenante, pour le cocher, et à titre d'avance, et deux mille cinq cents demain en ville – je te le jure sur l'honneur, je les aurai, je les prendrai de sous la terre ! cria Mitia.

Les Polonais échangèrent un nouveau regard. Le visage du *pan* se mit à changer au pire.

— Sept cents, sept cents, et pas cinq cents, tout de suite, à la minute, dans la poche ! renchérit Mitia, sentant

1. "En quoi puis-je vous être utile ?"
2. "Trois mille, monsieur ?"

quelque chose de pas bien. Qu'est-ce qui t'arrive, *panie* ? Tu ne me fais pas confiance ? Je ne vais quand même pas de donner tous les trois mille d'un coup. Je te les donne et, toi, tu retournes la voir dès demain matin... Et je ne les ai pas, en ce moment, ces trois mille, c'est en ville que je les ai, balbutiait Mitia, pris de peur et se décourageant à chaque mot, je te jure, je les ai, ils sont cachés...

A la seconde, un sentiment extraordinaire de dignité personnelle s'alluma sur le visage du petit *pan* :

— *Czy nie potrzebujesz jescze czego*[1] *?* demanda-t-il avec ironie. *Pfui ! A pfui !* (Honte ! Déshonneur !). Et il cracha. *Pan* Wroblewski cracha également.

— Qu'est-ce que tu as à cracher, *panie*, lança Mitia comme désespéré, comprenant que tout était fini, parce que, chez Grouchenka, tu penses t'en faire plus ? Vous êtes des chapons, va, tous les deux !

— *Jestem do żywego dotknięty*[2] *!* (Je suis offensé au dernier degré !) fit soudain le petit *pan*, rouge comme une écrevisse, et, vivement, dans une indignation terrible, comme s'il refusait d'en entendre davantage, il sortit de la pièce. Derrière lui, se balançant, *pan* Wroblewski sortit également, puis ce fut le tour de Mitia, confus et hébété. Il avait peur de Grouchenka, il pressentait que le *pan* allait se mettre à crier. C'est ce qui arriva. Le *pan* entra dans la salle et prit une pose théâtrale devant Grouchenka.

— *Pani Agrippina, jestem do żywego dotknięty !* voulut-il s'exclamer, mais, Grouchenka, elle aussi, avait visiblement perdu patience, comme si on venait de la toucher à l'endroit le plus sensible.

1. "Tu n'as rien d'autre à me demander ?"

2. Nouvelle phrase maladroite et fautive en polonais. Il aurait fallu *dotknietym*.

— En russe, parle russe, qu'il n'y ait plus un seul mot en polonais ! lui cria-t-elle. Tu parlais russe, avant, tu ne l'as quand même pas oublié en cinq ans ! Elle avait, tout entière, rougi d'indignation.

— *Pani Agrippina...*

— Je suis Agraféna, je suis Grouchenka, parle russe, ou je ne veux rien entendre ! Le *pan* suffoquait sous l'afflux de son *honor*, et, dans un russe claudicant, il prononça avec vivacité et emphase :

— *Pani* Agraféna, je suis *ve*nu pour oublier le passé et le pardonner, oublier ce qu'il y a eu avant ce jour...

— Comment, pardonner ? C'est moi que tu es venu pardonner ? l'interrompit Grouchenka, bondissant de sa place.

— *Tak jest*, *pani* (c'est cela, *pani*), je n'ai pas le cœur vil, j'ai le cœur généreux. Mais *ja bylem zdziwiony* (j'ai été étonné), quand j'ai vu tes amants. *Pan* Mitia, dans l'autre pièce, m'a donné trois mille pour que je parte. Je lui ai craché à la figure, au *pan*.

— Comment ? Il t'a donné de l'argent pour moi ? cria hystériquement Grouchenka. C'est vrai, Mitia ? Comment as-tu osé ! Est-ce que je suis à vendre ?

— *Panie*, *panie*, hurla Mitia, elle est pure et elle luit, et jamais je n'ai été son amant ! C'est un mensonge, ça...

— Comment oses-tu me défendre devant lui, hurlait Grouchenka, ce n'est pas par vertu que j'ai été pure, et pas parce que j'avais peur de Kouzma, mais pour être fière devant lui, et pour avoir le droit de le traiter de crapule, quand j'allais le revoir. Mais, quoi, l'argent, il l'a refusé ?

— Mais il a voulu le prendre, il a voulu ! s'exclama Mitia, sauf qu'il a voulu trois mille roubles d'un coup, et, moi, je lui donnais juste sept cents roubles comme arrhes.

— Ah, je comprends : il a entendu dire que j'avais de l'argent, c'est pour ça qu'il est venu m'épouser !

— *Pani Agrippina*, s'écria le *pan*, je suis un chevalier, je suis un *szlachcic*[1], je ne suis pas un *lajdak* ! Je suis *fe*nu te prendre comme épouse, et je vois une nouvelle *pani*, pas celle d'avant, mais une *upartą* (arrogante) sans vergogne.

— Eh bien fiche-moi le camp d'où tu viens ! Je te fais chasser tout de suite et on te chasse ! cria Grouchenka dans un état second. L'imbécile, l'imbécile que j'ai été, à me torturer pendant cinq ans ! Mais ce n'est pas du tout pour lui que je me torturais, c'est par rage que je me torturais ! Et puis, ce n'est pas lui du tout ! Est-ce qu'il était comme ça, lui ? Mais c'est son père, je ne sais pas ! Où est-ce que tu t'es dégoté cette perruque ? L'autre, c'était un aigle, lui, c'est un jars. L'autre, il riait, il me chantait des chansons… Et moi, moi, pendant cinq ans, à pleurer toutes les larmes de mon corps, la maudite imbécile, vile comme je suis, sans vergogne !

Elle retomba dans son fauteuil et se cacha le visage dans les mains. C'est à cet instant que, soudain, le chœur des filles de Mokroïé enfin au complet entonna sa première chanson -- une chanson à danser des plus entraînante.

— *To jest* un Sodome[2] ! hurla soudain *pan* Wroblewski. Patron, chasse ces dévergondés !

Le patron qui regardait par la porte depuis déjà longtemps d'un œil curieux, entendant son cri et sentant que ses clients venaient de se fâcher, surgit aussitôt dans la pièce.

— Pourquoi tu cries, tu t'égosilles ? fit-il, se tournant vers *pan* Wroblewski avec une impolitesse qui était même incompréhensible.

— Sale porc ! voulut rugir *pan* Wroblewski.

1. "Un noble."
2. "C'est un Sodome !"

— Sale porc ? Et avec quelles cartes tu viens de jouer ? Je t'ai donné un jeu, et, moi, le mien, tu l'as caché ! Tu as joué avec des cartes truquées ! Moi, pour ces cartes truquées, je peux te faire envoyer en Sibérie, tu le sais, ça, parce que c'est exactement comme des faux papiers... Et, s'approchant du divan, il glissa ses doigts entre le dossier et le coussin du divan et en sortit un jeu de cartes non décacheté. Le voilà, mon jeu de cartes, il n'est pas décacheté ! Il le brandit et le montra à tous. Moi, je l'ai vu, de là-bas, comment il a caché mon jeu dans la fente – t'es pas un *pan*, t'es un tricheur !

— Et, moi, j'ai vu l'autre *pan* changer les cartes deux fois de suite, cria Kalganov.

— Ah, quelle honte, ah quelle honte ! s'exclama Grouchenka, lançant les bras au ciel, et, réellement, elle rougit de honte. Mon Dieu, ce qu'il est devenu, lui !

— Moi aussi, je me disais, cria Mitia. Mais il n'avait pas eu le temps d'achever sa phrase que *pan* Wroblewski, confus et furieux à la fois, se tournant vers Grouchenka et la menaçant du poing, se mit à crier :

— *Pu*tain *pu*blique ! Mais, lui non plus, il n'avait pas eu le temps de crier cela que Mitia se jeta sur lui, le saisit des deux mains, le souleva en l'air et, en un instant, le porta hors de la salle dans la pièce de droite, où il venait de les amener tous les deux.

— Je l'ai reposé par terre là-bas ! annonça-t-il, revenant tout de suite, haletant d'émotion. Il proteste, le fumier, mais je parie qu'il ne reviendra pas !... Il avait fermé un battant de la porte, et, gardant l'autre grand ouvert, il cria au petit *pan* :

— Haute Excellence, ça vous dit, vous aussi ? *Przepraszam*[1] *!*

1. "S'il vous plaît."

— Mon bon Mitri Fiodorovitch, s'exclama Trifone Borissytch, mais reprends-leur ton argent, enfin, ce que t'as perdu ! C'est comme en te volant qu'ils te les ont pris.

— Moi, je refuse de reprendre mes cinquante roubles, répliqua soudain Kalganov.

— Et, moi, mes deux cents, moi aussi, je refuse ! s'exclama Mitia. Je ne les reprendrai pour rien au monde, qu'ils lui restent à titre de consolation.

— Bravo, Mitia ! C'est bien, Mitia ! cria Grouchenka, et une petite note d'une rage terrible tinta dans cette exclamation. Le petit *pan*, pourpre d'indignation, mais qui n'avait rien perdu de son air de dignité, se dirigea vers la porte, mais il s'arrêta soudain et prononça soudain, s'adressant à Grouchenka :

— *Pani, jeśli chcesz iść za mną, idżmy ; jeśli nie – bywaj zdrowa !* (*Pani*, si tu veux me suivre, allons-y, sinon – adieu !)

Et, d'un air grave, soufflant d'indignation et d'amour-propre, il franchit la porte. C'était un homme de caractère : après tout ce qui venait de se passer, il n'avait pas perdu l'espoir que la *pani* le suive – tellement il avait de l'estime pour lui-même. Mitia claqua la porte derrière lui.

— Enfermez-les à clé, dit Kalganov. Mais la serrure claqua de leur côté à eux, c'est eux qui s'étaient enfermés.

— Bravo ! hurla Grouchenka d'un ton joyeux et impitoyable. Bravo ! Ils ont ce qu'ils méritent !

VIII

LE DÉLIRE

Puis, ce fut presque une orgie, un festin à retourner le monde. Grouchenka cria la première qu'on lui donne du vin : "Je veux boire, je veux me soûler la tête, comme l'autre fois, tu te souviens, Mitia, tu te souviens, comment on s'est connus, l'autre fois !" Mitia lui-même était comme pris de délire et pressentait "son bonheur". Grouchenka, du reste, le repoussait constamment : "Va-t'en, amuse-toi, dis-leur qu'elles dansent, que tout le monde s'amuse, *Adieu isba, adieu foyer*[1], comme l'autre fois, comme l'autre fois !" continuait-elle à crier. Elle était dans un état d'excitation terrible. Mitia aussi courait prendre toutes les dispositions. Le chœur s'était massé dans la pièce voisine. La pièce où, eux, ils se trouvaient jusqu'à présent était étroite, et, qui plus est, séparée en deux par un rideau d'indienne derrière lequel, là encore, se trouvait un lit immense avec une couette de duvet et des oreillers, de toile d'indienne aussi, amoncelés. Toutes les quatre pièces "propres" de la maison étaient d'ailleurs meublées de lits. Grouchenka s'installa juste sur le seuil, Mitia lui apporta son fauteuil : c'était exactement là qu'elle s'était installée "l'autre fois", le jour de leur première fête, et c'est de là qu'elle regardait et le chœur et la danse. Les filles qui s'étaient rassemblées étaient toutes les mêmes ; les petits youpins avec leurs violons et leurs cymbales étaient là, eux

1. Chanson populaire très célèbre, dont le sujet est un paysan ivre. Elle est reprise, par exemple, dans l'acte II d'*Oncle Vania* de Tchékhov, par le Dr Astrov quand il est ivre.

aussi, et, finalement, la carriole de provisions, attelée à une troïka et qu'on attendait tant, finit, elle aussi, par arriver. Mitia s'agitait. Des étrangers passaient dans la pièce, pour voir, des paysans et des paysannes, qui dormaient déjà mais s'étaient relevés en pressentant un festin hors du commun, comme l'autre fois. Mitia saluait et embrassait ceux qu'ils connaissaient, les visages lui revenaient, il débouchait les bouteilles et servait n'importe qui. C'étaient surtout les filles qui recherchaient le champagne, les hommes, eux, préféraient le rhum et le cognac, et surtout le punch brûlant. Mitia fit préparer du chocolat pour toutes les filles, demandant que, toute la nuit, on garde à bouillir trois samovars pour le thé et le punch pour tous ceux qui viendraient ; tout le monde pouvait se servir. Bref, ce fut le début de quelque chose de désordonné et d'inepte, mais Mitia se trouvait comme dans son élément originel, et plus les choses devenaient ineptes, plus son esprit s'animait. Si un homme lui avait demandé de l'argent à cet instant-là, il aurait tout de suite sorti toute sa liasse et se serait mis à le distribuer à gauche et à droite, sans compter. Voilà sans doute pourquoi, pour préserver Mitia, le patron, Trifone Borissytch n'arrêtait pas de courir autour de lui, en ayant complètement renoncé, visiblement, à se coucher cette nuit-là, tout en buvant très peu (il avait juste goûté un seul verre de punch) pour veiller d'un œil de lynx sur les intérêts de Mitia. Aux minutes importantes, il l'arrêtait d'un geste aussi tendre qu'obséquieux et essayait de le persuader, l'empêchant d'offrir, comme "l'autre fois", aux moujiks "des cigares et du vin du Rhin", et, Dieu vous en préserve, de l'argent, et s'indignait beaucoup de voir les filles boire de la liqueur et manger des bonbons : "C'est de la pouillerie, tout ça, Mitri Fiodorovitch, disait-il, je leur mettrai mon genou où je pense, et je leur dirai de prendre ça pour un honneur – voilà ce que c'est !" Mitia se souvint une nouvelle fois d'Andréï et commanda de lui faire porter du punch. "Je l'ai offensé tout à l'heure", répétait-il d'une voix alanguie et émue. Kalganov, au début, ne voulait pas boire, et le chœur des filles, au début, lui avait réellement déplu, mais, après deux coupes de champagne, il s'égaya terriblement, se mit à arpenter les pièces, à rire et dire du bien de tout, des chansons et de la musique. Maximov, aussi béat que pompette, ne le quittait plus d'un pas. Grouchenka, qui commençait à s'enivrer, elle aussi, montrait Kalganov à Mitia : "Ce qu'il est mignon, quel garçon merveilleux !" Et Mitia, enthousiasmé, courait embrasser Kalganov et Maximov. Oh, il avait le pressentiment de beaucoup de choses ; elle ne lui avait rien dit de particulier, et même, visiblement, elle faisait exprès de tarder à le lui dire, elle lui lançait juste, de loin en loin, des regards tendres mais chaleureux. Finalement, soudain, elle lui prit la main de toutes ses forces et l'attira vers elle très fort. Elle, à ce moment-là, elle était assise dans son fauteuil, devant la porte.

— Comment tu es entré, tout à l'heure, hein ? Comment tu es entré !... moi, j'ai eu tellement peur. Alors, ce que tu voulais, c'était me céder à lui, hein ? Tu voulais vraiment ?

— Je ne voulais pas ruiner ton bonheur ! lui balbutiait Mitia, dans sa béatitude. Mais elle n'avait pas besoin de sa réponse.

— Bon, vas-y... amuse-toi, reprit-elle, le repoussant à nouveau, et ne pleure pas, je te rappellerai encore.

Lui, donc, il courait, et, elle, elle se remettait à écouter les chansons et regarder les danses, en le suivant du regard, où qu'il pût être, mais, un quart d'heure plus tard, elle le rappelait encore, et il accourait à nouveau.

— Bon, assieds-toi, maintenant, à côté, raconte, comment tu as appris ça, hier, que j'étais partie ici ; qui c'est qui t'a dit ça le premier ?

Et Mitia se remettait à tout raconter, dans un récit incohérent, désordonné, brûlant, mais étrange, néanmoins, il fronçait souvent les sourcils et s'interrompait soudain.

— Pourquoi tu fronces les sourcils ? demandait-elle.

— Rien… j'ai laissé un malade là-bas. S'il guérissait, si je pouvais savoir qu'il va guérir, je donnerais dix ans de ma vie !

— Bah, laisse-le, s'il est malade. Alors tu voulais vraiment te suicider, demain, que tu es bête, et pour quoi ? Moi, c'est les gens comme toi, pas raisonnables du tout, que j'aime, lui balbutiait-elle d'une langue quelque peu empâtée. Alors, pour moi, tu ferais n'importe quoi ? Hein ? Et alors vraiment, mon gros bêta, tu voulais te suicider demain ! Non, attends encore un petit peu, demain, si ça se trouve, il y a un mot que je te dirai… pas aujourd'hui je le dirai, demain. Toi, tu voudrais aujourd'hui ? Non, aujourd'hui, je ne veux pas… Allez, vas-y, vas-y, maintenant, amuse-toi.

Une fois, pourtant, elle l'appela à elle avec comme un air de perplexité et d'inquiétude.

— Tu te sens triste ? Je vois que tu te sens triste… Non, je le vois bien, le coupa-t-elle, le scrutant du regard. Même si tu embrasses les moujiks là-bas et si tu cries, moi, je le vois. Non, amuse-toi, moi, je m'amuse, toi aussi, amuse-toi… Il y a quelqu'un que j'aime ici, devine qui ?… Tiens, regarde, mon petit garçon qui dort, il s'est soûlé, le pauvre petit.

Elle parlait de Kalganov : ce dernier, réellement, était soûl et venait de s'endormir un instant, assis sur le divan. Et ce n'était pas seulement l'ivresse qui le faisait dormir, soudain, il ne savait pas pourquoi, il s'était senti triste, ou, comme il le disait, "morne". Il était trop découragé, à la fin, aussi, par les chansons des filles, qui commençaient à devenir, à mesure qu'elles buvaient, quelque chose de vraiment trop leste et déluré. Et, pour leurs danses, c'était pareil : deux filles s'étaient habillées en ours et Stépanida, une fille alerte, un bâton à la main, jouant le montreur d'ours, se mit à "les montrer". "De la joie, Maria, criait-elle, sinon – le bâton !" Les ours finirent par s'écrouler par terre d'une façon comme vraiment trop obscène, salués par le gros rire des paysans et des commères qui se tassaient. "Mais laisse-les, mais laisse-les, disait sentencieusement Grouchenka, un air béat sur le visage, ce n'est pas tous les jours qu'ils peuvent s'amuser, pourquoi ils ne riraient pas un peu ?" Kalganov, lui, avait l'air de s'être comme sali. "C'est de la cochonnerie, tout ça, tout ce populaire, remarqua-t-il en s'écartant, c'est leurs jeux du printemps, quand ils veillent sur le soleil pendant toute la nuit de la Saint-Jean." Mais il fut particulièrement choqué par une chanson "nouvelle", avec un refrain de danse endiablé, chanté sur un monsieur qui allait questionner les filles :

Le monsieur demande aux filles :
Vous m'aimez, les filles, ou non ?

Mais les filles avaient l'impression qu'elles ne pouvaient pas aimer le monsieur.

Le monsieur va cogner fort,
Moi, je l'aim'rai pas alors.

Ensuite, c'est un Tzigane qui arrivait, et, lui, pareil :

Le Tzigane demande aux filles :
Vous m'aimez, les filles, ou non ?

Mais le Tzigane non plus, on ne peut pas l'aimer :

Le Tzigane il va voler,
Moi, alors, je vais pleurer.

Et il y a beaucoup de gens qui passent comme ça, à questionner les filles, même un soldat :

Le soldat demande aux filles :
Vous m'aimez, les filles, ou non ?

Mais le soldat est rejeté avec mépris :

Le soldat il s'ra vaincu
Moi, j'aurai...

Ici venait un vers des plus obscène, chanté sur le ton le plus franc, qui fit fureur dans le public qui écoutait. L'affaire se termine enfin par le marchand :

Le marchand demande aux filles :
Vous m'aimez, les filles, ou non ?

Et, là, il s'avère qu'elles l'aiment beaucoup, parce que :

Le marchand il fera des sous,
Moi, je vais régner sur tout[1].

Kalganov se mit même en colère :

— Elle est moderne, cette chanson, remarqua-t-il à haute voix, et qui c'est qui leur compose ça ? Il ne manquerait plus que ce soit un gars des chemins de fer ou un youpin qui passent et qui demandent aux filles : ceux-là, ils auraient battu tout le monde. Et, quasiment offensé, il déclara qu'il s'ennuyait, s'assit sur le divan

1. Il s'agit là d'une chanson réellement collectée par Dostoïevski au moment où il écrivait *Les Frères Karamazov.*

et s'endormit soudain. Son joli petit visage avait un peu pâli et s'était rejeté sur un coussin du divan.

— Regarde ce qu'il est mignon, disait Grouchenka en menant Mitia vers lui, tout à l'heure, je lui ai peigné les cheveux ; ses cheveux, c'est comme du lin, et d'une épaisseur…

Et, se penchant au-dessus de lui, tout émue, elle posa un baiser sur son front. Kalganov rouvrit les yeux à la seconde, lui lança un regard, se redressa et, de l'air le plus soucieux, posa cette question :

— Où est Maximov ?

— Voilà qui il lui faut, fit Grouchenka en riant, mais reste un petit peu avec moi. Mitia, cours lui chercher Maximov.

Il s'avéra que Maximov ne s'éloignait plus des filles, qu'il faisait juste une course, de loin en loin, pour se servir de la liqueur et avait déjà bu deux tasses de chocolat. Sa petite bouille avait rougi, son nez s'était empourpré, ses yeux étaient devenus humides, doucereux. Il accourut et déclara que, là, maintenant, "sur un petit motif" il voulait danser la danse "la sabotière".

— Quand j'étais petit, n'est-ce pas, moi, toutes ces danses du grand monde, on me les a apprises…

— Va, va avec lui, Mitia, moi, je regarderai d'ici, ce qu'il va faire comme danse.

— Non, moi aussi, moi aussi, je vais regarder, s'exclama Kalganov, rejetant de la façon la plus naïve la proposition de Grouchenka de rester avec lui. Tout le monde alla donc regarder. Maximov fit vraiment son tour de danse, mais, à part Mitia, personne n'en fut particulièrement transporté. Toute la danse consistait en des sauts avec contorsions des jambes dans tous les sens, les semelles en l'air, et, à chaque saut, Maximov tapait ses semelles du plat de la main. Kalganov n'apprécia pas du tout, tandis que Mitia couvrait, lui, le danseur de baisers.

— Bon, merci, tu dois être crevé, je parie, si tu regardais par là : tu veux pas un bonbon, hein ? Un petit cigare, peut-être ?

— Une petite cigarette.

— Ou tu boirais quelque chose ?

— Une petite liqueur, là… Et des bonbons au chocolat, vous en auriez pas ?

— Mais il y en a une charretée sur la table, prends ceux que tu veux, espèce de colombe, tiens !

— Moi, n'est-ce pas… c'est pas des comme ça… à la vanille, n'est-ce pas… comme pour les petits vieux… Hi hi !

— Non, vieux, des spéciaux comme ça, j'en ai pas…

— Ecoutez ! fit soudain le petit vieux, se penchant juste à l'oreille de Mitia. Cette petite fille, là, Mariouchka, hi hi, enfin, si je, si ça pouvait se faire, que je fasse connaissance, avec votre bon cœur…

— Ah, c'est ça que tu veux. Non, vieux, là, tu bats la campagne.

— Mais, n'est-ce pas, je fais de mal à personne, chuchota tristement Maximov.

— Bon, d'accord, d'accord. Ici, vieux, tout ce qu'on fait, c'est qu'on chante et qu'on danse, mais, remarque, diable ! attends un peu… Sers-toi, en attendant, mange, amuse-toi. C'est de l'argent qu'il te faut ?

— Ça, euh, plus tard, peut-être, fit Maximov en lui souriant.

— D'accord, d'accord…

Mitia sentait sa tête qui brûlait. Il sortit dans l'entrée, dans la petite galerie en bois qui faisait, de l'intérieur, une partie du tour de la maison. L'air frais le rafraîchit. Il était seul, dans le noir, dans un coin, et, brusquement, il se prit la tête dans les deux mains. Ses pensées se concentrèrent d'un coup, ses sensations se fondirent en une seule, et tout cela produisit de la lumière. Une lumière affreuse, terrifiante ! "Si je me brûlais la cervelle, là, maintenant, c'est le moment ou jamais, non ? se sentait-il penser en un éclair. Je vais chercher le pistolet, je l'apporte ici, et, là, ici, dans un recoin sale et sombre, j'en finis." Il resta dans cette indécision pendant presque une minute. Tout à l'heure, alors qu'il volait ici, il sentait se dresser derrière lui la honte, le larcin qu'il avait déjà commis, et puis ce sang, ce sang !... Mais, à ce moment-là, il avait le cœur moins lourd, oh oui, moins lourd ! Parce que tout était fini à ce moment-là : elle, il l'avait perdue, il l'avait cédée, elle était morte pour lui, elle avait disparu – oh, la sentence lui était moins lourde, du moins paraissait-elle inévitable, indispensable, car à quoi bon serait-il resté sur terre ? Mais maintenant ! Maintenant, est-ce que c'était pareil ? Maintenant, de toute façon, il y avait un fantôme, un monstre avec lequel c'en était terminé, cet homme indiscutable, fatal qui était le sien, il avait disparu sans laisser de trace. Le fantôme effrayant s'était transformé d'un seul coup en quelque chose de tellement petit, de tellement comique ; on l'avait emporté, à bout de bras, dans la chambre à coucher, et on l'avait enfermé là. Il ne reviendrait plus jamais. Elle, elle avait honte, et son œil voyait clairement, maintenant, qui elle aimait. Et donc, maintenant, justement, là, vivre... et, vivre, il ne pouvait pas, il ne pouvait pas, oh, malédiction ! "Mon Dieu, rends la vie à celui qui est tombé devant la palissade ! Evite-moi cette coupe effrayante ! Tu as fait, Toi, des miracles, Seigneur, pour des pécheurs comme moi ! Eh quoi, eh quoi, s'il est vivant, le vieux ? Oh, alors, la honte de ce qui reste du déshonneur, je l'effacerai, je rendrai l'argent que j'ai volé, je les retournerai, je les trouverai sous la terre... Il ne restera pas trace de la honte, sauf seulement dans mon cœur, à tout jamais ! Mais non, non, oh ces pensées de poule mouillée, impossibles ! Oh, la malédiction !”

Mais, malgré tout, ce fut comme une espèce de rayon d’espoir qui brilla dans les ténèbres. Il bondit de son recoin et se jeta vers les pièces – vers elle, vers elle encore, vers sa reine à jamais ! “Mais est-ce donc qu’une seule heure, une seule minute de son amour ne vaut pas tout le reste de la vie, ne serait-ce que dans les tortures de la honte ?” Cette question frénétique lui saisit le cœur. “La rejoindre, elle, elle toute seule, la voir, l’écouter et ne penser à rien, tout oublier, même rien que pour cette nuit, pour une heure, un instant !” Juste au moment où il pénétrait dans le couloir de l’entrée, encore dans la galerie, il se cogna contre Trifone Borissytch. Ce dernier lui parut sombre et soucieux, et, semble-t-il, était en train de le chercher.

— Qu’est-ce que tu as, Borissytch, c’est moi que tu cherchais ?

— Non, monsieur, ce n’est pas vous, fit le patron, comme d’un coup hébété. Pourquoi je vous aurais cherché ? Et vous… Vous étiez où ?

— Pourquoi tu es si morne ? Tu es fâché ? Attends, tu vas te coucher bientôt… Quelle heure il est, dis donc ?

— Oh, il doit bien être trois heures. Trois heures passées, même.

— On termine, on termine.

— Mais voyons, monsieur, ce n’est rien. Tant que vous voulez, monsieur…

“Qu’est-ce qu’il a ?” se demanda, dans un éclair, Mitia, et il se précipita dans la pièce où les filles dansaient. Mais, elle, elle n’y était pas. Dans la pièce bleue non, elle n’était pas là ; là, il n’y avait que Kalganov qui somnolait sur le divan. Mitia lança un coup d’œil derrière le rideau – elle était là. Elle était assise dans un coin, sur une malle, et, la tête dans les mains, penchée sur le lit qui se trouvait là, elle pleurait à chaudes larmes, en se retenant de toutes ses forces et en étouffant sa voix, pour qu'on n'entende pas. Apercevant Mitia, elle le fit venir à elle et, quand ce dernier eut accouru, elle le saisit de toutes ses forces par la main.

— Mitia, Mitia, et dire que je l'aimais ! commença-t-elle en chuchotant. Je l'ai aimé tellement, pendant tous ces cinq ans, pendant tout ce temps, tout ce temps ! C'est lui que j'aimais ou ce n'était que ma rage ? Non, c'est lui ! Oh, c'est lui ! Je mens quand je dis que ce n'est que ma rage que j'aimais, et pas lui ! Mitia, mais j'avais dix-sept ans à ce moment-là, et, lui, il était si gentil avec moi, si gai, il me chantait des chansons… Ou c'est comme ça que je l'ai pris, moi, imbécile comme j'étais, une gamine… Et maintenant, Seigneur, mais ce n'est plus lui, ce n'est même plus lui du tout. Et de visage ce n'est plus lui, mais plus du tout. Moi, son visage, je ne l'ai même pas reconnu. Dans l'équipage, avec Timoféï, tu vois, tout le temps, je pensais, pendant tout le trajet je pensais : "Comment je vais le revoir, qu'est-ce que je vais lui dire, comment est-ce qu'on va se regarder ?…" J'en avais le cœur glacé, et, lui, comme s'il m'avait jeté un seau d'ordures à la figure. Comme un précepteur qu'il me parlait : rien que des choses savantes, graves, il m'a retrouvée avec un air si grave, ça m'a complètement éberluée. Pas moyen de placer un mot. Au début, je me disais qu'il avait honte devant cette longue perche, l'autre Polonais. Je restais là, je les regardais tous les deux : comment ça se fait que je ne sais même plus lui parler maintenant ? Tu sais, c'est sa femme qui l'a abîmé, celle pour laquelle il m'a abandonnée, là, quand il s'est marié… C'est elle qui l'a transformé. Mitia, la honte que c'est ! Oh, j'ai honte, Mitia, j'ai honte, oh, j'ai honte pour toute ma vie ! Qu'ils soient maudits, mais maudits, mais maudits, ces cinq ans ! Et, de nouveau, elle fondit en sanglots, mais elle ne lâchait pas la main de Mitia, elle la tenait très fort.

Mitia, mon gentil, attends, ne t'en va pas, il y a un petit mot que je veux te dire, lui chuchota-t-elle, et elle releva soudain son visage vers lui. Ecoute, dis-moi, qui c'est que j'aime ? Il y a un homme que j'aime ici. Qui c'est, cet homme ? ça, dis-le-moi. Et un sourire s'illumina sur son visage gonflé de larmes, ses yeux brillaient dans la pénombre. Tout à l'heure, c'est un aigle qui est entré, j'en ai tout le cœur qui s'est glacé. "T'es une idiote, mais regarde-le, celui que tu aimes", tout de suite il m'a chuchoté ça, le cœur. Tu es entré, tu as fait la lumière partout. "Mais de quoi est-ce qu'il a peur ?" je me disais. Et toi, hein, tu avais peur, tu étais mort de peur, tu ne savais plus parler. Ce n'est pas d'eux, je me disais, qu'il a peur – est-ce qu'il y a quelqu'un qui pourrait te faire peur ? C'est de moi qu'il a peur, je me disais, seulement de moi. Donc, alors, elle t'a raconté, Fénia, à toi, mon pauvre bêta, ce que j'ai crié à Aliocha par la fenêtre, que j'ai aimé Mitenka pendant une petite heure, et que, maintenant, je partais en aimer… un autre. Mitia, Mitia, comment est-ce que je pouvais, idiote comme je suis, penser que j'en aimais un autre après toi ! Tu me pardonnes, Mitia ? Tu me pardonnes, oui ou non ? Tu m'aimes ? Tu m'aimes ?

Elle bondit et lui saisit les épaules de ses deux mains. Mitia, muet d'extase, regardait ses yeux, son visage, regardait son sourire, et, brusquement, la serrant de toutes ses forces, se mit à l'embrasser.

— Et tu me pardonneras, si je t'ai torturé ? C'est par rage que je vous ai torturés, tous. Le petit vieux, lui aussi, c'est exprès, par rage que je l'ai rendu fou… Tu te souviens comment, une fois, tu buvais chez nous et tu as cassé un verre ? Je m'en suis souvenue aujourd'hui, et, moi aussi, j'ai cassé une coupe, à "mon cœur de crapule", que j'ai bu. Mitia, mon aigle, pourquoi tu ne m'embrasses pas ? Il m'embrasse une fois, puis il s'écarte, il regarde, il écoute… Qu'est-ce que tu as à m'écouter ! Embrasse-moi, embrasse-moi plus fort, voilà. Quand on aime, on aime ! Maintenant, je serai ton esclave, ton esclave pour toute la vie ! C'est doux d'être une esclave !… Embrasse-moi ! Bats-moi, torture-moi, fais-moi ce que tu veux… Oh, mais c'est vrai qu'il faut me torturer, moi… Arrête ! Attends, plus tard, je ne veux pas comme ça… fit-elle, le repoussant soudain. Va-t'en, Mitka, attends je vais me soûler de vin, je veux être soûle, je vais aller danser, soûle, je veux, je veux !

Elle s'arracha à lui, de derrière les rideaux. Mitia la suivit, comme s'il était soûl. "Mais tant mieux, tant mieux, quoi qu'il se passe maintenant, pour une seule minute, je donnerai le monde entier", se sentit-il penser en un éclair. Grouchenka, de fait, venait d'avaler d'une seule gorgée un autre verre de champagne et se sentit soudain très ivre. Elle s'assit dans son fauteuil, à la place qu'elle avait choisie, avec un sourire béat. Ses joues s'étaient mises à brûler, ses lèvres avaient rougi, ses yeux brillants étaient plus lourds, son regard de passion appelait. Même Kalganov sentit comme quelque chose qui lui mordait le cœur, et il s'approcha d'elle.

— Tu as entendu comme je t'ai embrassé tout à l'heure, pendant que tu dormais ? balbutia-t-elle. Je suis ivre, maintenant, voilà… Et toi, tu n'es pas ivre ? Et Mitia, pourquoi il ne dort pas ? Pourquoi tu ne bois pas, Mitia, j'ai bu et, toi, tu ne bois pas…

— Je suis ivre ! Et je suis tellement ivre… ivre de toi, et maintenant je veux aussi être ivre de vin. Il but encore un verre et – cela lui parut étrange à lui-même – c'est de ce verre-là qu'il ressentit l'ivresse, une ivresse soudaine, alors que, jusque-là, il avait été lucide, cela, il s'en souvenait. A partir de cette minute, tout se mit à tourner autour de lui, comme dans un délire. Il allait et venait, il riait, il parlait à tout le monde, mais, tout cela, comme sans avoir conscience de lui-même. Il n'y avait qu'une seule sensation immobile et brûlante qui se disait en lui à tout instant, "comme un charbon brûlant dans l'âme", devait-il se souvenir plus tard. Il venait vers elle, il s'asseyait auprès d'elle, il la regardait, il l'écoutait... Elle, c'était affreux ce qu'elle était devenue bavarde, elle appelait tout le monde, faisait venir, d'un coup, telle ou telle fille du chœur, cette dernière approchait et elle l'embrassait puis la laissait repartir, ou, parfois, elle lui traçait sur le front un signe de croix. Encore une minute, elle aurait pu fondre en larmes. C'est le "petit vieux", comme elle appelait Maximov, qui l'amusait beaucoup. Il accourait à tout instant lui embrasser la main et "le moindre petit doigt", et, à la fin, il dansa une autre danse sur une chanson très ancienne, qu'il chanta d'ailleurs lui-même. Il dansait avec une ardeur particulière sur le refrain :

Le cochon, groin-groin, groin-groin,
Le petit veau, meuh-meuh,
Le canard, coin-coin, coin-coin ;
Le petit jars, ga-ga, ga-ga.

La poulette elle se promenait dans la maison,
Cot-codet, cot-codet, elle disait,
Ouais, ouais, elle disait !

— Donne-lui quelque chose, Mitia, disait Grouchenka, fais-lui un cadeau, parce qu'il est pauvre. Ah, les pauvres, les offensés !... Tu sais, Mitia, je vais aller au couvent. Non, je te jure, un jour, j'irai. Aliocha, aujourd'hui, il m'a dit des mots pour toute la vie... Oui... Mais aujourd'hui, non, on danse. Demain, le couvent, mais, aujourd'hui, on danse. Je veux faire des bêtises, braves gens, bon, et alors, le bon Dieu me pardonnera. Moi, si j'étais le bon Dieu, je pardonnerais à tous les hommes : "Mes gentils petits pécheurs, à compter de ce jour, je vous pardonne à tous." Et, moi, je vais aller demander pardon à tout le monde : "Pardonnez-moi, braves gens, je suis une femme bête, voilà." Un fauve, je suis, voilà. Et je veux prier. J'ai donné un oignon. Une mauvaise comme moi, et elle voudrait prier ! Micha, qu'ils dansent, ne dérange pas. Tous les hommes sur la terre, ils sont bien, tous, du premier au dernier. C'est bien sur la terre. On est peut-être moches, nous, mais, sur la terre, c'est bien. On est sales et on est bien, sales et bien à la fois... Non, dites-moi, je vous le demande, tous, approchez, je vous le demande, à tous : dites-moi, voilà, quoi : pourquoi je suis tellement bien ? Je suis bien, n'est-ce pas, je suis très bien... Hein, voilà : pourquoi je suis tellement bien ? Ainsi balbutiait Grouchenka, s'enivrant toujours de plus en plus, et, pour finir, elle déclara directement qu'elle voulait danser tout de suite. Elle se leva de son fauteuil et chancela. Mitia, ne me donne plus de vin, si je t'en demande – ne m'en donne pas. Le vin, il ne donne pas le calme. Et tout qui tourne, le poêle, et tout qui tourne. Je veux danser. Qu'ils regardent, tous, comment je danse... Comme c'est beau, comme c'est bien quand je danse...

L'intention était sérieuse : elle sortit de sa poche un petit mouchoir de batiste blanc et le prit par le bout, dans sa main droite, pour l'agiter pendant la danse. Mitia tapa dans les mains, les filles se turent, prêtes à se lancer en chœur dans une chanson à danser, au premier signe. Maximov, apprenant que Grouchenka voulait danser elle-même, se mit à glapir d'enthousiasme et voulut se mettre à sautiller devant elle, en chantonnant :

Jambes fines, les divines,
La queue en trompette.

Mais Grouchenka lui fit un signe de son mouchoir et le chassa :

— Chut ! Mitia, pourquoi ils ne viennent pas ? Qu'ils viennent tous… regarder. Appelle-les, les autres, aussi, les enfermés… Pourquoi tu les as enfermés là-bas ? Dis-leur que je danse, et qu'ils viennent regarder comment je danse…

Mitia, dans un élan aviné, s'approcha de la porte fermée à clé et se mit à frapper dessus à coups de poing.

— Eh vous… Les Podwysocki ! Sortez de là, elle veut danser, elle vous appelle.

— *Łajdak !* cria pour toute réponse l'un ou l'autre des *pan*.

— Toi-même, eh, *lajdak* en second ! Pauvre petit lajdakillon ; voilà ce que t'es.

— Vous devriez arrêter de vous moquer de la Pologne, fit sentencieusement remarquer Kalganov, lequel, lui non plus, ne tenait plus l'alcool.

— Tais-toi, gamin, si je l'ai traité d'ordure, ça ne veut pas dire que c'est toute la Pologne que je traite d'ordure. Un seul *lajdak* ne fait pas toute la Pologne. Tais-toi, mon gentil garçon, mange tes bonbons.

— Ah, eux, alors ! On dirait qu'ils sont pas humains. Pourquoi ils ne veulent pas faire la paix ? dit Grouchenka, et elle s'avança pour danser. Le chœur tonna : "Ah foyer, mon beau foyer…" Grouchenka rejeta la tête en arrière, entrouvrit ses jolies lèvres, sourit, agita son petit mouchoir et, brusquement, après avoir chancelé très fort, elle s'arrêta au milieu de la pièce, hébétée.

— Je suis faible… marmonna-t-elle d'une espèce de voix épuisée, pardonnez, je suis faible, je ne peux pas… Ma faute…

Elle salua le chœur en s'inclinant, puis se mit à s'incliner des quatre côtés, l'un après l'autre :

— Ma faute… Pardonnez…

— Elle est pompette, la petite dame, elle est pompette, la jolie petite madame, disaient différentes voix.

— Madame s'est un peu soûlée, expliquait Maximov aux jeunes filles avec son petit rire.

— Mitia, emmène-moi… prends-moi, Mitia, murmura Grouchenka, sans force. Mitia se précipita vers elle, la saisit dans ses bras et courut derrière les rideaux avec sa proie précieuse. "Bon, maintenant, moi, je m'en vais", se dit Kalganov et, sortant de la pièce bleue, il referma derrière lui les deux battants de la porte. Mais la fête dans la salle tonnait et continuait, elle tonnait encore plus fort. Mitia étendit Grouchenka sur le lit et colla ses lèvres sur les siennes dans un baiser.

— Ne me touche pas… lui balbutia-t-elle d'une voix suppliante, ne me touche pas, tant que je ne suis pas à toi… J'ai dit que j'étais à toi, mais, toi, ne me touche pas… épargne-moi… Devant eux, devant les autres, non. Il est là. C'est sale ici…

— J'obéis ! Je ne pense pas… je vénère !… marmonnait Mitia. Oui, c'est sale ici, oh, c'est méprisable. Et, sans desserrer son étreinte, il s'affaissa par terre à côté du lit, à genoux.

— Je sais que tu es peut-être un fauve, mais tu as le cœur noble, prononça Grouchenka d'une voix pâteuse, il faut que ce soit honnête… maintenant, ce sera honnête…

et nous aussi, il faut qu'on soit honnêtes, il faut qu'on soit bons, pas comme des fauves, non, qu'on soit bons… Emmène-moi, emmène-moi loin, tu entends… Je ne veux plus ici, mais, loin, loin…

— Oh oui, oui, absolument ! disait Mitia, la serrant dans ses bras. Je t'emmènerai, on s'envolera… Oh, maintenant, je donnerai toute ma vie pour une année, juste pour savoir, pour ce sang !

— Ce sang ? reprit Grouchenka, stupéfaite.

— Ce n'est rien, fit Mitia, grinçant des dents. Groucha, si tu veux que ce soit honnête, je suis un voleur. J'ai volé de l'argent à Katka… La honte, la honte !

— Katka ? La demoiselle ? Non, tu n'as pas volé. Rends-lui, prends-en chez moi… Pourquoi tu cries ? Maintenant, tout ce qui est à moi, c'est à toi. C'est quoi, pour nous, l'argent ? De toute façon, on va le gaspiller… Que des gens comme nous on ne le gaspille pas ! Nous, toi et moi, on ira plutôt labourer. La terre, moi, je la gratterai avec ces mains, là. C'est travailler qu'il faut, tu entends ? Aliocha qui l'a ordonné. Ce n'est pas ta maîtresse que je serai, je te serai fidèle, je serai ton esclave, je travaillerai pour toi. On ira voir la demoiselle, tous les deux, qu'elle nous pardonne, et puis on partira. Et si elle pardonne pas, de toute façon, on partira. Toi, l'argent, rapporte-le-lui, et, moi, aime-moi… Et ne l'aime pas, elle. Ne l'aime plus, elle. Et si tu l'aimes, toi, je te tords le cou… Je lui percerai les yeux avec des aiguilles…

— C'est toi que j'aime, toi seule, en Sibérie je t'aimerai…

— Pourquoi en Sibérie ? Remarque, en Sibérie aussi, si tu veux, c'est pareil… on travaillera… en Sibérie, il y a de la neige… Moi, j'aime voyager sur la neige… et qu'il y ait une clochette… Tu entends, une clochette qui tinte… Où est-ce qu'elle tinte, la clochette ? Des gens qui arrivent… tiens, elle ne tinte plus.

Elle referma les yeux, sans force, et, d'un coup, ce fut comme si elle s'endormait une minute. De fait, il y avait une clochette qui tintait quelque part, au loin, et qui, brusquement, avait cessé de tinter. Mitia pencha sa tête sur sa poitrine. Il n'avait pas remarqué que la clochette avait cessé de tinter, mais il ne remarqua pas non plus que les chansons s'étaient arrêtées soudain, et qu'au lieu des chansons et du tintamarre aviné c'est un silence de mort qui venait soudain de s'instaurer dans la maison. Grouchenka rouvrit les yeux.

— Qu'est-ce qu'il y a, j'ai dormi ? Oui… la clochette… J'ai dormi, j'ai fait un rêve. Je voyageais, on aurait dit, avec celui que j'aime, avec toi. Et loin, mais loin… Je te serrais dans mes bras, je me serrais contre toi, comme si j'avais froid, et la neige qui brille… Tu sais, si la neige elle brille la nuit, et que la lune regarde, c'est comme si je n'étais même plus sur terre… Je me réveille, et mon aimé est près de moi, comme c'est bien.

— Près de toi, marmonnait Mitia, embrassant sa robe, sa poitrine, ses mains. Et, brusquement, il eut comme une impression étrange : il eut l'impression qu'elle regardait droit devant elle, mais qu'elle ne le regardait pas, lui, qu'elle ne regardait pas son visage, mais au-dessus de sa tête, d'un regard fixe et étrangement immobile. Elle, c'est la surprise qui s'exprima sur son visage, presque de la frayeur.

— Mitia, qui c'est qui nous regarde de là-bas ? chuchota-t-elle soudain. Mitia se tourna et vit que, de fait, il y avait quelqu'un qui avait écarté le rideau et qui était comme en train de les observer. Et pas qu'une seule personne, visiblement. Il bondit et alla précipitamment vers celui qui regardait.

— Par ici, je vous en prie, par ici, dit une voix, pas forte mais ferme et appuyée.

Mitia sortit de derrière le rideau et se figea. Toute la pièce était pleine de monde, mais pas de ceux de tout à l'heure, non, des gens complètement nouveaux. Un frisson immédiat lui parcourut le dos, et il tressaillit. Tous ces gens-là, il venait de les reconnaître à la seconde. Ce grand vieillard replet, avec son manteau et sa casquette à cocarde, c'était l'*ispravnik*, Mikhaïl Makarytch. Et ce dandy "phtisique" et élégant, "toujours avec des bottes tellement laquées", c'était le substitut du procureur. "Il a un chronomètre à quatre cents roubles, il l'a montré." Et ce jeunot, là, ce petit gars, avec ses lunettes… Mitia avait juste oublié son nom, mais lui aussi, il le connaissait, il l'avait vu : c'était le juge d'instruction, l'enquêteur, juste arrivé, tout récemment de "son droit". Et lui, là, c'est le commissaire de la police rurale, Mavriki Mavrikitch, lui, il le connaissait bien, presque un ami. Bon, et ceux-là, avec leurs médailles, c'est quoi ? Et encore deux autres, là-bas, des paysans… Et là-bas, à la porte, Kalganov et Trifone Borissytch…

— Messieurs… Qu'est-ce qui se passe, messieurs ? murmura Mitia mais, brusquement, comme hors de lui, comme malgré lui, il s'exclama tout haut, à pleine voix : Je com-prends !

Le jeune homme à lunettes s'avança brusquement et, s'approchant de Mitia, il commença, certes avec dignité, mais comme en se pressant un peu :

— Nous avons pour vous… bref, je vous demande de venir par ici, ici, là, vers le divan… Il existe une nécessité urgente que nous nous expliquions.

— Le vieux ! s'écria Mitia dans un état second. Le vieux et son sang !… Je com-prends !

Et il s'assit, comme fauché net, comme s'il tombait, sur une chaise qui se trouvait là.

— Tu comprends ? Tu as compris ! Parricide et monstre, le sang de ton vieux père en appelle contre toi ! hurla soudain le vieil *ispravnik*, bondissant vers Mitia. Il était hors de lui, il était pourpre et tremblait de tout son corps.

— Mais c'est impossible ! s'écria le petit jeune homme. Mikhaïl Makarytch, Mikhaïl Makarytch ! Ce n'est pas ça, ce n'est pas ça, non !... Je vous demande de me laisser parler seul... Rien ne me laissait supposer un épisode pareil de votre part...

— Mais c'est du délire, messieurs, c'est du délire ! s'exclamait l'*ispravnik*. Regardez-le : la nuit, ivre, avec une fille dépravée, et dans le sang de son père... Du délire, du délire !

— Je vous demande de toutes mes forces, mon bon Mikhaïl Makarytch, de retenir vos sentiments pour cette fois, chuchota d'un ton précipité au vieillard le substitut du procureur, sans quoi je serai obligé de recourir...

Mais le petit juge d'instruction ne le laissa pas achever : il se tourna vers Mitia, et, d'une voix ferme, sonore et grave, prononça :

— Lieutenant à la retraite Karamazov, je dois vous déclarer que vous êtes accusé du meurtre de votre père, Fiodor Pavlovitch Karamazov, qui est advenu cette nuit...

Il voulait encore dire autre chose, le substitut du procureur, lui aussi, voulait y mettre un peu du sien, mais Mitia avait beau écouter, il ne les comprenait plus. Il les fixait tous d'un regard frénétique...

Livre neuvième

L'ENQUÊTE PRÉLIMINAIRE

I

LE DÉBUT DE LA CARRIÈRE
DU FONCTIONNAIRE PERKHOTINE

Piotr Ilitch Perkhotine, que nous avons laissé frappant de toutes ses forces contre le solide portail fermé de la maison de la commerçante Morozova, finit, bien entendu, par arriver, au bout du compte, à se faire ouvrir. Entendant un fracas si frénétique contre le portail, Fénia, qui avait été si effrayée deux heures auparavant et qui, sous l'effet de son émotion et de "sa pensée", ne se décidait toujours pas à se coucher, avait été prise cette fois d'une frayeur réellement hystérique : elle s'était imaginé que c'était à nouveau Dmitri Fiodorovitch qui frappait (même si elle l'avait vu partir de ses propres yeux), parce que personne ne pouvait, à part lui, frapper avec une telle "audace". Elle se précipita chez le gardien qui venait de se réveiller et allait déjà répondre aux coups contre la porte, et se mit à le supplier de ne laisser entrer personne. Mais le gardien interrogea l'homme de l'autre côté et, apprenant qui il était et qu'il désirait voir Fédossia Markovna pour une affaire de la plus haute importance, il finit par se décider à lui ouvrir. Il pénétra chez Fédossia Markovna, dans cette fameuse cuisine, mais elle, “dans le doute”, demanda à Piotr Ilitch de permettre aussi d’entrer au gardien. Piotr Ilitch entreprit de l’interroger et tomba tout de suite dans le mille : à savoir que Dmitri Fiodorovitch, en courant chez Grouchenka, s’était emparé du pilon, et qu’il était revenu sans le pilon, mais avec les mains en sang. “Et le sang, il gouttait encore, il gouttait de ses mains, au monsieur, il gouttait, il gouttait !” s’exclama Fénia, qui, visiblement, venait de créer elle-même ce fait affreux dans son imagination éperdue. Mais, ces mains sanglantes, Piotr Ilitch les avait vues, lui aussi, et même si elles ne gouttaient pas, il avait aidé Dmitri Fiodorovitch à les laver, et la question n’était pas de savoir si elles avaient mis beaucoup de temps à sécher, mais plutôt de comprendre où Dmitri Fiodorovitch avait pu courir avec ce pilon, c’est-à-dire est-ce que c’était à coup sûr chez Fiodor Pavlovitch, et qu’est-ce qui permettait de l’affirmer avec une telle certitude ? Sur ce point, Piotr Ilitch insista d’une façon circonstanciée et même si, au final, il fut incapable d’en dire davantage, il en sortit tout de même la conviction que Dmitri Fiodorovitch ne pouvait pas avoir couru ailleurs que chez son père, et que, donc, il avait dû absolument se passer *quelque chose*. “Et quand il est revenu, ajouta Fénia, émotionnée, je lui ai tout avoué et je lui ai demandé : comment ça se fait, mon bon Dmitri Fiodorovitch, que vous ayez les deux mains en sang”, lui, il lui avait répondu quelque chose comme quoi c’était du sang humain – “il m’a tout avoué, il s’est repenti de tout, là, et puis, d’un coup, il a couru dehors comme un fou. Moi, je me suis assise, là, je me suis demandé : où est-ce qu’il court, comme ça, comme un fou ? Il va aller à Mokroïé, je me dis, il va tuer madame. J'ai couru, comme ça, le supplier, qu'il la tue pas, madame, chez lui où il vivait, et là, devant chez les Plotnikov, qu'est-ce que je vois, lui, qui part déjà, et que, ses mains, elles ne sont plus en sang" (cela, Fénia l'avait remarqué et s'en était souvenue). La vieille, la grand-mère de Fénia, confirma autant qu'elle le pouvait tout ce que venait de dire sa petite-fille. Après avoir encore posé quelques questions, Piotr Ilitch ressortit de la maison dans un trouble et une inquiétude encore plus puissants que ceux qui l'accablaient quand il était entré.

On aurait cru que ce qu'il avait à faire de plus direct et de plus simple était de se rendre à présent chez Fiodor Pavlovitch, pour savoir s'il n'était pas arrivé quelque chose là-bas, et, s'il était arrivé quelque chose, ce que c'était précisément, après quoi, une fois définitivement fixé, et là seulement, se rendre chez l'*ispravnik*, comme l'avait fermement décidé Piotr Ilitch. Mais la nuit était noire, le portail de Fiodor Pavlovitch solide, il fallait se remettre à cogner, et, lui, Fiodor Pavlovitch, il ne le connaissait que de très loin – bon, voilà, à force de cogner, il se ferait ouvrir, et, là, d'un coup, il ne serait rien arrivé du tout, et cette langue de vipère de Fiodor Pavlovitch, dès le lendemain, se mettrait à raconter des anecdotes en ville, comme quoi, la veille, à minuit, ce fonctionnaire qu'il ne connaissait pas, Perkhotine, voulait à toute force entrer chez lui, pour savoir si personne ne l'avait tué. Un scandale ! Or, le scandale, Piotr Ilitch le craignait plus que tout au monde. Néanmoins, le sentiment qui l'entraînait était si puissant qu'après avoir tapé du pied avec rage et s'être à nouveau traité d'un certain nom il se jeta immédiatement sur une nouvelle voie, sauf qu'elle ne menait plus chez Fiodor Pavlovitch, mais chez Mme Khokhlakova. Si cette dernière, pensait-il, répondait à sa question de savoir si c'était elle qui venait de donner ces trois mille roubles, à telle heure, à Dmitri Fiodorovitch, en cas de réponse négative, là, c'était sûr, il se rendrait immédiatement chez l'*isprav-nik*, sans même passer chez Fiodor Pavlovitch ; dans le cas contraire, il remettrait tout au lendemain et rentrerait chez lui. Là, bien sûr, on pourra se dire franchement que dans cette décision du jeune homme de se rendre en pleine nuit, presque à onze heures du soir, au domicile d'une dame du monde qu'il ne connaissait, elle, absolument pas, pour la faire lever, si ça se trouve, de son lit, afin de lui poser une question étrange dans les circonstances présentes, contenait, peut-être, des chances bien plus grandes encore de faire un scandale que le fait de se rendre chez Fiodor Pavlovitch. Mais ce sont des choses qui arrivent parfois, surtout dans des circonstances de ce genre, avec le jugement des hommes les plus précis et les plus flegmatiques. Piotr Ilitch, quant à lui, à la minute présente, était tout sauf un flegmatique ! Il devait se souvenir toute sa vie, par la suite, de la façon dont cette inquiétude insurmontable, qui l'avait envahi peu à peu, avait fini par atteindre un degré torturant et l'entraînait pour ainsi dire malgré lui. Il va de soi qu'il avait continué de s'injurier lui-même pendant tout le trajet, de se voir aller trouver cette dame, mais "je mènerai ça, je mènerai ça jusqu'à son terme !", se répétait-il pour la dixième fois, grinçant des dents, et, son intention, il la réalisa – oui, jusqu'au terme.

Il était exactement onze heures quand il pénétra chez Mme Khokhlakova. On le laissa assez vite entrer dans la cour, mais à sa question de savoir si madame était déjà couchée ou si elle ne l'était pas encore, le gardien fut incapable de répondre précisément, hormis que c'était à cette heure-là que, généralement, madame se couchait. "Demandez là-bas, en haut ; si madame veut bien vous recevoir, elle vous recevra, si madame veut pas, elle vous recevra pas." Piotr Ilitch monta, mais, là, les choses se compliquèrent un peu. Le laquais refusa de l'annoncer, il finit par appeler une bonne. Piotr Ilitch, poliment, mais avec insistance, demanda qu'on l'annonce à madame, comme quoi, voilà, elle avait la visite d'un certain fonctionnaire de la ville, Perkhotine, pour une affaire urgente, et, sans une affaire d'une telle importance, il n'aurait jamais osé se présenter – "dites-le dans ces termes-là, ces termes-là", demanda-t-il à la bonne. Cette dernière repartit. Il resta attendre dans l'entrée. Mme Khokhlakova elle-même ne s'était pas encore couchée, mais elle se trouvait déjà dans sa chambre. Elle était déprimée depuis la récente visite de Mitia et pressentait déjà que, cette nuit-là, elle n'échapperait pas à son attaque de migraine, qui l'accablait toujours dans ces cas-là. A l'écoute du rapport de la bonne, elle s'étonna, mais ordonna pourtant avec agacement de le refuser, quoique la visite inattendue, à une heure pareille, d'un "fonctionnaire de la ville" qu'elle ne connaissait pas piquât au plus vif sa curiosité féminine. Mais, cette fois-là, Piotr Ilitch s'entêta comme une mule : il entendit le refus et demanda avec une insistance extrême qu'on l'annonce une nouvelle fois et qu'on transmette "dans ces termes précis" que, s'il venait, c'était pour une "affaire d'une importance extrême, et que madame regretterait peut-être de ne pas l'avoir reçu en ce moment". "C'était comme si je tombais du haut d'une montagne", devait-il raconter par la suite. La bonne, le toisant avec surprise, repartit l'annoncer une nouvelle fois. Mme Khokhlakova fut stupéfaite, réfléchit, s'enquit de l'air qu'il avait, et apprit qu'il était “habillé, madame, fort décemment”, que “le monsieur [était] jeune et d’une telle politesse”. Remarquons en passant et entre parenthèses que Piotr Ilitch était, de fait, un jeune homme d’une assez grande beauté, et qu’il n’était pas lui-même sans le savoir. Mme Khokhlakova décida de se montrer. Elle avait déjà mis sa robe de chambre d’intérieur et ses chaussons, mais elle jeta sur ses épaules un châle noir. “Le fonctionnaire” fut prié de passer au salon, celui-là même dans lequel Mitia avait été reçu. La maîtresse de maison se présenta devant son hôte l’air interrogateur et sévère, et, sans l’inviter à s’asseoir, commença directement par cette question :

— Que désirez-vous ?

— Je me suis décidé à vous importuner, madame, à propos de notre connaissance commune, Dmitri Fiodorovitch Karamazov, commença Perkhotine, mais à peine eut-il prononcé ce nom que, brusquement, le visage de la maîtresse de maison exprima l’agacement le plus vif. C’est tout juste si elle n’émit pas un hurlement, et elle l’interrompit avec fougue.

— Jusques à quand, jusques à quand me torturera-t-on avec cet homme affreux ? s’écria-t-elle dans un état second. Comment osez-vous, monsieur, comment avez-vous pu prendre sur vous de déranger une dame que vous ne connaissez pas, dans sa maison et à une heure pareille… et de vous présenter pour lui parler d’un homme qui, ici même, dans ce salon, il y a seulement trois heures, est venu pour me tuer, a tapé des pieds et est ressorti comme personne ne ressort d’une maison honnête. Sachez, monsieur, que je vais porter plainte contre vous, je ne vous laisserai pas passer, veuillez me laisser sur-le-champ… Je suis mère, et, séance tenante, je… je… je…

— Vous tuer ? Alors, vous aussi, il a voulu vous tuer ?

— Parce qu'il a déjà tué quelqu'un ? demanda précipitamment Mme Khokhlakova.

— Je vous supplie de me laisser parler, madame, juste trente secondes, et je vous expliquerai tout en deux mots, répondit fermement Perkhotine. Aujourd'hui, à cinq heures de l'après-midi, M. Karamazov m'a emprunté, à titre amical, dix roubles, et je sais positivement qu'il n'avait pas d'argent, et, aujourd'hui même, à neuf heures du soir, il est entré chez moi en tenant dans ses mains, en évidence, une liasse de billets de cent roubles, approximativement deux sinon trois mille roubles. Or il avait les mains et le visage en sang et, lui-même, il avait l'air d'un fou. A ma question de savoir où il avait pris une telle somme, il m'a répondu exactement qu'il venait de les recevoir de vous, et que c'est vous qui lui aviez versé une somme de trois mille roubles pour partir, soi-disant, dans des mines d'or…

Le visage de Mme Khokhlakova exprima soudain une agitation aussi extraordinaire que douloureuse.

— Mon Dieu ! c'est qu'il a tué son vieux père ! s'écria-t-elle, lançant les bras au ciel. Jamais de la vie je ne lui ai donné d'argent, jamais ! Oh, courez, courez !… Ne dites plus un seul mot ! Sauvez le vieillard, courez chez son père, courez !

— Permettez, madame, ainsi, vous ne lui avez pas donné d'argent ? Vous vous souvenez parfaitement que vous ne lui avez pas donné la moindre somme ?

— Mais non, mais non ! Je lui ai refusé parce qu'il n'a pas su apprécier. Il est sorti fou furieux et en tapant des pieds. Il s'est jeté sur moi, moi, j'ai sauté en arrière… Et je vous dirai encore, comme à un homme à qui à présent je n'ai pas l'intention de cacher quoi que ce soit, qu'il m'a même craché dessus, ça, vous pouvez vous imaginer ? Mais pourquoi restons-nous debout ? Ah, mais asseyez-vous… Excusez-moi, je… Ou, non, mieux, courez, courez, vous devez courir et sauver l'infortuné vieillard d'une mort affreuse !

— Mais s'il l'a déjà tué ?

— Ah, mon Dieu, mais c'est vrai ! Mais qu'allons-nous faire maintenant ? Qu'en pensez-vous, qu'est-ce qu'il faut faire ?

Entre-temps, elle avait installé Piotr Ilitch et, elle-même, s'était assise face à lui. Piotr Ilitch, en termes brefs, mais assez clairs, lui expliqua l'historique de l'affaire, du moins cette partie de l'historique dont, lui-même il venait d'être témoin, il lui parla de la visite qu'il venait de faire à Fénia et lui communiqua la nouvelle du pilon. Tous ces détails bouleversèrent au possible la dame déjà à bout de nerfs qui ponctua son récit par des cris et en plaquant ses paumes sur ses yeux…

— Figurez-vous que, tout ça, je le pressentais ! Je suis douée de cette faculté, tout ce que je me représente se produit. Et combien de fois, combien de fois, je l'ai regardé, cet homme affreux, et je me suis toujours dit : voilà un homme qui peut finir par me tuer. Et c'est exactement ce qui s'est passé… C'est-à-dire, si ce n'est pas moi qu'il vient de tuer, mais seulement son père, c'est sans doute parce qu'il y a eu là, évidemment, le doigt de Dieu, qui m'a sauvée, et, en plus, parce que, lui-même, il a eu honte de me tuer parce que, moi, ici, là où vous êtes, je lui ai mis au cou une petite icône qui provient des reliques de la grande martyre Varvara… Et comme j'ai frôlé la mort à cet instant-là, je me suis approchée de lui tout près, je le touchais, c'est tout son cou qu'il m'a tendu ! Vous savez, Piotr Ilitch (excusez-moi, je crois que vous venez de me dire que vous vous appeliez Piotr Ilitch)… vous savez, je ne crois pas aux miracles, mais, cette petite icône, et ce miracle évident qui m'arrive maintenant – ça me bouleverse, et je me remets à croire à tout ce que vous voulez. Vous avez entendu, pour le starets Zossima ?... Mais bon, je ne sais pas ce que je dis... Et, figurez-vous, c'est avec cette petite icône au cou qu'il m'a craché dessus... Bien sûr, il a seulement craché, il ne m'a pas tuée, et... et alors c'est là qu'il a couru ! Mais nous, alors, où est-ce qu'on doit aller, hein, où, qu'en pensez-vous ?

Piotr Ilitch se leva et déclara qu'il s'en allait trouver directement l'*ispravnik* et tout lui raconter, et, là, c'est lui qui saurait quoi faire.

— Ah, c'est un homme extraordinaire, extraordinaire, je connais bien Mikhaïl Makarovitch. Absolument, oui, c'est lui qu'il faut trouver. Comme vous êtes avisé, Piotr Ilitch, et comme c'est bien, cette idée que vous avez eue ; vous, moi, à votre place, cette idée-là, je ne l'aurais jamais eue !

— D'autant que, moi-même, je connais très bien l'*ispravnik*, remarqua Piotr Ilitch, toujours debout et voulant se libérer le plus vite possible de cette dame vive qui ne le laissait absolument pas prendre congé et y aller.

— Et, vous savez, vous savez, babillait-elle, revenez me dire ce que vous verrez là-bas, ce que vous saurez... ce qui se découvrira... et comment on le jugera, à quoi il sera condamné. Dites, n'est-ce pas que nous avons aboli la peine de mort ? Mais revenez absolument, même à trois heures du matin, même à quatre, même à quatre heures et demie... Faites-moi réveiller, secouer, si je ne me lève pas... Oh mon Dieu, mais je ne m'endormirai même plus. Dites, il ne faudrait pas que j'y aille avec vous ?...

— Euh, non, mais si vous m'écriviez de votre main, tout de suite, trois lignes, à tout hasard, comme quoi vous n'avez jamais donné d'argent à Dmitri Fiodorovitch, ce ne serait peut-être pas superflu… à tout hasard…

— Absolument ! fit Mme Khokhlakova, bondissant, enthousiaste, vers son bureau. Et, vous savez, vous me sidérez, vous me bouleversez littéralement par votre inventivité et votre connaissance dans ces affaires… Vous êtes fonctionnaire ici ? Comme il m'est agréable d'apprendre que vous êtes fonctionnaire ici…

Et, tout en parlant, elle traça rapidement sur une demi-feuille de papier à lettres les trois grosses lignes suivantes :

Jamais de la vie je n'ai prêté à l'infortuné Dmitri Fiodorovitch Karamazov (car il est malgré tout infortuné à présent) trois mille roubles aujourd'hui, et jamais aucune autre somme, jamais ! Cela, je le jure sur tout ce qu'il y a de sacré dans le monde.

KHOKHLAKOVA

— Voilà ce billet ! dit-elle, se retournant très vite vers Piotr Ilitch. Partez donc, sauvez. C'est un grand exploit de votre part.

Et elle fit sur lui trois signes de croix. Elle courut même le raccompagner jusqu'au vestibule.

— Comme je vous suis reconnaissante ! Vous ne croirez pas à quel point je vous suis reconnaissante d'être passé me voir la première. Comment se fait-il que nous ne nous soyons jamais rencontrés ? Je serais très flattée de vous recevoir dorénavant chez moi. Et quelle agréable nouvelle, que vous êtes fonctionnaire ici… une telle précision, une telle débrouillardise… Mais il faut qu'ils vous apprécient, il faut qu'ils finissent par comprendre, et tout ce que je pourrai faire pour vous, croyez… Oh, j'aime tellement la jeunesse !

Je suis amoureuse de la jeunesse. Les jeunes gens – c'est le fondement de notre Russie contemporaine souffrante, toute son espérance… Oh, allez-y donc, allez-y !…

Mais Piotr Ilitch courait déjà, sans quoi elle aurait été encore longue à le libérer. Du reste, Mme Khokhlakova lui avait fait une impression assez plaisante, qui avait même quelque peu adouci son inquiétude de s'être mis dans une aussi sale affaire. Les goûts peuvent être très divers, on le sait bien. "Et elle est loin d'être si vieille, se dit-il non sans plaisir, au contraire, je l'aurais prise pour sa fille."

Quant à Mme Khokhlakova, le jeune homme l'avait tout simplement laissée sous le charme. "Tant de savoir-faire, tant de soin, et dans ce si jeune homme, à notre époque, et, tout ça, avec toutes ces manières et ce physique. Tenez, tout ce qu'on dit des jeunes gens contemporains, comme quoi ils ne savent rien faire, voilà un exemple", etc. C'était au point qu'elle avait oublié "l'affreuse nouvelle", et c'est seulement au moment de se mettre au lit qu'elle se rappela soudain à quel point "elle avait frôlé la mort", elle murmura : "Ah, c'est affreux, c'est affreux !" Mais, tout de suite, elle s'endormit du sommeil le plus doux et le plus profond. Je ne serais pas allé, du reste, m'étendre sur des détails aussi minces et anecdotiques, si la rencontre excentrique que je viens de décrire entre le jeune homme et la veuve qui était encore loin d'être vieille n'avait servi par la suite de fondation à toute la carrière de ce jeune homme précis et méticuleux, ce dont on parle encore de nos jours, non sans stupeur, dans notre ville, et dont je dirai peut-être un petit mot à part, lorsque nous conclurons notre long récit sur les frères Karamazov.

II

L'ALARME

Notre *ispravnik* Mikhaïl Makarovitch Makarov, lieutenant-colonel à la retraite, requalifié en conseiller surnuméraire[1], était un homme veuf et bon. Il n'était arrivé chez nous que depuis trois ans mais avait déjà su se gagner la bienveillance de tous, surtout parce qu'il savait “réunir la société”. Sa maison ne désemplissait pas d'invités, et, lui-même, semblait-il, il ne pouvait pas vivre sans eux. Il y avait tous les jours quelqu'un qui déjeunait chez lui, ne serait-ce que deux, voire un seul invité, et, sans un invité, il ne passait jamais à table. Il donnait aussi des dîners officiels sous les prétextes les plus divers, voire les plus inattendus. Les mets qui étaient servis n'étaient certes pas des plus raffinés, mais ils étaient abondants, les tourtes étaient succulentes, et les vins, s'ils ne brillaient pas trop par la qualité, se rachetaient par la quantité. La pièce d'entrée était meublée d'un billard avec un arrangement des plus bienséant, c'est-à-dire avec, même, aux murs des représentations de courses d'obstacles anglaises dans des cadres noirs, ce qui, comme chacun sait, est la décoration indispensable de toute salle de billard de célibataire. Tous les soirs, on jouait aux cartes, même si ce n'était qu'autour d'une seule et unique petite table. Mais on voyait aussi se réunir très souvent chez lui toute la meilleure société de notre ville, avec les mamans

1. Il s'agit du même grade, mais dans la fonction impériale civile.

et les jeunes filles, afin de faire quelques tours de danse. Mikhaïl Makarovitch était, certes, veuf, mais il menait une vie de famille, car il veillait sur sa fille, veuve, elle aussi, depuis longtemps, et mère à son tour de deux jeunes filles, les petites-filles de Mikhaïl Makarovitch. Ces jeunes filles étaient déjà adultes et avaient terminé leur éducation, elles étaient d'un physique tout à fait avenant, d'un caractère léger et, même si elles savaient qu'elles ne pouvaient espérer aucune dot, elles ne manquaient pas d'attirer chez leur grand-père toute notre jeunesse mondaine. En affaires, Mikhaïl Makarovitch était loin d'être un aigle, mais il remplissait sa fonction tout aussi bien que beaucoup d'autres. Pour le dire franchement, c'était un homme, bon, réellement, inculte et même insouciant quant à la compréhension claire des limites de son pouvoir administratif. Il y avait certaines réformes du règne présent qu'il restait parfaitement incapable de comprendre jusqu'au bout, mais il les comprenait avec quelques erreurs, parfois fort évidentes, et pas du tout suite à une quelconque incapacité dont il aurait fait preuve, mais simplement par l'insouciance de son caractère, parce qu'il n'avait jamais trop le temps d'essayer d'y penser. "Moi, messieurs, je suis une âme plutôt militaire que civile", disait-il de lui-même. Il n'avait même toujours pas acquis les fondements un tant soit peu exacts et une compréhension précise et définitive de la réforme paysanne et ne les apprenait, pour ainsi dire, qu'au jour le jour, en augmentant ses connaissances par la pratique et malgré lui, or, lui aussi, c'était un propriétaire terrien. Piotr Ilitch savait avec exactitude que, ce soir-là, il ne manquerait pas de retrouver chez Mikhaïl Makarovitch tel ou tel de ses hôtes, il ne savait pas juste qui précisément. Or, justement, à cette minute précise, il recevait autour d'une petite partie de *iéralach*[1] le procureur et notre médecin du *zemstvo*, Varvinski, un jeune homme qui venait juste de nous arriver de Pétersbourg, un de ces jeunes gens qui avaient achevé si brillamment leurs études à l'Académie de médecine de Pétersbourg. Le procureur, lui, ou plutôt le substitut du procureur, mais que tout le monde chez nous appelait le procureur, Hippolyte Kirillovitch, était un homme particulier, dans la fleur de l'âge, n'ayant guère que trente-cinq ans, mais fortement disposé à la phtisie, marié, qui plus est, à une dame des plus grosse et sans enfants, homme très nerveux et débordant d'amour-propre, avec un esprit, du reste, des plus grave et, disons-le, un bon cœur. Je crois que tout le malheur de son caractère tenait dans le fait qu'il avait de lui-même une opinion un peu plus haute que ne le lui permettaient ses qualités réelles. Voilà pourquoi il semblait constamment inquiet. Il portait en lui, qui plus est, quelques prétentions sublimes, voire artistiques, par exemple à la psychologie, à une connaissance particulière de l'âme humaine, à un don particulier de reconnaissance du criminel et de son crime. De ce point de vue-là, il s'estimait quelque peu offensé et oublié dans l'avancement et avait toujours été persuadé que, là-bas, dans les sphères les plus hautes, on n'avait jamais su l'apprécier et qu'il y possédait des ennemis. Dans ses minutes sombres, il menaçait même de déserter pour se faire avocat spécialisé en droit commun. L'inattendue affaire Karamazov, à propos d'un parricide, vint comme le ranimer tout entier : "Une affaire pareille, ça peut faire du bruit dans toute la Russie." Mais, là, quand je dis cela, j'anticipe.

1. Jeu de cartes des plus simples et des plus familiaux, semblant former contraste ironique avec la partie de pharaon décrite plus haut.

Dans la pièce voisine, avec les demoiselles, il y avait aussi notre jeune juge d'instruction, Nikolaï Parfionovitch Nélioudov, qui venait de nous arriver de Pétersbourg depuis à peine deux mois. Par la suite, on jasa beaucoup, et même on s'étonna, de ce que tous ces personnages se fussent réunis comme par hasard le soir du "crime" au domicile du pouvoir exécutif. Pourtant, l'affaire était toute simple et s'était produite de la manière la plus naturelle qui fût : l'épouse d'Hippolyte Kirillovitch avait mal aux dents depuis deux jours, et, quant à ce dernier, il fallait bien qu'il se sauve quelque part pour échapper à ses gémissements ; le médecin, lui, par sa nature même, ne pouvait se trouver nulle part ailleurs le soir qu'autour d'une partie de cartes. Quant à Nikolaï Parfionovitch Nélioudov, cela faisait déjà trois jours qu'il comptait se présenter ce soir-là chez Mikhaïl Makarovitch, pour ainsi dire, en passant, afin, perfidement, comme un orage dans un ciel bleu, de foudroyer sa fille aînée, Olga Mikhaïlovna, en lui annonçant qu'il connaissait son secret, qu'il savait que c'était ce jour-là son anniversaire et qu'elle, elle avait, tout exprès, voulu le cacher à notre société, afin de ne pas inviter toute la ville à un bal. Il prévoyait beaucoup de rires et d'allusions à son âge, qu'elle avait soi-disant peur de lui découvrir, comme quoi, lui, maintenant, il était détenteur de son secret, et que, pas plus tard que le lendemain, il l'aurait raconté à tout le monde, etc. Le brave petit jeune homme était de ce point de vue-là un vrai garnement, c'est ainsi que toutes nos dames l'avaient surnommé, "le garnement", ce qui, visiblement, lui plaisait fort. Du reste, il était d'un fort bon milieu, d'une bonne famille, de bonne éducation et de bonne composition, et, quoique, certes, un jouisseur, mais un jouisseur innocent et toujours convenable. Physiquement, il était de petite taille, d'une complexion fragile et tendre. Sur ses petits doigts fins et pâles luisaient toujours quelques bagues d'une grosseur des plus considérable. Mais quand il accomplissait sa fonction, il devenait d'une gravité extrême, concevant son importance et ses devoirs comme une espèce de chose sacrée. Il avait particulièrement l'art au cours de ses interrogatoires de laisser songeurs les assassins et autres criminels issus du simple peuple, et, réellement, il éveillait en eux, je ne dirais pas du respect, mais, tout de même, une certaine surprise.

Piotr Ilitch, entrant chez l'*ispravnik*, fut simplement abasourdi : il découvrit soudain que, là-bas, tout le monde était déjà au courant. De fait, on avait renoncé aux cartes, tout le monde restait à réfléchir, et même Nikolaï Parfionovitch avait abandonné les dames pour accourir et affichait un air des plus martial et des plus résolu. Piotr Ilitch fut accueilli par la nouvelle étourdissante que le vieux Fiodor Pavlovitch avait, réellement et pour de vrai, été tué ce soir-là, à son domicile, tué et détroussé. Cela, ils venaient de l'apprendre, et voici comment.

Marfa Ignatievna, l'épouse de Grigori qui restait étendu devant la palissade, avait beau certes dormir d'un sommeil profond dans son lit et aurait pu ne pas se réveiller ainsi jusqu'au matin si, soudain, néanmoins, elle ne s'était réveillée. Elle y avait été poussée par l'affreux hurlement épileptique de Smerdiakov, lequel gisait inconscient dans la petite pièce voisine – ce hurlement par lequel commençaient toujours ses accès de haut mal et qui, depuis toujours, depuis toute sa vie, faisait une peur affreuse à Marfa Ignatievna et avait sur elle un effet maladif. Jamais elle n'avait pu s'y habituer. Dans son demi-sommeil, elle bondit et, presque encore inconsciente, se précipita vers le cagibi de Smerdiakov. Mais il y faisait sombre, on entendait seulement que le malade s'était mis à ronfler et à se débattre affreusement. Là, Marfa Ignatievna se mit à crier à son tour et voulut appeler son mari, mais, brusquement, elle réalisa que, Grigori, dans le lit, au moment où elle s'était levée, eh bien, en fait, il n'y était plus. Elle courut à nouveau vers le lit et le palpa à nouveau, mais le lit était vide, tout de bon. Donc, son mari était parti, mais où ? Elle se précipita sur le petit perron et l'appela timidement depuis le perron. Elle n'obtint, évidemment, aucune réponse, mais, en revanche, elle entendit, dans le silence de la nuit, de Dieu sait où, mais comme de loin tout au fond du jardin, des espèces de gémissements. Elle tendit l'oreille ; les gémissements recommencèrent, et il devint évident que, de fait, ils venaient du jardin. "Mon Dieu, comme l'autre fois, Lizavéta la Puante !" se sentit-elle penser dans sa tête malade. Elle descendit craintivement les petites marches et distingua le portillon ouvert. "Il est là-bas, je parie, le pauvre chéri", pensa-t-elle. Elle s'approcha du portillon et, d'un seul coup, elle entendit distinctement que c'était Grigori qui l'appelait, qui la hélait : "Marfa, Marfa !", d'une voix faible, gémissante, affreuse. "Seigneur, préserve-nous du malheur", chuchota Marfa Ignatievna et elle se jeta en direction de l'appel, et c'est ainsi qu'elle retrouva Grigori. Pourtant, elle ne le retrouva pas devant la palissade, pas à l'endroit où il avait été foudroyé, mais à une bonne vingtaine de pas de la palissade. Ensuite, il s'avéra que, en reprenant conscience, il s'était mis à ramper et que, sans doute, il avait dû ramper longtemps, s'évanouissant à plusieurs reprises et retombant à nouveau dans l'inconscience. Mais elle remarqua tout de suite qu'il était couvert de sang et se mit à crier de toutes ses forces. Grigori, lui, balbutiait tout bas, des bribes incohérentes : "Il a tué… il a tué le père… pourquoi tu cries, idiote… cours, appelle…" Mais Marfa Ignatievna n'arrivait pas à se calmer et continuait de crier quand, soudain, s'apercevant que le maître avait sa fenêtre ouverte, elle courut vers elle et entreprit d'appeler Fiodor Pavlovitch. Mais, après un coup d'œil à l'intérieur, elle découvrit un spectacle affreux : le maître gisait à la renverse, par terre, sans mouvement. Sa robe de chambre claire et sa chemise blanche étaient baignées de sang. La bougie sur la table éclairait violemment le sang et le visage immobile, mort, de Fiodor Pavlovitch. Là, au dernier degré de l'horreur, Marfa Ignatievna s'enfuit au plus loin de la fenêtre, jaillit hors du jardin, ouvrit la clenche du portail et se précipita, à toutes jambes, par l'arrière, chez sa voisine Maria Kondratievna. Les deux voisines, la fille et la mère, étaient déjà couchées, mais aux coups et aux cris appuyés, frénétiques, de Marfa Ignatievna contre les volets, elles se réveillèrent et bondirent à la fenêtre. Marfa Ignatievna, dans un discours incohérent, glapissant et hurlant, transmit néanmoins l'essentiel et appela à l'aide. Justement cette nuit-là, Foma, l'errant, passait la nuit chez elle. Elles eurent tôt fait de le réveiller, et, tous les trois, ils coururent vers le lieu du crime. En chemin, Maria Kondratievna eut le temps de se rappeler que, quelque temps auparavant, vers neuf heures, elle avait entendu un hurlement affreux et transperçant, qui avait empli tous les environs, du fond de leur jardin – et, justement, c'était, bien sûr, ce fameux cri de Grigori : "Parricide !" "Quelqu'un a hurlé ça, et il s'est tu d'un coup", témoignait, tout en courant, Maria Kondratievna. Accourues à l'endroit où gisait Grigori, les deux femmes, avec l'aide de Foma, le transportèrent dans le pavillon. On fit de la lumière et on vit que Smerdiakov ne se calmait toujours pas, qu'il se débattait dans son cagibi, qu'il avait les yeux plissés et l'écume aux lèvres. La tête de Grigori fut lavée avec de l'eau vinaigrée, et l'eau le réveilla totalement, après quoi il demanda tout de suite : "Monsieur, il a été tué ou pas ?" Les deux femmes et Foma se rendirent alors vers le maître, et, entrant dans le jardin, virent cette fois que non seulement la fenêtre mais aussi la porte qui donnait de la maison dans le jardin étaient ouvertes toutes grandes, alors que le maître s'enfermait à double tour lui-même, dès le soir, toutes les nuits, depuis déjà toute une semaine et interdisait même à Grigori de frapper chez lui, sous quelque prétexte que ce fût. Découvrant cette porte ouverte, tous, immédiatement, les deux femmes et Foma, ils eurent peur d'entrer chez le maître "parce que, allez savoir après". Or, Grigori, quand ils revinrent vers lui, ordonna tout de suite de courir chez l'*ispravnik* en personne. C'est là que Maria Kondratievna accourut et bouleversa tout le monde chez l'*ispravnik*. Elle n'avait devancé l'arrivée de Piotr Ilitch que de cinq minutes seulement, si bien que ce dernier se présenta non plus seulement avec ses propres déductions et ses conclusions, mais comme un témoin évident qui, par son récit, avait confirmé la déduction commune sur l'identité du criminel (chose à laquelle, du reste, au plus profond de son âme, jusqu'à cette dernière minute, il avait toujours refusé de croire).

On résolut d'agir énergiquement. L'adjoint du commissaire de police reçut l'ordre de recruter tout de suite quatre témoins et, selon toutes les règles que je ne décrirai pas ici, ils pénétrèrent dans le domicile de Fiodor Pavlovitch et firent leur enquête sur place. Le médecin du *zemstvo*, homme nouveau, au sang chaud, demanda quasiment lui-même d'accompagner l'*ispravnik*, le procureur et le juge d'instruction. Je le remarquerai juste en bref : Fiodor Pavlovitch s'avéra tout ce qu'il y avait de plus mort, la tête fracassée, mais avec quoi ? Le plus vraisemblablement, avec la même arme qui avait dû servir par la suite à foudroyer Grigori. C'est là, justement, qu'on découvrit cette arme après avoir entendu de Grigori, auquel on avait donné toute l'aide médicale possible, un récit assez cohérent, quoique transmis d'une voix faible et qui s'interrompait, celui sur la façon dont il avait été foudroyé. On se mit à chercher à l'aide d'une lanterne près de la palissade et on trouva, jeté juste dans l'allée du jardin, à l'endroit le plus visible, le pilon de cuivre. La pièce dans laquelle gisait Fiodor Pavlovitch ne présentait aucun désordre particulier, mais, derrière le paravent, près de son lit, on ramassa par terre une grosse enveloppe, de gros papier, d'un format administratif, portant cette inscription : "Petit cadeau de trois mille roubles à mon ange Grouchenka, si elle veut venir", et, en bas, on lisait un ajout, fait visiblement par la suite de la main même de Fiodor Pavlovitch : "et à mon petit poussin". L'enveloppe portait trois grands cachets de cire rouge, mais l'enveloppe avait été déchirée et était vide : l'argent n'y était plus. On retrouva aussi par terre un petit ruban de tissu rose qui avait servi à entourer l'enveloppe. Dans le témoignage de Piotr Ilitch, une circonstance parmi les autres produisit une impression particulière sur le procureur et le juge d'instruction, à savoir sa déduction selon laquelle Dmitri Fiodorovitch ne manquerait pas de se brûler la cervelle à l'aube, que c'était lui-même qui l'avait décidé, lui-même qui l'avait dit à Piotr Ilitch, qu'il avait chargé le pistolet en sa présence, avait écrit un petit mot, l'avait caché dans sa poche, et ainsi de suite et ainsi de suite. Et quand, n'est-ce pas, Piotr Ilitch, qui refusait toujours de le croire, l'avait menacé d'aller le raconter à quelqu'un, pour empêcher le suicide, Mitia lui-même, en ricanant, lui avait répondu : "T'auras pas le temps." Donc, il fallait courir sur place, à Mokroïé, pour arrêter le criminel avant que lui, réellement, si ça se trouve, il ne se brûle la cervelle. "C'est clair, c'est clair ! répétait le procureur dans un état d'excitation extrême. Ça se passe exactement comme ça avec ce genre de va-nu-pieds : demain, je me tue, mais, avant de mourir, je fais la noce." L'histoire de sa descente dans la boutique pour acheter du vin et des victuailles ne fit qu'échauffer le procureur encore davantage. "Vous vous souvenez de l'autre gars, messieurs, qui a tué le marchand Olsoufiev, il lui a volé mille cinq cents roubles, et il est reparti tout de suite, il s'est fait friser, et puis, sans même trop cacher l'argent, lui aussi presque en le tenant dans ses mains, il est parti voir les filles." Pourtant, c'était l'enquête qui les retenait tous, la perquisition au domicile de Fiodor Pavlovitch, les formes, etc. Tout cela demandait du temps, et c'est pourquoi ils avaient envoyé, deux heures avant d'y arriver eux-mêmes, à Mokroïé, le commissaire de la police rurale Mavriki Mavrikiévitch Chmertzov, qui était justement arrivé en ville la veille au matin pour chercher son salaire. Mavriki Mavrikiévitch avait reçu des instructions : une fois arrivé à Mokroïé, sans faire le moindre bruit, surveiller le "criminel" à chaque seconde jusqu'à l'arrivée des autorités compétentes, de même que recruter des témoins, des miliciens, etc. C'est ce qu'avait fait Mavriki Mavrikiévitch, il avait conservé l'incognito et n'avait, en partie, informé que Trifone Borissovitch, son vieil ami, du secret de l'affaire. Ce moment avait correspondu exactement avec celui où Mitia avait croisé dans le noir, dans la galerie, le patron qui le cherchait, et avait remarqué tout de suite qu'il y avait soudain comme une espèce de changement dans le visage et les discours de Trifone Borissovitch. Ainsi donc, ni Mitia ni personne ne savait qu'il était surveillé ; quant à la boîte de pistolets, Trifone Borissovitch l'avait depuis longtemps subrepticement cachée en lieu sûr. Et c'est seulement vers cinq heures du matin, presque à l'aube, qu'arrivèrent toutes les autorités, l'*ispravnik*, le procureur et le juge d'instruction, dans deux équipages et deux troïkas. Le docteur, lui, était resté au domicile de Fiodor Pavlovitch, ayant l'intention de faire au matin une autopsie du cadavre de la victime, mais intéressé surtout par l'état du serviteur malade Smerdiakov : "Des crises aussi violentes et aussi prolongées de haut mal, qui se répètent sans cesse pendant quarante-huit heures, ça se voit rarement, et ça relève de la science", avait-il déclaré, très excité, à ses partenaires qui partaient, et ceux-ci, en riant, l'avaient félicité de sa bonne fortune. Sur ce, le procureur et le juge d'instruction se souvinrent très bien que le docteur avait ajouté sur le ton le plus résolu que Smerdiakov ne vivrait pas jusqu'au matin.

A présent, après une explication longue mais, je crois, nécessaire, nous voilà revenus à ce moment précis de notre récit sur lequel nous l'avions arrêté au livre précédent.

III

LES TRIBULATIONS DE L'ÂME. TRIBULATION PREMIÈRE

Ainsi donc, Mitia restait assis, faisant courir un regard frénétique sur l'assistance, sans comprendre ce qu'on lui disait. Soudain, il se leva, lança les bras au ciel et cria d'une voix sonore :

— Je suis innocent ! De ce sang-là, je suis innocent ! Du sang de mon père je suis innocent… J'ai voulu le tuer, mais je suis innocent ! Ce n'est pas moi !

Mais à peine avait-il eu le temps de crier ces mots que Grouchenka surgissait de derrière le rideau, se précipitait et se laissait tomber juste aux pieds de l'*ispravnik*.

— C'est moi, moi, la maudite, moi la coupable ! s'écria-t-elle dans un hurlement à fendre l'âme, tout en larmes, tendant les mains vers lui. C'est à cause de moi qu'il a tué !… C'est moi qui l'ai mis à la torture, qui l'ai poussé à ça ! Et le pauvre défunt, ce pauvre petit vieux, lui aussi, je l'ai mis à la torture, avec ma rage, voilà jusqu'à quoi je l'ai poussé ! Je suis la coupable, je suis la première, la coupable principale !

— Oui, tu es la coupable ! Tu es la coupable principale ! Tu es sans retenue, tu es débauchée, tu es la coupable principale, hurla l'*ispravnik*, la menaçant de la main, mais là, dans un mouvement résolu et très vif, on le calma tout de suite. Le procureur lui avait même saisi les bras.

— Ça, c'est vraiment du désordre, Mikhaïl Makarovitch, s'écria-t-il, vous nuisez positivement à l'enquête… vous gâchez l'affaire… continuait-il, haletant presque.

— Prendre les mesures, prendre les mesures, prendre les mesures ! fit Nikolaï Parfionovitch, se mettant à son tour à bouillir terriblement. Sinon, c'est positivement impossible !...

— Jugez-nous tous les deux ! continuait de hurler Grouchenka dans un état second, toujours à genoux. Châtiez-nous tous les deux, je l'accompagnerai maintenant, même à la mort !

— Groucha, ma vie, mon sang, mon sacrement ! cria Mitia, se jetant, lui aussi, à genoux à côté d'elle et la serrant de toutes ses forces dans ses bras. Ne la croyez pas, criait-il, elle n'est coupable de rien du tout, du sang de personne, de rien !

Il se souvint plus tard que c'était plusieurs personnes qui l'avaient arraché à elle, qu'elle on l'avait emmenée soudain, et qu'il n'avait repris conscience qu'une fois qu'il s'était vu assis devant la table. Près de lui et derrière lui, il était entouré de gens portant des insignes de métal[1]. En face de lui, de l'autre côté de la table, sur le divan, il vit Nikolaï Parfionovitch, le juge d'instruction, qui essayait toujours de le convaincre de boire un verre d'eau posé là, sur la table : “Ça vous rafraîchira, ça vous apaisera, n'ayez pas peur, ne vous inquiétez pas”, ajouta-t-il avec une politesse extrême. Mitia, lui, soudain, il devait s'en souvenir, se vit affreusement curieux de ses grandes bagues, l'une d'améthyste, et l'autre d'une espèce de pierre jaune clair, transparente, avec un genre d'éclat si magnifique. Et

1. La réforme judiciaire mise en place par Alexandre II exigeait la présence de témoins requis pour toute arrestation ou perquisition. Ces témoins étaient pris dans la population, et recevaient un insigne distinctif, généralement une plaque de métal, qu'ils portaient en médaillon.

longtemps encore par la suite il devait se souvenir de la façon dont ces bagues attiraient son attention d'une façon irrésistible, même pendant ces heures terribles de l'interrogatoire, au point que, bizarrement, il ne parvenait pas à se détacher d'elles et à les oublier, comme des objets complètement déplacés dans sa situation. A gauche, à côté de Mitia, à la place de Maximov au début de la soirée, c'est le procureur qui s'était à présent installé, et, à la droite de Mitia, à la place de Grouchenka, s'était disposé un jeune homme au teint vif, vêtu d'une espèce, enfin, de veston de chasse, et des plus usé, devant lequel il découvrait un encrier et du papier. Il s'avéra que c'était le greffier du juge d'instruction, que ce dernier avait emmené avec lui. L'*ispravnik*, lui, se tenait à présent devant la fenêtre, à l'autre bout de la pièce, à côté de Kalganov, lequel, lui aussi, s'était assis sur une chaise à la même fenêtre.

— Buvez un peu d'eau ! répéta doucement, pour la dixième fois, le juge d'instruction.

— J'ai bu, messieurs, j'ai bu… mais… eh quoi, messieurs, écrasez, châtiez, tranchez le sort ! s'exclama Mitia, posant un regard écarquillé, terrible et immobile sur le juge d'instruction.

— Et donc, vous affirmez positivement que vous êtes innocent de la mort de votre père Fiodor Pavlovitch ? demanda doucement, mais avec insistance, le juge d'instruction.

— Je suis innocent ! Je suis coupable du sang d'un autre, du sang d'un autre vieillard, mais pas celui de mon père. Et je pleure ! J'ai tué, je l'ai tué, le vieillard, je l'ai tué et je l'ai foudroyé… Mais c'est dur de répondre de ce sang-là par le sang d'un autre, par un sang affreux, mais dont je suis innocent… Une accusation affreuse, messieurs, comme un coup de massue sur la tête ! Mais qui donc a tué le père, qui l'a tué ? Qui donc a pu le tuer, si ce n'est pas moi ? Un miracle, une ineptie, une impossibilité !…

— Oui, voilà, qui donc a pu le tuer… reprit le juge d'instruction, mais le procureur Hippolyte Kirillovitch (le substitut du procureur, mais, nous aussi, nous l'appellerons le procureur, pour faire bref), après avoir échangé un regard avec le juge d'instruction, prononça, s'adressant à Mitia :

— Vous avez tort de vous inquiéter pour le vieux serviteur Grigori Vassiliévitch. Sachez qu'il est vivant, il est revenu à lui, et, malgré la gravité des coups que vous lui avez infligés, selon son témoignage et le vôtre propre à présent, il semble qu'il vivra sans aucun doute, du moins selon ce qu'en dit le docteur.

— Vivant ? Alors, il est vivant ? hurla soudain Mitia, lançant les bras au ciel. Tout son visage s'était illuminé. Seigneur, je Te remercie pour ce si grand miracle que Tu as fait pour moi, monstre et pécheur, exauçant ma prière !… Oui, oui, c'est sur ma prière, j'ai prié toute la nuit !… et il se signa par trois fois. Il avait du mal à respirer.

— Et c'est donc de ce même Grigori que nous avons reçu un témoignage si décisif sur votre compte que… voulut continuer le procureur, mais Mitia avait soudain bondi de sa chaise.

— Une minute, messieurs, au nom du ciel, rien qu'une petite minute ; je cours lui dire…

— Pardon ! A la minute présente, c'est absolument impossible ! lança Nikolaï Parfionovitch dans une espèce, même, de glapissement, et, lui aussi, il bondit sur ses jambes. Mitia fut saisi par les gens à l'insigne sur la poitrine ; du reste, il s'était rassis lui-même…

— Messieurs, comme c'est dommage ! Je voulais juste la voir un petit instant… je voulais lui annoncer qu'il est lavé, qu'il a disparu, ce sang-là qui m'avait sucé le cœur pendant toute la nuit, et que, ça y est, je ne suis plus un assassin ! Messieurs, mais elle est ma fiancée ! prononça-t-il soudain d'une voix exaltée et béate, en faisant courir ses yeux sur toute l'assistance. Oh, je vous remercie, messieurs ! Oh, comme vous m'avez régénéré, comme vous m'avez ressuscité en une seconde !... Ce vieillard – il m'a porté dans ses bras, messieurs, il m'a lavé dans le baquet quand tout le monde m'avait abandonné, quand j'avais trois ans, il a été mon propre père !...

— Et donc, vous... voulut reprendre le juge d'instruction.

— Pardon, messieurs, pardon, encore une petite minute, l'interrompit Mitia, les deux coudes sur la table et se cachant le visage dans les mains, laissez-moi reprendre mes esprits une petite seconde, laissez-moi respirer, messieurs. Tout ça, ça bouleverse d'une façon terrible, terrible, ce n'est quand même pas une peau de tambour, l'homme, messieurs !

— Si vous repreniez un peu d'eau... balbutia Nikolaï Parfionovitch.

Mitia ôta les mains de son visage et éclata de rire. Son regard était vif, il avait comme entièrement changé en un instant. Son ton aussi avait changé tout entier : il se tenait à présent comme un égal parmi tous ces gens, qu'il connaissait déjà tous auparavant, exactement comme s'ils s'étaient tous retrouvés la veille, alors qu'il ne s'était encore rien passé, dans telle ou telle société mondaine. Remarquons, justement, à propos, qu'au début de son arrivée chez nous, Mitia avait été reçu à cœur ouvert chez l'*ispravnik* mais que, par la suite, et surtout ce dernier mois, Mitia lui avait peu rendu visite et que l'*ispravnik*, quand il le rencontrait, dans la rue par exemple, se renfrognait très fort et ne lui rendait son salut que par politesse, ce que Mitia avait parfaitement remarqué. Il connaissait le procureur d'encore plus loin, mais, l'épouse du procureur, dame nerveuse et fantasque, il lui avait rendu quelques visites, du reste des plus bienséantes, et sans d'ailleurs comprendre lui-même pourquoi il les lui avait rendu, ces visites, et elle l'avait toujours reçu très gentiment, s'intéressant bizarrement à lui jusqu'à ces tout derniers temps. Le juge d'instruction, lui, il n'avait pas encore eu le temps de le connaître, et, néanmoins, il l'avait déjà rencontré une ou deux fois, et ils s'étaient même parlé, les deux fois à propos du sexe faible.

— Vous êtes un vrai expert, Nikolaï Parfionovitch, je vois ça, comme juge d'instruction, fit Mitia, éclatant soudain d'un rire joyeux, mais c'est à mon tour de vous aider maintenant. Oh, messieurs, je suis ressuscité… et ne m'en veuillez pas si je vous parle aussi directement, aussi franchement. En plus, je suis un peu soûl, ça, il faut que je sois franc avec vous. Je crois que j'ai déjà eu l'honneur… l'honneur et le plaisir de vous rencontrer, Nikolaï Parfionytch, chez mon parent Mioussov… Messieurs, messieurs, je ne prétends pas à l'égalité, je comprends bien, n'est-ce pas, en qualité de quoi je suis là devant vous. Ce qui pèse sur moi… si seulement c'est Grigori qui a témoigné contre moi… ça, ça pèse – eh oui, bien sûr, ça pèse sur moi – c'est un soupçon affreux ! C'est terrible, c'est terrible – oh, je comprends ça ! Mais, au fait, messieurs, je suis prêt, et nous en finirons en un clin d'œil, parce que, écoutez, écoutez, messieurs. Parce que si je sais que je suis innocent, alors, bien sûr, nous en aurons fini en un clin d'œil ! C'est vrai, non ? C'est vrai ?

Mitia parlait vite et abondamment, nerveusement, sur un ton expansif et comme si, résolument, il prenait tous ses auditeurs pour ses meilleurs amis…

— Et donc, pour l'instant, nous inscrirons que vous rejetez l'accusation portée contre vous radicalement, déclara Nikolaï Parfionovitch d'un ton insistant, et, se tournant vers son scribe, il lui dicta à mi-voix ce qu'il devait inscrire.

— Inscrire ? Vous voulez inscrire ça ? Ma foi, inscrivez, je suis d'accord, je donne mon accord total, messieurs… Seulement, voyez-vous… Attendez, attendez, inscrivez comme ça : "Coupable de violence, de coups très graves portés à un pauvre vieillard, je suis coupable." Bon, là, au fond de moi, à l'intérieur, au fond de mon cœur, je suis coupable – mais, ça, ce n'est pas la peine de l'écrire, fit-il, se tournant vers le scribe, ça, c'est ma vie privée, messieurs, ça ne vous concerne pas, ces profondeurs, je veux dire, du cœur… Mais du meurtre de mon vieux père – je ne suis pas coupable ! C'est une idée délirante ! C'est une idée absolument délirante !… Je vous prouverai, et vous serez convaincus à la seconde. Vous allez rire, messieurs, vous allez rire vous-mêmes de votre soupçon !…

— Calmez-vous, Dmitri Fiodorovitch, le rappela le juge d'instruction, qui semblait chercher à dompter le frénétique par sa sérénité. Avant de poursuivre l'interrogatoire, je voudrais, si seulement vous acceptez de répondre, entendre de votre part la confirmation de ce fait que, semble-t-il, vous n'aimiez pas le défunt Fiodor Pavlovitch, vous étiez avec lui dans une espèce de brouille permanente… Ici, du moins, il y a un quart d'heure, je crois que vous avez dit que vous avez même voulu le tuer : "Je ne l'ai pas tué, vous êtes-vous exclamé, mais je voulais le tuer !"

— Moi, je me suis exclamé ça ? Oh, c'est possible, messieurs ! Oui, par malheur, j'ai voulu le tuer, j'ai voulu beaucoup de fois… par malheur, par malheur !

— Vous avez voulu. Mais accepterez-vous d'expliquer quels étaient les principes qui, finalement, vous dirigeaient dans cette haine que vous éprouviez pour la personne de votre père ?

— Qu'est-ce que vous voulez expliquer, messieurs ! fit Mitia, baissant la tête et haussant les épaules d'un air sombre. Je n'ai jamais caché mes sentiments, toute la ville les connaît – tous les gens de la taverne les connaissent. Tout récemment encore, au monastère, je l'ai déclaré dans la cellule du starets Zossima... Le même jour, au soir, je l'ai frappé, mon père, et j'ai failli le tuer, et j'ai juré que je reviendrais, et que je le tuerais, devant témoins... Oh, un millier de témoins ! Tout ce mois-ci j'ai crié, tout le monde est témoin !... Le fait est patent, le fait parle de lui-même, il crie, mais – les sentiments, messieurs, les sentiments, ça, c'est autre chose. Voyez-vous, messieurs, fit Mitia, se rembrunissant, j'ai l'impression qu'à propos des sentiments vous n'avez pas le droit de me poser de questions. Vous avez peut-être votre fonction, ça, je le comprends, mais c'est mon affaire à moi, mon affaire intérieure, intime, mais... comme je n'ai jamais caché mes sentiments avant... à la taverne, par exemple, je le disais au premier venu, eh bien... je ne vous ferai pas un mystère, maintenant non plus. Voyez-vous, messieurs, je comprends que, dans ce cas-là, j'ai contre moi des indices effrayants : j'ai dit à tout le monde que j'allais le tuer, et, d'un seul coup, il se fait tuer ; évidemment que c'est moi dans ce cas-là. Ha ha ! Je vous excuse, messieurs, je vous excuse complètement. Moi aussi, n'est-ce pas, je suis stupéfait jusqu'à l'épiderme, parce que, qui donc est-ce qui l'a tué, finalement, dans ce cas-là, si ce n'est pas moi ? N'est-ce pas que c'est vrai ? Si ce n'est pas moi, alors, qui donc, qui donc ? Messieurs, s'exclama-t-il soudain, je veux savoir, je l'exige même de vous, messieurs : où est-ce qu'il a été tué ? Comment il a été tué, avec quoi et comment ? Dites-moi, demanda-t-il très vite, faisant courir ses yeux sur le procureur et le juge d'instruction.

— Nous l'avons trouvé étendu par terre, renversé de tout son long, dans son bureau, le crâne fracassé, prononça le procureur.

— C'est affreux, ça, messieurs ! fit Mitia, tressaillant soudain, et, s'accoudant sur la table, il cacha son visage dans sa main droite.

— Nous allons poursuivre, l'interrompit Nikolaï Parfionovitch. Et donc, qu'est-ce qui vous dirigeait dans vos sentiments de haine ? Je crois que vous affirmiez publiquement que c'était un sentiment de jalousie ?

— Eh oui, la jalousie, et pas seulement la jalousie.

— Des brouilles pour de l'argent ?

— Oui, aussi pour l'argent.

— Je crois que la brouille tournait autour de trois mille roubles qui ne vous auraient pas été donnés par héritage.

— Comment trois ! Bien plus, bien plus ! s'écria Mitia. Plus de six mille, plus de dix mille, peut-être. Je l'ai dit à tout le monde, je l'ai crié ! Mais je me suis résolu, tant bien que mal, à faire la paix sur trois mille. J'avais besoin de ces trois mille roubles, une question de vie ou de mort… si bien que le paquet de trois mille roubles que, je le savais, il gardait sous son oreiller, et qu'il avait préparé pour Grouchenka, je considérais résolument que c'était comme s'il me l'avait volé, voilà, messieurs, cet argent-là, je considérais qu'il était à moi, comme ma propriété, quoi, voilà.

Le procureur échangea un regard lourd de sens avec le juge d'instruction et eut le temps de lui faire un clin d'œil inaperçu.

— Nous reviendrons encore sur ce sujet, reprit tout de suite le juge, mais vous nous permettrez pour le moment de remarquer et de noter précisément ce petit point : que vous considériez cette somme, dans cette enveloppe, comme, autant dire, votre propriété.

— Ecrivez, messieurs, je comprends bien, n'est-ce pas, que, là encore, c'est un indice contre moi, mais je n'ai pas peur des indices, et je parle moi-même contre moi. Vous entendez, moi-même ! Voyez-vous, messieurs, je crois que vous me prenez pour un homme complètement différent de ce que je suis, ajouta-t-il soudain d'un ton sombre et triste. C'est un homme au cœur noble qui vous parle, une personne des plus noble, surtout – ça, ne l'oubliez jamais –, un homme qui a commis une foule d'infamies, mais qui a toujours été, et qui est toujours resté un être des plus noble, en tant qu'être, à l'intérieur, au fond, bon, bref, je ne sais pas m'exprimer… C'est justement ça qui m'a torturé toute la vie, que j'avais soif de noblesse, que j'étais, pour ainsi dire, un martyr de la noblesse, que je la cherchais avec une lanterne, comme la lanterne de Diogène, et, pourtant, toute ma vie, je n'ai rien fait que des saletés, comme nous tous, messieurs… c'est-à-dire, comme moi seul, messieurs, pas nous tous, mais que moi seul, je me suis trompé, moi seul, moi seul !… Messieurs, j'ai mal à la tête, fit-il, grimaçant douloureusement, vous voyez, messieurs, je n'aimais pas son physique, quelque chose de malhonnête, la vantardise et le sacrilège de tout ce qui est sacré, la moquerie et l'incroyance, c'est sale, c'est sale ! Mais, maintenant qu'il est mort, je pense autrement.

— Autrement ?

— Pas autrement, mais je regrette de l'avoir haï autant.

— Vous ressentez du remords ?

— Non, je ne peux pas dire du remords, ne notez pas ça. Moi-même je me pose là, messieurs, voilà, moi-même je ne suis pas joli joli, voilà pourquoi je n'avais pas le droit de penser qu'il était dégoûtant, voilà ! Ça, si vous voulez, notez.

A ces mots, Mitia tomba soudain dans une tristesse extrême. Depuis longtemps, peu à peu, à mesure qu'il répondait aux questions du juge d'instruction, il devenait de plus en plus sombre. Mais, soudain, c'est la scène la plus inattendue qui éclata. Le fait est que Grouchenka avait été, certes, tout à l'heure, éloignée, mais on ne l'avait pas éloignée très loin, juste à deux pièces de distance de la pièce bleue dans laquelle se poursuivait l'interrogatoire. C'était une petite pièce à une seule fenêtre, qui jouxtait la grande pièce dans laquelle, cette nuit, on avait dansé et fait la noce. Elle restait là, avec auprès d'elle seulement un Maximov lui-même terriblement impressionné, terriblement apeuré et qui la suivait comme son ombre, comme si c'était auprès d'elle qu'il cherchait son salut. A leur porte se tenait un paysan, son insigne sur la poitrine. Grouchenka pleurait, et puis, d'un seul coup, quand le malheur lui fut devenu par trop insupportable, elle bondit, lança les bras au ciel, et, après avoir crié, dans un sanglot sonore : "Mon malheur, oh, malheur !", se jeta hors de la pièce, vers lui, vers son Mitia, et, ce, dans un élan tellement inattendu que personne n'eut le temps de l'arrêter. Mitia, lui, entendant son cri, se mit littéralement à trembler, bondit, hurla et se précipita à sa rencontre, comme dans un état second. Mais, là encore, on ne les laissa pas s'étreindre, même s'ils se voyaient déjà. Lui, on le retenait fermement par les bras ; il se débattait, gesticulait, on eut besoin de trois ou quatre hommes pour le retenir. Elle aussi, on se saisit d'elle, et il la vit, elle, qui lui tendait les bras en criant alors qu'on l'entraînait. Une fois la scène terminée, il reprit conscience à sa place, devant la table, face au juge d'instruction, et il criait, en s'adressant à eux :

— Qu'est-ce que vous lui voulez ? Pourquoi vous la torturez ? Elle est innocente, innocente !...

Le procureur et le juge d'instruction essayaient de le calmer. Il se passa ainsi un certain temps, une dizaine de minutes ; finalement Mikhaïl Makarovitch, qui s'était éloigné, rentra précipitamment dans la pièce et dit d'une voix agitée et sonore au procureur :

— On l'a éloignée, elle est en bas, mais est-ce que vous me permettrez de dire un mot, messieurs, à ce malheureux ? Devant vous, messieurs, devant vous !

— Je vous en prie, Mikhaïl Makarovitch, répondit le juge d'instruction, dans la situation présente nous n'avons rien à dire contre.

— Dmitri Fiodorovitch, écoute-moi, mon bon, commença Mikhaïl Makarovitch, s'adressant à Mitia et tout son visage bouleversé exprimait une compassion brûlante, quasiment paternelle, envers le malheureux, ton Agraféna Alexandrovna, je l'ai conduite en bas moi-même, je l'ai confiée aux filles du patron, et il y a ce petit vieux, Maximov, maintenant, qui ne la quitte pas d'une semelle, j'ai réussi à la persuader, tu entends – je l'ai persuadée et je l'ai apaisée, je lui ai fait comprendre qu'il fallait bien que tu te justifies, qu'elle ne devait pas te déranger, te jeter dans l'angoisse, que tu pouvais te troubler, témoigner en ta défaveur, tu comprends ? Bon, bref, j'ai parlé, et, elle, elle a compris. Elle a oublié d'être bête, mon gars, elle est gentille, elle voulait me baiser les mains, moi, vieux comme je suis, elle me suppliait pour toi. C'est elle-même qui m'envoie te le dire, que tu sois tranquille à son sujet, et il faut, mon petit gars, il faut que j'y retourne, que je lui dise que tu es tranquille et que tu es consolé pour elle. Donc, alors, apaise-toi, comprends ça. Je suis coupable à son égard, c'est une âme chrétienne, oui, messieurs, c'est une âme d'humilité, et pas coupable de rien. Alors, comment je lui dis, Dmitri Fiodorovitch, tu restes tranquille, oui ou non ?

Le brave homme avait dit bien des choses inutiles, mais le malheur de Grouchenka, le malheur d'un être humain avait pénétré sa bonne âme, et il en avait même les larmes aux yeux. Mitia bondit et se jeta vers lui.

— Pardonnez, messieurs, permettez, oh, permettez ! s'écria-t-il. Vous avez une âme d'ange, oui, d'ange, Mikhaïl Makarovitch, je vous remercie pour elle ! Oui, oui, je serai tranquille, je serai gai, dites-lui ça, par la bonté sans mesure de votre âme, que je suis gai, je suis gai, je vais même me mettre à rire, sachant qu'elle a un ange gardien comme vous. J'en termine tout de suite, et, sitôt que je me libère, je cours la rejoindre, elle verra, qu'elle attende ! Messieurs, s'adressa-t-il soudain au procureur et au juge d'instruction, maintenant, je vous ouvre toute mon âme, je vous l'épanche toute, nous allons en finir en un clin d'œil, et en finir gaiement – à la fin, n'est-ce pas que nous allons rire, hein, n'est-ce pas ? Mais, messieurs, cette femme, c'est la reine de mon âme ! Oh, permettez-moi de dire ça, ça je vais vous le révéler… Je le vois bien, n'est-ce pas, que je suis avec les gens les plus nobles : c'est ma lumière, c'est mon saint des saints, et si seulement vous saviez ! Vous avez entendu ces cris : "Avec toi, même sur l'échafaud !" Et qu'est-ce que je lui ai donné, moi, un mendiant, un va-nu-pieds, pour qu'elle éprouve un tel amour pour moi, est-ce que je le mérite, moi, une créature maladroite, honteuse, avec une figure honteuse, un amour comme celui-là, qu'on puisse vouloir m'accompagner au bagne ? Pour moi, elle vient de se traîner à vos pieds, elle, fière comme elle est, et coupable de rien ! Comment je pourrais ne pas l'adorer, ne pas hurler, ne pas vouloir la rejoindre, comme en ce moment ? Oh, messieurs, pardonnez-moi ! Mais maintenant, maintenant, je suis consolé !

Il retomba sur sa chaise et, se cachant le visage de ses deux mains, il fondit en sanglots. Mais ces larmes-là étaient heureuses. Il se reprit en un instant. Le vieil *ispravnik* était très content, et, semble-t-il, les juristes aussi : ils avaient senti que leur interrogatoire ne manquerait pas de passer dorénavant à une phase nouvelle. Après avoir raccompagné l'*ispravnik*, Mitia avait l'air simplement nimbé de lumière.

— Bon, messieurs, maintenant, je suis à vous, à vous complètement. Et... sans toutes ces vétilles, nous serions déjà arrivés à un accord. Je recommence avec ces vétilles. Je suis à vous, messieurs, mais, je vous jure, il nous faut une confiance commune – la vôtre pour moi, et la mienne pour vous – sinon, nous n'en finirons pas. Pour vous que je le dis. Au fait, messieurs, au fait, et, surtout, ne creusez pas à ce point dans mon âme, ne la déchirez pas avec des bagatelles, ne demandez que des choses sérieuses et des faits, et je vous donnerai satisfaction tout de suite. Mais, les vétilles, au diable !

Ainsi s'exclamait Mitia. L'interrogatoire reprit.

IV

TRIBULATION DEUXIÈME

— Vous ne nous croirez pas si je vous dis à quel point vous nous rassurez, nous aussi, Dmitri Fiodorovitch, avec votre bonne volonté… se lança Nikolaï Parfionovitch avec cette animation et ce plaisir visibles qui luisaient dans ses grands yeux gris clair globuleux, et, du reste, très myopes, dont il venait, une minute auparavant, d'ôter ses lunettes. Et vous avez raison de faire cette remarque au sujet de cette confiance mutuelle qui doit être la nôtre, sans laquelle rien n'est parfois possible dans des affaires d'une telle importance, au cas et dans le sens où la personne suspectée désire réellement, espère et peut se justifier. De notre côté, nous ferons tout ce qui est en notre pouvoir, et vous avez pu voir vous-même comment nous menons cette affaire jusqu'à présent… Vous m'approuvez, Hippolyte Kirillovitch ? s'adressa-t-il soudain au procureur.

— Oh, sans aucun doute, l'approuva le procureur, quoique d'un ton un peu sec par rapport à l'élan de Nikolaï Parfionovitch.

Je le remarquerai une fois pour toutes : nouveau chez nous, Nikolaï Parfionovitch, dès le tout début de sa carrière chez nous, avait ressenti envers notre Hippolyte Kirillovitch, le procureur, un respect extraordinaire et s'était presque lié de cœur avec lui. Il était presque le seul homme qui avait cru sans aucun doute à l'extraordinaire talent psychologique et oratoire d'un Hippolyte Kirillovitch qui se sentait “en butte à des vexations de carrière”, et croyait complètement qu'il subissait ces vexations. Il avait déjà entendu parler de lui à Pétersbourg. En revanche, à son tour, le tout jeune Nikolaï Parfionovitch s'avéra être la seule personne dans le monde entier que notre procureur "vexé" aimât sincèrement. En chemin, ils avaient eu le temps de s'entendre et de se mettre d'accord sur tel ou tel aspect de l'affaire qu'ils allaient devoir mener, et, à présent, autour de cette table, l'esprit pointu de Nikolaï Parfionovitch saisissait au vol et comprenait toutes les indications, chaque mouvement de son camarade aîné, à demi-mot, d'un regard, d'un semi-clin d'œil.

— Messieurs, laissez-moi seulement raconter moi-même et ne m'interrompez pas avec des bagatelles, je vous exposerai tout en un instant, bouillonnait Mitia.

— Parfait. Je vous remercie. Mais, avant de passer à l'écoute de ce que vous voulez nous dire, je voudrais que vous nous permettiez de constater, n'est-ce pas, un petit fait, très curieux à nos yeux, à savoir ces dix roubles que, vous, hier, sur les cinq heures, vous avez obtenus en engageant vos pistolets auprès d'une connaissance à vous, Piotr Ilitch Perkhotine.

— Je les ai mis en gage, messieurs, je les ai mis en gage, pour dix roubles, et alors ? C'est tout, dès que je suis revenu en ville, après mon déplacement, je les ai mis en gage.

— Parce que vous êtes revenu d'un déplacement ? Vous avez quitté la ville ?

— Mais oui, messieurs, j'ai fait une trotte de quarante verstes, parce que vous n'étiez pas au courant ?

Le procureur et Nikolaï Parfionovitch échangèrent un regard.

— Dites, en général, si vous commenciez votre récit par une description systématique de votre journée d'hier, depuis le matin ? Permettez-nous, par exemple, de vous demander : pourquoi avez-vous quitté la ville et quand, précisément, êtes-vous parti et revenu… bref, tous ces faits…

— Eh bien, vous me l'auriez demandé depuis le début, fit Mitia en éclatant de rire, ma foi, si vous voulez, ce n'est pas d'hier qu'il faudrait commencer, mais d'avant-hier, du matin, là, vous comprendrez où, comment et pourquoi je suis allé, à pied et en voiture. Je me suis rendu, messieurs, le matin d'avant-hier, trouver un marchand de la ville, Samsonov, lui emprunter trois mille roubles, contre une garantie tout ce qu'il y a de sûre – ça m'était venu, d'un coup, messieurs, d'un coup, ça m'était venu…

— Permettez-moi de vous interrompre, le coupa poliment le procureur, pourquoi avez-vous eu tellement besoin, d'un coup, précisément de cette somme-là, je veux dire de trois mille roubles ?

— Bah, messieurs, il ne faudrait pas entrer dans les vétilles : comment, quand et pourquoi, et pourquoi justement autant cette somme-ci, et pas cette somme-là, et tout ce prêchi-prêcha… mais, à ce train-là, on n'aura pas assez de trois volumes, et en plus, il faudra un épilogue !

Tout cela, Mitia l'avait prononcé avec cette familiarité sympathique mais impatiente de l'homme qui veut dire toute la vérité et qui est animé des intentions les meilleures.

— Messieurs, fit-il, comme s'il se reprenait soudain, ne m'en veuillez pas si je suis impétueux, je vous le redemande : croyez-moi une nouvelle fois, je ressens le respect le plus total et je comprends la situation réelle de l'affaire. Ne pensez pas que je sois soûl. Oh, maintenant, je suis dessoûlé. Même si j'avais été soûl, d'ailleurs ça n'aurait pas gêné. C'est comme ça chez moi, maintenant –

Je dessoûle, je comprends – je deviens bête,
Je me soûle, je deviens bête – je comprends.

Ha ha ! Remarquez, je vois, messieurs, que, pour l'instant, c'est encore indécent de ma part que je fasse de l'esprit devant vous, tant que nous ne nous sommes pas expliqués. Permettez-moi, à moi aussi, de respecter ma dignité personnelle. La différence actuelle, je la comprends : je suis là, n'est-ce pas, on y revient, devant vous comme un criminel, donc, comme tout sauf votre égal, et, vous, vous avez la mission de me surveiller : vous n'irez pas me faire des bisous pour Grigori, ce n'est quand même pas possible de fracasser le crâne des vieux sans conséquence, vous allez tout de même me faire passer en jugement pour lui, non, j'en prendrai au moins pour six mois, peut-être un an, de pénitencier, je ne sais pas, ce qu'ils décideront chez vous, même sans perte des droits, n'est-ce pas, sans perte des droits, procureur ? Bon, donc, messieurs, je la comprends, la différence… Mais accordez-le vous-mêmes, vous, c'est Dieu Lui-même que vous pouvez désarçonner avec toutes vos questions : où j'ai marché, comment j'ai marché, quand j'ai marché et dans quoi j'ai marché ? Je vais finir par m'y perdre, si c'est comme ça, et vous, tout de suite, vous allez écrire Dieu sait quoi, et, là, qu'est-ce que ça va donner ? Ça ne donnera rien ! Et enfin, puisque j'ai commencé, maintenant, à délirer, je vais aller jusqu'au bout, et vous, messieurs, comme des gens d'instruction supérieure et du cœur le plus noble, vous me pardonnerez. Oui, je finirai par une demande : oubliez, messieurs, cette routine de l'interrogatoire, c'est-à-dire, d'abord, n'est-ce pas, voyez-vous, commence par je ne sais quoi de miséreux, d'insignifiant : comment, n'est-ce pas, je me suis levé, ce que j'ai mangé, comment j'ai craché, et, "détournant l'attention du criminel", d'un coup, tombe-lui dessus par une question qui le laisse sans voix : "Qui tu as tué, qui tu as volé ?"

Ha ha ! La voilà, votre routine, c'est ça que vous avez comme règle, voilà sur quoi elle tient, toute votre ruse ! C'est bon pour endormir les moujiks, ce genre de ruses, pas moi. Moi, n'est-ce pas, je comprends l'affaire, moi aussi, j'ai servi l'empereur, ha ha ha ! Ne vous fâchez pas, messieurs, vous me pardonnez l'audace ? cria-t-il, les regardant avec une bonhomie quasiment étonnante. C'est Mitka Karamazov qui vient de le dire, allez, on peut lui pardonner, parce que, c'est peut-être impardonnable pour un homme intelligent, mais, pour Mitka, c'est pardonnable ! Ha ha !

Nikolaï Parfionovitch écoutait et riait lui aussi. Le procureur, certes, ne riait pas, mais observait Mitia d'un œil perçant, sans le quitter des yeux une seule seconde, comme s'il refusait de laisser passer le moindre mot, le moindre mouvement, le moindre ébranlement du moindre trait de son visage.

— Mais pourtant, c'est justement ainsi que nous avons commencé avec vous, répondit, toujours en continuant de rire, Nikolaï Parfionovitch, nous n'avons pas voulu vous désarçonner par des questions : comment vous vous êtes levé et ce que vous avez mangé, non, nous avons commencé par quelque chose, même, de trop important.

— Je comprends, j'ai compris et j'ai apprécié, et j'apprécie d'autant plus la bonté véritable dont vous faites preuve envers moi, cette bonté sans exemple, digne des âmes les plus nobles. Nous sommes ici trois hommes au cœur noble, et je veux que tout reste entre nous comme ça, dans une confiance mutuelle, des hommes éduqués, des gens du monde, liés par l'aristocratie et par l'honneur. Quoi qu'il en soit, permettez-moi de vous considérer comme mes meilleurs amis en cette minute de ma vie, en cette minute de l'abaissement de mon honneur ! N'est-ce pas que ça ne vous blesse pas, messieurs, ça ne vous blesse pas ?

— Au contraire, vous avez exprimé tout cela d'une façon si splendide, Dmitri Fiodorovitch, renchérit Nikolaï Parfionovitch d'une voix grave et approbatrice.

— Mais les vétilles, messieurs, toutes ces vétilles qui ne font que des complications, dehors, s'exclama Mitia, enthousiaste, parce que, sinon, c'est le diable sait quoi que ça va donner, n'est-ce pas que c'est vrai ?

— Je suivrai tout à fait ces avis pleins de raison, intervint soudain le procureur s'adressant à Mitia, mais, cependant, je ne veux pas renoncer à ma question. Il ne nous est que trop important de savoir pourquoi précisément vous avez eu besoin d'une telle somme, c'est-à-dire précisément de trois mille roubles ?

— Pourquoi j'en ai eu besoin ? Hum, pour ci pour ça… enfin, pour payer une dette.

— A qui précisément ?

— Ça, je refuse positivement de vous le dire, messieurs ! Voyez-vous, non pas que je ne puisse pas le dire, ou que je n'ose pas, ou que je le craigne, parce que, tout ça, c'est une affaire de rien du tout, des vétilles totales, mais parce que je ne le dirai pas, là, c'est un principe : c'est ma vie privée, et je ne permettrai pas qu'on s'immisce dans ma vie privée. Voilà mon principe. Votre question n'a rien à voir avec l'affaire, et tout ce qui n'a rien à voir avec l'affaire, c'est ma vie privée ! Je voulais rendre une dette, je voulais rendre une dette d'honneur : à qui – je ne le dirai pas.

— Permettez-nous d'inscrire cela, dit le procureur.

— Je vous en prie. Notez-le tel quel : je ne le dirai pas, un point c'est tout. Ecrivez, messieurs, que j'estime déshonorant de le dire. Dites donc, vous en mettez, du temps, pour l'inscrire !

— Permettez-moi, monsieur, de vous avertir et de vous rappeler une fois encore, si seulement vous ne le savez pas, reprit le procureur d'un ton d'insistance particulièrement grave et sévère, que vous avez le droit le plus total de ne pas répondre aux questions que nous vous posons en ce moment, et que, nous, à l'inverse, nous n'avons aucun droit de vous extorquer des réponses, si vous-même vous refusez de répondre pour telle ou telle raison. C'est l'affaire de votre considération personnelle. Mais notre affaire à nous consiste, là encore, dans le fait de vous représenter dans un cas semblable et de vous expliquer le tort que vous vous faites à vous-même en refusant de donner telle ou telle explication. Sur ce, je vous demande de poursuivre.

— Messieurs, je ne vous en veux pas… je… balbutia Mitia, visiblement troublé devant cette insistance, c'est-à-dire, n'est-ce pas, messieurs, ce fameux Samsonov que je suis allé trouver à ce moment-là…

Nous ne referons pas, bien sûr, le récit détaillé de ce que le lecteur connaît déjà. Le narrateur voulait impatiemment raconter tout, jusqu'au moindre détail, et, en même temps, le faire le plus vite possible. A mesure de son témoignage, cela était noté et, donc, on l'arrêtait quand le besoin s'en faisait sentir. Dmitri Fiodorovitch condamnait cela, mais se soumettait, se fâchait, mais, pour l'instant encore, avec bonhomie. Certes, il s'écriait parfois : “Messieurs, mais ça mettrait en rage le bon Dieu Lui-même !” ou bien : “Messieurs, vous ne savez donc pas que vous ne faites que m'énerver pour rien ?”, mais, pour le moment, alors même qu'il lançait ces exclamations, il conservait encore son humeur expansive. Ainsi raconta-t-il la façon dont Samsonov l'avait “roulé”, deux jours auparavant. (A présent, il avait parfaitement deviné qu'il s'était fait rouler.) La vente de sa montre pour six roubles, afin d'avoir l'argent du voyage, chose que le procureur et le juge d'instruction ignoraient totalement, éveilla tout de suite leur intérêt le plus vif, et, cela, à l'indignation sans mesure de Mitia : on jugea nécessaire de noter ce fait dans tous ses détails, vu qu'il confirmait une seconde fois cette circonstance que, la veille, il n'avait pas un sou vaillant. Peu à peu, Mitia devenait de plus en plus sombre. Ensuite, après avoir décrit le voyage chez Chien-d'Arrêt et la nuit où il avait failli mourir asphyxié dans l'isba, etc., il poussa son récit jusqu'à son retour en ville, et commença lui-même, sans demande particulière, à décrire en détail les tortures de sa jalousie pour Grouchenka. On l'écouta attentivement et sans mot dire, on comprit tout particulièrement qu'il s'était depuis longtemps aménagé un point de surveillance pour Grouchenka chez Fiodor Pavlovitch, "à l'arrière" de la maison de Maria Kondratievna, et que les nouvelles étaient rapportées par Smerdiakov : cela fut noté tout à fait et fut inscrit. Sa jalousie, il en parla avec chaleur, abondamment, et il avait beau avoir très honte, au fond de lui-même, de mettre ainsi au jour ses sentiments les plus intimes, pour ainsi dire, "à la honte générale", il surmontait visiblement sa honte pour dire la vérité. La sévérité insensible des regards du juge d'instruction et surtout du procureur dardés fixement sur lui à mesure qu'il parlait finit par le troubler assez fort : "Ce gamin de Nikolaï Parfionovitch, avec qui, il y a seulement quelques jours, je racontais toutes sortes de bêtises sur les femmes, et ce procureur malade, ils ne méritent pas que je leur raconte ça, se sentit-il penser soudain avec tristesse, honte ! Supporte, accepte et ne dis rien[1]", conclut-il par un vers, mais, là

1. Citation un peu déformée d'un poème de F. Tiouttchev, *Silentium* (1830). La citation exacte est, littéralement : "Supporte, dissimule-toi et ne dis rien."

encore, il se reprit pour continuer. Passant à son récit sur Khokhlakova, il s'égaya même à nouveau et voulut raconter à propos de cette petite dame une petite anecdote particulière et toute récente, qui n'avait rien à voir avec l'affaire, mais le juge d'instruction l'arrêta et lui proposa poliment de passer à quelque chose de plus "substantiel". Finalement, après avoir décrit son désespoir et parlé de cette minute où, en sortant de chez Khokhlakova, il avait même pensé "plutôt égorger quelqu'un, mais trouver les trois mille", on l'arrêta à nouveau, et le fait qu'il avait voulu "égorger" fut inscrit. Mitia, sans rien dire, laissa faire. Finalement, le récit en arriva au point où il avait soudain appris que Grouchenka l'avait trompé et qu'elle était partie de chez Samsonov tout de suite après qu'il l'avait eue conduite chez lui, alors qu'elle avait dit qu'elle resterait chez le vieil homme jusqu'à minuit : "Si je n'ai pas tué cette Fénia, messieurs, à ce moment-là, c'est juste que je n'avais pas le temps", laissa-t-il échapper soudain à cet endroit du récit. Cela aussi fut soigneusement noté. Mitia attendit d'un air sombre et voulut reprendre son récit sur la façon dont il avait couru jusqu'au jardin de son père, quand, brusquement, le juge d'instruction l'arrêta et, ouvrant une grande serviette qu'il avait posée à côté de lui sur le divan, il en sortit le pilon de cuivre.

— Vous connaissez cet objet ? demanda-t-il, le montrant à Mitia.

— Ah oui ! répondit ce dernier, dans un ricanement lugubre. Bien sûr que je le connais ! Laissez-moi voir... Ah, diable, pas la peine !

— Vous avez oublié de le mentionner, remarqua le juge d'instruction.

— Ah diable ! Je ne vous l'aurais pas caché, je crois bien que je n'aurais pas pu me passer de ça, qu'est-ce que vous en pensez ? Ça m'était juste sorti de la tête.

— Veuillez nous raconter en détail la façon dont vous l'avez pris pour arme.

— Si vous voulez, je veuille, messieurs.

Et Mitia raconta comment il avait pris le pilon et avait continué sa course.

— Mais quel but aviez-vous avec cet objet, en vous armant d'une telle arme ?

— Quel but ? Aucun but ! Je l'ai pris, j'ai continué de courir.

— Mais pourquoi donc, s'il n'y avait pas de but ?

Le dépit bouillonnait en Mitia. Il regarda fixement le “gamin” et eut un ricanement lugubre et rageur. Le fait est qu'il commençait à rougir de plus en plus d'avoir raconté, là, avec tant de sincérité et de tels épanchements, “à des gens pareils”, l'histoire de sa jalousie.

— On s'en fiche du pilon ! laissa-t-il soudain échapper.

— Et pourtant…

— Bon, je l'ai pris à cause des chiens. Bon, dans le noir… Bon, à tout hasard.

— Et avant, vous preniez aussi, quand vous sortiez la nuit, une arme quelconque, si vous aviez à ce point peur de la nuit ?

— Ah, diable, zut ! Messieurs, on ne peut littéralement pas vous parler ! s'écria Mitia au dernier degré de l'agacement et, se retournant vers le scribe, tout rouge de colère, il lui déclara très vite, avec une espèce de note frénétique dans la voix : Note ça tout de suite… tout de suite… “j'ai pris le pilon dans le but de courir tuer mon père… Fiodor Pavlovitch… d'un coup sur la tête !” Bon, vous êtes satisfaits, maintenant, messieurs ? Vous êtes soulagés ? murmura-t-il, fixant avec défi le juge d'instruction et le procureur.

— Nous comprenons trop que ce témoignage que vous venez de faire vient seulement de votre agacement et du dépit qui est le vôtre aux questions que nous vous posons, questions que vous considérez comme mesquines alors qu'elles sont, en fait, tout à fait essentielles, lui répondit sèchement le procureur.

— Mais enfin, voyons, messieurs ! Bon, j'ai pris ce pilon... Mais pourquoi est-ce qu'on prend quelque chose dans les mains dans ce cas-là ? Je ne sais pas pourquoi. Je l'ai pris au vol, et j'ai couru. Voilà tout. La honte, messieurs, *passons**[1], sinon, je vous jure, j'arrête de raconter.

Il s'accouda sur la table et s'appuya la tête dans les mains. Il était assis de biais vis-à-vis d'eux et regardait le mur, en essayant de surmonter en lui-même une impulsion mauvaise. Le fait est qu'il avait une envie terrible de se lever et de déclarer qu'il ne dirait plus un mot, "vous pouvez me conduire, même, me faire exécuter".

— Voyez-vous, messieurs, reprit-il soudain, en se dominant lui-même au prix de grands efforts, vous voyez. Je vous écoute, et j'ai comme l'impression... voyez-vous, il y a un rêve qui me revient de temps en temps... un rêve comme ça, et je le fais souvent, il se répète, il y a quelqu'un qui me poursuit, quelqu'un, je ne sais pas, dont j'ai une peur terrible, il me poursuit dans le noir, la nuit, il me cherche, et, moi, je me cache, n'importe où, derrière une porte, ou derrière une armoire, je me cache d'une façon humiliante, et, surtout, il le sait parfaitement, où je me suis caché, mais, lui, c'est comme s'il faisait semblant, exprès, qu'il ne le savait pas, où je suis, juste pour faire durer la torture, jouir de

1. Les mots en italique suivis d'un astérisque sont en français dans le texte.

ma peur… C'est ça que vous faites en ce moment ! A ça que ça ressemble !

— Parce que vous faites des rêves comme ça ? s'enquit le procureur.

— Oui, je fais des rêves comme ça… Ça aussi, vous voulez le noter ? ricana Mitia d'un air torve.

— Non, ce n'est pas pour le noter, mais ils sont tout de même curieux, vos rêves.

— Maintenant, ce n'est plus un rêve ! C'est le réalisme, messieurs, le réalisme de la vie réelle ! Je suis un loup, et, vous, vous êtes les chasseurs, bon, vous traquez le loup.

— Vous avez tort de prendre cette comparaison… commença Nikolaï Parfionovitch avec une douceur particulière.

— Non, je n'ai pas tort, messieurs, je n'ai pas tort ! reprit Mitia, se remettant à bouillir, et, visiblement soulagé par cet accès de colère, il se remit à s'adoucir à chaque mot qu'il prononçait. Vous pouvez ne pas croire un criminel ou un suspect que vous torturez par vos questions, mais un homme des plus noble, messieurs, à l'âme aux élans les plus nobles (je n'ai pas peur de le crier !) – non ! ça, vous ne pouvez pas ne pas le croire… même le droit vous ne l'avez pas… mais –

tais-toi, mon cœur,
Supporte, accepte et dis rien !

Bon, alors, on reprend ? coupa-t-il sombrement.

— Mais voyons, je vous en prie, répondit Nikolaï Parfionovitch.

V

TRIBULATION TROISIÈME

Mitia avait beau s'être mis à parler d'un air dur, il essayait visiblement de plus en plus de ne pas oublier, de ne plus laisser passer le moindre détail de ce qu'il transmettait. Il raconta la façon dont il avait sauté par-dessus la palissade du jardin de son père, était allé jusqu'à la fenêtre, et tout, enfin, ce qui s'était passé à cette fenêtre. D'une façon claire, précise, comme en marquant chaque mot, il parla des sentiments qui l'avaient agité pendant ces instants dans le jardin, quand il avait éprouvé cette envie terrible de savoir si Grouchenka se trouvait, oui ou non, chez son père. Mais, chose étrange : tant le procureur que le juge d'instruction écoutaient cette fois-là avec une espèce de retenue terrible, le regardaient d'un air sec, posaient beaucoup moins de questions. Mitia n'arrivait à aucune déduction quand il les regardait. "Ils se sont fâchés, ils sont vexés, se dit-il, eh, au diable !" Quand il raconta qu'il avait fini par se décider à donner à son père le *signal* que Grouchenka était là, afin qu'il ouvre la fenêtre, le procureur et le juge d'instruction ne prêtèrent aucune attention à ce mot, "signal", comme s'ils ne comprenaient pas du tout le sens qu'il avait là, ce mot, de sorte que, cela, Mitia s'arrêta même un peu dessus. Quand il finit par arriver au moment où, voyant son père se pencher par la fenêtre, il s'étais mis à bouillir de haine et avait sorti le pilon de sa poche, là, d'un seul coup, comme intentionnellement, il s'arrêta. Il restait là, à regarder le mur, et il savait que les deux autres le dévoraient des yeux.

— Bon, dit le juge d'instruction, vous avez sorti votre arme et... qu'est-ce donc qui s'est passé ensuite ?

— Ensuite ? Eh bien, ensuite, je l'ai tué… je l'ai cogné, sur le haut de la tête, je lui ai fendu le crâne… N'est-ce pas que c'est comme ça, d'après vous ? fit-il, des éclairs dans les yeux. Toute la colère qui s'était apaisée s'était brusquement allumée dans son âme avec une force extraordinaire.

— D'après nous, répéta Nikolaï Parfionovitch, bon, mais d'après vous ?

Mitia baissa les yeux et resta longuement muet.

— D'après moi, messieurs, d'après moi, voilà ce qui s'est passé, reprit-il d'une voix posée, les larmes de je ne sais qui, ou ma mère qui a supplié le bon Dieu, ou un esprit de lumière qui m'a baisé à cet instant – je ne sais pas, mais le diable a été vaincu. Je me suis enfui loin de la fenêtre et j'ai couru vers la palissade… Mon père a pris peur et c'est là qu'il m'a aperçu pour la première fois, il a crié et il s'est reculé très vite de devant la fenêtre – ça, je m'en souviens tout à fait. Moi, j'ai traversé le jardin, et, vlan, la palissade… et, là, j'ai été rattrapé par Grigori, alors que j'étais déjà assis sur la palissade…

Là, il releva enfin les yeux vers ses auditeurs. Ceux-ci le regardaient, semblait-il, avec une attention absolument imperturbable. Une sorte de tressaillement d'indignation traversa l'âme de Mitia.

— Mais vous êtes en train de vous moquer de moi, là, quand je vous parle ! se coupa-t-il soudain.

— Qu'est-ce qui vous fait conclure ça ? remarqua Nikolaï Parfionovitch.

— Mais vous ne croyez pas un seul mot de ce que je dis, voilà pourquoi ! Je le comprends bien, ça, que je suis arrivé au point principal : le vieux, il est là-bas, en ce moment, la tête fracassée, et, moi – après vous avoir décrit tragiquement comment j'ai voulu le tuer et j'avais déjà sorti le pilon –, moi, brusquement, je file loin de cette fenêtre… Un poème ! En vers ! Est-ce qu'on peut le croire sur parole, ce gaillard-là ! Ha ha ! Vous êtes des persifleurs, vous, messieurs !

Et il se tourna sur la chaise, de tout le poids de son corps, au point que la chaise en grinça.

— Et n'avez-vous pas remarqué, commença soudain le procureur comme s'il n'avait même pas fait attention à l'agitation de Mitia, n'avez-vous pas remarqué une chose, en fuyant loin de cette fenêtre : la porte donnant sur le jardin, et qui se trouve à l'autre bout du pavillon, était-elle ouverte ou fermée ?

— Elle n'était pas ouverte.

— Elle ne l'était pas ?

— Elle était fermée, au contraire, et qui donc aurait pu l'ouvrir ? Eh, la porte, attendez ! fit-il comme prenant soudain conscience de quelque chose, et il faillit en frissonner. Parce que vous avez trouvé la porte ouverte ?

— Ouverte.

— Mais qui donc a pu l'ouvrir, si ce n'est pas vous-même qui l'avez ouverte ? fit Mitia, soudain affreusement surpris.

— La porte était ouverte et l'assassin de votre père est sans aucun doute passé par cette porte, et, après avoir accompli son meurtre, c'est par cette porte qu'il est ressorti, prononça le procureur, comme s'il voulait marquer chaque syllabe, d'une voix lente et distincte. Cela nous est parfaitement clair. Le meurtre a eu lieu, visiblement, dans la pièce elle-même, et pas par la fenêtre, ce qui est parfaitement clair d'après le procès-verbal de l'examen médical, la position du corps, et tout. Il ne peut y avoir aucun doute sur ce point-là.

Mitia était affreusement stupéfait.

— Mais c'est impossible, messieurs ! s'écria-t-il, complètement perdu. Je… je ne suis pas entré… Je vous le dis positivement, avec certitude, la porte est restée fermée tout le temps que je me trouvais dans le jardin, et pendant que je courais pour en sortir. Moi, je suis seulement resté sous la fenêtre, je l'ai vu, lui, par la fenêtre, et c'est tout, c'est tout… Je m'en souviens jusqu'à la dernière minute. Et quand bien même je ne m'en souviendrais pas, je le sais de toute façon, parce que, *les signaux*, j'étais le seul à les connaître, avec Smerdiakov, et, lui, le défunt, et, lui, sans les signaux, jamais de la vie il n'aurait ouvert !

— Les signaux ? Quels signaux ? lança le procureur avec une curiosité avide, quasiment hystérique, et, en un seul instant, il perdit toute sa réserve. Il l'avait demandé, comme en rampant vers lui timidement. Il venait de sentir un fait grave, qu'il ignorait encore, et ressentait tout de suite une peur terrible, celle que Mitia, peut-être, puisse refuser de le révéler entièrement.

— Parce que vous ne saviez pas ! répondit Mitia en lui faisant un clin d'œil avec un sourire aussi moqueur que méchant. Et si je ne vous disais rien ? De qui vous pourriez l'apprendre ? D'au courant, pour les signaux, il y avait le défunt, Smerdiakov et moi, et voilà tout, et le ciel, encore, qui le savait, mais, lui, il ne vous le dira pas. Mais le fait, n'est-ce pas, il est curieux, le diable sait ce qu'on pourrait construire dessus, ha ha ! Consolez-vous, messieurs, je vais vous le révéler, c'est des bêtises que vous pensez. Vous ne savez pas, vous, à qui vous avez affaire ! Vous avez affaire à un accusé qui témoigne, qui témoigne contre lui-même ! Eh oui, parce que je suis un chevalier, alors que, vous – non !

Le procureur avait avalé toutes les couleuvres, il tremblait seulement d'impatience d'apprendre un fait nouveau. Mitia leur exposa, précisément et en longueur, tout ce qui avait trait aux signaux inventés par

Fiodor Pavlovitch pour Smerdiakov, il raconta ce que signifiait précisément chaque coup à la fenêtre, il frappa même ces signaux sur la table et, à la question de Nikolaï Parfionovitch : que, donc, lui, Mitia, quand il avait frappé à la fenêtre pour le vieillard, avait frappé précisément le signe qui voulait dire "Grouchenka est arrivée", il répondit que c'était justement cela qu'il avait frappé, oui, voilà, "Grouchenka est arrivée".

— Voilà, maintenant, construisez-la, votre tour ! coupa Mitia et, à nouveau, il se détourna d'eux avec dédain.

— Et donc, les seuls à être au courant de ces signaux étaient votre défunt père, vous-même et le valet Smerdiakov ? Et personne d'autre ? s'enquit une nouvelle fois Nikolaï Parfionovitch.

— Oui, le valet Smerdiakov, et encore le ciel. Notez aussi le ciel ; ça ne sera pas superflu de l'écrire. Vous aussi, vous en aurez besoin, du bon Dieu.

Cela, bien sûr, on le nota, mais, au moment où on le notait, le procureur, d'un coup, comme s'il était soudain tombé sur une nouvelle idée, demanda :

— Mais si ces signaux étaient connus aussi de Smerdiakov, et que, vous, vous rejetez radicalement toute accusation dans la mort de votre père, ne serait-ce pas lui, qui, après avoir frappé les signaux convenus, s'est fait ouvrir la porte par votre père et qui, ensuite… a commis le crime ?

Mitia lui lança un regard profondément moqueur mais en même temps empli d'une haine terrible. Il le regarda longtemps, sans rien dire, au point que le procureur se mit à cligner des yeux.

— Vous l'avez eu, le renard ! murmura finalement Mitia. Vous lui avez coincé la queue, au vieux filou, hé hé ! Je vous vois au travers, procureur ! Vous vous disiez, ça y est, j'allais bondir, m'accrocher à ce que vous me soufflez, et puis m'égosiller : "Ça y est, c'est Smerdiakov, c'est l'assassin !" Avouez que vous pensiez ça, avouez, et, là, je continue.

Mais le procureur n'avoua pas. Il restait muet et attendait.

— Vous vous trompez, je ne crierai pas contre Smerdiakov ! dit Mitia.

— Et vous ne le soupçonnez même pas du tout ?

— Et vous, vous le soupçonnez ?

— Nous l'avons soupçonné, lui aussi.

Mitia figea son regard sur le sol.

— Blague à part, répondit-il sombrement, écoutez : depuis le tout début, tenez, presque depuis le moment où je me suis précipité, tout à l'heure, de derrière le rideau, j'avais eu cette idée, dans un éclair : "Smerdiakov !" Ici, j'étais devant cette table et je criais que j'étais innocent de ce sang-là, et, en même temps, je me disais toujours : "Smerdiakov !" Et Smerdiakov, il me restait toujours au fond de l'âme. Et, là, finalement, je me suis dit tout d'un coup : "Smerdiakov", mais seulement une seconde ; tout de suite, et, à côté, je me suis dit : "Non, ce n'est pas Smerdiakov !" Ce n'est pas une affaire pour lui, ça, messieurs !

— Ne soupçonnez-vous pas dans ce cas une autre personne ? demanda prudemment Nikolaï Parfionovitch.

— Je ne sais pas qui et quelle personne, la main des cieux ou bien Satan, mais… pas Smerdiakov ! trancha résolument Mitia.

— Mais pourquoi affirmez-vous si fermement et avec une telle insistance que ce n'est pas lui ?

— Par conviction. Par impression. Parce que Smerdiakov est un homme d'une nature des plus basse et que c'est un lâche. Ce n'est pas un lâche, c'est l'assemblage de toutes les lâchetés du monde prises ensemble et qui se promènent sur deux jambes. Il est né d'une poule mouillée. Quand il me parlait, il frissonnait à chaque fois que je ne le tue pas, alors que, moi, je n'ai jamais levé la main. Il tombait à mes pieds et il pleurait, il me baisait, là, tenez, ces bottes, littéralement, il me suppliait que je "ne lui fasse pas peur". Vous entendez : "je ne lui fasse pas peur" – c'est quoi, cette façon de parler ? Et moi, je lui faisais même des cadeaux. C'est une poule mouillée maladive, épileptique, un esprit faible, et un gamin de huit ans pourrait le cogner. Est-ce que c'est une nature ? Ce n'est pas Smerdiakov, messieurs, et, en plus, il n'aime pas l'argent, il n'a jamais pris les cadeaux que je proposais… Et puis, pourquoi est-ce qu'il aurait tué le vieux ? Il est son fils, si ça se trouve, son bâtard, vous le savez, ça ?

— Nous sommes au courant de cette légende. Mais, vous aussi, vous êtes le fils de votre père, et, vous-même, vous disiez bien à tout le monde que vous vouliez le tuer.

— Une pierre dans mon jardin ! Et une pierre basse, moche ! Je n'ai pas peur ! Oh, messieurs, peut-être que c'est trop infâme de votre part de me dire ça en face ! C'est infâme, parce que c'est moi qui vous l'ai dit. Non seulement je voulais, mais j'aurais pu le tuer, et je me suis mis ça sur le dos moi-même, que j'ai failli le tuer ! Mais, n'est-ce pas, je ne l'ai pas tué, mon ange gardien, n'est-ce pas, veillait sur moi – c'est seulement ça que vous n'avez pas pris en considération… Voilà pourquoi c'est infâme de votre part, c'est infâme ! Parce que je n'ai pas tué, je n'ai pas tué, je n'ai pas tué ! Vous entendez, procureur : je n'ai pas tué !

Il étouffait presque. De tout le temps de l'interrogatoire, il ne s'était jamais trouvé dans une telle agitation.

— Mais qu'est-ce qu'il vous a dit, messieurs, Smerdiakov ? conclut-il soudain, après un silence. Je peux vous le demander, ça ?

— Vous pouvez tout nous demander, répondit le procureur d'un ton froid et sévère, tout ce qui a trait à l'aspect factuel de l'affaire, et, nous, je le répète, nous sommes même obligés de satisfaire à chacune de vos questions. Nous avons trouvé le valet Smerdiakov, dont vous nous demandez des nouvelles, gisant, inconscient, dans un accès de haut mal qui revenait peut-être pour la dixième fois. Le médecin qui nous accompagnait a examiné le malade et nous a même dit qu'il pourrait ne pas survivre jusqu'au matin.

— Alors, dans ce cas, c'est le diable qui a tué mon père ! laissa soudain échapper Mitia, comme si, jusqu'à cet instant-là, il s'était toujours demandé : "Smerdiakov ou pas Smerdiakov ?"

— Nous reviendrons encore sur ce fait, trancha Nikolaï Parfionovitch, maintenant, ne souhaiteriez-vous pas reprendre votre récit ?

Mitia demanda un peu de repos. On le lui accorda courtoisement. Il se reposa un peu et reprit. Il se sentait visiblement oppressé. Il était épuisé, humilié et bouleversé moralement. De plus, le procureur, cette fois, évidemment, comme pour faire exprès, s'était mis à l'agacer de minute en minute en s'accrochant à des "vétilles". A peine Mitia venait-il de décrire comment, assis à califourchon sur la palissade, il avait frappé à la tête, avec le pilon, Grigori qui venait de s'agripper à sa jambe droite, et comment il avait tout de suite à nouveau sauté en bas vers la victime, que le procureur l'arrêta et lui demanda de décrire plus en détail la façon dont il était assis sur la palissade. Mitia s'étonna.

— Bah, comme ça j'étais assis, à califourchon, une jambe de ce côté, une autre de l'autre…

— Et le pilon ?

— Le pilon dans les mains.

— Pas dans la poche ? Cela, vous vous en souvenez parfaitement ? Et donc, vous avez fait un grand geste du bras ?

— Il devait être grand, mais vous, ça vous fait quoi ?

— Si vous vous asseyiez sur la chaise exactement comme vous étiez sur cette palissade, que vous nous le représentiez *de visu*, pour expliquer, comment et où votre coup a été dirigé, de quel côté ?

— Dites, mais vous vous moquez de moi, là ? demanda Mitia, lançant un regard hautain à celui qui l'interrogeait, mais ce dernier ne cilla même pas. Mitia se retourna convulsivement, s'assit à califourchon sur la chaise et leva le bras :

— Voilà comment je l'ai frappé ! Comment je l'ai tué ! Qu'est-ce que vous voulez de plus ?

— Je vous remercie. Maintenant, voudriez-vous prendre la peine de nous expliquer pourquoi, finalement, vous avez sauté en bas, dans quel but, et dans quelle intention, finalement ?

— Ah, diable… j'ai sauté vers la victime… Je n'en sais rien, pourquoi !

— Dans un tel état d'agitation ? Et en vous sauvant ?

— Oui, dans cet état d'agitation et en me sauvant.

— Vous vouliez lui apporter de l'aide ?

— Comment de l'aide… Oui, peut-être de l'aide, je ne sais plus.

— Vous ne savez plus ? C'est-à-dire que vous n'aviez pas entièrement conscience de vous-même ?

— Oh, si, j'avais tout à fait conscience, une conscience totale. De tout, jusqu'au dernier détail. J'ai sauté pour regarder et j'essuyais sa plaie avec mon mouchoir.

— Nous avons vu votre mouchoir. Vous espériez rendre la vie à votre victime ?

— Je ne sais pas si j'espérais. Simplement, je voulais m'assurer s'il était mort ou vivant.

— Ah donc, vous vouliez vous convaincre ? Bon, et alors ?

— Je ne suis pas médecin, je n'ai pas vu. Je me suis enfui, je pensais que je l'avais tué, et voilà qu'il s'est réveillé.

— Parfait, conclut le procureur. Je vous remercie. C'est ce que je cherchais. Veuillez continuer.

Hélas, il n'était pas venu à l'idée de Mitia de raconter, alors même qu'il en avait eu conscience, que c'était par pitié qu'il avait sauté, et que, devant celui qu'il venait de tuer, il avait même prononcé quelques mots de pitié : "Tu t'es trouvé là, le vieux, rien à faire, restes-y." Le procureur, lui, n'en tira qu'une conclusion, celle que cet homme avait sauté, "dans un moment pareil, et dans un tel état d'agitation", seulement pour se convaincre à coup sûr de savoir si *l'unique* témoin de son crime était oui, ou non, vivant. Et donc, n'est-ce pas, quelle devait être la force, la résolution, le sang-froid et le calcul de cet homme, même dans un moment pareil… etc. Le procureur était content : "J'ai joué sur les nerfs d'un homme maladif avec toutes sortes de «vétilles», et voilà, il s'est trahi."

Mitia, torturé, continua. Mais, cette fois, ce fut Nikolaï Parfionovitch qui l'arrêta tout de suite.

— Et comment donc avez-vous pu vous précipiter chez la domestique Fédossia Markovna, avec des mains tellement en sang, et, comme cela s'est vu par la suite, le visage aussi ?

— Mais je n'avais pas du tout remarqué que j'étais en sang ! répondit Mitia.

— Cela, c'est vraisemblable, ça arrive, fit le procureur, échangeant un regard avec Nikolaï Parfionovitch.

— Justement, je n'ai pas remarqué, c'est très bien, ce que vous avez dit, procureur, l'approuva soudain Mitia.

Ensuite, ce fut l'histoire de la décision brutale de Mitia de "s'écarter", et de "laisser passer les bienheureux devant soi". Et, là, il ne pouvait plus du tout, comme tout à l'heure, se résoudre à dévoiler son cœur une nouvelle fois et leur parler de "la reine de son âme". Cela le dégoûtait devant ces gens froids "qui lui suçaient le sang, comme des punaises". C'est pourquoi, aux questions répétées, il donna des réponses brèves et violentes :

— Bon, et j'ai décidé de me tuer. Pourquoi je serais resté à vivre : c'est la question qui me jaillissait d'elle-même. Il y avait son premier, l'autre, l'indiscutable, l'offenseur, il débarquait, avec amour, après cinq ans, conclure l'offense par un mariage légitime. Bon, et j'ai compris que, pour moi, tout était perdu... Et, derrière, la honte, et puis ce sang, le sang de Grigori... A quoi bon vivre ? Bon, et je suis allé dégager mes pistolets, pour les charger, et puis, à l'aube, me loger une balle dans la tête...

— Et, la nuit, une bringue de tous les diables ?

— La nuit une bringue de tous les diables. Ah, zut, messieurs, finissons-en vite. Je voulais me supprimer à coup sûr, ici, là, tout près, derrière la haie, j'avais préparé un papier dans ma poche, je l'avais écrit chez Perkhotine, en chargeant le pistolet. Le voilà, ce papier, lisez. Ce n'est pas pour vous que je raconte ! ajouta-t-il soudain avec mépris. Il leur jeta sur la table le papier qu'il tira de la poche de son gilet ; les enquêteurs le lurent avec curiosité et, comme cela se fait, l'ajoutèrent au dossier.

— Et, vos mains, vous n'aviez toujours pas pensé à les laver, même en entrant chez M. Perkhotine ? Vous n'aviez pas peur, donc, des soupçons ?

— Comment ça des soupçons ? Soupçonne ou pas, c'est pareil, moi, j'aurais fichu le camp ici, je me serais brûlé le crâne à cinq heures, personne n'aurait eu le temps de rien. Parce que, sans cette histoire avec le père, vous, vous n'auriez rien su, vous ne seriez pas venus ici. Oh, c'est le diable qui l'a fait, le diable a tué le père, c'est par le diable que vous avez tout si vite appris ! Comment est-ce que vous avez débarqué ici si vite ? Miracle, fantaisie !

— M. Perkhotine nous a dit que, vous, en entrant chez lui, vous teniez à la main… dans vos mains ensanglantées… votre argent… beaucoup d'argent… une liasse de billets de cent roubles, et que son petit domestique l'a vu aussi.

— Oui, messieurs, je m'en souviens, c'est vrai.

— Maintenant, nous tombons sur une petite question. Ne pouvez-vous pas nous communiquer, commença Nikolaï Parfionovitch d'une voix d'une douceur extrême, d'où vous venait d'un coup une telle somme, alors que le dossier montre, et aussi d'après le calcul du temps, que vous n'êtes pas repassé chez vous ?

Le procureur grimaça un peu à cette question posée d'une façon tellement directe, mais se refusa à interrompre Nikolaï Parfionovitch.

— Non, je ne suis pas repassé chez moi, répondit Mitia, visiblement très tranquille, mais les yeux fixés au sol.

— Permettez-moi donc, dans ce cas-là, de répéter ma question, poursuivit Nikolaï Parfionovitch, comme, un peu, s'il rampait vers lui. D'où avez-vous pu prendre, d'un seul coup, une telle somme, alors que, de votre propre aveu, encore à cinq heures, le même jour…

— J'avais besoin de dix roubles et j'ai mis en gage mes pistolets chez Perkhotine, puis je suis allé trouver

Khokhlakova pour lui en demander trois mille, et elle me les a refusés, etc., et ainsi de suite, coupa violemment Mitia, oui, voilà, messieurs, j'avais besoin, et, là, d'un coup, ces milliers de roubles qui apparaissent, hein ? Vous savez, messieurs, tous les deux, en ce moment, vous avez peur : et s'il ne le disait pas, d'où il les a eus ? Eh non : je ne dirai rien, messieurs, vous avez deviné, vous ne saurez rien, martela soudain Mitia dans une résolution extrême. Les enquêteurs gardèrent le silence une seconde.

— Comprenez, monsieur Karamazov, cela nous est substantiellement indispensable, reprit Nikolaï Parfionovitch d'une voix douce et posée.

— Je comprends, mais je ne le dirai quand même pas.

Le procureur s'en mêla à son tour et rappela que la personne interrogée avait, bien sûr, le droit de ne pas répondre aux questions si elle considérait cela comme plus avantageux, etc., mais, vu le tort que cette personne interrogée pouvait se faire à elle-même par le silence, et surtout sur des questions d'une telle importance, d'une importance qui…

— Et ainsi de suite, messieurs, ainsi de suite ! Assez ; je l'ai déjà entendu, ce prêche ! l'interrompit à nouveau Mitia. Je le comprends bien, que c'est une affaire d'une telle importance, et que c'est le point le plus substantiel, et, malgré ça, je ne le dirai pas.

— Nous, n'est-ce pas, ça nous est égal, cette affaire, ce n'est pas la nôtre, mais la vôtre, c'est à vous-même que vous nuisez, remarqua nerveusement Nikolaï Parfionovitch.

— Voyez-vous, messieurs, blague à part, fit Mitia, leur lançant à tous deux un regard ferme. Je le pressentais depuis le début que c'est sur ce point-là que nous allions nous heurter de front. Mais, au début, quand j'ai commencé à témoigner devant vous, tout ça était encore dans une sorte de brouillard, ça flottait, et, même, j'ai été assez simple pour vous proposer "une confiance réciproque entre nous". Maintenant, je vois bien que cette confiance était impossible, parce que, de toute façon, nous serions arrivés à cette maudite palissade ! Eh bien, nous y sommes arrivés ! C'est impossible, et point final ! Du reste, n'est-ce pas, je ne vous accuse de rien, vous ne pouvez tout de même pas me croire sur parole, ça, je le comprends !

Il y eut un silence lugubre.

— Mais ne pourriez-vous pas, sans violer d'une quelconque façon votre décision de taire l'essentiel, ne pourriez-vous pas en même temps nous donner ne serait-ce que la plus petite indication sur ceci : pourriez-vous nous indiquer quels sont ces motifs précis et si puissants qui vous poussent à vous taire à ce moment si dangereux pour vous de la déposition présente ?

Mitia eut une sorte de soupir triste et pensif.

— Je suis beaucoup plus gentil que vous ne le pensez, messieurs, je vais vous dire pourquoi, et je vais vous donner une indication, même si vous ne le méritez pas. La raison pour laquelle, messieurs, je garde le silence, c'est que, ce qu'il y a là pour moi, c'est une honte. Dans la réponse à la question de savoir où j'ai pris cet argent réside pour moi une honte telle qu'elle ne pourrait même pas se comparer au fait d'avoir tué et volé mon père, si je l'avais tué et volé. Voilà pourquoi je ne peux pas parler. C'est par honte que je ne peux pas. Ça aussi, messieurs, vous voulez le noter ?

— Oui, nous le notons, balbutia Nikolaï Parfionovitch.

— Vous ne devriez pas le noter, ça, je veux dire, la "honte". Ça, je vous l'ai juste dit par bonté d'âme, mais je pouvais ne pas le dire, je vous l'ai, pour ainsi dire, offert, et vous, tout de suite, vous sautez dessus. Bon, écrivez, écrivez ce que vous voulez, conclut-il avec mépris et dégoût, vous ne me faites pas peur, moi... Devant vous, je suis fier.

— Mais ne pourriez-vous pas nous dire de quel genre est cette honte ? balbutia à nouveau Nikolaï Parfionovitch.

Le procureur se renfrogna terriblement.

— Non, *ni-ni, c'est fini**, n'essayez pas. Pas la peine de se souiller. Je me suis déjà assez souillé comme ça avec vous. Vous ne le méritez pas, ni vous ni personne... Assez, messieurs, j'arrête.

Le ton n'était que trop résolu. Nikolaï Parfionovitch cessa d'insister, mais, aux regards que lui lançait Hippolyte Kirillovitch, il comprit à la seconde que ce dernier ne perdait pas encore espoir.

— Ne pouvez-vous pas au moins déclarer quel était le montant que vous aviez dans vos mains quand vous êtes entré chez M. Perkhotine, c'est-à-dire combien de roubles précisément ?

— Non, ça non plus, je ne peux pas le déclarer.

— A M. Perkhotine, il semble que vous ayez parlé de trois mille roubles, soi-disant reçus de Mme Khokhlakova ?

— Peut-être que je lui en ai parlé. Assez, messieurs, je ne dirai pas combien.

— Prenez la peine, en ce cas, de décrire la façon dont vous vous êtes rendu ici, et ce que vous avez fait une fois sur place.

— Oh, ça, demandez-le à tous les gens d'ici. Remarquez, si vous voulez, je vous le raconte.

Il le raconta, mais nous ne rapporterons pas ce récit une nouvelle fois. Son récit fut sec et rapide. Il ne parla pas du tout de l'exaltation de son amour. Il raconta, cependant, que sa décision de se tuer avait passé "en raison de faits nouveaux". Il raconta, sans motiver, sans entrer dans les détails. Et les enquêteurs non plus, cette fois-là, ne le dérangèrent pas trop : il était clair que ce n'était pas là, à présent, qu'ils voyaient le point essentiel.

— Tout cela, nous le vérifierons, nous reviendrons encore à tout pendant l'interrogatoire des témoins qui aura lieu, bien sûr, en votre présence, dit Nikolaï Parfionovitch pour conclure l'interrogatoire. A présent, permettez-nous de vous adresser la demande de poser ici sur la table tous les objets que vous avez sur vous, et, surtout, tout l'argent que vous avez en ce moment.

— L'argent, messieurs ? Si vous voulez, je comprends qu'il le faut. Je m'étonne même que vous ne vous y intéressiez que maintenant. C'est vrai que je ne serais parti nulle part, je reste sous vos yeux. Bon, le voilà, mon argent, tenez, comptez, prenez, c'est tout, je crois.

Il sortit de sa poche tout ce qu'il avait, même la petite monnaie, tira deux pièces de vingt kopecks d'une poche de son gilet. On compta l'argent, il y avait huit cent trente-six roubles quarante kopecks.

— C'est tout ? demanda le juge d'instruction.

— C'est tout.

— Vous venez de dire, en faisant votre déposition que vous avez laissé trois cents roubles dans la boutique des Plotnikov, vous avez donné dix roubles à Perkhotine, vingt au cocher, ici vous en avez perdu deux cents, ensuite…

Nikolaï Parfionovitch recompta tout. Mitia l'aida volontiers. On se remémora et on inclut dans le compte le moindre kopeck. Nikolaï Parfionovitch fit une addition rapide.

— Donc, au début, avec ces huit cents roubles, vous deviez en avoir environ mille cinq cents ?

— Donc, trancha Mitia.

— Mais tout le monde affirme qu'il y en avait beaucoup plus.

— Qu'on l'affirme.

— Et vous-même, vous l'avez affirmé.

— Moi-même, je l'ai affirmé.

— Nous vérifierons encore une fois tout cela d'après les témoignages des personnes que nous n'avons pas encore interrogées ; pour votre argent, ne vous inquiétez pas, il sera gardé en lieu sûr et vous sera restitué à la fin de tout… ce qui vient de commencer… s'il s'avère, pour ainsi dire, ou s'il est prouvé que vous avez le droit le plus indiscutable de le détenir. Bon, et maintenant…

Nikolaï Parfionovitch se leva soudain et déclara d'une voix ferme à Mitia qu'il se trouvait "obligé et forcé" de procéder à une fouille des plus précise et des plus détaillée "tant de ses habits que de tout"…

— Je vous en prie, messieurs, je retourne toutes mes poches, si vous voulez.

Et, de fait, il entreprit de retourner toutes ses poches.

— Il sera même indispensable d'ôter vos habits.

— Comment ? Me déshabiller ? Ah, diable ! Mais fouillez-moi comme ça ! Ce n'est pas possible comme ça ?

— C'est absolument impossible, Dmitri Fiodorovitch. Vous devez ôter vos habits.

— Comme vous voulez, fit Mitia, se soumettant d'un air sombre, seulement, je vous en prie, pas ici, mais derrière le rideau. Qui va examiner ?

— Bien sûr, derrière le rideau, fit Nikolaï Parfionovitch, inclinant la tête en signe d'approbation. Son visage mignon exprimait une gravité qui était même toute particulière.

VI

LE PROCUREUR ATTRAPE MITIA

Commença pour Mitia quelque chose d'étonnant et de tout à fait inattendu. Pour rien au monde il n'aurait pu prévoir, même une minute auparavant, que quelqu'un allait pouvoir le traiter ainsi, lui, Mitia Karamazov ! Surtout, il apparaissait quelque chose d'humiliant et, de leur côté à eux, de "hautain et de méprisant envers lui". Ce n'aurait encore été rien d'enlever son gilet, mais ils lui demandèrent de se déshabiller plus avant. Ce n'est pas, d'ailleurs, qu'ils le demandèrent, mais, en fait, ils lui en donnèrent l'ordre : cela, il le comprit parfaitement. Par fierté et mépris, il se soumit totalement, sans mot dire. Se retrouvèrent derrière le rideau, outre Nikolaï Parfionovitch et le procureur, encore quelques moujiks, "évidemment pour la force, se dit Mitia, et, si ça se trouve, encore pour autre chose".

— Comment, j'enlève aussi ma chemise ? demanda-t-il violemment, mais Nikolaï Parfionovitch ne lui répondit pas : avec le procureur, il était plongé dans l'examen de la veste, du pantalon, du gilet et de la casquette, et l'on voyait que cet examen les intéressait beaucoup : "Ils ne sont pas gênés, se sentit penser Mitia, même la politesse la plus élémentaire, ils ne l'observent pas." Je vous le demande une deuxième fois : je l'enlève, ma chemise, oui ou non ? demanda-t-il d'un ton encore plus violent et plus agacé.

— Ne vous inquiétez pas, nous vous le ferons savoir, répondit même Nikolaï Parfionovitch sur une espèce de ton de commandement. Telle fut du moins l'impression de Mitia.

Le juge d'instruction et le procureur tenaient à mi-voix un conciliabule soucieux. Ils avaient découvert sur la veste, surtout sur le pan gauche, derrière, d'énormes taches de sang, séchées, coagulées, encore tout à fait fraîches. Même chose sur le pantalon. Nikolaï Parfionovitch, qui plus est, en personne, en présence des témoins, fit passer ses doigts sur le col, sur les manches et toutes les coutures de la veste et du pantalon, visiblement en y cherchant quelque chose – évidemment de l'argent. Surtout, ils ne cachaient pas à Mitia leurs soupçons de le voir capable d'avoir caché de l'argent dans ses habits. "Ils me traitent vraiment comme un voleur, et pas comme un officier", marmonna-t-il en lui-même. De plus, ils se faisaient part, devant lui, de leurs pensées, avec une sincérité qui en était étrange. Par exemple, le greffier qui, lui aussi, s'était retrouvé derrière le rideau, agité et dévoué, attira l'attention de Nikolaï Parfionovitch sur la casquette, qui, elle aussi, fut palpée : "Rappelez-vous le scribe Gridenko, avait remarqué le greffier, cet été, il était parti toucher le salaire de tout le service, et, quand il est revenu, il a déclaré qu'il avait perdu l'argent, en état d'ivresse – et où est-ce qu'on l'a retrouvé ? Dans le passepoil, là, n'est-ce pas, dans la casquette, les billets de cent roubles, il les avait roulés en cigarettes, ils étaient cousus dans le passepoil." Le juge d'instruction et le procureur se souvenaient parfaitement de l'histoire de Gridenko, c'est pourquoi la casquette de Mitia fut, à son tour, mise de côté, et l'on décida que tout cela devrait être réexaminé plus sérieusement, de même que tous les habits.

— Permettez, cria soudain Nikolaï Parfionovitch, remarquant que le bout de la manche droite de la chemise de Mitia était retourné à l'intérieur et couvert de sang, permettez, mais, qu'est-ce que c'est, du sang ?

— Du sang, trancha Mitia.

— C'est-à-dire, le sang de qui, n'est-ce pas... et pourquoi avez-vous retroussé la manche ?

Mitia raconta qu'il avait sali le bout de sa manche en se démenant avec Grigori, et qu'il l'avait retourné plus tard, encore chez Perkhotine, pendant qu'il se lavait les mains.

— Votre chemise aussi, il nous faudra la prendre, c'est très important... à titre de preuve matérielle. Mitia rougit et devint fou.

— Alors quoi, il faut que je reste nu ? cria-t-il.

— Ne vous inquiétez pas... Nous arrangerons cela d'une façon ou d'une autre, mais, pour l'instant, veuillez aussi enlever vos chaussettes.

— Vous ne plaisantez pas ? C'est réellement aussi indispensable ? fit Mitia, des éclairs dans les yeux.

— Nous ne sommes pas là pour plaisanter, répondit sèchement Nikolaï Parfionovitch.

— Ma foi, s'il faut le faire... je... balbutia Mitia et, s'asseyant sur le lit, il entreprit d'enlever ses chaussettes. Il ressentait une honte insupportable : tout le monde était habillé, lui il était déshabillé, et, chose étrange, déshabillé, ce fut comme si, lui-même, soudain, il se sentit coupable devant eux, et, surtout, d'accord lui-même que, de fait, soudain, il était devenu plus bas qu'eux et qu'ils avaient à présent le droit le plus complet de le mépriser. "Si tout le monde est déshabillé, alors, il n'y a aucune honte, mais si tu es le seul à être déshabillé, et que tout le monde regarde – quelle honte ! se disait-il sans cesse par éclairs. Comme dans un rêve, dans mes rêves, parfois, ça m'arrive de me voir dans des hontes pareilles." Mais ôter ses chaussettes lui fut même une torture : elles étaient loin d'être propres, de même que son linge de corps, et, à présent, tout le monde, cela, le voyait. Et, surtout, lui-même il n'aimait pas ses pieds, bizarrement, toute sa vie, il avait trouvé ses gros orteils très laids, surtout celui du pied droit, grossier, plat, avec un ongle comme recourbé vers le bas, et ça aussi, à présent, ils allaient tous le voir. Sous le coup de cette honte insupportable, il devint soudain de plus en plus grossier, et volontairement. Il arracha lui-même sa chemise.

— Vous ne voulez pas encore chercher ailleurs, si ça ne vous fait pas honte ?

— Non, pour l'instant, ce n'est pas la peine.

— Et moi, donc, je reste nu, alors ? ajouta-t-il rageusement.

— Oui, pour l'instant, c'est indispensable… Veuillez vous asseoir ici en attendant, vous pouvez prendre la couverture sur le lit et vous couvrir, moi… moi, je vais ranger tout ça.

Tous les habits furent montrés aux témoins, on dressa le procès-verbal de l'examen, puis, finalement, Nikolaï Parfionovitch sortit, et ses habits furent emportés derrière lui. Hippolyte Kirillovitch sortit également. Ne restèrent avec Mitia que les moujiks qui se tenaient là sans rien dire, sans le quitter des yeux. Mitia s'enroula dans la couverture, il avait froid. Ses pieds nus pointaient à l'extérieur, et il n'arrivait pas du tout à tirer la couverture jusqu'à eux, pour les cacher. Nikolaï Parfionovitch mettait une éternité à revenir, "juste pour me torturer", "il me prend pour un roquet", se disait Mitia, grinçant des dents. "Cette fripouille de procureur, il est parti, lui aussi, sans doute par mépris, ça l'a dégoûté de me voir nu." Mitia supposait néanmoins que ses habits seraient examinés là-bas, quelque part, et qu'on les lui rendrait. Mais quelle ne fut pas son indignation quand Nikolaï Parfionovitch revint soudain avec des habits complètement différents, qu'un moujik portait derrière lui.

— Ça y est, voilà des habits pour vous, lança-t-il d'un ton désinvolte, visiblement très content du résultat de sa démarche. C'est M. Kalganov qui les sacrifie pour ce cas surprenant, de même qu'une chemise propre. Il avait ça, par chance, avec lui, dans sa valise. Pour le linge de corps et les chaussettes, vous pouvez garder les vôtres.

Mitia se mit à bouillir terriblement.

— Je ne veux pas les habits d'un autre ! cria-t-il, menaçant. Rendez-moi les miens !

— Impossible.

— Rendez-moi ce qui est à moi, au diable Kalganov et ses habits, et lui pareil !

On mit longtemps à le convaincre. On parvint néanmoins, tant bien que mal, à l'apaiser. On lui fit comprendre que ses habits, étant souillés de sang, devaient "être joints à l'ensemble des pièces à conviction", et qu'ils n'avaient "même pas le droit" de l'autoriser, à présent, à les porter… "vu la tournure que peut prendre l'affaire". Mitia, tant bien que mal, finit par le comprendre. Il se tut d'un air sombre et s'habilla très vite. Il remarqua seulement, en s'habillant, que ces habits étaient plus riches que ceux qu'il portait, et qu'il ne voulait pas en "profiter". En outre, "c'est si étroit que c'en est humiliant. Je dois, quoi, faire le bouffon avec ?… pour vos beaux yeux !"

On lui fit comprendre que, là encore, il exagérait, que M. Kalganov, était, certes, plus grand que lui, mais de très peu, et que c'était peut-être seulement le pantalon qui serait un peu trop long. Mais le veston, de fait, s'avéra trop étroit aux épaules.

— Par le diable, on a même du mal à se boutonner, grogna à nouveau Mitia, rendez-moi ce service, permettez-moi de faire dire sur-le-champ à M. Kalganov que ce n'est pas moi qui lui ai demandé ses habits, que c'est moi-même qu'on déguise en bouffon.

— Cela, il le comprend fort bien et le regrette... c'est-à-dire, ce ne sont pas ses habits qu'il regrette, mais, finalement, toute cette affaire, marmonna Nikolaï Parfionovitch.

— Je m'en fiche de ses regrets ! Bon, où on va maintenant ? Ou je continue de rester là ?

On lui demanda de se rendre à nouveau dans "la pièce d'avant". Mitia y entra, livide de rage, en essayant de ne croiser le regard de personne. Dans les habits d'un autre, il se sentait complètement déshonoré, même devant ces moujiks et Trifone Borissovitch, dont le visage apparut, bizarrement, devant la porte, puis disparut à nouveau. "Il est venu regarder le polichinelle", se dit Mitia. Il se rassit sur sa chaise. Il avait l'impression de quelque chose de cauchemardesque, d'inepte, il lui semblait qu'il était devenu fou.

— Bon, et, maintenant, vous allez vous mettre à quoi, à me fouetter avec des verges, parce qu'il ne reste plus rien d'autre, fit-il, grinçant des dents, s'adressant au procureur. Vers Nikolaï Parfionovitch, il refusait même de se tourner, comme s'il ne voulait plus le gratifier même d'une parole. "Il a regardé trop soigneusement mes chaussettes, l'ordure, et il a demandé qu'on les retourne, il a fait ça exprès, pour montrer à tout le monde que mon linge était sale !"

— Eh bien, il va falloir passer à l'interrogatoire des témoins, prononça Nikolaï Parfionovitch, comme en réponse à la question de Dmitri Fiodorovitch.

— Mmoui, prononça pensivement le procureur, lui aussi comme en train de réfléchir.

— Nous avons fait ce que nous pouvions, Dmitri Fiodorovitch, dans votre intérêt, poursuivit Nikolaï

Parfionovitch, mais, après avoir essuyé un refus si radical de votre part de nous expliquer l'origine de la somme qui se trouvait sur vous, à la minute présente…

— Elle est en quoi, votre bague ? l'interrompit soudain Mitia, comme s'il sortait de sa songerie, en indiquant du doigt une des trois grosses bagues qui ornaient la main droite de Nikolaï Parfionovitch.

— Ma bague ? demanda Nikolaï Parfionovitch avec surprise.

— Oui, celle-là… celle de votre majeur, avec les petites nervures, c'est quoi, comme pierre ? insistait Mitia avec une espèce de ton agacé, comme un enfant têtu.

— C'est une topaze fumée, sourit Nikolaï Parfionovitch, vous voulez regardez ? je l'enlève…

— Non, non, ne l'enlevez pas ! cria violemment Mitia, reprenant d'un coup ses esprits et enrageant contre lui-même. Ne l'enlevez pas… pas la peine… Diable… Messieurs, c'est toute l'âme que vous m'avez souillée ! Vous pensez donc vraiment que je me serais mis à vous le cacher, si, vraiment, j'avais tué mon père, à esquiver, à mentir, à me cacher ? Non, ce n'est pas le genre de Dmitri Fiodorovitch, il ne l'aurait pas supporté, et s'il avait été coupable, je le jure, il n'aurait pas attendu votre arrivée et le lever du soleil, comme il en avait l'intention au début, il se serait exterminé encore avant, sans même attendre l'aube ! Ça, maintenant, je le sens bien. En vingt ans de vie, je n'en aurais pas appris autant que pendant cette nuit maudite !… Et est-ce que j'aurais été comme ça, oui, comme ça, moi, cette nuit, et à cette minute, là, maintenant, avec vous – est-ce que je dirais ça, je bougerais comme ça, est-ce que je vous regarderais comme ça, et vous, et le monde, si, réellement, j'étais un parricide, alors que même mon meurtre involontaire de Grigori ne m'a pas laissé tranquille de toute la nuit – et pas à cause de la peur ! oh, pas seulement à cause de la peur de votre punition ! Quelle honte ! Et vous voulez qu'avec des persifleurs comme vous, qui ne voyez rien et qui ne croyez à rien, des taupes aveugles et des persifleurs, je me mette à m'ouvrir et que je raconte encore une autre saleté que j'ai faite, encore une honte nouvelle, quand bien même ça me sauverait de votre accusation ? Mais plutôt le bagne ! Celui qui a ouvert la porte de mon père et qui est entré par cette porte, c'est celui-là qui l'a tué, c'est lui qui l'a volé. Qui c'est – je m'y perds, et je me torture, mais ce n'est pas Dmitri Karamazov, sachez-le – et voilà tout ce que je peux vous dire, et ça suffit, laissez-moi tranquille... Déportez-moi, exécutez, mais ne jouez plus sur mes nerfs. Je me tais. Appelez vos témoins !

Mitia avait prononcé son monologue inattendu comme s'il avait pris la décision ferme de se taire définitivement. Le procureur ne l'avait pas quitté des yeux, mais, sitôt qu'il se tut, il prit l'air le plus froid et le plus tranquille pour dire soudain, comme s'il disait là une chose des plus banale :

— Justement, à propos de cette porte ouverte que vous venez de mentionner, il se trouve que, justement, nous pouvons tout de suite vous faire part, et précisément maintenant, d'un témoignage des plus curieux et de la plus haute importance, pour vous comme pour nous, du vieillard Grigori Vassiliev que vous avez blessé. Il nous a dit, d'une façon claire et insistante, quand il est revenu à lui, à nos questions, qu'au moment encore où il était sorti sur le perron et avait entendu du bruit dans le jardin, il avait décidé de se rendre dans le jardin en passant par le portillon qui était ouvert, il est entré dans le jardin, et avant même de vous avoir remarqué vous enfuyant dans le jardin, comme vous nous en avez fait part, devant la fenêtre ouverte par laquelle vous aviez vu votre père, lui, Grigori, jetant un regard vers la gauche, et remarquant, de fait, cette fenêtre ouverte, a remarqué en même temps, beaucoup plus près de lui, que la porte, elle aussi, était grande ouverte, cette même porte dont vous nous avez dit que, pendant tout le temps que vous êtes resté dans le jardin, elle est restée fermée. Je ne vous cacherai pas que Vassiliev lui-même conclut et témoigne que vous avez dû vous enfuir par cette porte, même si, bien sûr, il ne vous a pas vu vous enfuir de ses propres yeux, et qu'il ne vous a remarqué la première fois qu'à une certaine distance, au milieu du jardin, vous enfuyant du côté de la palissade…

Mitia avait bondi de sa chaise dès la moitié de ce discours.

— N'importe quoi ! hurla-t-il soudain, frénétique. Un mensonge éhonté ! Il n'a pas pu voir la porte ouverte, parce qu'elle était fermée… Il ment !

— J'estime de mon devoir de vous informer que son témoignage est ferme. Il n'a aucune hésitation. Il le confirme. Nous le lui avons redemandé plusieurs fois.

— Parfaitement, je le lui ai redemandé plusieurs fois ! confirma avec fougue Nikolaï Parfionovitch.

— Ce n'est pas vrai, ce n'est pas vrai ! Soit c'est une calomnie contre moi, soit c'est l'hallucination d'un fou, continuait de crier Mitia, simplement dans le délire, dans le sang, à cause de la blessure, il a eu l'impression, quand il s'est réveillé… Mais il délire, là.

— Certes, mais, cette porte ouverte, il l'avait remarquée, non pas quand il a repris conscience après sa blessure, mais bien avant, dès le moment où il est entré dans le jardin en sortant du pavillon.

— Mais ce n'est pas vrai, ce n'est pas vrai, ce n'est pas possible ! C'est par haine contre moi qu'il calomnie… Il ne pouvait pas voir… Je ne me suis pas enfui par cette porte, haletait Mitia.

Le procureur se tourna vers Nikolaï Parfionovitch et lui dit d'un air grave :

— Montrez.

— Vous connaissez cet objet ? demanda Nikolaï Parfionovitch, sortant soudain sur la table une grosse enveloppe, de gros papier, de format administratif, sur laquelle on voyait encore trois cachets. L'enveloppe elle-même était vide et déchirée d'un côté. Mitia écarquilla les yeux en la voyant.

— C'est… C'est l'enveloppe, sans doute, de mon père, balbutia-t-il, celle dans laquelle il y avait les trois mille roubles… et s'il y a l'inscription, permettez : "à mon petit poussin"… voilà : trois mille, s'écria-t-il, trois mille, vous avez vu ?

— Bien sûr, nous avons vu, mais, l'argent, nous ne l'avons pas trouvé, elle était vide et elle était par terre, près du lit, derrière le paravent.

Pendant quelques secondes Mitia resta comme abasourdi.

— Messieurs, c'est Smerdiakov ! s'écria-t-il soudain de toutes ses forces. C'est lui qui a tué, c'est lui qui a volé ! Il était le seul à savoir où il l'avait cachée, le vieux, son enveloppe… C'est lui, maintenant, c'est clair !

— Mais, vous aussi, vous connaissiez l'existence de cette enveloppe, et le fait qu'elle se trouvait sous l'oreiller.

— Mais jamais de la vie : je ne l'ai jamais vue, c'est la première fois, maintenant, que je la vois, et, avant, je n'en avais entendu parler que par Smerdiakov… Il était le seul à savoir où le vieux la cachait, moi, je ne savais pas… haletait Mitia, incapable de reprendre son souffle.

— Et pourtant, dans votre déposition, tout à l'heure, vous avez dit que votre défunt père gardait cette enveloppe sous son oreiller. Vous avez dit précisément “sous l'oreiller”, donc, vous saviez où elle était.

— C'est ce que nous avons noté ! confirma Nikolaï Parfionovitch.

— N'importe quoi, c'est inepte ! Je ne savais pas du tout que c'était sous l'oreiller. Mais, si ça se trouve, elle n'était pas du tout sous l'oreiller… Je l'ai dit au hasard, sous l'oreiller… Qu'est-ce qu'il dit, Smerdiakov ? Vous lui avez demandé où elle était ? C'est ça qui compte… Moi, j'ai menti exprès sur mon propre compte… J'ai menti sans réfléchir, qu'elle était sous l'oreiller, et vous, tout de suite… Enfin, vous savez bien, des fois, ça vous vient sur la langue, et on ment. Le seul qui savait, c'est Smerdiakov, il n'y avait que Smerdiakov, et personne d'autre !… Et il ne me l'a pas dit, où elle était ! Mais c'est lui, c'est lui ; ça ne fait pas de doute que c'est lui qui a tué, maintenant, c'est clair comme le jour, s'exclamait Mitia, de plus en plus frénétique, se répétant d'une façon incohérente, en s'échauffant, en s'énervant de plus en plus. Comprenez ça et arrêtez-le vite, plus vite… Il a tué au moment précis où je m'enfuyais et quand Grigori était évanoui, c'est clair maintenant… Il a tapé le signal, mon père lui a ouvert… Parce qu'il était le seul, aussi, à connaître le signal, et, sans le signal, mon père n'aurait jamais ouvert à personne…

— Mais, là encore, vous oubliez cette circonstance, remarqua le procureur, mais avec comme un air de triomphe, que ce n'était même pas la peine de le faire, le signal, si la porte était restée ouverte, encore en votre présence, quand vous vous trouviez encore dans le jardin…

— La porte, la porte, marmonna Mitia et, les yeux fixés, sans rien dire, sur le procureur, il s'affaissa à nouveau sur la chaise, sans forces.

Il y eut un silence général.

— Oui, la porte !... C'est un fantôme ! Dieu est contre moi ! s'exclama-t-il, regardant droit devant lui, sans plus penser à rien.

— Ah, vous voyez, dit gravement le procureur, et jugez vous-même, maintenant, Dmitri Fiodorovitch : d'un côté cette déposition sur la porte ouverte par laquelle vous seriez sorti en courant, une déposition écrasante, pour vous comme pour nous. De l'autre, votre silence incompréhensible, têtu, pour ne pas dire entêté, sur l'origine de l'argent qui se trouvait d'un seul coup entre vos mains, alors que, trois heures avant de détenir cette somme, selon votre propre aveu, vous aviez mis en gage vos pistolets pour ne toucher que dix roubles ! Considérez tout cela et jugez vous-même : à quoi pouvons-nous croire et que devons-nous conclure ? Et ne nous accusez pas d'être des "cyniques froids et des persifleurs" qui ne seraient pas en état de croire en la noblesse des élans de votre âme... Mettez-vous, au contraire, aussi à notre place...

Mitia était en proie à une émotion incroyable, il pâlit.

— Bon ! s'exclama-t-il soudain. Je vais vous révéler mon secret, je vais révéler d'où il vient, cet argent !... Je vous révèle ma honte, pour ne plus vous accuser par la suite, ni vous, ni moi...

— Et croyez, Dmitri Fiodorovitch, reprit Nikolaï Parfionovitch avec une espèce de petite joie tout émue et joyeuse, que tout aveu sincère et complet de votre part, fait précisément à l'instant où nous sommes, peut, par la suite, avoir une influence pour alléger considérablement votre sort, et même, en outre...

Mais le procureur le poussa un peu du pied, et il parvint à s'arrêter à temps. Mitia, certes, ne l'avait même pas écouté.

VII

LE GRAND SECRET DE MITIA. UN FOUR

— Messieurs, commença-t-il, en proie à la même émotion, cet argent… je veux l'avouer complètement… c'est argent, il était *à moi*.

Le procureur et le juge d'instruction ouvrirent la bouche, ce n'était pas du tout cela qu'ils attendaient.

— Comment, à vous, balbutia Nikolaï Parfionovitch, quand, encore à cinq heures de l'après-midi, de votre propre aveu…

— Eh, mais au diable les cinq heures de l'après-midi et mon propre aveu, ce n'est pas de ça qu'il s'agit maintenant ! Cet argent, il était à moi, à moi, c'est-à-dire volé par moi… pas à moi, c'est-à-dire, mais volé, volé par moi, et il y avait mille cinq cents roubles, et je les avais avec moi, tout le temps avec moi…

— Mais d'où les avez-vous pris ?

— De mon cou, messieurs, je les ai pris, de mon cou, ici, là, de ce cou, ici… L'argent, je l'avais là, à mon cou, je l'avais cousu dans un chiffon, je le portais au cou, ça fait longtemps, déjà, depuis un mois, que je le portais au cou, avec la honte, avec le déshonneur !

— Mais à qui était cet argent que vous… vous êtes approprié ?

— Vous vouliez dire : “que vous avez volé” ? Dites les mots précis maintenant. Oui, je considère que c’est exactement comme si je l’avais volé, et, si vous voulez, vraiment, je me le suis approprié. Mais, à mon avis, je l’ai volé. Et, hier soir, alors, j’ai volé complètement.

— Hier soir ? Mais vous venez de dire que ça faisait un mois que vous l’aviez… trouvé !

— Oui, mais pas à mon père, pas à mon père, ne vous en faites pas, ce n’est pas à mon père que je l’ai volé, c’est à elle. Laissez-moi raconter et ne m’interrompez pas. C’est déjà assez pénible. Vous voyez : ça fait un mois de ça, il y a Katérina Ivanovna Verkhovtséva qui m’appelle – mon ancienne fiancée… Vous la connaissez ?

— Mais voyons, bien sûr.

— Je le sais, que vous la connaissez. Une âme des plus noble, la plus noble des nobles, mais qui me haïssait depuis déjà longtemps, oh, longtemps, longtemps… et pour une bonne raison, oh, pour une bonne raison elle me haïssait !

— Katérina Ivanovna ? redemanda le juge d’instruction, étonné. Le procureur, lui aussi, ouvrait de grands yeux.

— Oh, ne prononcez pas son nom dans le vide ! Je suis une crapule, si je la nomme. Oui, j’ai vu qu’elle me haïssait… depuis longtemps… depuis la toute première fois, depuis la première fois, n’est-ce pas, là-bas, chez moi… Mais ça suffit, ça suffit, ça, vous êtes indignes même de le savoir, c’est absolument inutile… Ce qu’il faut seulement, c’est qu’elle m’appelle, ça fait un mois, elle me confie trois mille roubles pour que je les envoie à sa sœur et à une autre parente à Moscou (comme si elle ne pouvait pas les envoyer elle-même !), et moi…

ça se passait justement à cette heure fatale de ma vie quand j'ai… enfin, bref, quand je suis tombé amoureux d'une autre, amoureux d'*elle*, de celle de maintenant, celle qui attend là-bas, en bas, Grouchenka… et je l'ai pris, cet argent, ce jour-là, pour l'emmener à Mokroïé, et j'ai dépensé à faire la noce, en deux jours, la moitié de ces maudits trois mille roubles, c'est-à-dire mille cinq cents, et, l'autre moitié, je l'ai gardée sur moi. Et donc, ces mille cinq cents que j'ai gardés sur moi, je les portais sur moi, à mon cou, comme une espèce de viatique, et, hier, je les ai pris, et je les ai flambés. La monnaie de huit cents roubles que vous avez entre les mains, Nikolaï Parfionovitch, c'est ce qui me reste de ces mille cinq cents roubles.

— Permettez, mais, comment, vous avez flambé ici trois mille roubles, et non pas mille cinq cents, tout le monde le sait ?

— Qui le sait ? Qui a compté ? A qui je l'ai donné à compter ?

— Enfin, mais c'est vous-même qui disiez à tout le monde que vous aviez flambé exactement trois mille roubles.

— C'est vrai, je l'ai dit, je l'ai dit à toute la ville, et toute la ville le disait, et tout le monde estimait ça, et ici, à Mokroïé, tout le monde estimait ça aussi, que ça faisait trois mille. Seulement, moi, malgré tout, je n'ai pas flambé trois mille roubles, mais mille cinq cents, voilà d'où vient l'argent d'hier…

— C'en est presque un miracle… balbutia Nikolaï Parfionovitch.

— Permettez-moi de vous demander, poursuivit enfin le procureur, n'avez-vous pas parlé de cette circonstance ne serait-ce qu'à quelqu'un… c'est-à-dire que vous aviez gardé mille cinq cents roubles, à ce moment-là, par-devers vous ?

— Je ne l'ai dit à personne.

— C'est étrange. Réellement, comme ça, à personne personne ?

— Non, à personne. A personne et à personne.

— Mais pourquoi ce silence ? Qu'est-ce qui vous a poussé à faire de cela un tel secret ? Je m'explique plus précisément : vous avez fini par nous révéler votre secret, qui, d'après vous, est tellement “honteux”, quoique, en fait – c'est-à-dire, bien sûr, relativement parlant, c'est-à-dire, je veux parler de l'appropriation de ces trois mille roubles qui ne vous appartenaient pas, et, une appropriation, sans aucun doute, temporaire –, cet acte, donc, à mon avis, du moins, ne soit rien qu'un acte au plus haut point frivole, mais pas aussi honteux que ça, si l'on tient compte, en outre, de votre caractère... Bon, mettons qu'il soit tout à fait condamnable, au plus haut point, je suis d'accord, mais il n'est pas honteux... Ce que je veux dire, au fond, c'est que ces trois mille roubles de Mme Verkhovtséva que vous avez dépensés, il y a beaucoup de gens qui s'en sont doutés, sans que vous ayez à l'avouer, et, cette légende, je l'ai entendue moi-même... Mikhaïl Makarovitch, par exemple, l'a entendue aussi. Si bien que, finalement, ce n'est presque plus une légende, c'est un ragot qui parcourt toute la ville. En plus, il y a des traces comme quoi vous-même, si je ne m'abuse, vous avez avoué à je ne sais qui que cet argent, précisément, il appartenait à Mme Verkhovtséva... Et voilà pourquoi je ne suis que trop surpris de vous voir donner jusqu'à présent, je veux dire jusqu'à cette toute dernière minute, comme un secret tellement extraordinaire ces mille cinq cents roubles que vous auriez, d'après vous, mis de côté, en accompagnant votre secret d'une espèce, même, pour ainsi dire, d'épouvante. Il est invraisemblable que l'aveu d'un tel secret ait pu vous coûter tant de souffrances… parce que vous venez de crier que vous préfériez aller au bagne plutôt que de l'avouer…

Le procureur se tut. Il s'était échauffé. Il n'avait pas caché son dépit, pour ne pas dire sa colère, il avait étalé tout ce qui s'était accumulé en lui, sans même se soucier de la beauté du style, c'est-à-dire d'une façon incohérente, désordonnée…

— La honte, elle n'était pas dans les mille cinq cents roubles, mais dans le fait que, ces mille cinq cents roubles, je les avais pris sur les trois mille, prononça fermement Mitia.

— Mais qu'y a-t-il, ricana rageusement le procureur, de si honteux à cela, que, de ces trois mille roubles que vous avez pris d'une façon condamnable, ou, comme vous le voulez vous-même, d'une façon honteuse, de ces trois mille roubles, vous en ayez retranché la moitié pour un autre usage ? Ce qui est le plus important, c'est que vous vous êtes approprié ces trois mille roubles, et pas l'usage que vous en avez fait. A propos, pourquoi avez-vous justement pris cette disposition, c'est-à-dire les avez-vous divisés en deux lots ? Pourquoi, dans quel but l'avez-vous fait, pouvez-vous nous l'expliquer ?

— Oh, messieurs, c'est dans ce but-là qu'est toute la force ! s'exclama Mitia. Je les ai divisés par crapulerie, c'est-à-dire par calcul, parce que c'est le calcul, dans ce cas-là, qui est une crapulerie… Et pendant tout un mois, elle a duré, cette crapulerie !

— Je ne comprends pas.

— Vous m'étonnez. Remarquez, c'est vrai qu'on ne comprend pas, si ça se trouve, vu la façon dont je m'explique. Voyez-vous, vous me suivez ? je me suis approprié ces trois mille roubles confiés à mon honneur, je fais la noce avec eux, je les flambe tous, le matin je reviens la voir et je dis : “Katia, je suis coupable, j’ai flambé tous tes trois mille roubles” – ça, c’est quoi, c’est bien ? Non, ce n’est pas bien, c’est déshonorant et c’est lâche, je suis une bête, un homme qui ne sait pas se retenir, tellement il est bestial, c’est ça, c’est ça ? Mais quand même, est-ce que je suis un voleur ? Je ne suis pas un voleur absolu, accordez-le, pas un voleur absolu ! Je les ai flambés, mais je ne les ai pas volés ! Maintenant, deuxième cas, encore plus avantageux, suivez-moi, sinon, je parie, je vais encore m’embrouiller – je ne sais pas, j’ai la tête qui tourne –, et donc, deuxième cas : je flambe, ici, seulement mille cinq cents roubles sur les trois mille, c’est-à-dire la moitié. Le lendemain, je viens la voir, et je la lui rapporte, cette moitié : “Katia, reprends-moi cette moitié, je suis une fripouille, une crapule frivole, parce que, l’autre moitié, je l’ai flambée, et celle-là aussi, je vais la flamber, au moins je me débarrasse de ce péché-là !” Bon, ça, dans ce cas-là, c’est quoi ? C’est tout ce que vous voulez, je suis une bête et une crapule, mais je ne suis plus un voleur, plus un voleur définitivement, parce que, si j’étais un voleur, cette moitié-là, je ne la lui aurais pas rendue, je l’aurais gardée pour moi. Là, elle voit que si j’ai rendu cette moitié-là aussi vite, c’est que je vais rendre ce qui manque, c’est-à-dire ce que j’ai flambé, je vais le chercher toute ma vie, je vais travailler, mais je le retrouverai et je le rendrai. Donc, de cette façon, je suis une crapule, mais pas un voleur, pas un voleur, comme vous voulez, mais pas un voleur !

— Mettons qu’il y ait là une certaine différence, ricana froidement le procureur. Mais c’est étrange, quand même, que vous y voyiez une différence aussi, enfin, fatale.

— Oui, je vois une différence fatale ! Une crapule, tout le monde peut l'être, tout le monde l'est, d'ailleurs, mais tout le monde ne peut pas être voleur, sauf une archicrapule. Bon, mais dans ces finesses, moi, je ne sais pas… Je veux dire qu'un voleur, il est plus crapuleux qu'une crapule, voilà ma conviction. Ecoutez : je porte cet argent à mon cou depuis déjà un mois, demain, je peux décider de le rendre, et je ne suis plus une crapule, mais, justement, je ne peux pas me décider, voilà, et, même si, tous les jours, j'essaie de me décider, même si, tous les jours, je me pousse : "Décide-toi, décide-toi, crapule", et voilà tout un mois que je n'arrive pas à me décider, voilà ! Ça, c'est bien, d'après vous, c'est bien ?

— Mettons que ce ne soit pas très bien, cela, je peux le comprendre parfaitement, et je n'en discute pas, répondit le procureur avec réserve. Et, en général, laissons de côté tous les débats sur ces finesses et ces distinctions, et, là, encore, ne voudriez-vous pas revenir à notre affaire. Toute l'affaire, justement, est que vous n'avez toujours pas daigné nous expliquer, malgré toutes nos questions, pourquoi, dès l'origine, vous avez fait le partage de ces trois mille roubles, c'est-à-dire que vous en avez flambé mille cinq cents, et vous avez caché le reste. Pourquoi, au fond, précisément, les avez-vous cachés, à quel usage destiniez-vous ces mille cinq cents roubles restants ? C'est sur cette question-là que j'insiste, Dmitri Fiodorovitch.

— Ah oui, mais c'est vrai ! s'écria Mitia, se frappant le front. Pardonnez-moi, je vous torture et je ne vous explique pas l'essentiel, sinon, vous auriez compris à la seconde, parce que c'est dans le but, c'est dans le but qu'elle est, toute la honte ! Voyez-vous, c'est toujours le vieux, là, le défunt, il était toujours à troubler Agraféna Alexandrovna, et moi j'étais jaloux, je me disais à ce moment-là qu'elle hésitait entre nous deux : voilà, donc, je me disais tous les jours : qu'est-ce qui se passera si, d'un coup, elle prend sa décision, c'est-à-dire si elle se fatigue de me torturer, et que, d'un coup, elle me dit : "C'est toi que j'aime, pas lui, emmène-moi à l'autre bout du monde." Et moi, tout ce que j'ai, c'est quarante kopecks ; avec quoi je l'emmènerais, qu'est-ce que je ferais à ce moment-là – ç'aurait été ma perte. Parce que je ne la connaissais pas, je ne la comprenais pas à ce moment-là, je pensais que c'était de l'argent qu'il lui fallait, et que, la misère, jamais elle ne me la pardonnerait. Et donc, sournoisement, je mets de côté la moitié de ces trois mille roubles, je les couds dans un linge, à l'aiguille, froidement, je les couds avec un calcul, je les couds avant, encore, de me soûler, et puis, une fois qu'ils sont cousus, sur l'autre moitié, je pars me soûler ! Non, ça, c'est une crapulerie ! Vous comprenez maintenant ?

Le procureur partit d'un rire sonore, le juge d'instruction également.

— A mon avis, c'est même raisonnable et très moral, de vous être retenu, et de ne pas avoir tout flambé, fit en riant Nikolaï Parfionovitch, qu'est-ce qu'il y a là de si particulier ?

— Mais le fait de les avoir volés, voilà ce qu'il y a ! Oh, mon Dieu, mais vous m'épouvantez par votre incompréhension ! Tout le temps que j'ai porté ces mille cinq cents roubles sur moi, cousus sur ma poitrine, de jour en jour, d'heure en heure, je me disais : "Tu es un voleur, tu es un voleur !" C'est pour ça que j'étais fou pendant tout ce mois, pour ça que je me suis battu à la taverne, pour ça que j'ai roué de coups mon père, que je me sentais un voleur ! Même à Aliocha, à mon frère, je n'ai pas osé, je n'ai pas eu le courage de les révéler, ces mille cinq cents roubles : tellement je sentais que j'étais une crapule et un filou ! Mais, sachez-le : tout le temps que je les ai portés, jour après jour, heure après heure, je me disais : "Non, Dmitri Fiodorovitch, peut-être que tu n'es pas encore un voleur." Pourquoi ? Mais justement parce que, demain, tu peux aller trouver Katia, et tu peux les lui rendre. Et c'est seulement hier que j'ai décidé d'arracher ce viatique de mon cou, en allant de chez Fénia jusque chez Perkhotine, jusqu'à cet instant-là, je n'avais pas réussi à me décider, et, dès que je l'ai eu arraché, au même instant, je suis devenu un voleur, définitif, indiscutable, un voleur et un homme sans honneur pour toute ma vie. Pourquoi ? Parce que, avec mon viatique, c'est tout mon rêve d'aller trouver Katia et de lui dire : "Je suis une crapule, mais pas un voleur" que je venais de déchirer ! Vous comprenez, maintenant, vous comprenez !

— Et pourquoi est-ce précisément hier soir que vous vous êtes décidé ? l'interrompit Nikolaï Parfionovitch.

— Pourquoi ? C'est une question comique : parce que je m'étais condamné à mort, à cinq heures du matin, ici, à l'aube : "Quelle importance, je m'étais dit, si je meurs crapule ou noble !" Eh non, en fait, il y avait une importance ! Croyez-moi, messieurs, ce qui m'a torturé le plus toute cette nuit, ce n'était pas que j'avais tué le vieux serviteur, que la Sibérie me pendait au nez, et quand encore ? quand mon amour a été couronné, quand le ciel s'est rouvert devant moi ! Oh, ça me torturait, mais pas tant que ça ; non, quand même pas autant que cette maudite conscience que j'avais fini par m'arracher de la poitrine cet argent maudit, et que je l'avais dilapidé, et que donc, maintenant, j'étais un voleur définitif ! Oh, messieurs, je vous le répète, le cœur en sang : j'ai appris beaucoup de choses l'espace de cette nuit ! J'ai appris que non seulement ce n'était pas possible de vivre comme une crapule, mais ce ne l'était pas non plus de mourir comme une crapule... Non, messieurs, c'est dans l'honneur qu'il faut mourir !...

Mitia était pâle. Son visage avait une expression torturée, épuisée, même s'il était échauffé à l'extrême.

— Je commence à vous comprendre, Dmitri Fiodorovitch, reprit le procureur avec douceur et même comme avec compassion, mais, tout de même, tout ça, comme vous voulez, ce ne sont que vos nerfs... vos nerfs malades, eh oui. Et pourquoi, par exemple, pour vous soulager de tant de souffrances, pendant quasiment tout un mois, vous ne seriez pas allé rendre ces mille cinq cents roubles à la personne qui vous les avait confiés, et, après vous être expliqué avec elle, pourquoi, vu la situation qui était la vôtre à ce moment-là, une situation si affreuse, d'après ce que vous nous dépeignez, pourquoi ne pas avoir essayé une manœuvre qui se présente si naturellement à l'esprit, je veux dire, après un aveu si noble de vos erreurs, ne pas lui avoir demandé cette somme dont vous aviez besoin pour vos dépenses, une somme que, vu la générosité de son cœur, et devant votre désespoir, elle ne vous aurait évidemment pas refusée, surtout si vous lui aviez signé un papier, ou, finalement, ne serait-ce que contre cette garantie que vous avez proposée au marchand Samsonov ou à Mme Khokhlakova ? Vous continuez tout de même de considérer, n'est-ce pas, que cette garantie a une valeur ?

Mitia rougit soudain :

— C'est vraiment à ce point que vous me prenez pour une crapule ? Ça ne peut pas être sérieux de votre part !... murmura-t-il avec indignation en regardant le procureur droit dans les yeux, et comme s'il refusait de croire ce qu'il venait d'entendre.

— Je vous assure que je suis sérieux… Pourquoi pensez-vous que je ne suis pas sérieux ? s'étonna à son tour le procureur.

— Oh, la crapulerie que ç'aurait été ! Messieurs, mais, vous le savez, que vous me torturez ? Si vous voulez, je vais tout vous dire, bon, maintenant, je vous avoue toute mon infernalité, mais pour vous faire honte, et vous vous étonnerez vous-même du degré de crapulerie que ça peut atteindre, toute la combinaison des sentiments humains. Sachez donc que, cette combinaison, elle m'est déjà venue à moi-même, celle-là même dont vous venez de parler, procureur ! Oui, messieurs, moi aussi, j'ai eu cette idée-là pendant ce mois maudit, au point que je m'étais presque déjà résolu à me rendre chez Katia, tellement j'étais une crapule ! Mais aller la trouver, lui déclarer ma trahison et, pour cette même trahison, pour l'accomplissement de cette trahison, pour les dépenses qui afféraient à cette trahison, à elle, à Katia, lui demander de l'argent (lui demander, vous entendez, lui demander !), et puis m'enfuir tout de suite avec une autre, avec sa rivale, qu'elle haïssait et qui l'avait humiliée – voyons, mais vous êtes fou, procureur !

— Fou ou pas fou, mais, bien sûr, dans le feu de l'action, je n'avais pas réalisé, au sujet, enfin, de la jalousie féminine, si, réellement, il pouvait y avoir là de la jalousie, comme vous l'affirmez… oui, je veux bien, il y a là quelque chose dans ce genre-là, fit le procureur avec un sourire gêné.

— Mais ça, ç'aurait été une telle saleté, cria rageusement Mitia, frappant du poing sur la table, ça aurait pué tellement, ça, que, je ne sais pas ! Mais vous savez qu'elle aurait pu me le donner, cet argent, et elle me l'aurait donné, à coup sûr qu'elle me l'aurait donné, pour jouir de sa vengeance, par mépris pour moi elle me l'aurait donné, parce que, ça aussi, c'est une âme infernale, la femme d'une grande colère ! Et moi, l'argent, je l'aurais pris, oh, oui, je l'aurais pris, et, là, toute ma vie… oh mon Dieu ! Pardonnez-moi, messieurs, si je crie tellement, mais, cette idée, je l'avais eue il n'y a encore pas si longtemps, juste avant-hier quand je me démenais, la nuit, avec Chien-d'Arrêt, et puis ensuite hier, oui, hier aussi, hier, toute la journée, je m'en souviens, jusqu'à cette histoire-là…

— Quelle histoire ? plaça Nikolaï Parfionovitch d'un air curieux, mais Mitia ne l'entendit pas.

— Je vous ai fait un aveu épouvantable, conclut-il sombrement. Appréciez-le, enfin, messieurs. Mais ça ne suffit pas, ça ne suffit pas de l'apprécier, estimez-le à sa valeur, sinon, si, ça, ça n'arrive pas à vous entrer dans le cœur, alors, réellement, vous n'avez aucune estime pour moi, messieurs, voilà ce que je vous dis, et je mourrai de honte de l'avoir avoué à des gens comme vous ! Oh, je vais me brûler la cervelle ! Mais je le vois déjà, je le vois que vous ne me croyez pas ! Quoi, ça aussi, vous voulez le noter ? s'écria-t-il, épouvanté.

— Mais vous venez de dire, reprit Nikolaï Parfionovitch, le regardant d'un regard étonné, c'est-à-dire que, jusqu'à la toute dernière heure, vous comptiez vous rendre chez Mme Verkhovtséva, pour lui demander cette somme… Je vous assure que c'est un témoignage très important pour nous, Dmitri Fiodorovitch, à propos de cette histoire, je veux dire… et important surtout pour vous, oui, pour vous, surtout.

— Mais par pitié, messieurs ! cria Mitia avec un geste d'impuissance. Mais ça, au moins, ne l'écrivez pas, ayez un peu de vergogne, au moins ! J'ai déchiré, pour ainsi dire, mon âme en deux devant vous, et, vous, vous en profitez, et vous farfouillez avec vos doigts à l'endroit déchiré, entre les deux moitiés... Oh, mon Dieu !

Il se cacha le visage dans les mains, désespéré.

— Ne vous mettez pas dans cet état, Dmitri Fiodorovitch, conlut le procureur, tout ce qui est inscrit en ce moment, vous l'entendrez vous-même par la suite, et ce avec quoi vous serez en désaccord, nous le changerons sur vos indications, mais, maintenant, j'ai ma petite question, que je vous répète, n'est-ce pas, pour la troisième fois : est-ce que réellement personne, c'est-à-dire, personne, réellement ne vous a entendu parler de cette somme que vous aviez cousue dans ce viatique ? Ça, je vous dirais, c'est quasiment inimaginable.

— Personne, personne, je vous l'ai dit, sinon vous n'avez rien compris ! Laissez-moi tranquille.

— Je vous en prie, cette affaire doit s'expliquer, et nous avons encore beaucoup de temps devant nous, mais, pour le moment, réfléchissez : nous avons une dizaine, peut-être, de témoins, qui disent que vous avez annoncé vous-même, et même que vous criiez partout que vous aviez dépensé trois mille roubles, trois mille, et pas mille cinq cents, et maintenant, à l'apparition de cette somme d'hier, vous avez déjà eu le temps de le faire savoir à bien des gens, que c'était trois mille roubles que vous aviez sur vous...

— Ce n'est pas des dizaines, c'est des centaines de témoins que vous avez, deux cents témoins, deux cents personnes ont entendu, mille personnes ! s'exclama Mitia.

— Ah, vous voyez, tout le monde, tout le monde en témoigne. Ça veut dire quelque chose, quand même, *tout le monde* ?

— Ça ne veut rien dire du tout, j'avais menti, et tout le monde a menti après moi.

— Mais pourquoi avez-vous eu besoin de “mentir”, comme vous le dites ?

— Le diable le sait. Par vantardise, peut-être... comme ça... que c’était beaucoup d’argent que j’avais flambé... Ou pour l’oublier, si ça se trouve, cet argent que j’avais cousu... oui, c’est ça, pour ça... diable... ça fait combien de fois que vous me posez cette question ? Bon, j’ai menti, et, une fois que j’ai eu menti, évidemment, je ne voulais plus corriger. Pourquoi est-ce qu’on ment, des fois ?

— Voilà une question difficile, Dmitri Fiodorovitch, pourquoi on ment, déclara le procureur d’un ton grave. Dites-moi, pourtant, il était grand, ce viatique, comme vous l’appelez, à votre cou ?

— Non, il n’était pas grand.

— Et de quelle taille, plus ou moins ?

— Vous pliez en deux un billet de cent roubles, cette taille-là.

— Vous ne nous voudriez pas nous montrer les petits bouts de tissu ? Vous devez bien les avoir sur vous.

— Eh diable... quelles bêtises... je ne sais pas où ils sont.

— Mais permettez, pourtant : quand et où avez-vous ôté ce viatique de votre cou ? Vous dites vous-même, n’est-ce pas, que vous n’êtes pas rentré chez vous.

— Mais quand je suis sorti de chez Fénia pour aller chez Perkhotine, en y allant, je l’ai arraché de mon cou et j’ai sorti l’argent.

— Dans le noir ?

— Pourquoi il fallait une bougie ? J’ai fait ça d’un doigt, en une seconde.

— Sans ciseaux, dans la rue ?

— Sur la place, je crois ; pourquoi des ciseaux ? Un vieux chiffon, ça s’est déchiré tout de suite.

— Et qu'est-ce que vous en avez fait après ?
— Bah, je l'ai jeté.
— Où précisément ?
— Mais sur cette place, en général, sur la place ! Le diable le sait, où, sur la place. Pourquoi vous voulez le savoir ?
— C'est d'une importance extrême, Dmitri Fiodorovitch : une preuve matérielle en votre faveur, et comment, vous, refusez-vous de le comprendre ? Qui donc vous a aidé à le coudre il y a un mois ?
— Personne ne m'a aidé, je l'ai cousu moi-même.
— Vous savez coudre ?
— Un soldat doit savoir coudre, et là, en plus, il n'y a aucun besoin de savoir.
— Et où donc avez-vous pris le tissu, je veux dire ce chiffon dans lequel vous avez cousu l'argent ?
— Vraiment, vous ne riez pas ?
— Pas du tout, et nous n'avons pas du tout l'humeur à rire, Dmitri Fiodorovitch.
— Je ne me souviens plus où j'ai pris le chiffon, j'ai dû le prendre quelque part.
— Ça, quand même, vous devriez vous en souvenir, non ?
— Mais je vous jure que je ne m'en souviens pas, un vieil habit à moi, peut-être, que j'ai déchiré.
— C'est très intéressant : on pourrait retrouver demain dans votre logement cet objet, cette chemise dont vous avez déchiré un morceau. De quoi était-il fait, ce chiffon : c'était de la toile, du tissu ?
— Le diable le sait, de quoi. Attendez… Je crois que je n'ai rien déchiré du tout. C'était du calicot… Je crois que c'est dans un bonnet de ma logeuse que je les ai cousus.
— Un bonnet de votre logeuse ?

— Oui, je lui avais fauché ça.

— Comment ça, fauché ?

— Voyez-vous, c'est vrai, je m'en souviens, un jour, je lui avais fauché un bonnet, pour en faire du chiffon, pour essuyer ma plume. Je l'avais pris en douce, un chiffon qui ne servait plus à rien, des bouts qui traînaient chez moi, et, là, ces mille cinq cents roubles, je les ai cousus dedans... Je crois, oui, que c'est dans ces bouts de tissu que je les ai cousus. Un vieux bout de calicot, mille fois lavé.

— Ça, maintenant, vous vous en souvenez fermement ?

— Je ne sais pas si c'est fermement. Je crois dans le bonnet. Mais on s'en fiche !

— Dans ce cas-là, votre logeuse pourrait au moins se souvenir qu'elle avait perdu quelque chose ?

— Pas du tout, elle ne s'en est pas rendu compte. Un vieux chiffon, je vous dis, un vieux chiffon, ça ne valait pas un sou.

— Et l'aiguille, où vous l'avez prise, et le fil ?

— J'arrête, je ne veux plus. Assez ! finit par se fâcher Mitia.

— C'est étrange, tout de même, que vous ayez, comme ça, complètement oublié à quel endroit précis de la place vous l'avez jeté, ce... viatique.

— Mais faites donc balayer la place demain, peut-être que vous trouverez, ricana Mitia. Assez, messieurs, assez, trancha-t-il d'une voix épuisée. Je le vois clairement : vous ne m'avez pas cru ! Pour rien, pas pour un sou ! C'est ma faute, pas la vôtre, il ne fallait pas que je m'y mette. Pourquoi, mais pourquoi est-ce que je me suis sali en vous avouant mon secret ! Et, vous, ça vous fait rire, je le vois à vos yeux. C'est vous, procureur, qui m'avez poussé là ! Chantez-vous un hymne, si vous pouvez... Soyez donc maudits, espèces de bourreaux !

Il pencha la tête et cacha son visage entre ses mains. Le procureur et le juge d'instruction se taisaient. Une minute plus tard, il releva la tête et les regarda sans penser. Son visage exprimait cette fois un désespoir installé, irrémédiable, et, lui, il était là, comme bizarrement muet, il restait assis sur sa chaise, comme s'il n'était plus conscient de rien. Pourtant, il fallait terminer cette affaire : il fallait sans tarder passer à l'interrogatoire des témoins. Il était déjà huit heures du matin. Les bougies avaient été éteintes depuis longtemps. Mikhaïl Makarovitch et Kalganov, qui, pendant toute la durée de l'interrogatoire, entraient et ressortaient de la pièce, cette fois, étaient ressortis tous les deux. Le procureur et le juge d'instruction avaient, eux aussi, l'air extrêmement fatigué. Le matin qui s'était levé était gris, tout le ciel s'était couvert de nuages et il pleuvait à verse. Mitia regardait les fenêtres sans penser.

— J'ai le droit de regarder par la fenêtre ? demanda-t-il soudain à Nikolaï Parfionovitch.

— Oh, tant que vous voulez, répondit ce dernier.

Mitia se leva et s'approcha de la fenêtre. La pluie fouettait littéralement les petits carreaux verdâtres de la fenêtre. On voyait juste derrière la fenêtre la route boueuse, et puis, plus loin, dans les ténèbres de la pluie, les rangées des isbas, noires, pauvres, misérables, encore plus noires, aurait-on dit, et plus pauvres sous la pluie. Mitia se souvint du "Phébus aux boucles d'or", et qu'il avait voulu se brûler la cervelle à son premier rayon. "Un matin comme celui-là, si ça se trouve, ç'aurait même été mieux", ricana-t-il soudain, avec un geste d'abandon, et il se retourna vers ses "bourreaux" :

— Messieurs ! s'exclama-t-il. Je le vois bien, que je suis perdu. Mais elle ? Dites-moi pour elle, je vous en supplie, est-ce qu'elle aussi elle sera perdue avec moi ?

Elle, elle est innocente, hier, n'est-ce pas, elle a crié sur un coup de folie, qu'elle était "coupable de tout". Elle n'est coupable de rien, de rien du tout ! Je me suis rongé toute la nuit, avec vous... Ce n'est pas possible, vous ne pouvez pas me dire ce que vous ferez d'elle, maintenant ?

— Apaisez-vous complètement de ce point de vue, Dmitri Fiodorovitch, répondit tout de suite le procureur avec une précipitation visible, nous n'avons pour l'instant aucun motif sérieux de déranger un tant soit peu la personne qui vous intéresse. Le cours ultérieur de l'affaire montrera la même chose, je l'espère... Au contraire, nous ferons tout, dans ce sens, ce qui nous sera possible. Soyez absolument tranquille.

— Messieurs, je vous remercie, je le savais bien, quand même, que, malgré tout, vous étiez des gens honnêtes et justes, quoi qu'il en soit. Vous m'ôtez un poids de la conscience... Bon, qu'est-ce que nous allons faire maintenant ? Je suis prêt.

— Euh oui, il faudrait se presser un peu. Il faut sans délai passer à l'interrogatoire des témoins. Tout cela doit obligatoirement se passer en votre présence, et c'est pourquoi...

— On ne pourrait pas prendre un peu de thé d'abord ? l'interrompit Nikolaï Parfionovitch. On l'a bien mérité, j'ai l'impression !

On décida que s'il y avait du thé tout prêt en bas (car Mikhaïl Makarovitch était sans doute parti "prendre un petit thé"), on pourrait en boire un verre après quoi il faudrait "s'y remettre, encore et toujours". Quant au thé véritable, accompagné d'un en-cas, il fallait le repousser à une heure plus propice. De fait, on trouva du thé en bas, et ce thé fut très vite servi à l'étage. Mitia commença par refuser le verre que lui proposait aimablement

Nikolaï Parfionovitch, mais ensuite il en demanda lui-même et le but avidement. En général, il avait l'air étonnamment épuisé. Que pouvait signifier, pouvait-on croire, avec ses forces herculéennes, une nuit de débauche et d'émotions, ne serait-ce que des plus fortes ? Mais il sentait lui-même qu'il avait du mal à tenir en équilibre sur sa chaise, et, de temps en temps, tous les objets se mettaient à danser et à tourner devant ses yeux. "Encore un peu, si ça se trouve, je vais me mettre à délirer", se dit-il en lui-même.

VIII

LA DÉPOSITION DES TÉMOINS. LE PETIOT

L'interrogatoire des témoins commença. Mais nous ne poursuivrons pas notre récit en le menant d'une façon aussi détaillée que nous l'avons fait jusqu'à présent. Voilà pourquoi nous ne décrirons pas la façon dont Nikolaï Parfionovitch faisait comprendre à chaque témoin interrogé qu'il devait déposer en son âme et conscience et qu'il serait par la suite obligé à répéter cette déposition sous serment. Comment, enfin, il était exigé de chaque témoin qu'il signe le procès-verbal de sa déposition, etc. Remarquons une seule chose, le point essentiel sur lequel était attirée toute l'attention des témoins était essentiellement cette fameuse question des trois mille roubles, c'est-à-dire de savoir s'il y en avait trois mille ou mille cinq cents la première fois, c'est-à-dire pendant la première bringue de Dmitri Fiodorovitch ici à Mokroïé, un mois auparavant, et s'il y avait trois mille roubles la veille, pendant la deuxième bringue de Dmitri Fiodorovitch. Hélas, tous les témoignages, du premier au dernier, s'avérèrent contraires à Mitia, et il n'y en eut pas un seul en sa faveur, certains témoignages apportant même des faits nouveaux, quasiment stupéfiants, pour contredire sa déposition. Le premier témoin interrogé fut Trifone Borissytch. Il se présenta devant les enquêteurs sans la moindre frayeur, au contraire, avec un air d'indignation sévère et ferme à l'égard de l'accusé et se donna ainsi visiblement un air de vérité et de dignité personnelle extrêmes. Il parlait peu, avec réserve, attendait les questions, donnait des réponses précises et réfléchies. D'un ton ferme, sans détour, il déclara que, le mois précédent, on ne pouvait pas avoir dépensé moins de trois mille roubles, qu'ici tous les paysans pouvaient le confirmer, que tout le monde avait entendu parler "Mitri Fiodorytch" de trois mille roubles : "Rien qu'aux Tziganes, tout cet argent qu'il aura balancé. Rien qu'elles, elles ont dû empocher pas moins de mille roubles".

— Je ne les ai même pas payées cinq cents, si ça se trouve, remarqua sombrement Mitia, sauf que je n'ai pas compté, j'étais soûl, dommage…

Mitia, cette fois-là, était assis de biais, de dos aux tentures, il écoutait sombrement, avait un air triste et fatigué, comme s'il voulait dire : "Allez, témoignez comme vous voulez, maintenant, tout m'est égal !"

— Vous y avez mis plus de mille roubles dedans, Mitri Fiodorovitch, le réfuta fermement Trifone Borissovitch, vous les jetiez pour de rien, et, eux, ils ramassaient. Ces gens-là, n'est-ce pas, c'est des voleurs et des filous, des voleurs de chevaux, oui, nous, on les a virés d'ici, sinon, eux-mêmes, tenez, ils auraient témoigné combien ils se sont fait avec vous. J'ai vu la somme, moi, de mes propres yeux, dans vos mains – j'ai pas compté, non, vous m'avez pas donné à le faire, c'est juste, mais, à l'œil, je m'en souviens, il y en avait beaucoup plus que mille cinq cents… Vous parlez, mille cinq cents ! J'en ai vu, moi, de l'argent, je peux juger…

Pour la somme de la veille, Trifone Borissovitch indiqua nettement que Dmitri Fiodorovitch lui avait dit lui-même, dès qu'il était sorti de son équipage, qu'il apportait trois mille roubles.

— Mais enfin, Trifone Borissovitch, lui répliqua Mitia, j'ai vraiment dit tout net que j'apportais trois mille roubles ?

— Vous l'avez dit, Mitri Fiodorovitch. Devant Andréï, vous l'avez dit. Andréï, il est là, tenez, il n'est pas encore reparti, faites-le appeler. Et, là-bas, dans la salle, pendant que vous saluiez le chœur, vous avez crié tout net que, ce que vous laissiez là, ç'allait faire six mille roubles, y compris ceux d'avant, comme ça qu'il faut comprendre. Stépane et Sémione ont entendu, et Piotr Fomitch Kalganov, à ce moment-là, il se tenait à côté de vous, lui aussi il se souvient…

La nouvelle des six mille roubles provoqua une impression extraordinaire sur les enquêteurs. Cette nouvelle rédaction leur plut : trois et trois, cela faisait six, donc, trois mille la première fois, et trois mille cette fois-ci, cela faisait six mille roubles, c'était clair.

On interrogea tous ceux que Trifone Borissovitch venait de désigner : les paysans, Stépane et Sémione, le cocher Andréï et Piotr Fomitch Kalganov. Les paysans et le cocher confirmèrent sans hésiter la déposition de Trifone Borissovitch. En outre, on nota particulièrement, des mots d'Andréï, sa conversation avec Mitia pendant le trajet, "Où est-ce que je vais me retrouver, moi, Dmitri Fiodorovitch : au ciel ou en enfer, et est-ce qu'on me pardonnera dans l'autre monde ?". Le "psychologue" Hippolyte Kirillovitch écouta tout cela avec un fin sourire et finit par déclarer que, cette déposition sur le fait de savoir où Dmitri Fiodorovitch allait se retrouver, il recommandait de "la joindre à la procédure".

Invité à se présenter, Kalganov entra à contrecœur, renfrogné, capricieux et parla au procureur et à Nikolaï Parfionovitch comme si c'était la première fois de sa vie qu'il les voyait, alors qu'il les fréquentait depuis très longtemps et tous les jours. Il commença par dire qu'il "ne savait rien de tout ça et ne voulait rien savoir". Mais, les six mille roubles, il s'avéra que lui aussi en avait entendu parler, et il avoua qu'à cette minute-là il se tenait à côté de Mitia. De son point de vue, de l'argent, dans ses mains, Mitia en avait "je ne sais pas combien". Le fait que les Polonais avaient triché aux cartes, il le confirma. Il expliqua aussi, après des questions répétées, qu'après l'exil des Polonais les affaires de Mitia et d'Agraféna Alexandrovna s'étaient réellement arrangées et qu'elle avait dit elle-même qu'elle l'aimait. D'Agraféna Alexandrovna, il parla avec réserve et respect, comme si c'était une dame du meilleur monde, il ne se permit même pas une seule fois de l'appeler "Grouchenka". Malgré la répulsion évidente que le jeune homme éprouvait à témoigner, Hippolyte Kirillovitch l'interrogea longuement et c'est seulement par lui qu'il apprit tous les détails de ce qui faisait, pour ainsi dire, le "roman" de Mitia cette nuit-là. Mitia n'arrêta pas Kalganov une seule fois. Finalement, on libéra le jeune homme et il s'éloigna avec une indignation qu'il ne cherchait pas à cacher.

On interrogea également les Polonais. Dans leur chambrette, certes, ils s'étaient couchés, mais ils n'avaient pas pu fermer l'œil de la nuit, et, avec l'arrivée des autorités, ils avaient eu tôt fait de se rhabiller et de s'apprêter, comprenant parfaitement qu'on ne manquerait d'exiger de les voir. Ils parurent avec dignité, quoique non sans une certaine peur. Le principal, c'est-à-dire le petit *pan*, s'avéra être un fonctionnaire de douzième classe à la retraite, il avait servi en Sibérie comme vétérinaire, et s'appelait *pan* Mussalowicz. *Pan* Wroblewski, quant à lui, s'avéra être un odontologiste libéral, c'est-à-dire un dentiste. Tous deux, dès qu'ils entrèrent dans la pièce, malgré les questions de Nikolaï Parfionovitch, adressèrent leurs réponses à Mikhaïl Makarovitch, qui était debout près de la table, le prenant, lui, par ignorance, pour le rang le plus élevé et la personne qui commandait, et l'appelant à chaque mot : *"pan coulounel"*. Et c'est seulement après plusieurs fois, et l'ordre de Mikhaïl Makarovitch lui-même, qu'ils devinèrent qu'ils ne devaient adresser leurs réponses qu'à Nikolaï Parfionovitch. Il s'avéra qu'ils parlaient russe d'une façon tout à fait acceptable, à part pour la prononciation de certains mots. Sur ses relations avec Grouchenka, celles d'avant et celles de maintenant, *pan* Mussalowicz se mit à parler d'un ton fier et passionné, au point que Mitia sortit tout de suite hors de ses gonds et se mit à crier qu'il ne permettrait pas à une "crapule" de parler ainsi en sa présence. *Pan* Mussalowicz attira tout de suite l'attention sur ce mot "crapule" et demanda qu'on l'inscrive dans le procès-verbal. Mitia se mit à bouillir de furie.

— Oui, une crapule, une crapule ! Inscrivez-le, et inscrivez aussi que, malgré le procès-verbal, moi, je le crie quand même, que c'est une crapule ! cria-t-il.

Nikolaï Parfionovitch, certes, inscrivit cela dans le procès-verbal, mais il fit preuve dans ce cas désagréable d'un sérieux et d'un savoir-faire des plus louables : après une remontrance sévère à Mitia, il arrêta tout de suite par lui-même toute question sur l'aspect romanesque de l'affaire et passa au plus vite aux choses substantielles. Parmi les choses substantielles, il y eut un témoignage des *pans* qui éveilla une curiosité extraordinaire des enquêteurs : je veux dire la façon dont Mitia avait voulu acheter, là-bas, dans l'autre pièce, *pan* Mussalowicz et lui avait proposé trois mille roubles pour disparaître, en proposant sept cents roubles au comptant, et, le reste des deux mille trois cents, “dès demain matin en ville”, et, ce, en leur donnant sa parole d'honneur, puisqu'il avait déclaré qu'ici, à Mokroïé, il n'avait pas sur lui cette somme-là, mais qu'il avait l'argent en ville. Mitia commença par répliquer, sans réfléchir, qu'il n'avait pas dit qu'il donnerait sûrement l'argent en ville, mais *pan* Wroblewski confirma la déposition, et Mitia lui-même, après une minute de réflexion, se renfrogna et confirma, que, oui, sans doute, ça devait s'être passé comme ça, comme les *pans* le disaient, qu'il était dans un grand état d'excitation, et c'est pourquoi il avait réellement pu dire cela. Le procureur mordit littéralement à cette déposition : il s'avérait évident pour l'enquête (et cette conclusion fut réellement tirée) qu'une moitié, ou une partie, des trois mille roubles avec lesquels Mitia s'était découvert pouvait réellement avoir été cachée quelque part en ville, ou peut-être même quelque part ici à Mokroïé, ce qui confirmait ainsi cette circonstance délicate pour l'enquête qu'on n'avait trouvé en possession de Mitia que huit cents roubles – une circonstance qui, jusqu'à présent, avait été la seule, certes assez insignifiante, à témoigner d'une certaine façon en sa faveur. A présent, cet unique témoignage en sa faveur se voyait détruit à son tour. A la question du procureur de savoir où il aurait pu prendre les deux mille trois cents restant pour les donner au *pan* le lendemain, s'il affirmait lui-même n'en avoir que mille cinq cents, alors qu'il avait donné sa parole d'honneur au *pan*, Mitia répondit d'une voix ferme que ce qu'il voulait proposer le lendemain "au petit Polack", ce n'était pas de l'argent, mais un acte officiel de cession de ses droits sur le domaine de Tchermachnia, ce fameux droit qu'il avait proposé à Samsonov et à Khokhlakova. Le procureur eut même un ricanement devant "l'innocence du subterfuge".

— Et vous pensez qu'il aurait accepté de prendre ces "droits" au lieu de deux mille trois cents roubles en liquide ?

— Evidemment qu'il aurait accepté, trancha Mitia avec chaleur. Voyons, mais ce n'est pas deux mille, c'est quatre mille, c'est six mille, même, qu'il aurait pu empocher ! Il aurait tout de suite enrôlé ses avocats, des petits Polacks, des petits youpins, et ce n'est pas trois mille, c'est tout le village de Tchermachnia que le vieux se serait fait chiper.

Il va de soi que la déposition de *pan* Mussalowicz fut ajoutée au dossier dans ses détails les plus précis. Sur ce, les *pans* furent libérés. Le fait qu'ils avaient triché aux cartes ne fut quasiment pas mentionné ; Nikolaï Parfionovitch ne leur était que trop reconnaissant et ne voulait pas les déranger pour des vétilles, d'autant que c'était une dispute vaine en état d'ivresse au cours d'une partie de cartes, et rien d'autre. Vu toutes les débauches et les scandales qui avaient eu lieu cette nuit… Si bien que l'argent, les deux cents roubles, les *pans* les gardèrent dans leur poche.

On convoqua ensuite le petit vieillard Maximov. Il parut en tremblant, s'approcha à tout petits pas, avait un air dépenaillé et très triste. Pendant tout le temps, il était resté réfugié là-bas, en bas, auprès de Grouchenka, il était resté avec elle sans rien dire et "tout le temps, il se mettait à geindre, il s'essuyait les yeux avec un petit mouchoir à carreaux bleus", comme devait le raconter par la suite Mikhaïl Makarovitch. Si bien que c'était elle qui l'apaisait et le consolait. Le petit vieux, les larmes aux yeux, avoua tout de suite qu'il était coupable, qu'il avait emprunté à Dmitri Fiodorovitch la somme de "dix roubles, vu, n'est-ce pas, ma pauvreté", et qu'il était prêt à les rendre… A la question directe de Nikolaï Parfionovitch : n'avait-il pas remarqué combien, précisément, il y avait dans les mains de Dmitri Fiodorovitch, puisqu'il avait pu voir de plus près que tous les autres combien il avait d'argent dans les mains au moment où il lui avait fait cet emprunt, Maximov répondit de la façon la plus nette que, d'argent, il en avait "vingt mille".

— Et vous aviez déjà vu quelque part, avant, vingt mille roubles ? demandant Nikolaï Parfionovitch en souriant.

— Mais bien sûr, n'est-ce pas, j'avais vu, sauf que c'était pas vingt mille, n'est-ce pas, c'était sept mille, quand, n'est-ce pas, mon épouse, elle a hypothéqué mon petit domaine. Elle m'a fait juste voir de loin, elle s'est vantée devant moi. Une grosse liasse, ça faisait, n'est-ce pas, rien que des billets arc-en-ciel. Dmitri Fiodorovitch aussi, il en avait rien que des arc-en-ciel…

On le libéra très vite. Enfin, ce fut le tour de Grouchenka. Les enquêteurs, visiblement, craignaient l'impression que pouvait produire son apparition sur Dmitri Fiodorovitch, et Nikolaï Parfionovitch lui marmonna même quelques mots pour le prévenir, mais Mitia, en guise de réponse, baissa la tête sans rien dire, lui donnant à comprendre qu'il "n'y aurait pas de désordre". C'est Mikhaïl Makarovitch lui-même qui fit entrer Grouchenka. Elle entra avec un visage sévère et sombre, presque tranquille extérieurement, et s'assit sans bruit sur la chaise qui lui fut indiquée, face à Nikolaï Parfionovitch. Elle était très pâle, on pouvait croire qu'elle avait froid, elle n'arrêtait pas de s'emmitoufler dans son splendide châle noir. De fait, elle commençait à souffrir d'une légère fièvre – le début d'une longue maladie qu'elle allait devoir endurer à partir de cette nuit. Son air sévère, son regard droit et sérieux et ses manières tranquilles firent sur tous une impression des plus favorable. Nikolaï Parfionovitch, lui, se sentit même tout de suite "sous le charme". Il devait avouer lui-même, le racontant ici ou là, que c'était seulement là qu'il avait compris à quel point cette femme était "belle", alors qu'auparavant il l'avait vue, bien sûr, mais l'avait toujours considérée comme quelque chose du genre d'une "hétaïre de district". "Elle a des manières du plus grand monde", avait-il lancé, enthousiasmé, dans un certain cercle de dames. Mais cette phrase avait éveillé l'indignation la plus vive et il s'était vu tout de suite traité de "galopin", ce qui l'avait laissé très satisfait. En entrant dans la pièce, Grouchenka n'avait lancé qu'un regard dans une espèce d'éclair vers Mitia, alors que ce dernier, à son tour, lui lançait un regard inquiet, mais l'air qu'elle avait à cette minute-là l'apaisa, lui aussi. Après les inévitables premières questions et mises en garde, Nikolaï Parfionovitch, balbutiant, certes, quelque peu, mais en gardant, pourtant, un air des plus poli, lui demanda : "Quelles étaient vos relations avec le lieutenant en retraite Dmitri Fiodorovitch Karamazov ?" A quoi Grouchenka répondit d'une voix douce et ferme :

— C'était une relation, je l'ai reçu chez moi pendant ce dernier mois comme une relation.

Aux questions suivantes, plus curieuses, elle déclara nettement et en toute sincérité que, même si, certaines "heures", il lui avait plu, elle ne l'aimait pas, mais elle avait voulu le séduire "à cause de cette sale rage" qui la tenait, elle, exactement comme l'autre "petit vieux", elle voyait que Mitia était très jaloux de Fiodor Pavlovitch et de tout le monde, mais, elle, elle s'amusait. Elle n'avait jamais eu l'intention de se rendre chez Fiodor Pavlovitch, elle n'avait fait que se moquer de lui. "Pendant tout ce mois, ce n'est pas du tout à eux que je pensais ; j'attendais un autre homme, qui était coupable devant moi… Seulement, j'ai l'impression, conclut-elle, que vous n'avez aucune raison de vous montrer si curieux, et, moi, je n'ai aucune raison de vous répondre, parce que c'est mon affaire personnelle."

C'est exactement ce que fit Nikolaï Parfionovitch : il cessa d'insister sur les points "romanesques" et passa tout de suite aux choses sérieuses, c'est-à-dire à la question essentielle des trois mille roubles. Grouchenka confirma qu'à Mokroïé, la dernière fois, on avait bien dépensé trois mille roubles, et même si elle-même n'avait pas compté l'argent, elle avait entendu dire par Dmitri Fiodorovitch qu'il s'agissait bien de trois mille roubles.

— Vous l'a-t-il dit en tête à tête ou en présence de quelqu'un, ou bien l'avez-vous seulement entendu le dire à quelqu'un d'autre en votre présence ? s'enquit tout de suite le procureur.

A cela, Grouchenka déclara qu'elle l'avait entendu en présence de certaines personnes, qu'elle l'avait entendu le dire à d'autres, et qu'elle l'avait entendu le lui dire à elle en tête en tête.

— Vous l'a-t-il dit en tête en tête une seule fois ou à de nombreuses reprises ? s'enquit à nouveau le procureur, et il apprit que Grouchenka l'avait entendu à de nombreuses reprises.

Hippolyte Kirillovitch resta très content de cette déposition. Les questions suivantes firent apparaître que Grouchenka savait d'où venait cet argent et que Dmitri Fiodorovitch le tenait de Katérina Ivanovna.

— Et n'avez-vous pas entendu, ne serait-ce qu'une seule fois, qu'il y a un mois Dmitri Fiodorovitch avait flambé non pas trois mille roubles, mais moins, et qu'il s'était gardé une bonne moitié de cette somme pour lui-même ?

— Non, je n'ai jamais entendu ça, témoigna Grouchenka.

Ensuite, il s'avéra même que Mitia, au contraire, lui avait souvent dit pendant tout ce mois qu'il n'avait pas un kopeck. "Il attendait toujours d'en toucher de son père", conclut Grouchenka.

— Et n'aurait-il pas dit devant vous… ou un jour, en passant, ou bien dans son énervement, plaça soudain Nikolaï Parfionovitch, qu'il avait l'intention d'attenter à la vie de son père ?

— Oh si, il l'a dit ! soupira Grouchenka.

— Une fois ou à plusieurs reprises ?

— Il l'a dit plusieurs fois, toujours dans des moments de colère.

— Et vous croyiez qu'il allait l'accomplir ?

— Non, je ne l'ai jamais cru ! répondit-elle fermement. J'avais confiance en sa noblesse.

— Messieurs, permettez, s'écria soudain Mitia, permettez-moi de dire juste un seul mot à Agraféna Alexandrovna en votre présence.

— Faites, autorisa Nikolaï Parfionovitch.

— Agraféna Alexandrovna, fit Mitia en se levant de sa chaise, crois-moi comme tu crois au bon Dieu : du sang de mon père, qui a été tué hier, je ne suis pas coupable !

A ces mots, Mitia se rassit sur sa chaise. Grouchenka se leva et se signa pieusement, se tournant vers l'icône.

— Dieu soit loué ! murmura-t-elle d'une voix chaude et pénétrée, et, sans se rasseoir encore et se tournant vers Nikolaï Parfionovitch, elle ajouta : Ce qu'il vient de dire, vous pouvez le croire ! Je le connais : il peut raconter des bêtises, pour rire, peut-être, ou bien par entêtement, mais, si ça va contre sa conscience, jamais il ne vous trompera. Il dira toute la vérité, ça, croyez-le !

— Merci, Agraféna Alexandrovna, c'est l'âme que tu me soutiens ! répondit Mitia d'une voix tremblante.

Aux questions sur l'argent de la veille, elle répondit qu'elle ne savait combien il y en avait, mais qu'elle avait entendu Dmitri Fiodorovitch dire plusieurs fois à différentes personnes qu'il apportait trois mille roubles. Quant à savoir d'où venait cet argent, il lui avait dit, à elle seule, qu'il l'avait "volé" à Katérina Ivanovna, et elle, elle lui avait répondu qu'il ne l'avait pas volé, que, l'argent, il fallait le rendre dès le lendemain. A la question insistante du procureur : de quelle somme parlait-il en disant qu'il l'avait volée à Katérina Ivanovna – celle de la veille ou bien des trois mille roubles qui avaient été dépensés ici même voici un mois –, elle déclara qu'il parlait de la somme qui avait été dépensée voici un mois, que c'était ainsi qu'elle l'avait compris.

Grouchenka fut enfin libérée, et Nikolaï Parfionovitch se précipita pour lui dire qu'elle pouvait rentrer en ville ne serait-ce qu'à l'instant, et que, lui-même, de son côté, s'il pouvait l'aider en quoi que ce soit, par exemple lui trouver des chevaux, ou, si, par exemple, elle souhaitait qu'on la raccompagne, lui… de son côté…

— Je vous remercie humblement, dit Grouchenka, s'inclinant devant lui, je rentre avec le petit vieux, le propriétaire, je le ramène, mais, pour le moment, j'attends en bas, si vous permettez, ce que vous déciderez ici pour Dmitri Fiodorovitch.

Elle sortit. Mitia était tranquille et avait même un air assez énergique, mais juste pour un instant. C'était une espèce d'étrange impuissance physique qui l'envahissait, toujours davantage. Ses yeux se fermaient de fatigue. L'interrogatoire des voisins s'acheva enfin. On passa à la rédaction définitive du procès-verbal. Mitia se leva et passa de sa chaise à un coin, vers la tenture, il s'allongea sur une grosse malle du patron recouverte d'un tapis, et s'endormit tout de suite. Il fit une espèce de rêve étrange, comme pas du tout approprié, ni pour le temps ni pour le lieu. Il se voyait comme voyager quelque part, dans la steppe, là où il avait servi jadis, encore avant, et c'est un paysan qui le conduit, dans une carriole, attelée à deux chevaux, dans la boue. Mais, Mitia, c'est comme s'il avait froid, on est début novembre, la neige tombe en gros flocons mouillés et, en tombant sur la terre, elle fond tout de suite. Le paysan, lui, le conduit d'un pas alerte, il joue du fouet, il a une barbe, comme ça, châtain, très longue, et on ne peut pas dire qu'il soit vieux, non, il a quoi, dans les cinquante ans, avec son petit manteau gris de paysan. Et puis, c'est un village, pas loin, et les isbas qu'on voit, elles sont noires, mais toutes noires, et la moitié des isbas sont brûlées, il n'y a plus que des poutres calcinées qui se dressent. Et puis, à la sortie, sur la route, des paysannes qui se sont mises en file, plein de paysannes, toute une file, et toutes, maigres, épuisées, le visage, on dirait, comme ça, marron. Et il y en a une, surtout, au bout, osseuse, un peu, très grande, une quarantaine d'années, peut-être, ou peut-être seulement vingt, le visage long, maigre, et, dans ses bras, un petit enfant qui pleure, et sa poitrine, quoi, sans doute, elle est toute desséchée, rien, plus une goutte de lait. Et il pleure, et il pleure, le petit, il tend ses bras, comme ça, tout nus, ses petits poings, violets, complètement, on dirait, de froid.

— Pourquoi ils pleurent ? Qu'est-ce qu'ils ont à pleurer ? demande Mitia, passant devant eux à toute allure.

— Le petiot, lui répond le cocher, le petiot qui pleure. Et ce qui frappe Mitia, c'est qu'il l'a dit à sa façon, dans sa langue paysanne, “le petiot”, pas le “petit”. Et ça lui plaît que le paysan ait dit “petiot” : la compassion elle est plus forte.

— Et pourquoi il pleure, le petiot ? demande Mitia, bêtement. Pourquoi ses bras ils sont tout nus, pourquoi on ne le couvre pas ?

— Il est transi, le petiot, ses habits ont gelé, ça le réchauffe plus ni rien.

— Mais pourquoi c'est comme ça ? Pourquoi ? insiste Mitia dans sa bêtise.

— Bah ils sont pauvres, ça a brûlé chez eux, plus de pain qui reste, ils demandent l'aumône pour l'incendie.

— Non, non, continue Mitia toujours comme s'il ne comprenait pas, dis-moi : pourquoi elles sont là, ces mères, après le feu, pourquoi les gens sont pauvres, pourquoi il est pauvre, le petiot, pourquoi elle est toute nue la steppe, pourquoi ils ne s'étreignent pas, ils ne s'embrassent pas, pourquoi ils ne chantent pas des chants de joie, pourquoi ils ont noirci comme ça, comme dans un malheur noir, pourquoi ils ne nourrissent pas le petiot ?

Et il sent en lui-même que, même si c'est fou, ce qu'il demande, si ça n'a aucun sens, c'est justement comme ça qu'il a envie de le demander, c'est comme ça, justement, qu'il faut le demander. Et ce qu'il sent encore, c'est comment, dans son cœur, ce qui se soulève c'est une espèce d'attendrissement comme il n'en a encore jamais connu, il a envie de pleurer, il a envie de faire à tous quelque chose pour qu'il ne pleure plus, le petiot, qu'elle ne pleure plus, la mère noire, desséchée du petiot, qu'il n'y ait plus de larmes du tout à compter de cette minute chez personne et de le faire, ça, tout de suite, tout de suite, sans attendre, et quoi qu'il puisse y avoir, avec toute la fougue irreffrénée des Karamazov.

— Et moi aussi je suis avec toi, maintenant je ne te laisserai pas, toute la vie je te suivrai, dit près de lui la voix bien-aimée, empreinte d'émotion, de Grouchenka. Et voilà tout son cœur qui s'enflamme et s'élance vers une espèce de lumière, et il veut vivre, et vivre, marcher, marcher sur une espèce de chemin, vers une lumière nouvelle et appelante, et plus vite, plus vite, et, là, maintenant, tout de suite !

— Quoi ? Où ça ? s'exclame-t-il, ouvrant les yeux et s'asseyant sur sa malle, comme s'il venait vraiment de reprendre ses esprits après un évanouissement, mais avec un sourire lumineux. Il voit au-dessus de lui Nikolaï Parfionovitch qui l'invite à l'écouter et signer le procès-verbal. Mitia comprit qu'il avait dormi une bonne heure ou plus, mais il n'écoutait pas Nikolaï Parfionovitch. Il avait brusquement été saisi de découvrir sous sa tête un oreiller qui, pourtant, n'était pas là quand il s'était penché, épuisé, sur la malle.

— Qui a mis cet oreiller sous ma tête ? Qui a eu cette bonté ? s'exclama-t-il, empli d'une espèce d'émotion exaltée, reconnaissante, avec une sorte de voix larmoyante, comme si c'était Dieu savait quelle bonne action qu'on venait de lui faire.

L'homme qui avait eu la bonté demeura inconnu, c'était peut-être un des témoins requis, ou peut-être le petit greffier de Nikolaï Parfionovitch qui avait pensé à lui mettre un oreiller sous la tête, par compassion, mais toute son âme était comme secouée de larmes. Il s'approcha de la table et déclara qu'il signerait tout ce qu'on voudrait.

— J'ai fait un rêve bien, messieurs, dit-il bizarrement, avec une espèce de visage tout nouveau, comme tout illuminé de joie.

IX

ILS ONT EMMENÉ MITIA

Quand le procès-verbal fut signé, Nikolaï Parfionovitch se tourna solennellement vers le prévenu et lui donna lecture d'une "ordonnance" selon laquelle, tel jour de telle année, en tel lieu, le juge d'instruction de tel tribunal de district, après avoir interrogé un tel (c'est-à-dire Mitia) en qualité de prévenu de ceci et de cela (toutes ses fautes étaient soigneusement spécifiées), attendu que le prévenu, tout en se déclarant non coupable des crimes dont il était accusé, n'avait pu présenter aucun fait pour se disculper, alors que les témoins un tel et un tel et telle et telle circonstance le désignent formellement comme coupable, vu tel et tel article du Code de procédure pénale, etc., ordonnait : pour empêcher un tel (Mitia) d'utiliser tout moyen de se soustraire à l'enquête et au tribunal, de l'enfermer dans tel établissement pénitentiaire, ce dont le prévenu était informé, et de communiquer une copie de la présente au substitut du procureur, etc. Bref, Mitia se vit informé qu'il était à partir de cet instant en état d'arrestation et qu'il serait reconduit en ville, où il serait enfermé dans un endroit des plus désagréable. Mitia écouta attentivement et ne fit que hausser les épaules.

— Ma foi, messieurs, je ne vous accuse pas, je suis prêt… Je comprends qu'il ne vous reste plus rien d'autre.

Nikolaï Parfionovitch lui expliqua avec douceur qu'il serait emmené à l'instant par le commissaire de la police rurale, Mavriki Mavrikiévitch, lequel, justement se trouvait disponible…

— Attendez, l'interrompit soudain Mitia, et il prononça, plein d'une espèce d'émotion irrépressible, s'adressant à tous ceux qui étaient présents dans la pièce. Messieurs, nous sommes tous cruels, nous sommes tous des monstres, nous faisons tous pleurer les gens, les mères et les nourrissons, mais, de tous – que ça soit tranché comme ça, maintenant –, c'est moi la crapule, le serpent le plus vil ! Soit ! Tous les jours de ma vie, en me frappant la poitrine, je me promettais de m'amender et, tous les jours, je faisais les mêmes saletés. Je comprends maintenant que, les gens comme moi, ils ont besoin d'un choc, d'un choc du destin, pour les prendre dans une trappe et les calmer par une force extérieure. Jamais, jamais je ne me serais relevé moi-même ! Mais le tonnerre a éclaté. J'accepte le supplice et la honte de mon accusation publique, je veux souffrir et cette souffrance me purifiera ! Parce que, peut-être, peut-être, non, que je pourrai me purifier ? Mais écoutez-moi, pourtant, une dernière fois : du sang de mon père je ne suis pas coupable ! J'accepte le supplice, non pas parce que je l'ai tué, mais parce que j'ai voulu le tuer, et que, si ça se trouve, vraiment, j'aurais pu le tuer… Mais, malgré tout, j'ai l'intention de me battre avec vous, et je vous en fais l'annonce. Je vais me battre avec vous jusqu'à la toute dernière extrémité, et, là, que Dieu décide ! Adieu, messieurs, ne m'en veuillez pas si, pendant cet interrogatoire, j'ai crié contre vous, oh, j'étais si bête encore, à ce moment-là… Dans une minute, je suis en état d'arrestation, et, maintenant, pour la dernière fois, Dmitri Karamazov, en homme encore libre, vous tend la main. En vous disant adieu, c'est aux hommes que je dis adieu !…

Sa voix se mit à trembler, et il voulut vraiment tendre la main, mais Nikolaï Parfionovitch, qui se tenait le plus près de lui, comme soudain, dans une espèce de geste convulsif, cacha ses mains derrière son dos. Mitia le remarqua à la seconde et tressaillit. Il baissa tout de suite la main qu'il lui tendait.

— L'enquête n'est pas encore achevée, balbutia Nikolaï Parfionovitch, en rougissant un peu, nous poursuivrons encore en ville, et, moi, bien sûr, de mon côté, je suis prêt à vous souhaiter tous les succès… pour vous disculper… Vous-même, Dmitri Fiodorovitch, je suis toujours enclin à vous considérer comme un homme, pour ainsi dire, plus malheureux que coupable… Nous tous ici, si seulement j'ose parler au nom de tous, nous sommes tous prêts à vous considérer, dans le fond, comme un jeune homme au cœur noble, mais hélas ! emporté par certaines passions à un certain degré d'excès…

La petite silhouette de Nikolaï Parfionovitch exprimait à la fin de ce discours une grandeur des plus digne. Mitia, en l'espace d'une seconde, eut l'idée que ce "petit gamin" allait tout de suite lui prendre le bras, le conduire dans un coin pour y renouveler sa conversation toute récente sur les "petites filles". Mais Dieu sait toutes les idées complètement hors de propos et sans rapport avec quoi que ce soit qui peuvent parfois passer par la tête d'un criminel que l'on conduit à l'exécution.

— Messieurs, vous êtes bons, vous êtes humains, est-ce que je peux la voir, *elle*, une dernière fois, lui dire adieu ? demanda Mitia.

— Sans aucun doute, mais, vu… bref, maintenant, il faut absolument une présence…

— Si vous voulez, soyez présent !

On amena Grouchenka, mais l'adieu fut bref, peu bavard et il fut loin de satisfaire Nikolaï Parfionovitch. Grouchenka s'inclina profondément devant Mitia.

— Je te l'ai dit, que j'étais à toi, je serai à toi, je te suivrai pour toujours, où qu'on puisse t'envoyer. Adieu, toi, l'innocent qui t'es perdu !

Ses jolies lèvres tressaillirent, des larmes coulèrent de ses yeux.

— Pardonne-moi, Groucha, pour mon amour, de t'avoir perdue, toi aussi, à cause de mon amour !

Mitia voulut encore dire autre chose, mais, brusquement, ce fut lui-même qui coupa net et sortit. Des gens se retrouvèrent tout de suite autour de lui, qui ne le quittaient pas des yeux. Au bas du petit perron où il avait débarqué la veille avec un tel fracas dans la troïka d'Andréï, deux carrioles toutes prêtes l'attendaient. Mavriki Mavrikiévitch, un homme trapu et court sur pattes, le visage flasque, était agacé par quelque chose, par Dieu sait quel désordre qui venait de survenir, il criait et montait sur ses ergots. Ce fut d'une voix comme trop brutale qu'il invita Mitia à monter dans une carriole. "Avant, quand je lui payais à boire à la taverne, il avait une tête bien différente, cet homme-là", se dit Mitia en grimpant. Trifone Borissovitch, lui aussi, descendait le perron. Des gens s'amassaient au portail, des paysans, des paysannes, des cochers, tous avaient les yeux braqués sur Mitia.

— Pardon, bonnes gens ! cria soudain Mitia dans sa carriole.

— Toi aussi, pardonne-nous ! firent deux ou trois voix.

— Toi aussi, pardonne, Trifone Borissytch !

Mais Trifone Borissytch ne se tourna même pas, peut-être était-il trop occupé. Lui aussi, il criait et s'agitait. Il s'avérait que, dans la deuxième carriole, dans laquelle deux miliciens devaient accompagner Mavriki Mavrikiévitch, tout n'était pas encore prêt. Le petit paysan qu'on avait désigné pour monter dans cette deuxième carriole enfilait son petit manteau et jurait violemment que ce n'était pas à lui d'y aller, mais à Akim. Or Akim n'était pas là ; on courut le chercher ; le petit paysan insistait, suppliait qu'on attende.

— Mais ces gens qu'on a, Mavriki Mavrikiévitch, vraiment aucune vergogne ! s'exclamait Trifone Borissytch. Akim, avant-hier, il t'a donné vingt-cinq kopecks, tu les as bus et, maintenant, tu cries. Je m'étonne, Mavriki Mavrikiévitch de la bonté de cœur que vous montrez à nos crapules de gens, voilà ce que je peux vous dire !

— Mais pourquoi une deuxième troïka, intervint Mitia, prenons la même, Mavriki Mavrikitch, je ne ferai pas de scandale, tiens, je n'essaierai pas de te filer entre les doigts, à quoi bon une escorte ?

— Moi, je vous prie, monsieur, de me parler comme il faut, si vous avez pas encore eu le temps d'apprendre, on me dit pas *tu* à moi, je vous interdis de me tutoyer, et, vos conseils, vous pouvez les garder… trancha soudain brutalement Mavriki Mavrikiévitch à l'intention de Mitia, comme s'il était content de le trouver pour passer sa colère.

Mitia se tut. Il avait rougi tout entier. Une seconde plus tard, il eut soudain très froid. La pluie cessa, mais le ciel trouble était encore couvert de nuages, le vent violent lui fouettait la figure. “J'ai la fièvre, ou quoi ?”

se dit Mitia, tressaillant des épaules. Mavriki Mavrikiévitch finit par grimper, lui aussi, dans la carriole, il s'installa, lourd et large, et, comme s'il ne le remarquait pas, repoussa violemment Mitia. Certes, il était de mauvaise humeur, et la mission qui lui était confiée lui déplaisait au plus haut point.

— Adieu, Trifone Borissytch ! cria à nouveau Mitia, et il sentit lui-même que ce n'était pas par sympathie qu'il venait de le crier, mais par rage, malgré lui. Mais Trifone Borissytch se tenait fier, les deux mains derrière le dos, et, les yeux fixés sur Mitia, il le fixait d'un air dur et en colère, et ne lui répondit rien.

— Adieu, Dmitri Fiodorovitch, adieu ! lança soudain Kalganov, qui venait de bondir de Dieu sait où. Il accourut vers la carriole et tendit la main à Mitia. Il n'avait pas mis sa casquette. Mitia eut encore le temps de lui saisir la main et de la serrer.

— Adieu, mon brave ami, je n'oublierai pas ta générosité ! s'exclama-t-il avec chaleur. Mais la carriole partit, leurs bras se séparèrent. La clochette tinta – ils avaient emmené Mitia.

Kalganov, lui, courut jusqu'à l'entrée de la maison, il s'assit dans un coin, pencha la tête, se cacha le visage dans les mains et se mit à pleurer, il resta longtemps ainsi, et il pleura – il pleurait exactement comme un petit gamin, et pas comme un jeune homme de déjà vingt ans. Oh, il croyait presque totalement à la culpabilité de Mitia ! "Mais qu'est-ce que c'est que ces gens, de quoi ils sont capables, après ça, les gens !" s'exclama-t-il par bribes, dans un accès de mélancolie amère, pour ne pas dire de désespoir. Il n'avait plus le goût de vivre en cet instant. "Est-ce que ça vaut le coup, est-ce que ça vaut le coup !" s'exclamait le jeune homme affligé.

QUATRIÈME PARTIE

Livre dixième

LES GAMINS

I

KOLIA KRASSOTKINE

Début novembre. Il fait moins onze chez nous, le verglas s'est installé. Un peu de neige sèche est tombée durant la nuit sur la terre gelée, et le vent "sec, aigu[1]" la relève et la balaie le long des mornes rues de notre petite ville, surtout sur la place du marché. Le matin est brumeux mais la neige a cessé. Non loin de la place, près de la boutique des Plotnikov, on peut voir une petite maison, bien proprette, à l'extérieur autant qu'à l'intérieur, celle de la veuve du fonctionnaire Krassotkine. Le secrétaire de province Krassotkine lui-même est décédé depuis déjà très longtemps, quasiment quatorze ans, mais sa veuve, une petite dame de trente ans, encore tout à fait avenante, vit toujours et vit dans cette petite maison, "de ses rentes". Elle mène une vie honnête et humble, elle est de caractère tendre mais assez gai. Elle est restée veuve à dix-huit ans, après n'avoir vécu avec son mari qu'une seule petite année, et lui avoir

1. Extrait d'un poème de N. Nékrassov.

donné un fils. Depuis, c'est-à-dire depuis le jour de sa mort, elle s'est consacrée tout entière à l'éducation de Kolia, son trésor de petit garçon, et même si, pendant toutes ces quatorze années, elle l'a aimé à la folie, on peut imaginer qu'elle a reçu de lui incomparablement plus de souffrances que de joies, frissonnant et mourant de peur quasiment de jour en jour pour qu'il ne tombe pas malade, ne s'enrhume pas, ne fasse pas des bêtises, ne grimpe pas sur la chaise et ne dégringole pas, etc. Quand Kolia a commencé d'aller à l'école, puis à notre collège, sa maman s'est lancée avec lui dans l'étude de toutes les sciences, pour l'aider et lui faire répéter ses leçons, elle s'est mise à faire la connaissance de tous ses professeurs et de leurs épouses, elle est même allée jusqu'à choyer les camarades de Kolia, des gamins, a tenté de les flatter pour qu'ils ne fassent pas de mal à son Kolia, qu'ils ne se moquent pas de lui, n'essaient pas de le rosser. Elle en avait tant fait qu'à cause d'elle les gamins, à la fin, avaient réellement commencé à se moquer de lui et à le traiter de "petit fifils à sa maman". Mais le gamin avait su se défendre. C'était un gamin courageux, un "drôle de costaud", comme l'affirma très vite dans la classe une rumeur qui ne devait plus se démentir, il était agile, avait un caractère obstiné, un esprit audacieux et entreprenant. Il travaillait bien, et la rumeur disait même que, tant en arithmétique qu'en histoire universelle, il aurait pu rendre des points même à leur professeur Dardanellov. Mais le gamin avait beau regarder tout le monde de haut, il avait des manières amicales. Surtout, il connaissait la mesure, il savait, à l'occasion, se retenir et, dans ses rapports avec la hiérarchie, ne franchissait jamais une certaine limite ultime et sans retour après laquelle une bêtise ne peut plus être supportée, tombant dans le désordre, la rébellion et l'anarchie. Et néanmoins, il était très, mais très enclin à faire des bêtises à toutes les occasions, à faire des bêtises comme le tout dernier des garnements, et moins faire des bêtises, d'ailleurs, que des mauvais tours, des incartades, se lancer dans des lubies, faire, comme ils disaient, "de l'épate", juste pour le chic, pour se faire admirer. Surtout, il était très vaniteux. Même sa maman, il avait su la placer dans un état de soumission, la traitant quasiment en despote. Et, d'ailleurs, elle se soumettait, elle se soumettait depuis longtemps, et la seule pensée qu'elle n'arrivait pas à supporter, c'était que son garçon "l'aimait trop peu". Elle avait toujours l'impression que Kolia se montrait "insensible" à son égard et il y avait des cas où, mouillée de larmes hystériques, elle se mettait à lui reprocher sa froideur. Cela, le gamin ne l'aimait pas, et plus on exigeait de lui des épanchements lyriques, plus, comme pour faire exprès, il se montrait intraitable. Mais, cela, il ne le faisait pas exprès, c'était malgré lui – son caractère. Sa mère se trompait : il l'aimait beaucoup, sa maman, mais, ce qu'il ne supportait pas, c'était, comme il disait dans sa langue d'écolier, "ses lécheries de veau". Le père avait laissé une armoire qui contenait quelques livres. Kolia aimait lire et, sans jamais rien dire, il en avait déjà lu quelques-uns. Sa mère ne s'en troublait pas, mais s'étonnait seulement parfois que son garçon, au lieu de sortir jouer, pût rester des heures entières devant cette bibliothèque avec un livre. Ainsi Kolia avait-il lu telle ou telle chose qu'on n'aurait pas dû lui laisser lire à son âge. Du reste, ces derniers temps, même si le gamin n'aimait pas franchir une certaine limite dans ses bêtises, il s'était lancé dans certaines bêtises qui avaient effrayé sa mère sérieusement – certes, pas des choses, je ne sais pas, immorales, mais téméraires, dignes d'une tête brûlée. Justement cet été-là, en juillet, pendant les vacances, il était arrivé que la maman et le petit avaient passé une semaine dans un autre district, à soixante-dix verstes de chez nous, chez une parente lointaine dont le mari travaillait à la gare de chemin de fer (cette fameuse gare, la plus proche de notre petite ville, depuis laquelle, un mois plus tard, Ivan Fiodorovitch Karamazov était reparti à Moscou). Là, Kolia commença par observer la gare dans ses moindres détails, étudia les habitudes, comprenant que ces nouvelles connaissances pourraient lui servir pour briller en rentrant parmi les écoliers de son collège. Mais il s'y trouva au même moment quelques autres garçons avec lesquels il se lia ; les uns vivaient dans le bourg même où se trouvait la gare, d'autres dans le voisinage – il y eut en tout six ou sept garnements âgés de douze à quinze ans, et deux d'entre eux se trouvaient habiter dans notre petite ville. Les gamins jouaient, faisaient des bêtises, et voilà que, le quatrième ou le cinquième jour de leur séjour près de la gare, naquit parmi cette jeunesse bête l'idée du pari le plus impossible, à deux roubles – à savoir que Kolia, qui était presque le plus jeune de tous, et qui, donc, était un peu méprisé par les aînés, par vanité ou suite à une témérité impardonnable, proposa que, de nuit, lui, au passage du train de onze heures, il se couche entre les rails, de tout son long et reste immobile, le temps que le train passe sur lui à toute vapeur. Certes, on avait fait une étude préalable, de laquelle il ressortait que, réellement, il était possible de rester étendu tassé sur les traverses, que le train, bien sûr, passerait à toute vitesse et ne vous toucherait pas, mais, quand même, l'idée de rester étendu ! Kolia affirmait qu'il en était capable. Au début, on se moqua de lui, on le traita de petit menteur, de fanfaron, mais cela ne fit que l'enflammer davantage. Surtout, les grands de quinze ans haussaient trop le nez devant lui et, au début, ils avaient même refusé de le considérer comme un camarade, parce qu'il était "petit", ce qui était insupportablement vexant. Et donc, il avait été décidé de partir, le soir, à une verste de la gare, pour que le train, après avoir quitté la gare, ait eu le temps de reprendre toute sa vitesse. Les gamins se réunirent. La nuit s'avéra être sans lune, on ne pouvait pas dire obscure, elle était presque noire. A l'heure dite, Kolia s'étendit sur les rails. Les cinq autres qui avaient parié, le cœur figé, et, finalement, rongé de peur et de remords, attendaient en bas du remblai, près de la route, dans les buissons. Finalement, le train, laissant la gare derrière lui, gronda au loin. Deux lanternes rouges luirent dans les ténèbres, le monstre qui s'approchait se mit à tonner. "Dégage, dégage de la voie !" crièrent à Kolia les gamins qui mouraient de peur dans leurs buissons, mais il était trop tard : le train courait déjà, puis il passa. Les gamins se précipitèrent vers Kolia : il gisait immobile. Ils se mirent à le secouer, voulurent le relever. Brusquement, il se releva et descendit, sans mot dire, du remblai. Une fois qu'il fut redescendu, il déclara qu'il avait fait exprès d'être resté comme évanoui, pour leur faire peur, mais le fait était que, réellement, il avait perdu conscience, comme il devait l'avouer lui-même, beaucoup plus tard, à sa maman. Ainsi sa gloire de "désespéré" fut établie pour les siècles des siècles. Il rentra chez lui à la gare, blanc comme un linge. Le lendemain, il tomba légèrement malade d'une fièvre nerveuse, mais, d'humeur, il se sentait d'une gaieté terrible, heureux et satisfait. L'aventure ne fut pas ébruitée tout de suite, mais à son retour dans notre ville, elle pénétra au collège et parvint jusqu'aux autorités. Là, la maman de Kolia courut supplier ces autorités pour son garçon et finit par obtenir qu'il soit défendu et tiré d'affaire par Dardanellov, enseignant influent et respecté, et l'affaire fut étouffée, comme si elle n'avait jamais eu lieu. Ce Dardanellov, célibataire encore loin d'être vieux, était passionnément et depuis déjà de longues années amoureux de Mme Krassotkina, et une fois déjà, un an auparavant, de la façon la plus respectueuse et en mourant autant de peur que de délicatesse, il avait risqué de lui demander sa main ; mais elle avait refusé net, considérant que consentir aurait été trahir son gamin, quoique Dardanellov, à certains signes mystérieux, ait eu, même, peut-être, un certain droit de penser qu'il était loin d'être désagréable à la charmante mais vraiment trop pudique et tendre veuve. La gaminerie folle de Kolia brisa, semble-t-il, la glace, et Dardanellov, par son intervention, se vit gratifié d'une allusion à un espoir, certes éloigné, mais Dardanellov lui-même était un phénomène de pureté et de délicatesse, et c'est pourquoi cette simple allusion, en attendant, suffisait à toute la plénitude de son bonheur. Le gamin, il l'aimait, même s'il considérait comme humiliant de chercher à le courtiser, et se comportait avec lui pendant les cours avec sévérité et exigence. Mais Kolia, lui aussi, le tenait à une distance respectueuse, préparait ses leçons à la perfection, était toujours le deuxième en classe, s'adressait à Dardanellov d'un ton sec, et toute la classe croyait dur comme fer qu'en histoire universelle Kolia était tellement fort qu'il pouvait battre Dardanellov lui-même. Et, de fait, Kolia lui avait un jour posé cette question : "Qui a fondé Troie ?" – question à laquelle Dardanellov n'avait fait qu'une réponse générale sur les peuples, leurs mouvements et leurs déplacements, la profondeur des temps et les légendes, mais à la question de savoir qui, précisément, avait fondé Troie, c'est-à-dire quelles personnes précises, il n'avait pas su répondre, et, même, c'est la question en tant que telle qu'il avait trouvée, bizarrement, oiseuse et vaine. Mais les gamins étaient restés persuadés que Dardanellov ne savait pas qui avait fondé Troie. Kolia, lui, avait trouvé les fondateurs de Troie chez Smaragdov, qui se trouvait dans la bibliothèque héritée de son père. Pour finir, ce furent même tous les gamins qui se prirent de passion pour cette question : qui donc, précisément, avait fondé Troie, mais Krassotkine ne dévoilait pas son secret, et le prestige de son savoir lui restait donc intact.

Après l'histoire du chemin de fer, les relations de Kolia et de sa mère connurent un certain changement. Quand Anna Fiodorovna (la veuve de Krassotkine) avait appris l'exploit de son rejeton, elle avait failli devenir folle d'épouvante. Elle avait été prise de si terribles crises d'hystérie, qui avaient continué, avec quelques interruptions, plusieurs jours de suite, que Kolia, cette fois sérieusement effrayé, lui avait donné sa parole d'honneur et d'honnête homme que ce genre de gamineries ne se reproduirait plus jamais. Il l'avait juré à genoux devant l'icône et sur la mémoire de son père, comme l'avait exigé Mme Krassotkina elle-même, ce que faisant le "courageux" Kolia avait fondu en larmes, comme un petit garçon de six ans, sous le coup de "l'émotion", et la mère et le fils, pendant toute cette journée, n'avaient pas arrêté de se jeter dans les bras l'un de l'autre et de pleurer convulsivement. Le lendemain, Kolia s'était réveillé tout aussi "insensible" qu'avant mais il était devenu plus silencieux, plus modeste, plus strict, plus pensif. Certes, un mois et demi plus tard, il se retrouva pris dans une autre gaminerie, au point que son nom parvint même aux oreilles de notre juge de paix, mais cette gaminerie était d'un tout autre genre, elle était même risible et bébête, et ce n'était pas lui, d'ailleurs, comme cela apparut, qui en était coupable, il s'y était juste trouvé mêlé. Mais, cela, j'en parlerai peut-être ailleurs. La mère continuait de trembler et de se torturer, tandis que Dardanellov, à mesure que la mère s'angoissait, sentait, lui, ses espérances croître. Il faut remarquer que, de ce point de vue-là, Kolia comprenait et perçait à jour Dardanellov, et que, bien sûr, il le méprisait profondément pour ses "émotions" ; avant, il avait même eu l'indélicatesse d'exprimer ce mépris devant sa mère, en lui faisant une allusion lointaine au fait qu'il comprenait ce que Dardanellov essayait d'obtenir. Mais après l'histoire de la voie ferrée, sur ce sujet-là aussi, il avait changé de conduite : il ne se permettait plus d'allusions, même les plus légères, et il parlait à sa mère de Dardanellov avec le plus grand des respects, ce que sa mère, sensible, avait reçu dans son cœur avec une gratitude infinie, alors que, désormais, à la moindre parole, ne serait-ce que la plus fortuite, qu'un visiteur pouvait prononcer en sa présence à propos de Dardanellov, si Kolia se trouvait présent, elle s'empourprait soudain de honte tout entière comme une rose. Kolia, lui, pendant ces moments-là, tantôt fixait la fenêtre d'un air sombre, tantôt regardait si ses souliers ne présentaient pas de trous, ou appelait rageusement Pérezvon, un chien pouilleux et assez grand, qu'il avait brusquement acquis un mois auparavant, personne ne savait d'où, avait traîné chez lui et que, bizarrement, il gardait au secret chez lui, sans le montrer à aucun de ses camarades. Il le tyrannisait affreusement, lui apprenant toutes sortes de sciences et de tours, et avait fini par obtenir que le pauvre chien hurle à son absence quand il était à l'école, et que, sitôt qu'il revenait, il glapisse de joie, galope comme un fou, fasse le beau, se roule par terre, fasse le mort, etc., bref montre tous les tours qui lui avaient été appris, cette fois sans qu'on le lui demande mais uniquement suite à la fougue de ses sentiments exaltés et de son cœur reconnaissant.

A propos : j'oubliais de rappeler que Kolia Krassotkine était ce fameux gamin à qui le gamin Ilioucha, que le lecteur connaît déjà, le fils du capitaine en retraite Snéguiriov, avait donné un coup de canif dans la cuisse, en défendant son père que les écoliers traitaient sans cesse de "filasse".

II

LA MARMAILLE

Ainsi donc, par ce matin glacial, mordant, de novembre, le jeune Kolia Krassotkine se trouvait chez lui. C'était un dimanche, il n'y avait pas école. Mais onze heures avaient déjà sonné, et, lui, il fallait absolument qu'il sorte "pour une affaire de la plus haute importance", alors que, dans toute la maison, il restait seul, et comme résolument son gardien, parce qu'il était advenu que tous les habitants adultes, suite à une circonstance aussi originale qu'extraordinaire, avaient dû sortir. Dans la maison de la veuve Krassotkine, de l'autre côté de l'entrée qui menait à l'appartement lui-même, il y avait encore un unique petit appartement de deux pièces qu'on louait, et il était occupé par une doctoresse avec ses deux enfants en bas âge. Cette doctoresse avait le même âge qu'Anna Fiodorovna et elle était sa grande amie – quant au docteur lui-même, il était parti, depuis un an déjà, quelque part à Orenbourg, puis à Tachkent, et il y avait déjà six mois qu'il ne donnait plus la moindre nouvelle, si bien que, sans son amitié avec Mme Krassotkina, qui adoucissait quelque peu le malheur de la doctoresse délaissée, cette dernière serait morte réellement à force de pleurer son malheur. Et donc, il fallut qu'il arrive pour couronner tout l'acharnement de son destin que, cette même nuit, dans la nuit du samedi au dimanche, Katérina, la seule servante de la doctoresse, soudain, et d'une manière tout à fait inattendue pour sa maîtresse, lui déclare qu'elle avait l'intention de mettre au monde, pour le matin, un petit enfant. Comment avait-il été possible que personne n'eût rien remarqué avant, cela tenait pour tous quasiment du miracle. La doctoresse, bouleversée, pensa, tant qu'il en était encore temps, conduire Katérina dans un certain établissement prévu dans notre petite ville pour ce genre de cas, chez une vieille sage-femme. Comme elle tenait beaucoup à sa servante, elle réalisa son projet séance tenante, la conduisit elle-même, et, qui plus est, y resta à veiller sur elle. Ensuite, au matin, il avait fallu, allez savoir pourquoi, toute la participation amicale et l'aide de Mme Krassotkina elle-même, laquelle, devant cette circonstance, pouvait demander telle chose à telle personne et exercer une espèce de protection. Ainsi, les dames étaient-elles absentes, et la servante de Mme Krassotkina, la vieille Agafia, était partie au marché, tandis que Kolia se retrouvait ainsi, pour un temps, le gardien et le défenseur des "mioches", c'est-à-dire du petit garçon et de la petite fille de la doctoresse, qui restaient seuls au monde. Kolia n'avait pas peur de monter la garde dans la maison, vu qu'il était, en plus, secondé par Pérezvon, qui avait reçu l'ordre de rester étendu dans le vestibule, sous le banc, “sans bouger”, et qui, justement pour cette raison, à chaque fois que Kolia, pendant le tour qu’il faisait dans la maison, entrait dans la pièce, tressaillait de la tête et tapait sur le plancher deux coups fermes et flatteurs de la queue, mais, hélas, sans jamais déclencher le sifflement d’appel. Kolia lançait un regard menaçant à la pauvre bête, et cette dernière se figeait à nouveau dans une hébétude servile. Non, ce qui troublait Kolia, c’était uniquement “les mioches”. L’aventure inattendue de Katérina, il la considérait, bien sûr, avec le plus grand mépris, mais il aimait beaucoup les mioches orphelins, et leur avait déjà apporté un livre pour enfants. Nastia, la fille, l’aînée, âgée de déjà huit ans, savait lire, alors que le petit mioche, Kostia, âgé, lui, de sept ans, adorait écouter quand Nastia lui faisait la lecture. Evidemment, Krassotkine aurait pu les occuper d’une façon plus intéressante, c’est-à-dire les placer tous les deux côte à côte et se mettre à jouer avec eux à la guerre ou à cache-cache dans toute la maison. Cela, il l’avait déjà fait plus d’une fois et il n’avait pas honte de le faire, au point que la rumeur avait même couru dans sa classe que Krassotkine, chez lui, jouait avec ses petits locataires au petit cheval, se laissait atteler et courbait la tête, mais Krassotkine avait fièrement rejeté pareille accusation, expliquant qu’avec des garçons de son âge, de treize ans, de fait, il aurait été honteux de jouer au petit cheval, mais que, là, il le faisait pour des “mioches”, parce qu’il les aimait, et que personne n’avait le droit de lui demander de comptes pour ce qu’il éprouvait. En revanche, les “mioches” en question l’adoraient. Or, cette fois, il avait autre chose à penser qu’à jouer. Il avait en perspective une affaire personnelle très importante, qui paraissait même quelque peu mystérieuse, et le temps passait, tandis qu’Agafia, à qui il aurait pu laisser les enfants, ne montrait toujours aucune intention de rentrer du marché. Il avait déjà plusieurs fois franchi le vestibule, ouvert la porte de chez la doctoresse et examiné d'un œil soucieux les "mioches" qui, sur son ordre, étaient assis avec un livre, et, chaque fois qu'il ouvrait la porte, lui faisaient un sourire radieux, attendaient qu'il entre, là, tout de suite, et leur fasse quelque chose de magnifique et d'amusant. Mais Kolia se sentait le cœur inquiet et n'entrait pas. Onze heures finirent par sonner et il prit la décision ferme et définitive que si, d'ici dix minutes, cette "maudite" Agafia n'était pas de retour, il sortirait sans l'attendre, non sans avoir fait promettre évidemment aux "mioches" qu'ils n'auraient pas peur sans lui, ne feraient pas de bêtises et ne pleureraient pas de peur. A ces mots, il revêtit son petit manteau d'hiver ouatiné, avec un col fait dans la fourrure d'une espèce de loutre de mer, jeta son sac par-dessus son épaule et, malgré toutes les prières préalables de sa mère, devant un froid pareil, de ne jamais sortir sans ses caoutchoucs, il ne les gratifia que d'un regard de mépris en passant dans l'entrée, et sortit seulement en bottes. Pérezvon, le découvrant habillé, se mit à donner de toutes ses forces des coups de queue sur le plancher, tressautant nerveusement de tout son corps et lança même un piaulement pitoyable, mais Kolia, devant cet élan si passionné de son chien, conclut que cela nuisait à la discipline, et, ne serait-ce qu'une minute de plus, le maintint sous le banc, et ce fut seulement au moment où il ouvrait la porte donnant sur le couloir qu'il le siffla. Le chien bondit comme un fou, se mit à sauter de joie devant lui. Traversant le couloir, Kolia ouvrit la porte des "mioches". Ils étaient toujours tous les deux autour de la table, mais ils ne lisaient plus, ils menaient un débat passionné.

Ces petits enfants débattaient souvent de toutes sortes de sujets étonnants de la vie quotidienne, et c'était toujours Nastia qui, en tant qu'aînée, triomphait ; Kostia, lui, s'il n'était pas d'accord avec elle, allait presque toujours faire appel à Kolia Krassotkine, et ce que ce dernier tranchait restait comme un verdict sans appel pour les deux parties. Cette fois, le débat des "mioches" ne fut pas sans intéresser quelque peu Krassotkine et il s'arrêta à la porte pour écouter. Les enfants avaient vu qu'il écoutait et reprirent leur débat avec une exaltation d'autant plus forte.

— Jamais, jamais je n'y croirai, gazouillait Nastia avec chaleur, que les dames sages-femmes elles trouvent les enfants dans le potager, dans les rangées de choux. Maintenant, c'est l'hiver, il n'y a plus de rangées de choux, et c'est pas vrai que la grand-mère a apporté une petite fille à Katérina.

— Fffiou ! siffla discrètement Kolia.

— Ou alors, c'est comme ça : elles les rapportent je sais pas d'où, mais seulement à celles qui sont mariées.

Kolia posa un regard fixe sur Nastia, il écoutait d'un air profondément pensif tout en réfléchissant.

— Nastia, ce que t'es bête, prononça-t-il soudain d'une voix ferme et sans s'échauffer, comment elle pourrait avoir un petit bébé, Katérina, si elle est pas mariée ?

Nastia s'échauffa terriblement.

— Tu comprends rien, trancha-t-elle d'une voix agacée, si ça se trouve elle a eu un mari, mais sauf qu'il est en prison, et elle, pan, elle a eu son bébé.

— Parce qu'elle a un mari en prison ? s'enquit gravement Kostia, positif.

— Ou alors, voilà, le coupa très vite Nastia, abandonnant complètement et oubliant sa première hypothèse, elle a pas de mari, là, t'as raison, mais elle veut se marier, et alors, donc, elle y a pensé, qu'elle allait se marier, elle a pensé, elle a pensé, et, puis, à force de penser, toc, à la place d'avoir son mari, elle a eu un bébé.

— Ah, peut-être, accepta un Kostia complètement vaincu, mais tu me l'as pas dit avant, alors je pouvais pas deviner.

— Eh, la marmaille, prononça Kolia, faisant un pas dans leur chambre, vous êtes dangereux, je vois ça, comme tribu !

— Il y a Pérezvon avec vous ? fit Kostia avec un sourire, et il se mit à claquer des doigts pour appeler Pérezvon.

— Les mioches, j'ai un problème, commença gravement Krassotkine, et vous devez m'aider : Agafia, évidemment, s'est cassé la jambe, parce qu'elle n'est toujours pas rentrée, ça, s'est écrit-tamponné, et, moi, il faut absolument que je sorte. Vous me laissez sortir ?

Les enfants échangèrent un regard soucieux, leurs visages souriants se teintèrent d'inquiétude. Ils ne comprenaient pas encore tout à fait, du reste, ce qu'on voulait d'eux.

— Vous allez pas faire des bêtises sans moi ? Vous grimperez pas sur le haut de l'armoire, vous vous casserez pas la jambe ? Vous vous mettrez pas à pleurer, d'être restés seuls ?

Les visages des enfants exprimèrent une angoisse terrible.

— Et moi, en récompense, je pourrais vous montrer un truc, un petit canon en bronze, qui peut tirer de la vraie poudre.

Les visages des enfants s'éclaircirent à la seconde.

— Montrez-nous le petit canon, fit Kostia, tout illuminé.

Krassotkine fourra sa main dans son sac, en sortit un petit canon de bronze et le posa sur la table.

— Montrez, c'est ça ! Regarde, ça a des roues, fit-il, faisant rouler le canon sur la table. Et ça tire. On le charge aux petits plombs, ça tire.

— Et ça tue ?

— Ça tue tout le monde, il suffit de pointer – et Krassotkine expliqua où il fallait verser la poudre, où mettre les petits plombs, leur montra un petit trou qui faisait office de lumière et raconta qu'il y avait un recul. Les enfants écoutaient avec une curiosité terrible. C'est surtout le recul qui frappa leur imagination.

— Et vous avez de la poudre ? s'enquit Nastia.

— J'ai de la poudre.

— Montrez-nous aussi la poudre, fit-elle d'une voix traînante avec un sourire suppliant.

Krassotkine fouilla à nouveau dans son sac et en sortit une petite fiole dans laquelle il y avait réellement un peu de véritable poudre, puis, emballés dans un papier, il découvrit quelques grains de plomb. Il alla jusqu'à décapsuler la fiole et versa un peu de poudre dans sa paume.

— Qu'on garde ça loin du feu, seulement, sinon, ça nous explose tous, et on se retrouve tous morts, les prévint Krassotkine pour accroître l'effet.

Les enfants examinaient la poudre avec une crainte religieuse qui augmentait encore le plaisir. Mais Kostia fut surtout séduit par les petits plombs.

— Et les petits plombs, ça brûle pas ? s'enquit-il.

— Les petits plombs ça brûle pas.

— Donnez-moi du petit plomb, murmura-t-il d'une petite voix suppliante.

— Du petit plomb, je t'en donne, tiens, prends, mais le montre pas à ta maman avant que je sois là, avant que je revienne, sinon elle va penser que c'est de la poudre, elle va mourir de peur, et, vous, vous aurez droit au fouet.

— Maman elle nous fouette jamais, remarqua tout de suite Nastia.

— Je le sais, je l'ai juste dit pour la beauté du style. Et la trompez jamais, votre maman, sauf que, cette fois-là – attendez que je revienne. Et donc, les mioches, je peux vous laisser, oui ou non ? Vous allez pas pleurer de peur sans moi ?

— Si, on va pleu-rer, fit Kostia, se préparant déjà à pleurer.

— On va pleurer, oh si, on va pleurer ! reprit Nastia, dans un débit rapide et apeuré.

— Oh, les enfants, les enfants, votre âge est si plein de périls. Rien à faire, les poussins, il faudra que je reste avec vous je ne sais pas combien de temps. Et le temps, le temps, ah là là !

— Vous faites faire le mort à Pérezvon ? demanda Kostia.

— Bon, rien à faire, il faudra avoir recours à Pérezvon. Pérezvon, au pied ! Et Kolia se mit à donner des ordres au chien, et, lui, il faisait tout ce qu'il savait. C'était un chien hirsute, un chien des rues banal, couvert d'une espèce de poil gris lilas. Il était borgne de l'œil droit et son oreille était, on ne savait pourquoi, fendue. Le chien jappait et sautait, faisait le beau, marchait sur les pattes arrière, se jetait sur le dos, les quatre pattes en l'air et gisait sans bouger, comme un mort. Pendant ce dernier tour, la porte s'ouvrit et Agafia, la grosse servante de Mme Krassotkina, une commère vérolée d'une quarantaine d'années, se montra sur le seuil, rentrant du marché, son sac à provisions à la main. Elle s'arrêta et, tenant toujours son sac, elle se mit à regarder le chien. Kolia, même s'il attendait Agafia, se refusa à interrompre la représentation et, après avoir laissé Pérezvon faire le mort un certain temps, il finit par le siffler : le chien sauta et se mit à sauter de joie d'avoir rempli sa tâche.

— Ah, le chien ! murmura Agafia d'un ton sentencieux.

— Pourquoi t'étais en retard, le sexe faible ? demanda Kolia d'un air terrible.

— Le sexe faible, morveux, tiens !

— Morveux ?

— Oui, morveux. Qu'est-ce que ça te fait que je suis en retard, c'est donc que je devais, si je suis en retard, marmonnait Agafia, en commençant à s'affairer autour du poêle, mais d'une voix pas du tout fâchée ou mécontente, d'une voix, au contraire, très contente, comme si elle était heureuse de briser quelques piques avec ce petit maître joyeux.

— Ecoute, frivole vieille, commença Krassotkine, se levant du divan, tu peux me jurer sur tout ce qu'il y a de sacré dans le monde, et sur encore je ne sais pas quoi d'autre, que tu vas veiller sur ces mioches en mon absence comme sur la prunelle de tes yeux ? Je sors.

— Et pourquoi qu'il faudrait que je te jure ? se mit à rire Agafia. J'y veillerai dessus sans ça.

— Non, il faut que tu me le jures sur le salut éternel de ton âme. Sinon, je pars pas.

— Alors, pars pas. Qu'est-ce que ça me fait, ça gèle dehors, reste à la maison.

— Les mioches, dit Kolia, s'adressant aux petits enfants, cette femme va rester avec vous jusqu'à mon retour ou au retour de votre maman, parce que, elle aussi, il serait drôlement temps qu'elle rentre. En plus, elle vous fera à manger. Tu leur donneras quelque chose, Agafia ?

— Ça, ça peut se faire.

— Au revoir, les poussins, je m'en vais le cœur tranquille. Et toi, grand-mère, dit-il à mi-voix, d'un ton grave, en passant devant Agafia, j'espère que tu ne leur raconteras pas vos craques habituelles de bonnes femmes sur Katérina, tu auras garde à leur âge enfantin. Au pied, Pérezvon !

— Va te faire, toi aussi, tiens ! lança Agafia, cette fois réellement en colère. Il me fait rire ! Toi, tiens, qui mériterais le fouet, pour ces mots que tu me dis !

III

L'ÉCOLIER

Mais Kolia n'écoutait plus. Enfin, il avait pu sortir. En sortant du portail, il regarda autour de lui, tressaillit des épaules et, après avoir dit : "Ça caille !", il se dirigea tout droit le long de la rue, puis à droite dans une ruelle, jusqu'à la place du marché. Une maison avant la place, il s'arrêta devant le portail, sortit de sa poche un sifflet et siffla de toutes ses forces, comme s'il faisait un signal convenu. Il ne dut pas attendre plus d'une minute, il vit jaillir vers lui, ouvrant le portillon, un petit gamin joufflu, d'environ onze ans, lui aussi emmitouflé, mais, lui, dans un petit manteau chaud, tout propret, et même très élégant. C'était le petit Smourov, de la classe préparatoire (alors que Kolia Krassotkine était, lui, deux classes plus haut), le fils d'un fonctionnaire aisé et à qui, semblait-il, les parents ne permettaient pas de fréquenter Krassotkine, un garnement et une tête brûlée connu comme le loup blanc, si bien que Smourov venait visiblement de sortir en cachette. Ce Smourov, si le lecteur ne l'a pas oublié, était un des gamins de ce groupe qui, deux mois auparavant, jetaient des pierres à travers le "canal" contre Ilioucha et c'est lui qui avait parlé d'Ilioucha à Aliocha Karamazov.

— Ça fait une heure que je vous attends, Krassotkine, fit Smourov, l'air décidé, et les gamins prirent le chemin de la place.

— Je suis en retard, répondit Krassotkine. Il y a des impondérables. On te fouettera pas que t'es avec moi ?

— Mais voyons, est-ce qu'on me fouette ? Vous emmenez aussi Pérezvon ?

— Oui, j'emmène Pérezvon.

— Lui aussi, il y va ?

— Lui aussi, il y va.

— Ah, s'il y avait Joutchka !

— Joutchka, ce n'est pas possible. Joutchka n'existe pas. Joutchka a disparu dans les ténèbres de l'inconnu.

— Ah, si c'était possible, enfin – et Smourov s'arrêta soudain –, parce que, Ilioucha, n'est-ce pas, il dit que Joutchka, aussi, il avait le poil long, et, lui aussi, il était gris, comme ça, couleur fumée, comme Pérezvon, on pourrait pas dire que, justement, c'est Joutchka, il pourrait le croire, peut-être ?

— Ecolier, fuis le mensonge, ça – et d'un ; même pour une bonne action – et de deux. Et, surtout, j'espère que tu n'es pas allé leur annoncer, je ne sais pas, ma visite.

— Dieu m'en garde, je comprends, tout de même. Mais Pérezvon, ça le consolera pas, soupira Smourov. Tu sais quoi : ce père, là, le capitaine, la filasse, il nous a dit qu'il allait lui apporter un petit chiot aujourd'hui, un vrai molosse, au museau noir ; il pense qu'il va consoler Ilioucha comme ça, mais j'en doute, hein ?

— Et lui-même, Ilioucha, il est comment ?

— Oh, il va mal, il va mal ! Je crois qu'il a la phtisie. Il a toute sa tête, mais son souffle, alors, son souffle, oh le souffle, ça va pas. L'autre jour, il a demandé qu'on le promène un peu, on lui a mis ses souliers, il a fait quelques pas, il est tombé. "Ah, je te le disais, papa, que mes souliers, ils valaient rien, ils datent d'avant, déjà avant c'était dur avec eux." Il pensait que c'étaient les chaussures qui le faisaient tomber, mais c'est simplement la faiblesse. Il ne vivra pas une semaine. Herzenstube s'occupe de lui. Maintenant, ils sont redevenus riches, ils ont beaucoup d'argent.

— Les fumiers.

— Qui les fumiers ?

— Les docteurs, toute cette saloperie médicale, généralement parlant, et, évidemment, dans ce cas particulier. Je ne reconnais pas la médecine. Une institution inutile. Mais bon, j'examinerai tout ça. Qu'est-ce que c'est que ces sensibleries, n'empêche, que vous avez ? Vous y allez à toute la classe, j'ai l'impression ?

— Pas toute la classe, mais on est bien une dizaine à y aller tous les jours. C'est rien.

— Ce qui m'étonne là-dedans, c'est le rôle d'Alexéï Karamazov : son frère, demain ou après-demain, il est jugé pour un crime pareil, et, lui, il se trouve tellement de temps pour des sensibleries avec des gamins !

— C'est tout sauf de la sensiblerie. Toi aussi, tiens, en ce moment, tu vas faire la paix avec Ilioucha.

— Faire la paix ? Une expression comique. Je ne permets à personne d'analyser mes faits et gestes.

— Ce qu'Ilioucha sera content de te voir ! Il n'imagine pas que tu puisses venir. Pourquoi, pourquoi tu as mis longtemps à te décider ? s'exclama soudain Smourov avec fougue.

— Mon petit bonhomme, c'est mon affaire, c'est pas la tienne. Moi, j'y vais de mon propre chef, parce que c'est ma volonté propre, et, vous, c'est Alexéï Karamazov qui vous a tous traînés là-bas – ça fait une différence. Et qu'est-ce que t'en sais que j'y vais pour faire la paix ? Une expression stupide.

— C'est pas du tout Karamazov, c'est tout sauf lui. Simplement, les copains se sont mis à y aller, évidemment d'abord avec Karamazov. Il n'y a rien eu de spécial, aucune bêtise. D'abord, le premier, après un autre. Le père c'est terrible ce qu'il a été content de nous voir. Tu sais, il va devenir fou, tout simplement, quand Ilioucha sera mort. Il comprend qu'Ilioucha va mourir. Et nous, ce qu'il est content qu'on ait fait la paix avec Ilioucha. Ilioucha a demandé de tes nouvelles, il n'a rien ajouté d'autre. Il pose une question et il se tait. Et, son père, il deviendra fou ou il se pendra. Déjà avant, il se tenait un peu comme un fou. Tu sais, c'est un homme au cœur noble, et on s'était trompés, nous. La faute, c'est celle du parricide, c'est lui qui l'avait rossé.

— Et quand même, Karamazov, c'est une énigme pour moi. J'aurais pu faire sa connaissance depuis longtemps, mais il y a des cas où j'aime être fier. En plus, je me suis fait une certaine opinion de lui qu'il faut encore que je vérifie et que je m'explique.

Kolia se tut d'un air grave ; Smourov aussi. Smourov, évidemment, était en vénération devant Kolia Krassotkine et n'osait pas penser pouvoir se mettre à son niveau. A ce moment-là, il était terriblement intéressé, parce que Kolia avait expliqué qu'il y allait “de son propre chef”, et il y avait donc, évidemment, une espèce d'énigme dans le fait que Kolia ait eu soudain l'idée d'y aller ce jour-là, ce jour précis. Ils traversaient la place du marché qui était encombrée ce jour-là de nombreuses carrioles venues de la campagne, avec une grande quantité de volailles. Les commères de la ville vendaient leurs éventails de craquelins, du fil, etc. Ces rassemblements dominicaux sont naïvement qualifiés de foires dans notre petite ville, et ces foires-là sont très fréquentes dans l'année. Pérezvon courait d'une humeur des plus joyeuses, s'écartant sans cesse à droite et à gauche pour renifler telle ou telle chose. Rencontrant d'autres chiens, il s'adonnait avec une grande ardeur à des reniflements mutuels, selon toutes les règles canines.

— J'aime observer le réalisme, Smourov, dit soudain Kolia. Tu as remarqué comment les chiens se reniflent quand ils se rencontrent ? C'est une espèce de loi de nature commune qu'ils ont entre eux.

— Oui, une loi un peu comique.

— Non, pas comique, là, tu as tort. Dans la nature, il n'y a rien de comique, quoique puisse en penser l'homme avec ses préjugés. Si les chiens pouvaient réfléchir et critiquer, ils trouveraient sans doute autant de comique chez nous, sinon bien plus, dans les rapports sociaux entre les gens, entre leurs maîtres – sinon bien plus ; ça, je le répète, parce que je suis fermement persuadé que, nous, des bêtises, on en a beaucoup plus. C'est une idée de Rakitine, une idée remarquable. Je suis un socialiste, Smourov.

— C'est quoi, un socialiste ? demanda Smourov.

— C'est quand tout le monde est égal, tout le monde a une opinion commune, il n'y a pas de mariage, et pour la religion et pour les lois, c'est comme chacun le souhaite, bon, et ainsi de suite pour tout le reste. Toi t'es pas encore assez grand pour ça, c'est trop tôt. Fait froid, n'empêche.

— Oui, moins douze. Mon père il a regardé le thermomètre, tout à l'heure.

— Et tu as remarqué, Smourov, qu'au milieu de l'hiver, s'il fait moins quinze ou même moins dix-huit, on a l'impression qu'il fait moins froid qu'en ce moment, par exemple, au début de l'hiver, quand il gèle par surprise, d'un seul coup, comme maintenant, qu'il fait moins douze, et qu'il n'y a encore presque pas de neige. Ça veut dire que les gens ne sont pas encore habitués. Chez les gens, tout vient de l'habitude, dans tout, même dans les rapports d'Etat et dans les rapports politiques. L'habitude, c'est le moteur principal. Ce qu'il est comique, regarde, ce moujik-là.

Kolia indiqua un moujik trapu, à la mine sympathique, qui, assis dans sa carriole, frappait ses moufles l'une contre l'autre pour lutter contre le froid. Sa longue barbe châtain était entièrement couverte de givre.

— Le moujik il a la barbe gelée ! cria Kolia, d'une voix sonore et narquoise en passant devant lui.

— Je suis pas le seul, répondit le moujik d'un ton tranquille et sentencieux.

— Ne le chicane pas, remarqua Smourov.

— Pas grave, il se fâchera pas, il est gentil. Adieu, Matvéï.

— Adieu.

— Parce que tu t'appelles Matvéï ?

— Je m'appelle Matvéï. Pourquoi, tu savais pas ?

— Je savais pas ; j'ai dit ça au hasard.

— Tiens donc. Ecolier, je parie ?

— Ecolier.

— Eh quoi, on te fouette ?

— Non, je peux pas dire, pas trop.

— Ça fait mal ?

— Faut bien !

— Ah, la vie ! fit le moujik, soupirant de tout son cœur.

— Adieu, Matvéï.

— Adieu. T'es un gentil petit gars, voilà.

Les gamins reprirent leur chemin.

— C'est un brave moujik, reprit Kolia pour Smourov. J'aime bien parler avec le peuple et je suis toujours content de lui rendre justice.

— Pourquoi tu lui as menti, qu'on nous fouettait ? demanda Smourov.

— Fallait bien le consoler, non ?

— De quoi ?

— Tu vois, Smourov, je n'aime pas quand on repose les mêmes questions, si on ne comprend pas au premier mot. Il y a des choses qu'on ne peut pas même expliquer. D'après l'idée du moujik, l'écolier se fait fouetter, et il doit se faire fouetter ; c'est quoi, n'est-ce pas, un écolier, si ça ne se fait pas fouetter ? Et d'un coup, moi, je lui dirais que non, on ne me fouette pas, ça, ça lui ferait de la peine. Remarque, ça, tu ne comprends pas. Pour parler avec le peuple, il faut savoir.

— Mais ne chicane pas, je te le demande, ça peut faire une histoire, comme l'autre fois, avec cette oie.

— Pourquoi, t'as peur ?

— Ris pas, Kolia, je te jure, j'ai peur. Le père va piquer une colère terrible. J'ai une interdiction formelle d'être avec toi.

— Ne t'inquiète pas, cette fois il ne se passera rien. Bonjour, Natacha, cria-t-il à une marchande devant un étal recouvert par une bâche.

— Je m'appelle pas Natacha, je m'appelle Maria, répondit d'une voix criarde la marchande, laquelle était encore loin d'être une vieille femme.

— C'est bien que tu t'appelles Maria, adieu.

— Espèce de garnement, tiens, haut comme trois pommes, déjà comme les autres !

— J'ai pas le temps, j'ai pas le temps de te causer, tu me raconteras ça dimanche en huit, fit Kolia avec de grands gestes, comme si c'était elle qui venait l'embêter, et pas le contraire.

— Qu'est-ce que j'aurai à te raconter dimanche ? C'est toi qui me cherches, et pas moi, galopin, cria Maria, tu mériterais le fouet, oui, on te connaît, mauvais drôle, voilà !

Un rire s'éleva parmi les autres marchandes à l'étalage à côté de Maria quand, soudain, de sous les arcades des boutiques municipales, on vit jaillir, sans raison apparente, un homme très énervé qui avait l'air d'être un commis de marchand, et pas un marchand de chez nous, mais d'une autre ville, vêtu d'un caftan bleu à longs pans, une casquette à visière sur la tête, encore jeune, les cheveux châtain foncé bouclés et le visage oblong et pâle, quelque peu vérolé. Il se trouvait dans une espèce d'inquiétude stupide et se mit tout de suite à menacer Kolia du poing.

— Je te connais, s'exclamait-il avec agacement, je te connais !

Kolia le regarda attentivement. Il n'arrivait vraiment pas à se souvenir qu'il ait pu avoir une altercation avec cet homme-là. Mais il en avait tellement eu, des altercations, dans la rue, il n'y avait plus aucun moyen de se souvenir de tout le monde.

— Tu me connais ? lui demanda-t-il avec ironie.

— Je te connais ! Je te connais ! continuait comme un imbécile le bonhomme.

— Tant mieux pour toi. Bon, j'ai pas le temps, adieu !

— Pourquoi tu fais tes mauvais tours ? cria le bonhomme. Tu recommences avec tes mauvais tours ? Je te connais ! Tu recommences avec tes mauvais tours ?

— Eh, vieux, ça te regarde pas, en ce moment, si j'en fais, des mauvais tours, prononça Kolia qui s'était arrêté et continuait de l'examiner.

— Comment ça me regarde pas ?

— Non, ça te regarde pas.

— Ça regarde qui, alors ? Ça regarde qui ? Hein, ça regarde qui ?

— Non, vieux, maintenant, c'est Trifone Nikititch que ça regarde, pas toi.

— Qui c'est, ça, Trifone Nikititch ? fit le gars avec une surprise stupide, tout en continuant de s'échauffer et en fixant des yeux Kolià. Ce dernier le toisa gravement du regard.

— Tu es allé à l'Ascension ? lui demanda-t-il soudain d'un air dur et impérieux.

— Laquelle d'Ascension ? Pour quoi faire ? Non, j'y suis pas allé, fit le gars, un peu désarçonné.

— Tu connais Sabanéïev ? demanda Kolia, d'une voix encore plus impérieuse et plus dure.

— Sabanéïev, qui ça ? Non, je connais pas.

— Alors, va-t'en au diable, tiens ! trancha soudain Kolia et il prit tout de suite à droite, reprenant très vite son chemin, comme s'il dédaignait même de parler à un butor pareil, qui ne connaissait même pas Sabanéïev.

— Arrête, eh ! Qui c'est, Sabanéïev ? reprit le gars, revenant à lui, encore une fois, tout chamboulé. C'est quoi qu'il a dit, là ? demanda-t-il, se tournant vers les marchandes, les fixant d'un regard bête.

Les commères éclatèrent de rire.

— Il est futé, le gamin, dit l'une d'elles.

— Mais qui c'est, qui c'est Sabanéïev ? continuait de répéter le gars, en agitant le bras droit.

— Bah, ça doit être le Sabanéïev qui travaillait chez les Kouzmitchov, je parie, non ? fit soudain une commère.

Le gars riva sur elle des yeux frénétiques.

— Kouz-mitchov ? reprit une autre commère, mais il s'appelle pas Trifone ! C'est Kouzma, qu'il s'appelle, pas Trifone, et, le petit gars, il l'appelait Trifone Nikititch, donc, ça doit pas être lui.

— Mais non, c'est pas Trifone et c'est pas Sabanéïev, c'est Tchijov, reprit une troisième commère qui jusqu'alors n'avait rien dit, se contentant d'écouter d'un air sérieux. C'est Alexéï Ivanytch qu'il s'appelle. Alexéï Ivanytch Tchijov.

— Oui, c'est ça, il s'appelle Tchijov, confirma une quatrième commère avec force.

Le gars hébété faisait courir ses yeux de l'une à l'autre.

— Mais pourquoi il m'a demandé, il me l'a demandé, hein, pourquoi, braves gens, s'exclamait-il, presque au désespoir, si je connaissais Sabanéïev ? Mais le diable le sait, qui c'est, Sabanéïev !

— T'es pas très fin, comme gars, on te dit que c'est pas Sabanéïev, c'est Tchijov, Alexéï Ivanovitch Tchijov, na ! lui cria une commère pour lui faire comprendre.

— Mais c'est qui, Tchijov ? C'est qui ? Dis-le, si que tu sais.

— Mais le grand, là, aux cheveux longs, qui faisait le marché, cet été.

— Mais qu'est-ce j'en ai à fiche, de ton Tchijov, braves gens, hein ?

— Mais qu'est-ce j'en sais de ce que t'en as à fiche, de Tchijov ?

— Va savoir, avec toi, ce que t'en as à fiche, reprit une autre commère, c'est toi qui dois le savoir ce que tu lui veux, si tu jacasses. C'est à toi qu'il causait, c'est pas à nous, couillon comme t'es. Ou c'est vrai que tu le connais pas ?

— Qui ?

— Tchijov.

— Mais que le diable l'embroche, votre Tchijov, et toi avec ! Je vais lui casser la figure, voilà ! Il s'est moqué de moi !

— A Tchijov tu vas casser la figure ? Ça serait plutôt le contraire ! T'es pas malin, voilà !

— Pas Tchijov, pas Tchijov, méchante commère, vipère, le gamin je vais lui casser la figure, voilà ! Amenez-le-moi, amenez-le-moi ici, il s'est moqué de moi !

Les commères riaient. Kolia, lui, paradait déjà au loin, le visage triomphant. Smourov marchait à côté de lui, lançant des regards vers le groupe qui criait au loin. Lui aussi, il se sentit très gai, même s'il craignait encore un peu de tomber dans une histoire avec Kolia.

— Qui c'était, ce Sabanéïev ? demanda-t-il à Kolia, pressentant la réponse.

— Qu'est-ce que j'en sais, qui c'était ? Maintenant, ils vont crier jusqu'au soir. J'aime bien agiter les crétins dans toutes les couches de la société. Tiens, regarde un autre nigaud, ce moujik, là. Remarque ça, on dit : "Rien n'est plus bête qu'un Français bête", mais les bouilles russes, aussi, elles se posent là. Mais, hein, que c'est écrit sur son front, à celui-là, que c'est un crétin, ce moujik, hein ?

— Laisse-le, Kolia, passons notre chemin.

— Jamais de la vie, maintenant, je suis lancé. Eh, bonjour, le moujik !

Un moujik robuste qui passait lentement et avait déjà, visiblement, un peu bu, le visage rond et simplet, avec une barbe grisonnante, releva la tête et regarda le gamin.

— Bah, bonjour si tu te moques pas, répondit-il avec lenteur.

— Et si je me moque ? fit Kolia en riant.

— Bah, si tu te moques, moque-toi, tant pis. Pas grave, on peut. On peut toujours, si c'est juste pour rire.

— Pardon, vieux, je me moquais.

— Bon, que le bon Dieu te pardonne.

— Et toi, tu me pardonnes ?

— Mais oui que je te pardonne. Adieu.

— N'empêche, dis-moi, t'es pas bête à ce que je vois, comme bonhomme.

— Moins bête que toi, répondit le bonhomme du tac au tac, toujours avec la même gravité.

— Ça m'étonnerait, fit Kolia, un peu interloqué.

— C'est sûr, ce que je dis.

— T'as peut-être raison.

— Ah, tu vois.

— Adieu, bonhomme.

— Adieu.

— Les moujiks, y en a de toutes sortes, fit remarquer Kolia à Smourov après un certain temps de silence. Comment je pouvais savoir que j'allais tomber sur un futé ? Je suis toujours prêt à reconnaître l'intelligence dans le peuple.

Au loin, l'horloge de la cathédrale sonna onze heures et demie. Les gamins pressèrent le pas et avalèrent assez vite, sans échanger un mot ou presque, le reste du chemin encore assez long qui les séparait du logement du capitaine Snéguiriov. A douze pas de la maison, Kolia s'arrêta et ordonna à Smourov de passer devant, pour faire venir Karamazov.

— Il faut d'abord qu'on se renifle, remarqua-t-il à Smourov.

— Mais pourquoi je le ferais sortir ? voulut répliquer Smourov. Entre comme ça, tout le monde te fera une fête. Pourquoi se présenter dehors, avec ce gel ?

— Ça, ça me regarde, pourquoi il me le faut là, avec ce gel, trancha despotiquement Kolia (il adorait ce genre de conduite avec les "petits"), et Smourov courut obéir à son ordre.

IV

JOUTCHKA

Kolia, la mine grave sur le visage, s'adossa à la palissade et attendit l'apparition d'Aliocha. Oui, il y avait longtemps qu'il avait envie de le connaître. Il avait beaucoup entendu parler de lui par les gamins, mais, jusqu'à présent, il avait toujours gardé, extérieurement, un air d'indifférence dédaigneuse et, quand on lui parlait de lui, il se permettait même de "critiquer" Aliocha, en écoutant ce qu'on lui disait de lui. Mais, en lui-même, il voulait beaucoup, beaucoup le connaître : il y avait quelque chose dans tous les récits qu'il entendait sur Aliocha de sympathique et d'attirant. Ainsi, la minute présente était-elle grave ; d'abord, loin de mordre la poussière, il fallait se montrer indépendant : "Sinon, il pensera que j'ai treize ans, et il me prendra pour un gamin exactement comme eux. Qu'est-ce qu'il leur trouve, à ces gamins ? Je lui demanderai quand je serai plus proche. C'est moche, n'empêche, que je sois si petit. Touzikov est plus jeune que moi, et il a une demi-tête de plus que moi. Ma figure, du reste, elle est intelligente ; je ne suis pas beau, je le sais, que je suis moche, de figure, mais la figure est intelligente. Ce qu'il faut aussi, c'est ne pas trop s'exprimer, sinon, tout de suite les embrassades, il pensera… Zut, quelle saleté ça va être, s'il pense !…"

Ainsi, Kolia s'inquiétait-il, essayant de toutes ses forces de prendre l'air le plus indépendant. Surtout, c'est sa petite taille qui le torturait, moins son visage "moche" que sa taille. Chez lui, à la maison, dans un coin du mur, depuis encore l'année dernière, il avait fait un petit trait au crayon pour marquer sa taille, et, depuis ce jour-là, tous les deux mois, il y retournait, avec grande émotion, pour se mesurer ; de combien avait-il pu grandir ? Mais, hélas ! il grandissait affreusement peu, et cela le plongeait parfois dans un vrai désespoir. Quant à son visage, il était loin d'être "sale", au contraire, il était assez mignon, blanc, un peu pâlot, avec des taches de rousseur. Ses yeux gris, pas trop grands, mais vifs, avaient l'air audacieux et s'enflammaient soudain d'émotion. Ses pommettes étaient un peu larges, ses lèvres, petites, pas très grosses, mais très rouges ; son nez, petit et résolument en trompette : "Une vraie trompette, une vraie trompette !" marmonnait en lui-même Kolia quand il se regardait dans la glace, et il s'en éloignait toujours avec indignation. "Si ça se trouve, la figure, elle n'est pas intelligente !" se disait-il de temps en temps, doutant même de cela. Cela étant, il ne faut pas penser que le souci de son visage et de sa taille emplissait toute son âme. Au contraire, quelque mordantes que pussent être les minutes devant la glace, il les oubliait très vite, et même pour longtemps, "se livrant tout entier aux idées et à la vie réelle", ainsi qu'il définissait lui-même son activité.

Aliocha parut très vite et s'approcha de Kolia en toute hâte ; à quelques pas, ce dernier s'aperçut que le visage d'Aliocha affichait une vraie joie. "C'est à cause de moi qu'il est tellement content ?" se demanda

Kolia avec plaisir. Remarquons ici à propos qu'Aliocha avait beaucoup changé depuis que nous l'avons quitté : il avait abandonné la soutane et portait à présent une veste parfaitement coupée, un melon de feutre, et avait les cheveux très courts. Tout cela l'avait beaucoup embelli, et il avait vraiment l'air d'un beau garçon. Son joli visage avait toujours un air joyeux, mais cette joie était comme paisible et douce. A la surprise de Kolia, Aliocha était sorti à sa rencontre tel qu'il était habillé à l'intérieur, sans manteau, on voyait qu'il s'était précipité. Il commença par tendre la main à Kolia.

— Vous voilà enfin, comme nous vous attendions tous.

— Il y avait des raisons que vous saurez tout de suite. Quoi qu'il en soit, heureux de vous connaître. J'attendais l'occasion depuis longtemps et j'ai beaucoup entendu parler de vous, marmonna Kolia, en haletant un peu.

— Mais nous aurions fait connaissance de toute façon, moi aussi j'ai beaucoup entendu parler de vous, mais ici, là, vous venez vraiment tard.

— Dites-moi, comment ça va ici ?

— Ilioucha va très mal, il ne peut que mourir.

— C'est vrai ? Accordez-le, quelle crapulerie, la médecine, Karamazov, s'exclama Kolia avec fougue.

— Ilioucha a souvent, très souvent pensé à vous, même, vous savez, dans son sommeil, dans son délire. On voit que vous lui avez été très très cher, avant… cette aventure… avec le canif. Et puis, il y a une autre raison… Dites-moi, c'est votre chien ?

— Oui, c'est mon chien. Pérezvon.

— Ce n'est pas Joutchka ? fit Aliocha, lançant un regard plaintif vers les yeux de Kolia. Joutchka, alors, il a disparu ?

— Je sais que, vous tous, vous voudriez Joutchka, je suis au courant, oui, fit Kolia avec une sorte de ricanement mystérieux. Ecoutez, Karamazov, je vais vous expliquer toute l'affaire, c'est surtout pour ça que je suis là, pour ça que je vous ai fait appeler, pour vous expliquer tout le topo à l'avance, avant d'entrer, commença-t-il d'une voix animée. Voyez-vous, Karamazov, ce printemps, Ilioucha entre dans la classe préparatoire. Bon, vous comprenez ce que c'est, notre classe préparatoire : des gamins, de la marmaille. Ilioucha, tout de suite, ils ont commencé à le chicaner. Moi, je suis deux classes plus haut, et, vous comprenez, je regarde de loin, d'en dehors. Je vois ça, un garçon tout petit, pas costaud, mais il ne se soumet pas, même il fait le coup de poing, fier, les yeux qui brûlent. Moi, les comme ça, j'aime. Et eux, de pire en pire. Surtout, à ce moment-là, il avait un petit manteau moche, un pantalon trop court, et, ses souliers, ils étaient troués. Et, eux, ils se moquaient de ça. Ils l'humiliaient. Non, ça, moi, je n'aime pas ça, j'ai pris sa défense tout de suite, je leur ai montré de quel bois je me chauffe. Parce que je les bats, moi, et, eux, ils m'adorent, vous le savez, ça, Karamazov ? se vanta Kolia un peu expansivement. Et, en général, j'aime ça, moi, la marmaille. En ce moment même, tenez, j'ai deux poussins sur le dos à la maison, aujourd'hui même, ils ont failli me mettre en retard. De cette façon, ils ont arrêté de battre Ilioucha, et, moi, je l'ai pris sous mon aile. Je vois ça, un garçon fier, ça je vous le dis qu'il est fier, mais, au bout du compte, il s'est donné à moi comme un esclave, il fait mes quatre volontés, il m'écoute comme un dieu, il essaie de m'imiter. Pendant les interclasses, il court me voir et, nous, on se promène ensemble. Le dimanche pareil. On se moque de ça au collège, quand un grand se rapproche tellement d'un petit, mais c'est un préjugé. C'est ma fantaisie, et basta, n'est-ce pas que c'est vrai ? Je lui apprends des choses, je le développe – qu'est-ce qui m'empêcherait, dites-moi, de le développer, s'il me plaît ? Vous, tenez, Karamazov, vous êtes proche, maintenant, de ces poussins-là, donc, vous voulez agir sur la nouvelle génération, la développer, être utile ? Et, je l'avoue, ce trait de votre caractère dont j'ai entendu parler est ce qui m'a le plus intéressé en vous. Ceci dit, au fait : je remarque qu'il y a une espèce de sentimentalisme, de sensiblerie qui se développent dans le gamin, et moi, vous savez, je suis un ennemi absolu de toutes ces lécheries de veau, depuis le jour de ma naissance. En plus, ces contradictions : il est fier, mais il m'est dévoué comme un esclave – dévoué comme un esclave, et, d'un seul coup, ses yeux, vous savez, qui se mettent à brûler et il ne veut même plus être d'accord avec moi, il se révolte, il fait des pieds et des mains. Moi, j'affirmais parfois certaines idées : lui, non seulement il n'était pas d'accord avec ces idées, mais, je voyais bien, il se révoltait personnellement contre moi, parce que, moi, ces tendresses, j'y répondais par le sang-froid. Et donc, moi, pour le tenir, plus il devenait tendre, plus je devenais froid, je faisais ça exprès, une conviction que j'ai. J'avais en vue de forger un caractère, de l'égaliser, d'en faire un homme… bon, quoi… vous me comprenez à demi-mot, évidemment. Et puis, un beau jour, je remarque que, depuis un jour, deux jours, trois jours, il est troublé, il est malheureux, et pas à cause de ces tendresses, là, non, pour quelque chose d'autre, de plus fort, de beaucoup plus grave. Je me demande, c'est quoi cette tragédie ? Je l'attaque de front et voilà ce que j'apprends : je ne sais pas comment, il s'était lié avec le laquais de votre défunt père (qui était encore vivant à ce moment-là), Smerdiakov, et, l'autre, il lui a appris, à ce petit crétin, un truc stupide, je veux dire un truc bestial, une crapulerie – on prend un morceau de pain, de la mie, on y enfonce une épingle et on jette ça à un chien des rues, de ceux qui ont tellement faim qu'ils vous avalent les morceaux sans les mâcher, et on regarde ce que ça donne. Et donc, ils ont fait un morceau comme ça, et ils vous l'ont jeté à ce fameux Joutchka, qui fait toute cette histoire là maintenant, un chien qu'on tenait dans une maison où personne ne le nourrissait jamais, il passait, lui, toutes ses journées à aboyer au vent. (Vous aimez, vous, Karamazov, cet aboiement stupide ? Moi, je ne supporte pas.) Il se précipite, il avale, et il se met à hurler, à tourner, et à courir – il courait, il hurlait, et il a disparu –, comme ça qu'Ilioucha m'a décrit ça. Il me l'avoue, ça et, en même temps, il pleure mais il pleure, il se serre contre moi, il tremble de tout son corps : "Il courait et il hurlait, il courait et il hurlait", c'est tout ce qu'il répète, ça m'a frappé, moi, ce tableau. Bon, je vois, il a des remords. J'ai pris ça sérieusement. Moi, surtout, je voulais le remettre en place pour ce qu'il y avait avant, et donc, je l'avoue, j'ai rusé, j'ai fait semblant d'être très indigné, alors que, bon, si ça se trouve, je ne l'étais pas du tout : "Tu as fait un acte vil, je lui dis, et tu es une crapule, bien sûr, je ne le raconterai pas, mais, pour l'instant, j'arrête toute relation avec toi. Je vais réfléchir à cette affaire et je te ferai savoir par Smourov (le petit garçon, là, avec lequel je suis venu et qui m'est toujours dévoué) si je peux te recauser ou si je t'abandonne pour toujours, comme une crapule." Ça l'a frappé terriblement. Je l'avoue, tout de suite, si ça se trouve, j'ai senti que j'avais pris trop sévèrement, mais, qu'est-ce que vous voulez, c'était ma façon de penser à l'époque. Un jour plus tard, je lui envoie Smourov et, par son intermédiaire, je lui fais savoir que “je ne lui cause plus”, comme on dit chez nous quand deux camarades cessent de se fréquenter. Le secret, c’est que je voulais le mettre à l’épreuve, comme ça, encore quelques jours, et puis, bon, en voyant son remords, lui tendre la main une nouvelle fois. Ça, c’était mon intention ferme. Mais, qu’est-ce que vous croyez : il écoute Smourov lui dire ça, ses yeux qui se mettent à lancer des étincelles. “Fais savoir de ma part à Krassotkine, il lui dit, que, maintenant, je vais jeter des boules de pain avec des épingles à tous les chiens, tous les chiens, tous les chiens !” – “Ah, je me dis, un esprit libre qui perce, il faut que je mate”, et j’ai commencé à lui montrer tout le mépris que je pouvais, à chaque fois que je le voyais, je me détournais avec un sourire ironique. Et là, justement, il y a cette histoire avec son père, qui est arrivée, vous vous souvenez, la filasse, là ? Comprenez ça, sur quel terreau c’est venu, ça, pour le faire tellement devenir fou. Les gamins, quand ils ont vu que je l’avais laissé, ils se sont jetés sur lui, ils se moquaient de lui : “Filasse, filasse.” Et c’est là qu’elles ont commencé, toutes ces batailles, que je regrette terriblement, parce que, vraiment, je crois qu’ils l’ont rossé très fort, une fois. Et donc, lui, une fois, il s’est jeté contre tout le monde, dehors, à la sortie des classes, et, moi, justement, je me tenais à une dizaine de pas, et je le regardais. Et, je vous jure, je ne me souviens pas que j’aie pu rire, à ce moment-là, au contraire, je le plaignais très fort, mais vraiment, et, encore un instant, je me serais jeté pour le défendre. Mais, là, d’un seul coup, il a croisé mon regard : qu’est-ce qu’il a pu y lire – je ne sais pas, mais il a sorti un canif, il s’est jeté sur moi et il m’a donné un grand coup dans le côté, ici, là, vers la jambe droite. Moi, je n’ai pas bougé, je vous avoue, des fois, je ne manque pas de courage, Karamazov, je l'ai juste regardé avec mépris, comme si je lui disais du regard : "Tu ne voudrais pas recommencer, pour le prix de mon amitié, vas-y, vieux, je t'en prie." Mais il ne m'a pas donné un deuxième coup, il n'a pas tenu, c'est lui qui a eu peur, il a jeté le canif, il a fondu en larmes et il est parti en courant. Moi, vous comprenez bien, je n'ai pas mouchardé, j'ai donné l'ordre à tout le monde de se taire, que ça ne remonte pas à la direction, même à ma mère, je le lui ai dit quand la blessure s'est cicatrisée, et cette blessure, d'ailleurs, ce n'était rien du tout, une éraflure. Après, on m'a dit que, le même jour, il a jeté des pierres et que, vous, il vous a mordu le doigt – mais vous comprenez dans quel état il était ! Mais que faire, j'ai été bête : quand il est tombé malade, je ne suis pas allé le voir pour lui pardonner, c'est-à-dire pour faire la paix, maintenant je le regrette. Mais là, bon, j'ai eu des buts particuliers. Et voilà toute l'histoire… seulement, je crois que j'ai été bête…

— Ah, quel dommage, s'exclama Aliocha très ému, que je n'aie pas été au courant de ces relations que vous aviez, sinon, je serais allé vous trouver moi-même depuis longtemps pour vous demander de m'accompagner chez lui. Croyez-moi, dans sa fièvre, dans sa maladie, il délirait sur vous. Moi, je ne savais pas à quel point il tenait à vous ! Et réellement, alors, réellement, vous n'avez pas pu retrouver ce Joutchka ? Son père et tous les gamins l'ont cherché dans toute la ville. Croyez-moi, malade comme il était, en larmes, trois fois en ma présence il a répété à son père : "Si je suis malade, papa, c'est parce que j'ai tué Joutchka, c'est Dieu qui m'a puni", aucun moyen de le faire changer d'avis ! Si seulement on retrouvait ce Joutchka et on lui montrait qu'il n'est pas mort, qu'il est vivant, je crois qu'il ressusciterait de joie. Tout le monde comptait sur vous.

— Dites-moi, en quel honneur est-ce qu'on comptait sur moi, que je retrouve Joutchka, c'est-à-dire que ce soit justement moi qui le retrouve ? demanda Kolia avec une curiosité extrême. Pourquoi c'est justement sur moi qu'on comptait, et pas sur quelqu'un d'autre ?

— Il y a eu un bruit comme quoi vous étiez en train de le chercher et que, dès que vous l'auriez retrouvé, vous le ramèneriez. Smourov a dit quelque chose dans ce sens-là. Nous, surtout, nous essayons de l'assurer que Joutchka est vivant, qu'on l'a vu quelque part. Les gamins lui ont trouvé un lapin vivant, je ne sais d'où, il l'a juste regardé, il a à peine souri et il a demandé qu'on le relâche dans un champ. C'est ce que nous avons fait. A l'instant, son père vient de rentrer et lui a rapporté un chiot de molosse, là encore, je ne sais pas où il l'a trouvé, il pensait le consoler avec, mais je crois que ç'a été encore pire…

— Dites-moi encore, Karamazov : ce père, c'est quel genre d'homme ? Je le connais, mais qu'est-ce qu'il est, d'après votre définition : un bouffon, un histrion ?

— Ah non, il y a des gens profondément sensibles, mais qui sont comme écrasés. La bouffonnerie chez eux est comme une ironie méchante contre ceux en face de qui ils n'osent pas dire la vérité, à cause d'une trop longue humiliation que leur timidité leur fait subir. Croyez-moi, Krassotkine, ce genre de bouffonnerie peut être extrêmement tragique. Tout ce qu'il a, tout ce qu'il a sur terre, à présent, s'est concentré sur Ilioucha, et si Ilioucha vient à mourir, lui, soit il deviendra fou de douleur, soit il se suicidera. J'en suis presque persuadé, maintenant, quand je le regarde !

— Je vous comprends, Karamazov, je vois que vous connaissez l'homme, ajouta Kolia d'une voix émue.

— Et moi, quand je vous ai vu avec ce chien, je me suis dit que c'était ce Joutchka que vous ameniez.

— Attendez, Karamazov, peut-être qu'on le trouvera encore, mais, celui-là, c'est Pérezvon. Je vais le faire entrer dans la pièce, et peut-être que j'égaierai Ilioucha un peu plus qu'avec le chiot de molosse. Attendez, Karamazov, il y a encore des choses que vous allez apprendre. Ah, mon Dieu, mais je vous retiens ici ! s'écria soudain précipitamment Kolia. Vous n'avez que votre veston, avec un froid pareil, et, moi, je vous retiens : vous voyez, vous voyez quel égoïste je fais ! Oh, nous sommes tous des égoïstes, Karamazov !

— Ne vous inquiétez pas ; c'est vrai qu'il fait froid, mais je ne m'enrhume pas facilement. Allons-y, pourtant. A propos : comment vous appelez-vous, je sais que c'est Kolia, mais plus loin ?

— Nikolaï, Nikolaï fils d'Ivan Krassotkine, ou bien, comme on le dit dans les formes de routines officielles, fils Krassotkine, dit Kolia, riant bizarrement, mais, soudain, il ajouta : Evidemment, je déteste ce prénom, Nikolaï.

— Pourquoi donc ?

— C'est trivial, c'est routinier…

— Vous avez treize ans ? demanda Aliocha.

— C'est-à-dire non, quatorze, dans deux semaines j'ai quatorze ans, très vite. Je vous avoue d'avance une faiblesse, Karamazov, mais c'est devant vous, pour faire connaissance, pour que vous voyiez tout de suite toute ma nature : je déteste quand on me demande mon âge, c'est ce que je déteste le plus… et enfin… il y a une calomnie à mon égard, comme quoi, la semaine dernière, j'ai joué aux brigands avec les préparatoires. Que j'ai joué, c'est vrai, mais que j'ai joué pour moi, pour me faire plaisir à moi-même, c'est une calomnie avérée. J'ai des raisons de croire que c'est parvenu à vos oreilles, mais je n'ai pas joué pour moi, c'est pour la marmaille que j'ai joué, parce qu'ils n'étaient rien capables de trouver sans moi. Et, chez nous, on en raconte, des balivernes. C'est la ville des ragots, je vous assure.

— Et quand bien même vous auriez joué pour votre plaisir, et alors ?

— Pour moi… Vous, vous n'irez quand même pas jouer au cheval ?

— Mais, vous, voilà ce qu'il faut vous dire, sourit Aliocha. Au théâtre, par exemple, les adultes, ils y vont, et, au théâtre aussi, on représente les aventures de toutes sortes de héros, parfois, là aussi, avec des brigands et la guerre – eh bien, n'est-ce pas pareil, dans son genre, s'entend ? Et jouer à la guerre, pour les jeunes gens, pendant les récréations, ou, je ne sais pas, aux brigands – c'est aussi, n'est-ce pas, une espèce d'embryon d'art, l'embryon d'un besoin d'art dans une âme jeune, et ces jeux, parfois, ils peuvent donner des choses plus justes que des représentations au théâtre, avec cette seule différence qu'au théâtre on y va pour voir des acteurs, alors que, là, les acteurs, ce sont les jeunes eux-mêmes. Mais c'est seulement naturel.

— Vous pensez ça ? C'est la conviction que vous avez ? demanda Kolia, le regardant fixement. Vous savez, vous venez d'exprimer une idée assez intéressante ; maintenant, là, je vais rentrer chez moi et je vais me creuser les méninges là-dessus. Je vous avoue que je m'y attendais, que je pourrais apprendre des choses auprès de vous. Je suis venu pour apprendre auprès de vous, Karamazov, conclut Kolia d'une voix émue et expansive.

— Et moi, pareil auprès de vous, dit Aliocha en souriant, en lui serrant la main.

Kolia était extrêmement content d'Aliocha. Il avait été frappé de se trouver avec lui au plus haut point sur un pied d'égalité, et de voir Aliocha lui parler comme "à un tout à fait grand".

— Je vais vous montrer un truc, tout de suite, Karamazov, là aussi, une représentation de théâtre, fit-il avec un rire nerveux, c'est pour ça que je suis là.

— Passons d'abord à gauche chez les logeurs, tout le monde laisse son manteau chez eux, parce que, la pièce, elle est étroite et surchauffée.

— Oh, mais, je reste juste un instant, j'entre et je garde mon manteau. Pérezvon va rester ici, dans l'entrée, et il va mourir : "Ici, Pérezvon, couché et meurs !" – vous voyez, il est mort. Moi, je vais entrer d'abord, je regarde l'atmosphère et puis, au moment opportun, je siffle : "Ici, Pérezvon !" – et vous verrez, il entrera comme une flèche. Il faut juste que Smourov n'oublie pas d'ouvrir la porte à ce moment-là. Moi, je m'arrangerai, et vous verrez le truc…

V

AU CHEVET D'ILIOUCHA

La pièce que nous avons déjà vue et qui servait de logis à la famille du capitaine en retraite Snéguiriov, notre vieille connaissance, était à ce moment surpeuplée et étouffante, à cause du public nombreux qui s'y entassait. Il y avait cette fois-là plusieurs gamins chez Ilioucha, et même s'ils étaient tous prêts à nier, comme Smourov, que c'était Aliocha qui les avait réconciliés et amenés chez lui, c'était pourtant le cas. Tout son art dans ce cas-là avait consisté à les ramener vers Ilioucha l'un après l'autre, sans "lécheries de veau", et comme sans faire exprès, par hasard. Ilioucha, lui, avait senti un soulagement immense dans ses souffrances. Découvrant cette amitié quasiment tendre et cette compassion de la part de tous ces gamins qui avaient été ses ennemis, il avait été très touché. Il manquait seulement Krassotkine, et cela restait sur son cœur comme un poids affreux. Il y avait dans les souvenirs amers d'Iliouchetchka quelque chose de plus amer encore, et c'était justement cet épisode avec Krassotkine, qui avait été son unique ami et son défenseur, et sur lequel il s'était jeté avec son canif. C'est ce que se disait le brave petit Smourov (le premier à être venu faire la paix avec Ilioucha). Mais Krassotkine lui-même, quand Smourov lui avait fait savoir, par allusions, qu'Aliocha voulait lui rendre visite "pour une affaire", avait aussitôt rompu et coupé court à toute approche, confiant à Smourov la mission de faire dire sans attendre à "Karamazov" qu'il n'avait pas besoin de lui pour savoir ce qu'il devait faire, qu'il ne demandait de conseil à personne et que, s'il rendait visite au malade, il saurait bien lui-même quand il fallait qu'il le fasse, parce qu'il avait "ses propres calculs". Cela s'était passé environ deux semaines avant ce dimanche. Voilà pourquoi Aliocha n'était pas allé le trouver lui-même comme il en avait eu l'intention. Du reste, il avait, certes, attendu, mais avait quand même envoyé Smourov vers Krassotkine encore une fois, puis une seconde. Mais, les deux fois, Krassotkine avait répondu par le même refus violent et impatient, faisant dire à Aliocha que si ce dernier se présentait lui-même, il n'irait plus jamais de la vie chez Ilioucha, et demandant qu'on ne le dérange plus. Smourov lui-même ne savait pas jusqu'au jour même que Kolia avait décidé de se rendre chez Ilioucha ce matin-là, et c'est seulement la veille au soir, en prenant congé de lui, que Kolia lui avait brutalement demandé de l'attendre chez lui le lendemain matin, parce qu'il se rendrait avec lui chez les Sníguiriov, mais lui interdisait néanmoins de prévenir quiconque de son arrivée, parce qu'il voulait se présenter à l'improviste. Smourov obéit. Quant au rêve que Kolia puisse ramener ce Joutchka qui avait disparu, Smourov l'avait formé sur la base de quelques mots que Krassotkine avait jetés en passant, comme quoi "c'est tous des ânes s'ils ne sont pas fichus de retrouver le chien, si seulement il est en vie". Quand Smourov, timidement, saisissant un moment propice, lui avait fait une allusion à cette idée qu'il avait eue, Krassotkine s'était mis dans une colère terrible : "Je suis un âne, ou quoi, pour chercher les chiens des autres dans toute la ville quand j'ai déjà mon Pérezvon ? Et est-ce qu'on peut espérer qu'un chien qui a avalé une épingle puisse rester vivant ? Des lécheries de veau, rien d'autre !"

Pourtant, depuis quasiment deux semaines, Ilioucha n'était presque plus capable de se lever de son lit, dans le coin, sous les icônes. Il n'avait plus remis les pieds à l'école depuis le jour où il avait rencontré Aliocha et lui avait mordu le doigt. Du reste, c'est ce jour-là qu'il était tombé malade, même si, pendant encore un mois, il avait pu, tant bien que mal, rarement, faire quelques pas dans la pièce et dans l'entrée, en se levant de son lit de loin en loin. Il avait fini par perdre toutes ses forces, au point qu'il ne pouvait plus se déplacer sans l'aide de son père. Son père tremblait à son chevet, il avait même complètement cessé de boire, il était presque fou de frayeur à l'idée que son garçon pût mourir, et, souvent, surtout après lui avoir fait faire un petit tour dans la pièce, en lui donnant le bras et l'avoir recouché, d'un coup, il se précipitait dans l'entrée, dans un coin sombre, et, appuyant son front contre le mur, se mettait à sangloter dans une espèce de crise de larmes par cascades, qui le faisait trembler de tout son corps, en étouffant sa voix, pour qu'Iliouchetchka n'entende pas ses sanglots.

De retour dans la pièce, il se remettait généralement à essayer de distraire et consoler son cher petit garçon, lui racontait des contes, des histoires drôles, ou imitait pour lui toutes sortes de personnages comiques qu'il lui avait été donné de rencontrer, il allait jusqu'à imiter des animaux, leurs cris, leurs hurlements si drôles. Mais Ilioucha n'aimait pas du tout quand son père faisait des grimaces et jouait au bouffon. Le garçon essayait bien de ne pas montrer que cela lui était pénible, mais il avait conscience, au fond de son cœur, que son père était abaissé dans la société, et, toujours, sans un instant de repos, il repensait à la "filasse" et ce "jour épouvantable". Ninotchka, la sœur invalide, douce et humble d'Iliouchetchka, n'aimait pas, elle non plus, quand son père faisait ces contorsions (quant à Varvara Nikolaïevna, elle était depuis longtemps repartie à Pétersbourg, reprendre ses cours), mais sa maman à moitié folle, elle, s'amusait beaucoup et riait de bon cœur quand son époux se mettait à jouer quelque chose ou faire toutes sortes de gestes comiques. C'était la seule chose qui pouvait la consoler, elle, parce qu'elle passait tout le reste de son temps à grogner et pleurnicher, comme quoi, maintenant, tout le monde l'oubliait, personne ne l'estimait plus, on lui faisait insulte, etc. Pourtant, les tout derniers temps, elle aussi, elle avait soudain comme entièrement changé. Elle s'était mise à tourner souvent les yeux vers le recoin d'Ilioucha, et à rester pensive.

Elle était devenue beaucoup plus silencieuse, plus douce, et, si elle se mettait à pleurer, elle le faisait tout bas, pour que personne n'entende. Le capitaine avait remarqué ce changement dans sa conduite avec une surprise amère. Les visites des gamins avaient commencé par l'indisposer, elles ne faisaient que la mettre en colère, mais, ensuite, les cris joyeux et les récits des enfants l'avaient distraite, et ils avaient fini par lui plaire tellement que si ces gamins avaient cessé de venir elle serait tombée dans une mélancolie terrible. Quand les enfants racontaient quelque chose ou se mettaient à jouer, elle riait et tapait dans les mains. Elle en appelait certains et les embrassait. Elle avait tout particulièrement aimé le petit Smourov. Quant au capitaine, l'apparition dans son logement des enfants qui venaient amuser Ilioucha avait empli son âme, depuis le tout début, d'une joie exaltée et même de l'espoir de voir Ilioucha oublier son angoisse et, peut-être, guérir plus vite. Pas un seul instant, jusqu'à la toute dernière minute, il n'avait douté, malgré toute sa peur pour Ilioucha, que son gamin ne guérisse d'un coup. Il avait accueilli ses petits visiteurs avec vénération, marchait autour d'eux, les servait, était prêt à les transporter sur ses épaules, et avait réellement commencé à le faire, mais Ilioucha n'avait pas aimé ces jeux et on les avait abandonnés. Il s'était mis à acheter pour eux des bonbons, des gâteaux, des noisettes, il faisait du thé, beurrait des tartines. Il faut remarquer que, depuis le moment décrit plus haut, il ne manquait plus jamais d'argent. Les deux cents roubles de Katérina Ivanovna, il les avait acceptés exactement comme Aliocha l'avait prévu. Ensuite, Katérina Ivanovna, apprenant plus en détail les circonstances de sa vie et la maladie d'Ilioucha, leur avait rendu visite elle-même, avait fait connaissance de toute la famille et avait même su charmer l'épouse à moitié dérangée du capitaine. Depuis ce jour-là, sa main avait toujours donné aussi généreusement, et le capitaine lui-même, écrasé à l'idée que son petit garçon pouvait mourir, avait oublié tout amour-propre mal placé et recevait l'aumône avec humilité. Pendant tout ce temps, le Dr Herzenstube, à la demande de Katérina Ivanovna, rendait au malade des visites aussi scrupuleuses que régulières un jour sur deux, mais ces visites n'apportaient pas grand-chose, alors qu'il le gavait de médicaments. Mais en revanche, ce jour-là, c'est-à-dire le dimanche matin, on attendait encore chez le capitaine un nouveau médecin, qui arrivait de Moscou et passait à Moscou pour une célébrité. Katérina Ivanovna l'avait invité tout exprès et fait venir de Moscou pour une forte somme – pas pour Iliouchetchka, en vue d'un certain autre but dont nous parlerons plus bas en lieu et place, mais, bon, puisqu'il était là, elle lui avait demandé de rendre aussi une visite à Iliouchetchka, ce dont le capitaine avait été prévenu à l'avance. Quant à la visite de Kolia Krassotkine, il n'en avait pas eu le moindre pressentiment, même s'il souhaitait depuis longtemps que ce garçon pour lequel son petit Ilioucha se torturait finisse enfin, lui aussi, par venir. Au moment même où Krassotkine ouvrit la porte et apparut dans la pièce, tout le monde, le capitaine et les garçons, s'était massé autour du lit du malade et examinait un minuscule chiot de molosse qu'on venait juste d'apporter, un chiot juste né la veille, mais qui avait été commandé une semaine à l'avance par le capitaine pour distraire et consoler Iliouchetchka, toujours rongé d'angoisse à propos de Joutchka, qui avait disparu, et qui, bien sûr, à présent, était mort. Mais Ilioucha, qui avait entendu dire et avait appris depuis trois jours qu'on allait lui offrir un petit chien, et pas un petit chien tout simple, mais un vrai molosse (ce qui, bien sûr, était d'une importance terrible), avait beau montrer, par la finesse et la délicatesse de ses sentiments, qu'il était content de ce cadeau, tout le monde, le père et les garçons, avait clairement vu que ce nouveau petit chien n'avait peut-être que remué encore plus fort dans son petit cœur ses souvenirs sur Joutchka qu'il avait torturé à mort. Le petit chien gisait et gigotait auprès de lui, et, lui, avec un sourire douloureux, le caressait de sa petite main fine, pâle, desséchée ; on voyait même que le petit chien lui avait plu, mais… Joutchka n'était toujours pas là, ce n'était toujours pas Joutchka, et s'il y avait eu Joutchka et le petit chien en même temps, là, le bonheur aurait été complet !

— Krassotkine ! cria soudain l'un des garçons, le premier à l'avoir remarqué entrer. Il y eut une agitation visible, les garçons s'écartèrent, se mirent debout des deux côtés du lit, si bien qu'ils découvrirent d'un coup toute la vue d'Ilioucha. Le capitaine se précipita à la rencontre de Kolia.

— Je vous en prie, je vous en prie… cher visiteur ! balbutia-t-il. Iliouchetchka, M. Krassotkine te rend visite…

Mais Krassotkine, lui tendant la main à la hâte, fit aussi preuve à la seconde d'une connaissance parfaite des règles des bienséances du monde. Il commença tout de suite et avant tout par se tourner vers l'épouse du capitaine, assise dans son fauteuil (et, justement, à cet instant, elle était terriblement mécontente, et elle grognait parce que les garçons lui cachaient le lit d'Ilioucha et ne la laissaient pas voir le nouveau petit chien), et, avec une politesse extrême, il esquissa une rapide révérence, puis, se tournant vers Ninotchka, lui fit à elle aussi, puisqu'elle était une dame, elle aussi, le même salut. Ce geste poli fit sur la dame malade une impression prodigieusement plaisante.

— Voilà, on voit tout de suite un jeune homme bien élevé, prononça-t-elle à haute voix, écartant les bras, parce que, les autres qui nous rendent visite, ils entrent les uns sur les autres.

— Comment ça, mamounette, les uns sur les autres, dans quel sens ? balbutia le capitaine, d'une voix, certes, pleine de tendresse, mais en tremblant un peu pour la "mamounette".

— Eh bien comme ça. Dans l'entrée, ils se grimpent sur les épaules les uns des autres, et ils entrent comme ça dans une famille de la noblesse, à cheval. En voilà des façons pour des invités !

— Mais qui donc, qui donc, mamounette, qui donc est entré de cette façon-là ?

— Mais ce garçon-là, il est entré aujourd'hui sur ce garçon-là, là-bas, et l'autre, là, sur celui-là...

Mais Kolia se tenait déjà devant le lit d'Ilioucha. Le malade avait visiblement pâli. Il s'était redressé sur son lit et avait posé un regard fixe, mais très très fixe, sur Kolia. Ce dernier n'avait pas vu son ancien ami depuis déjà deux mois et s'arrêta devant lui complètement stupéfait : il ne pouvait pas imaginer qu'il verrait un visage tellement pâle, tellement jaune, des yeux tellement brûlants de fièvre et des yeux on aurait dit si terriblement agrandis, des petites mains si maigres. Empli d'une surprise douloureuse, il voyait qu'Ilioucha avait une respiration si profonde et si précipitée et qu'il avait les lèvres tellement sèches. Il fit un pas vers lui, lui tendit la main, et, presque complètement perdu, lui dit :

— Alors, vieux... comment ça va ?

Mais sa voix se coupa, sa désinvolture s'était volatilisée, son visage fut soudain traversé par une espèce de tic et quelque chose se mit à trembler près de ses lèvres. Ilioucha lui souriait douloureusement, encore incapable de lui dire un seul mot. Kolia, soudain, leva la main et passa sa paume, il ne savait pas pourquoi lui-même, sur les cheveux d'Ilioucha.

— Ça va ! lui balbutia-t-il d'une voix douce, soit pour le ragaillardir, soit parce qu'il ne savait pas lui-même pourquoi il venait de le dire. Il y eut à nouveau une petite minute de silence.

— C'est quoi que tu as, un petit chiot ? demanda soudain Kolia d'une voix des plus insensibles.

— Oui-i-i ! répondit Ilioucha dans un long chuchotement, le souffle court.

— Le museau noir, il est méchant, donc, on le garde à la chaîne, remarqua Kolia d'un ton grave et ferme, comme s'il ne pouvait s'agir que du petit chiot et de la chaîne. Mais l'essentiel était que, lui-même, il essayait toujours de toutes ses forces de vaincre l'émotion qui le submergeait, pour ne pas pleurer comme un "petit", et il n'y arrivait toujours pas. Quand il sera grand, il faudra le mettre à la chaîne, ça, je le sais.

— Il sera énorme ! s'exclama un garçon dans la foule.

— C'est sûr, un molosse, énorme, comme ça, comme un veau, firent soudain plusieurs voix.

— Un veau, oui, un vrai veau, n'est-ce pas, reprit le capitaine en bondissant, j'en ai cherché un comme ça exprès, le plus méchant des méchants, et ses parents aussi, ils sont énormes, et les plus méchants, comme ça, tenez, de taille… Asseyez-vous, ici, sur le lit d'Ilioucha, ou sinon ici, sur le banc. Soyez le bienvenu, notre cher hôte, notre hôte tant espéré… Vous êtes venu avec Alexéï Fiodorovitch ?

Krassotkine s'assit sur le lit, aux pieds d'Ilioucha. Il avait certes, peut-être, en chemin, prévu qu'il entamerait une conversation sur un ton détaché, mais, à présent, réellement, il avait perdu le fil.

— Non... avec Pérezvon... J'ai un chien, maintenant, oui, Pérezvon. Un nom slave. Il attend là-bas... je siffle, il accourt. Moi aussi, j'ai un chien, fit-il, se tournant soudain vers Ilioucha, tu te souviens, vieux, de Joutchka, lui demanda-t-il, le bouleversant soudain par cette question.

Le visage d'Ilioucha se déforma. Il lança vers Kolia un regard de souffrance. Aliocha, qui se tenait à la porte, se rembrunit et voulut faire en cachette un signe de tête à Kolia, pour qu'il ne parle pas de Joutchka, mais Kolia ne remarqua rien, ou ne voulut rien remarquer.

— Où il est donc... Joutchka ? demanda Ilioucha d'une petite voix fêlée.

— Là, vieux, ton Joutchka – pfuit ! Disparu, ton Joutchka !

Ilioucha ne dit rien, mais reposa ce même regard fixe sur Kolia. Aliocha, attrapant le regard de Kolia, lui fit de toutes ses forces des signes de tête, mais, là encore, Kolia détourna le regard, feignant, cette fois-là aussi, de ne rien avoir remarqué.

— Il s'est enfui Dieu sait où et il a disparu. Tu parles qu'il aura disparu, après un banquet de ce genre, continuait impitoyablement Kolia, alors que, lui-même, on ne savait pas pourquoi, il commençait à haleter. Mais, moi, par contre, j'ai Pérezvon... Un nom slave... Je te l'ai amené...

— Il ne faut pas ! lança soudain Iliouchetchka.

— Si, si, il faut, regarde absolument... Ça va te distraire. Je te l'ai amené exprès... aussi hirsute que l'autre... Vous me permettrez, madame, de faire entrer mon chien chez vous ? demanda-t-il à Mme Snéguiriova, pris lui-même d'une émotion, cette fois, réellement, incompréhensible.

— Il ne faut pas, il ne faut pas ! s'exclama Ilioucha dans une voix si douloureuse qu'elle en était à la limite de l'hystérie. Un reproche brûlait dans son regard.

— Euh, peut-être que… fit soudain le capitaine, bondissant de la malle contre le mur sur laquelle il était assis, peut-être que vous… enfin, plus tard… balbutia-t-il, mais Kolia, pressé et insistant irrésistiblement, cria soudain à Smourov : "Smourov, ouvre la porte !" – et, sitôt que la porte fut ouverte, il siffla dans son sifflet. Pérezvon se précipita dans la pièce.

— Saute, Pérezvon, fais le beau, fais le beau ! hurla Kolia, se redressant lui-même, et le chien, juché sur ses pattes de derrière, se dressa juste devant le lit d'Ilioucha. Il se passa alors quelque chose que personne n'attendait : Ilioucha tressaillit et, soudain, avec force, se tendit vers l'avant de tout son corps, se pencha vers Pérezvon et, comme pétrifié, darda ses yeux vers lui.

— C'est… Joutchka ! cria-t-il soudain d'une voix fêlée par la souffrance et le bonheur.

— Parce que qui tu pensais que c'était ? hurla Krassotkine de toutes ses forces, d'une voix sonore et heureuse, et, se penchant vers le chien, il le saisit dans ses bras et le leva vers Ilioucha.

— Regarde, vieux, tu vois, un œil borgne et l'oreille gauche fendue, exactement les signes que tu m'avais dits. C'est par ces signes que je l'ai retrouvé ! Et je l'ai retrouvé tout de suite, très vite. Il était à personne, tu comprends, il était à personne ! expliquait-il, se tournant très vite vers le capitaine, vers son épouse, vers Aliocha, puis à nouveau vers Ilioucha. Il restait dans l'arrière-cour des Fiodotov, il s'était trouvé un coin là-bas, mais, eux, ils ne lui donnaient rien à manger, c'est un chien errant, il venait d'un village… Et moi je l'ai retrouvé… Tu vois, vieux, ton morceau, là, donc, ça veut dire qu'il ne l'avait pas avalé. S'il l'avait avalé, évidemment qu'il serait mort, ça, c'est sûr ! Donc, il a réussi à le recracher, s'il est vivant. Et, toi, tu n'avais pas remarqué qu'il avait recraché. Il l'a recraché, mais, la langue, quand même, il se l'était bien piquée, c'est pour ça qu'il avait tellement hurlé. Il courait, il hurlait, et toi, tu te disais, ça y est, il a tout avalé. Il a dû hurler drôlement, parce que, la peau dans la gueule, elle est très très tendre… plus tendre que chez l'homme, beaucoup plus tendre ! s'exclamait frénétiquement Kolia, le visage brûlant, illuminé par l'exaltation.

Ilioucha, lui, ne pouvait même plus parler. Il regardait Kolia avec ses yeux énormes et comme terriblement écarquillés, la bouche ouverte, pâle comme un linge. Si seulement Krassotkine, qui n'en soupçonnait rien, avait pu savoir l'influence torturante et meurtrière que cette minute pouvait avoir sur la santé du garçon malade, jamais il n'aurait osé lui jouer le tour qu'il venait de lui jouer. Mais le seul à le comprendre dans la pièce était peut-être Aliocha. Quant au capitaine, c'était lui-même qui s'était comme tout entier transformé en un petit enfant.

— Joutchka ! Alors, c'est Joutchka ? criait-il d'une voix pleine de béatitude. Iliouchetchka, mais c'est Joutchka, c'est ton Joutchka ! Maman, mais c'est Joutchka ! Il était à deux doigts de pleurer.

— Et moi qui n'avais pas deviné ! s'exclama douloureusement Smourov. Ah, Krassotkine alors, je disais bien qu'il allait retrouver Joutchka, voilà, il l'a retrouvé !

— Il l'a retrouvé ! reprit joyeusement quelqu'un d'autre.

— Bravo, Krassotkine ! lança une troisième petite voix.

— Bravo, bravo ! crièrent tous les gamins et ils se mirent à applaudir.

— Mais attendez, attendez, reprit Krassotkine, essayant de les faire taire en criant plus fort qu'eux, que je vous raconte comment ça s'est passé, le truc, c'est comment ça s'est passé, pas autre chose ! Parce que je l'ai retrouvé, je l'ai ramené chez moi, et je l'ai caché tout de suite, chez moi, à double tour, et je ne l'ai montré à personne jusqu'au tout dernier jour. Il n'y a que Smourov qui l'a su, il y a deux semaines, mais j'ai réussi à lui faire croire que c'était Pérezvon, et il n'a pas deviné, et, moi, dans l'intervalle, à Joutchka, je lui ai appris toutes les sciences, non mais regardez, regardez seulement tous les trucs qu'il sait faire ! C'est pour ça que je l'ai dressé, pour te le ramener, vieux, dressé, gentil : tiens, regarde, vieux, comme il est, maintenant, ton Joutchka ! Vous n'auriez pas un petit morceau de viande, il va vous montrer un truc, vous en tomberez de rire – un petit peu de viande, un morceau, vraiment, vous ne pouvez pas me trouver ça ?

Le capitaine se précipita à travers l'entrée jusqu'à l'isba de ses logeurs, où l'on faisait la cuisine de toute la famille. Kolia, lui, pour ne pas perdre un temps précieux, follement pressé, cria à Pérezvon : “Meurs !” Et ce dernier se mit à tourner sur lui-même, se coucha sur le dos et se figea, immobile, les quatre pattes dressées vers le plafond. Les gamins riaient, Ilioucha gardait son même sourire de souffrance, mais celle qui préféra la mort de Pérezvon, ce fut la “mamounette”. Elle éclata de rire devant le chien et se mit à claquer des doigts en l'appelant :

— Pérezvon, Pérezvon !

— Il ne se relèvera pour rien au monde, cria Kolia, d'un ton triomphal, et fier à juste titre de lui-même, le monde entier pourrait crier, et, si je crie, moi, il se remettra sur ses pattes à la seconde ! Au pied, Pérezvon !

Le chien bondit et se mit à sauter, jappant de joie. Le capitaine se précipita dans la pièce avec un morceau de viande cuite.

— Il n'est pas trop chaud ? s'enquit Kolia, d'un ton aussi hâtif qu'affairé, en prenant le morceau. Non, il n'est pas chaud, sinon, les chiens, ils n'aiment pas le chaud. Regardez tous, donc, regarde bien, Iliouchetchka, regarde, regarde bien, vieux, pourquoi tu ne regardes pas ? Je te le ramène, et tu ne le regardes pas !

Le nouveau tour consistait à poser juste sur le nez du chien figé et tendant son museau le morceau de viande convoité. Le malheureux chien, sans bouger, devait rester avec le morceau de viande au bout de son nez autant de temps que le lui dirait son maître, ne pas bouger, ne pas remuer, serait-ce une demi-heure. Mais Pérezvon n'eut à souffrir qu'une toute petite minute.

— Pile ! cria Kolia, et le morceau, en une seconde, passa du nez à la bouche de Pérezvon. Le public, cela va de soi, exprima une surprise enthousiasmée.

— Et c'est donc seulement, oui, seulement pour dresser ce chien que vous n'êtes pas venu de tout ce temps ! s'exclama Aliocha avec un reproche involontaire.

— Absolument pour ça, cria Kolia le plus ingénument du monde. Je voulais le montrer dans toute sa splendeur !

— Pérezvon ! Pérezvon ! fit soudain Ilioucha, claquant ses doigts maigres pour appeler le chien.

— Mais attends ! Qu'il saute dans ton lit tout seul. Ici, Pérezvon ! fit Kolia en tapant sa paume contre le bois du lit, et Pérezvon, comme une flèche, vola vers Ilioucha. Ce dernier étreignit sa tête de toutes ses forces, des deux bras, et Pérezvon eut tôt fait de lui lécher toute la joue. Iliouchetchka se serra contre lui, s'étendit dans son lit et cacha son visage dans ses poils touffus.

— Mon Dieu, mon Dieu ! s'exclamait le capitaine.

Kolia se rassit sur le lit d'Ilioucha.

— Ilioucha, il y a encore un autre truc que je peux te montrer. Je t'ai apporté le petit canon. Tu te souviens, je t'en avais parlé, encore, dans le temps, de ce petit canon, et, toi, tu as dit : "Ah, si je pouvais le voir !" Eh bien voilà, ça y est, je l'ai apporté.

Et Kolia, en se précipitant, sortit de sac son petit canon de bronze. S'il se précipitait, c'est que, lui aussi, il était très heureux : à un autre moment, il aurait su attendre que soit passé l'effet produit par Pérezvon, mais, à présent, il se précipitait en méprisant toute retenue : "Bon, vous êtes déjà heureux comme ça, mais, là, tenez, encore un petit plus de bonheur !" Lui-même, il était vraiment aux anges.

— Ce machin-là, je l'avais remarqué depuis longtemps chez le fonctionnaire Morozov, pour toi, vieux, pour toi. Il n'en faisait rien du tout, il l'avait de son frère, moi, je l'ai échangé contre un livre, de la bibliothèque de papa : *Un cousin de Mahomet ou la Folie salutaire*. Il a un siècle, le bouquin, du libertinage, c'est sorti à Moscou, quand il n'y avait pas encore de censure, et, Morozov, ces machins-là, il adore. Il m'a remercié, encore…

Kolia tenait le canon devant tout le monde, si bien que tous pouvaient regarder et se réjouir. Ilioucha se redressa et, continuant toujours de serrer Pérezvon de son bras droit, il observait le jouet avec exaltation. L'effet atteignit un degré suprême quand Kolia déclara qu'il avait même de la poudre et qu'on pouvait tirer à l'instant "si seulement ça ne fait pas peur aux dames". "Mamounette" demanda qu'on lui laisse regarder le jouet de plus près, ce qui fut fait à la seconde. Le petit canon de bronze, monté sur ses roues, lui plut terriblement, et elle se mit à le rouler sur ses genoux. C'est par l'accord le plus total qu'elle répondit à la demande d'autoriser le tir, sans comprendre, du reste, ce qu'on lui demandait. Kolia montra la poudre et les petits plombs. Le capitaine, en ancien militaire, s'occupa lui-même de charger le canon, versant la plus petite quantité de poudre possible, et, quant aux petits plombs, disant qu'il valait mieux les utiliser une autre fois. Le canon fut placé sur le sol, pointé vers un endroit vide, on enfonça dans la lumière quelques grains de poudre et on gratta une allumette. Le tir fut des plus brillants. Mamounette commença par tressaillir, mais sa peur se changea tout de suite en rire de joie. Les enfants regardaient cela dans un silence solennel, mais celui qui gardait le silence le plus béat, en contemplant Ilioucha, était le capitaine. Kolia ramassa le canon et l'offrit sur-le-champ à Ilioucha, en même temps que les petits plombs et la poudre.

— Ça, je te l'apporte pour toi, pour toi ! Je l'avais préparé depuis longtemps ! répéta-t-il une nouvelle fois, tout à la plénitude de son bonheur.

— Ah, offrez-le-moi à moi ! Non, offrez-moi plutôt le canon à moi ! se mit soudain à demander la mamounette comme une toute petite fille. Son visage exprima l'inquiétude la plus tragique devant la peur qu'on puisse ne pas le lui offrir. Kolia se troubla. Le capitaine s'agita, pris d'inquiétude.

— Mamounette, mamounette ! fit-il, bondissant vers elle. Le petit canon, il est à toi, à toi, mais qu'il reste avec Ilioucha, parce que c'est à lui qu'on l'a offert, mais, de toute façon, c'est à toi qu'il est, Iliouchetchka te laissera toujours jouer avec, vous l'aurez en commun tous les deux, en commun…

— Non, je ne veux pas en commun, non, je veux qu'il soit tout à moi, et pas à Ilioucha, continuait la mamounette, prête à fondre en larmes.

— Maman, prends-le pour toi, prends-le pour toi ! cria soudain Ilioucha. Krassotkine, je peux l'offrir à maman ? demanda-t-il, se tournant soudain vers Krassotkine avec un air suppliant, comme s'il avait peur que ce cadeau qu'il venait de lui faire ne fût tout de suite offert à quelqu'un d'autre.

— C'est absolument possible, approuva aussitôt Krassotkine et, reprenant le canon des mains d'Ilioucha, il le remit lui-même à la mamounette avec une révérence polie. La mamounette fondit en larmes d'attendrissement.

— Iliouchetchka, mon mignon, voilà quelqu'un qui aime sa maman ! s'exclama-t-elle avec attendrissement, et elle se mit tout de suite à faire rouler le canon sur ses genoux.

— Mamounette, laisse-moi te faire un petit baisemain, dit l'époux, bondissant vers elle, et il mit aussitôt son projet à exécution.

— Et celui qui est le jeune homme le plus charmant, c'est ce brave enfant ! marmonna la noble dame en désignant Krassotkine.

— Et pour la poudre, Ilioucha, je t'en apporterai autant que tu voudras. La poudre, on la fait nous-mêmes maintenant. Borovikov a découvert la composition – vingt-quatre doses de salpêtre, dix de soufre et six de charbon de bouleau, on pile le tout ensemble, on verse de l'eau, on en fait une pâte et on la frotte sur une peau de tambour – et voilà ta poudre.

— Smourov m'avait déjà parlé de votre poudre, mais papa dit que ce n'est pas de la vraie poudre, répliqua Ilioucha.

— Comment ça, pas de la vraie ? reprit Kolia en rougissant. Chez nous, elle brûle. Remarque, je ne sais pas…

— Non, non, je ne disais rien, lança soudain le capitaine d'un air coupable. C'est vrai, je disais que, la poudre, ce n'était pas comme ça qu'on la faisait, mais ce n'est pas grave, n'est-ce pas, on peut aussi comme ça.

— Je ne sais pas, vous le savez mieux. On l'a allumée, dans une boîte à pommade en pierre, elle a bien brûlé, elle a brûlé entièrement, il est resté juste un tout petit peu de suie. Et ça, ce n'était que la pâte, mais, si on la frottait sur la peau… Remarquez, vous le savez mieux, moi je ne sais pas… Mais Boulkine, lui, son père il l'a fouetté à cause de cette poudre, tu étais au courant ? demanda-t-il, se tournant soudain vers Ilioucha.

— Oui, répondit Ilioucha. Il écoutait Kolia avec un intérêt et un plaisir infinis.

— On en avait préparé toute une bouteille, de poudre, il la gardait sous son lit. Son père l'a vu. Ça peut tout faire sauter, il lui dit. Et il l'a fouetté, séance tenante. Il voulait porter plainte contre moi au collège. Maintenant, on ne le laisse plus me fréquenter, maintenant, plus personne n'a le droit. Smourov aussi, on lui a interdit, je suis célèbre chez tout le monde ; ils disent que je suis une "tête brûlée", ricana Kolia avec dédain. Tout ça, ça a commencé depuis le chemin de fer.

— Ah ! cette histoire-là aussi, nous en avons entendu parler ! s'exclama le capitaine. Comment est-ce que vous avez réussi à tenir ? Et donc vous n'avez vraiment pas du tout eu peur, quand vous vous êtes retrouvé sous le train ? Vous avez eu peur, quand même ?

Le capitaine essayait terriblement de flatter Kolia.

— P-pas trop, quoi ! répliqua Kolia, avec détachement. Le pire pour ma réputation, ici ça a été cette maudite oie, reprit-il, se tournant à nouveau vers Ilioucha. Il avait beau, en racontant, prendre un air détaché, il n'arrivait toujours pas à se maîtriser, et c'était toujours comme s'il n'arrivait jamais à garder le ton juste.

— L'oie aussi, j'en ai entendu parler ! dit Ilioucha en riant, tout rayonnant. On m'a raconté ça, mais je n'ai pas compris, on t'a vraiment fait passer devant le juge ?

— La plaisanterie la plus stupide, la plus insignifiante, ils en ont fait tout un éléphant ici, comme d'habitude, commença Kolia d'un air désinvolte. Je traversais la place, là, une fois, et, juste, ils y avaient amené des oies, en quantité. Je m'arrête, je regarde les oies. D'un coup, un gars d'ici, Vichniakov, il travaille comme garçon de courses, maintenant, chez les Plotnikov, qui me regarde et qui me dit : "Qu'est-ce t'as à les regarder, les oies ?" Moi, je le regarde, lui : une tronche bête, ronde, le gars, il a une vingtaine d'années, moi, vous savez, je ne rejette jamais le peuple. J'aime, moi, quand je suis avec le peuple… On a pris du retard sur le peuple – c'est un axiome –, j'ai l'impression que vous riez, Karamazov ?

— Non, Dieu m'en garde, je vous écoute tout à fait, répondit Aliocha de l'air le plus ingénu, et Kolia, soupçonneux, se sentit tout de suite encouragé.

— Ma théorie, Karamazov, elle est claire et nette, se remit-il à débiter joyeusement. Le peuple, j'y crois, et je suis toujours heureux de lui rendre justice, mais pas du tout pour le flatter, ça, c'est *sine qua*… Oui, c'est de l'oie que je parlais. Donc, je me tourne vers cet abruti, et je lui réponds : "Ce que je pense, je lui dis, c'est à quoi elle pense, l'oie ?" Il me regarde, lui, bête comme ses pieds : "Bah, à quoi elle pense, l'oie ? – Regarde, je lui dis, la carriole d'avoine. Il y a de l'avoine qui tombe d'un sac, et, l'oie, elle a tendu la tête juste sous la roue, et elle bouffe l'avoine – tu vois ? – Ça, sûr que je le vois", il me dit. "Et si, maintenant, cette carriole, on la faisait avancer juste un petit peu

– la roue, elle lui coupera le cou, à l'oie, ou non ? – Absolument, il me dit, elle lui coupera" – et, en même temps, je le vois qui ricane, comme ça, l'idée qui le fait fondre. "Eh bien, on y va, je lui dis, mon gars, au boulot. – Au boulot", il me dit. Il ne nous a pas fallu longtemps : lui, n'est-ce pas, il s'est placé, l'air de rien, auprès des rênes, moi, à côté, pour diriger l'oie. Et le paysan, à ce moment-là, il bayait aux corneilles, il discutait avec je ne sais plus qui, ça fait que, l'oie, je n'ai même pas eu besoin de la diriger du tout : c'est d'elle-même qu'elle a tendu le cou pour son avoine, sous la carriole, juste sous la roue. J'ai fait un clin d'œil au gars, il a tiré et – c-crac, l'oie, ça lui a coupé le cou en deux ! Et, là, il a fallu que tous les paysans, à la même minute, ils nous remarquent, et les voilà qui caquettent tous en même temps : "T'as fait exprès ! – Non, j'ai pas fait exprès ! – Si, tu l'as fait exprès !" Bon, des vrais jars : "Au juge de paix !" Et moi aussi, ils me saisissent : "Toi aussi, t'es dans le coup, n'est-ce pas, tu l'as poussé, tout le marché te connaît !" Et moi, c'est vrai, je me demande pourquoi, mais tout le marché me connaît, ajouta vaniteusement Kolia. Ils m'ont traîné chez le juge de paix, et ils ont pris l'oie en même temps. Et qu'est-ce que je vois ? mon gars qui a les chocottes, il se met à chialer, je vous jure, il chiale comme une bonne femme. Et le grossiste qui crie : "A ce train-là, c'est toutes les oies qu'on pourrait écraser !" Bon, et puis, évidemment, les témoins. Le juge de paix, il a réglé ça en moins de deux : pour l'oie, donner un rouble au grossiste, et, l'oie, c'est le gars qui la prendrait pour lui. Et puis, dorénavant, ne plus jamais se permettre ce genre de plaisanteries. Et le gars, lui, qui continue de chialer : "C'est pas moi, il dit, c'est lui qui m'a appris", et il me montre du doigt. Moi, je réponds avec un sang-froid absolu que je ne lui ai rien appris du tout, que j'ai juste exprimé l'idée essentielle et que j'ai parlé sous forme de projet. Le juge de paix Néfédov, il a fait un sourire dans sa barbe, et puis il s'est tout de suite mis en colère d'avoir souri dans sa barbe : "Je vais faire un rapport sur vous, il me dit, à votre direction, que vous évitiez à l'avenir de vous lancer dans ce genre de projets, au lieu de rester avec vos livres et d'apprendre vos leçons." Le rapport à la direction, ça, il ne l'a pas fait, c'était des blagues, mais l'affaire, j'avoue, elle a été connue et elle est arrivée aux oreilles de la direction : nos oreilles, n'est-ce pas, elles sont longues ! C'est surtout Kolbasnikov[1], le classique, qui a été indigné, mais Dardanellov m'a défendu une nouvelle fois. Et Kolbasnikov, maintenant, il est fou de rage contre nous, on dirait qu'il écume. Tu étais au courant, Ilioucha, qu'il s'est marié, il a pris mille roubles de dot aux Mikhaïlov, mais la mariée, c'est une horreur de première classe et du tout dernier degré. Les gars de troisième, ils ont tout de suite fait une épigramme :

La nouvelle a saisi les troisièmes ;
Saucisson, à genoux, dit : "Je t'aime."

Bon, et ainsi de suite, c'est très drôle, je l'apporterai plus tard. Moi, je ne dirai rien sur Dardanellov : c'est un homme qui a des connaissances, des connaissances sérieuses. Les gars comme ça, je les respecte, et pas du tout parce qu'il m'a défendu…

— N'empêche, tu lui as mouché le nez sur qui c'est qui a fondé Troie ! lança soudain Smourov, réellement fier de Krassotkine à cet instant. L'histoire de l'oie lui avait vraiment plu.

1. Kolbasnikov vient de *kolbasa*, "saucisson".

— Oh, vous lui avez vraiment mouché le nez ? reprit le capitaine d'un ton flatteur. C'était au sujet de savoir qui avait fondé Troie ? Oui, nous étions au courant que vous lui aviez mouché le nez. Iliouchetchka nous l'avait raconté le jour même…

— Il sait tout, papa, il sait tout mieux que tout le monde ! reprit à son tour Iliouchetchka, il fait juste semblant qu'il est comme ça, il est premier chez nous dans toutes les matières…

Ilioucha regardait Kolia avec un bonheur infini.

— Oh, ce coup-là, sur Troie, je considère ça comme des bêtises, des bagatelles. La question elle-même, je la considère comme vaine, répliqua Kolia avec une orgueilleuse modestie. Il avait réussi à trouver le ton, même si, du reste, il était toujours dérangé par une espèce d'inquiétude : il sentait qu'il se trouvait dans un grand état d'excitation et que l'histoire de l'oie, par exemple, il l'avait racontée comme trop à cœur ouvert, alors qu'Aliocha s'était tu tout le temps qu'avait duré le récit et qu'il était resté sérieux, et donc, le garçon vaniteux avait commencé peu à peu à se sentir rongé au fond du cœur : "S'il ne dit rien comme ça, ce ne serait pas parce qu'il me méprise, en pensant que je cherche à ce qu'il me fasse des louanges ? Si c'est ça, s'il ose penser ça, alors, moi, je…"

— Je pense que cette question est absolument vaine, trancha-t-il une nouvelle fois avec orgueil.

— Moi, je le sais, qui a fondé Troie, lança soudain d'une manière totalement inattendue un garçon qui n'avait encore absolument rien dit jusqu'à présent, un garçon silencieux et visiblement timide, très joli, d'à peu près onze ans, qui s'appelait Kartachov. Il était assis tout près de la porte. Kolia lui lança un regard grave et surpris. Le fait est que la question : "Qui, précisément, a fondé Troie ?" était réellement, pour toutes les classes, devenue un secret, et, pour le percer, il fallait avoir lu Smaragdov. Mais personne n'avait un Smaragdov, à part Kolia. Et donc, un jour, le petit Kartachov, en cachette, alors que Kolia tournait le dos, avait vite ouvert ce tome de Smaragdov parmi ses livres et il était tombé en plein sur le passage où il était question des fondateurs de Troie. Cela était arrivé il y avait assez longtemps, mais, lui, il avait toujours comme un peu honte et il n'avait jamais osé découvrir publiquement que, lui aussi, il savait qui avait fondé Troie, craignant que ça ne donne on ne sait quoi et que Kolia ne se moque de lui, d'une façon ou d'une autre, par la suite. Et, là, soudain, bizarrement, il n'y avait pas tenu, et il avait parlé. Et puis, il en avait envie depuis longtemps.

— Alors, qui c'est qui l'a fondée ? demanda Kolia, se tournant vers lui avec hauteur et arrogance, mais, comprenant à son visage que Kartachov le savait réellement, et se préparant, on le comprend bien, à la seconde, à toutes les conséquences. Il y eut dans l'atmosphère générale ce qu'on appelle une fausse note.

— Troie a été fondée par Teucros, Dardanos, Ilos, et par Tros, martela le gamin d'un seul coup, et, en un clin d'œil, il devint tout rouge, il devint si rouge qu'il faisait pitié à voir. Mais les gamins le fusillaient tous du regard, ils le regardèrent ainsi pendant une bonne minute, après quoi, d'un coup, tous les regards se tournèrent, avec la même intensité, vers Kolia. Ce dernier continuait à toiser le petit audacieux avec le même sang-froid méprisant.

— C'est-à-dire, c'est quoi qu'ils ont fondé ? daigna-t-il enfin demander. Et qu'est-ce que ça veut dire, en général, fonder une ville ou un Etat ? Qu'est-ce qu'ils ont fait : ils sont venus et ils ont posé chacun une brique, c'est ça ?

On éclata de rire. Le petit coupable, de rose qu'il était, devint pourpre. Il se taisait, il était prêt à pleurer. Kolia le maintint ainsi pendant encore une petite minute.

— Pour parler d'événements historiques tels que la fondation d'une nationalité, il faut d'abord et avant tout comprendre ce que ça veut dire, débita-t-il sévèrement, pour lui faire la leçon. Ceci dit, moi, toutes ces légendes de bonnes femmes, je ne leur accorde pas une trop grande importance, et, en général, toute l'histoire universelle, ce n'est pas ça que je respecte le plus, ajouta-t-il soudain avec désinvolture, s'adressant, cette fois, à tout son auditoire.

— L'histoire universelle ? s'enquit le capitaine avec, même, une espèce de frayeur.

— Oui, l'histoire universelle. L'étude de toute la série des bêtises humaines, un point c'est tout. Moi, tout ce que je respecte, c'est les mathématiques et les sciences naturelles, se vanta Kolia, et il lança un regard d'une seconde vers Aliocha : il ne craignait que son opinion à lui. Mais Aliocha continuait de se taire et restait toujours aussi sérieux. Si Aliocha avait dit quelque chose à ce moment-là, tout se serait arrêté là, mais Aliocha resta muet, et "son silence pouvait être méprisant", et Kolia sortit définitivement de ses gonds.

— Et regardez aussi, ces langues classiques qu'on nous apprend : juste de la folie, rien d'autre… Je crois que, là encore, vous n'êtes pas d'accord avec moi, Karamazov ?

— Je ne suis pas d'accord, répondit Aliocha, avec retenue, en souriant.

— Les langues classiques, si vous voulez mon opinion dessus, c'est une mesure policière, c'est seulement pour ça qu'on les a établies, reprit Kolia, se remettant soudain peu à peu à haleter, on les a établies parce qu'elles sont ennuyeuses, et parce qu'elles émoussent les facultés. On s'ennuyait, alors, comment faire pour qu'on s'ennuie encore plus ? C'était bête, alors comme faire pour que ça soit encore plus bête ? Et voilà, ils vous ont inventé les langues classiques. Voilà mon opinion complète, et j'espère que je n'en changerai jamais, conclut violemment Kolia. Des taches rouges venaient de surgir sur ses deux joues.

— C'est vrai, approuva soudain d'une petite voix sonore et convaincue Smourov qui avait écouté très attentivement.

— Mais t'es premier en latin ! cria soudain un gamin dans la foule.

— Oui, papa, ça, il le dit, et, en même temps, chez nous, c'est lui le premier de la classe en latin, renchérit aussi Ilioucha.

— Et alors ? fit Kolia, pensant utile de se défendre, même si les louanges lui faisaient bien plaisir. Le latin, je le bachote, parce qu'il faut, parce que j'ai promis à ma mère de finir mes études, et, à mon avis, si on se met à quelque chose, il faut le faire bien, mais, au fond du cœur, je méprise profondément le classicisme et toute cette crapulerie… Vous n'êtes pas d'accord, Karamazov ?

— Pourquoi "cette crapulerie" ? reprit Aliocha avec un nouveau sourire en coin.

— Mais voyons, tous les classiques sont traduits dans toutes les langues, donc, ce n'est pas du tout pour l'étude des classiques qu'on a besoin du latin, mais seulement pour des mesures policières et pour émousser les facultés. Evidemment que c'est une crapulerie.

— Mais qui vous a mis tout ça dans la tête ? finit par s'exclamer un Aliocha étonné.

— D'abord, je suis capable de le comprendre tout seul, sans que personne me le mette dans la tête, et, ensuite, sachez-le que, ce que je viens de vous dire sur les classiques traduits, c'est ce qu'a dit à haute voix le professeur Kolbasnikov à toute la troisième…

— Le docteur est arrivé ! s'exclama soudain Ninotchka qui n'avait pas encore dit un seul mot.

De fait, un équipage appartenant à Mme Khokhlakova venait d'arriver devant le portail de la maison. Le capitaine, qui avait attendu le docteur pendant toute la matinée, se précipita à toutes jambes vers le portail, pour l'accueillir. La "mamounette" arrangea un petit peu sa mise et se donna un air de gravité. Aliocha s'approcha d'Ilioucha et entreprit de redresser son oreiller. Ninotchka, de son fauteuil, regardait avec inquiétude la façon dont il arrangeait l'oreiller. Les gamins prirent congé très vite, certains promirent de repasser dans la soirée. Kolia appela Pérezvon, et ce dernier bondit sur le plancher.

— Je ne m'en vais pas, je ne m'en vais pas ! dit à la hâte Kolia à Ilioucha. J'attendrai dans l'entrée et je reviendrai quand le docteur sera parti, je reviendrai avec Pérezvon.

Mais le docteur entrait déjà – une silhouette grave en pelisse d'ours, avec de longs favoris noirs et un menton lisse et miroitant. Il franchit le seuil et s'arrêta soudain, comme déconcerté : il avait sans doute eu l'impression de s'être trompé de porte : "Qu'est-ce que c'est ? Où suis-je ?" marmonnait-il, sans ôter ni sa pelisse ni sa casquette en poil de loutre, avec une visière également en poil de loutre. La foule, la pauvreté de la pièce, le linge accroché à un fil dans un coin, tout cela l'avait désarçonné. Le capitaine s'inclinait devant lui jusqu'à terre.

— Vous êtes ici, monsieur, c'est là, marmonnait-il servilement, vous êtes ici, chez moi, c'est chez moi que vous venez…

— Snéguiriov ? prononça le docteur d'une voix sonore et digne. Monsieur Snéguiriov, c'est vous ?

— Oui, c'est moi, monsieur !

— Ah !

Le docteur laissa à nouveau courir son regard dédaigneux sur la pièce et rejeta la pelisse de ses épaules. Une très importante décoration qu'il portait à son cou frappa les yeux de tous. Le capitaine rattrapa la pelisse tandis que le docteur ôtait sa casquette.

— Où est donc le patient ? demanda-t-il de sa voix sonore et insistante.

VI

UN DÉVELOPPEMENT PRÉCOCE

— Qu'est-ce que vous pensez qu'il lui dira, le docteur ? murmura Kolia dans un débit précipité. Quelle tronche détestable, n'empêche, n'est-ce pas, hein ? Je ne supporte pas la médecine !

— Ilioucha va mourir. Ça, j'ai l'impression que c'est sûr, répondit tristement Aliocha.

— Les fumiers ! C'est du fumier, la médecine ! Je suis content, n'empêche, de vous avoir connu, Karamazov. Je voulais vous connaître depuis longtemps. Dommage seulement qu'on se rencontre dans des circonstances si tristes…

Kolia aurait vraiment voulu dire quelque chose de plus chaleureux, de plus expansif, mais il y avait comme quelque chose qui le gênait. Aliocha le remarqua, sourit et lui serra la main.

— Il y a longtemps que j'ai appris à respecter en vous un être rare, se remit à balbutier Kolia, bafouillant et s'embrouillant. On m'a dit que vous étiez un mystique et que vous avez vécu au monastère. Je sais que vous êtes un mystique, mais… ça ne m'a pas arrêté. Le contact avec la réalité vous guérira… Avec les natures comme vous, ça ne peut se passer que comme ça.

— Qu'est-ce que vous appelez un mystique ? Et me guérira de quoi ? demanda Aliocha, un peu surpris.

— Bah, enfin, de Dieu et ainsi de suite.

— Comment, parce que vous ne croyez pas en Dieu ?

— Au contraire, je n'ai rien du tout contre Dieu. Bien sûr, Dieu n'est rien qu'une hypothèse… mais, je le reconnais, on a besoin de lui, pour l'ordre… pour l'ordre du monde et tout ça… et s'il n'existait pas, il faudrait l'inventer, ajouta Kolia, commençant à rougir.

Il venait soudain de s'imaginer qu'Aliocha allait penser qu'il voulait lui mettre en avant ses connaissances et montrer à quel point il était "un grand". "Et moi, je ne veux pas du tout mettre en avant mes connaissances", se dit Kolia avec indignation. Et, d'un seul coup, il se sentit pris d'un dépit terrible.

— Je vous avoue que je ne supporte pas d'entrer dans tous ces débats, trancha-t-il, on peut tout de même aimer l'humanité sans croire en Dieu, non, qu'est-ce que vous en pensez ? Voltaire, tenez, il ne croyait pas en Dieu mais il aimait l'humanité ? ("Ça recommence, ça recommence !" se dit-il en lui-même.)

— Voltaire croyait en Dieu, mais, je crois, pas beaucoup, et je crois qu'il n'aimait pas beaucoup non plus l'humanité, prononça Aliocha, d'une voix douce, retenue et absolument naturelle, comme s'il parlait à quelqu'un qui était son égal en âge, ou même à un homme plus âgé. C'est justement cette espèce de côté non assuré d'Aliocha dans son opinion sur Voltaire qui frappa Kolia et le fait que c'était à lui, au petit Kolia, qu'il laissait trancher cette question. Parce que vous avez lu Voltaire ? conclut Aliocha.

— Non, ce n'est pas que j'aie lu... Remarquez, j'ai lu *Candide*, dans une traduction russe... dans une vieille traduction, affreuse, ridicule... ("Ça recommence, ça recommence !")

— Et vous avez compris ?

— Oh oui, tout... c'est-à-dire... pourquoi vous pensez que j'aurais pu ne pas comprendre ? Il y a beaucoup de choses salaces, dedans, bien sûr... Evidemment que je suis en état de comprendre que c'est un roman philosophique et écrit pour faire passer une idée... continua Kolia en s'embrouillant complètement. Je suis un socialiste, Karamazov, je suis un socialiste incorrigible, trancha-t-il tout à trac.

— Un socialiste ? reprit Aliocha en riant. Mais quand donc avez-vous eu le temps ? Vous n'avez que treize ans, si je ne me trompe ?

Kolia se sentit offensé.

— D'abord, pas treize, mais quatorze, quatorze dans deux semaines, fit-il en s'empourprant, et, ensuite, je ne comprends pas du tout ce que mon âge a à voir là-dedans ? Le problème, ce sont mes convictions, et pas l'âge que j'ai, n'est-ce pas ?

— Quand vous serez plus âgé, vous verrez vous-même l'importance que l'âge peut avoir sur les convictions. J'ai l'impression aussi que ce ne sont pas vos mots à vous que vous dites, répondit Aliocha d'un ton humble et tranquille, mais Kolia l'interrompit avec passion.

— Voyons, mais vous voulez le vœu d'obéissance et le mysticisme. Accordez-moi, quand même, que la foi chrétienne n'a servi qu'aux riches et aux notables, pour tenir la classe inférieure dans l'esclavage, n'est-ce pas que c'est vrai ?

— Ah, je sais où vous avez lu ça, et il y a évidemment quelqu'un qui vous a mis ça dans la tête ! s'exclama Aliocha.

— Voyons, mais pourquoi il faut absolument que je l'aie lu ? Personne ne me l'a mis dans la tête. Je n'ai pas besoin des autres pour... Et, si vous voulez, je n'ai rien contre le Christ. C'était une personnalité toute pleine d'humanité, et, si le Christ avait vécu à notre époque, il aurait adhéré aux révolutionnaires, et, peut-être, il jouerait un rôle important... Ça, c'est même sûr.

— Mais où donc êtes-vous allé pêcher ça ? Avec quel imbécile est-ce que vous vous êtes lié ? s'exclama Aliocha.

— Voyons, la vérité ressort toujours. Suite à une occasion, je parle souvent avec M. Rakitine, mais... Mais c'est encore le vieux Bélinski, à ce qu'on dit, qui le disait.

— Bélinski ? Je ne me souviens pas. Il n'a jamais écrit ça.

— S'il ne l'a pas écrit, il le disait, à ce qu'on dit. Ça, je l'ai entendu par quelqu'un... remarquez, au diable...

— Parce que vous avez lu Bélinski ?

— Voyez-vous... non... je ne l'ai pas tout à fait lu, mais... le passage sur Tatiana, pourquoi elle n'est pas allée avec Onéguine, ça, je l'ai lu.

— Comment elle n'est pas allée avec Onéguine ? Mais est-ce que ça, déjà... vous le comprenez ?

— Voyons, mais je crois vraiment que vous me prenez pour le petit Smourov, répliqua Kolia d'un ton pincé. Remarquez, s'il vous plaît, ne pensez pas que je sois un révolutionnaire à ce point. Je suis très souvent pas d'accord avec M. Rakitine. Si on parle de Tatiana, je ne suis pas du tout pour l'émancipation des femmes. Je confesse que la femme est un être soumis et qu'elle doit obéir. *Les femmes tricotent* *, comme a dit Napoléon, fit, bizarrement, Kolia en ricanant un peu, et, au moins en ça, je partage totalement l'avis de ce pseudo-grand homme. Moi aussi, par exemple, j'estime que fuir sa patrie pour s'installer en Amérique, c'est une bassesse, c'est pire qu'une bassesse, c'est une bêtise. A quoi bon l'Amérique, quand, chez nous aussi, on peut être d'une grande utilité à l'humanité ? Et précisément au moment où nous sommes. Il y a une masse d'activité féconde. C'est ce que j'ai répondu.

— Comment répondu ? A quoi ? Parce qu'il y a quelqu'un qui vous a déjà invité en Amérique ?

— J'avoue qu'on a déjà essayé, mais j'ai refusé. Ça, évidemment, c'est entre nous, Karamazov, vous entendez, pas un mot à personne. Je ne vous le dis qu'à vous. Je ne veux pas du tout me retrouver entre les griffes du Troisième Bureau, et prendre des leçons près du pont aux Chaînes[1],

Tu n'oublieras pas l'immeuble
Près du pont aux Chaînes[2] *!*

Vous vous souvenez ? C'est magnifique ! De quoi vous riez ? Vous n'iriez pas penser que je suis en train de vous mentir ? ("Et s'il allait apprendre que, dans la bibliothèque de mon père, j'ai juste ce numéro-là du *Tocsin*, et que je n'ai rien lu d'autre que ça ?" se dit Kolia dans un éclair, mais tout en tressaillant.)

1. Le siège de la police secrète à Pétersbourg se trouvait à côté de ce pont bien connu.
2. Extrait d'un poème publié dans *Le Tocsin* de Herzen.

— Oh non, je ne ris pas, et je ne pense pas du tout que vous m'ayez menti. Ça, c'est bien ça, que je ne le pense pas, parce que tout ça, hélas, c'est la pure vérité ! Mais, dites-moi, Pouchkine, vous l'avez lu, *Onéguine*, je veux dire… Vous venez de parler de Tatiana ?

— Non, je n'ai pas encore lu, mais je veux lire. Je n'ai pas de préjugés, Karamazov. Je veux aussi entendre la partie adverse. Pourquoi vous me posez cette question ?

— Comme ça.

— Dites-moi, Karamazov, vous me méprisez énormément ? lança soudain Kolia, et il se tendit tout entier devant Aliocha, comme s'il se mettait en garde. Faites-moi ce plaisir, sans chichis.

— Si je vous méprise ? (Aliocha le regarda d'un air surpris.) Mais pourquoi donc ? Je suis seulement triste qu'une nature splendide comme la vôtre, qui n'a pas encore commencé à vivre, soit déjà pervertie par ces bêtises grossières.

— Ne vous en faites pas pour ma nature, l'interrompit Kolia non sans satisfaction, mais que j'aie tendance à voir l'offense partout, ça, c'est vrai. C'est une attitude bête, c'est une attitude grossière. Vous venez de sourire, et j'ai eu l'impression que c'était comme si vous…

— Ah, je souriais de tout sauf de ça. Voilà ce qui me faisait sourire : ces derniers jours, j'ai lu le compte rendu d'un Allemand de l'étranger qui avait habité en Russie sur la jeunesse étudiante d'aujourd'hui : "Montrez, il écrit, à un écolier russe une carte du ciel dont il n'a jamais eu la moindre idée auparavant, et, dès le lendemain, il vous rendra cette carte corrigée." Aucune connaissance, et une autosatisfaction sans borne – voilà ce que voulait dire cet Allemand sur les écoliers russes.

— Ah, mais, c'est absolument exact ! fit soudain Kolia en éclatant de rire. C'est exactissime, point par point ! Bravo, l'Allemand ! N'empêche, le Fritz, il y a le bon côté qu'il n'a pas vu, hein, qu'est-ce que vous en pensez ? L'autosatisfaction, ça, bon, c'est la jeunesse, ça peut se corriger, si seulement il faut le corriger, mais, en revanche, il y a un esprit indépendant, quasiment depuis l'enfance, il y a l'audace de la pensée et des convictions, et pas leur esprit de soumission de bouffeurs de saucisses devant les autorités... Mais, bon, il a bien dit ça, l'Allemand ! Bravo, l'Allemand ! Quoique, malgré tout, tous les Allemands, il faut les pendre. Ils sont peut-être forts en science, mais il faut les pendre quand même...

— Pourquoi les pendre ? sourit Aliocha.

— Non, je dis des bêtises, là, peut-être, c'est vrai. Parfois, c'est affreux comme je suis un enfant, et, quand il y a quelque chose qui me fait plaisir, je n'arrive pas à me retenir, et je suis prêt à raconter toutes les bêtises du monde. Ecoutez, vous et moi, n'empêche, on parle de vétilles, mais ce docteur, là, il a l'air d'y mettre drôlement de temps. Remarquez, peut-être qu'il examinera aussi la "mamounette", et Ninotchka, leur invalide. Vous savez, elle m'a beaucoup plu, cette Ninotchka. D'un coup, elle m'a chuchoté, quand je sortais : "Pourquoi vous n'êtes pas venu plus tôt ?" Et d'une voix... un de ces reproches ! Je pense qu'elle est affreusement gentille et très à plaindre.

— Oui, oui ! Vous reviendrez, vous verrez ce que c'est comme personne ! Il vous sera très utile de rencontrer des personnes comme elle, pour savoir apprécier encore bien d'autres choses que vous apprendrez en fréquentant des personnes comme elle, remarqua Aliocha avec chaleur. C'est ça qui vous transformera le mieux.

— Oh, comme je regrette et comme je m'en veux de ne pas être venu avant ! s'exclama Kolia avec une émotion amère.

— Oui, c'est très dommage. Vous avez vu vous-même cette impression de joie que vous avez faite sur le pauvre petit ! Et comme il a souffert de vous attendre !

— Ne m'en parlez pas ! Vous me démolissez. Remarquez, je l'ai bien mérité : si je ne venais pas, c'était par amour-propre, à cause d'un amour-propre égoïste, d'une crapulerie tyrannique dont je n'arrive jamais à me débarrasser, même si, toute ma vie, j'essaie de me refaire. Ça, je le vois, maintenant, qu'il y a plein de choses pour lesquelles je suis une crapule, Karamazov !

— Non, vous êtes une nature charmante, mais dépravée, et je comprends trop pourquoi vous avez pu avoir une telle influence sur ce garçon au cœur noble et maladivement sensible ! répondit Aliocha avec chaleur.

— Et vous me dites, ça, à moi ! s'écria Kolia. Et moi, figurez-vous, je me suis dit – et plusieurs fois, déjà, depuis que je suis ici, là –, je me suis dit que vous me méprisiez ! Si seulement vous saviez le prix que j'attache à votre avis !

— Mais vous êtes donc vraiment si prêt à soupçonner le mal ? A l'âge que vous avez ! Et figurez-vous, c'est justement ce que j'ai pensé, là-bas, dans la pièce, en vous regardant, quand vous parliez, que vous deviez être très enclin à soupçonner le mal.

— Vous l'aviez même pensé ? N'empêche, cet œil que vous avez, vous voyez, vous voyez ! Ma main au feu que c'était au moment où je racontais l'histoire de l'oie. C'est à ce moment précis que je me suis imaginé que vous me méprisiez profondément parce que je m'empressais de me donner le beau rôle, et, même, d'un seul coup, j'ai ressenti de la haine pour vous et je me suis mis à raconter n'importe quoi. Ensuite, je me suis imaginé (et ça, ici, déjà), au moment où je disais : "Si Dieu n'existait pas, il faudrait l'inventer", que je me précipitais trop à montrer ma science, d'autant que, cette phrase, je l'ai lue dans un livre. Mais je vous jure, si je me suis précipité à la montrer, ce n'est pas par vanité, c'est juste comme ça, je ne sais pas pourquoi, sous l'effet de la joie, je vous jure, ça doit être ça, sous l'effet de la joie... même si c'est un trait profondément honteux quand les gens vous sautent au cou sous l'effet de la joie. Ça, je le sais. Mais, par contre, maintenant, j'ai la conviction que vous ne me méprisez pas, et que c'est moi qui m'étais inventé tout ça. Oh, Karamazov, je suis profondément malheureux. J'imagine parfois Dieu sait quoi, que tout le monde se moque de moi, la terre entière, et, là, dans ces moments, mais je suis simplement prêt à détruire tout l'ordre des choses.

— Et vous torturez ceux qui vous entourent, sourit Aliocha.

— Et je torture ceux qui m'entourent, surtout ma mère. Karamazov, je suis très ridicule, en ce moment ?

— Mais ne pensez pas à ça du tout, n'y pensez pas du tout ! s'exclama Aliocha. Et qu'est-ce que ça veut dire, ridicule ? Dieu sait toutes les occasions où l'homme peut être ou peut paraître ridicule ! En plus, de nos jours, presque tous les gens doués ont une peur affreuse d'être ridicules, et ça les rend malheureux. Moi, ce qui m'étonne seulement, c'est que vous ayez commencé à éprouver ça si tôt, quoique, du reste, il n'y a pas qu'en vous que je le remarque. De nos jours, c'est presque tous les enfants qui commencent à souffrir de ça. C'en est presque de la folie. C'est le diable qui s'est incarné dans cet amour-propre, et qui s'est glissé dans toute la génération, oui, réellement le diable, ajouta Aliocha, sans le moindre sourire comme l'avait cru d'abord Kolia qui le fixait des yeux. Vous comme les autres, conclut Aliocha, c'est-à-dire comme de nombreux autres, sauf qu'il ne faut pas être comme les autres, voilà.

— Et même si tous les autres sont comme ça ?

— Oui, même si tous les autres sont comme ça. Vous seul, ne soyez pas comme ça. Et d'ailleurs, c'est vrai que vous n'êtes pas comme les autres : en ce moment, par exemple, vous n'avez pas eu honte de m'avouer vos mauvais côtés, et même vos ridicules. Or, aujourd'hui, qui est-ce qui peut avouer ça ? Personne, et plus personne, d'ailleurs, n'éprouve le besoin de se juger. Ne soyez donc pas comme les autres ; quand bien même vous seriez le seul à ne pas être comme les autres, quand même, ne soyez pas comme les autres.

— Formidable ! Je ne me suis pas trompé sur vous. Vous êtes capable de consoler. Oh, comme j'avais hâte de vous connaître, Karamazov, comme ça fait longtemps que je cherche à vous connaître ! Alors, vraiment, vous aussi, vous avez pensé à moi ? Tout à l'heure, vous avez dit que, vous aussi, vous avez pensé à moi ?

— Oui, j'avais entendu parler de vous, et je pensais à vous, moi aussi… et si c'est un peu l'amour-propre qui vient de vous pousser à me poser cette question, ce n'est pas trop grave.

— Vous savez, Karamazov, ce qu'on se dit là, c'est comme une déclaration d'amour, murmura Kolia d'une espèce de voix alanguie et pudique. Ce n'est pas ridicule, n'est-ce pas, ce n'est pas ridicule ?

— Ce n'est pas ridicule du tout, et quand bien même ce serait ridicule, ce ne serait pas grave, parce que c'est bien, répondit Aliocha avec un sourire lumineux.

— Mais, vous savez, Karamazov, concédez-le, vous aussi, en ce moment, vous avez un peu honte avec moi…

Je le vois à vos yeux, fit Kolia d'un ton rusé, avec une espèce, presque, de vrai bonheur.

— Honte de quoi ?

— Et pourquoi vous avez rougi ?

— Mais c'est vous qui m'avez fait rougir ! fit Aliocha en riant, et, réellement, il avait rougi jusqu'aux cheveux. Eh oui, j'ai un peu honte, Dieu sait pourquoi, je ne sais pas pourquoi... marmonnait-il, réellement presque confus.

— Oh, comme je vous aime et comme j'apprécie la valeur de cette minute, justement parce qu'il y a quelque chose qui vous fait honte avec moi ! Parce que vous êtes exactement comme moi ! s'exclama Kolia dans une exaltation réelle. Ses joues brûlaient, ses yeux étincelaient.

— Ecoutez, Kolia, il y a une chose, n'empêche, vous serez très malheureux dans la vie, dit bizarrement soudain Aliocha.

— Je sais, je sais. Mais comment vous savez tout d'avance ! confirma tout de suite Kolia.

— Mais dans l'ensemble, quand même, vous bénirez la vie.

— Justement ! Hourra ! Vous êtes un prophète ! Oh, nous saurons être proches, Karamazov. Vous savez, ce qui m'exalte le plus, c'est que vous me parlez exactement comme à un égal. Or, nous, nous ne sommes pas des égaux, vous êtes plus haut que moi ! Mais nous saurons être proches. Vous savez, pendant tout ce mois, je me suis dit : "Soit nous serons, lui et moi, des amis pour toujours, soit, dès la première fois, nous nous séparerons comme des ennemis jusqu'à la mort !"

— Et, quand vous disiez ça, c'est sûr que vous m'aimiez déjà ! répondit Aliocha en riant gaiement.

— Je vous aimais, je vous aimais très fort, je vous aimais et je rêvais de vous ! Comment est-ce que vous savez tout d'avance ? Ah bah, voilà le docteur ! Mon Dieu, qu'est-ce qu'il va dire, regardez cette figure qu'il a !

VII

ILIOUCHA

Le docteur sortait de l'isba déjà emmitouflé dans sa pelisse, coiffé de sa casquette. Son visage était presque rageur, dégoûté, comme s'il avait peur de se salir contre on ne savait quoi. Il lança un regard dans l'entrée et, en même temps, jeta un coup d'œil sévère à Aliocha et Kolia. Aliocha fit un signe au cocher, et la voiture, qui amenait le docteur, approcha du portail. Le capitaine bondit derrière le docteur et, courbé en deux, ondulant quasiment devant lui, l'arrêta pour quelques derniers mots. Le visage du malheureux était anéanti, le regard, apeuré.

— Votre Excellence, Votre Excellence… mais alors vraiment ?… avait-il commencé et il n'avait pas fini, et il fit juste un geste d'impuissance, désespéré, même s'il regardait le docteur dans une prière ultime, comme si, réellement, la parole qu'allait lui dire le docteur pouvait changer le verdict qu'il avait énoncé sur le pauvre gamin.

— Que faire ! Je ne suis pas le bon Dieu, répondit le docteur avec indifférence mais d'une voix habituée à en imposer.

— Docteur… Votre Excellence… et ça, c'est bientôt, c'est pour bientôt ?

— Soyez prêt à tout, débita le docteur, appuyant sur chaque syllabe et, baissant le regard, il se prépara à mettre un pied dehors pour monter dans la voiture.

— Votre Excellence, au nom du Christ ! reprit le capitaine, l'arrêtant une nouvelle fois avec frayeur. Votre Excellence !... mais alors il n'y a rien, mais vraiment rien, mais rien du tout qui pourra le sauver ?...

— Cela ne dé-pend plus de moi, murmura impatiemment le docteur, et pourtant, hum, fit-il, s'arrêtant soudain, si seulement, par exemple, vous pouviez... en-vo-yer... votre patient... tout de suite, et sans perdre une journée (les mots "tout de suite et sans perdre une journée", le docteur les avait prononcés d'une voix qu'on ne pouvait même plus dire sévère, mais quasiment furieuse, au point que le capitaine en vint à tressaillir) à Sy-ra-cuse... peut-être, dans des conditions cli-ma-tiques fa-vo-rables... il peut encore survenir...

— Sycaruse ! s'écria le capitaine, comme s'il ne comprenait rien.

— Syracuse, c'est en Sicile, coupa soudain Kolia d'une voix sonore, pour expliquer. Le docteur darda ses yeux vers lui.

— En Sicile ! Mon bon monsieur, Votre Excellence, fit le capitaine, complètement perdu, mais vous avez bien vu ! fit-il désignant de ses deux bras tout ce qui l'entourait. Et la mamounette, et la famille ?

— N-non, la famille, pas en Sicile, mais, votre famille, au Caucase, au début du printemps... votre fille, au Caucase, et votre épouse... après avoir pris les eaux, elle aussi, au Caucase, en raison de ses rhumatismes... l'en-voy-er im-mé-dia-te-ment ensuite à Paris, dans la clinique du docteur psy-chi-atre Le-pel-letier, je pourrais vous faire un mot pour lui, et, là, peut-être, il pourrait survenir...

— Docteur, docteur ! Mais vous voyez ! fit soudain le capitaine avec le même geste d'impuissance, en montrant, désespéré, les rondins nus des murs de l'entrée.

— Ah, là, ça ne me regarde plus, fit le docteur, j'ai seulement dit ce que la sci-ence pouvait répondre à votre question sur les derniers moyens, pour le reste… je regrette…

— Ne vous en faites pas, toubib, mon chien ne vous mordra pas, trancha Kolia d'une voix sonore, remarquant le regard un peu inquiet que le docteur lançait vers Pérezvon qui se tenait sur le seuil. Une note de colère avait tinté dans la voix de Kolia. Quant au mot de "toubib", au lieu de docteur, il l'avait dit *exprès*, et, comme il devait le dire plus tard, il l'avait dit "pour offenser".

— Par-don ? fit le docteur, redressant la tête, fixant Kolia d'un regard étonné. Qui est-ce ? fit-il, s'adressant soudain à Aliocha, comme s'il le tenait pour responsable.

— C'est le maître de Pérezvon, toubib, ne vous en faites pas pour mon identité, débita à nouveau Kolia.

— Zvon ? reprit le docteur, qui n'avait pas compris ce que c'était que Pérezvon.

— On sonne, mais, lui, il est là pour personne. Adieu, toubib, on se reverra à Syracuse.

— Qui est-ce ? Qui, qui ? cria le docteur, se mettant soudain dans tous ses états.

— C'est un écolier, docteur, c'est un polisson, ne faites pas attention, répondit Aliocha dans un débit rapide, l'air rembruni. Kolia, taisez-vous ! cria-t-il à Krassotkine. Ne faites pas attention, docteur, répéta-t-il, cette fois plus impatiemment.

— Le fouet, le fouet, le fouet, voilà ce qu'il mérite ! cria le docteur, comme bizarrement trop hors de lui, en tapant des pieds.

— Mais, vous savez, toubib, mon Pérezvon, si ça se trouve, c'est vrai qu'il mord ! lança Kolia d'une voix qui s'était mise à trembler, le visage blême, des étincelles dans les yeux. Ici, Pérezvon !

— Kolia, si vous dites encore un seul mot, je romps avec vous pour toujours ! cria impérieusement Aliocha.

— Toubib, il y a juste un seul être dans le monde entier qui puisse donner des ordres à Nikolaï Krassotkine, et, cet homme, le voilà, fit Kolia en désignant Aliocha, je me soumets, adieu !

Il quitta sa place et, ouvrant la porte, rentra précipitamment dans la pièce. Pérezvon se jeta derrière lui. Le docteur resta encore quelques secondes dans l'hébétude, les yeux fixés vers Aliocha, puis il cracha soudain et sortit à pas vifs vers sa voiture, en répétant à haute voix : "Çça, çça, çça, c'est je ne sais pas qquoi !" Le capitaine se précipita pour l'aider à s'installer. Aliocha entra dans la pièce derrière Kolia. Ce dernier était déjà au chevet d'Ilioucha. Ilioucha le tenait par la main et appelait son papa. Une minute plus tard, le capitaine était de retour.

— Papa, papa, viens ici… nous… balbutia Ilioucha dans une excitation extrême, mais visiblement incapable de continuer, il lança soudain ses deux bras amaigris vers l'avant et, aussi fort qu'il le pouvait, il les serra tous les deux à la fois, et Kolia et son papa, les réunissant dans une même étreinte, et se serrant lui-même contre eux. Le capitaine fut secoué soudain dans tout son corps par des sanglots muets, et Kolia sentit ses lèvres et son menton qui se mettaient à trembler.

— Papa, papa ! Comme je te plains, papa ! sanglota amèrement Ilioucha.

— Iliouchetchka… mon mignon… le docteur a dit… tu vas guérir… nous serons heureux… le docteur, voulut dire le capitaine.

— Ah, papa ! Je sais bien ce que le nouveau docteur a dit pour moi… Je l'ai bien vu ! s'exclama Ilioucha, et, à nouveau, très fort, de toutes ses forces, il les serra tous les deux contre lui, cachant son visage contre l'épaule de son père.

— Papa, ne pleure pas… mais, quand je serai mort, prends un gentil garçon, un autre… choisis-le parmi eux, le meilleur, appelle-le Ilioucha et aime-le à ma place…

— Tais-toi, vieux, tu vas guérir ! cria soudain Krassotkine, comme s'il se mettait en colère.

— Mais, moi, papa, moi, ne m'oublie jamais, poursuivit Ilioucha, et viens me voir sur ma tombe… et tu sais quoi, papa, enterre-moi près de notre grande pierre, là où on aimait se promener, toi et moi, et fais-y des promenades avec Krassotkine, le soir… Et Pérezvon… Et, moi, je vous attendrai… Papa, papa !

Sa voix se coupa, ils restaient là, s'étreignant tous les trois, et ne disaient plus rien. Ninotchka, elle aussi, dans son fauteuil, pleurait tout bas, et, brusquement, voyant que tout le monde pleurait, ce fut aussi la mamounette qui fondit en sanglots.

— Iliouchetchka ! Iliouchetchka ! s'exclama-t-elle.

Krassotkine se libéra soudain de l'étreinte d'Ilioucha.

— Adieu, vieux, il y a maman qui m'attend à table, marmonna-t-il très vite. Quel dommage que je ne l'aie pas prévenue ! Elle va se ronger les sangs… Mais, cet après-midi, je reviens te voir, pour toute la journée, et la soirée, et je t'en raconterai tellement, mais tellement ! Et je ramène Pérezvon, mais, pour l'instant, je le remmène, parce que, sans moi, il va se mettre à geindre et il te dérangera ; au revoir !

Et il sortit en courant. Il ne voulait pas fondre en sanglots, mais, dans l'entrée, les larmes lui vinrent malgré tout. C'est dans cet état que le retrouva Aliocha.

— Kolia, vous devez absolument tenir votre promesse et revenir, sinon il sera dans un malheur terrible, dit Aliocha avec insistance.

— Absolument ! Oh, comme je m'en veux de ne pas être venu avant, marmonnait Kolia, pleurant et sans plus avoir honte de pleurer. A cette minute, soudain, le capitaine sembla vraiment jaillir de la pièce, et referma tout de suite la porte derrière lui. Il avait un visage frénétique, les lèvres qui tremblaient. Il se dressa devant les deux jeunes gens, brandissant les mains au ciel.

— Je ne veux pas de gentil garçon ! Je ne veux pas d'autre garçon ! chuchota-t-il dans un chuchotement délirant, grinçant des dents. Si je t'oublie, Jérusalem, que ma langue se colle[1]...

Il laissa sa phrase en suspens, comme s'il étouffait, et s'affaissa, épuisé, à deux genoux devant le banc de bois. Les deux poings plaqués contre ses tempes, il se mit à sangloter, avec des espèces de cris stridents et absurdes, en se retenant de toutes ses forces pour qu'on n'entende pas ses sanglots dans l'isba. Kolia bondit dans la rue.

— Adieu, Karamazov ! Et vous-même, vous viendrez ? cria-t-il à Aliocha d'un ton brutal et en colère.

— Le soir, je serai là sans faute.

— Qu'est-ce qu'il a dit, là, sur Jérusalem... C'est quoi, ça, encore ?

— Ça vient de la Bible : "Si je t'oublie, Jérusalem", c'est-à-dire si j'oublie tout ce que j'ai de plus précieux,

1. Psaumes, CXXXVI, 5-6.

si je t'échange contre je ne sais quoi, alors, que me foudroie…"

— Je comprends, ça va ! Vous, venez ! Ici, Pérezvon ! cria-t-il d'une voix réellement furieuse à son chien et, à pas amples et vifs, il reprit le chemin de chez lui.

Livre onzième

LE FRÈRE IVAN FIODOROVITCH

I

CHEZ GROUCHENKA

Aliocha se dirigea place de la Cathédrale, vers la maison de la commerçante Morozova, chez Grouchenka. Cette dernière, encore tôt le matin, lui avait envoyé Fénia, en lui faisant demander instamment de passer la voir. Interrogeant Fénia, Aliocha apprit que sa maîtresse était dans une espèce d'inquiétude profonde et particulière encore depuis la veille. Pendant tous ces deux mois qui avaient suivi l'arrestation de Mitia, Aliocha était souvent passé dans la maison de Morozova, tant de sa propre initiative que pour remplir des missions confiées par Mitia. Trois jours après l'arrestation de Mitia, Grouchenka était tombée gravement malade et était restée alitée quasiment cinq semaines. Elle avait passé l'une de ces semaines à délirer. Son visage avait beaucoup changé, il avait maigri et jauni, même si cela faisait presque deux semaines qu'elle pouvait sortir. Mais, de l'avis d'Aliocha, ce visage était devenu comme encore plus attirant, et il aimait, en entrant chez elle, retrouver son regard. Il s'était gravé quelque chose, dans ce regard, de fermé et de réfléchi. C'est une espèce de tournant spirituel qui se disait, on avait vu paraître comme une résolution inflexible, humble, mais bonne et sans retour. Entre ses sourcils, sur le front, avait paru une petite ride verticale qui donnait à son visage charmant un air de réflexion concentrée en lui-même, qui pouvait même paraître austère au premier regard. De la frivolité qu'on lui avait connue, par exemple, il ne restait pas trace. Ce qui était aussi étrange pour Aliocha, c'était que, malgré tout le malheur qui avait frappé la malheureuse femme, la fiancée d'un homme arrêté pour un crime terrible, à l'instant même, ou presque, où elle était devenue sa fiancée, malgré, ensuite, la maladie et le verdict du tribunal, quasiment inévitable, qui menaçait à l'avenir, Grouchenka n'avait pas perdu la gaieté de sa jeunesse. Ses yeux, naguère orgueilleux, luisaient à présent d'une espèce de paix, quoique... quoique, du reste, on sentît quand même brûler dans ces yeux-là, de loin en loin, une espèce de petite flamme menaçante quand elle était reprise par un souci ancien, un souci qui, non seulement ne s'était pas apaisé, mais, bien au contraire, avait grandi dans son cœur. L'objet de ce souci était toujours le même : Katérina Ivanovna, dont Grouchenka, alors même qu'elle était malade, avait été jusqu'à parler dans son délire. Aliocha comprenait qu'elle était terriblement jalouse d'elle à l'égard de Mitia, du détenu Mitia, même si Katérina Ivanovna n'était jamais allée lui rendre une seule visite à la prison, alors qu'elle aurait pu le faire quand elle le voulait. Tout cela s'était transformé pour Aliocha en un genre de problème compliqué, car il était le seul à qui Grouchenka acceptait de confier son cœur, et elle lui demandait sans cesse des conseils ; et, lui, parfois, il était absolument hors d'état de lui dire quoi que ce fût.

C'est avec un air soucieux qu'il entra chez elle. Elle y était déjà ; elle était revenue de chez Mitia une demi-heure auparavant, et, rien qu'au mouvement vif qu'elle avait eu pour bondir de son fauteuil devant la table pour courir à sa rencontre, il conclut qu'elle l'attendait avec une grande impatience. Sur la table, il y avait des cartes, et l'on jouait au petit bêta[1]. Sur le divan de l'autre côté de la table, on avait fait un lit, et il découvrit, à demi couché, en robe de chambre, un bonnet de coton sur la tête, un Maximov visiblement malade et affaibli mais qui souriait aux anges malgré tout. Ce petit vieillard sans foyer, depuis deux mois, depuis qu'il était rentré de Mokroïé avec Grouchenka, était resté avec elle et ne l'avait plus quittée. Arrivé avec elle dans la pluie et la boue, trempé et apeuré, il s'était assis sur le divan et avait dardé ses yeux sur elle sans rien dire, avec un sourire timide et suppliant. Grouchenka, toute à son malheur terrible, et sentant déjà monter une forte fièvre, l'avait presque oublié pendant la première demi-heure de son retour, prise qu'elle était par toutes sortes de soucis, avait soudain posé sur lui une espèce de regard attentif : lui, il lui avait répondu, en la regardant bien en face, par un petit rire. Elle avait appelé Fénia et lui avait demandé de lui donner à manger. Toute cette journée-là, il l'avait passée à sa place, pour ainsi dire sans bouger ; quand la nuit fut tombée et qu'on eut fermé les volets, Fénia demanda à sa maîtresse :

— Eh quoi, madame, il passe la nuit ici, le monsieur ?

— Oui, fais-lui son lit sur le divan, avait répondu Grouchenka.

1. Il s'agit du jeu de cartes le plus simple en Russie, l'équivalent de notre bataille.

Après l'avoir interrogé plus en détail, Grouchenka avait appris que, de fait, réellement, à ce moment-là, il n'avait vraiment plus nulle part où aller, et que "M. Kalganov, mon bienfaiteur, me l'a dit clairement, qu'il ne me recevrait plus, et il m'a fait cadeau de cinq roubles". "Bon, comme tu veux, reste, alors", avait conclu Grouchenka dans son angoisse, en lui adressant un sourire de compassion. Le vieux avait été tout retourné par ce sourire, ses lèvres s'étaient mises à trembler de hoquets de gratitude. Et donc, depuis ce temps, le pique-assiette errant était resté chez elle. Même pendant sa maladie, il n'était pas parti. Fénia et sa mère, la cuisinière de Grouchenka[1], ne l'avaient pas chassé, mais avaient continué de le nourrir et de lui faire son lit sur le divan. Par la suite, Grouchenka s'était même habituée à lui, et, au retour de ses visites à Mitia (visites qu'elle avait commencées sitôt qu'elle avait été capable de marcher, sans même avoir eu le temps de guérir complètement), pour tuer son angoisse, s'asseyait et commençait à parler avec "Maximouchka" de toutes sortes de bêtises, juste pour ne pas penser à son malheur. Il s'avéra que le petit vieux savait parfois raconter certaines choses, et, au bout du compte, il avait même fini par lui devenir indispensable. En dehors d'Aliocha, qui ne passait pas, néanmoins, tous les jours, et toujours pour peu de temps, Grouchenka, au demeurant, ne recevait presque plus personne. Son vieillard, le marchand, s'enfonçait déjà pendant ce temps dans une maladie terrible, il "passait", comme on disait en ville, et, de fait, il devait mourir juste une semaine après le procès de Mitia. Trois semaines avant sa mort, sentant sa fin toute proche,

1. On remarquera que cette "mère" au début de la quatrième partie est une "grand-mère" à la fin de la troisième.

il avait fini par appeler tous ses fils chez lui en haut, avec femmes et enfants, et leur avait donné l'ordre de ne plus s'éloigner. Quant à Grouchenka, depuis cette minute-là, il avait donné ordre à tous ses serviteurs de ne plus la recevoir, et, au cas où elle viendrait, de lui dire : "Il vous souhaite une longue et joyeuse vie, et de l'oublier complètement." Grouchenka, néanmoins, envoyait tous les jours quelqu'un demander des nouvelles de sa santé.

— Enfin il est là ! cria-t-elle, abandonnant les cartes et saluant Aliocha avec joie. Et Maximouchka qui me faisait peur, comme ça, que tu viendrais plus, si ça se trouve. Ah, comme j'ai besoin de toi ! Assieds-toi à la table ; qu'est-ce que tu veux, du café ?

— Tiens, pourquoi pas, dit Aliocha, s'asseyant à la table, j'ai une faim de loup.

— Ah, tu vois ; Fénia, Fénia, du café ! cria Grouchenka. Il bout depuis des lustres, il t'attend, et apporte aussi des pirojkis, qu'ils soient bien chauds. Je les lui avais apportés à la prison, et, lui, imagine-toi, il me les a jetés à la figure, il a refusé de les manger. Même, il y a une tourte, il l'a jetée par terre, et il l'a piétinée. Alors, j'ai dit : "Je vais les laisser au garde ; si tu les manges pas d'ici ce soir, c'est que c'est une rage de vipère qui te nourrit !" – et je suis repartie. On s'est refâchés, tu peux t'imaginer ? Chaque fois que je vais le voir, on se fâche.

Grouchenka avait dit tout cela sans pause, prise par son émotion. Maximov, tout de suite pris de panique, souriait, baissant ses pauvres petits yeux.

— Et cette fois-ci, vous vous êtes fâchés à propos de quoi ? demanda Aliocha.

— Mais je m'y attendais pas du tout ! Imagine-toi, il a été jaloux de mon "premier" : "Pourquoi, n'est-ce pas, tu l'entretiens ? Donc, alors, tu te mets à l'entretenir ?" Il est toujours jaloux, il est toujours jaloux de lui ! Qu'il dorme, qu'il mange – il est jaloux. Même, la semaine dernière, une fois, il a été jaloux de Kouzma.

— Mais il était au courant, pour le "premier" ?

— Eh bien voilà. Depuis le début jusqu'au jour d'aujourd'hui, il était au courant et, aujourd'hui, tout à trac, il se lève et il se met à crier. Ça me fait rougir rien que de le répéter, ce qu'il a dit. L'imbécile ! Rakitka est entré à ce moment-là, et, moi, je suis repartie. C'est peut-être Rakitka qui le pousse, non ? Qu'est-ce que tu en penses ? ajouta-t-elle, comme distraitement.

— Il t'aime, voilà, il t'aime très fort. Et maintenant, bon, il est sur les nerfs.

— Je comprends qu'il soit sur les nerfs, c'est demain qu'on le juge. Et si j'allais le voir, c'était pour lui dire quelque chose pour demain, parce que, Aliocha, ça me fait même peur d'y penser, à ce qui se passera demain ! Tu dis, tiens, qu'il est sur les nerfs, mais, moi, comme je suis sur les nerfs ! Et lui, il me parle du Polonais ! Quel idiot ! De Maximouchka, tiens, il est pas jaloux, je parie.

— Mon épouse aussi, n'est-ce pas, elle était très jalouse, intervint Maximov.

— Jalouse de toi, rit Grouchenka à contrecœur, et de qui elle pouvait être jalouse, dis ?

— Des demoiselles, n'est-ce pas, de la domesticité.

— Ah, tais-toi, Maximouchka, j'ai pas le cœur à rire en ce moment, la rage, même, qui me prend. Les dévore pas du regard, les pirojkis, je t'en donnerai pas, c'est mauvais pour ta santé, et la liqueur non plus, je t'en donnerai pas. Lui aussi, tiens, faut s'occuper de lui : comme si j'avais un hospice, chez moi, je vous jure, fit-elle, éclatant de rire.

— Je ne les mérite pas, n'est-ce pas, vos bienfaits, je suis, n'est-ce pas, insignifiant, murmura Maximov d'une voix larmoyante. Vous devriez dispenser vos bienfaits à ceux, n'est-ce pas, dont on a plus besoin que moi.

— Eh, de tout le monde on a besoin, Maximouchka, comment le savoir de qui on a plus besoin. Quelle calamité, aussi, ce Polonais, Aliocha, lui aussi, n'est-ce pas, aujourd'hui, il s'est mis dans l'idée de tomber malade. Je suis allée le voir. Eh ben, exprès, je vais lui envoyer des tourtes, je l'avais pas fait, et Mitia m'a accusée comme quoi je le faisais, alors, voilà, exprès, je vais lui en envoyer, exprès, maintenant ! Ah, voilà Fénia avec une lettre ! J'en étais sûre, encore les Polonais, ils demandent encore de l'argent !

De fait, *pan* Mussalowicz lui envoyait une lettre très longue et très alambiquée, comme à son habitude, dans laquelle il lui demandait de lui verser la somme de trois roubles. Cette lettre était accompagnée d'un reçu avec engagement de rembourser dans les trois mois ; le reçu était également signé de *pan* Wroblewski. Ces lettres, accompagnées de reçus du même genre, Grouchenka en avait déjà reçu pas mal de son "premier". Cela avait commencé dès la guérison de Grouchenka, deux semaines auparavant. Elle savait, pourtant, que, durant sa maladie, les deux *pans* étaient venus s'enquérir de sa santé. La première lettre reçue par Grouchenka était longue, une grande feuille de papier à lettres, cachetée par un grand cachet de famille, et elle était aussi obscure qu'alambiquée, au point que Grouchenka n'en avait lu que la moitié et avait laissé tomber, n'y comprenant rien du tout. Et puis, ces lettres étaient le dernier de ses soucis à ce moment-là. Cette lettre avait été suivie, le lendemain même, d'une autre, par laquelle *pan*

Mussalowicz lui demandait de lui accorder le prêt d'une somme de deux mille roubles pour le délai le plus bref. Grouchenka avait laissé sans réponse également cette lettre-là. Il s'en était suivi toute une série de lettres, au rythme d'une lettre par jour, toujours aussi graves et aussi alambiquées, mais dans lesquelles la somme à emprunter, descendant progressivement, avait fini par atteindre cent roubles, puis vingt-cinq, puis dix roubles, et, au bout du compte, d'un coup, Grouchenka avait reçu une lettre dans laquelle les deux *pans* lui demandaient juste un seul rouble, et avaient ajouté un reçu, qu'ils signaient tous les deux. Alors, Grouchenka avait soudain été prise de pitié et, dans la pénombre du soir, elle était allée les voir. Elle avait trouvé les deux Polonais dans une pauvreté terrible, presque réduits à la mendicité, sans rien à manger, sans chauffage, sans cigarettes, couverts de dettes envers leur logeuse. Les deux cents roubles qu'ils avaient gagnés à Mitia à Mokroïé s'étaient évaporés très vite Dieu sait comment. Ce qui avait néanmoins surpris Grouchenka, c'est que les deux *pans* l'avaient accueillie avec une gravité et une indépendance arrogantes, une étiquette des plus pointilleuses, des discours pleins d'enflure. Grouchenka s'était contentée d'éclater de rire et avait donné dix roubles à son "premier". Le jour même, en riant, elle l'avait raconté à Mitia, et ce dernier n'avait pas fait preuve de la moindre jalousie. Mais, depuis ce jour-là, les deux *pans* s'accrochaient à Grouchenka et la bombardaient de lettres tous les jours en lui demandant de l'argent, et, elle, elle leur en envoyait peu à peu. Et voilà que, ce jour-là, Mitia s'était mis en tête de lui faire une crise de jalousie cruelle.

— Et moi aussi, je suis bête, j'étais passée le voir en coup de vent, juste rien qu'une petite minute, en allant voir Mitia, parce que, lui aussi, il est tombé malade, mon *pan*, là, mon ex, reprit Grouchenka, d'un ton agité et pressé. Je rigole, moi, donc, et je le raconte à Mitia : figure-toi, je lui dis, mon Polonais, il s'est mis dans l'idée de me chanter à la guitare ses chansons d'avant, il s'est dit que ça me toucherait et que j'irais avec lui. Et Mitia, là, qui bondit, avec des insultes… eh bien, non, tiens, exprès, les tourtes, je les envoie à mes *pans* ! Fénia, alors, ils l'ont envoyée, là, cette fille ? Bon, alors donne-lui trois roubles et une dizaine de pirojkis, enveloppe-les dans du papier et fais-les porter, et, toi, Aliocha, n'oublie pas de le dire à Mitia, que je leur ai fait porter de la tourte.

— Jamais de la vie je ne le dirai, fit Aliocha avec un sourire.

— Eh, tu t'imagines qu'il se ronge ; mais il a fait exprès de me faire cette crise – lui, au fond, il s'en fiche, murmura amèrement Grouchenka.

— Comment ça il a fait exprès ? demanda Aliocha.

— Tu es bête, Aliochenka, voilà, t'y comprends rien, toi, là-dedans, malgré toute ta tête, voilà. Moi, ce qui me blesse, c'est pas qu'il est jaloux de moi, d'une comme je suis, ce qui m'aurait vexé, ç'aurait été s'il avait pas été jaloux du tout. Moi aussi je suis comme ça. Moi, la jalousie, ça me blesse pas, parce que, moi aussi, j'ai le cœur cruel, moi aussi je suis jalouse. Non, ce qui me vexe vraiment, c'est qu'il m'aime pas du tout, et que, maintenant, il a fait une crise *exprès*, voilà. Je suis aveugle, ou quoi, je le vois pas ? De l'autre, là, de Katka, tout à l'heure, il me dit d'un coup : elle est ceci, elle est cela, elle a fait venir un docteur de Moscou pour moi, pour le procès, elle l'a fait venir pour me sauver, et le tout premier avocat, le plus savant, qu'elle a fait venir. Donc, ça veut dire qu'il l'aime, s'il se met à dire du bien d'elle devant moi, et il a pas de honte ! C'est lui qui est coupable devant moi, qu'il s'est attaché à moi à ce point, pour me rendre coupable, moi, et tout me faire retomber dessus : "Toi, n'est-ce pas, avant, t'étais avec ton Polonais, et, moi, j'ai le droit d'être avec Katka." Voilà ce que c'est ! Il veut me faire retomber toute la faute sur moi toute seule. C'est exprès qu'il s'est accroché, exprès, sauf que, moi, je te le dis…

Grouchenka ne dit pas ce qu'elle allait faire, elle plaqua son mouchoir sur ses yeux et fut prise d'une violente crise de sanglots.

— Il n'aime pas Katérina Ivanovna, dit fermement Aliocha.

— Ça, s'il l'aime ou s'il l'aime pas, je vais le savoir bientôt, répondit Grouchenka avec une petite note menaçante dans la voix, en ôtant le mouchoir de sur ses yeux. Son visage s'était déformé. Aliocha vit avec effroi cette soudaineté avec laquelle son visage doux et plein d'une gaieté tranquille était devenu sombre et méchant.

— Ça suffit avec ces bêtises ! trancha-t-elle soudain. Ce n'est pas du tout pour ça que je t'ai fait venir. Aliocha, mon mignon, demain, demain, qu'est-ce qui va se passer ? Voilà ce qui me torture ! Il y a que moi que ça torture ! Je les regarde, tous, personne n'y pense, à ça, personne n'en a rien du tout à faire. Toi, au moins, est-ce que tu y penses ? C'est demain, le procès ! Raconte-moi, toi, comment ça va se passer, ce procès ? C'est le laquais, c'est le laquais, oui, qui a tué ! Est-ce qu'ils vont le condamner pour le laquais et il y aura personne pour prendre sa défense ? Mais le laquais, hein, ils l'ont même pas dérangé du tout, non ?

— Il a subi un interrogatoire serré, remarqua Aliocha d'un ton pensif, mais tout le monde a conclu que ce n'était pas lui. Maintenant, il est très malade. Depuis ce jour-là, il est malade, il a cette attaque d'épilepsie. C'est en vrai qu'il est malade, ajouta Aliocha.

— Mon Dieu, mais tu pourrais aller trouver cet avocat et tu lui raconterais toute l'affaire en tête à tête. Ils l'ont fait venir de Pétersbourg, pour trois mille roubles, à ce qu'il paraît.

— C'est à trois que nous les avons donnés, ces trois mille roubles, le frère Ivan, Katérina Ivanovna et moi, et, le docteur, elle l'a fait venir de Moscou pour deux mille, là, c'est à ses frais à elle toute seule. L'avocat Fétioukovitch, il aurait demandé plus, mais l'affaire a fait le tour de la Russie, dans tous les journaux, toutes les revues, on en parle, Fétioukovitch a accepté de venir surtout pour la gloire, parce que, l'affaire, vraiment, elle est devenue très célèbre. Je l'ai vu hier.

— Et alors quoi ? Tu lui as parlé ? se jeta Grouchenka.

— Il m'a écouté et il n'a rien dit. Il a dit qu'il s'était déjà fait une opinion très claire. Mais il a promis de prendre ce que je lui disais en considération.

— Comment ça en considération ! Ah les filous, tous ! Ils vont le perdre ! Bon, et le docteur, hein, le docteur, pourquoi elle l'aura fait venir ?

— En tant qu'expert. Ils veulent prouver que mon frère est fou et qu'il a tué dans un état de folie, sans se rendre compte, répondit Aliocha avec un doux sourire, mais mon frère ne va pas accepter.

— Ah, mais, ce serait vrai s'il avait tué ! s'exclama Grouchenka. Il était fou à ce moment-là, complètement fou, et c'est moi, moi, dans ma crapulerie, la responsable ! Sauf que ce n'est pas lui qui a tué, il n'a pas tué ! Et tout le monde le dit, qu'il a tué, toute la ville. Même Fénia, d'après son témoignage, la conclusion, c'est qu'il a tué. Et puis dans la boutique, et l'autre fonctionnaire, et, avant, ils l'avaient entendu à la taverne ! Tout le monde, tout le monde est contre lui, ils restent là à crier comme des freux.

— Oui, les témoignages se sont multipliés terriblement, remarqua Aliocha d'un air sombre.

— Et Grigori, hein, Grigori Vassiliévitch, qui s'obstine dans ce qu'il dit, comme quoi la porte était ouverte, pas moyen de l'en faire démordre, non, il l'a vue, pas moyen de le faire douter, je suis passée le voir, je lui ai parlé moi-même. Il m'insulte, encore !

— Oui, ça, c'est peut-être le témoignage le plus fort contre mon frère, murmura Aliocha.

— Et qu'il est fou, Mitia, bah en ce moment aussi, il est pareil, commença soudain Grouchenka avec une sorte d'air particulièrement soucieux et mystérieux. Tu sais, Aliochenka, depuis longtemps je voulais t'en parler : je vais le voir tous les jours, et ça me laisse pantoise. Dis-moi, toi, t'en penses quoi : de quoi est-ce qu'il parle, là, maintenant ? Il parle, il parle – j'y comprends rien du tout, je me dis qu'il me parle de choses très intelligentes, bon, moi, je suis bête, j'arrive pas à comprendre, je me dis ; sauf que, d'un coup, il se met à me parler d'un petiot, c'est-à-dire je sais pas de quoi, d'un enfant, "pourquoi, n'est-ce pas, il est pauvre, le petiot" ? "Pour le petiot, maintenant, je suis même prêt à aller en Sibérie, je n'ai pas tué, mais il faut que j'y aille, en Sibérie !" C'est quoi, ça, qu'est-ce que c'est, ce petiot – j'ai rien compris, mais rien du tout. Je me suis juste mise à pleurer quand il le disait, parce que c'était si bien comment il le disait, lui aussi il pleurait, et moi aussi, alors, j'ai pleuré, et lui, d'un seul coup, il m'a embrassée et il m'a bénie de la main. Qu'est-ce que c'est, Aliocha, raconte-moi, c'est quoi, ça, "le petiot" ?

— Il y a Rakitine qui s'est mis à aller le voir, je ne sais pas pourquoi, répondit Aliocha en souriant. Remarque… ça ne vient pas de Rakitine. Je ne suis pas allé le voir hier, j'irai aujourd'hui.

— Non, ce n'est pas Rakitka, c'est votre frère Ivan Fiodorovitch qui le trouble, c'est lui qui va le voir, voilà… murmura Grouchenka, et, brusquement, ce fut comme si elle s'arrêtait net. Aliocha la fixa des yeux, stupéfait.

— Comment il va le voir ? Parce qu'il est allé le voir ? Mitia m'a dit lui-même qu'il n'était jamais venu.

— Voilà… voilà comment je suis ! J'ai vendu la mèche ! s'exclama Grouchenka, toute troublée, toute rouge d'un seul coup. Attends, Aliocha, tais-toi, bon, puisque, ça y est, j'ai vendu la mèche, je vais te dire toute la vérité : il est allé le voir deux fois, la première fois dès son retour – il a déboulé de Moscou tout de suite, tu te souviens, je n'étais pas encore tombée malade, et, la deuxième fois, il est venu ça fera une semaine. Mitia, il a demandé de ne pas te le dire du tout, pas un seul mot, et à personne non plus, pas un mot, il est venu en secret.

Aliocha restait profondément pensif, il réfléchit à quelque chose. Cette nouvelle l'avait visiblement stupéfié.

— Mon frère Ivan ne me parle pas de l'affaire de Mitia, murmura-t-il lentement, en général, ces deux derniers mois, il m'a très peu parlé et, quand j'allais le voir, il était toujours mécontent que je sois là, ça fait que, depuis trois semaines, je ne suis plus retourné le voir. Hum… S'il est venu il y a une semaine, alors… oui, cette semaine, c'est vrai que Mitia a beaucoup changé.

— Il a changé, il a changé ! reprit très vite Grouchenka. Ils ont un secret, ils ont eu un secret ! Mitia m'a dit lui-même que c'était un secret, et, tu sais, un secret pareil que, Mitia, il n'arrive plus à retrouver son calme. Avant, n'est-ce pas, il était gai, et maintenant aussi, d'ailleurs, il est gai, sauf que, tu sais, quand il se met, comme ça, à secouer la tête, et puis à marcher dans la pièce, et avec son index, là, à se tortiller les cheveux sur la tempe, là, je le sais qu'il a une inquiétude au fond du cœur… ça, je le sais ! Et lui, il est gai ; aujourd'hui aussi, il était gai !

— Tu disais qu'il était sur les nerfs ?

— Oui, il est sur les nerfs et il est gai. Il reste tout sur les nerfs, une minute, puis il est gai, et puis, sans prévenir, les nerfs qui le reprennent. Et, tu sais, Aliocha, il arrête pas de m'étonner : ce qui vient devant, ça fait tellement peur, et, lui, il peut même rire pour des bêtises, comme si c'était lui, l'enfant.

— Et c'est vrai qu'il a demandé de ne rien me dire pour Ivan ? C'est ce qu'il t'a dit : ne dis rien ?

— C'est ce qu'il a dit : ne dis rien. C'est de toi, surtout, qu'il a peur, Mitia. C'est pour ça, le secret, il me l'a dit, qu'il y avait un secret… Aliocha, mon gentil, va le voir, essaie de savoir : qu'est-ce que c'est, ce secret qu'ils ont, et reviens me raconter, s'élança soudain Grouchenka en l'implorant, explique-moi, malheureuse, que je le sache enfin, mon destin maudit ! Pour ça que je t'avais appelé !

— Tu crois que c'est quelque chose sur toi ? Mais alors, l'autre jour, il n'en aurait pas parlé devant toi, du secret.

— Je sais pas. Peut-être que c'est à moi qu'il veut le dire, et il ose pas. Il me prévient. Il y a un secret, il me dit, mais quoi comme secret, il le dit pas.

— Mais, toi-même, qu'est-ce que tu en penses ?

— Ce que j'en pense ? C'est ma fin qui arrive, voilà ce que je pense. Ma fin qu'ils m'ont préparée tous les trois, parce que Katka est dans le coup. Tout ça, c'est Katka, c'est d'elle que ça vient. "Elle est comme ci, elle est comme ça", donc, moi, je le suis pas, comme ci. Ça, il me dit à l'avance, à l'avance qu'il me prévient. Il a le projet de m'abandonner, le voilà, tout son secret ! Ils se sont mis à trois pour le concocter – Mitka, Katka et puis Ivan Fiodorovitch. Aliocha, je voulais te le demander depuis longtemps : il y a une semaine de ça, d'un coup, il me révèle qu'Ivan est amoureux de Katka, parce qu'il lui rend souvent visite. C'est vrai, ce qu'il a dit, ou c'est pas vrai ? Dis-le-moi en conscience, tranche-moi en petits morceaux.

— Je ne te mentirai pas. Ivan n'est pas amoureux de Katérina Ivanovna, c'est ce que je pense.

— Bon, c'est exactement la même chose que je me suis dit ! Il me ment, sans vergogne, voilà ! Et s'il m'a fait sa crise de jalousie, tout à l'heure, c'est juste pour me charger, moi, plus tard. Parce qu'il est crétin, parce qu'il sait pas cacher ses intentions, sincère, tellement, qu'il est… Mais, moi, je lui… oh, moi, je lui !… "Tu le crois, il me dit, que j'ai tué", c'est à moi qu'il dit ça, à moi qu'il reproche ça ! Tant pis pour lui ! Non, attends, cette Katka, moi, je lui ferai passer le goût du pain, pendant le procès ! J'ai un mot, tiens, que je pourrai dire… Là, au moins, je dirai tout !

Et elle se remit à pleurer à chaudes larmes.

— Voilà ce que je peux te déclarer fermement, Grouchenka, dit Aliocha en se levant de sa place, la première chose, c'est qu'il t'aime, qu'il t'aime plus que tout au monde, et il n'aime que toi, et, ça, tu peux me croire. Je le sais. Oui, je le sais. La deuxième chose que je te dirai, c'est que je ne veux pas lui soutirer son secret et, s'il me le dit aujourd'hui, je lui dirai franchement que je t'ai promis de te le redire. A ce moment-là, je reviendrai aujourd'hui même et je te le dirai. Seulement… j'ai l'impression… qu'il ne s'agit pas du tout de Katérina Ivanovna, que, ce secret, ce doit être absolument autre chose. Et je pense que j'ai raison. Ça n'en a pas l'air du tout, que ce soit sur Katérina Ivanovna, c'est l'impression que j'ai. Mais, pour l'instant, adieu !

Aliocha lui tendit la main. Grouchenka pleura une nouvelle fois. Il voyait qu'elle n'avait cru que très peu en ses consolations, mais, ce qui était déjà bien, c'est qu'elle avait pu lui lâcher son malheur, qu'elle avait pu parler. Il regrettait bien de la laisser dans cet état, mais il était pressé. Il avait encore tant de choses à faire.

II

LE PETON MALADE

La première de ces choses était d'aller chez Mme Khokhlakova, il y courut pour en finir au plus vite et ne pas être en retard chez Mitia. Mme Khokhlakova était un peu souffrante depuis déjà trois semaines : elle avait un pied bizarrement enflé, et si elle ne gardait pas le lit, malgré tout, dans la journée, elle restait à demi couchée dans un séduisant, quoique pudique, déshabillé, chez elle, dans son boudoir, sur une couchette. Aliocha avait un jour remarqué en lui-même avec un sourire innocent que Mme Khokhlakova, malgré sa maladie, était devenue presque coquette : on avait vu paraître toutes sortes de fanfreluches, de rubans, de petites blouses, et il se demandait d'où cela pouvait venir, même s'il chassait ces pensées en les trouvant très vaines. Ces deux derniers mois, Mme Khokhlakova s'était mise à recevoir la visite, parmi ses autres invités, de ce jeune homme, Perkhotine. Aliocha n'était pas repassé depuis trois jours et, sitôt entré, il voulut se rendre aussitôt chez Liza, puisque c'était elle qui était concernée par son affaire, étant donné que Liza, encore la veille, lui avait envoyé une servante avec la demande insistante de venir la trouver sur-le-champ "pour une circonstance très grave", ce qui, pour certaines raisons, avait éveillé tout l'intérêt d'Aliocha. Mais le temps que la servante aille l'annoncer à Liza, Mme Khokhlakova avait déjà eu le temps d'apprendre par Dieu sait qui qu'il venait d'arriver et avait immédiatement envoyé quelqu'un pour l'inviter à passer chez elle "juste une petite minute". Aliocha se dit qu'il valait mieux satisfaire tout de suite la demande de la maman, puisque celle-ci n'aurait pas cessé d'envoyer quelqu'un chez Liza tout le temps qu'il serait resté avec elle. Mme Khokhlakova était allongée sur sa couchette, habillée d'une façon comme particulièrement raffinée, et visiblement en proie à un état de nerfs extrême. C'est par des cris d'exaltation qu'elle accueillit Aliocha.

— Des siècles, des siècles, vraiment des siècles que je ne vous avais vu ! Pendant toute une semaine, enfin, ah, quoique, vous étiez là ça fait juste quatre jours, mercredi. Vous venez voir Lise, j'en suis sûre, et vous vouliez passer chez elle directement, sur la pointe des pieds, pour que je n'entende pas. Mon bon, mon bon Alexéï Fiodorovitch, si vous saviez comme elle m'inquiète. Mais, ça, plus tard. Ça, bien sûr, c'est l'essentiel, mais, plus tard. Mon bon Alexéï Fiodorovitch, je vous confie entièrement ma Liza. Après la mort du starets Zossima – que Dieu ait son âme ! (elle se signa) –, après lui, je vous regarde, vous, comme un ermite, même si vous êtes tout à fait charmant dans votre nouveau costume. Où vous êtes-vous trouvé ici un tailleur pareil ? Mais non, non, ce n'est pas l'essentiel, ça – plus tard. Pardonnez-moi si je vous appelle parfois Aliocha, je suis une vieille femme, tout m'est permis, fit-elle avec un sourire coquet, mais ça aussi – plus tard. L'essentiel, c'est qu'il ne faut pas que j'oublie l'essentiel. Je vous en prie, rappelez-le-moi vous-même dès que je m'écarterai, dites-moi : "Et l'essentiel ?" Ah, pourquoi je le sais, maintenant, ce que c'est, l'essentiel ! Depuis que Lise vous a repris sa promesse – sa promesse d'enfant, Alexéï Fiodorovitch – de vous épouser, vous avez bien sûr compris que tout cela n'était que la fantaisie taquine et puérile d'une petite fille malade, qui était trop longtemps restée dans son fauteuil – Dieu soit loué, maintenant, elle marche. Ce nouveau docteur, que Katia a fait venir de Moscou pour votre malheureux frère, qui, demain… Mais quoi, demain !… Je meurs à la seule idée de la journée de demain ! Surtout, c'est la curiosité… Bref, ce docteur est venu nous voir hier et il a vu Lise… Je lui ai payé cinquante roubles pour sa visite. Mais tout ça, ce n'est pas ça, encore une fois… Vous voyez, maintenant, j'ai complètement perdu le fil. Je suis pressée. Pourquoi je suis pressée ? Je ne sais pas. C'est affreux comme je cesse de savoir, maintenant. Tout s'est mélangé pour moi, une sorte de boule de papier. J'ai peur que, vous, d'un coup, vous n'alliez sauter dehors tellement je vous ennuierai, et que je ne vous revoie plus. Ah, mon Dieu ! Mais qu'est-ce que nous faisons là, et d'abord – du café, Ioulia, Glafira, du café !

Aliocha remercia précipitamment et déclara qu'il venait juste de prendre du café.

— Chez qui ?

— Chez Agraféna Alexandrovna.

— C'est… c'est chez cette femme ! Ah, mais c'est elle qui les a tous perdus, mais, remarquez, je ne sais pas, on dit qu'elle est devenue une sainte, même si c'est un peu tard. Elle aurait mieux fait de l'être avant, quand il y en avait besoin, parce que, maintenant, à quoi ça sert ? Taisez-vous, taisez-vous, Alexéï Fiodorovitch, parce que je veux vous dire tellement de choses que j'ai l'impression que je ne dirai rien du tout. Cet affreux procès… j'irai absolument, je me prépare, on me portera dans un fauteuil, et, en plus, je peux rester assise, j'aurai des gens avec moi, vous savez, d'ailleurs, je figure parmi les témoins. Comment je vais parler, comment je vais parler ! Je ne sais pas ce que je vais dire. Il faut prêter serment, n'est-ce pas, oui, hein, oui ?

— Oui, mais je ne pense pas que vous puissiez y assister.

— Je peux rester assise ; ah, vous me désarçonnez ! Ce procès, cet acte délirant, et puis après, tout le monde qui part en Sibérie, les autres qui se marient, et tout ça si vite, si vite, et tout se mélange, et, finalement, il n'y a rien, tout le monde est vieux, et le pied dans la tombe. Mais, soit, je suis lasse. Cette Katia – *cette charmante personne* * –, elle a brisé tous mes espoirs ; maintenant, elle va suivre votre frère en Sibérie, et votre autre frère, il va la suivre, elle, et il vivra dans une ville voisine, et ils vont tous se torturer les uns les autres. Moi, ça me rend folle, et, surtout, cet écho : dans tous les journaux de Pétersbourg et de Moscou, ils en ont parlé un million de fois. Ah oui, figurez-vous, de moi aussi ils ont parlé, comme quoi j'étais la "bonne amie" de votre frère, je ne veux pas redire ce mot dégoûtant, mais imaginez-vous, imaginez-vous !

— Ce n'est pas possible ! Où donc et comment ont-ils écrit ça ?

— Je vous le montre tout de suite. Hier, je l'ai reçu – hier que je l'ai lu. Voilà, ici, dans le journal *Les Rumeurs*, de Pétersbourg. Ces *Rumeurs*, on les publie depuis cette année, moi, c'est fou ce que j'aime les bruits, et je me suis abonnée, et, voilà, une douche froide : voilà ce que c'est, ces rumeurs. Ici, là, à cet endroit, lisez.

Et elle tendit à Aliocha une feuille de journal qu'elle avait gardée sous son oreiller.

On ne pouvait pas dire qu'elle était abattue, elle était comme tout entière anéantie, et, réellement, peut-être bien, tout s'était froissé dans sa tête comme une boule de papier. La nouvelle du journal était tout à fait caractéristique, et, bien sûr, elle ne pouvait pas ne pas l'avoir frappée, mais, pour son bonheur, peut-être, à la minute où elle était, elle n'était pas capable de se concentrer sur un seul point, et c'est pourquoi elle pouvait oublier ce journal une minute plus tard, et passer à tout autre chose. Le fait que la renommée de ce procès affreux s'était répandue dans la Russie entière, Aliocha le savait depuis longtemps et, Dieu, quelles nouvelles et quelles correspondances délirantes n'avait-il pas lues au cours de ces deux mois, parmi d'autres nouvelles, exactes, sur son frère, sur les Karamazov en général et même lui en particulier. Dans un journal, il était même dit que, suite à l'effroi qu'il avait éprouvé après le crime, lui, Aliocha, il avait pris la bure et s'était enfermé ; dans un autre, cette nouvelle était démentie et l'on écrivait, au contraire, qu'avec son starets Zossima ils avaient fait un casse dans son monastère et "avaient mis les bouts". La nouvelle présente du journal *Les Rumeurs* était intitulée : "De Skotoprigonievsk (hélas, c'est le nom de notre petite ville, j'ai longtemps essayé de le cacher[1]), pour le

1. Skotoprigonievsk vient de *skot*, le bétail, les bestiaux, et *prigon*, l'endroit où l'on ramène, où l'on rameute. L'ensemble fait un effet comique.

procès Karamazov." Elle n'était pas bien longue, et rien n'était dit directement de Mme Khokhlakova, et, en général, tous les noms étaient cachés. On affirmait seulement que le criminel qu'on s'apprêtait à juger avec un tel fracas ces jours-ci, un ancien capitaine d'active, du genre sans-gêne, un fainéant et un esclavagiste, n'arrêtait pas de s'adonner à ses amourettes et avait une influence particulière sur "quelques dames oisives dans leur solitude". Une de ces dames, "une veuve oisive", cherchant à paraître toujours jeune, alors même qu'elle avait déjà une fille adulte, s'était tellement amourachée de lui que, juste deux heures avant le crime, elle lui avait proposé trois mille roubles pour qu'il s'enfuie avec elle chercher des mines d'or. Pourtant, le criminel avait préféré tuer son père et le détrousser, lui, de trois mille roubles, en espérant le faire ni vu ni connu, plutôt que de se traîner en Sibérie avec les charmes quadragénaires de sa dame oisive. Cette joyeuse correspondance s'achevait, comme de juste, sur une noble indignation devant l'immoralité du parricide et de l'ancien servage. Aliocha lut avec curiosité puis il plia la feuille et la rendit à Mme Khokhlakova.

— Alors, évidemment que c'est moi ? se remit-elle à babiller. C'est moi, n'est-ce pas, une heure avant, ou presque, je lui avais proposé ces mines d'or, et, brusquement, ces "charmes quadragénaires" ! Mais est-ce que c'était dans ce but ? Il a fait ça exprès ! Le juge éternel lui pardonne pour ces charmes quadragénaires, comme, moi, je lui pardonne, mais c'est... vous savez qui c'est, n'est-ce pas ? C'est votre ami Rakitine.

— Possible, dit Aliocha, même si je ne suis au courant de rien.

— C'est lui, c'est lui, ce n'est pas peut-être ! Parce que je l'ai mis dehors... Vous connaissez cette histoire, n'est-ce pas ?

— Je sais que vous lui avez demandé de ne plus vous rendre visite, mais pourquoi précisément – ça, enfin, de votre part, au moins, je n'ai rien entendu.

— Donc, c'est par lui que vous savez ! Alors quoi, il me dit du mal de moi, beaucoup de mal ?

— Oui, il dit du mal, mais il dit du mal de tout le monde. Mais pourquoi vous lui avez refusé votre porte, ça, lui non plus, il ne me l'a pas dit. Et puis, en général, je le vois très rarement. Nous ne sommes pas amis.

— Eh bien, je vais tout vous révéler et, rien à faire, je vais faire repentance, parce qu'il y a là un trait, dont, si ça se trouve, c'est moi qui suis coupable. Mais c'est un trait tout petit, mais petit petit petit, au point que, si ça se trouve, il n'existe même pas du tout. Voyez-vous, mon bon ami – et Mme Khokhlakova prit là une espèce d'air farceur et l'on vit poindre sur ses lèvres une espèce de sourire charmeur quoique mystérieux –, voyez-vous, je soupçonne… vous m'excuserez, Aliocha, je suis comme une mère pour vous… oh non, non, au contraire, c'est moi qui vous parle comme à mon père… parce que la mère, là, ça ne va pas du tout… Enfin, exactement comme à la confession devant le starets Zossima, et, ça, c'est le plus juste, c'est ce qui va le mieux ; tout à l'heure, même, je vous ai appelé ermite – et, donc, alors, voilà, ce malheureux jeune homme, votre ami Rakitine (oh, mon Dieu, simplement, je n'arrive pas à lui en vouloir ! Je lui en veux, j'enrage, mais pas trop), bref, ce jeune homme frivole, soudain, figurez-vous, j'ai l'impression, s'est mis en tête de tomber amoureux de moi. Mais ça je l'ai remarqué plus tard, seulement plus tard, d'un coup, alors qu'au début, c'est-à-dire il y a un mois de ça, il s'est mis à me rendre visite plus souvent, pour ainsi dire tous les jours, même si nous nous connaissions déjà avant. Je n'étais au courant de rien… et, brusquement, ça m'a fait comme une illumination, et je commence, à mon étonnement, à comprendre. Vous savez que ça fait déjà deux mois que j'ai commencé à recevoir ce modeste, ce charmant et ce digne jeune homme, Piotr Ilitch Perkhotine, qui est fonctionnaire ici. Vous l'avez tant de fois rencontré vous-même. Et n'est-ce pas qu'il est digne, sérieux. Il me rend donc visite une fois tous les trois jours, et pas tous les jours (quoique, pourquoi ne viendrait-il pas tous les jours ?), et toujours si bien habillé, et, en général, j'aime la jeunesse, Aliocha, talentueuse, modeste, voilà, comme vous, et, lui, il a presque un esprit d'homme d'Etat, il parle d'une façon si charmante, et moi, mais sans faute, sans faute, j'interviendrai pour lui. C'est un futur diplomate. Ce jour affreux, il m'a, pour ainsi dire, sauvé la vie en venant me trouver la nuit. Bon, et votre ami Rakitine arrive toujours avec de ces bottes, et il les étale sur le tapis... bref, il a même commencé à me faire des espèces d'allusions, quand, brusquement, un jour, en repartant, il m'a serré la main affreusement fort. Et, à l'instant où il m'a serré la main, comme ça, moi, j'ai senti cette douleur dans le pied. Il avait déjà rencontré Piotr Ilitch chez moi et, vous me croirez, il n'arrêtait pas de lui envoyer des piques, toujours des piques, il lui grognait dessus, littéralement, je ne sais pas pourquoi. Moi, juste, je les regardais tous les deux, dès qu'ils se retrouvaient, et, dans ma barbe, je riais. Et donc, soudain, un jour, je suis seule ici, c'est-à-dire j'étais couchée, malade, seule ici, donc, oui, je suis couchée seule ici, Mikhaïl Ivanovitch se présente, et, figurez-vous, il m'apporte un petit poème, des plus courts, sur mon pied malade, c'est-à-dire qu'il avait décrit en vers mon pied malade. Attendez, comment ça fait ?

Ce peton, ah, ce peton,
Est malade, nous dit-on...

ou comment ? je n'arrive jamais à me souvenir des vers – ils sont là, je les ai –, bon, je vous les montrerai plus tard, c'est vraiment charmant, charmant, et, vous savez, ça ne parle pas que des petons, il y a dedans aussi une idée morale, charmante, sauf que je l'ai oubliée maintenant, bref, à recopier tout droit dans mon album. Bon, moi, évidemment, je le remercie, et, lui, ça l'a visiblement flatté. Je n'avais pas eu le temps de le remercier, qui est-ce que je vois entrer ? Piotr Ilitch, tandis que Mikhaïl Ivanovitch, lui, d'un coup, il devient sombre comme une nuit d'orage. Je voyais bien que Piotr Ilitch lui avait dérangé quelque chose, parce que Mikhaïl Ivanovitch voulait absolument me dire quelque chose tout de suite après le poème, et j'en avais bien le pressentiment, mais Piotr Ilitch était entré. Moi, d'un coup, je montre le poème à Piotr Ilitch, et je ne lui dis pas de qui il est. Mais je suis sûre, je suis sûre qu'il avait deviné tout de suite, même s'il refuse toujours de le reconnaître, il dit qu'il n'avait pas deviné ; mais il a dit ça exprès. Piotr Ilitch a tout de suite éclaté de rire et il s'est mis à critiquer ; des vers, il nous dit, de mirliton, un séminariste qui a dû écrire ça – et, vous savez, avec une fougue, mais une telle fougue ! Ici, votre ami, au lieu d'éclater de rire, s'est réellement retrouvé enragé... Mon Dieu, je me disais qu'ils allaient se battre : "C'est moi, il lui dit, qui les ai écrits. Je les ai écrits, il lui dit, comme une plaisanterie, parce que j'estime que c'est une bassesse de composer des poèmes... Seulement, mon poème, il est bon. Votre Pouchkine, pour les petons féminins, on veut lui élever une statue, alors que, moi, c'est avec une tendance, et vous, il lui dit, vous êtes un esclavagiste ; vous, il lui dit, vous n'avez aucune humanité, vous ne ressentez aucune des aspirations éclairées de notre temps, le développement ne vous a pas touché, vous, il lui dit, vous êtes un fonctionnaire et vous prenez des pots-de-vin !" Là, bon, je me suis mise à crier et à les supplier. Mais Piotr Ilitch, vous savez, il n'a pas froid aux yeux, et, d'un seul coup, il a pris un ton des plus nobles : il le regarde d'un air ironique, il écoute et il s'excuse : "Je ne savais pas, il lui dit. Si j'avais su, je n'aurais rien dit, j'aurais fait, il lui dit, des compliments... Les poètes, il lui dit, ce sont des gens nerveux..." Bref, des moqueries pareilles, sous l'air de prendre un ton des plus nobles. Ça, il me l'a expliqué par la suite, que c'était des moqueries, moi, je me disais qu'il parlait sérieusement. Seulement, soudain, moi, je suis là, couchée, comme ici, devant vous, et je me dis : Ça fera noble ou ça ne fera pas noble, si, d'un seul coup, je mets à la porte Mikhaïl Ivanovitch, parce qu'il crie chez moi d'une façon indécente, sur mon invité ? Et donc, vous me croirez, je suis là, je ferme les yeux et je me dis : Ça fera noble ou ça ne fera pas noble, et je n'arrive pas à me décider, et je me torture, je me torture, et le cœur qui bat : crier ou ne pas crier ? Une voix qui me dit : "Crie", et l'autre qui me dit : "Non, ne crie pas !" Et à peine cette deuxième voix, elle m'avait dit ça, moi, d'un seul coup, je me suis mise à crier, et je me suis évanouie. Bon, là, évidemment, un de ces vacarmes. D'un coup, je me relève et je dis à Mikhaïl Ivanovitch : Je vous le dis avec regret, mais je ne veux plus vous recevoir chez moi. Et je l'ai chassé. Oh, Alexéï Fiodorovitch ! Je le sais bien, que j'ai mal agi, j'ai menti tout du long, je ne lui en voulais pas du tout, mais, d'un seul coup, l'essentiel c'est ça, d'un seul coup, j'ai eu l'impression qu'elle ferait si bien, cette scène... Seulement, vous me croirez, mais cette scène, malgré tout, elle a fait naturel, parce que, même, j'ai fondu en sanglots, et j'ai pleuré ensuite plusieurs jours de rang, bon, et après, d'un coup, l'après-midi, j'ai tout oublié. Et donc, ça fait deux semaines qu'il ne vient plus, et je me disais : Alors, comme ça, il ne viendra vraiment plus ? Ça, je me le suis dit hier, quand, d'un seul coup, le soir même, je reçois mes *Rumeurs*. Je lis, les bras m'en tombent, qui donc a écrit ça, c'est lui qui l'a écrit, il est rentré chez lui, et hop – il aura écrit ça ; il leur a envoyé, et ils l'ont publié. Parce que ça s'est passé il y a deux semaines. Seulement, Aliocha, c'est affreux tout ce que je dis, et je ne dis pas du tout ce qu'il faut, n'est-ce pas ? Ah, ça se dit tout seul !

— J'ai un besoin terrible, aujourd'hui, d'arriver à temps chez mon frère, balbutia Aliocha.

— Parfaitement, parfaitement, vous m'avez tout rappelé ! Ecoutez, qu'est-ce que c'est, un affect ?

— Un affect ? s'étonna Aliocha.

— Un affect judiciaire. Un affect qui fait qu'on pardonne tout. Vous pouvez faire n'importe quoi, on vous pardonne tout de suite.

— Mais de quoi me parlez-vous ?

— Voilà de quoi : cette Katia… Ah, cet être charmant, mais charmant, dont, juste, je ne sais pas de qui elle est amoureuse. Ces jours-ci, elle est venue chez moi, il n'y a pas eu moyen de lui tirer les vers du nez. D'autant qu'elle-même, maintenant, elle ne me parle plus de rien, bref, toujours ma santé et rien d'autre, et elle prend même un de ces tons que je me suis dit : Bon, bah tant pis, débrouillez-vous sans moi… Ah oui, donc, alors, cet affect : c'est le docteur, donc, il est arrivé. Vous le savez, que le docteur est arrivé ? Evidemment que vous le savez, celui qui connaît les fous, c'est vous qui l'avez fait venir, je veux dire, ce n'est pas vous, c'est Katia. Toujours Katia ! Bon, vous voyez, vous avez un homme, pas du tout fou, sauf que, d'un coup, il a un affect. Il a conscience de lui-même, il sait ce qu'il fait, n'empêche qu'il est dans son affect. Bon, eh bien, avec Dmitri Fiodorovitch, sans doute, pareil, il y a eu un affect. Dès qu'ils ont inauguré les nouveaux tribunaux, ils ont tout de suite su pour l'affect. C'est un bienfait des nouveaux tribunaux. Ce docteur, donc, il est venu me voir et il m'a interrogée sur cette soirée, enfin, sur les mines d'or : comment, donc, il était à ce moment-là ? Evidemment qu'il était dans un affect – il arrive, il se met à crier : de l'argent, de l'argent, trois mille roubles, donnez-moi trois mille roubles, et puis, d'un coup, hop, il s'en va et il tue. Je ne veux pas, il dit, je ne veux pas tuer, et, hop, il tue. C'est pour ça même qu'il sera pardonné, qu'il était contre, mais qu'il a tué.

— Mais ce n'est pas lui qui a tué, l'interrompit Aliocha avec une certaine violence. L'inquiétude et l'impatience l'envahissaient de plus en plus.

— Je sais, c'est ce vieux Grigori qui a tué.

— Comment ? s'écria Aliocha.

— C'est lui, c'est lui, c'est Grigori. Dmitri Fiodorovitch l'a assommé, il était par terre, il se relève, il voit la porte ouverte, eh hop, il a tué Fiodor Pavlovitch.

— Mais pourquoi, pourquoi ?

— Mais il a eu son affect. Dmitri Fiodorovitch l'a frappé sur la tête, il s'est réveillé et il a eu son affect, et hop, il a tué. Et si, lui-même, il dit qu'il n'a pas tué, si ça se trouve, c'est parce qu'il ne se souvient plus. Seulement, voyez-vous, ça sera mieux, oui, beaucoup mieux, si c'est Dmitri Fiodorovitch qui a tué. D'ailleurs, c'est ce qui s'est passé, même si je dis que c'est Grigori, c'est sans doute Dmitri Fiodorovitch, et c'est beaucoup, oui, beaucoup mieux ! Ah, si c'est mieux, ce n'est pas parce que le fils a tué le père, je ne dis pas que c'est bien, au contraire, leurs parents, les enfants ils doivent les respecter, mais c'est tout de même mieux si c'est lui, parce que, vous, à ce moment-là, vous pouvez sécher vos larmes, parce qu'il a tué sans en avoir conscience, ou, pour mieux dire, en ayant conscience de tout, mais sans savoir comment tout ça est en train de lui arriver. Non, qu'ils lui pardonnent ; c'est un tel geste d'humanité et pour qu'on voie les bienfaits des nouveaux tribunaux, parce que, moi, je n'étais même pas au courant, alors qu'on dit que c'est comme ça depuis belle lurette, et quand je l'ai su, hier, ça m'a tellement frappée que j'ai tout de suite voulu envoyer vous chercher, et ensuite, s'ils lui pardonnent, je vous invite tous, directement du tribunal chez moi, je donne un repas, j'invite tous les amis, et nous boirons aux nouveaux tribunaux. Je ne pense pas qu'il soit dangereux, en plus j'inviterai beaucoup de monde, si bien qu'on pourra toujours le mettre dehors, au cas où, et ensuite, quelque part dans une autre ville, il peut faire juge de paix ou je ne sais quoi, parce que, ceux qui ont dû affronter un malheur, ils jugent le mieux. Et, surtout, qui donc n'est pas dans l'affect en ce moment, vous, moi – tout le monde est dans l'affect, et il y a tant d'exemples : vous avez un homme, il vous chante une romance, d'un coup il y a quelque chose qui ne lui plaît pas, il sort son pistolet et il tue le premier venu, et puis on lui pardonne tout. Je l'ai lu, ça, récemment, et les docteurs ont tout confirmé. Les docteurs, maintenant, ils confirment, ils confirment toujours. Mais voyons, moi, ma Lise, elle est toujours dans un affect, pas plus tard qu'hier elle m'a fait pleurer, et avant-hier aussi elle m'a fait pleurer, mais, aujourd'hui, ça y est, j'ai compris, elle a simplement un affect. Oh, Lise me fait tellement de peine ! Je pense qu'elle est devenue complètement folle. Pourquoi est-ce qu'elle vous a appelé ? C'est elle qui vous a appelé, ou vous venez de vous-même ?

— Oui, c'est elle qui a appelé, et je vais passer la voir tout de suite, fit Aliocha en se levant d'un mouvement résolu.

— Ah, mon bon, mon bon Alexéï Fiodorovitch, c'est là, peut-être, qu'il est, l'essentiel, s'exclama Mme Khokhlakova, pleurant soudain. Dieu m'est témoin, je vous confie Lise de tout mon cœur, et ce n'est pas grave qu'elle vous ait appelé en cachette de sa mère. Mais à Ivan Fiodorovitch, à votre frère, pardonnez-moi, je ne peux pas confier ma fille aussi facilement, même si je continue toujours à le considérer comme le jeune homme le plus chevaleresque. Figurez-vous, il s'avère, d'un coup, qu'il a rendu visite à Lise, et, moi, je n'étais au courant de rien.

— Quoi ? Comment ? Quand ? dit Aliocha, terriblement surpris. Il ne se rasseyait plus, il écoutait debout.

— Je vous le raconte, c'est pour ça, si ça se trouve, que je vous avais invité, parce que je ne sais même plus pourquoi je vous avais invité. Voilà : Ivan Fiodorovitch ne m'a rendu visite que deux fois depuis qu'il est rentré de Moscou, la première fois il est venu me rendre une visite de courtoisie, et, la deuxième fois, c'était il n'y a pas longtemps, Katia était chez moi, il est passé parce qu'il savait qu'elle se trouvait chez moi. Moi, vous pensez bien, je ne prétendais pas à des visites fréquentes, sachant tous les soucis qu'il a déjà en ce moment – *vous comprenez, cette affaire et la mort terrible de votre papa** –, quand, d'un seul coup, qu'est-ce que j'apprends, il est venu chez moi, mais pas chez moi, chez Lise, et, ça, ça fait déjà six jours, il est resté cinq minutes et il est reparti. Et, ça, je l'ai appris, mais trois longs jours plus tard, de Glafira, au point, même, que ça m'a soudain saisie. Je convoque Lise séance tenante, et, elle, elle rit ; il pensait, soi-disant, que vous dormiez, il est passé me demander des nouvelles de votre santé. Bien sûr, ça s'est passé comme ça. Mais Lise, Lise, comme elle me fait de la peine ! Imaginez, d'un coup, une nuit – ça fait quatre jours de ça, tout de suite après que vous l'avez quittée la dernière fois –, d'un coup, la nuit, elle fait une crise, des cris, des hurlements, une crise de nerfs ! Pourquoi, moi, je n'ai jamais de crises de nerfs ? Ensuite, le lendemain, une autre crise, et puis, le lendemain, une troisième, et puis, hier, oui, hier, voilà, cet affect. Et, d'un seul coup, elle me crie : "Je déteste Ivan Fiodorovitch, j'exige que vous ne le receviez plus, que vous lui interdisiez le seuil de la maison !" J'en suis restée pantoise de surprise et je lui dis : Mais en quel honneur interdirais-je ma porte à un jeune homme si digne et, en plus, doué de telles connaissances, et puis d'un tel malheur, parce que, tout de même, toute cette histoire – mais c'est un malheur, et pas un bonheur, n'est-ce pas ? D'un coup, elle a éclaté de rire à ce que je disais, et, vous savez, comme ça, d'une façon blessante. Non, je suis contente de l'avoir fait rire, et les crises, maintenant, elles vont passer, d'autant que, moi aussi, je voulais refuser ma porte à Ivan Fiodorovitch pour ces visites étranges sans mon accord et exiger une explication. Seulement, d'un coup, voilà que, ce matin, Liza se réveille et se met en colère contre Ioulia, et, imaginez, elle l'a giflée. Mais c'est une monstruosité, moi, mes domestiques, je les vouvoie. Et, d'un seul coup, une heure plus tard, elle embrasse Ioulia et elle lui baise les pieds. Moi, elle me fait dire qu'elle ne viendra pas me voir du tout et qu'elle ne voudra plus jamais venir, et quand c'est moi qui me suis traînée chez elle, elle s'est précipitée vers moi, elle m'a couverte de baisers, elle a pleuré et, en pleurant, elle m'a littéralement jetée dehors, sans me dire un seul mot, si bien que je ne suis toujours au courant de rien. Maintenant, mon bon Alexéï Fiodorovitch, je mets tous mes espoirs en vous, et, vous comprenez bien, tout le destin de ma vie se retrouve entre vos mains. Je vous demande simplement d'aller voir Lise, de vous renseigner sur tout, comme il n'y a que vous qui saurez le faire, et de revenir me raconter – à moi, sa mère, parce que, vous comprenez, je vais mourir, je vais tout simplement mourir, si tout ça dure encore, ou bien je vais m'enfuir de la maison. Je n'en peux plus, j'ai de la patience, mais je pourrais la perdre, et, là… là, il peut y avoir des horreurs. Ah, mon Dieu, enfin, Piotr Ilitch ! s'écria Mme Khokhlakova, soudain toute rayonnante, en apercevant Piotr Ilitch Perkhotine qui venait d'entrer. Vous êtes en retard, vous êtes en retard ! Eh bien, asseyez-vous, parlez, tranchez le destin, et cet avocat alors ? Où allez-vous donc, Alexéï Fiodorovitch ?

— Je vais chez Lise.

— Ah, oui ! Alors, vous n'oublierez pas, vous n'oublierez pas ce que je vous ai demandé ? C'est une question de destin, de destin !

— Bien sûr que je n'oublierai pas, si seulement je peux… mais je suis tellement en retard, marmonna Aliocha, battant en retraite le plus vite possible.

— Non, non, passez, sans faute et pas “si seulement je peux”, sinon je vais mourir ! lui cria dans le dos Mme Khokhlakova, mais Aliocha était déjà sorti de la pièce.

III

LE PETIT DÉMON

Entrant chez Liza, il la trouva à moitié couchée dans l'ancien fauteuil dans lequel on la roulait quand elle ne pouvait pas marcher. Elle ne bougea pas pour se lever à sa rencontre, mais son regard aigu, perçant, se figea littéralement sur lui. Ce regard était un peu enflammé, le visage, jaune pâle. Aliocha fut saisi de voir comme elle avait changé depuis trois jours, elle avait même maigri. Elle ne lui tendit pas la main. Il effleura lui-même ses petits doigts longs et fins qui gisaient immobiles sur sa robe, puis, sans rien dire, s'assit à côté d'elle.

— Je sais que vous courez à la prison, dit brutalement Liza, c'est maman qui vous a retenu pendant deux heures, elle vous a raconté pour moi et pour Ioulia.

— Comment le savez-vous ? demanda Aliocha.

— J'ai écouté à la porte. Pourquoi vous me faites ces yeux ? Je veux écouter, j'écoute, il n'y a rien de mal à ça. Je ne demande pas pardon.

— Il y a quelque chose qui vous a fait de la peine ?

— Au contraire, je suis très contente. Seulement, je viens de le redire encore, pour la trentième fois : comme c'est bien que je vous aie refusé et que je ne serai pas votre femme. Vous ne faites pas un bon mari : je vous épouserais, et, d'un seul coup, je vous donnerais un billet à porter à celui que j'aimerais après vous – vous, vous le prendriez, vous iriez le porter et, en plus, vous m'apporteriez la réponse. Et vous aurez quarante ans que vous porteriez toujours mes billets.

Elle éclata soudain de rire.

— Il y a en vous quelque chose de méchant et, en même temps, de tout simple, lui dit Aliocha en souriant.

— Ce qui est simple, c'est que je n'ai pas honte devant vous. Bien plus, non seulement je n'ai pas honte, mais je ne veux pas avoir honte, justement devant vous, justement de vous. Aliocha, pourquoi est-ce que je ne vous respecte pas ? Je vous aime beaucoup mais je ne vous respecte pas. Si je vous respectais, je ne parlerais pas sans avoir honte, n'est-ce pas que c'est vrai ?

— C'est vrai.

— Et vous me croyez, que je n'aie pas honte devant vous ?

— Non, je ne vous crois pas.

Liza fut reprise de son rire nerveux ; elle parlait vite, d'un ton précipité.

— J'ai envoyé des bonbons à la prison, à votre frère Dmitri Fiodorovitch. Aliocha, vous savez, ce que vous êtes mignon ! C'est affreux comme je vous aimerai de m'avoir si vite permis de ne pas vous aimer.

— Pourquoi m'avez-vous appelé aujourd'hui, Lise ?

— J'avais envie de vous faire savoir un de mes désirs. Je veux que quelqu'un me déchire en morceaux, se marie avec moi, puis qu'il me déchire en morceaux, qu'il me trahisse, qu'il s'en aille et qu'il parte. Je ne veux pas être heureuse !

— Vous aimez le désordre, maintenant ?

— Ah oui, je veux le désordre. J'ai toujours envie de mettre le feu à la maison. Je m'imagine, là, que je m'avance et je mets le feu en cachette, ça, absolument, en cachette. Eux, ils essaient d'éteindre, mais ça brûle. Moi, je sais tout, je ne dis rien. Ah, quelles bêtises ! Et ce qu'on s'ennuie !

Elle eut un petit geste de dégoût.

— Des lubies de riches, dit paisiblement Aliocha.
— Alors c'est mieux d'être pauvre ?
— C'est mieux.
— Ça, c'est votre défunt moine qui vous l'a dit. Ce n'est pas vrai. Je veux être riche, et que tous les autres soient pauvres, moi, je mangerai des bonbons et je boirai de la crème, je n'en donnerai jamais à personne. Ah, ne dites rien, ne dites rien, fit-elle en agitant son bras mignon, même si Aliocha n'avait pas ouvert la bouche, vous m'avez déjà tout dit avant, je sais tout par cœur. La barbe. Si je suis pauvre, je tuerai quelqu'un – et si je suis riche aussi, peut-être bien, je tuerai –, à quoi ça sert, sinon ! Et, vous savez, je veux faucher. Faucher le blé. Je vous épouse et, vous, vous devenez un moujik, un vrai moujik, on a un petit poulain, vous voulez ? Vous connaissez Kalganov ?
— Je le connais.
— Il est toujours à rêver. Il dit : A quoi ça sert de vivre en vrai, mieux vaut rêver. On peut se rêver les choses les plus gaies, alors que, la vie, c'est d'un ennui !... Et, en même temps, il va bientôt se marier, même moi il m'a déjà fait une déclaration. Vous savez lancer des toupies ?
— Je sais.
— Eh bien, lui, c'est comme une toupie ; on le fait tourner, on le lance, et on le fouette, on le fouette, on le fouette avec un petit fouet : si je me marie avec lui, je m'ennuierai toute ma vie. Vous n'avez pas honte de rester là avec moi ?
— Non.
— Vous êtes dans une colère affreuse que je ne vous parle pas de choses saintes. Je ne veux pas être une sainte. Qu'est-ce qu'on nous fera dans l'autre monde pour le plus grand péché ? Vous, vous devez le savoir précisément.

— Dieu vous condamnera, fit Aliocha en la regardant fixement.

— Eh bien, c'est ce que je veux. Je me présenterais, moi, on me condamnerait, et, moi, d'un seul coup, je leur éclaterais de rire, à la figure. J'ai une envie terrible de mettre le feu à une maison, Aliocha, à notre maison, vous ne me croyez toujours pas ?

— Pourquoi donc ? Il y a même des enfants, d'une douzaine d'années, qui ont une envie terrible de mettre le feu à quelque chose, et qui le font. C'est une espèce de maladie.

— Ce n'est pas vrai, ce n'est pas vrai, ça, c'est des enfants, mais, moi, je ne parle pas de ça.

— Vous prenez le mal pour le bien : c'est une crise passagère, c'est votre ancienne maladie, peut-être, qui en est responsable.

— Ah, vous me méprisez quand même ! Je ne veux simplement pas faire le bien, je veux faire le mal, et il n'y a pas du tout de maladie là-dedans.

— Pourquoi faire le mal ?

— Bah, pour qu'il ne reste rien nulle part. Ah, comme ce serait bien s'il ne restait rien du tout ! Vous savez, Aliocha, des fois, je me dis que je vais faire une quantité de mal terrible, et plein de saletés, et je les ferai longtemps, en cachette, et, d'un seul coup, tout le monde sera au courant. Ils vont tous m'entourer, ils vont me montrer du doigt, et, moi, je les regarderai tous. C'est très agréable. Pourquoi c'est tellement agréable, Aliocha ?

— Comme ça. Le besoin d'écraser quelque chose de bien ou, tenez, comme vous venez de le dire, de mettre le feu. Ça aussi, ça arrive.

— Mais ce n'est pas que je l'ai dit, c'est que je le ferai.

— Je vous crois.

— Ah, comme je vous aime quand vous dites “je vous crois”. Et vous ne mentez pas du tout, mais pas du tout. Ou vous pensez peut-être que je vous dis tout ça exprès, pour vous narguer ?

— Non, je ne le pense pas… même si, peut-être, il y a un peu de ce besoin-là.

— Un peu. Je ne vous mentirai jamais, dit-elle avec une espèce de petite flamme dans les yeux.

Aliocha était surtout frappé par son sérieux ; il n’y avait plus l’ombre d’un rire, d’une plaisanterie sur son visage, même si le rire et la plaisanterie ne la quittaient jamais dans ses minutes les plus “sérieuses”.

— Il y a des minutes où les gens aiment le crime, dit pensivement Aliocha.

— Oui, oui ! Vous avez dit ma pensée, ils aiment, ils aiment tous, et ils aiment toujours, et pas simplement par “minutes”. Vous savez, pour ça, c’est comme si tout le monde s’était donné le mot, je ne sais pas depuis quand, pour mentir, et tout le monde ment toujours. Ils disent tous qu’ils détestent le mal et, au fond d’eux-mêmes, ils l’aiment tous.

— Et, vous, vous lisez toujours de mauvais livres ?

— Oui. Maman, elle les lit et elle les cache sous son oreiller, et, moi, je les vole.

— Et vous n’avez pas honte de vous détruire ?

— J’ai envie de me détruire. Il y a un petit garçon, ici, il est resté couché sur les rails pendant que les wagons lui passaient dessus. Le veinard ! Ecoutez, maintenant, votre frère va passer en jugement parce qu’il a tué son père, et tout le monde aime qu’il ait tué son père.

— On aime qu’il ait tué son père ?

— Ils aiment, ils aiment tous ! Ils disent tous que c’est affreux, mais, au fond d’eux-mêmes, c’est affreux comme ils aiment. Je suis la première, moi, à aimer.

— Il y a un peu de vérité dans ce que vous dites, dit doucement Aliocha.

— Ah, ces pensées que vous avez ! s'exclama Liza, tout exaltée. Et, vous, un moine ! Vous ne croirez pas à quel point je vous respecte, Aliocha, parce que vous ne mentez jamais. Ah, je vais vous raconter un de mes rêves comiques : des fois, en rêve, je vois des diables, on dirait la nuit, je suis dans ma chambre avec une bougie, et, d'un seul coup, il y a des diables partout, dans tous les coins, même sous la table, et ils ouvrent les portes, et, là, derrière les portes, il y en a des masses, et ils ont tous envie d'entrer et de me saisir. Et ils approchent déjà, ils me touchent presque. Et moi, d'un seul coup, je me signe, et, eux, tous, ils reculent, sauf qu'ils ne reculent pas complètement, ils restent, là-bas, aux portes, et dans les coins, et ils attendent. Et moi, d'un coup, j'ai une envie affreuse d'injurier le bon Dieu, et je me mets à l'injurier, et eux, d'un coup, toute la foule, ils se rapprochent de moi, ils sont tellement heureux, et là, ça y est, ils me saisissent presque, et, moi, je recommence, un nouveau signe de croix – et eux, tous, ils reculent. C'est affreux comme c'est gai, toute l'âme qui se creuse.

— Moi aussi, j'ai déjà fait ce rêve-là, dit soudain Aliocha.

— Vraiment ? s'écria Liza, étonnée. Dites, Aliocha, ne riez pas, c'est d'une importance terrible : c'est donc possible que deux personnes fassent le même rêve ?

— Il faut croire que oui.

— Aliocha, je vous dis que c'est d'une importance terrible, continuait Liza, prise cette fois d'un étonnement vraiment extraordinaire. Ce n'est pas le rêve qui compte, c'est le fait que vous ayez pu faire le même que moi. Vous ne mentez jamais, maintenant non plus, ne mentez pas : c'est vrai ? Vous ne riez pas ?

— C'est vrai.

Quelque chose avait vraiment frappé Liza outre mesure, elle resta muette une trentaine de secondes.

— Aliocha, passez me voir, passez me voir plus souvent, dit-elle soudain d'une voix suppliante.

— Je viendrai vous voir toujours, toute ma vie, répondit fermement Aliocha.

— Il n'y a qu'à vous que je le dis, n'est-ce pas, reprit Liza. Je me le dis à moi toute seule, et puis à vous. A vous tout seul dans le monde entier. Et, à vous, je vous le dis plus volontiers qu'à moi. Et je n'ai pas du tout honte devant vous. Aliocha, pourquoi je n'ai pas du tout honte devant vous, mais pas du tout ? Aliocha, c'est vrai que les youpins, à Pâques, ils volent les enfants et ils les égorgent ?

— Je ne sais pas.

— J'ai un livre, tenez, j'ai lu quelque chose sur un procès, je ne sais plus, comme quoi il y avait un youpin qui a pris un gamin de quatre ans, et il lui a d'abord découpé tous les doigts, après il l'a crucifié à un mur, il l'a cloué avec des clous et il l'a crucifié et, après, il a dit au procès que le gamin est mort vite, au bout de quatre heures. Tu parles, vite ! Il disait : Il gémissait, il gémissait tout le temps, et, lui, il regardait, il l'admirait. C'est bien[1] !

— C'est bien ?

— C'est bien. Je me dis parfois que c'est moi qui ai crucifié. Lui, il est suspendu et il gémit, et, moi, je

1. Rappelons que Dostoïevski collaborait comme rédacteur à la revue *Le Citoyen*, orthodoxe, nationaliste et ultraconservatrice, violemment antisémite, qui reprenait régulièrement ces accusations de crimes rituels. On pourra consulter à ce propos le livre de David Goldstein, *Dostoïevski et les Juifs*, 10/18, p. 315-320.

m'assois en face de lui, et je mange de l'ananas au sirop. J'adore l'ananas au sirop. Vous aimez, vous ?

Aliocha la regardait sans rien dire. Son visage jaune pâle se déforma soudain, ses yeux s'enflammèrent.

— Vous savez, quand j'ai lu ça sur ce youpin, je suis restée secouée de larmes toute la nuit. J'imagine le petit enfant, comme il crie et il gémit (les enfants de quatre ans, ça comprend tout), et, moi, cette idée du sirop qui ne me quitte pas. Le matin, j'ai envoyé une lettre à quelqu'un, pour qu'il vienne me voir *coûte que coûte*. Il est venu, et je lui ai raconté d'un seul coup le gamin et le sirop, je lui ai *tout* raconté, *tout*, et je lui ai dit que c'était "bien". Lui, d'un seul coup, il a éclaté de rire et il a dit que c'était vrai, que c'était bien. Puis il s'est levé et il est reparti. Il est juste resté cinq minutes. Il me méprisait, dites, il me méprisait ? Dites-le, dites-le, Aliocha, il me méprisait, lui, oui ou non ? fit-elle, se redressant sur sa couchette, les yeux brûlants.

— Dites, reprit Aliocha très ému, c'est vous-même qui l'avez appelé, ce "quelqu'un" ?

— Moi-même.

— Vous lui avez envoyé une lettre ?

— Oui, une lettre.

— Pour lui poser cette question-là, sur l'enfant ?

— Non, pas du tout pour ça, pas du tout. Mais, quand il est entré, moi, tout de suite, je lui ai posé la question. Il a répondu, il a ri, il s'est levé, il est reparti.

— Ce "quelqu'un", il a agi envers vous en honnête homme, dit doucement Aliocha.

— Mais, moi, il me méprisait ? Il se moquait ?

— Non, parce que, lui-même, si ça se trouve, il croit à l'ananas au sirop. Lui aussi, il est très malade en ce moment, Lise.

— Oui, il y croit ! reprit Liza, des étincelles dans les yeux.

— Il ne méprise personne, poursuivit Aliocha. Seulement, il ne croit en personne. S'il ne croit pas, donc, bien sûr, il méprise.

— Donc alors, moi aussi ? Moi aussi ?

— Vous aussi.

— C'est bien, fit Liza, comme en grinçant des dents. Quand il est ressorti et qu'il a ri, j'ai senti qu'être dans le mépris, c'était bien. Le garçon aux doigts coupés, c'est bien, et être dans le mépris, c'est bien...

Et elle éclata d'une espèce de rire méchant et enflammé à la face d'Aliocha.

— Vous savez, Aliocha, vous savez, je voudrais... Aliocha, sauvez-moi ! s'écria-t-elle, bondissant soudain de sa couchette, elle se jeta vers lui et l'étreignit très fort de ses deux bras. Sauvez-moi, dit-elle dans un quasi-gémissement. Est-ce que je pourrais dire à qui que ce soit au monde ce que je vous ai dit ? Et c'est la vérité, la vérité, la vérité que je vous ai dite ! Je vais me tuer parce que tout me dégoûte ! Je ne veux pas vivre, parce que tout me dégoûte ! Tout me dégoûte, tout ! Aliocha, pourquoi vous ne m'aimez pas du tout, mais pas du tout ? conclut-elle dans un état second.

— Si, je vous aime ! répondit Aliocha avec chaleur.

— Mais vous allez me pleurer, vous le ferez ?

— Oui.

— Pas parce que je n'aurai pas voulu être votre femme, mais simplement me pleurer, tout simplement ?

— Oui.

— Merci ! Sauf que je n'ai pas besoin de vos larmes. Et, tous les autres, ils peuvent me supplicier, qu'ils me foulent aux pieds, tous, tous, sans excepter *personne* ! Parce que je n'aime personne. Vous entendez, per-sonne ! Au contraire, je déteste ! Adieu, Aliocha, vous êtes en retard chez votre frère ! conclut-elle, s'arrachant soudain à lui.

— Mais vous, comment resterez-vous ? dit Aliocha d'une voix presque effrayée.

— Allez voir votre frère, la prison va fermer, allez-y, voilà votre chapeau ! Embrassez Mitia, allez-y, allez-y !

Et c'est presque de force qu'elle mit Aliocha à la porte. Ce dernier la regardait avec une stupeur douloureuse, quand, soudain, il sentit dans sa main droite une lettre, une toute petite lettre, fermement pliée et cachetée. Il la regarda et lut instantanément l'adresse : Ivan Fiodorovitch Karamazov. Il jeta un regard vif à Liza. Elle, son visage devint presque lourd de menaces.

— Transmettez-la, transmettez-la sans faute ! ordonna-t-elle, frénétique, toute secouée de frissons. Aujourd'hui, tout de suite ! Sinon, je vais m'empoisonner ! C'est pour ça que je vous avais appelé !

Et elle fit rapidement claquer la porte. On entendit le bruit du loquet. Aliocha mit la lettre dans sa poche et se dirigea tout droit vers l'escalier, sans repasser chez Mme Khokhlakova, en l'oubliant, même, tout à fait. Liza, quant à elle, sitôt qu'Aliocha fut parti, souleva aussitôt le loquet, entrouvrit un petit peu la porte, glissa un doigt dans la fente et, après avoir claqué la porte, se l'écrasa à toute volée. Une dizaine de secondes plus tard, après avoir libéré sa main, elle revint tranquillement, posément vers son fauteuil, s'assit, toute droite, et se mit à regarder fixement son doigt noirci, le sang qui était remonté de sous son ongle. Ses lèvres tremblaient, et elle murmurait, très vite, très vite, pour elle-même :

— La crapule, la crapule, la crapule, la crapule !

IV

L'HYMNE ET LE SECRET

Il était déjà très tard (et les journées de novembre sont-elles longues ?) quand Aliocha sonna à la porte de la prison. La nuit commençait même à tomber. Mais Aliocha savait qu'on le laisserait passer chez Mitia sans encombre. Tout est chez nous, dans notre petite ville, comme partout. Au début, bien sûr, jusqu'à la fin de toute l'enquête préliminaire, l'accès à Mitia pour ses rencontres avec sa famille et quelques autres personnes était tout de même accompagné de quelques formalités indispensables, mais, par la suite, ce n'est pas que les formalités fussent devenues plus lâches, mais, pour certaines personnes, du moins parmi celles qui rendaient visite à Mitia, on avait vu s'instaurer, comme d'elles-mêmes, un certain nombre d'exceptions. Au point, même, parfois, que les rendez-vous avec le prisonnier dans la pièce qui était réservée à ces visites se faisaient pour ainsi dire en tête à tête. Du reste, ces personnes étaient très peu nombreuses : il n'y avait que Grouchenka, Aliocha et Rakitine. Mais Grouchenka était très protégée par l'*ispravnik* Mikhaïl Makarovitch lui-même. Le vieil homme portait comme un poids sur la conscience les cris qu'il lui avait lancés à Mokroïé. Par la suite, apprenant le fond des choses, il avait changé radicalement d'opinion sur elle. Et, chose étrange : il avait beau être fermement convaincu du crime de Mitia, depuis le jour de son incarcération, et toujours davantage, il le regardait, lui, avec une sorte de douceur croissante : "C'est un homme qui a bon cœur, je veux bien, mais, quoi, il s'est perdu, perdu mort-enterré, par ses soûleries et son désordre !” Son épouvante première s’était changée dans son cœur en une espèce de compassion. Pour Aliocha, l’*ispravnik* l’aimait beaucoup et le connaissait depuis déjà longtemps, et Rakitine, qui s’était mis par la suite à rendre au détenu des visites fréquentes, était l’un des amis les plus proches des “demoiselles de l’*ispravnik*”, comme il les appelait, et on le voyait chez elles à tout bout de champ. Quant au directeur de la prison, un vieillard débonnaire, encore qu’un militaire rigide, Rakitine donnait des leçons dans sa famille. Aliocha, là encore, était un ami de longue date et tout particulier du directeur, qui, en général, aimait converser avec lui de “la sagesse”. Pour Ivan Fiodorovitch, par exemple, ce n’était pas que le directeur le respectât, on pouvait même dire qu’il avait peur de lui, surtout de ses jugements, quoique lui-même fût un grand philosophe, évidemment “en cogitant par lui-même”. Mais, envers Aliocha, il ressentait une espèce de sympathie irrépressible. Cette dernière année, le vieillard, justement, s’était mis à étudier les Evangiles apocryphes, et faisait part de minute en minute de ses impressions à son jeune ami. Avant, il passait même le voir au monastère et conversait pendant des heures entières tant avec lui qu’avec les hiéromoines. Bref, pour Aliocha, malgré tout le retard qu’il pouvait avoir pour se présenter à la prison, il suffisait qu’il passe voir le directeur et l’affaire s’arrangeait toujours. De plus, tout le monde, jusqu’au dernier gardien, s’était fait à Aliocha. La garde, elle, ne le gênait évidemment pas, du moment qu’il y avait une autorisation du directeur. Mitia, quand on l’appelait, sortait de sa petite cellule et descendait à l’endroit réservé pour les visites. Entrant dans la pièce, Aliocha se cogna justement contre Rakitine qui laissait déjà Mitia. Ils parlaient tous les deux d’une voix sonore.

Mitia, le raccompagnant, riait à quelque chose, et Rakitine semblait, lui, grommeler. Rakitine, surtout ces derniers temps, n'aimait pas rencontrer Aliocha, ne lui parlait presque pas, il avait même du mal à le saluer. Apercevant à présent Aliocha, il se rembrunit tout particulièrement et détourna le regard, comme entièrement absorbé par le boutonnage de son grand manteau chaud à col de fourrure. Ensuite, il entreprit aussitôt de chercher son parapluie.

— Que je n'oublie rien de mes affaires, marmonna-t-il, juste pour dire quelque chose.

— Les affaires des autres, surtout, les oublie pas ! plaisanta Mitia et il éclata de rire à sa pointe d'humour. Rakitine s'emporta aussitôt.

— Recommande ça à tes Karamazov, engeance d'esclavagistes, et pas à Rakitine ! cria-t-il soudain, littéralement secoué de rage.

— Qu'est-ce qui te prend ? Je plaisantais ! s'écria Mitia. Zut, au diable ! Tiens, ils sont tous pareils, reprit-il, se tournant vers Aliocha, indiquant de la tête Rakitine qui s'empressait de sortir. Tout à l'heure, il restait là, il riait, il était gai, et puis, d'un seul coup, il s'emporte. Toi, il ne t'a même pas fait un signe de tête, vous vous êtes vraiment fachés, ou quoi ? Pourquoi tu viens si tard ? Ce n'est pas que je t'attendais, je brûlais depuis le matin. Mais bon, pas grave. On rattrapera.

— Pourquoi est-ce qu'il vient si souvent ? Vous vous êtes liés, ou quoi ? demanda Aliocha, indiquant, lui aussi, la porte par laquelle Rakitine venait de disparaître.

— Avec Mikhaïl, je me suis lié ? Non, je ne dirais pas. Et pourquoi, le fumier ! Il me prend pour... une crapule. La plaisanterie non plus, il ne comprend pas – c'est ça l'essentiel avec eux. Jamais fichus de comprendre une plaisanterie. Et puis c'est sec au fond de son cœur, c'est plat et sec, exactement comme moi, quand j'arrivais à la prison et je regardais ses murs. Mais il est intelligent, ce gars-là, intelligent. Bon, Alexéï, maintenant, elle est perdue, ma tête !

Il s'assit sur un banc et fit asseoir Aliocha près de lui.

— Oui, demain c'est le procès. Quoi, tu n'as donc vraiment aucun espoir, vieux frère ? demanda Aliocha avec une émotion timide.

— Tu me parles de quoi ? fit Mitia en lui lançant une sorte de regard vague. Ah, du procès ! Bah, diable ! On a toujours parlé rien que de bêtises, toi et moi, toi tu me parles toujours du procès, et, moi, je ne t'ai jamais rien dit de l'essentiel. Oui, c'est le procès demain, seulement, moi, ce n'est pas du procès que je parlais, comme quoi ma tête était perdue. Ce n'est pas ma tête qui est perdue, mais ce qu'il y avait dans ma tête, c'est ça qui est perdu. Pourquoi tu me regardes avec tant de reproche dans les yeux ?

— Mais de quoi tu me parles, Mitia ?

— Les idées, les idées, voilà ! L'éphique[1]. C'est quoi, ça, l'éphique ?

— L'éphique ? s'étonna Aliocha.

— Oui, quoi, une science. C'est quoi comme science ?

— Oui, je sais que ça existe... seulement... j'avoue que je ne peux pas t'expliquer ce que c'est.

— Rakitine le sait. Il sait beaucoup de choses, Rakitine, que le diable l'embroche ! Il ne se fera pas moine. Il veut partir à Pétersbourg. Là-bas, il dit, dans la section de la critique, mais avec tendance noble. Ma foi, peut-être qu'il pourra être utile, et se faire une carrière.

1. Mitia emploie le mot *efika*, terme, en russe, beaucoup plus rare que le français *éthique*.

Oh, pour la carrière, c'est un chef ! Au diable, l'éphique ! Moi, je suis perdu, Alexéï, moi, tiens, espèce d'homme de Dieu ! C'est toi que j'aime le plus. J'ai le cœur qui se retourne devant toi, voilà. C'était qui, ça, Karl Bernard ?

— Karl Bernard ? s'étonna à nouveau Aliocha.

— Non, pas Karl, attends, n'importe quoi : Claude Bernard. C'est quoi, ça ? De la chimie, ou quoi ?

— Ça doit être un savant, répondit Aliocha, seulement je t'avoue que je ne saurais pas te dire grand-chose sur lui. J'ai juste entendu dire que c'était un savant, mais, qui c'est, je ne sais pas.

— Que le diable l'embroche, moi non plus, je n'en sais rien, dit Mitia en pestant. Une crapule quelconque, le plus probable, parce que c'est tous des crapules. Mais Rakitine, il saura se faire son trou, il passerait par une fente, Rakitine, un Bernard, tiens. Ah, les Bernard ! Ça se multiplie !

— Qu'est-ce qui t'arrive ? demanda Aliocha avec insistance.

— Il veut écrire un article sur moi, sur mon affaire, et commencer comme ça son rôle dans la littérature, pour ça qu'il vient, il me l'a expliqué de lui-même. Il veut quelque chose d'engagé : "il ne pouvait pas, n'est-ce pas, ne pas tuer – bouffé par le milieu", etc., il m'a expliqué. Avec une teinte de socialisme, il dit, que ça sera. Bah, que le diable l'embroche, qu'il mette une teinte s'il veut une teinte, moi, je m'en tamponne. Il n'aime pas notre frère Ivan, il le déteste, toi non plus, il ne te porte pas dans son cœur. Bon, et moi, je ne le chasse pas, parce que c'est un gars intelligent. Il s'y croit trop, n'empêche. Je viens de lui dire, là : "Les Karamazov ne sont pas des crapules mais des philosophes, parce que tous les vrais Russes sont des philosophes, et, toi, tu as peut-être fait des études, mais tu pues." Il rigole, méchamment, tu sais. Moi, je continue : des *pensibus non est disputandum*, il est beau, mon jeu de mots ? Bref, moi aussi, j'entre dans le classicisme, conclut Mitia, éclatant soudain de rire.

— Mais pourquoi tu es perdu ? Tu viens de le dire, là ? l'interrompit Aliocha.

— Pourquoi je suis perdu ? Hum ! En fait… à prendre le tout – je plains le bon Dieu, voilà pourquoi !

— Comment tu plains le bon Dieu ?

— Imagine-toi : tout ça, là, dans les nerfs, dans la tête, c'est-à-dire là-dedans, dans le cerveau, ces nerfs (que le diable les !…), ils ont des petites queues, comme ça, les nerfs, des petites queues, bon, et, alors, dès qu'ils se mettent, je ne sais pas, à trembler… c'est-à-dire, tu vois, je regarde quelque chose avec mes yeux, comme ça, et, elles, elles se mettent à trembler, les petites queues… et quand elles tremblent, c'est là que l'image apparaît, et elle n'apparaît pas tout de suite, mais une espèce d'instant plus tard, une seconde, comme ça, qui passe, et il y a une espèce, là, tu vois, de moment qui apparaît, c'est-à-dire pas de moment – que le diable l'embroche, le moment –, mais une image, c'est-à-dire de l'objet ou de l'événement, enfin, que le diable les embroche – et voilà pourquoi je contemple, et puis après je pense… à cause de ces petites queues, et pas du tout parce que j'ai une âme, ou que je suis, enfin, quoi, l'image et la semblance, tout ça c'est des bêtises. Ça, petit frère, c'est Mikhaïl qui m'a expliqué ça hier, ça m'a comme brûlé. Elle est magnifique, Aliocha, cette science ! C'est un homme nouveau qui commence, ça, je le comprends… Et, quand même, je plains le bon Dieu !

— C'est déjà quelque chose, dit Aliocha.

— Que je plaigne le bon Dieu ? La chimie, petit frère, la chimie ! Rien à faire, mon révérend, faites-nous un peu de place, la chimie qui arrive ! Et Rakitine, ça, il n'aime pas le bon Dieu, oh non, il ne L'aime pas ! Ça, pour eux tous, c'est l'endroit le plus sensible ! Mais ils le cachent. Ils mentent. Ils font des mines. "Eh quoi, tu vas dire tout ça, je lui demande, dans la section de la critique ? – Bah, au grand jour, ils ne me laisseront pas", il me répond, et il rit. "Mais qu'est-ce que c'est, je lui demande, l'homme, après ça ? Sans Dieu, je veux dire, et sans vie future ? Parce que, donc, alors, maintenant, tout est permis, on peut tout faire ? – Parce que tu ne savais pas ? il me dit. Un homme intelligent, il me dit, il peut tout faire, un homme intelligent il sait pêcher le gros, alors que, toi, tiens, tu as tué, tu te fais prendre et tu pourris en prison !" C'est à moi qu'il dit ça. Un fumier naturel ! Moi, les gars comme lui, avant, je les fichais dehors, mais, maintenant, je les écoute. Il dit aussi beaucoup de choses sensées, n'est-ce pas. C'est intelligent, aussi, comme il écrit. La semaine dernière, il a commencé à me lire un article, j'en ai recopié, exprès, trois lignes, attends, tiens, je les ai.

Mitia, en se pressant, sortit de la poche de son gilet un papier et lut :

— "Pour résoudre cette question, il est indispensable avant tout de placer sa personnalité en porte-à-faux avec la réalité." Tu comprends, ou non ?

— Non, je ne comprends pas, dit Aliocha.

Il observait Mitia d'un œil curieux et l'écoutait.

— Moi non plus, je ne comprends pas. C'est obscur, ce n'est pas clair, mais c'est intelligent. "Tout le monde, il me dit, écrit comme ça maintenant, parce que c'est le milieu qui veut ça…" Ils ont peur du milieu. Il écrit aussi des poèmes, la crapule. Il a chanté le pied de Khokhlakova, ha ha ha !

— On me l'a dit, dit Aliocha.

— On te l'a dit ? Et les petits vers, on te les a lus ?

— Non.

— Je les ai, tiens, je vais te les lire. Tu n'es pas au courant, je ne t'ai pas raconté, ça fait toute une histoire. L'ordure ! Il y a trois semaines, il se met en tête de me narguer : "Toi, il me dit, tu t'es fait prendre comme un crétin pour trois mille roubles, moi je vais en faucher cent cinquante, je me marie avec une certaine veuve et j'achète un immeuble en pierre à Pétersbourg." Et il me raconte qu'il fait la cour à Khokhlakova, et, elle, déjà toute jeune, elle n'était pas brillante, alors, à quarante ans, elle n'a plus un grain de cervelle. "Et tellement sentimentale, il me dit, mais avec ça que je l'aurai. Je me marie, je l'emmène à Pétersbourg, et, là, je me mets à publier un journal." Et une petite salive, tu sais, sale, de jouisseur, comme ça, au coin des lèvres – ce n'est pas pour Khokhlakova qu'il salive, mais pour ces cent cinquante mille. Et il me l'a fait croire, il me l'a fait croire ; il passe me voir tous les jours, tout le temps ; ça marche, il me dit. Il rayonnait de joie. Et, là, d'un coup, voilà qu'on le met dehors : Piotr Ilitch Perkhotine qui prend le dessus, bravo ! C'est-à-dire, je l'embrasserais sur les joues, cette gourde, de l'avoir mis dehors ! Et donc, il me rendait visite, et c'est là qu'il a composé ces petits vers. "La première fois, il me dit, que je me salis les mains, que j'écris des vers, pour la séduire, donc, pour une chose utile. Si je lui prends son capital, à cette cloche, je peux être utile, par la suite, à la société." Ces gars-là, pour toutes les saletés, ils ont des excuses civiques ! "Et quand même, il me dit, au résultat, c'est mieux que chez Pouchkine, parce que, même dans un petit poème plaisant, j'ai su placer une douleur civique." Ce qu'il dit, là, sur Pouchkine, je comprends. C'est vrai, il était doué, ce gars-là, mais pourquoi il a seulement décrit des petits petons ? Et ce qu'il en était fier, de ses poèmes ! Cet amour-propre qu'ils ont, cet amour-propre ! *Pour la guérison du pied malade de mon objet*, un titre comme ça qu'il a trouvé – le joyeux gaillard !

Ce peton, ah, ce peton,
Est malade nous dit-on...
Les docteurs s'acharnent, triment,
Ils le bandent, ils l'abîment.

Certes, le peton m'inquiète
Mais Pouchkine en est le chantre
Je m'inquiète pour la tête
Qui l'idée ne peut comprendre.

On sentait naître une prémisse,
Le peton enflé l'arrête.
Ah, que le peton guérisse
Pour remplir un peu la tête.

Un fumier, un vieux fumier, et ça fait joyeux quand même, chez ce salopard ! Et c'est vrai qu'il y a fourré du "civique". Et comme il s'est fâché, quand on l'a mis dehors. Il en grinçait des dents !

— Il s'est déjà vengé, dit Aliocha. Il a écrit un article sur Khokhlakova.

Et Aliocha lui raconta à la hâte l'histoire de l'article dans le journal *Les Rumeurs*.

— C'est lui, c'est lui ! confirma Mitia, rembruni, c'est lui ! Ces articles... je le sais bien... c'est-à-dire, il y a déjà tellement de bassesses qu'on a écrites, sur Groucha, par exemple !... Et sur l'autre, aussi, sur Katia... Hum !

Il fit quelques pas dans la pièce d'un air soucieux.

— Vieux frère, je ne peux pas rester longtemps, dit Aliocha après un silence. Demain, c'est un jour terrible, un grand jour pour toi : le jugement de Dieu sur toi... et, moi, je m'étonne, tu restes, là, et, au lieu de choses sérieuses, tu me parles de n'importe quoi...

— Non, ne t'étonne pas, l'interrompit Mitia avec chaleur. De quoi tu veux que je te parle, de ce chien puant, ou quoi ? De l'assassin ? On a assez parlé de lui, toi et moi. Je ne veux plus, sur le puant, le fils de la Puante ! C'est Dieu qui le tuera, tiens, tu verras, tais-toi !

Et il s'approcha, très ému, d'Aliocha, et l'embrassa soudain. Ses yeux se mirent à brûler.

— Ça, Rakitine ne le comprendra pas, commença-t-il, tout entier pénétré d'une espèce d'exaltation, mais, toi, tu comprendras tout. Pour ça que je voulais tellement te voir. Vois-tu, il y a longtemps que je voulais t'exprimer beaucoup de choses, là, entre ces murs décrépis, mais je me taisais sur l'essentiel : je ne sais pas, ce n'était jamais le bon moment. Maintenant, voilà, j'ai attendu le dernier jour, pour t'épancher mon âme. Vieux frère, pendant ces deux derniers mois, j'ai senti en moi un homme nouveau, un homme nouveau est ressuscité en moi ! Il était enfermé en moi, et il ne serait jamais paru, sans ce coup de tonnerre. C'est affreux ! Et qu'est-ce que j'en ai à faire que, pendant vingt ans, dans les mines, je creuserai le minerai à coups de marteau, ce n'est pas du tout de ça que j'ai peur, non, c'est autre chose, maintenant, qui m'effraie : que cet homme ressuscité, maintenant, il me quitte ! On peut aussi trouver là-bas, sous la terre, à côté de soi, dans un bagnard, un assassin comme toi, un cœur humain, et se lier à lui, parce que, là-bas aussi, on peut vivre, et on peut aimer, et souffrir ! On peut ranimer et ressusciter dans ce bagnard son cœur engourdi, on peut le soigner des années durant et finir par sortir du lupanar, à la lumière, une âme haute, une conscience de martyr, faire renaître un ange, ressusciter un héros ! Et ils sont si nombreux, il y en a des centaines, et, nous, nous sommes tous coupables pour eux ! Pourquoi est-ce que j'ai fait ce rêve du "petiot", à ce moment-là, dans un moment pareil ? "Pourquoi il est pauvre, le petiot ?" Ça a été une prophétie pour moi, à cet instant-là ! Pour "le petiot", j'irai. Parce que tout le monde est coupable pour tout. Pour tous les "petiot[1]", parce qu'il y a des enfants petits et puis des grands. "Le petiot" – c'est tout. C'est pour tous que j'irai, parce qu'il faut bien quand même qu'il y ait quelqu'un qui y aille, pour tous. Je n'ai pas tué le père, mais il faut que j'y aille. J'accepte ! Ça m'est venu ici, ça... là, entre ces murs décrépis. Et il y en a beaucoup, là-bas, il y en a des centaines, ceux sous la terre, leur marteau à la main. Oh oui, nous serons dans les chaînes, il n'y aura pas de liberté, mais, à ce moment-là, dans notre malheur sans fond, nous ressusciterons à nouveau pour cette joie sans laquelle l'homme ne peut pas vivre sur terre, et Dieu ne peut pas être, parce que Dieu donne la joie, ça, c'est Son privilège, Son privilège immense... Mon Dieu, que l'homme fonde en prière ! Qu'est-ce que je serai, moi, sous la terre, sans Dieu ? Il ment, Rakitine : si Dieu est banni de la terre, on Le trouvera sous la terre ! Un bagnard ne peut pas vivre sans Dieu, c'est même plus impossible pour lui que pour un non-bagnard ! Et à ce moment-là, nous, les hommes sous la terre, du fond des entrailles de la terre, nous chanterons un hymne tragique au Dieu de joie ! Vive Dieu, et vive Sa joie ! Je L'aime !

Mitia, en prononçant son discours frénétique, étouffait presque. Il avait pâli, ses lèvres tressaillaient, des larmes coulaient de ses yeux.

1. Mitia emploie le mot populaire qui, en russe, est dénué de pluriel.

— Non, la vie est pleine, la vie existe aussi sous la terre ! reprit-il. Tu ne croiras pas, Aliocha, à quel point je veux vivre maintenant, quelle soif d'exister et d'avoir conscience est née en moi justement entre ces murs décrépis ! Rakitine ne comprend pas ça, lui, tout ce qu'il veut, c'est bâtir un immeuble et le mettre en location, mais je t'attendais, toi. Et qu'est-ce que c'est que la souffrance ? Elle ne me fait pas peur, quand bien même il y en aurait des masses. Maintenant, je n'ai pas peur, avant j'avais peur. Tu sais, si ça se trouve, je ne répondrai rien pendant le procès... Et je crois que j'ai assez de force maintenant, je dominerai tout, toutes les souffrances, juste pour me dire, pour me répéter à chaque instant : je suis ! Dans des milliers de souffrances – je suis, je me tords dans la torture – mais je suis ! Je suis enfermé dans un puits, oui, mais enfin j'existe, je vois le soleil, et, si je ne vois pas le soleil, je sais qu'il y a le soleil. Et, le savoir, qu'il y a le soleil – c'est déjà toute la vie. Aliocha, mon chérubin, ça me tue, toutes les philosophies, que le diable les embroche ! Notre frère Ivan...

— Quoi notre frère Ivan ? l'interrompit Aliocha, mais Mitia n'entendit pas.

— Tu vois, avant, tous ces doutes, je ne les avais pas du tout, mais ils étaient enfouis en moi. C'est justement à cause de ça, peut-être bien, qu'il y avait des idées, là, inconnues qui bouillonnaient en moi, que je faisais la noce, je me battais, que j'étais possédé. Pour les dompter en moi, que je me battais, pour les apaiser, les écraser. Notre frère Ivan, ce n'est pas Rakitine, il cache une idée. Notre frère Ivan, c'est un sphinx et il se tait, il se tait tout le temps. Et, moi, Dieu me torture. Et lui, alors, non ? Si Rakitine avait raison, que c'est une idée artificielle dans l'humanité ? A ce moment-là, si Dieu n'existe pas, l'homme est chef de la terre, de toute la création. Magnifique ! Seulement, comment il peut être vertueux, sans Dieu ? Question. Moi, c'est toujours ça. Parce que, qui est-ce donc qu'il aimera, l'homme, je veux dire ? Qui est-ce qu'il remerciera, à qui il le chantera, son hymne ? Rakitine, il rigole. Rakitine dit que sans Dieu aussi on peut aimer l'humanité. Non, il n'y a qu'un blanc-bec morveux pour affirmer une chose pareille, moi, je n'arrive pas à comprendre. C'est facile de vivre, pour Rakitine : "Toi, il me dit aujourd'hui, agite-toi plutôt pour l'extension des droits du citoyen ou au moins pour que le prix de la viande n'augmente pas ; avec ça, ton amour de l'humanité, tu pourras le montrer d'une façon plus simple et plus directe qu'avec des philosophies." Et, moi, je lui envoie dans les dents : "Mais toi, je lui dis, sans Dieu, toi-même, tu serais capable de faire monter le prix de la viande, si tu peux, tu te feras un rouble sur chaque kopeck." Il s'est fâché. Parce que, qu'est-ce que c'est, la vertu ? réponds, toi, Aliocha. Moi, j'ai une vertu, et le Chinois, une autre – la chose, donc, elle est relative. Ou non ? Ou bien elle n'est pas relative ? Question vicieuse ! Tu ne riras pas, si je te dis que, pendant deux nuits, je n'ai pas dormi à cause de ça ? Il n'y a qu'une chose qui m'étonne, c'est que les gens, quoi, ils vivent et ils n'y pensent pas du tout. Vanité ! Ivan, il n'a pas de Dieu. Ivan, il a une idée. Pas dans mes dimensions. Mais il se tait. Je pense qu'il est franc-maçon. Je lui ai demandé – il se tait. J'ai voulu boire de l'eau à sa source – il se tait. Une fois seulement il m'a dit un petit mot.

— Qu'est-ce qu'il a dit ? s'empressa de demander Aliocha.

— Moi je lui dis : Donc, tout est permis, si c'est comme ça ? Il se rembrunit : "Fiodor Pavlovitch, il me dit, notre petit papa, c'était un petit cochon, n'empêche qu'il pensait juste." Ça qu'il m'a balancé. C'est tout ce qu'il a dit. Ça, c'est plus fort que Rakitine.

— Oui, confirma amèrement Aliocha. Quand est-ce qu'il est venu te voir ?

— Ça, plus tard, maintenant – autre chose. D'Ivan, moi je ne t'ai presque rien dit jusqu'à présent. Je remettais à la fin. Quand tout ce machin ici sera fini et qu'ils diront le verdict, alors, il y a des petites choses que je te raconterai, je te raconterai tout. Il y a une affaire qui fait peur ici… Et, toi, tu seras mon juge dans cette affaire. Mais, pour l'instant, n'essaie pas de m'en parler, pour l'instant, motus. Tu parles, tiens, de demain, du procès, mais, tu me croiras, moi, je ne sais rien du tout.

— Tu as parlé avec cet avocat ?

— Quoi, l'avocat ! Je lui ai parlé de tout. Une ordure en douceur, de la capitale. Un Bernard ! Seulement, il ne me croit pas du tout. Il croit que j'ai tué, imagine-toi, – ça, je le vois. "Pourquoi vous êtes venu me défendre, je lui demande, dans ce cas-là ?" On s'en fiche, d'eux. Ils ont aussi fait venir un docteur, ils veulent me faire passer pour fou. Je ne permettrai pas ! Katérina Ivanovna veut accomplir "son devoir" jusqu'au bout. Elle se force ! ricana amèrement Mitia. Une chatte ! Un cœur cruel ! Elle le sait, ce que j'ai dit d'elle, à Mokroïé, que c'était une femme de "grande colère" ! Ils lui ont transmis ça. Oui, les témoignages se sont multipliés, comme les sables de la mer ! Grigori s'obstine dans ce qu'il dit. Grigori est honnête, mais il est bête. Il y a beaucoup de gens honnêtes parce qu'ils sont bêtes. Ça, c'est une idée à Rakitine. Grigori est mon ennemi. Il y a des gens qu'il vaut mieux avoir comme ennemis que comme amis. Je dis ça de Katérina Ivanovna. J'ai peur, oh, j'ai peur qu'au procès elle ne raconte ce salut jusqu'à terre après les quatre mille cinq cents roubles ! Elle me paiera jusqu'à la fin, jusqu'au dernier as. Je ne veux pas de son sacrifice ! Ils me feront honte au procès ! Comment je supporterai. Va la voir, Aliocha, demande-lui qu'elle n'en parle pas au procès. Ou ce n'est pas possible ? Mais, diable, peu importe, je tiendrai ! Elle, je ne la plains pas. C'est elle qui veut. Elle n'a que ce qu'elle mérite. Moi, Alexéï, je dirai ce que je dois dire. Il eut un autre ricanement amer. Seulement… seulement, Groucha, hein, Groucha, mon Dieu ! Elle, pourquoi elle se chargera de cette torture, elle ! s'exclama-t-il soudain, les larmes aux yeux. Elle me tue, Groucha, ça me tue de penser à elle, ça me tue ! Elle est venue tout à l'heure…

— Elle m'a raconté. Tu lui as fait beaucoup de peine aujourd'hui.

— Je sais. Que le diable m'embroche pour mon caractère. J'ai été jaloux ! Quand elle est repartie, je me suis repenti, je l'ai embrassée. Je ne lui ai pas demandé pardon.

— Pourquoi tu n'as pas demandé ? s'exclama Aliocha.

Mitia eut soudain un rire presque joyeux.

— Dieu te préserve, mon gentil petit garçon, de demander pardon pour une faute à la femme que tu aimes ! Surtout à la femme que tu aimes, surtout, si coupable que tu puisses être devant elle ! Parce que, les femmes – mon vieux, le diable sait ce que c'est, en elles, au moins, je m'y connais ! Essaie, tiens, d'avouer ta faute devant une femme, "je suis coupable, bon, pardon, excuse-moi" : c'est là que tu vas subir une grêle de reproches ! Jamais de la vie elle ne te pardonnera franchement et simplement, elle te réduira d'abord à l'état de lavasse, elle te comptera même ce que tu n'as pas fait, elle prendra tout, elle n'oubliera rien, elle en sortira encore de derrière les fagots, et c'est seulement là qu'elle pardonnera. Et ça, encore, pour la meilleure, la meilleure d'entre elles ! Elle te grattera toutes les dernières raclures, et elle te les versera sur la tête – tellement, je te dis, elles ont l'esprit carnassier, de la première à la dernière, oui, ces anges-là, sans lesquels, nous, on ne peut pas vivre ! Tu vois, mon mignon, je te dis une chose claire et nette : tout homme honnête doit vivre sous le soulier d'une femme. Telle est ma conviction ; ce n'est pas une conviction, c'est un sentiment. L'homme doit être généreux, et ce ne n'est pas ça qui souillera l'homme. Même un héros, ça ne le souillera pas, même César ! Bon, et, quand même, ne demande jamais pardon, jamais, pour rien au monde. Souviens-toi d'une règle : ton frère Mitia te l'a donnée, lequel s'est perdu pour une femme. Non, je revaudrai ça à Groucha, d'une façon ou d'une autre, sans demander pardon. Je suis en vénération devant elle, Alexéï, en vénération ! Sauf que, ça, elle ne le voit pas, pour elle il y a toujours trop peu d'amour. Et elle me ronge, elle me ronge par l'amour. Rien à voir avec moi ! Avant, ce qui me rongeait, c'étaient les sinuosités d'enfer, mais, maintenant, j'ai pris toute son âme dans mon âme, et c'est par elle que je suis devenu un être humain ! Est-ce qu'on nous mariera ? Sans ça, je mourrai de jalousie. Tous les jours, un rêve comme ça qui me vient… Qu'est-ce qu'elle t'a dit de moi ?

Aliocha répéta tout ce qu'avait dit Grouchenka. Mitia écouta en détail, fit répéter certaines choses et resta satisfait.

— Donc, elle ne m'en veut pas que je sois jaloux, s'exclama-t-il. Une vraie femme ! "Moi aussi, j'ai le cœur cruel." Hou, je les aime, les comme ça, les cruelles, même si je ne supporte pas quand elle est jalouse, je ne supporte pas ! On va se battre. Mais, pour l'aimer – je l'aimerai à l'infini. Est-ce qu'on nous mariera ? Est-ce qu'ils peuvent se marier, les bagnards ? Parce que, sans elle, je ne peux pas vivre…

Mitia fit quelques pas dans la pièce, l'air rembruni. Dans la pièce, il faisait presque nuit. Soudain, il fut terriblement soucieux.

— Alors, un secret, elle dit, un secret ? Je fais un complot, n'est-ce pas, à trois contre elle, et "Katka" aussi, alors, elle serait dans le coup ? Eh non, mon vieux frère Grouchenka, ce n'est pas ça. Là, tu te mets le doigt dans l'œil, ton petit doigt bébête de bonne femme ! Aliocha, mon mignon, bon, tant qu'on y est ! Je vais te le révéler, notre secret !

Il regarda partout autour de lui, s'approcha très vite tout contre Aliocha qui se tenait devant lui, et se mit à chuchoter d'un air mystérieux, même si, en fait, personne ne pouvait les entendre : le vieux gardien somnolait dans un coin sur son banc et les soldats de la garde étaient trop loin pour entendre un seul mot.

— Je vais te révéler tout notre secret ! chuchota Mitia d'un ton précipité. Je voulais te le révéler plus tard, parce que, de toute façon, sans toi, comment je pourrais me décider à quoi que ce soit ? Toi, tu es tout pour moi. J'ai beau dire qu'Ivan est plus haut que nous, toi, tu es mon chérubin. Ce sera seulement ta décision qui décidera. C'est toi, si ça se trouve, l'homme le plus haut, et pas Ivan. Vois-tu, c'est une affaire de conscience, une affaire de la plus haute conscience – un secret tellement important que je n'arrive toujours pas moi-même à m'y retrouver, je remettais toujours pour toi. Et malgré tout, maintenant, il faut trancher, parce qu'il faut attendre le verdict : le verdict tombera, et, là, tu trancheras le destin. Pour le moment, ne tranche rien : je vais te le dire, tu entendras, mais ne tranche pas. Ne bouge pas et tais-toi. Je ne te révélerai pas tout. Je te dirai juste l'idée, sans les détails, mais, toi, tais-toi. Pas une question, sans un geste, d'accord ? Remarque, mon Dieu, qu'est-ce que je pourrai faire de tes yeux ! Mon Dieu, c'est tes yeux qui diront la décision, quand bien même tu te tairais. Hou, j'ai peur ! Aliocha, écoute : notre frère Ivan me propose de *m'évader*. Je ne te dis pas les détails : tout est prévu, tout est réalisable. Tais-toi, ne tranche pas. En Amérique, avec Groucha. Parce que je ne peux pas vivre sans Groucha ! Comment on la laisserait passer chez moi là-bas ? Est-ce qu'ils ont le droit de se marier, les bagnards ? Le frère Ivan dit que non. Et, sans Groucha, comment je ferai, moi, avec mon marteau, sous la terre ? Je vais juste m'écrabouiller le crâne moi-même, moi, avec ce marteau ! Mais, de l'autre côté, et la conscience ? C'est la souffrance que j'aurais fuie ! Il y aura eu un signe – j'ai rejeté le signe, il y avait un chemin de purification – moi, je tourne bâbord toute. Ivan dit qu'en Amérique, avec "de bons penchants", on peut être plus utile que sous la terre. Bon, mais notre hymne, là, de sous la terre, où est-ce qu'il aura lieu ? Qu'est-ce que c'est, l'Amérique, l'Amérique, c'est encore la vanité ! De la filouterie aussi, il doit y en avoir beaucoup en Amérique. J'aurai fui la crucifixion ! Parce que, je te le dis, Alexéï, tu es le seul à pouvoir le comprendre, il n'y a personne d'autre, pour les autres, ça, c'est des bêtises, tout ce que je t'ai dit, là, sur l'hymne. Ils diront que je suis devenu fou, ou que je suis un idiot. Ivan aussi, il comprend, l'hymne, hou qu'il comprend, seulement, sur ça, il ne répond pas, il se tait. L'hymne, il n'y croit pas. Ne dis rien, ne dis rien : je vois bien comme tu me regardes : tu as déjà tranché ! Ne tranche pas, épargne-moi, je ne peux pas vivre sans Groucha, attends le procès !

Mitia avait fini dans un état second. Il tenait Aliocha des deux mains par les épaules, et il avait rivé sur lui ses yeux ardents et enflammés.

— Ils ont le droit de se marier, les bagnards ? répéta-t-il une troisième fois, d'une voix suppliante.

Aliocha l'écoutait dans une surprise extrême, il était profondément bouleversé.

— Dis-moi juste une seule chose, murmura-t-il, Ivan insiste beaucoup, et qui a trouvé ça le premier ?

— C'est lui, lui qui l'a trouvé, lui qui insiste ! Il n'était jamais venu me voir et puis, d'un coup, il est venu la semaine dernière, et c'est par ça qu'il a commencé. Il insiste terriblement. Ce n'est pas qu'il demande, il ordonne. Il ne doute pas que j'obéisse, même si je lui ai ouvert tout mon cœur, comme à toi, et si je lui ai parlé de l'hymne. Il m'a raconté qu'il arrangerait tout, il a pris tous les renseignements, mais, ça, plus tard. Il veut jusqu'à la crise de nerfs. L'essentiel, c'est l'argent : dix mille roubles, il me dit, pour la fuite, et puis vingt mille pour l'Amérique, et, pour dix mille roubles, on arrangera une évasion splendide.

— Et, moi, il a absolument interdit de m'en parler ? redemanda Aliocha.

— Absolument, à personne, et surtout pas à toi ; à toi, pour rien au monde ! Il a peur, sans doute, que tu te dresses devant moi comme une conscience. Ne lui dis pas que je t'ai mis au courant. Hou, ne le dis pas !

— Tu as raison, conclut Aliocha, c'est absolument impossible de trancher avant le procès. Après le procès, c'est toi qui trancheras ; à ce moment-là, tu te trouveras en toi-même un homme nouveau, c'est lui qui tranchera.

— Un homme nouveau ou un Bernard, il va trancher à la Bernard ! Parce que, moi-même, si ça se trouve, je suis un Bernard méprisable ! fit Mitia dans un sursaut amer.

— Mais alors vraiment, alors vraiment, mon frère, tu n'as aucun espoir de te justifier ?

Mitia haussa convulsivement les épaules et secoua la tête.

— Aliocha, mon mignon, il est temps que tu y ailles ! s'empressa-t-il soudain. Le directeur vient de crier dans la cour, il arrive. C'est tard, pour nous, ça fait du désordre. Prends-moi vite dans tes bras, embrasse-moi, bénis-moi, mon mignon, bénis-moi pour la croix de demain…

Ils s'étreignirent et s'embrassèrent.

— Et Ivan, hein, murmura soudain Mitia, il m'a proposé l'évasion, et, lui-même, il pense que c'est moi qui ai tué !

Un sourire ironique et triste parut sur ses lèvres.

— Tu le lui as demandé, s'il le croyait ou pas ? demanda Aliocha.

— Non, je n'ai rien demandé. Je voulais le lui demander, mais je n'ai pas pu, je n'ai pas eu la force. Mais c'est pareil, je le vois bien à ses yeux. Allez, adieu !

Ils s'embrassèrent une nouvelle fois à la hâte, et Aliocha sortait déjà quand, brusquement, Mitia le rappela encore :

— Mets-toi devant moi, là, comme ça.

Et, de nouveau, il saisit Aliocha très fort, par les deux épaules. Son visage était soudain devenu livide, au point que, dans la pénombre presque totale, on pouvait le remarquer. Ses lèvres s'étaient déformées, son regard s'était figé sur Aliocha.

— Aliocha, dis-moi la vérité totale, comme devant le Seigneur Dieu ; tu le crois, que j'ai tué, ou tu ne le crois pas ? Toi, toi-même, tu le crois, oui ou non ? La vérité totale, ne mens pas ! lui cria-t-il dans un état second.

Aliocha fut comme entièrement retourné, et ce fut comme si quelque chose d'aigu, il le sentit, lui traversait le cœur.

— Arrête, mais enfin… balbutia-t-il, comme désarçonné.

— Toute la vérité, toute, ne mens pas ! répéta Mitia.

— Je n'ai jamais cru une minute que tu étais un assassin, laissa soudain échapper Aliocha du fond de sa poitrine et il leva son bras droit, comme s'il prenait Dieu à témoin de ses paroles. Une béatitude inonda dans l'instant tout le visage de Mitia.

— Je te remercie ! reprit-il d'une voix traînante, comme s'il poussait un soupir après s'être évanoui. Maintenant, tu m'as régénéré… Tu me croiras ? jusqu'à présent, j'avais eu peur de te poser la question, et toi, oui, toi ! Bon, vas-y, vas-y ! Tu m'as donné de la force pour demain, que le bon Dieu te bénisse ! Allez, va-t'en, aime Ivan ! laissa échapper Mitia comme dernière parole.

Aliocha ressortit baigné de larmes. Un tel degré de défiance chez Mitia, un tel degré de méfiance, même pour lui, pour Aliocha – tout cela avait soudain révélé à Aliocha un abîme de douleur et de désespoir insondables dans l'âme de son malheureux frère, un abîme qu'il n'avait même jamais soupçonné jusque-là. Une compassion profonde, infinie, le saisit soudain et le mit au supplice. Son cœur percé souffrait terriblement. "Aime Ivan !" – telles étaient les paroles que Mitia venait de lui lancer, et qui lui revinrent soudain. Mais, justement, il se rendait chez Ivan. Le matin encore, il avait un besoin terrible de voir Ivan. Ivan ne le torturait pas moins que Mitia et, à présent, après sa visite chez son frère, plus que jamais.

V

PAS TOI, PAS TOI !

En se rendant chez Ivan, il dut passer devant la maison qu'habitait Katérina Ivanovna. Les fenêtres étaient éclairées. Il s'arrêta soudain et décida d'entrer. Il n'avait pas revu Katérina Ivanovna depuis presque une semaine. Mais, à présent, il venait de se dire qu'Ivan était peut-être chez elle, surtout à la veille d'un tel jour. Il sonna, se glissa dans l'escalier faiblement éclairé par une lanterne chinoise, et aperçut, descendant l'escalier, un homme dans lequel, après s'être approché, il reconnut son frère. Donc, ce dernier sortait de chez Katérina Ivanovna.

— Ah, ce n'est que toi, dit sèchement Ivan Fiodorovitch. Bon, adieu. Tu vas chez elle.

— Oui.

— Je ne te le conseille pas. Elle est “très agitée”, et tu ne feras que l'abattre davantage.

— Non, non ! cria soudain une voix par la porte qui venait de s'ouvrir à la seconde. Alexéï Fiodorovitch, vous venez de chez lui ?

— Oui, j'arrive de chez lui.

— Il vous envoie me dire quelque chose ? Entrez, Aliocha, et vous, Ivan Fiodorovitch, revenez, absolument, absolument. Vous en-ten-dez !

Une petite note si impérieuse tinta dans la voix de Katia qu'Ivan Fiodorovitch, après un instant d'hésitation, décida néanmoins de remonter avec Aliocha.

“Elle écoutait à la porte !” chuchota-t-il en lui-même, très énervé, mais Aliocha l'entendit.

— Permettez-moi de garder mon manteau, murmura Ivan Fiodorovitch en entrant dans la salle. Je ne m'assiérai pas. Je ne resterai pas plus d'une minute.

— Asseyez-vous, Alexéï Fiodorovitch, prononça Katérina Ivanovna, tout en restant debout elle-même. Elle avait peu changé pendant ce temps mais ses yeux noirs brûlaient d'une flamme dure. Aliocha devait se souvenir par la suite qu'elle lui avait paru particulièrement belle à cet instant.

— Que vous a-t-il demandé de me transmettre ?

— Juste une chose, dit Aliocha en la regardant droit dans les yeux, de vous épargner, et de ne rien dire devant le tribunal de cette… – il hésita un peu –, de ce qu'il y a eu entre vous… au moment de votre toute première rencontre… dans l'autre ville…

— Ah, ce salut jusqu'à terre, pour cet argent ! reprit-elle avec un rire amer. Eh quoi, c'est pour lui qu'il a peur, ou c'est pour moi – hein ? Il me dit d'épargner – mais qui ? Lui ou moi ? Parlez, Alexéï Fiodorovitch.

Aliocha la regardait fixement, essayant de la comprendre.

— Et lui, et vous, dit-il d'une voix douce.

— C'est cela, reprit-elle avec une espèce de colère, et elle rougit soudain. Vous me connaissez encore mal, Alexéï Fiodorovitch, dit-elle sur un ton menaçant, et moi aussi, je me connais encore mal. Vous voudrez peut-être me fouler aux pieds après ma déposition de demain.

— Vous ferez une déposition honnête, dit Aliocha, on n'a besoin de rien d'autre.

— La femme est souvent malhonnête, fit-elle, sarcastique. Il y a encore une heure, je pensais que j'avais peur rien que de toucher ce monstre… comme un reptile… et voilà que non, il reste tout de même un être humain pour moi ! Et puis, est-ce que c'est lui qui a tué ?

Est-ce que c'est lui ? s'exclama-t-elle, presque hystérique, s'adressant très vite à Ivan Fiodorovitch. Aliocha comprit à la seconde qu'elle avait déjà posé cette même question à Ivan Fiodorovitch une minute, peut-être, avant son arrivée, et pas pour la première fois, mais la centième, et qu'ils avaient fini sur une dispute.

— Je suis allée chez Smerdiakov... C'est toi, toi qui m'as convaincue que c'était lui, le parricide ! C'est seulement toi que j'ai cru ! poursuivit-elle, s'adressant toujours à Ivan Fiodorovitch. Ce dernier eut une espèce de ricanement forcé. Aliocha tressaillit en entendant ce *toi*. Il était loin de soupçonner ces relations-là.

— Bon, n'empêche, ça suffit, trancha Ivan. J'y vais. Je serai là demain. Et, se retournant aussitôt, il sortit de la pièce et se dirigea directement vers l'escalier. Katérina Ivanovna, soudain, dans une espèce de geste impérieux, saisit Aliocha par les deux bras.

— Suivez-le ! Rattrapez-le ! Ne le laissez pas une minute seul, chuchota-t-elle très vite. Il est fou. Vous ne le savez pas, qu'il est fou ? Il a la fièvre, une fièvre chaude nerveuse ! C'est le docteur qui me l'a dit, allez, courez le rattraper...

Aliocha bondit et se précipita à la poursuite d'Ivan Fiodorovitch. Ce dernier n'avait pas encore eu le temps de faire une cinquantaine de pas.

— Qu'est-ce que tu veux ? fit-il, se tournant soudain vers Aliocha en voyant qu'il le rattrapait. Elle t'a ordonné de courir derrière moi parce que je suis fou. C'est clair comme de l'eau de roche, ajouta-t-il avec agacement.

— Elle a tort, bien sûr, mais elle a raison que tu es malade, dit Aliocha. Je viens de regarder ton visage chez elle ; tu as un visage très malade, très, Ivan !

Ivan marchait sans s'arrêter. Aliocha le suivait.

— Parce que tu sais, Alexéï Fiodorovitch, comment ça se passe quand on devient fou ? demanda Ivan d'une voix soudain totalement paisible, plus du tout agacée, dans laquelle on ressentit soudain une curiosité des plus débonnaires.

— Non, je ne sais pas ; je suppose qu'il y a plein de formes différentes de folie.

— Mais, soi-même, on peut le voir, qu'on devient fou ?

— Je pense que c'est impossible de se voir clairement en train de le devenir, répondit Aliocha avec surprise. Ivan se tut une petite demi-minute.

— Si tu veux me parler, change de sujet, je te le demande, dit-il soudain.

— Tiens, pour ne pas oublier, une lettre pour toi, dit timidement Aliocha, et, la sortant de sa poche, il lui tendit la lettre de Liza. Ils venaient juste d'arriver au niveau d'un réverbère. Ivan reconnut l'écriture aussitôt.

— Ah, c'est de ce petit démon ! fit-il avec un rire méchant et, sans décacheter l'enveloppe, il la déchira soudain en plusieurs morceaux et la jeta au vent. Les bribes s'envolèrent.

— Elle n'a pas encore seize ans, je crois bien, et elle se propose déjà ! murmura-t-il avec mépris, en reprenant ses grandes enjambées sur le trottoir.

— Comment ça, elle se propose ? s'exclama Aliocha.

— On sait bien, comme les femmes dépravées se proposent.

— Mais enfin, Ivan, enfin ! répliqua Aliocha, la défendant avec chaleur et peine. C'est une enfant, tu offenses une enfant ! Elle est malade, elle-même elle est très malade, elle aussi, peut-être bien, elle devient folle… Je ne pouvais pas ne pas te transmettre sa lettre… Moi, au contraire, ce que je voulais entendre de toi… pour la sauver.

— Tu n'as rien à entendre de moi. Si c'est une enfant, je ne suis pas sa nounou. Tais-toi, Alexéï. Arrête. Elle est le cadet de mes soucis.

Ils se turent à nouveau une petite minute.

— Maintenant, toute la nuit, elle va prier la Mère de Dieu, qu'elle lui dise ce qu'elle doit y faire, au procès, reprit-il soudain d'un ton brutal et méchant.

— Tu… tu parles de Katérina Ivanovna ?

— Oui. Si elle joue celle qui sauve Mitenka ou bien celle qui le perd ? C'est pour ça qu'elle va prier, que la lumière se fasse dans son âme. Elle-même, voyez-vous ça, elle ne sait pas encore, elle n'a pas eu le temps de se préparer. Moi aussi, elle me prend pour sa nounou, elle veut que je la berce !

— Katérina Ivanovna est amoureuse de toi, mon frère, murmura Aliocha dans une tristesse émue.

— Peut-être. Mais, moi, je ne suis pas preneur.

— Elle souffre. Pourquoi est-ce que tu lui dis… parfois… des mots qui la font espérer ? poursuivit Aliocha avec un reproche timide. Je sais bien que tu lui as donné de l'espoir, pardon si je parle comme ça, ajouta-t-il.

— Je ne peux pas, moi, agir comme il faut, briser net et le lui dire clairement ! prononça Ivan avec agacement. Il faut attendre que le verdict tombe pour l'assassin. Si je brise avec elle en ce moment, elle, pour se venger de moi, demain, elle fera la perte de cette fripouille au procès, parce qu'elle le hait et qu'elle le sait, qu'elle le hait. Là, tout est mensonge, mensonge sur mensonge ! Pour le moment, tant que je n'ai pas rompu, elle garde encore espoir et elle ne voudra pas faire la perte de ce monstre, sachant que, moi, je veux le tirer de son malheur. Ah, mais qu'il vienne vite, ce maudit verdict !

Les mots "assassin" et "monstre" eurent un écho douloureux dans le cœur d'Aliocha.

— Mais comment elle pourrait faire la perte de notre frère ? demanda-t-il, réfléchissant aux paroles d'Ivan. Qu'est-ce qu'elle peut dire qui fasse directement la perte de Mitia ?

— Tu n'es pas encore au courant. Elle détient un document, manuscrit, de Mitenka, qui prouve comme deux fois deux que c'est lui qui a tué Fiodor Pavlovitch.

— Ce n'est pas possible ! s'exclama Aliocha.

— Comment ce n'est pas possible ? Je l'ai lu.

— Un document pareil ne peut pas exister ! répéta avec fougue Aliocha. Il ne peut pas exister, parce que ce n'est pas lui, l'assassin. Ce n'est pas lui qui a tué le père, ce n'est pas lui !

Ivan Fiodorovitch s'arrêta soudain.

— Qui donc est l'assassin, d'après vous ? demanda-t-il avec une espèce de froideur de façade, et ce fut même une espèce de petite note hautaine qui tinta dans le ton de la question.

— Tu le sais bien, qui c'est, murmura Aliocha d'une voix douce et émue.

— Qui ? C'est cette fable sur cet idiot de fou épileptique ? Sur Smerdiakov ?

Aliocha sentit soudain qu'il tremblait de tous ses membres.

— Tu le sais bien, qui c'est, laissa-t-il échapper, impuissant. Il haletait.

— Mais qui, qui ? s'écria Ivan d'une voix à présent rageuse. Toute sa retenue s'était évaporée.

— Je ne sais qu'une seule chose, poursuivit Aliocha avec le même quasi-chuchotement. *Ce n'est pas toi* qui as tué le père.

— "Pas toi !" Ça veut dire quoi, pas toi ? reprit Ivan, hébété.

— Ce n'est pas toi qui as tué le père, ce n'est pas toi ! répondit fermement Aliocha.

Le silence dura une trentaine de secondes.

— Mais je le sais bien que ce n'est pas moi, qu'est-ce que tu délires ? murmura Ivan, dans un ricanement pâle et grimaçant. Ses yeux étaient littéralement rivés à Aliocha. Ils se tenaient tous les deux à nouveau devant un réverbère.

— Non, Ivan, tu t'es dit toi-même plusieurs fois que, l'assassin, c'était toi.

— Quand je l'ai dit ?... J'étais à Moscou... Quand je l'ai dit ? balbutia Ivan, complètement perdu.

— Tu te l'es dit plusieurs fois quand tu restais seul pendant ces deux mois épouvantables, poursuivit Aliocha, d'une voix toujours paisible et distincte. Mais il parlait déjà comme hors de lui, comme en dépit de sa propre volonté, soumis à une espèce d'ordre indéfinissable. Tu t'accusais et tu t'avouais que l'assassin n'était personne d'autre que toi. Mais ce n'est pas toi qui as tué, tu te trompes, ce n'est pas toi l'assassin, tu m'entends, ce n'est pas toi ! C'est Dieu qui m'envoie pour te dire ça.

Ils se turent tous deux. Ce silence dura toute une longue minute. Ils restaient immobiles et continuaient de se regarder droit dans les yeux. Ils étaient blêmes tous les deux. Soudain, Ivan se mit à trembler de tout son corps et saisit fermement Aliocha par l'épaule.

— Tu es venu chez moi ! murmura-t-il dans un chuchotement chuintant. Tu étais là chez moi la nuit quand il est venu... Avoue... tu l'as vu, tu l'as vu ?

— De qui tu parles… de Mitia ? demanda Aliocha, interloqué.

— Pas de lui, au diable, le monstre ! hurla frénétiquement Ivan. Tu ne sais donc pas qu'il me rend visite ? Comment tu peux le savoir, parle !

— Qui, *lui* ? Je ne sais pas de qui tu parles, balbutia Aliocha, cette fois apeuré.

— Non, tu le sais… sinon, comment est-ce que tu… ce n'est pas possible que tu ne saches pas…

Mais, brusquement, ce fut comme s'il se dominait. Il ne bougeait pas et c'était comme s'il réfléchissait à quelque chose. Une grimace étrange lui déformait les lèvres.

— Mon frère, reprit Aliocha d'une voix tremblante, je t'ai dit ça, parce que tu croiras en ma parole, je le sais. Je te l'ai dit pour toute la vie, ce mot-là : *ce n'est pas toi !* Tu entends, toute la vie. Et c'est Dieu qui m'a mis dans l'âme de te le dire, même si, depuis cet instant, là, tu devais me haïr toute la vie…

Mais Ivan Fiodorovitch avait déjà visiblement eu le temps de se reprendre.

— Alexéï Fiodorovitch, reprit-il avec un sourire froid, je ne supporte pas les prophètes et les épileptiques ; les envoyés de Dieu surtout, vous ne le savez que trop. A compter de cette minute, je romps avec vous, et, je crois, pour toujours. Je vous demande, séance tenante, ici, à ce carrefour, de me laisser. Et d'ailleurs, vous prenez cette ruelle pour rentrer chez vous. Veillez particulièrement à ne pas passer me voir aujourd'hui ! Vous entendez ?

Il tourna le dos et, à pas fermes, repartit tout droit, sans se retourner.

— Frère, cria Aliocha derrière lui, s'il t'arrive quelque chose aujourd'hui, pense d'abord à moi !…

Mais Ivan ne répondit pas. Aliocha resta figé au carrefour, sous le réverbère, tant qu'Ivan ne fut pas entièrement caché dans les ténèbres. Alors, il se tourna et repartit lentement chez lui, par la ruelle. Et lui, et Ivan Fiodorovitch, ils habitaient à part, dans des logements différents ; aucun d'eux n'avait voulu vivre dans la maison déserte de Fiodor Pavlovitch. Aliocha louait une chambre meublée à une famille d'artisans ; Ivan Fiodorovitch, quant à lui, habitait assez loin et occupait un espace assez vaste et assez luxueux dans le pavillon d'une très bonne maison appartenant à une certaine veuve de fonctionnaire non dénuée de fortune. Mais, dans tout le pavillon, il n'y avait pour le service qu'une seule petite vieille antique et complètement sourde, percluse de rhumatismes, qui se couchait à six heures du soir et se levait à six heures du matin. Ivan Fiodorovitch avait jusqu'à l'étrange depuis ces deux mois perdu toute exigence et aimait beaucoup rester complètement seul. Même la pièce qu'il louait, il y faisait le ménage tout seul, et, quant aux autres pièces de son logement, il était même très rare qu'il y passe. Parvenu au portail de sa maison et alors qu'il avait déjà saisi le cordon de la sonnette, il s'arrêta. Il sentait qu'il était tout entier parcouru de frissons de rage. Soudain, il abandonna la sonnette, cracha, revint en arrière et se dirigea très vite vers l'autre bout de la ville, très loin, à bien deux verstes de son logement, vers une petite maison minuscule, toute en rondins, où habitait Maria Kondratievna, l'ancienne voisine de Fiodor Pavlovitch, qui venait chercher sa soupe dans la cuisine de Fiodor Pavlovitch et à qui Smerdiakov avait naguère chanté ses chansons en jouant de la guitare. Elle avait vendu son ancienne maison et vivait à présent avec sa mère pour ainsi dire dans une isba, tandis que Smerdiakov, malade, presque mourant, depuis le jour de la mort de Fiodor Pavlovitch, s'était installé chez elles. C'est donc chez lui que se dirigeait à présent Ivan Fiodorovitch, poussé par une réflexion aussi insurmontable que soudaine.

VI

PREMIÈRE RENCONTRE AVEC SMERDIAKOV

C'était déjà la troisième fois qu'Ivan Fiodorovitch se rendait chez Smerdiakov depuis qu'il était rentré de Moscou. La première fois après la catastrophe, il l'avait vu et lui avait parlé le jour même de son retour, après quoi il lui avait rendu visite deux semaines plus tard. Mais, après cette deuxième rencontre, il avait mis un terme à ses visites chez Smerdiakov, si bien que cela faisait à présent plus d'un mois qu'il ne l'avait pas revu, et n'avait même presque plus eu de ses nouvelles. Ivan Fiodorovitch n'était rentré de Moscou que quatre jours après la mort de son père, en sorte qu'il ne l'avait même pas vu dans son cercueil ; l'inhumation avait eu lieu juste la veille de son arrivée. La raison du retard d'Ivan Fiodorovitch résidait en ceci qu'Aliocha, ne sachant pas exactement son adresse à Moscou, avait eu recours, pour envoyer le télégramme, à Katérina Ivanovna et que cette dernière, qui, elle aussi, ignorait son adresse exacte, avait télégraphié à sa sœur et à sa tante, espérant qu'Ivan Fiodorovitch passe les voir le jour même de son arrivée. Or, il n'était passé que le quatrième jour, et, à la lecture du télégramme, il s'était aussitôt, à bride abattue, précipité chez nous. Chez nous, il avait d'abord rencontré Aliocha mais, après lui avoir parlé, il avait été stupéfait de voir que ce dernier refusait même le moindre soupçon sur Mitia, et désignait directement Smerdiakov comme l'assassin, ce qui allait à l'encontre de toutes les autres opinions dans notre ville. Après une visite chez l'*ispravnik*, en apprenant les détails de l'accusation et de l'arrestation, il avait été encore plus étonné par Aliocha et n'avait attribué son opinion qu'à un sentiment fraternel exacerbé jusqu'au dernier degré et à sa compassion envers Mitia, qu'Aliocha, comme Ivan le savait bien, aimait beaucoup. A propos, disons ici juste deux mots une fois pour toutes des sentiments d'Ivan envers son frère Dmitri Fiodorovitch : il ne l'aimait décidément pas, et, s'il pouvait ressentir parfois envers lui, tout au mieux, de la compassion, c'était une compassion mélangée à beaucoup de mépris, et un mépris qui touchait même au dégoût. Mitia tout entier, même par son apparence physique, lui était au plus haut point antipathique. C'est avec indignation qu'Ivan considérait son amour pour Katérina Ivanovna. Le prévenu Mitia, néanmoins, il l'avait vu le premier jour de son arrivée, et non seulement cette entrevue n'avait pas affaibli sa conviction qu'il était coupable, mais elle l'avait renforcée. Il avait trouvé son frère pris d'inquiétude, dans une agitation maladive. Mitia avait été bavard, mais distrait, éparpillé, il parlait avec une grande violence, accusait Smerdiakov, s'embrouillait épouvantablement. Il avait surtout parlé des trois mille roubles que le défunt lui avait "volés". "L'argent était à moi, il était à moi, avait répété Mitia, quand bien même je l'aurais volé, j'aurais bien fait." Il ne discutait presque pas les indices matériels qui se dressaient contre lui, et s'il expliquait certains faits en sa faveur, là encore, c'était inepte et incohérent – en général, c'était même à croire qu'il ne cherchait pas du tout à se justifier aux yeux d'Ivan, ou qu'il en voulait très fort à quelqu'un, il méprisait les accusations, jurait et bouillonnait. Le témoignage de Grigori sur la porte ouverte n'avait suscité que ses sarcasmes, et il assurait que c'était "le diable qui avait ouvert". Mais il ne pouvait présenter aucune explication cohérente à ce fait. Il avait même réussi, durant cette première visite, à offenser Ivan Fiodorovitch, en lui assénant que ce n'était pas ceux qui disaient "tout est permis" qui avaient le droit de le soupçonner et de l'interroger. En général, cette fois-là, il s'était montré très inamical envers Ivan Fiodorovitch. Dès la fin de cette visite à Mitia, Ivan Fiodorovitch s'était donc rendu chez Smerdiakov.

Encore dans le train, alors qu'il volait chez nous depuis Moscou, il n'avait pas cessé de penser à Smerdiakov et à la dernière conversation qu'il avait eue avec lui la veille au soir de son départ. Beaucoup de choses le troublaient, beaucoup de choses lui paraissaient suspectes. En donnant son témoignage au juge d'instruction, Ivan Fiodorovitch avait provisoirement passé sous silence cette conversation. Il avait tout repoussé jusqu'à sa rencontre avec Smerdiakov. Ce dernier se trouvait alors à l'hôpital de la ville. Le Dr Herzenstube et le médecin Varvinski qu'Ivan Fiodorovitch avait rencontrés à l'hôpital avaient répondu fermement aux questions insistantes d'Ivan Fiodorovitch que l'épilepsie de Smerdiakov ne faisait pas de doute, et ils avaient même été surpris de sa question : "Ne faisait-il pas semblant le jour de la catastrophe ?" Ils lui avaient fait comprendre que cette crise avait même été extraordinaire, qu'elle s'était prolongée et s'était répétée pendant plusieurs jours, au point que la vie du patient se trouvait résolument en danger et que c'était seulement à présent, après toutes les mesures qu'ils avaient prises, qu'on pouvait cette fois affirmer que le malade en réchapperait, même s'il était fort possible (avait ajouté le Dr Herzenstube) que sa raison reste en partie atteinte "sinon pour toute la vie, du moins pour une période assez durable". A la question impatiente d'Ivan Fiodorovitch "Alors donc, il est fou, maintenant ?", on lui avait répondu : "Ça, non, au plein sens du terme, pas encore, mais on observe certains signes d'anormalité." Ivan Fiodorovitch avait décidé de se faire une idée par lui-même de ces signes d'anormalité. A l'hôpital, la visite avait été autorisée immédiatement. Smerdiakov se trouvait dans une pièce à part et gisait sur une couchette. Il y avait près de lui une autre couchette occupée par un artisan de la ville, épuisé, tout entier enflé d'hydropisie, visiblement prêt à décéder d'un jour à l'autre ; il ne pouvait pas déranger leur conversation. Smerdiakov avait eu un recul de méfiance en apercevant Ivan Fiodorovitch et, au premier moment, avait même commencé par prendre peur. Telle avait du moins été l'impression fugitive d'Ivan Fiodorovitch. Mais cela n'avait duré qu'un instant, au contraire, tout le reste du temps, Smerdiakov l'avait presque frappé par sa tranquillité. Au premier regard qu'Ivan Fiodorovitch avait jeté sur lui, il s'était convaincu qu'il était réellement et très gravement malade ; il était très faible, il parlait lentement, articulant avec peine ; il avait beaucoup maigri, avait le teint jaune. Durant toute la vingtaine de minutes qu'avait duré la visite, il s'était plaint de migraine et de courbatures dans tous les membres. Son visage d'eunuque, desséché, était comme devenu tout petit, ses bouclettes sur les tempes étaient ébouriffées, au lieu de sa houppe on ne voyait plus se dresser qu'une toute petite mèche de cheveux. Mais son œil gauche plissé et qui portait comme une espèce d'allusion trahissait le Smerdiakov d'avant. "Un homme d'esprit, on a plaisir à causer avec", voilà ce qui avait jailli à la mémoire d'Ivan Fiodorovitch. Il s'était assis à ses pieds sur un tabouret. Smerdiakov avait douloureusement remué de tout le corps mais n'avait pas parlé le premier, il se taisait, et son regard, même, n'était comme pas trop animé de curiosité.

— Tu peux me parler ? avait demandé Ivan Fiodorovitch. Je ne te fatiguerai pas trop.

— Je peux, n'est-ce pas, tout à fait, avait marmonné Smerdiakov d'une voix faible. Monsieur est rentré depuis longtemps ? avait-il ajouté avec condescendance, comme s'il encourageait un visiteur pris d'embarras.

— Mais juste aujourd'hui... Manger ma part de cette soupe, ici.

Smerdiakov poussa un soupir.

— Pourquoi tu soupires, tu savais bien, non ? lui lança aussitôt Ivan Fiodorovitch.

Smerdiakov observa un silence digne.

— Comment je pouvais ne pas savoir, n'est-ce pas ? C'était clair tout d'avance. Sauf que, comment je pouvais savoir qu'ils allaient mener ça comme ça ?

— Qu'ils allaient mener quoi ? N'essaie pas d'esquiver ! Tu m'avais bien prédit, n'est-ce pas, que tu aurais ta crise de haut mal dès que tu descendrais à la cave ? Tu m'avais parlé de la cave tout de suite.

— Ça, vous l'avez dit dans votre déposition ? s'enquit tranquillement Smerdiakov.

Ivan Fiodorovitch se mit soudain en colère.

— Non, je ne l'ai pas encore dit dans ma déposition. Il y a beaucoup de choses, vieux frère, que tu dois m'expliquer, là, maintenant, et sache, mon mignon, que je ne te permettrai pas de jouer avec moi !

— Et pourquoi, n'est-ce pas, je jouerais comme vous dites quand toutes mes espérances elles sont en vous, uniquement comme dans mon Seigneur Dieu ! murmura Smerdiakov, toujours empreint d'un calme aussi imperturbable, après avoir juste fermé ses jolis yeux une petite minute.

— D'abord, reprit Ivan Fiodorovitch, je sais que, le haut mal, on ne peut pas le prédire. Je me suis renseigné, n'essaie pas d'esquiver. On ne peut pas prédire l'heure et le jour. Alors, comment tu as fait pour me prédire, l'autre fois, l'heure et le jour, et avec en plus l'histoire de la cave ? Comment est-ce que tu pouvais le savoir d'avance, que tu allais t'écrouler précisément dans la cave avec ta crise, si, cette crise de haut mal, tu n'as pas fait semblant de l'avoir ?

— La cave, n'est-ce pas, fallait que j'y aille de toute façon, et plusieurs fois, n'est-ce pas, par jour, répondit Smerdiakov, sans hâte, d'une voix traînante. Exactement pareil, un an ça fait de ça, j'avais dégringolé du grenier. Y a pas de doute sur ça, que le haut mal, on peut pas le prédire l'heure et le jour, mais, le pressentiment, on peut toujours l'avoir.

— Mais toi tu as prédit le jour et l'heure !

— Rapport à mon haut mal, monsieur, n'est-ce pas, le mieux de vous renseigner, c'est les docteurs d'ici, s'il était vrai ou bien pas vrai, et moi, sur ce sujet-là, j'ai même rien à vous dire.

— Et la cave ? Comment tu l'avais prévue, la cave ?

— Vous lui en voulez, à cette cave ! Quand j'y suis descendu, là, dans cette cave, dans la peur que j'étais et le doute ; et dans la peur surtout parce que je m'étais privé de vous, et j'attendais plus rien de défense de personne dans le monde entier. Je descends, là, dans cette cave, donc, et je me dis : “Elle arrive, la crise, elle va cogner, je tombe ou je tombe pas ?” et dans ce doute-là, n'est-ce pas, j'ai été pris à la gorge par le spasme le plus inévitable… et j'ai dégringolé. Tout ça et toute notre conversation d'avant, vous et moi, la veille de ce jour-là, le soir au portail, comment je vous ai mis au courant de ma peur et au niveau, n'est-ce pas, de la cave – tout ça, dans tous les détails, je l'ai révélé à M. le Dr Herzenstube et au juge d'instruction Nikolaï Parfionovitch, et ils ont noté tout ça dans le procès-verbal. Le docteur d'ici, le Dr Varvinski, sur ça justement qu'il a insisté devant tout le monde, que c'est justement suite à ma pensée qu'elle a eu lieu, la crise, c'est-à-dire, n'est-ce pas, de la crainte, de savoir si je tomberais, n'est-ce pas, ou si je tomberais pas ? Et là, hop, elle m'a fauché. C'est ça qu'ils ont noté, n'est-ce pas, que, sans aucun doute, ça pouvait pas se passer d'une autre façon, uniquement, n'est-ce pas, suite à ma peur.

A ces mots, Smerdiakov, comme épuisé de fatigue, reprit péniblement son souffle.

— Alors, tu l'as déjà dit dans ta déposition ? demanda Ivan Fiodorovitch, un peu interloqué. Il avait justement espéré lui faire peur en lui rappelant leur conversation de l'autre jour, alors qu'il s'avérait qu'il en avait tout dit lui-même.

— De quoi j'aurais peur ? Qu'ils notent toute la vérité vraie, prononça fermement Smerdiakov.

— Et la conversation qu'on a eue, toi et moi, au portail, tu la leur as toute racontée au mot près ?

— Non, n'est-ce pas, je peux pas dire au mot près.

— Et que tu sais imiter le haut mal, comme tu t'en es vanté, ça aussi, tu l'as dit ?

— Non, ça non plus, je l'ai pas dit.

— Dis-moi, maintenant, pourquoi est-ce que tu m'envoyais à Tchermachnia, l'autre jour ?

— Je craignais que vous ne partiez à Moscou ; à Tchermachnia ça fait quand même moins loin.

— Tu mens, c'est toi-même qui m'invitais à partir ; allez-y, tu me disais, loin du péché !

— Ce que je disais, c'était juste par amitié pour vous, par le dévouement de mon cœur, pressentant, n'est-ce pas, comme je faisais, le malheur dans la maison, par compassion pour vous. Mais je me plaignais moi, n'est-ce pas, d'abord, plus que vous. Pour ça que je vous disais : partez loin du péché, pour que vous compreniez que ça irait mal dans la maison, et que vous restiez pour défendre votre père.

— Tu aurais pu le dire plus directement, crétin ! s'emporta soudain Ivan Fiodorovitch.

— Comment je pouvais, n'est-ce pas, vous le dire plus directement ? C'était juste la peur qui parlait en moi, et vous, en plus, vous pouviez vous fâcher. Bien sûr, je pouvais craindre que Dmitri Fiodorovitch n'aille faire son scandale, que cette fameuse somme il n'aille l'emporter, vu que, de toute façon, il pensait qu'elle était à lui, mais qui pouvait savoir que ça finirait, n'est-ce pas, par un tel meurtre ? Je pensais qu'il volerait simplement les trois mille roubles que le maître il gardait sous son matelas, n'est-ce pas, dans un paquet, n'est-ce pas, et, lui, n'est-ce pas, il a tué. Et vous aussi, comment vous auriez pu deviner, monsieur ?

— Mais si tu me dis toi-même qu'on ne pouvait pas deviner, alors comment, moi, je pouvais deviner et rester ? Qu'est-ce que tu embrouilles ? murmura Ivan Fiodorovitch, tournant et retournant les mots de Smerdiakov.

— Ben vous pouviez, vous, le deviner, vu que je vous dirigeais à Tchermachnia au lieu de ce Moscou.

— Mais comment j'aurais pu deviner ?

Smerdiakov avait l'air épuisé, et il se tut à nouveau une minute.

— Que vous pouviez, n'est-ce pas, le deviner, c'est si je vous poussais à Tchermachnia au lieu de Moscou, ça voulait dire, donc, que je souhaitais votre présence, n'est-ce pas, très proche, parce que, Moscou, c'est loin, et que Dmitri Fiodorovitch, sachant que vous étiez pas loin, aurait pas pu avoir l'encouragement. Et puis, vous auriez pu, plus vite, au cas où, revenir et me défendre, parce que, en plus, la maladie de Grigori Vassilitch, je vous l'avais indiquée, et le fait que j'avais peur du haut mal. Et vous ayant expliqué les tapements qui permettaient d'entrer chez le défunt, et que, par mon intermédiaire, Dmitri Fiodorovitch il les savait, je pensais que vous sauriez deviner de vous-même qu'il manquerait pas d'aller faire quelque chose, et je dis même pas à Tchermachnia, je pensais que vous alliez rester ici.

“Il fait des phrases très construites, se dit Ivan Fiodorovitch, même s'il ânonne ; qu'est-ce que c'est, cette perte des facultés dont parlait Herzenstube ?”

— Tu veux ruser avec moi, que le diable t'embroche ! s'exclama-t-il en s'emportant.

— Et moi, je vous avouerais, je me disais que vous aviez complètement deviné, lâcha Smerdiakov de l'air le plus détaché.

— Si j'avais deviné, je serais resté ! s'écria Ivan Fiodorovitch, s'emportant à nouveau.

— Ben oui, mais, moi, je me disais que vous, puisque vous aviez deviné, vous partiez le plus vite possible, n'est-ce pas, loin du péché, juste rien que pour vous sauver quelque part, vous sauver, n'est-ce pas, de la peur.

— Tu pensais que tout le monde est aussi lâche que toi ?

— Pardonnez-moi, n'est-ce pas, je me disais que vous étiez, oui, comme moi.

— Bien sûr, il fallait que je devine, s'inquiétait Ivan, et je devinais quelque chose de répugnant de ta part… Sauf que tu mens, tu mens encore, s'écria-t-il, se rappelant soudain. Tu te souviens, tu es venu vers la voiture, et tu m'as dit : "Un homme d'esprit, on a même plaisir à causer avec." Donc, tu étais content que je parte, si tu m'as fait ce compliment ?

Smerdiakov soupirait encore et encore. Son visage affichait une espèce de rougeur.

— Si j'étais content, prononça-t-il en haletant un peu, c'était seulement que vous acceptiez de plus partir à Moscou, mais rien qu'à Tchermachnia. Parce que, quand même, ça faisait moins loin ; et sauf que, moi, ces mots que j'ai dits, c'était pas comme un compliment, mais comme un reproche, n'est-ce pas. Ça, n'est-ce pas, vous l'avez pas compris.

— Comment ça un reproche ?

— Ben que pressentant un tel malheur, vous abandonniez, n'est-ce pas, votre propre papa, et vous vouliez pas nous défendre, parce qu'on pouvait m'y mêler, n'est-ce pas, pour ces trois mille roubles, que je les avais volés.

— Que le diable t'embroche ! jura à nouveau Ivan. Attends : les signaux, les coups, là, tu en as parlé au juge d'instruction et au procureur ?

— J'ai tout déclaré comme c'était.

Ivan Fiodorovitch s'étonna à nouveau en lui-même.

— Si j'avais pensé à quelque chose, continua-t-il, c'était uniquement à une saleté quelconque de ta part. Dmitri pouvait tuer, mais qu'il puisse voler – ça, à ce moment-là, je n'y croyais pas… Mais, de ton côté, je m'attendais à toutes les saletés. Tu m'avais dit toi-même que tu savais feindre le haut mal, pourquoi est-ce que tu me l'as dit ?

— Juste rien que par ma simplicité. Et jamais de ma vie j'avais feint le haut mal exprès, c'était juste comme ça, pour me vanter devant vous, que je l'avais dit. Rien, n'est-ce pas, qu'une bêtise. J'ai eu beaucoup d'amour pour vous, à ce moment-là, et j'étais avec vous en toute simplicité.

— Mon frère t'accuse directement, il dit que c'est toi qui as tué et que c'est toi qui as volé.

— Ben qu'est-ce qu'il lui reste d'autre ? reprit Smerdiakov dans une grimace amère. Et qui c'est qui va le croire, après toutes les preuves ? La porte, n'est-ce pas, Grigori Vassilitch, il vous l'a vue ouverte, après ça, comment, n'est-ce pas, que vous voulez ?… Allez, quoi, qu'il fasse comme il veut, M. Dmitri ! Il veut se sauver lui-même, il tremble…

Il y eut un silence paisible, et, brusquement, comme s'il y repensait, il ajouta :

— Parce que, n'est-ce pas, on y revient : M. Dmitri il veut me charger, que c'est moi, n'est-ce pas, qu'aurais fait le coup – ça, n'est-ce pas, je suis déjà au courant –, et ne serait-ce que ça, tenez, comme quoi je suis un chef pour feindre le haut mal : hein, est-ce que je vous l'aurais dit d'avance, que je sais le feindre, si, réellement, j'avais eu une intention à l'encontre, n'est-ce pas, de votre papa ? Si je m'étais mis en tête ce crime-là, est-ce que ce serait possible d'être crétin à ce point de dire à l'avance un indice pareil contre soi-même, et qui plus est, au propre fils, mais enfin, n'est-ce pas, voyons !? Est-ce que ça a une once de vraisemblance ? Mais que ce soit possible, mais, au contraire, jamais de la vie, n'est-ce pas. Là, en ce moment-là, notre conversation, il y a personne qui l'entend, à part la providence elle-même, mais si vous en faites part au procureur et à Nikolaï Parfionovitch, là, vous pourriez me faire, avec ça, une défense toute définitive : parce que, est-ce que ça existe, n'est-ce pas, un criminel d'une telle simplicité ? Ça, tout le monde peut tout à fait le comprendre.

— Ecoute, lança Ivan Fiodorovitch, se levant de sa place, stupéfait par le dernier argument de Smerdiakov et mettant un terme à la conversation, je ne te soupçonne pas du tout, et je crois même ridicule de t'accuser… au contraire, je te suis reconnaissant de m'avoir rassuré. Maintenant, je m'en vais, mais je reviendrai. En attendant, adieu, rétablis-toi. Tu n'as pas besoin de quelque chose ?

— Je vous remercie de tout. Marfa Ignatievna reste pas sans se souvenir de moi et m'aide en tout ce que j'ai besoin, selon sa bonté de cœur de toujours. Tous les jours des braves gens me rendent visite.

— Au revoir. Je ne dirai pas, remarque, que tu sais feindre… et toi aussi, je te conseille de ne pas en parler, avait soudain lancé Ivan Fiodorovitch sans savoir pourquoi.

— Je comprends tout à fait, n'est-ce pas. Si, vous, vous en parlez pas, moi non plus, notre conversation au portail, j'en dirai rien du tout…

Il arriva alors qu'Ivan Fiodorovitch était soudain sorti, et que c'est seulement après avoir fait quelques pas dans le couloir qu'il avait soudain senti que la dernière phrase de Smerdiakov contenait une espèce de sens blessant. Il voulut revenir, mais la sensation ne fit que fuser, et, après avoir marmonné : “Bêtises !”, il s'empressa de sortir de l'hôpital. Surtout, il avait senti que, réellement, il était apaisé, et précisément par cette circonstance que le coupable n'était pas Smerdiakov mais son frère Mitia, même si, semblait-il, il aurait dû se passer le contraire. Pourquoi c'était ainsi – il n'avait pas voulu, ce jour-là, y voir clair, il avait même ressenti du dégoût à fouiller dans ses sensations. Il y avait une espèce de chose qu'il avait comme envie d'oublier le plus vite possible. Ensuite, les jours suivants, il s'était complètement assuré de la culpabilité de Mitia, quand il s'était penché de plus près et plus sérieusement sur toutes les preuves qui l'accablaient. Il y avait les témoignages des gens les plus insignifiants, mais des témoignages pour ainsi dire bouleversants comme ceux de Fénia et de sa mère. Ce n'était même pas la peine de parler de Perkhotine, de la taverne, de la boutique des Plotnikov, des témoins à Mokroïé. Surtout, c'étaient les détails qui accablaient. La nouvelle des "coups" secrets avait frappé le juge d'instruction et le procureur presque autant que le témoignage de Grigori sur la porte ouverte. L'épouse de Grigori, Marfa Ignatievna, à la demande d'Ivan Fiodorovitch, lui avait déclaré tout net que Smerdiakov avait passé toute la nuit couché derrière leur cloison, "ça faisait pas trois pas de notre lit", et que si, certes, elle-même, elle avait dormi profondément, elle s'était réveillée souvent, en entendant ses gémissements : "Il a gémi tout le temps, il a pas arrêté de gémir." Après avoir parlé à Herzenstube et lui avoir communiqué ses doutes comme quoi Smerdiakov était loin d'être fou, il lui paraissait seulement faible, il n'avait pu éveiller chez le vieil homme qu'un petit sourire fin. "Mais vous savez à quoi il passe le plus clair de son temps, en ce moment ? avait-il demandé à Ivan Fiodorovitch. Il apprend par cœur des mots français ; il garde ça sous son oreiller et il y a quelqu'un qui lui a écrit les mots français en lettres russes, hé hé hé !" Ivan Fiodorovitch avait fini par oublier tous ses doutes. A présent, il ne pouvait plus repenser sans dégoût à son frère Dmitri. Une chose restait tout de même étrange : Aliocha continuait obstinément de dire que ce n'était pas Dmitri qui avait tué, mais "selon toute vraisemblance" Smerdiakov. Ivan avait toujours senti qu'il estimait beaucoup l'opinion d'Aliocha, c'est pourquoi il n'arrivait pas du tout à comprendre. Ce qui était aussi étrange, c'est qu'Aliocha ne cherchait pas à lui parler de Mitia, qu'il n'engageait jamais lui-même les conversations mais n'avait toujours fait que répondre aux questions d'Ivan. Cela aussi, Ivan Fiodorovitch l'avait fortement remarqué. Du reste, à ce moment, il avait été très violemment distrait par une circonstance tout à fait extérieure : à son retour de Moscou, dès les premiers temps, il s'était livré tout entier et sans retour à sa passion enflammée et délirante pour Katérina Ivanovna. Ce n'est pas ici le lieu de commencer un récit sur cette nouvelle passion d'Ivan Fiodorovitch, passion qui devait se refléter sur tout le reste de sa vie : tout cela pourrait servir de canevas à un autre récit, un autre roman, dont je ne sais même pas quand je pourrai l'entreprendre. Et cependant, je ne peux pas passer sous silence au point où nous en sommes le fait qu'au moment où Ivan Fiodorovitch, parlant, la nuit, comme je l'ai déjà décrit, tout en marchant, de Katérina Ivanovna à Aliocha, lui avait dit : "Je ne suis pas preneur" – il avait fait un mensonge affreux : il l'aimait à la folie, même s'il était vrai que, par moments, il la haïssait si fort qu'il aurait été capable de la tuer. Il y avait là beaucoup de facteurs rassemblés : tout entière sous le choc de l'histoire de Mitia, elle s'était précipitée comme vers son nouveau sauveur vers un Ivan Fiodorovitch qui venait de lui revenir. Elle était offensée, abaissée, humiliée dans ses sentiments. Et voilà qu'arrivait un homme nouveau, qui l'aimait déjà auparavant – oh, cela, elle ne le savait que trop – et dont elle avait toujours placé très haut au-dessus d'elle tant l'esprit que le cœur. Mais la sévère jeune fille ne s'était pas livrée tout entière en holocauste, malgré l'élan irreffréné, karamazovien, des désirs de son bien-aimé, et tout le charme qu'il exerçait sur elle. En même temps, elle était sans cesse torturée par le remords d'avoir trahi Mitia, et, dans les minutes terribles de ses disputes avec Ivan (et elles étaient nombreuses), cela, elle le lui exprimait tout net. C'est cela qu'il avait appelé, dans sa conversation avec Aliocha, "mensonge sur mensonge". Il y avait là, bien sûr, beaucoup de mensonge et c'est surtout cela qui énervait Ivan Fiodorovitch… mais, tout cela, plus tard. Bref, pendant un temps, il avait quasiment oublié Smerdiakov. Et pourtant, deux semaines après la première visite qu'il lui avait faite, il avait à nouveau senti les mêmes pensées étranges venir le torturer. Il nous suffira de dire qu'il s'était mis à se demander sans cesse pourquoi, à ce moment-là, pendant sa dernière nuit, dans la maison de Fiodor Pavlovitch, juste avant son départ, il était descendu, en cachette, comme un voleur, dans l'escalier, et avait écouté ce que son père faisait en bas. Pourquoi, cela, il s'en souvenait par la suite avec dégoût, pourquoi, le lendemain matin, pendant le trajet, avait-il soudain été saisi par une angoisse pareille et pourquoi, en arrivant à Moscou, s'était-il dit : "Je suis une crapule !" Et, là, un jour, il lui était venu à l'esprit, qu'à cause de toutes ces pensées torturantes qui l'assaillaient il était même capable d'oublier Katérina Ivanovna, tant elle était puissante, cette force avec laquelle elles s'étaient emparé de lui ! Juste à ce moment, après s'être dit cela, il avait rencontré Aliocha dans la rue. Il l'avait arrêté aussitôt et lui avait soudain posé cette question :

— Tu te souviens, quand, après le repas, Dmitri a fait irruption dans la maison et qu'il a roué de coups le père, et que, moi, après, dehors, je t'ai dit que je me réservais "le droit des désirs" – dis-moi, tu t'es dit à ce moment-là que je désirais la mort du père, ou non ?

— Oui, je me le suis dit, répondit doucement Aliocha.

— Remarque, c'était vrai, il n'y avait pas de mystère à percer. Mais est-ce que tu ne t'es pas dit à ce moment que, moi, ce que je voulais, c'était que les "serpents se bouffent entre eux", c'est-à-dire que ce soit justement Dmitri qui tue le père, et le plus vite possible… et que, moi-même, je n'aurais rien eu contre l'aider un peu ?

Aliocha pâlit légèrement et regarda son frère droit dans les yeux.

— Mais parle ! s'était exclamé Ivan. Je veux le savoir de toutes mes forces, ce que tu t'es dit à ce moment-là. J'en ai besoin ; la vérité, la vérité ! Il avait péniblement repris son souffle, regardant d'avance Aliocha avec une sorte de regard haineux.

— Pardonne-moi, ça aussi, je me le suis dit, avait chuchoté Aliocha, après quoi il s'était tu, sans ajouter la moindre "circonstance atténuante".

— Merci ! avait tranché Ivan et, abandonnant Aliocha, il avait rapidement repris sa route. Depuis ce jour, Aliocha avait remarqué qu'Ivan s'était comme mis à s'éloigner de lui très nettement et l'avait même comme pris en grippe, si bien que, lui-même, très vite, il avait cessé de se rendre chez lui. Mais, à la minute où nous sommes, immédiatement après leur rencontre, Ivan Fiodorovitch, sans repasser par chez lui, était soudain reparti chez Smerdiakov.

VII

DEUXIÈME VISITE CHEZ SMERDIAKOV

A ce moment-là, Smerdiakov était déjà sorti de l'hôpital. Ivan Fiodorovitch connaissait sa nouvelle adresse : c'était justement dans cette maisonnette en rondins décrépie et composée de deux isbas séparées par une entrée commune. L'une des isbas abritait Maria Kondratievna et sa mère, et l'autre, Smerdiakov, à part. Dieu sait sur quelles bases il s'était installé chez elles : vivait-il à titre gratuit, ou bien en locataire ? On supposa par la suite qu'il s'était installé chez elles à titre de fiancé de Maria Kondratievna et qu'en attendant il était hébergé gratis. La mère comme la fille l'estimaient hautement et le regardaient comme un être supérieur. Après avoir frappé longtemps, Ivan Fiodorovitch entra dans le couloir commun et, sur l'indication de Maria Kondratievna, prit directement à gauche, vers "la belle isba" qu'occupait Smerdiakov. Dans cette isba, le poêle était orné de carreaux de faïence et chauffait dur. On avait décoré les murs de papiers peints bleus, certes tout déchirés, qui abritaient dans les fentes des régiments de "prussiens", de cancrelats grouillants en quantité épouvantable, au point qu'on entendait une espèce de bruissement continu. Les meubles étaient insignifiants : deux bancs le long des murs et deux chaises devant la table. La table, quant à elle, avait beau être de bois brut, elle était néanmoins couverte d'une nappe à ramages roses. Les rebords des deux petites fenêtres abritaient chacun un pot de géranium. Dans un angle, un coin aux icônes. On avait posé sur la table un petit samovar de cuivre, fortement cabossé, et un plateau avec deux tasses. Mais, le thé, Smerdiakov avait eu le temps de le finir, et le samovar était éteint… Lui-même, il était assis à la table, sur un banc, et, regardant un cahier, il traçait quelque chose à la plume. La petite fiole d'encre se trouvait tout près de lui, de même qu'un petit bougeoir de fonte, portant, du reste, une bougie de stéarine. Ivan Fiodorovitch conclut tout de suite à la tête de Smerdiakov qu'il était complètement guéri. Son visage était plus frais, plus joufflu, sa petite houppe se dressait, ses tempes étaient pommadées. Il portait un peignoir de coton bariolé, du reste bien élimé et passablement usé. Il portait des lunettes qu'Ivan Fiodorovitch ne lui avait encore jamais vues. Cette circonstance insignifiante emplit soudain Ivan Fiodorovitch d'une espèce de rage redoublée : "Une créature pareille, et ça met des lunettes !" Smerdiakov releva lentement la tête et posa un regard fixe, de derrière ses lunettes, sur son visiteur ; ensuite, il les ôta lentement, puis se redressa à demi sur son banc, mais d'une espèce de façon comme tout sauf respectueuse, non, avec un genre de paresse, juste pour satisfaire à la bienséance la plus indispensable, qu'il était réellement impossible d'éluder. Tout cela, Ivan le ressentit en l'espace d'un instant, cela, il le saisit d'un coup, il le nota, et surtout – le regard de Smerdiakov, résolument haineux, hostile, voire arrogant : "Qu'est-ce t'as, dis donc, à te pointer, alors qu'on s'était déjà tout dit, pourquoi tu reviens encore ?" Ivan Fiodorovitch eut du mal à se retenir :

— Il fait chaud chez toi, dit-il, encore debout, et il déboutonna son manteau.

— Otez, lui permit Smerdiakov.

Ivan Fiodorovitch ôta son manteau et le jeta sur le banc, il prit une chaise, les mains tremblantes, l'approcha rapidement de la table et s'assit. Smerdiakov s'était rassis sur son banc avant lui.

— D'abord, est-ce que nous sommes seuls ? demanda Ivan Fiodorovitch d'un ton sévère, précipité. On ne nous entendra pas de là-bas ?

— Personne n'entendra rien, monsieur. Vous avez vu vous-même : le couloir.

— Ecoute, mon mignon : la bourde que tu m'as dite, l'autre jour, quand je sortais de ta chambre, à l'hôpital, comme quoi si je ne disais pas que tu étais un chef pour imiter le haut mal, toi, n'est-ce pas, tu n'allais pas parler au juge de tout ce qu'on s'était dit au portail ? Ce *tout*, c'est quoi ? Qu'est-ce que tu voulais dire par là ? Tu me menaçais ou quoi ? J'ai passé une alliance avec toi, ou quoi, ou bien j'ai peur de toi ?

Ivan Fiodorovitch avait parlé dans une fureur totale, en donnant à savoir visiblement, expressément, qu'il méprisait toute tergiversation, toute tactique, et qu'il jouait franc jeu. Les yeux de Smerdiakov eurent un éclair de haine, son œil gauche se mit à cligner, mais, tout de suite, d'un ton retenu et mesuré, selon son habitude, Smerdiakov donna sa réponse muette : "Tu veux du jeu propre, eh bien, la voilà, ta propreté."

— Eh ben ce que je voulais dire à ce moment-là, et c'est pour ça que je l'ai dit, c'est que, vous, en sachant à l'avance tout sur le meurtre de votre propre papa, vous l'avez laissé en victime, et pour que les gens, après, ils viennent pas à conclure, rapport aux mauvais sentiments que vous aviez, et peut-être même rapport à autre chose – eh bien, voilà, j'ai promis de rien dire aux autorités.

Cela, Smerdiakov l'avait dit, certes, sans se presser et en se contrôlant visiblement, mais on entendit dans sa voix quelque chose de ferme et d'insistant, quelque chose de haineux, plein d'un défi insolent. Il posa sur Ivan Fiodorovitch un regard si hardi que ce dernier, les premières secondes, en vint à voir trouble.

— Comment ? Quoi ? Tu es fou, ou quoi ?

— Je suis tout sauf fou, monsieur.

— Mais est-ce que *j'étais au courant* du meurtre ? finit par s'écrier Ivan Fiodorovitch et il frappa très fort du poing sur la table. Qu'est-ce que ça veut dire : "peut-être même rapport à autre chose" ? Parle, crapule !

Smerdiakov gardait le silence et continuait de toiser Ivan Fiodorovitch de ce même regard insolent.

— Parle, fripouille puante, ça veut dire quoi, "autre chose" ? hurla Ivan Fiodorovitch.

— Ben, par "rapport à autre chose", ce que je voulais dire, c'était que, vous-même, vous la désiriez très fort, la mort de votre papa.

Ivan Fiodorovitch bondit et lui donna de toutes ses forces un coup de poing dans l'épaule, au point que l'autre se retrouva plaqué au mur. En une seconde, sa figure était trempée de larmes et, murmurant : "Vous devriez avoir honte, monsieur, de frapper un homme faible !", il se cacha les yeux derrière son mouchoir de coton à petits carreaux bleus souillé de morve et se mit à verser des larmes paisibles et abondantes. Il se passa une bonne minute.

— Assez ! Arrête ! finit par dire impérieusement Ivan Fiodorovitch, se rasseyant sur sa chaise. Ne me fais pas sortir de mes dernières limites.

Smerdiakov ôta son petit chiffon de ses yeux. Le moindre trait de son visage ridé montrait qu'il venait d'essuyer une offense.

— Alors, crapule, tu as pensé que je voulais tuer le père avec Dmitri ?

— Je savais pas, n'est-ce pas, votre pensée à ce moment-là, marmonna Smerdiakov, offensé, et c'est pour ça que je vous avais arrêté au portail, pour vous mettre à l'épreuve au niveau de ce point-là.

— Mettre à l'épreuve quoi ? Quoi ?

— Cette circonstance, n'est-ce pas, précise : si vous aviez envie, vous, ou si vous aviez pas envie que, votre papa, il se fasse tuer au plus vite.

Ce qui indignait le plus Ivan Fiodorovitch était ce ton d'insolence insistante que Smerdiakov se refusait à abandonner.

— C'est toi qui l'as tué ! s'exclama-t-il soudain.

Smerdiakov eut un ricanement de mépris.

— Que c'est pas moi qui l'ai tué, vous le savez parfaitement. Et je me disais, moi, qu'avec un homme d'esprit, c'était même plus la peine de parler de ça.

— Mais pourquoi, pourquoi est-ce que tu as pu avoir un soupçon pareil sur moi ?

— Comme vous le savez, n'est-ce pas, uniquement par la peur. Vu que dans la situation où j'étais à ce moment-là, tremblant de peur, je soupçonnais tout le monde. Vous aussi, je m'étais dit, je vous mettrai à l'épreuve, parce que si vous, je me disais, vous vouliez, n'est-ce pas, la même chose que votre grand frère, alors, n'est-ce pas, les carottes elles étaient cuites, et, moi, j'étais perdu pareil, ainsi qu'une mouche.

— Ecoute, il y a deux semaines ce n'est pas ça que tu me disais.

— A l'hôpital pareil, quand je vous parlais, c'est la même chose que j'avais en vue, à part que je supposais que, vous, vous pourriez le comprendre sans avoir trop à le dire, et que vous vouliez pas de conversation directe, comme, n'est-ce pas, un homme de grand esprit.

— Tu t'imagines ! Mais réponds, réponds, j'insiste : par quoi précisément, oui, comment est-ce que j'ai pu mettre dans ton âme de crapule ce soupçon ignoble contre moi ?

— Pour ce qui est de tuer – vous-même, vous auriez pu pour rien au monde, et vous le vouliez pas, mais pour ce qui est de vouloir qu'un autre le tue, ça, vous le vouliez.

— Il vous dit ça si tranquillement, si tranquillement ! Mais pourquoi je le voulais, pourquoi fichtre est-ce que j'aurais pu le vouloir ?

— Comment ça, pourquoi fichtre ? Et, n'est-ce pas, l'héritage ? reprit Smerdiakov d'un ton fielleux et comme, même, vengeur. Mais de votre papa, à chacun de vous, les trois frères, il pouvait vous venir au bas mot quarante mille chaque, et plus, même, n'est-ce pas, si ça se trouve, et si Fiodor Pavlovitch il était allé se marier avec cette fameuse, n'est-ce pas, dame, Agraféna Alexandrovna, elle, tout le capital, tout de suite après la noce, elle l'aurait fait transférer à son nom, parce que, n'est-ce pas, elle est tout sauf bête, si bien que vous, là, les trois frères, il vous serait pas resté deux roubles de votre papa. Et est-ce qu'il restait beaucoup de temps, avant la noce ? Rien juste qu'un petit cheveu : il suffisait que cette dame elle lui fasse juste un petit signe du doigt, à monsieur, et lui, tout de suite, il aurait couru à l'église, derrière elle, la langue pendante.

Ivan Fiodorovitch eut du mal à se retenir.

— Bien, dit-il enfin, tu vois, je n'ai pas bondi, je ne t'ai pas cassé la figure, je ne t'ai pas tué. Continue : donc, moi, d'après toi, je destinais mon frère Dmitri à ça, c'est sur lui que je comptais ?

— Evidemment que oui, que vous comptiez dessus ; s'il avait tué, lui, il aurait tout de suite perdu ses droits de noblesse, ses grades et sa fortune, et, hop, il se retrouve déporté. Alors, n'est-ce pas, sa part de l'héritage, c'est à vous qu'elle revient, à vous et votre petit frère Alexéï Fiodorovitch, à parts égales, donc, et là, ça vous aurait plus fait quarante, mais bien soixante mille, n'est-ce pas, chaque. Absolument, oui, que vous comptiez sur Dmitri Fiodorovitch !

— Ce que tu me fais endurer ! Ecoute, salopard : si j'avais compté sur quelqu'un à ce moment-là, ç'aurait été sur toi, évidemment, et pas sur Dmitri, et, je te le jure, j'avais le pressentiment d'une espèce de saleté que tu pourrais faire… à ce moment-là… je me souviens de mon impression !

— Moi aussi, j'ai pensé à ce moment-là, une petite minute, que, sur moi aussi, vous comptiez, répliqua Smerdiakov en se moquant, si bien que ça vous a encore plus démasqué pour moi, vu que si vous aviez un pressentiment sur moi, et puis qu'au même moment vous partiez, ça voulait dire que c'était tout comme exactement si vous me disiez : tu as le droit de tuer le père, je ne fais pas obstacle.

— Crapule ! Tu as compris comme ça !

— Et tout ça, n'est-ce pas, à cause de Tchermachnia. Mais voyons ! Vous faites vos bagages pour Moscou, et, à toutes les demandes d'aller à Tchermachnia que vous fait votre papa, vous dites non ! Et, moi, juste, il suffit que je dise un mot stupide, ça y est, vous dites oui ! Et pourquoi vous aviez dit oui, à ce moment-là, pour Tchermachnia ? Si vous partiez plus pour Moscou, si vous étiez parti pour Tchermachnia sans nulle raison, juste parce que je vous l'avais dit, alors, donc, il y a quelque chose que vous attendiez de moi.

— Non, je le jure, non ! hurla Ivan et il grinça des dents.

— Comment ça, non ? Il aurait fallu, au contraire, après les mots que je vous avais dits, à vous, le fils de votre papa, la première chose, me traîner au poste et me faire fouetter, n'est-ce pas… au moins, sur place, sinon, me casser la figure, alors que, vous, voyons, au contraire, n'est-ce pas, sans vous fâcher le moins du monde, amicalement, vous obéissez à mon conseil stupide que je vous donne, et vous partez, n'est-ce pas, ce qui était complètement inepte, parce qu'il aurait fallu que vous restiez, pour préserver la vie de votre papa… Moi, qu'est-ce qu'il fallait que je conclue ?

Ivan restait la tête basse, les deux poings convulsivement serrés sur ses genoux.

— Oui, c'est dommage que je ne t'aie pas cassé la figure, fit-il avec un ricanement amer. Au poste, à ce moment-là, ce n'était pas possible que je t'amène : qui est-ce qui m'aurait cru, et qu'est-ce que j'aurais pu indiquer, bon, mais te casser figure… hou, dommage que je n'y aie pas pensé ; même si c'est interdit, de casser la figure, ça, ta tronche, sûr, j'en aurais fait de la bouillie.

Smerdiakov le contemplait avec une quasi-jouissance.

— Dans les cas ordinaires de la vie, marmonna-t-il avec ce ton doctrinaire satisfait qu'il avait pris de temps en temps dans ses débats avec Grigori Vassiliévitch sur la foi quand il se moquait de lui, debout à la table de Fiodor Pavlovitch, dans les cas ordinaires de la vie, vous casser la figure, ça, c'est oui, c'est interdit aujourd'hui par la législation, et tout le monde, n'est-ce pas, s'est arrêté de cogner, bon, mais dans certains cas particuliers de la vie, je ne dis même pas chez nous mais dans le monde entier, ne serait-ce même que dans la plus totale République française, on continue de cogner, comme du temps d'Adam et d'Eve, et jamais on cessera, or, vous, dans ce cas exceptionnel, là, vous avez pas osé.

— Pourquoi tu apprends des mots français ? fit Ivan, désignant d'un geste de la tête le cahier qui était sur la table.

— Et pourquoi je les apprendrais pas, pour concourir, n'est-ce pas, à mon éducation, dans la pensée que moi aussi, peut-être, un jour, j'aurai à les voir, ces heureuses contrées de l'Europe ?

— Ecoute, monstre, reprit Ivan, des étincelles dans les yeux, tremblant de tout son corps, je n'ai pas peur de tes accusations, dépose ce que tu veux contre moi, mais si, là, maintenant, je ne t'ai pas rossé à mort, c'est uniquement parce que je te soupçonne de ce crime et que je te traînerai au tribunal. Je te dévoilerai encore !

— Moi, mon avis, n'est-ce pas, c'est que vous feriez mieux de vous taire. Parce que, qu'est-ce que vous pouvez déclarer contre moi dans mon innocence totale, et qui c'est qui vous croira ? Et si vous commencez seulement, moi, je raconte tout, parce que, n'est-ce pas, il faudra bien que je me défende.

— Tu penses que tu me fais peur ?

— Quand bien même tous ces mots que je viens de vous dire, au tribunal, on les croirait pas, le public, n'est-ce pas, il y croira, et, vous, n'est-ce pas, vous aurez honte.

— Ça veut dire quoi encore, la même chose : "Un homme d'esprit, on a même plaisir à causer avec" – hein ? fit Ivan, grinçant des dents.

— Juste dans le mille, monsieur. Soyez-le, donc, homme d'esprit.

Ivan Fiodorovitch se leva, tremblant d'indignation de toutes les fibres de son corps, il enfila son manteau et, sans plus répondre à Smerdiakov, sans même le gratifier d'un regard, il ressortit de l'isba à pas vifs. L'air frais du soir le rafraîchit. Une lune éclatante luisait au ciel. Un cauchemar épouvantable de pensées et de sensations bouillonnait dans son âme. "Aller tout de suite dénoncer Smerdiakov ? Mais dénoncer quoi : il est quand même innocent. Au contraire, c'est lui qui m'accusera. C'est vrai, pourquoi est-ce que je suis parti à Tchermachnia ? Pourquoi, pourquoi ? demandait Ivan Fiodorovitch. Oui, bien sûr, j'attendais quelque chose, et il a raison…" Et, de nouveau, pour la centième fois, lui revint le souvenir de la façon dont, pendant sa dernière nuit chez son père, il l'avait épié dans l'escalier, mais ce souvenir, cette fois-là, il était si pénible qu'il s'était arrêté sur place, comme transpercé : "Oui, c'est ça que j'attendais, c'est vrai ! Je voulais, oui, je voulais le meurtre ! Est-ce que je voulais le meurtre, est-ce que je le voulais ?… Il faut tuer Smerdiakov !… Si je n'ose pas, maintenant, tuer Smerdiakov, ce n'est même pas la peine de vivre !…" Ivan Fiodorovitch, sans repasser chez lui, se rendit alors directement chez Katérina Ivanovna et l'effraya par son apparition : il avait l'air d'un fou. Il lui rapporta toute sa conversation avec Smerdiakov, du début à la fin, jusqu'au dernier trait. Il n'arrivait pas à se calmer, malgré tous les efforts qu'elle fit pour le persuader, il n'arrêtait pas de marcher dans la pièce et parlait d'une voix hoquetante, bizarre. Il finit par s'asseoir, s'accouda sur la table, se prit la tête dans les deux mains et énonça un aphorisme étrange :

— Si ce n'est pas Dmitri qui a tué, mais Smerdiakov, alors, je suis solidaire de lui, parce que c'est moi qui l'ai poussé. Est-ce que je l'ai poussé – je ne le sais pas encore. Mais si seulement c'est lui qui a tué et pas Dmitri, alors, bien sûr, moi aussi je suis un assassin.

A ces mots, Katérina Ivanovna, sans rien dire, se leva, se diriga vers son secrétaire, ouvrit une cassette qu'elle y avait posée, en sortit un bout de papier et le reposa devant Ivan. Ce papier était ce fameux document dont Ivan Fiodorovitch avait par la suite parlé à Aliocha comme d'une preuve "par deux fois deux" que c'était leur frère Dmitri qui avait tué le père. C'était une lettre que Mitia avait écrite en état d'ivresse à Katérina Ivanovna le soir même où il avait rencontré dans un champ Aliocha qui rentrait au monastère après la scène chez Katérina Ivanovna quand cette dernière s'était fait humilier par Grouchenka. Ce soir-là, après avoir quitté Aliocha, Mitia s'était d'abord jeté chez Grouchenka ; on ignore s'il l'avait vue, mais, à la nuit, il s'était retrouvé dans la taverne *La Ville capitale* où il s'était complètement soûlé. Ivre, il avait demandé une plume et du papier et avait rédigé un document très important pour lui. C'était une lettre frénétique, verbeuse et incohérente, réellement "ivre". Un peu comme quand un homme ivre, rentrant chez lui, commence à raconter, avec une fougue extraordinaire, à sa femme ou à n'importe qui de la maison, qu'on vient juste de l'offenser, que son offenseur est une crapule, que lui-même, au contraire, est un homme remarquable, et que, cette crapule, il va lui faire voir – et tout cela, pendant des heures, dans un discours incohérent et excité, en tapant du poing sur la table, avec des larmes d'ivrogne. Le papier à lettres qu'on lui avait donné à la taverne était un morceau un peu graisseux de papier à lettres ordinaire, de mauvaise qualité et au dos duquel on avait déjà inscrit une addition. La feuille n'avait visiblement pas suffi au verbiage aviné, et Mitia avait couvert non seulement toutes les marges, mais les dernières lignes étaient même écrites en travers de celles qu'il avait déjà rédigées. Le contenu de la lettre était le suivant : "Fatale Katia ! Demain, je trouverai l'argent et je te rendrai tes trois mille roubles, adieu – femme d'une grande colère, mais adieu aussi mon amour ! Finissons-en ! Demain, j'essaierai de les trouver chez tout le monde, et, si je ne les trouve pas, je te donne ma parole d'honneur que j'irai chez mon père et je lui casserai le crâne, et je les prendrai sous son oreiller, pourvu seulement qu'Ivan s'en aille. J'irai au bagne, mais, les trois mille, je les rendrai. Et, toi, adieu. Je te salue jusqu'à terre, vu la crapule que je suis devant toi. Pardonne-moi. Non, plutôt, ne pardonne pas : ça me sera moins pénible, et toi aussi ! Plutôt le bagne que ton amour, parce que j'en aime une autre, et toi, aujourd'hui, tu ne l'as connue que trop, alors comment pourrais-tu pardonner ? Je tuerai mon voleur ! Je partirai loin de vous tous, vers l'est, pour ne plus connaître personne. *Elle* non plus, parce que tu n'es pas la seule à me torturer, elle, c'est pareil. Adieu !

P.-S. J'écris une malédiction, et, en même temps, je t'adore ! Je l'entends dans ma poitrine. Il reste une corde, et elle sonne. Plutôt le cœur en deux ! Je me tuerai, mais, malgré tout, le chien d'abord. Je lui arracherai les trois mille et je te les jetterai. Peut-être que je suis une crapule devant toi, mais je ne suis pas un voleur ! Attends les trois mille roubles. Le chien, sous son oreiller, il les a, avec un petit ruban rose. Ce n'est pas moi le voleur, mais, mon voleur, je le tuerai. Katia, ne me regarde pas avec mépris : Dimitri n'est pas un voleur mais un assassin ! Il a tué son père et s'est perdu lui-même pour rester debout et ne pas avoir à affronter ton orgueil. Et ne pas t'aimer.

PP.-S. Je te baise les pieds, adieu !

PPP.-S. Katia, prie le bon Dieu que les gens le donnent, l'argent. Alors, je ne serai pas en sang, mais s'ils n'en donnent pas – le sang ! Tue-moi !

Esclave et ennemi,
D. KARAMAZOV."

Ivan lut le “document”, il fut convaincu. Donc, c’était son frère qui avait tué, et pas Smerdiakov. Pas Smerdiakov, et donc, alors, pas lui, Ivan. La lettre avait soudain acquis à ses yeux un sens mathématique. Il ne pouvait plus avoir le moindre doute sur la culpabilité de Mitia. A propos, Ivan n’avait jamais émis l’hypothèse que Mitia ait pu tuer avec Smerdiakov, et cela ne se liait pas avec les faits. Ivan avait été totalement rassuré. Le lendemain matin, il repensait à Smerdiakov et à ses moqueries seulement avec dédain. Quelques jours plus tard, il allait jusqu’à s’étonner d’avoir pu ainsi se vexer si douloureusement de ses soupçons. Il avait décidé de le mépriser et de l’oublier. Ainsi avait-il passé un mois. Il n’interrogeait plus personne au sujet de Smerdiakov, mais avait entendu dire en passant, deux ou trois fois, que ce dernier était très malade et n’avait pas toute sa raison. “Il finira fou”, avait un jour dit de lui le jeune médecin Varvinski et Ivan ne l’avait pas oublié. La dernière semaine de ce mois-là, Ivan luimême avait commencé à se sentir très mal. Il était déjà allé prendre conseil auprès du docteur qui venait d’arriver de Moscou juste avant le procès, appelé par Katérina Ivanovna. Et justement, c’est à ce moment-là que ses relations avec Katérina Ivanovna s’étaient tendues au dernier degré. Ils étaient comme deux ennemis amoureux l’un de l’autre. Les retours de Katérina Ivanovna vers Mitia, fugaces mais puissants, jetaient Ivan réellement dans un état de frénésie. Etrangement, jusqu’à la toute dernière scène que nous avons décrite chez Katérina Ivanovna au moment où Aliocha revenait de chez Mitia, lui, Ivan, il n’avait jamais entendu de sa part, pas une seule fois, le moindre doute quant à la culpabilité de Mitia, malgré tous ces “retours” vers lui qu’il haïssait si violemment. Autre fait remarquable, lui qui sentait qu'il haïssait Mitia chaque jour davantage, il comprenait en même temps que ce n'était pas pour les "retours" de Katia qu'il le haïssait, mais précisément *parce qu'il avait tué le père* ! Il le sentait, cela, il en avait une conscience totale. Malgré cela, dix jours avant le procès, il était allé trouver Mitia et lui avait proposé un plan d'évasion – un plan, visiblement, élaboré depuis longtemps. Ici, outre la raison principale qui l'y poussait, la faute en revenait à l'égratignure toujours fraîche dans son cœur qu'il avait ressentie après une certaine parole de Smerdiakov comme quoi cela lui aurait profité à lui, Ivan, qu'on accuse son frère, car la somme de l'héritage de leur père aurait alors grandi, pour Aliocha et lui, de quarante à soixante mille roubles. Il avait décidé de sacrifier treize mille roubles sur sa seule part pour arranger une évasion de Mitia. Après leur rencontre, ce jour-là, il était rentré terriblement triste et troublé : il avait soudain commencé à ressentir au fond de lui que, s'il voulait cette évasion, ce n'était pas seulement pour sacrifier treize mille roubles et cicatriser son égratignure, mais pour une espèce de raison autre. "Est-ce que c'est parce que, au fond de l'âme, je suis un assassin comme lui ?" s'était-il demandé. Il y avait quelque chose de lointain, mais de brûlant, qui lui mordait l'âme. Surtout, pendant tout ce mois-ci, c'est son orgueil qui avait souffert terriblement, mais, cela – plus tard… Saisissant le cordon de la sonnette de chez lui après sa conversation avec Aliocha et décidant soudain de se rendre chez Smerdiakov, Ivan Fiodorovitch avait obéi à une espèce d'indignation particulière qui s'était mise d'un coup à bouillir dans sa poitrine. Il s'était soudain souvenu que Katérina Ivanovna venait de lui crier, juste seulement maintenant, devant Aliocha : "C'est toi, c'est seulement toi qui m'as persuadée que c'était lui (c'est-à-dire Mitia), l'assassin !" A ce souvenir, Ivan s'était même retrouvé pétrifié : jamais de la vie il n'avait essayé de la persuader que l'assassin était Mitia, au contraire, il s'était accusé lui-même devant elle, quand il était rentré de chez Smerdiakov. Au contraire, c'était *elle*, elle qui lui avait mis sous le nez le "document" et lui avait prouvé la culpabilité de son frère ! Et, d'un seul coup, maintenant, elle s'écriait : "Moi aussi, je suis allée chez Smerdiakov !" Quand donc y était-elle allée ? Ivan n'en avait rien su du tout. Donc, elle n'était pas aussi sûre que cela de la culpabilité de Mitia ! Et qu'avait pu lui dire Smerdiakov ? Oui, qu'est-ce qu'il lui avait dit précisément, quoi ? Une colère épouvantable s'était mise à bouillir dans son cœur. Il ne comprenait pas comment, une demi-heure auparavant, il avait pu laisser passer de telles paroles et ne pas se mettre à crier. Il laissa retomber la sonnette et se précipita chez Smerdiakov. "Je vais le tuer, peut-être bien, cette fois-ci", se dit-il en chemin.

VIII

TROISIÈME, ET DERNIÈRE, RENCONTRE AVEC SMERDIAKOV

Il était encore à mi-chemin que se leva un vent coupant et sec, exactement le même que tôt le matin, et une petite neige épaisse et sèche se mit à tomber. La neige tombait au sol sans y adhérer, le vent la balayait, et, très vite, ce fut une vraie tempête qui se leva. Dans la partie de la ville où habitait Smerdiakov, nous n'avons quasiment pas de réverbères. Ivan Fiodorovitch avançait à grands pas dans les ténèbres, sans remarquer la tempête, retrouvant son chemin d'instinct. Il avait mal à la tête et le sang battait dans ses tempes d'une façon torturante. Ses mains, il le sentait, étaient prises de convulsions. Juste à côté de la maisonnette de Maria Kondratievna, Ivan Fiodorovitch tomba soudain sur un petit gars solitaire et aviné, de petite taille, vêtu d'un genre de manteau rapiécé, qui marchait en zigzag, tout en grognant et en jurant, et qui, s'arrêtant soudain de jurer, entonnait d'une voix éraillée d'ivrogne cette chanson :

Vanka part pour Pétersbourg,
C'est pas moi qui l'attendra !

Mais il interrompait toujours sa chanson sur ce deuxième vers et se remettait à injurier quelqu'un, puis, à nouveau, d'un seul coup, reprenait cette même chanson. Ivan Fiodorovitch ressentait depuis longtemps pour lui une haine terrible, sans avoir jamais encore pensé à lui, et, brusquement, il s'en rendit compte. Il fut pris aussitôt de l'envie irrépressible d'asséner un coup de poing sur le haut du crâne du bonhomme. Juste à cet instant, ils se croisèrent et le bonhomme, dans un coup de roulis puissant, se cogna soudain de toutes ses forces contre Ivan. Ce dernier le repoussa furieusement. Le petit bonhomme vola en arrière et retomba comme une bûche, sur la terre gelée, après avoir émis douloureusement juste un unique soupir : o-oh ! et il se tut. Ivan fit un pas vers lui. L'homme gisait à la renverse, complètement immobile, évanoui. "Il va geler !" se dit Ivan et il reprit son chemin vers Smerdiakov.

Dans l'entrée, Maria Kondratievna qui accourait lui ouvrir, une bougie à la main, lui chuchota que M. Pavel

Fiodorovitch (c'est-à-dire Smerdiakov) était très malade, non pas que monsieur gardât le lit, non, mais monsieur n'avait quasiment plus sa tête et il avait même ordonné de lui enlever le samovar, il avait refusé le thé.

— Pourquoi, il est violent, ou quoi ? demanda grossièrement Ivan Fiodorovitch.

— Pas du tout, au contraire, monsieur est très doux, seulement lui parlez pas trop longtemps... demanda Maria Kondratievna.

Ivan Fiodorovitch ouvrit la porte et entra dans l'isba.

L'isba était aussi chauffée que la dernière fois, mais on pouvait noter quelques changements dans la pièce : l'un des bancs près du mur avait été sorti et remplacé par un vaste divan de cuir simili-acajou. C'est là qu'on avait fait un lit avec des oreillers blancs et assez propres. Smerdiakov était assis sur le lit, toujours dans son sempiternel peignoir. La table avait été poussée devant le divan, en sorte qu'on était très à l'étroit dans la pièce. Il y avait sur la table un gros livre à couverture jaune, mais Smerdiakov ne le lisait pas et, semblait-il, ne faisait rien du tout. C'est par un regard long et silencieux qu'il accueillit Ivan Fiodorovitch, pas surpris le moins du monde, visiblement, de sa visite. Son visage avait beaucoup changé, il avait beaucoup maigri et jauni. Ses yeux étaient creusés, ses paupières inférieures avaient bleui.

— Alors, c'est vrai que tu es malade ? demanda Ivan Fiodorovitch en s'arrêtant. Je ne serai pas long, je n'ôte même pas mon manteau. Où je peux m'asseoir chez toi ?

Il fit le tour de la table, poussa une chaise vers la table et s'assit.

— Pourquoi tu me regardes sans rien dire ? Je viens juste pour une seule question et, je te le jure, je ne partirai pas de chez toi sans réponse : la dame, Katérina Ivanovna, elle est venue te voir ?

Smerdiakov répondit par un long silence, en regardant Ivan d'un air toujours aussi paisible, mais, d'un seul coup, il eut un geste d'impuissance et détourna le visage.

— Qu'est-ce qui t'arrive ? s'exclama Ivan.

— Rien.

— Quoi rien ?

— Bon, elle est venue, bon, et voilà. Laissez, monsieur.

— Non, je ne te laisserai pas ! Parle, elle est venue quand ?

— J'y repense plus, même, fit Smerdiakov avec un ricanement de dédain, et, soudain, une nouvelle fois, tournant son visage vers Ivan, il se mit à le fixer d'une espèce de regard plein de haine frénétique, ce même regard qu'il avait dardé sur lui un mois auparavant, au cours de sa visite précédente. Vous aussi, je vois ça, vous êtes pas bien, monsieur, tout hâve comme vous êtes, vous vous ressemblez plus, murmura-t-il à Ivan.

— Laisse ma santé tranquille, réponds aux questions qu'on te pose.

— Et pourquoi ils ont jauni, vos yeux, le blanc il est tout jaune. Ça vous torture, alors, beaucoup ?

Il eut un ricanement de mépris, puis, soudain, il éclata franchement de rire.

— Ecoute, j'ai dit que je ne repartirais pas de chez toi sans réponse ! cria Ivan avec une nervosité terrible.

— Pourquoi vous m'embêtez, monsieur ? Pourquoi vous me torturez ? murmura Smerdiakov avec douleur.

— Eh, diable ! Mais je m'en fiche, de toi. Réponds à la question, je m'en vais tout de suite.

— J'ai rien à vous répondre ! reprit Smerdiakov, baissant les yeux.

— Je t'assure que je t'obligerai à répondre !

— Pourquoi vous continuez toujours de vous inquiéter ? fit Smerdiakov en le fixant soudain, et non pas même avec dédain mais avec une espèce, véritablement, de répulsion, c'est que le procès il commence demain ? Mais, vous, il vous arrivera rien, mettez-vous ça, enfin, dans le crâne ! Rentrez chez vous, mettez-vous tranquillement au lit, ayez pas peur.

— Je ne te comprends pas… de quoi je devrais avoir peur demain ? marmonna Ivan avec surprise, et, d'un seul coup, réellement, une sorte de frayeur glaciale se répandit dans son âme. Smerdiakov le toisa du regard.

— Vous ne com-pre-nez pas ? reprit-il d'un ton traînant. Ça lui sert donc à quoi, un homme d'esprit, de jouer, comme ça, une comédie pareille ?

Ivan le regardait sans mot dire. Rien que ce ton inattendu, une espèce de ton hautain encore jamais vu avec lequel son ancien laquais s'adressait à lui était hors du commun. Ce ton, il ne l'avait pas même la dernière fois.

— Je vous dis que vous avez rien à craindre. Je déposerai pas contre vous, il y a pas de preuves. Non mais, les mains qui tremblent. Pourquoi ils ont la bougeotte, vos doigts ? Rentrez chez vous, *c'est pas vous qui avez tué*.

Ivan tressaillit, Aliocha lui revint en mémoire.

— Je le sais, que ce n'est pas moi… balbutia-t-il.

— Vous le saveeez ? reprit à nouveau Smerdiakov.

Ivan bondit et le saisit par l'épaule.

— Dis tout, serpent ! Dis tout !

Smerdiakov ne s'effraya pas le moins du monde. Il darda simplement dans ses yeux un regard plein d'une haine démente.

— Ben, c'est justement vous qu'avez tué, dans ce cas-là, lui chuchota-t-il furieusement.

Ivan s'affaissa sur la chaise, comme s'il avait compris quelque chose. Il eut un ricanement de haine.

— Tu recommences comme l'autre fois ? C'est toujours la même chose que tu veux dire ?

— La dernière fois aussi, vous étiez là devant moi et vous compreniez tout, maintenant aussi vous comprenez.

— Je comprends seulement que tu es fou.

— Et vous en avez pas assez ! On est là, les yeux dans les yeux, à quoi ça servirait, on pourrait croire, de se triturer l'un l'autre, de jouer la comédie ? Ou alors vous voulez juste tout me charger sur moi tout seul, moi, les yeux dans les yeux ? C'est vous qui avez tué, c'est vous l'assassin principal, et, moi, je suis juste là comme votre complice, votre fidèle Porello, et c'est sur votre parole que, cette chose-là, je l'ai accomplie.

— Accomplie ? Parce que c'est toi qui as tué ? demanda Ivan, en se glaçant.

Il y eut comme une espèce de choc dans son cerveau, et il se sentit parcouru tout entier de petits frissons glacés. Là, ce fut au tour de Smerdiakov de le considérer, cette fois, avec une vraie surprise : il avait été saisi, visiblement, par la sincérité de la frayeur d'Ivan.

— Mais alors, vraiment, vous étiez au courant de rien ? balbutia-t-il, incrédule, en lui lançant un ricanement torve.

Ivan continuait de le regarder, il avait comme perdu l'usage de sa langue.

Vanka part pour Pétersbourg,
C'est pas moi qui l'attendra !

entendit-il soudain à son oreille.

— Tu sais quoi : j'ai peur, tu ne serais pas un rêve, un fantôme, là, devant moi ? balbutia-t-il.

— Y a pas de fantôme du tout ici, n'est-ce pas, à part, n'est-ce pas, nous deux, et encore un certain troisième. Sans aucun doute, il est là en ce moment, ce troisième, je veux dire, entre nous deux.

— Qui, "il" ? Qui "il est là" ? Qui, le "troisième" ? murmura, apeuré, Ivan Fiodorovitch, regardant partout autour de lui et cherchant précipitamment quelqu'un dans tous les coins.

— Ce troisième, n'est-ce pas, c'est Dieu, la, n'est-ce pas, providence, elle est là, en ce moment, auprès de nous, mais, vous, la cherchez pas, vous la trouverez pas.

— Tu mens que tu as tué ! hurla frénétiquement Ivan. Soit tu es fou, soit tu te moques de moi, comme la dernière fois !

Smerdiakov, comme au début, sans s'effrayer le moins du monde, continuait de l'observer avec la même attention. Il n'arrivait toujours pas à vaincre en lui-même son incrédulité, il avait toujours eu l'impression qu'Ivan "savait tout", qu'il ne faisait que jouer la comédie, pour "le charger de tout, lui, tout seul, en face".

— Attendez, fit-il enfin d'une voix faible et, brusquement, sortant de sous la table son pied gauche, il entreprit de retrousser son pantalon. Le pied se révéla être recouvert d'un bas, et chaussé d'une mule. Sans se hâter, Smerdiakov ôta son attache et enfonça profondément ses doigts à l'intérieur du bas. Ivan Fiodorovitch le regardait et, d'un coup, il se sentit secoué de tremblements convulsifs.

— Espèce de fou ! hurla-t-il et, bondissant précipitamment de sa place, il fut pris d'un recul si fort qu'il se cogna le dos contre le mur et resta comme collé au mur, droit comme un *i*. Il regardait Smerdiakov dans une angoisse folle. Lui, sans se troubler le moins du monde devant sa peur, continuait de fouiller dans son bas. Finalement, il parvint à saisir quelque chose et se mit à tirer. Ivan Fiodorovitch vit que c'était des espèces de papiers, ou une espèce de liasse de papiers. Smerdiakov la sortit et la posa sur la table.

— Voilà ! dit-il avec douceur.

— Quoi ? répondit Ivan en tremblant.

— Veuillez regarder, reprit Smerdiakov avec la même douceur.

Ivan fit un pas vers la table, il voulut prendre la liasse et entreprit de l'ouvrir, mais, d'un seul coup, il retira ses doigts avec violence comme s'il venait de toucher une espèce de reptile dégoûtant, épouvantable.

— Vos doigts, n'est-ce pas, ils arrêtent pas de trembler, des convulsions, remarqua Smerdiakov, et il ouvrit le papier lui-même. L'enveloppe cachait trois liasses de billets arc-en-ciel de cent roubles.

— Tout est là, n'est-ce pas, tous les trois mille, vous donnez pas la peine de recompter. Prenez, monsieur, invita-t-il Ivan avec un signe de tête vers l'argent. Ivan s'affaissa sur sa chaise. Il était pâle comme un linge.

— Tu m'as fait peur… avec ce bas… murmura-t-il avec une espèce de ricanement.

— Alors, vraiment, vraiment, vous saviez toujours pas ? redemanda Smerdiakov.

— Non, je ne savais pas. Je pensais toujours que c'était Dmitri. Mon frère ! Mon frère ! Ah ! Il prit soudain sa tête à deux mains. Ecoute : c'est toi tout seul qui as tué ? Sans mon frère ou avec mon frère ?

— Juste seulement avec vous ; c'est avec vous, n'est-ce pas, que j'ai tué, et Dmitri Fiodorovitch, n'est-ce pas, il est innocent comme l'agneau.

— Bon, bon… Moi, plus tard. Qu'est-ce que j'ai à trembler comme ça… Je n'arrive pas à dire un mot.

— Vous aviez de l'audace, à ce moment-là, "tout est permis, n'est-ce pas", vous disiez, et maintenant, regardez comme vous avez peur ! balbutia Smerdiakov, sidéré. Vous voulez pas de la limonade, je vous en demande tout de suite. Ça rafraîchit bien. Mais faudrait cacher ça avant.

Et il désigna de la tête la liasse de billets. Il s'était déjà levé pour appeler par la porte Maria Kondratievna, pour qu'elle prépare et apporte de la limonade, et, cherchant de quoi couvrir l'argent, afin qu'elle ne le remarque pas, il commença par sortir son mouchoir, mais comme, là encore, il se révéla être complètement souillé de morve, il prit sur la table le gros livre jaune qui était seul posé dessus et qu'Ivan avait remarqué en entrant, et le posa sur les billets. Le titre du livre était : *Paroles de notre saint père Isaac Sirine*. Ivan Fiodorovitch eut le temps de lire machinalement le titre.

— Je ne veux pas de limonade, dit-il. Moi, plus tard. Rassieds-toi et parle : comment est-ce que tu l'as fait ? Dis tout…

— Vous devriez ôter votre manteau, au moins, vous m'attraperez un chaud et froid.

Ivan Fiodorovitch, comme s'il ne réalisait qu'à présent, arracha son manteau et le jeta, sans quitter sa chaise, sur le banc.

— Mais parle donc, s'il te plaît, parle !

Il s'était comme calmé. Il attendait avec assurance que Smerdiakov, à présent, lui dise *tout*.

— Sur comment, n'est-ce pas, ça s'est fait ? soupira Smerdiakov. De la manière la plus naturelle, ça a été fait, suivant vos mots, n'est-ce pas, que vous avez dits…

— Mes mots, plus tard, l'interrompit à nouveau Ivan, mais cette fois sans crier comme avant, en articulant chaque mot d'une voix ferme et comme s'il se maîtrisait entièrement. Raconte seulement tout en détail, comment tu as fait ça. Tout dans l'ordre. N'oublie rien. Les détails, surtout les détails. Je te le demande.

— Vous êtes parti, moi, donc, je suis tombé dans la cave…

— Avec le haut mal ou tu faisais semblant ?

— Bien sûr que je faisais semblant. Je faisais semblant pour tout. J'ai descendu les marches tranquille, n'est-ce pas, jusque tout en bas, et je me suis couché bien tranquille, et, quand j'ai été bien couché, là, j'ai hurlé. Et je me débattais quand ils m'ont remonté.

— Attends ! Et pendant tout le temps, et après, et puis à l'hôpital, tu as toujours fait semblant ?

— Pas du tout. Le lendemain, au matin, avant l'hôpital encore, j'en ai fait une vraie, de crise, et tellement forte que ça faisait longtemps que ça m'était pas arrivé. Pendant deux jours après, j'ai été inconscient.

— Bien, bien. Continue.

— On m'a mis, donc, sur cette couchette, je le savais, là, de derrière la cloison, parce que Marfa Ignatievna, toutes les fois que j'étais malade, elle me mettait la nuit derrière, n'est-ce pas, cette cloison, chez elle dans son logement. Elle a toujours été, n'est-ce pas, très tendre pour moi depuis le jour de ma naissance. La nuit, j'ai gémi, mais pas trop fort. J'attendais toujours Dmitri Fiodorovitch.

— Comment tu l'attendais, chez toi ?

— Non, pas chez moi. Dans la maison je l'attendais, parce que j'avais plus le moindre doute, rapport qu'il allait venir, là, dans la nuit, parce que, puisqu'il m'avait perdu, qu'il avait plus aucune nouvelle, il fallait bien qu'il s'introduise de lui-même, par-dessus la palissade, comme il savait, et faire, n'est-ce pas, quelque chose.

— Et s'il n'était pas venu ?

— Alors, n'est-ce pas, il se serait rien passé. Sans lui, je me serais pas décidé.

— Bien, bien... parle d'une façon plus claire, ne cours pas, surtout – n'oublie aucun détail !

— J'attendais que M. Dmitri il tue Fiodor Pavlovitch... ça, n'est-ce pas, à coup sûr. Parce que je l'avais déjà préparé comme ça, n'est-ce pas... les derniers jours... et, surtout, les signaux, donc, il les connaissait. Vu la méfiance, vu, n'est-ce pas, la frénésie de M. Dmitri, tout ce qui s'était tellement accumulé les derniers jours, y avait pas de doute qu'avec des signaux il devait, n'est-ce pas, pouvoir s'introduire dans la maison. Ça, sans le moindre doute. C'est ça que j'attendais, donc, qu'il fasse...

— Attends, l'interrompit Ivan, mais, s'il avait tué, il aurait pris l'argent et il l'aurait emporté ; c'est ça, non, que tu aurais dû te dire ? Toi, qu'est-ce qui te serait resté après ? Je ne vois pas.

— Mais, l'argent, M. Dmitri, il vous l'aurait jamais trouvé. C'était que moi que je lui avais dit ça, comme quoi, l'argent, il était sous le matelas. Seulement ça, n'est-ce pas, c'était pas vrai. Avant, il était dans une cassette, comme ça c'était. Et après, je lui ai appris, à Fiodor Pavlovitch, vu qu'il y avait que moi, dans toute l'humanité entière, à qui il faisait confiance, ce paquet avec l'argent, à le mettre plutôt dans le coin, derrière les icônes, parce que, là, jamais personne aurait pu y penser, surtout si on avait pas le temps. C'est là, donc, qu'il était, quoi, le paquet, il restait dans le coin, derrière les icônes. Et, sous le matelas, ç'aurait été même comique de l'avoir gardé – dans la cassette, au moins, l'était sous clé. Et là, maintenant, tout le monde y croit, que c'était, soi-disant, sous le matelas. Une réflexion stupide. Et donc, n'est-ce pas, si Dmitri Fiodorovitch, il l'avait fait, ce meurtre, eh bien, sans rien trouver, il se serait sauvé très vite, craignant le moindre bruit, comme c'est toujours le cas avec les assassins, ou bien on l'aurait arrêté. Et moi, à ce moment-là, je pouvais toujours, le lendemain, ou, tenez, la nuit même, y aller voir derrière les icônes, et, cet argent, là, l'emporter, et, tout ça, on vous l'aurait quand même chargé sur Dmitri Fiodorovitch. Cet espoir-là, j'avais toujours.

— Mais s'il n'avait pas tué, qu'il l'avait juste roué de coups ?

— S'il l'avait pas tué, moi, l'argent, j'aurais pas osé le prendre, ça serait mort dans l'œuf. Mais j'avais aussi ce calcul, là, qu'il pouvait le frapper jusqu'à le laisser dans les pommes, et moi, dans l'intervalle, j'aurais eu le temps de le prendre, et puis, ce que j'allais raconter, par la suite, à Fiodor Pavlovitch, c'était que c'était Dmitri Fiodorovitch qui l'avait pris, l'argent, après l'avoir roué de coups…

— Attends… je m'embrouille. Donc, c'est quand même Dmitri qui a tué, et, toi, tu as juste pris l'argent ?

— Non, c'est pas lui qui a tué. Eh quoi, même maintenant, je pourrais vous dire que c'est lui qu'a tué… mais j'ai pas envie, maintenant, de vous mentir, parce que… si, réellement, comme je le vois, vous aviez encore rien compris et vous faisiez semblant devant moi, pour me charger, là, devant moi, de votre faute évidente, c'est quand même vrai que c'est vous qui êtes coupable de tout, parce que, le crime, vous étiez au courant, et vous m'aviez confié, n'est-ce pas, de tuer, et, vous-même, en sachant tout, vous êtes parti. Et donc, là, ce soir, je veux tout vous le prouver en face que c'est rien que vous l'assassin principal dans tout, et, moi, juste, je suis pas le plus principal, même si c'est moi qu'a tué. Oui, c'est vous l'assassin le plus légal !

— Pourquoi, pourquoi je suis l'assassin ? Oh, mon Dieu ! cria enfin Ivan, n'y tenant plus, oubliant qu'il avait repoussé l'intention de parler de lui à la toute fin de la conversation. C'est toujours à cause de Tchermachnia, là ? Attends, parle, pourquoi est-ce qu'il te fallait mon accord, si tu avais pris Tchermachnia comme un accord ? Maintenant, ça, tu l'expliques comment ?

— Assuré de votre accord, je savais déjà que, vous, les trois mille roubles perdus, à votre retour, vous alliez pas crier dessus, si, je sais pas pourquoi, ç'avait été moi que les autorités avaient soupçonné au lieu de Dmitri Fiodorovitch, ou alors comme complice de Dmitri Fiodorovitch ; au contraire, même, vous m'auriez défendu… Et l'héritage, une fois que vous l'auriez eu touché, eh bien, par la suite, vous auriez pu me faire une gratification, pour tout le restant de ma vie, parce que, quand même, c'est grâce à moi que, cet héritage, vous l'avez eu, vu que, si qu'il s'était marié avec Agraféna Alexandrovna, ce que vous auriez eu, vous, c'était zéro.

— Ah ! Alors, tu avais l'intention de me torturer ensuite, toute la vie ! reprit Ivan en grinçant des dents. Et si je n'étais pas parti, et que j'étais allé te dénoncer ?

— Et vous auriez pu dénoncer quoi ? Que je vous poussais pour aller à Tchermachnia ? Mais ça, n'est-ce pas, c'est des bêtises. En plus, après notre conversation, vous, vous seriez parti ou vous seriez resté. Si vous étiez resté, il se serait rien passé du tout, parce que, n'est-ce pas, j'aurais su que, cette chose-là, vous en vouliez pas, et, donc, j'aurais rien entrepris. Et si vous étiez parti, moi, donc, vous m'auriez donné cette assurance que vous oseriez pas me porter plainte au tribunal, et que, les trois mille roubles, vous me les effaceriez. Et puis, vous auriez pas pu me poursuivre par la suite, parce que, moi, n'est-ce pas, au tribunal, j'aurais tout raconté, c'est-à-dire pas que j'ai volé ou que j'ai tué – ça, n'est-ce pas, je l'aurais pas dit –, mais comme quoi c'est vous qui m'aviez incité à ça, à voler et à tuer, et moi, n'est-ce pas, j'ai refusé. C'est pour ça, n'est-ce pas, que j'avais besoin de votre accord, pour que vous puissiez plus jamais me faire pression dessus, n'est-ce pas, parce que, en plus, où est-ce que vous l'auriez eue, votre preuve, et moi, par contre, la pression, je pouvais toujours la faire, en rendant publique cette soif que vous aviez, n'est-ce pas, de la mort de votre papa, et, là, parole – dans le public, là –, on y aurait cru, et vous, toute votre vie, après, vous auriez eu honte.

— Alors, je l'avais, alors, je l'avais, cette soif, je l'avais ? reprit Ivan sur le même ton.

— Absolument que vous l'aviez, et, par votre accord, ce jour-là, vous m'avez confié toute la chose, reprit Smerdiakov avec un regard ferme à Ivan. Il était très faible et parlait d'une voix basse et fatiguée, mais il y avait quelque chose d'intérieur, de caché, qui le poussait, il avait, visiblement, une intention. Ivan le pressentait.

— Continue encore, lui dit-il, continue sur cette nuit.

— Bah, encore, qu'est-ce qu'il y a ? Je suis couché, là, donc, j'entends qu'il y a monsieur qui crie, on dirait. Et Grigori Vassilitch, avant ça, il s'était levé d'un coup et il était sorti, et, d'un seul coup, il avait poussé un grand cri, et puis, après, le calme, le noir. Je reste, là, donc, couché, j'attends, le cœur qui bat, j'arrive pas à tenir. Je finis par me lever et, n'est-ce pas, j'y vais – je vois, à gauche, la fenêtre sur le jardin, chez monsieur, elle est ouverte, et, donc, alors, je fais un autre pas, n'est-ce pas, vers la gauche, pour écouter, voir s'il est vivant, monsieur, s'il y est, ou non, je l'entends, monsieur, qui s'agite, qui pousse des soupirs, donc, bon, n'est-ce pas, il est vivant. Ah, je me dis ! Je m'approche de la fenêtre et je crie à monsieur : "C'est moi, monsieur." Et lui : "Il était là, il était là, il s'est enfui !" C'est-à-dire Dmitri Fiodorovitch, n'est-ce pas, qui était là. "Il a tué Grigori ! – Où ça ?" je lui chuchote. "Là-bas, dans le coin", et il m'indique, et, lui aussi, il chuchote. "Attendez", je lui dis. Je m'en vais vers le coin, le chercher, et, près du mur, je tombe dessus, sur Grigori Vassiliévitch, étendu de tout son long, il était là tout en sang, évanoui. Donc, c'était vrai qu'il était là, Dmitri Fiodorovitch, ça m'a sauté, d'un seul coup, dans la tête, et, tout de suite, j'ai décidé de tout finir ça d'un coup, puisque si Grigori Vassilitch, n'est-ce pas, il était encore vivant, en attendant, dans son évanouissement, il ne pouvait rien voir. Il y avait juste le risque que Marfa Ignatievna elle se réveille. J'ai ressenti ça sur le coup, et le grand désir m'a tout saisi, j'avais du mal, même, à reprendre mon souffle. Je reviens vers la fenêtre de monsieur et je dis : "Elle est ici, elle est venue, Agraféna Alexandrovna est là, elle veut entrer." Je l'ai vu qui tressaillait, comme ça, de tout le corps, comme un bébé : "Où ça ici ? Où ?" et il soupire, et il arrive pas encore à y croire. "Là-bas, je lui dis, elle attend, ouvrez !" Il me regarde, par la fenêtre, il me croit et il me croit pas, et il a peur d'ouvrir, c'est de moi aussi qu'il a peur, je me dis. Et c'est drôle, quand même : d'un coup, ces fameux signaux, ça m'est venu, là, de les frapper sur la fenêtre, comme quoi, n'est-ce pas, Grouchenka était là, là, n'est-ce pas, devant lui : les mots, c'était comme s'il y croyait pas, mais, les signaux, quand je les ai frappés, il a tout de suite couru ouvrir la porte. Il a ouvert. Moi, alors, je veux entrer, mais lui, il reste là, il me fait obstacle de son corps, il me laisse pas passer. "Où elle est, où elle est ?" Il me regarde et il frissonne. Bon, je me dis : s'il a tellement peur de moi, ça va mal ! et, là, moi-même, j'ai senti mes jambes qui flageolaient, de peur, qu'il me laisserait pas entrer, n'est-ce pas, à l'intérieur, ou qu'il allait crier, ou que Marfa Ignatievna elle allait accourir, ou juste sortir, et moi, là, je me souviens plus, mais, moi aussi, j'étais pâle, je parie, devant lui. Je lui chuchote : "Mais là, là, sous la fenêtre, comment ça se fait, je lui dis, que vous l'avez pas vue ? – Mais amène-la, mais amène-la ! – Elle a peur, je lui dis, elle a eu peur des cris, elle s'est cachée dans le buisson, allez-y vous-même, je lui dis, appelez depuis votre bureau." Il se précipite, il approche de la fenêtre, il pose une bougie sur la fenêtre. "Grouchenka, il lui crie, Grouchenka, tu es là ?" Il crie ça, et, en même temps, la fenêtre, il veut pas s'y pencher, il veut pas me quitter non plus, à cause, toujours, de cette peur, parce que je lui avais fait très peur, n'est-ce pas, mais il ose pas non plus me quitter. "Mais elle est là, je lui dis (je vais à la fenêtre, je me penche au-dehors de tout mon torse), là, elle est, dans le buisson, elle rit de vous voir, vous voyez pas ?" D'un seul coup, il m'a cru, il s'est mis à trembler comme une feuille, oh, ça, drôlement il était amoureux d'elle, et, là, il s'est penché à la fenêtre de tout son corps. Là, moi, j'ai saisi ce gros presse-papiers, vous savez, en fonte, qu'il avait sur sa table, vous vous souvenez, bien trois livres que ça fait, je prends mon élan, et, par-derrière, juste sur le haut du crâne, avec le coin. Il a même pas poussé un cri. Il s'est juste ratatiné soudain, et, moi, un deuxième coup, puis un troisième. C'est au troisième que je l'ai senti, que c'était fendu. Alors, monsieur, il est tombé à la renverse, la face en l'air, couvert de sang. Moi, je me regarde : j'en avais pas, de sang, ça avait pas giclé, j'essuie le presse-papiers, je le remets à sa place, je vais voir derrière les icônes, je sors l'argent du paquet, et, le paquet, je le jette par terre, et le ruban rose, là, à côté. Je redescends dans le jardin, je tremble de partout. Direct vers ce pommier, là, au tronc creux – le tronc creux, là, vous le connaissez, ça faisait longtemps, moi, que je l'avais remarqué, j'y avais mis, déjà, un petit chiffon, et du papier, j'avais préparé ça depuis longtemps ; j'enrobe toute la somme dans le papier, puis après dans le chiffon, et je l'enfonce, profond profond. C'est là qu'elle est restée, un peu plus de deux semaines, cette fameuse somme, là, c'est ensuite, après l'hôpital, que je l'ai récupérée. Je retourne à mon lit, je me couche, et je me dis, dans ma peur : "Si Grigori Vassiliévitch il s'est fait tuer complètement, alors, là, ça peut se passer vraiment très mal, mais s'il s'est pas fait tuer, s'il se réveille, alors, ça se passera le mieux du monde, parce que, à ce moment, il sera témoin comme quoi Dmitri Fiodorovitch est venu, et donc, comme quoi c'est lui qu'a tué, et qui a emporté l'argent." Là, donc, je me suis mis à gémir, dans le doute et l'impatience, pour réveiller au plus vite Marfa Ignatievna. Elle a fini par se lever, elle s'est jetée vers moi, mais quand, d'un seul coup, elle a vu que Grigori Vassiliévitch était pas là, elle est sortie en courant et, je l'entendais, elle s'est mise à hurler dans le jardin. Bon, et là, alors, ça a été lancé pour toute la nuit, et, moi, bon, je me suis apaisé pour tout.

Le narrateur s'arrêta. Ivan l'avait écouté tout le temps dans un silence de mort, sans bouger, sans le quitter des yeux. Smerdiakov, lui, en racontant, ne lui lançait des regards que de loin en loin, il lorgnait plutôt vers un mur. Son récit achevé, il avait lui-même, visiblement, été pris d'émotion et avait un souffle lourd. De la sueur perlait à son front. On ne pouvait pas comprendre, néanmoins, s'il ressentait du remords, ou ce que c'était.

— Attends, reprit Ivan, réfléchissant. Mais, la porte ? Si ce n'est qu'à toi qu'il a ouvert la porte, comment Grigori, avant toi, a-t-il pu la voir ouverte ? Parce que, Grigori, il l'a bien vue avant toi ?

Il est remarquable qu'Ivan avait posé cette question d'une voix des plus paisibles, d'un ton complètement différent, sans la moindre colère, au point que si quelqu'un avait ouvert la porte à ce moment-là et était resté à les regarder depuis le seuil, il n'aurait pas manqué de conclure qu'ils étaient là tous deux à parler, le plus pacifiquement du monde, d'un sujet des plus ordinaires, encore qu'intéressant.

— Au sujet de cette porte et comme quoi Grigori Vassiliévitch l'aurait soi-disant vue ouverte, c'est une impression qu'il a eue, ricana sincèrement Smerdiakov. Parce que, je vous dirais, c'est pas un homme, c'est juste tout comme un âne têtu : il l'a pas vue, il a eu l'impression qu'il l'a vue – et, là, vous le ferez plus changer d'avis. Là, vous et moi, c'est une chance qu'on a eue, qu'il s'est mis ça dans la tête, parce que, après ça, Dmitri Fiodorovitch, il pourra plus que se faire condamner.

— Ecoute, reprit Ivan Fiodorovitch comme si, à nouveau, il se perdait et comme en s'efforçant de comprendre une certaine chose, écoute... Il y a beaucoup de choses que je voulais te demander, mais j'oublie... J'oublie toujours, je m'embrouille... Oui ! Dis-moi ne serait-ce que ça : pourquoi tu l'as décacheté, le paquet, et tu l'as laissé sur le sol ? Pourquoi tu n'as pas juste pris le paquet comme ça... Quand tu le racontais, j'ai eu l'impression que c'était ça que tu me racontais sur ce paquet, que c'était ça qu'il fallait… mais pourquoi il le fallait, je n'arrive pas à comprendre…

— Si je l'ai fait, n'est-ce pas, ça, c'était pour une certaine raison. Parce que, si c'était un homme d'expérience, habitué, comme moi, par exemple, un homme qui l'avait déjà vu avant, cet argent, qui l'avait mis lui-même, si ça se trouve, dans le paquet, qui avait vu de ses propres yeux comment monsieur l'a cacheté et a écrit dessus, un homme comme ça, n'est-ce pas, en quel honneur, si, disons, c'est lui qui avait tué, il se serait mis, après le meurtre, à le décacheter, ce paquet, et dans une telle hâte encore, en étant déjà sûr, même sans ça, qu'il y est bien, l'argent, dans ce paquet ? Au contraire, si c'était un détrousseur, moi, par exemple, il se serait juste mis le paquet dans la poche, sans le décacheter du tout, et il vous aurait mis les voiles, n'est-ce pas, avec, et vite. Pour Dmitri Fiodorovitch, là, c'était tout autre chose : lui, ce paquet, il en avait juste entendu parler, il l'avait jamais vu en tant que tel, et donc, quand il l'aurait sorti, disons, de sous le matelas, il vous l'aurait décacheté tout de suite, pour voir si c'était vrai qu'il y avait l'argent dedans. Et, le paquet, il le jette tout de suite, sans même réfléchir que ça fera une preuve contre lui, parce que, n'est-ce pas, c'est pas un voleur d'expérience, et jamais, avant, il avait volé franchement, parce que, n'est-ce pas, il est de noble famille, et si, maintenant, là, il se décide à voler, c'est justement, n'est-ce pas, comme pas pour voler qu'il était venu, mais juste récupérer son propre bien, comme il s'était vanté de le faire avant, devant tout le monde et à haute voix, qu'il s'en irait trouver Fiodor Pavlovitch pour lui reprendre son bien. Moi, dans ma déposition, cette idée-là, je peux pas dire que je l'ai dite au procureur, mais, au contraire, par allusion, je l'ai porté dessus, comme sans le comprendre moi-même, comme si c'était le procureur qui venait de l'avoir, et pas moi qui lui aurais soufflé – mais, M. le procureur, rien qu'à cette allusion, je le voyais qui salivait…

— Et alors, sérieusement, mais sérieusement, tout ça, tu te l'es dit comme ça, là, sur place ? s'exclama Ivan Fiodorovitch, stupéfait de surprise. Il regardait à nouveau Smerdiakov avec effroi.

— Voyons, monsieur, comment j'aurais donc pu trouver tout ça dans une précipitation, n'est-ce pas, comme ça ? J'avais tout réfléchi à l'avance.

— Alors… alors, c'est le diable lui-même qui t'a aidé ! s'exclama à nouveau Ivan Fiodorovitch. Non, tu n'es pas bête, tu es beaucoup plus intelligent que je ne pensais…

Il se leva avec l'intention évidente de faire quelques pas dans la pièce. Mais comme la table lui barrait le passage et qu'il fallait réellement se glisser entre la table et le mur, il se contenta de se retourner sur place et de se rasseoir. C'est peut-être le fait qu'il n'ait pas réussi à faire quelques pas qui le mit brusquement en rage, si bien que sa frénésie l'avait presque repris quand il hurla :

— Ecoute, espèce de malheureux, de misérable ! Tu ne comprends donc pas que si je ne t'ai pas encore tué, c'est seulement parce que je te garde pour que tu répondes demain au tribunal ? Dieu m'est témoin (Ivan leva le bras vers le plafond), je suis peut-être coupable en même temps, peut-être que, réellement, j'avais ce désir secret que… le père meure, mais, je te le jure, je ne suis pas aussi coupable que tu le penses et, si ça se trouve, je ne t'ai pas poussé du tout. Non, non, je ne t'ai pas poussé ! Mais, de toute façon, dès demain, je me dénonce moi aussi, au tribunal, j'ai décidé ! Je dirai tout, tout. Mais nous arriverons ensemble ! Tu pourras dire ce que tu veux contre moi au tribunal, tu pourras témoigner comme tu veux – je l'accepte et tu ne me fais pas peur ; je confirmerai tout moi-même ! Mais, toi aussi, tu dois avouer devant le tribunal ! Tu dois, tu dois, nous irons tous les deux ! C'est ce qui se passera !

Ivan avait dit cela sur un ton solennel et énergique, et l'on voyait rien qu'à la flamme qu'il avait dans les yeux que c'était ainsi que les choses se passeraient.

— Vous êtes malade, je vois ça, n'est-ce pas, vous êtes vraiment malade. Le blanc de vos yeux, il est tout jaune, prononça Smerdiakov, mais sans se moquer le moins du monde, comme, même, sur une espèce de ton compatissant.

— Nous irons tous les deux ! répéta Ivan. Et si tu ne viens pas – de toute façon, je me dénoncerai tout seul.

Smerdiakov eut un silence, comme s'il réfléchissait.

— Il se passera rien du tout de ça, n'est-ce pas, et vous, n'est-ce pas, vous irez nulle part, finit-il par conclure, sans appel.

— Tu ne me comprends pas ! s'exclama Ivan d'un ton de reproche.

— Vous aurez trop honte, monsieur, si vous avez tout contre vous-même. Et, le pire, c'est que ça servira à rien, à rien du tout, n'est-ce pas, parce que, moi, n'est-ce pas, je dirai tout net que je vous ai jamais rien dit de pareil, et que, vous, soit vous êtes dans une espèce de maladie (d'ailleurs, ça y ressemble), soit c'est votre grand frère que vous plaignez, alors, vous sacrifiant vous-même, et, moi, vous avez inventé, parce que, de toute façon, vous m'avez juste considéré comme un moucheron, toute votre vie, et pas comme un humain. Et puis, qui c'est qui vous croira, et est-ce que vous avez ne serait-ce qu'une seule preuve ?

— Ecoute, cet argent, si tu me l'as montré, maintenant, c'est pour me convaincre, bien sûr.

Smerdiakov ôta le tome d'Isaac Sirine de sur le paquet et le mit de côté.

— Cet argent, reprenez-le, emportez-le, soupira Smerdiakov.

— Bien sûr que je le prendrai ! Mais pourquoi tu me le rends, si c'est pour lui que tu as tué ? demanda Ivan, le regardant avec une grande surprise.

— J'en ai plus besoin du tout, répondit Smerdiakov d'une voix tremblante avec un geste de lassitude. J'avais eu une idée avant, n'est-ce pas, que, cet argent, il me servirait pour commencer ma vie, à Moscou, ou, mieux encore, à l'étranger, un rêve que j'avais fait, mais surtout parce que "tout est permis". Ça, c'est vrai que vous m'avez appris ça, parce que, ça, vous me l'avez dit souvent : si le Dieu infini n'existe pas, alors il peut pas exister non plus aucune vertu, et on en a pas besoin du tout, d'ailleurs. Là, vous aviez raison. Ce que je m'étais dit.

— Tu y es arrivé par tes propres moyens ? fit Ivan avec un sourire torve.

— Sous votre conduite, monsieur.

— Alors, maintenant, donc, tu crois en Dieu, si tu me rends l'argent ?

— Non, monsieur, j'y crois pas, chuchota Smerdiakov.

— Alors, pourquoi tu le rends ?

— Allez... laissez tomber, monsieur ! reprit Smerdiakov avec un nouveau geste de lassitude. Vous, vous arrêtiez pas de dire, à ce moment-là, que tout est permis, et maintenant, vous-même, pourquoi que ça vous met dans tous vos états ? Il veut même aller se dénoncer... Sauf qu'il y aura rien de tout ça ! Vous irez pas vous dénoncer ! conclut à nouveau Smerdiakov d'une voix ferme et convaincue.

— Tu verras ! murmura Ivan.

— C'est pas possible. Vous êtes trop intelligent pour ça. Vous aimez l'argent, ça, je le sais, n'est-ce pas, les honneurs aussi, vous aimez ça, parce que vous êtes très fier, le charme féminin aussi, vous aimez ça outre mesure, et plus encore que tout, de vivre dans le calme et la fortune, et pas vous incliner devant personne – ça, c'est le plus de tout, n'est-ce pas. Vous voudrez pas vous gâcher votre vie à tout jamais, en vous prenant cette honte-là au tribunal. Vous êtes comme Fiodor Pavlovitch, celui qui lui ressemble le plus de ses enfants, une seule âme, n'est-ce pas, pour vous deux.

— Tu n'es pas bête, marmonna Ivan, comme stupéfait ; le sang affluait à son visage. Avant, je me disais que tu étais bête. Tu es sérieux en ce moment ! remarqua-t-il, posant sur Smerdiakov une sorte de regard neuf.

— Votre fierté qui vous le faisait penser, que je suis bête. L'argent, quoi, prenez-le.

Ivan prit les trois liasses de billets et les fourra dans sa poche, sans les envelopper du tout.

— Demain, je les montrerai au tribunal, dit-il.

— Personne vous y croira, monsieur, parce que, maintenant, de l'argent, vous en avez assez à vous tout seul, vous le sortez de la cassette, vous le présentez.

Ivan se leva de sa place.

— Je te répète que si je ne t'ai pas tué, c'est uniquement parce que j'ai besoin de toi demain, souviens-toi, n'oublie pas !

— Eh ben quoi, tuez-moi. Tuez-moi maintenant, dit soudain Smerdiakov d'un ton étrange, en regardant Ivan d'un regard étrange. Même ça, vous oserez pas, ajouta-t-il avec un ricanement amer, vous oserez rien, vous, tiens, qui aviez tant d'audace !

— A demain ! cria Ivan et il fit un mouvement pour partir.

— Attendez… montrez-les-moi encore une fois.

Ivan sortit les billets et les lui montra. Smerdiakov les contempla pendant une dizaine de secondes.

— Bon, allez-y, murmura-t-il avec un geste de lassitude. Ivan Fiodorovitch ! lui cria-t-il soudain à nouveau dans le dos.

— Qu'est-ce que tu veux ? fit Ivan, se tournant vers lui dans le mouvement.

— Adieu, monsieur !

— A demain ! lui cria Ivan et il ressortit de l'isba.

La tempête de neige continuait toujours. Il fit ses premiers pas d'un air alerte, mais, brusquement, ce fut comme s'il se mettait à chanceler. "C'est quelque chose de physique", se dit-il avec un ricanement. Il y avait une espèce comme de joie qui était, à présent, descendue dans son âme. Il sentit en lui-même une espèce de fermeté illimitée : la fin de ses hésitations qui l'avaient si affreusement torturé pendant tous ces derniers temps ! Sa décision était prise, "et elle ne changerait plus", se dit-il avec bonheur. A cet instant, il trébucha soudain sur quelque chose et il faillit tomber. Il s'arrêta et distingua dans ses pieds le petit bonhomme étalé par terre, qui gisait toujours là, au même endroit, inconscient, immobile. La neige avait déjà quasiment recouvert tout son visage. Ivan le saisit soudain et le traîna sur son dos. Apercevant de la lumière dans une maisonnette à droite, il approcha, frappa aux volets et demanda à l'artisan qui répondit, le propriétaire de cette maisonnette, de l'aider à traîner le moujik jusqu'au poste le plus proche, en lui promettant trois roubles. L'artisan s'habilla et sortit. Je ne décrirai pas en détail la façon dont Ivan Fiodorovitch parvint cette fois-là à atteindre son but et à amener le moujik jusqu'au poste, pour le faire tout de suite examiner par un docteur, ce pour quoi il distribua d'une main généreuse "de quoi assurer les dépenses". Je dirai seulement que cela lui prit presque une heure de temps. Mais Ivan Fiodorovitch resta très satisfait. Ses pensées fusaient dans tous les sens et travaillaient. “Si la décision de demain n'était pas prise si fermement, se dit-il soudain avec jouissance, je ne serais pas resté une heure entière à caser le petit moujik, je serais passé devant, je serais juste resté indifférent à ce qu'il meure gelé… N'empêche, comment ça se fait que j'aie la force de m'observer, se dit-il à la même minute avec une jouissance encore plus grande, et eux, là, qui décidaient que j'étais en train de devenir fou !” Arrivé jusque chez lui, il s'arrêta soudain sous le coup d'une question inattendue : “Mais est-ce qu'il ne faudrait pas aller, là, maintenant, chez le procureur, et faire toute la déclaration ?” Cette question, il la trancha en tournant à nouveau du côté de chez lui : “Demain, tout en même temps !” chuchota-t-il en lui-même, et, étrangement, presque toute sa joie, toute sa satisfaction de soi disparurent à l'instant. Quand il mit le pied dans sa chambre, c'est quelque chose de glacé qui lui toucha soudain le cœur, une espèce de souvenir, plutôt de rappel de quelque chose d'aussi torturant que dégoûtant qui se trouvait, ici, dans cette pièce, là, maintenant, et qui d'ailleurs s'y était déjà trouvé avant. Il s'affaissa avec lassitude sur son divan. La vieille lui apporta le samovar, il fit du thé, mais n'y toucha pas ; il renvoya la vieille jusqu'au lendemain. Il était assis sur le divan et ressentait du vertige. Il sentait qu'il était malade et sans force. Il se mit à s'endormir, mais, pris par son inquiétude, il se leva et fit quelques pas dans la pièce, pour chasser le sommeil. Par instants, il avait l'impression que c'était comme s'il délirait. Mais ce n'était pas la maladie qui l'occupait le plus ; il se rassit et se mit à lancer des regards, de loin en loin, autour de lui, comme s'il essayait d'apercevoir quelque chose. Il recommença plusieurs fois de suite. Finalement, son regard se dirigea fixement sur un seul point. Ivan ricana mais une rougeur de colère lui inonda le visage. Il resta longtemps assis à la même place, la tête étroitement serrée dans ses deux mains, et en lorgnant toujours des yeux le point précédent, vers le divan contre le mur opposé. Il y avait là-bas, visiblement, quelque chose qui l'énervait, une espèce d'objet, qui l'inquiétait, le torturait.

IX

LE DIABLE. LE CAUCHEMAR D'IVAN FIODOROVITCH

Je ne suis pas docteur, mais j'ai pourtant le sentiment qu'il arrive une minute où il m'est absolument indispensable d'expliquer au lecteur ne serait-ce qu'un petit peu de choses sur le caractère de la maladie d'Ivan Fiodorovitch. En prenant les devants, je ne dirai que cela : il était à ce moment-là, ce soir-là, précisément à la veille de la fièvre chaude qui allait finir par s'emparer totalement d'un organisme ébranlé depuis longtemps mais continuait obstinément de résister à la maladie. Sans rien connaître à la médecine, je risquerai d'émettre une supposition comme quoi, réellement, peut-être, par une tension terrible de sa volonté, il avait réussi à éloigner pour un temps sa maladie, rêvant, évidemment, de la surmonter tout à fait. Il savait qu'il n'allait pas bien, mais c'est avec dégoût qu'il se refusait à tomber malade à ce moment-là, dans ces minutes si fatales de sa vie, alors qu'il fallait faire face de toute sa capacité, exprimer une parole audacieuse et résolue, et “se justifier soi-même à ses propres yeux”. Un jour, au demeurant, il s'était rendu chez le nouveau docteur qui arrivait de Pétersbourg, invité par Katérina Ivanovna par suite d'une de ses fantaisies dont j'ai déjà parlé plus haut. Le docteur, après l'avoir ausculté et examiné, avait conclu qu'il avait même une espèce de dérangement au cerveau, et il ne fut nullement surpris d'entendre un certain aveu qu'Ivan Fiodorovitch lui avait fait, encore qu'avec dégoût. "Les hallucinations sont très possibles dans l'état où vous êtes, avait conclu le docteur, quoiqu'il faille tout de même les vérifier... en général, il est indispensable de commencer une cure sérieuse, sans perdre une minute, sans quoi ça ira mal." Mais Ivan Fiodorovitch, en sortant de chez lui, n'avait pas suivi ce conseil de raison et avait dédaigné de se faire soigner. "Je marche, quand même, j'ai encore des forces, si je tombe – c'est autre chose, alors, bon, qu'ils me soignent comme ils veulent", avait-il conclu, abandonnant. Ainsi restait-il assis, à présent, en ayant presque conscience lui-même qu'il délirait, et, comme je l'ai déjà dit, il regardait obstinément un certain objet sur le divan, au mur opposé. Il se trouvait que quelqu'un s'était installé là, quelqu'un dont Dieu seul sait comment il avait pu entrer, parce qu'il n'était pas dans la pièce au moment où Ivan Fiodorovitch, rentrant de chez Smerdiakov, lui, y était entré. C'était une espèce de monsieur ou, pour mieux dire, un gentleman russe d'un genre bien connu, d'un âge déjà mûr, *qui frisait la cinquantaine**, comme disent les Français, avec des mèches quelque peu grisonnantes dans une chevelure sombre, assez longue et encore assez fournie et une barbe taillée en pointe. Il était vêtu d'une sorte de veston brun, sorti visiblement de chez le tailleur le plus chic, mais déjà usé, taillé il y avait plus ou moins trois ans, et complètement passé de mode, au point que, parmi les dandys riches, personne au monde ne se serait plus permis de porter un tel veston. Son linge, sa longue cravate en forme de foulard, tout se présentait comme chez les gentlemen plus ou moins chic, mais le linge, à y regarder de plus près, était un peu sale, et le large foulard, un peu usé. Le pantalon à carreaux du visiteur faisait une impression des meilleures, mais, là encore, il était trop clair, et comme trop étroit, comme on n'en porte plus mainteant, de même que le chapeau mou de feutre clair, que le visiteur avait apporté et qui, là, réellement, jurait avec la saison. Bref, il y avait un air d'honnêteté et de moyens très réduits. On pouvait croire que le gentleman appartenait à cette catégorie d'anciens propriétaires terriens oisifs qui prospéraient sous le servage ; il avait vu, visiblement, le monde et la meilleure société, il avait eu jadis des relations et les avait gardées, sans doute, jusqu'à présent, mais, s'appauvrissant peu à peu suite à la joyeuse vie de sa jeunesse et à la suppression récente du servage, il avait dû être transformé en une sorte, pour ainsi dire, de pique-assiette du meilleur ton, errant de maison en maison chez ses anciens bons camarades, lesquels le recevaient pour son caractère avenant et facile et aussi du fait qu'il était, quoi qu'on dise, un homme honnête qu'il était même possible, devant n'importe qui, de faire asseoir à sa table, encore qu'évidemment à une place modeste. Les pique-assiettes de ce genre, ces gentlemen au caractère avenant, qui ont parfois l'art de la conversation, sont de parfaits compagnons aux cartes et détestent absolument toutes les missions dont on voudrait les charger, sont généralement solitaires, ou bien célibataires, ou bien veufs, ils ont peut-être des enfants, mais leurs enfants sont toujours éduqués quelque part le plus loin possible, chez je ne sais quelles tantes, dont le gentleman ne parle pour ainsi dire jamais dans la bonne société, comme s'il avait un peu honte d'une telle parenté. Ses enfants, il en perd l'habitude peu à peu complètement, recevant de loin en loin, pour sa fête ou Noël, des lettres de vœux, et allant même parfois jusqu'à leur répondre. La mine du visiteur inattendu était on ne pouvait pas dire débonnaire, mais, là encore, avenante et prête, selon les circonstances, à toute expression aimable. Il n'avait pas de montre, mais il avait un lorgnon, sur monture d'écaille, avec un ruban noir. On pouvait admirer au médius de sa main droite une chevalière en or massif, ornée d'une opale bon marché. Ivan Fiodorovitch gardait un silence rageur et ne voulait pas engager la conversation. Le visiteur attendait et restait justement comme un pique-assiette qui viendrait de redescendre depuis une pièce qu'on lui laisserait à l'étage jusqu'à la pièce du bas, pour tenir compagnie au maître de maison pendant le thé, mais garderait un silence modeste justement parce que le maître de maison serait occupé, ou qu'il réfléchirait, sourcils froncés ; prêt, néanmoins, à toute conversation aimable, pour peu que le maître de maison veuille bien l'entamer. D'un coup son visage exprima comme une espèce de souci soudain.

— Ecoute, commença-t-il, s'adressant à Ivan Fiodorovitch, tu m'excuseras, mais c'est juste pour te le rappeler ; tu étais parti chez Smerdiakov, n'est-ce pas, pour savoir pour Katérina Ivanovna, et tu es reparti sans rien avoir appris sur elle, on dirait que tu as oublié…

— Ah oui ! laissa soudain échapper Ivan, et son visage s'assombrit de souci. Oui, j'avais oublié… Remarque, maintenant, ça n'a plus d'importance, tout est remis à demain, marmonna-t-il pour lui-même. Et toi, fit-il, s'adressant nerveusement au visiteur, c'est moi-même qui aurais dû me souvenir, parce que, justement, c'était sur ça, l'angoisse qui me rongeait ! Tu surgis là, tu crois que ça suffit pour que je croie que c'est toi qui viens de me souffler ça, et pas moi qui y repense ?

— Mais ne crois pas, ricana tendrement le gentleman. Est-ce qu'on peut croire, sous la contrainte ? En plus, la foi, aucune preuve ne l'aide jamais, surtout les preuves matérielles. Thomas, s'il a cru, ce n'est pas parce qu'il a vu le Christ ressuscité, mais c'est parce que, déjà avant, il voulait croire[1]. Tiens, par exemple, les spirites... je les aime beaucoup... imagine-toi, ils supposent qu'ils sont utiles à la foi, parce qu'il y a les diables qui leur montrent leurs cornes depuis l'autre monde. "Ça, n'est-ce pas, c'est une preuve, pour ainsi dire, n'est-ce pas, matérielle, que l'autre monde existe." L'autre monde et les preuves matérielles, hi hi ! Et puis enfin, si le diable est prouvé, Dieu, est-ce que ça Le prouve, on n'en sait rien. Je veux m'inscrire dans une société idéaliste, je serai leur opposition : "Un réaliste, n'est-ce pas, pas un matérialiste, hé hé !"

— Ecoute, dit Ivan Fiodorovitch en se levant soudain de table. J'ai l'impression que je délire... et, c'est sûr que je délire... raconte ce que tu veux, ça m'est égal ! Tu ne me jetteras pas dans un état second, comme la dernière fois. Il y a juste quelque chose qui me fait honte... Je veux marcher dans la pièce... Il y a des moments où je ne te vois pas et je n'entends même pas ta voix, comme la dernière fois *parce que c'est moi, c'est moi-même qui parle, et pas toi* ! Ce que je ne sais pas seulement, c'est si je dormais la dernière fois ou si je t'ai vu en vrai. Attends, je vais tremper une serviette dans de l'eau froide, je l'enroule autour de ma tête, et peut-être que tu vas t'évaporer.

1. On se souviendra que cet argument se retrouve, quasiment mot pour mot, sous la plume du narrateur, au chapitre V ("Les starets"), du livre I de la première partie du roman.

Ivan Fiodorovitch se dirigea dans un coin, prit une serviette, fit ce qu'il avait dit, et, sa serviette mouillée autour de la tête, il se mit à marcher de long en large dans la pièce.

— Ça me plaît qu'on se tutoie tout de suite, toi et moi, reprit l'invité.

— Crétin, répondit Ivan en éclatant de rire, parce que tu voulais que je te vouvoie, ou quoi ? Je suis gai en ce moment, sauf que j'ai mal dans la nuque… et le haut du crâne… seulement, s'il te plaît, pas de philosophie, comme la dernière fois. Si tu ne peux pas fiche le camp, raconte ce que tu veux, mais quelque chose de gai. Fais des ragots, tu es un pique-assiette, bon, alors des ragots. Un cauchemar pareil qui vous tombe dessus ! Mais je n'ai pas peur de toi. Je vais te dominer. Ils ne me conduiront pas chez les fous !

— *C'est charmant**, pique-assiette. Eh, mais j'ai l'air que j'ai. Qu'est-ce que je suis sur terre, sinon un pique-assiette ? A propos, je t'écoute, n'est-ce pas, et je m'étonne un petit peu : je te jure, c'est comme si tu commençais réellement à me prendre petit à petit pour quelque chose, oui, pour de vrai, et pas seulement pour le fruit de ta fantaisie, comme tu me le martelais la dernière fois…

— Pas une seule minute je ne te prends pour de la vérité réelle, s'écria Ivan avec une espèce, même, de fureur. Tu es un mensonge, ma maladie, tu es un fantôme. Tout ce que je ne sais pas, c'est comment t'exterminer, et je vois qu'il faudra que je souffre encore un certain temps. Tu es mon hallucination. Tu es l'incarnation de moi-même, mais d'un seul de mes côtés, du reste… de mes pensées et de mes sentiments, mais des plus dégoûtants et des plus bêtes. De ce point de vue, je pourrais même te trouver curieux, si seulement j'avais du temps à perdre avec toi…

— Permets, permets, que je t'attrape : tout à l'heure, devant le réverbère, quand tu as élevé la voix contre Aliocha et que tu lui as crié : "C'est *par lui* que tu l'as su ! Comment as-tu pu savoir qu'*il* me rendait visite ?" C'est bien à moi que tu pensais. Donc, rien qu'un tout petit instantounet, tu y as cru, hein, tu y as cru, que, réellement, j'existe, fit le gentleman avec un rire doux.

— Oui, ça a été une faiblesse de la nature… mais je ne pouvais pas te croire. Je ne sais pas si je dormais ou si je marchais la dernière fois. La dernière fois, si ça se trouve, c'est en rêve que je t'ai vu, et pas du tout en vrai…

— Et pourquoi, tout à l'heure, tu as été si dur avec Aliocha, hein ? Il est gentil ; je suis coupable devant lui, pour le starets Zossima.

— Tais-toi sur Aliocha ! Comment oses-tu, laquais ! se remit à rire Ivan.

— Tu m'injuries, et tu rigoles – bon signe. Remarque, aujourd'hui, tu es beaucoup plus aimable avec moi que la dernière fois, et je comprends pourquoi : c'est ta grande décision…

— Tais-toi sur la décision ! s'écria furieusement Ivan.

— Je comprends, je comprends, *c'est noble, c'est charmant**, demain, tu vas défendre ton frère et tu t'apportes en sacrifice… *c'est chevaleresque**.

— Tais-toi ou je te cogne dessus !

— Remarque, ça me ferait plaisir, un peu, parce que mon but, à ce moment-là, il serait atteint : si tu me cognes dessus, ça veut dire que tu crois en mon réalisme, parce qu'on ne cogne pas sur un fantôme. Blague à part : moi, n'est-ce pas, ça m'est égal, injurie-moi, si tu veux, mais, tout de même, ça serait mieux si tu étais un tant soit peu poli, ne serait-ce même qu'avec moi. Sinon, crétin, laquais, est-ce que c'est une façon de parler !

— En t'injuriant, c'est moi que j'injurie ! se remit à rire Ivan. Toi, tu es moi, moi-même, mais juste avec une autre tronche. Tu dis précisément ce que je pense déjà… et tu n'es pas capable de me dire quoi que ce soit de neuf !

— Si je te rejoins dans tes pensées, c'est une chose qui ne peut me faire qu'honneur, dit le gentleman avec délicatesse et dignité.

— Seulement, tu prends toujours mes pensées sales, et surtout – mes pensées bêtes. Tu es bête et vulgaire. Tu es affreusement bête. Non, je ne te supporterai pas ! Qu'est-ce que je peux faire, qu'est-ce que je peux faire ! dit Ivan en grinçant des dents.

— Mon ami, moi, malgré tout, je veux être un gentleman et qu'on me prenne pour tel, commença l'invité dans un accès de cette espèce d'amour-propre typique des pique-assiettes, déjà avenant et débonnaire à l'avance. Je suis pauvre, mais… je ne dirai pas que je sois très honnête, mais… généralement, dans la société, on prend pour un axiome que je suis un ange déchu. Je te jure, je n'arrive pas à m'imaginer de quelle façon il y a eu un temps où j'ai pu être un ange. Si je l'ai été, c'est il y a si longtemps que ce n'est plus un péché de l'avoir oublié. Maintenant, je tiens seulement à ma réputation d'honnête homme et je vis comme ça vient, en essayant d'être agréable. J'aime les gens sincèrement – oh, on m'a beaucoup calomnié ! Ici, quand, de temps en temps, je me transporte chez vous, ma vie se passe on dirait comme réellement un petit peu pour de vrai, et c'est ça qui me plaît le plus. Parce que, moi aussi, tout comme toi, je souffre du fantastique et c'est pour ça que j'aime votre réalisme terrestre. Là, chez vous, tout est tracé, tout est formule, tout est géométrie, et, nous, je ne sais pas, c'est toujours des équations à plusieurs inconnues ! Ici, je me promène et je rêve. J'adore rêver. En plus, sur terre, je deviens superstitieux – ne ris pas, s'il te plaît : c'est justement ça qui me plaît, que je deviens superstitieux. J'adhère à toutes vos habitudes ici : je fréquente vos étuves de marchands, j'aime bien, tu peux t'imaginer, j'adore prendre des bains de vapeur avec les marchands et les popes. C'est mon rêve, ça – m'incarner, mais que ce ne soit pas définitif, que ça ne soit pas sans retour, dans, je ne sais pas, une marchande de cent vingt kilos, et croire à tout ce qu'elle peut croire. Mon idéal, c'est d'entrer dans une église et de mettre un cierge, d'un cœur pur, je te jure que oui. Là, ce serait la fin de mes souffrances. Et puis, j'aime bien aussi me soigner chez vous : le printemps, vous avez eu la variole, moi, je suis allé, dans l'orphelinat, je me suis inoculé la variole – si seulement tu savais ce que j'ai été content ce jour-là : j'ai donné dix roubles pour nos frères slaves !... Mais tu ne m'écoutes pas. Tu sais, aujourd'hui, tu n'es vraiment pas dans ton assiette, fit le gentleman avec un certain silence. Je sais que tu es allé voir le fameux docteur... alors, comment va, la santé ? Qu'est-ce qu'il t'a dit, le docteur ?

— Crétin ! lança Ivan.

— Toi, par contre, tu te poses là, comme intelligence. Tu recommences avec tes insultes ? Mais ce n'était pas par compassion, c'était juste comme ça. Si tu veux, ne réponds pas. Maintenant, tiens, les rhumatismes qui me reprennent...

— Crétin, répéta à nouveau Ivan.

— Toujours la même chanson, mais, moi, l'année dernière, je me suis pris un de ces rhumatismes, je m'en souviens encore.

— Le diable, un rhumatisme ?

— Et pourquoi pas, si je m'incarne des fois. Je m'incarne, j'assume les conséquences. Satan *sum et nihil humanum a me alienum puto.*

— Comment, comment ? Satan *sum et nihil humanum...* ce n'est pas si bête pour le diable !

— Heureux de t'avoir enfin fait plaisir.

— Mais ça, tu ne l'as pas pris chez moi, fit soudain Ivan, s'arrêtant comme stupéfait. Ça, ça ne m'était jamais venu à l'idée, c'est étrange...

— *C'est du nouveau, n'est-ce pas* ?* Cette fois, je serai honnête et je t'explique. Ecoute : dans les rêves, et surtout dans les cauchemars, enfin, je ne sais pas, en cas de crise de foie, ou quoi, les gens, ça arrive, ils peuvent faire des rêves tellement artistiques, voir une réalité tellement complexe, tellement réelle, de ces événements, ou plutôt, même, de ces mondes d'événements liés à de telles intrigues, avec des détails tellement inattendus, à commencer par vos phénomènes les plus sublimes jusqu'au dernier bouton sur une chemise, des choses que, je te jure, Léon Tolstoï ne serait pas capable de t'inventer, et néanmoins, les gens qui font ces rêves, ce ne sont pas du tout des auteurs, mais les gens les plus ordinaires, des fonctionnaires, des feuilletonistes, des popes... Ça vous fait même toute une énigme : il y a même un ministre qui est allé jusqu'à avouer que, ses idées les meilleures, elles lui venaient quand il dormait. Eh bien, en ce moment, c'est exactement ça. J'ai beau être ton hallucination, n'empêche, comme dans un cauchemar, je dis des choses originales, des choses qui ne t'étaient encore jamais venues à l'idée, et donc ce n'est plus du tout que je répète tes pensées, et, malgré ça, je ne suis que ton cauchemar, rien d'autre.

— Tu mens. Ton but est précisément de me persuader que tu existes en tant que tel, et que tu n'es pas mon cauchemar, alors que, là, tu me confirmes toi-même que tu es un rêve.

— Mon ami, aujourd'hui, j'ai pris une méthode spéciale, je te l'expliquerai plus tard. Attends, où en étais-je ? Et donc, alors, j'ai pris froid, l'autre fois, mais pas chez vous, encore là-bas…

— Où ça, là-bas ? Dis-moi, tu resteras longtemps chez moi, tu ne peux pas partir ? s'exclama Ivan, presque au désespoir. Il s'était arrêté de marcher, s'était assis sur le divan, à nouveau accoudé à la table, la tête serrée entre ses deux mains. Il arracha sa serviette mouillée et la rejeta avec dépit : visiblement ça n'aidait pas.

— Tu as les nerfs malades, remarqua le gentleman d'un air aussi frivole que désinvolte, mais, du reste, tout à fait amical, tu m'en veux même parce que j'ai pu prendre froid, et néanmoins, ça s'est passé de la façon la plus naturelle du monde. Je courais à ce moment-là à une certaine soirée diplomatique chez une dame de Pétersbourg de la plus haute société, laquelle dame se voyait bien ministre. Bon, le frac, la cravate blanche, les gants, et, n'empêche, j'étais encore Dieu seul peut savoir où, et pour me retrouver chez vous, sur terre, il fallait que je traverse encore un espace… bon, bien sûr, ça fait juste un instant, mais, n'est-ce pas, le rayon de soleil aussi, il met huit pleines minutes, et, là, imagine-toi, le frac, et le gilet ouvert. Les esprits ne gèlent pas, mais, une fois que tu t'incarnes, bref… j'ai été tête en l'air, et je me suis lancé, dans ces espaces, là, n'est-ce pas, dans ces éthers, là, ces eaux qui étaient au-dessus de la terre – mais ça gèle à pierre fendre… c'est-à-dire, quoi, ça gèle – ça, on ne peut même plus l'appeler du gel, tu peux t'imaginer : moins cent cinquante degrés ! On connaît ce jeu des filles à la campagne : par un froid de moins trente, elles proposent à un petit gars de lécher une hache ; la langue, elle gèle tout de suite, et le couillon, il doit s'arracher la peau avec le sang pour s'en sortir ; et ça, n'est-ce pas, c'est du moins trente, alors, moins cent cinquante, là, je me dis, mon doigt, dès qu'il la frôle, la hache, le doigt, je lui dis adieu, pour peu… pour peu qu'on puisse trouver une hache là-haut…

— Parce qu'on peut trouver une hache là-haut ? l'interrompit soudain Ivan Fiodorovitch d'un ton distrait et dégoûté. Il résistait de toutes ses forces pour ne pas croire à son délire et ne pas tomber dans une folie définitive.

— Une hache ? redemanda l'invité, étonné.

— Mais oui, la hache, qu'est-ce qu'elle va devenir ? s'écria soudain Ivan Fiodorovitch avec un entêtement frénétique et insistant.

— Ce qu'elle deviendra, dans l'espace, la hache ? *Quelle idée* * *!* Si elle se retrouve un peu loin, elle va se mettre, je crois bien, à tourner autour de la terre, sans trop savoir pourquoi, un genre de satellite. Les astronomes vont calculer le lever et le coucher de la hache, Gatsouk la mettra dans son almanach, voilà tout.

— Tu es bête, tu es affreusement bête ! reprit obstinément Ivan. Sois plus intelligent dans tes crétineries, sinon je ne t'écoute plus. Tu veux me soumettre avec ton réalisme, m'assurer que tu existes, mais, moi, je ne veux pas le croire, que tu existes ! Je n'y croirai pas !!

— Mais je ne raconte pas de sornettes, tout est vrai : par malheur, la vérité n'est quasiment jamais spirituelle. Tu attends réellement de ma part, à ce que je vois, que je te dise quelque chose de grand et, peut-être bien, de splendide. C'est très dommage, parce que je ne peux te donner que ce que je peux…

— Pas de philosophie, tête d'âne !

— Tu parles d'une philosophie, quand j'ai tout le côté droit paralysé, je grogne et je meugle. Je suis allé voir toute la médecine : pour le diagnostic, ils sont des chefs, ils te raconteront toute ta maladie sur le bout des doigts, mais ils ne sauront pas te guérir. Je suis tombé, là, sur un petit étudiant exalté : “Vous mourrez peut-être, il me dit, mais, n’empêche, vous saurez parfaitement de quelle maladie vous êtes mort !” Et, là encore, cette manière de vous renvoyer aux spécialistes : nous, n’est-ce pas, on se contente juste du diagnostic, mais allez voir plutôt tel spécialiste, lui, sûr, il vous guérira. Il a complètement, mais complètement disparu, je te dirai, le docteur d’avant, qui guérissait de toutes les maladies, maintenant, il n’y a plus que des spécialistes, et ils se publient toujours dans les journaux. Disons, tu as mal dans le nez, on t’envoie à Paris ; là-bas, n’est-ce pas, il y a un spécialiste européen pour guérir le nez. Tu arrives à Paris, il t’examine ton nez ; je ne peux vous guérir, il te dit, que votre narine droite, parce que je ne soigne pas les narines gauches, ce n’est pas ma branche, mais, en sortant de chez moi, allez à Vienne, là-bas, il y a un spécialiste particulier qui vous la soignera, votre narine gauche. Qu’est-ce que tu veux faire ? J’ai eu recours aux médecines populaires, un médecin allemand qui m’a conseillé de me frotter, dans les étuves, de miel salé. Moi, j’y suis allé, juste pour aller aux étuves une fois de plus, j’y vais ; je me suis sali comme ce n’est pas permis, ça n’a rien fait. Au désespoir, j’ai écrit à Milan, au comte Mattéi ; il m’a envoyé un livre et des gouttes, merci à lui. Et, figure-toi : l’extrait de malt de Hoff, là, ça a aidé ! J’en ai acheté par hasard, j’en ai bu une demi-fiole, et je suis prêt à danser, ça m’a guéri comme par miracle. Je me suis dit, je vais lui publier un “merci” dans les journaux, le sentiment de gratitude qui avait parlé, et, là, imagine-toi, là, c’est une autre histoire qui a commencé : aucune rédaction n’accepte de publier ! “Ça fera trop rétrograde, ils me disent, personne n'y croira, *le diable n'existe point**. Publiez, c'est le conseil qu'ils me donnent, anonymement." Mais quel "merci" ça peut être, si c'est anonyme ? Je ris avec les secrétaires : "C'est de croire en Dieu, je leur dis, à l'époque où nous sommes, qui est rétrograde, mais, moi, je suis le diable, croire en moi, on peut. – On comprend, ils me disent, qui donc ne croit pas au diable, mais quand même, pas possible, ça pourrait nuire à la tendance. Ou alors sous forme de plaisanterie ?" Mais, je me suis dit, sous forme de plaisanterie, ça ne fera pas spirituel. Et donc, je suis resté inédit. Et, tu me croiras, même, ça me reste sur le cœur. Mes meilleurs sentiments, comme, par exemple, la gratitude, me sont formellement interdits uniquement suite à ma position sociale.

— La philosophie qui te reprend ! marmonna haineusement Ivan.

— Dieu m'en garde, mais ce n'est pas possible, quand même, de ne pas se plaindre de temps en temps. Je suis un homme calomnié. Tu n'arrêtes pas de me dire, tiens, que je suis bête. On voit le jeune homme. Mon ami, il ne s'agit pas seulement de l'intelligence. Moi, de nature, j'ai le cœur bon et gai, "parce que j'écris aussi toutes sortes de vaudevilles[1]". Tu me prends réellement, j'ai l'impression, pour un Khlestakov aux cheveux gris, et, n'empêche, mon destin est beaucoup plus sérieux. Par une espèce de prédestination atemporelle à laquelle je n'ai jamais rien compris, on m'a fixé de "nier", alors que je suis sincèrement gentil et que je ne suis pas du tout capable de nier. Non, nie toujours, sans négation, n'est-ce pas, il n'y aura pas de critique, et

1. Extrait du *Révizor* de Gogol.

qu'est-ce que c'est qu'une revue s'il n'y a pas de "section critique" ? Sans critique, il n'y aura que l'"hosanna". Mais, pour la vie, l'hosanna tout seul ne suffit pas, il faut que cet hosanna passe par les forges du doute, bon, et ainsi de suite, sur ce ton-là. Moi, remarque, tout ça, je ne m'en mêle pas, pas moi qui l'ai créé, pas moi qui en réponds. Bon, et donc, ils vous ont choisi un bouc émissaire, ils l'obligent à écrire dans la section critique, et c'est ça qui a fait la vie. Nous, on la comprend, cette comédie : moi, par exemple, j'exige purement et simplement qu'on m'anéantisse. Non, vis toujours, ils me disent, parce que, sans toi, il n'y aura rien. Si tout était raisonnable sur la terre, il ne se serait rien produit. Sans toi, il n'y aura aucun événement, et il faut qu'il y ait des événements. Et donc, je travaille, content ou pas, à ce qu'il y ait des événements, et je crée de l'irraisonnable sur ordre. Les gens prennent cette comédie pour quelque chose de sérieux, malgré toute leur indubitable intelligence. Là est leur tragédie. Bon, et ils souffrent, bien sûr, mais… mais, malgré tout, ils vivent, ils vivent réellement, pas dans le fantastique ; parce que c'est la souffrance qui est la vie. Sans la souffrance, quel plaisir on pourrait avoir – tout se transformerait en une espèce de prière sans fin : c'est saint, bien sûr, mais c'est barbant. Bon, et moi ? Moi, je souffre, et, malgré ça, je ne vis pas. Je suis un *x* dans une équation à plusieurs inconnues. Je suis une espèce de fantôme de vie qui a perdu tous les débuts et toutes les fins, et je finis par oublier moi-même comment je m'appelle. Tu rigoles… non, tu ne rigoles pas, tu t'es remis en colère. Tu es toujours en colère, toi, il te faudrait seulement de l'intelligence, et, là encore, je te répéterai que je donnerais toute cette vie de l'éther, tous les rangs et les honneurs juste pour m'incarner dans une marchande de cent vingt kilos et mettre des cierges au bon Dieu.

— Alors, toi non plus, tu ne crois pas en Dieu ? ricana haineusement Ivan.

— C'est-à-dire, comment te dire, si seulement tu es sérieux…

— Dieu, Il existe ou pas ? cria à nouveau Ivan avec une insistance farouche.

— Ah, donc, tu es sérieux ? Mon gentil, croix de bois croix de fer, je ne sais pas, tiens, voilà la grande parole que je t'ai dite.

— Tu ne sais pas, mais tu vois Dieu ? Non, tu n'existes pas en toi-même, tu es *moi* – tu es *moi* et rien d'autre ! Tu es une saleté, tu es ma fantaisie !

— C'est-à-dire, si tu veux, on a la même philosophie, toi et moi, dit comme ça ce sera juste. *Je pense donc je suis**, ça, je le sais à coup sûr, et quant à tout le reste qui est autour de moi, tous ces mondes, Dieu, et même Satan lui-même – rien de tout ça ne m'est prouvé, si ça existe en tant que tel, ou si c'est seulement mon émanation, le développement logique de mon *moi*, lequel aurait une existence atemporelle et unique… bref, j'arrête vite, parce que je crois que tu vas me tomber dessus à bras raccourcis.

— Raconte plutôt une histoire drôle ! murmura douloureusement Ivan.

— J'en ai, une histoire, sur ce thème, sauf que ce n'est pas une histoire, c'est, je ne sais pas, une légende. Tu veux que j'aille vite, tiens, dans mon incroyance : "Tu crois ou tu ne crois pas ?" Mais, mon ami, je ne suis quand même pas le seul comme ça, tout est sens dessus dessous maintenant chez nous, et tout ça à cause de vos sciences. Tant qu'il y avait encore les atomes, les cinq sens, les quatre éléments, bon, ça tenait, d'une façon ou d'une autre. Les atomes, n'est-ce pas, ils existaient aussi dans le monde antique. Bon, mais quand on a appris chez nous que vous découvriez, je ne sais pas, la "molécule chimique", et le "protoplasme" et le diable sait quoi encore, là, on est tous restés la queue entre les pattes. Un vrai bordel a commencé ; surtout – les superstitions, les ragots ; des ragots, nous, n'est-ce pas, on en a autant que vous, peut-être même juste un petit peu plus, et puis, enfin, les dénonciations, nous aussi, n'est-ce pas, on a une section spéciale où on reçoit cette forme de "renseignements". Et donc, cette légende imbécile, qui date encore de notre Moyen Age – du nôtre, pas du vôtre – qu'il n'y a même personne à croire en nous, à part les marchandes de cent vingt kilos, c'est-à-dire, là encore, les nôtres, de marchandes, pas les vôtres. Tout ce qu'il y a chez vous – on l'a chez nous, ça, c'est un de nos secrets que je te révèle, juste par amitié, alors que c'est interdit. Cette légende, elle est sur le paradis. Il y avait une fois, n'est-ce pas, sur terre chez vous, un penseur et un philosophe comme ça, "qui niait tout, conscience, lois et foi" et, surtout – la vie future. Il meurt, il se disait, ça y est, le noir, la mort et vlan, qu'est-ce qu'il voit ? la vie future. Ça l'a laissé pantois, et révolté : "Ça, il dit, c'est en contradiction avec mes convictions." Bon, donc, et, pour ça, ils l'ont jugé et condamné... c'est-à-dire, vois-tu, tu m'excuseras, je te transmets juste ce que j'ai entendu dire, c'est juste une légende... il se fait condamner, vois-tu, à marcher dans le noir pendant un quatrillion de kilomètres (on a le système métrique, maintenant, n'est-ce pas) et une fois qu'il l'aurait fini, son quatrillion, ça y est, on lui ouvrirait toutes les portes du paradis, et il serait pardonné de tout...

— Et quelles tortures vous avez, dans l'autre monde, à part le quatrillion ? l'interrompit Ivan avec une sorte d'animation étrange.

— Les tortures ? Ah, ne m'en parle pas : avant, il y avait de tout, maintenant, on donne plutôt dans le moral, “les remords de conscience”, toutes ces bêtises. Ça aussi, on vous le doit, c'est “l'adoucissement de vos mœurs”. Et qui donc a gagné, juste ceux qui n'ont pas de conscience, parce que, à quoi ça leur sert, les remords de conscience, si, de conscience, ils n'en ont pas du tout. Mais ceux qui ont souffert, c'est les gens honnêtes, ceux qui avaient encore leur conscience et leur honneur… Voilà ce que c'est, n'est-ce pas, les réformes sur un terreau non amendé, et copiées, qui plus est, sur des établissements étrangers – ça fait juste du mal ! Le feu d'avant, c'était mieux. Tiens, ce condamné, là, à faire son quatrillion à pied, il a réfléchi, et il s'est couché en travers du chemin : “Je ne veux pas y aller, par principe, je ne veux pas !” Prends l'âme de notre athée russe éclairé et mélange-la avec l'âme du prophète Jonas, lequel a boudé dans l'antre de la baleine trois jours et trois nuits de suite – et voilà le caractère du penseur qui s'est couché en travers du chemin.

— Mais sur quoi donc est-ce qu'il s'est couché ?

— Il y avait sur quoi, il faut croire. Tu ne ris pas ?

— Bravo ! cria Ivan, toujours porté par une animation terrible. A présent, il écoutait avec une espèce de curiosité inattendue. Eh quoi, il y est encore, couché ?

— Bah, non, justement. Il est resté couché pendant presque mille ans, après quoi il s'est levé et il y est allé.

— Quel âne ! s'exclama Ivan avec un rire nerveux, toujours comme en train de réfléchir intensément. Est-ce que ce n'est pas pareil de rester couché pendant l'éternité ou de marcher pendant un quatrillion de verstes ? Ça doit faire un billion d'années à marcher, non ?

— Même beaucoup plus, dommage, tiens, que je n'aie pas de crayon et de papier, sinon on pourrait calculer.

Mais, n'empêche, ça fait longtemps qu'il y est arrivé, et c'est là qu'elle commence, mon histoire.

— Comment il y est arrivé ? Où est-ce qu'il l'a pris, son billion d'années ?

— Mais tu réfléchis toujours en fonction de notre terre de maintenant ! Mais cette terre de maintenant, si ça se trouve, elle-même, ça fait un billion d'années qu'elle se répète ; enfin, elle est morte, elle a gelé, elle s'est fendillée, elle s'est effritée, elle s'est décomposée en tous ses éléments premiers, à nouveau de l'eau qui était au-dessus du firmament, puis, à nouveau encore, une comète, à nouveau un soleil, à nouveau un soleil qui redonne une terre – parce que ce développement, si ça se trouve, ça fait une infinité de fois qu'il se répète, et toujours sous la même forme, jusqu'au moindre détail. Un ennui mais d'une indécence…

— Bon, bon, mais alors, quand est-ce qu'il y est arrivé ?

— Mais sitôt qu'on lui a ouvert les portes du paradis, et qu'il y est entré, et sans y être resté même encore deux secondes – et ça, d'après sa montre, oui, sa montre à lui (même si sa montre, à mon avis, elle aussi, elle aurait dû se décomposer en ses éléments premiers dans sa poche, en chemin) –, sans y être passé deux secondes, il s'est exclamé qu'en l'espace de ces deux secondes on aurait pu passer non pas un quatrillion, mais un quatrillion de quatrillions, et ça, même en multipliant ce quatrillion au carré ! Bref, il a chanté un "hosanna", et il a passé la mesure, au point que, là-bas, ceux qui ont une façon de penser un petit peu plus honnête, au début, ils refusaient même de lui serrer la main ; il s'était trop pressé, n'est-ce pas, pour se retrouver dans les conservateurs. Une nature russe. Je le répète : une légende. Je te le donne pour ce que je l'ai reçu. C'est pour te dire toutes les conceptions, tu vois, qui courent chez nous, sur tous ces sujets-là.

— Je te tiens ! s'écria Ivan avec une espèce de joie quasiment enfantine, comme s'il venait de se souvenir de quelque chose définitivement, cette histoire sur le quatrillion d'années, c'est moi-même qui l'ai inventée ! J'avais dix-sept ans à l'époque, j'étais au lycée… cette histoire, je l'avais inventée et je l'avais racontée à un de mes camarades, Korovkine il s'appelle, ça se passait à Moscou… L'histoire, elle est tellement caractéristique que je n'ai pu la prendre de nulle part. Dire que je l'avais oubliée… mais maintenant, elle m'est revenue, inconsciemment – à moi-même, et ce n'est pas toi qui l'as racontée ! Comme il y a des milliers de choses qui vous reviennent presque inconsciemment, parfois, même quand on vous amène vous faire exécuter… dans mon rêve elle m'est revenue. Eh bien, ce rêve, c'est toi ! Tu es un rêve et tu n'existes pas !

— A la fougue avec laquelle tu me nies, fit le gentleman en riant, je vois que, malgré tout, tu crois en moi.

— Pas du tout ! Je ne crois pas en toi pour un centième.

— Mais disons pour un millième. Les doses homéopathiques, n'est-ce pas, c'est les plus fortes. Avoue que tu crois, ne serait-ce que pour un dix millième…

— Pas une seule minute ! s'écria furieusement Ivan. Pourtant, j'aimerais bien croire en toi ! ajouta-t-il soudain d'une façon étrange.

— Ehé ! Voilà, néanmoins, un aveu ! Mais je suis gentil, et, là encore, je vais t'aider. Ecoute : c'est moi qui t'ai attrapé et pas le contraire ! Je t'ai raconté exprès une histoire de ton cru, que tu avais eu le temps d'oublier, pour que tu arrêtes complètement de croire en moi.

— Tu mens ! Le but de ton apparition est de m'assurer que tu existes.

— Justement. Mais les hésitations, mais l'inquiétude, mais la lutte de la foi et de l'incroyance – ça, parfois, n'est-ce pas, c'est une telle torture pour un homme doué d'une conscience, comme toi, tiens, qu'il vaut mieux se pendre. Moi, justement, sachant que tu crois en moi, ne serait-ce qu'une goutte, je t'ai instillé de l'incroyance, cette fois définitive, en te racontant cette histoire. Je te fais passer de la foi à l'incroyance, de l'une à l'autre, et, là, bon, j'ai un but. Nouvelle méthode, n'est-ce pas : parce que, quand tu auras complètement cessé de croire en moi, tu te mettras tout de suite à m'assurer en face que je ne suis pas un rêve, mais que j'existe en vérité, ça, je te connais ; et, là, j'aurai atteint mon but. Or, mon but, il est noble. Moi, je jetterai en toi juste une toute petite graine de foi, et cette graine elle donnera un chêne – et quel chêne encore, que, toi, sur ce chêne-là, tu seras capable de vouloir entrer chez "les pères du désert et les femmes sans tache[1]" ; parce que, au fond, de ça, tu as une envie forte, mais forte, tu vas manger des sauterelles, tu vas te traîner faire ton salut dans le désert !

— Alors, c'est le salut de mon âme qui t'inquiète, espèce de canaille ?

— Il faut bien faire une bonne action, une fois dans sa vie. Oh, tu es en colère, mais en colère, quand je te regarde !

— Bouffon ! Mais est-ce que tu les as tentés un jour, ceux-là, ceux qui mangent des sauterelles, et qui prient dix-sept ans de suite dans le désert tout nu, ceux qui se recouvrent de mousse, à force ?

1. Premier vers d'un célèbre poème de Pouchkine (1836), transposant la prière du grand carême d'Efrem Sirine.

— Mon mignon, mais je n'ai fait que ça. Tu oublies le monde entier, et tous les mondes, et tu te colles, comme ça, à un seul de ces gars, parce que ce diamant, n'est-ce pas, il est plus que précieux ; une seule âme, comme ça, vaut parfois toute une constellation – nous, n'est-ce pas, nous avons notre arithmétique. C'est la victoire qui est précieuse ! Et il y en a certains, je te jure, qui ne te cèdent en rien en développement, même si tu ne me crois pas : ils peuvent contempler en même temps de tels abîmes de foi et d'incroyance que, réellement, parfois, on a l'impression qu'encore un tout petit cheveu de plus et il se retrouvera en l'air, le bonhomme, "cul par-dessus tête", comme dit l'acteur Gorbounov.

— Et alors, tu te faisais moucher le nez ?

— Mon ami, remarqua sentencieusement l'invité, il vaut mieux se faire moucher le nez qu'être parfois complètement privé de nez, comme l'a dit récemment un certain marquis malade (un spécialiste, sans doute, qui le soignait), en confession à son père jésuite. J'étais présent – c'était un vrai régal. "Rendez-moi, il lui dit, mon nez !" Et il se frappe la poitrine. "Mon fils, répond le pater, tournant autour du pot, tout s'accomplit selon les destinées impénétrables de la providence et un malheur visible entraîne parfois un profit extraordinaire encore qu'invisible. Si le destin sévère vous a privé de nez, votre profit est que personne, maintenant, de toute votre vie, ne pourra vous dire qu'il vous a mouché le nez. – Mon saint père, ce n'est pas une consolation ! s'exclame le désespéré. Moi, au contraire, je serais heureux de me faire moucher le nez tous les jours de ma vie, pourvu que je l'aie à la place requise ! – Mon fils, soupire le pater, on ne peut pas vouloir tous les biens en même temps, et, cela, c'est murmurer contre la providence, qui, même ici, ne vous a pas oublié ; car si vous avez dit, en pleurant, comme vous venez de le faire, que vous seriez heureux de vous faire moucher le nez toute votre vie, là encore, d'une certaine façon, votre désir est accompli : car, ayant perdu votre nez, d'une certaine façon, vous vous l'êtes fait moucher…"

— Pff, comme c'est bête ! cria Ivan.

— Mon ami, je voulais seulement te faire rire, mais je te jure que c'est une vraie casuistique de jésuite, et, je te jure, tout ça est arrivé à la lettre, tel que je te l'ai raconté. Cette histoire est toute récente, et elle m'a procuré plein de soucis. Un malheureux jeune homme, rentrant chez lui, s'est brûlé la cervelle la nuit même ; j'ai été avec lui tout le temps, jusqu'au dernier instant… Quant aux confessionnaux de ces jésuites, réellement, c'est ma distraction la plus charmante dans les minutes tristes de ma vie. Voilà, tiens, encore une autre histoire, qui s'est passée, elle, ces tout derniers jours. Une petite blonde, une petite Normande qui se présente chez un vieux pater, vingt ans, une jeune fille. La beauté, le physique, la nature – on en salive. Elle se penche, elle chuchote son péché au pater par le petit trou. "Comment, ma fille, vous avez donc déjà rechuté ?… s'exclame le pater. *O Sancta Maria*, qu'entends-je : et, cette fois, avec un autre. Mais combien de temps donc cela durera-t-il, et n'avez-vous pas honte ! – *Ah ! mon père,* répond la pécheresse, toute dans ses larmes de repentance. *Ça lui fait tant de plaisir, et à moi si peu de peine* !*" Hein, imagine-toi, une réponse pareille ! Là, même moi, je me suis écarté : c'est le cri de la nature elle-même, et, si tu veux, c'est mieux que l'innocence elle-même ! Là, je lui ai effacé son péché, et je voulais déjà partir, mais j'ai tout de suite été obligé de revenir : qu'est-ce que j'entends, le père, par le petit trou, qui lui fixe un rendez-vous le soir, alors que ce vieillard, n'est-ce pas, c'était du silex, et, là, il avait chu en une seconde ! La nature, la vérité de la nature qui avait pris le dessus ! Quoi, encore, tu détournes le nez, tu es encore en colère ? Je ne sais même plus comment te plaire…

— Laisse-moi, tu cognes dans mon cerveau comme un cauchemar obsédant, gémit douloureusement Ivan, impuissant devant sa vision, je m'ennuie avec toi, c'est insupportable, c'est une torture ! Je donnerais cher si je pouvais te chasser !

— Je le répète, mesure tes exigences, n'exige pas de moi "toujours du grand et du sublime", et tu verras comme nous vivrons bons amis, toi et moi, répliqua le gentleman, engageant. Réellement, tu m'en veux parce que je ne te suis pas apparu dans un halo rouge, "tonnant et étincelant", les ailes enflammées, mais que je me présente sous un air modeste. Tu es offensé, d'abord, dans tes sentiments esthétiques et, deuxièmement, dans ton orgueil : comment, n'est-ce pas, un diable aussi vulgaire a-t-il pu entrer chez un homme aussi grand ? Non, tu as toujours cette espèce de petite verve romantique, dont Bélinski encore s'est tellement moqué. Que faire, un jeune homme. Je me disais, tiens, en me préparant à te rendre visite, que j'apparaîtrais, histoire de plaisanter, sous la forme d'un conseiller d'Etat actuel à la retraite, qui aurait fait sa carrière au Caucase, avec l'étoile du Lion et du Soleil sur le frac, mais j'ai vraiment eu peur, parce que tu m'aurais cogné dessus d'avoir osé accrocher sur mon frac le Lion et le Soleil et de ne pas m'être au minimum accroché l'Etoile polaire ou celle de Sirius. Et tu me répètes toujours que je suis bête. Mais, mon Dieu, je n'y prétends même pas du tout, à me mesurer avec toi en intelligence. Méphistophélès, quand il est apparu devant Faust, il s'est présenté comme voulant le mal mais ne faisant que le bien. Bon, lui, c'est son problème, moi, c'est complètement le contraire. Je suis peut-être la seule personne dans la nature entière qui aime la vérité et cherche sincèrement le bien. J'étais présent quand le Verbe, mort sur la croix, s'élevait vers le ciel, en tenant sur son sein l'âme du brigand crucifié à la droite, j'ai entendu les glapissements de joie des chérubins, qui chantaient et criaient : "Hosanna !", et le tonnerre, le hurlement heureux des séraphins qui ébranlait le ciel et l'univers tout entier. Et voilà, je le jure sur tout ce qui est sacré, j'ai voulu adhérer au chœur et crier avec tout le monde : "Hosanna !" Ça jaillissait déjà, c'était prêt à jaillir de la poitrine… tu sais, je suis très sensible, je suis très impressionnable, artistiquement parlant. Mais le bon sens – oh, la qualité la plus malheureuse de ma nature – m'a retenu, là encore, dans les limites requises, et j'ai laissé passer l'instant ! Parce que, quoi (je me suis dit, à la même minute), qu'est-ce qu'il donnerait, mon "hosanna" ? Tout se serait éteint séance tenante dans le monde et il ne se serait plus passé le moindre événement. Et donc, c'est uniquement par devoir de service et vu ma position sociale que j'ai été obligé de renfoncer en moi ce bon moment et de rester avec mes saletés. Il y a quelqu'un qui prend pour lui tout l'honneur du bien, et, moi, mon sort, c'est qu'on me laisse toutes les saletés. Mais je n'envie pas l'honneur de faire copain-copain, je n'ai pas d'amour-propre. Pourquoi de toutes les créatures dans le monde il n'y a que moi qui suis condamné à la malédiction de tous les gens bien et même aux coups de pied où je pense, du fait que, m'incarnant, je dois faire face, parfois, aussi, à ce genre de conséquences ? Je le sais bien qu'il y a là un secret, mais, ce secret, pour rien au monde on n'accepte de me le révéler, parce que, à ce moment-là, une fois que j'aurais compris de quoi il s'agit, je lancerai un “hosanna”, et, tout de suite, le négatif indispensable disparaîtra, la raison s'instaurera dans le monde entier, et, avec elle, ça sera la fin de tout, tu comprends bien, même des journaux et des revues, parce que qui donc, à ce moment-là, voudra s'y abonner ? Je le sais bien qu'en fin de compte je ferai la paix, je le ferai, mon quatrillion à pied, et je l'apprendrai, le secret. Mais, d'ici que ça arrive, je boude et, à contrecœur, j'accomplis ma destinée : je tue des milliers pour qu'il s'en sauve un seul. Combien, par exemple, il a fallu tuer d'âmes et souiller de réputations honnêtes pour avoir un seul Job, avec lequel on s'est si cruellement moqué de moi au temps jadis ! Non, tant que le secret n'est pas percé, il y a deux vérités qui existent pour moi : l'une, celle de là-bas, la leur, que, pour l'instant, je ne connais pas du tout, et l'autre, la mienne. Et on ne sait pas encore, laquelle sera la mieux… Tu dors ?

— Je pense bien, gémit rageusement Ivan, tout ce qu'il y a de bête dans ma nature, tout ce que j'ai déjà dépassé, digéré dans mon esprit, tout ce que j'ai rejeté comme de la charogne – c'est ça que tu me ressers comme une espèce de nouveauté !

— Là non plus, je n'ai pas plu ! Et moi qui pensais même te séduire par une exposition littéraire : cet “hosanna” au ciel, hein, ce n'était quand même pas si mal ? Et ensuite, sans transition, ce ton sarcastique, *à la Heine**, hein, n'est-ce pas que c'est vrai ?

— Non, je n'ai jamais été un laquais pareil ! Pourquoi est-ce que mon âme a pu faire naître un laquais comme toi ?

— Mon ami, je connais un petit blanc-bec d'aristocrate, charmant et adorable : un jeune penseur, un grand amateur de littérature et de choses élégantes, l'auteur d'un poème qui promet, et qui s'appelle : *Le Grand Inquisiteur*… Il n'y a qu'à lui que je pense !

— Je t'interdis de parler du *Grand Inquisiteur*, s'exclama Ivan, tout rouge de honte.

— Bon, et *La Révolution géologique* ? Tu te souviens ? Ça, vraiment, c'est un poème !

— Tais-toi ou je te tue !

— Toi, tu me tueras ? Non, tu permets, je dis tout. Si je suis venu c'est pour me faire, quand même, ce petit plaisir-là. Oh, j'aime les songes de mes jeunes amis enflammés, qui tremblent d'une ardeur de vivre ! "Là-bas, il y a des hommes nouveaux, as-tu conclu, encore le printemps passé, quand tu te préparais à venir ici, ils ont l'intention de tout détruire et de commencer par l'anthropophagie. Ils sont bêtes, ils ne m'ont rien demandé ! A mon avis, on n'a même pas besoin de détruire quoi que ce soit, tout ce qu'il faut détruire dans l'humanité, c'est l'idée de Dieu, voilà par quoi il faut se mettre au travail ! C'est par ça, par ça qu'il faut commencer – ô les aveugles qui ne comprennent rien ! Une fois que l'humanité aura totalement renié Dieu (et je crois que cette période – une parallèle aux périodes géologiques – s'accomplira), alors, de soi-même, sans anthropophagie, tout ce qu'on a pensé de l'univers s'effondrera et, d'abord, toute la morale d'avant, et ce qui commencera sera entièrement nouveau. Les gens se réuniront pour prendre de la vie tout ce qu'elle peut donner, mais obligatoirement pour le bonheur et pour la joie juste dans le monde terrestre. L'homme se haussera d'un esprit d'orgueil divin, titanesque, et, là, paraîtra l'homme-dieu. En dominant chaque instant la nature, et cette fois sans limite, par sa volonté et par la science, l'homme sentira une jouissance si haute qu'elle lui remplacera toutes ses espérances précédentes des jouissances célestes. Chacun apprendra qu'il est mortel complètement, sans résurrection, et recevra la mort d'un cœur fier et tranquille, comme un dieu. Et il comprendra par fierté qu'il n'a pas à protester que la vie ne soit qu'un instant, et il aimera son frère, cette fois, sans nulle contrepartie. L'amour ne satisfera que l'instant de la vie, mais la seule conscience de cet instant renforcera sa flamme dans la même mesure où, auparavant, elle s'étendait en espérance à un amour d'outre-tombe et infini..." bon, etc., et ainsi de suite dans le même genre. C'est d'un mignon !

Ivan restait là, se bouchant les oreilles de ses deux mains, les yeux fixés à terre, mais il s'était mis à trembler de tout son corps. La voix poursuivait :

— Maintenant, voilà la question, se disait mon jeune penseur : est-il possible qu'une telle période arrive un jour, ou non ? Si elle arrive, alors, tout est décidé, et l'humanité s'organise sur une base définitive. Mais comme, vu la bêtise encroûtée de l'humanité, ça, si ça se trouve, ça mettra encore un bon millier d'années à se réaliser, il est loisible à chaque personne qui a conscience de cette vérité de s'arranger absolument comme il le souhaite, sur des bases nouvelles. De ce point de vue, pour lui "tout est permis". Bien plus : quand bien même cette période n'arriverait jamais, comme il n'existe ni Dieu ni immortalité, cet homme nouveau a le droit de devenir un homme-dieu, ne fût-ce même que le seul dans ce monde, et, bien sûr, avec cette promotion, de franchir d'un cœur léger tous les obstacles moraux qui se dressaient avant pour l'homme-esclave, s'il en était besoin. Pour Dieu, il n'existe pas de loi ! Là où Dieu se tient, c'est tout de suite un lieu divin ! Là où je me tiens, moi, ça devient tout de suite le premier lieu...

“tout est autorisé”, et basta ! Tout ça est très charmant ; seulement, si tu veux te mettre à filouter, à quoi bon, pourrait-on croire, la sanction de la vérité ? Mais tel est le petit bonhomme russe de notre temps ; sans la sanction, il n’entreprendra jamais même une filouterie, tellement il l’aime, la vérité…

L’invité parlait, se laissant visiblement entraîner par sa propre éloquence, haussant la voix de plus en plus et lançant des coups d’œil ironiques sur le maître de maison ; mais il ne parvint pas à finir : Ivan saisit soudain un verre sur la table et, de tout son élan, le jeta sur l’orateur.

— *Ah, mais c’est bête, enfin* ! s’écria ce dernier, bondissant du divan et essayant de se débarrasser avec les doigts des gouttes de thé. Il se souvient de l’encrier de Luther ! Moi, il me prend pour un rêve et, son rêve, il lui envoie des verres à la figure ! Une vraie bonne femme ! Mais je le soupçonnais bien que tu faisais juste semblant, d’avoir bouché les oreilles, alors que tu écoutais…

On entendit soudain un coup sonore et insistant sur le cadre de la fenêtre. Ivan Fiodorovitch bondit de son divan.

— Tu entends, tu ferais mieux d’ouvrir, s’écria l’invité, c’est ton frère Aliocha avec une nouvelle des plus inattendues et des plus curieuses, ça, je t’en réponds !

— Tais-toi, trompeur, je le savais sans toi, que c’était Aliocha, je le pressentais, et, bien sûr, il vient pour quelque chose, bien sûr “avec une nouvelle” !… s’exclama Ivan dans un état second.

— Ouvre donc, ouvre-lui. Il y a la tempête, dehors, et c’est ton frère. *Monsieur sait-il le temps qu’il fait ? C’est à ne pas mettre un chien dehors*…

Les coups continuaient. Ivan voulut se précipiter à la fenêtre ; mais il y eut soudain quelque chose qui sembla lui lier les bras et les jambes. Il essayait de toutes ses forces comme de rompre ses liens, mais en vain. Les coups sur la fenêtre devenaient toujours plus puissants et plus sonores. Soudain, enfin, les liens se rompirent, et Ivan Fiodorovitch bondit de son divan. Il lança un regard frénétique autour de lui. Les deux bougies avaient quasiment fondu, le verre qu'il venait juste de jeter contre son hôte était devant lui sur la table, et il n'y avait personne sur le divan d'en face. Les coups sur le cadre de la fenêtre continuaient, certes, avec insistance, mais ils étaient loin d'être aussi sonores qu'il venait d'en avoir l'impression à l'instant, dans son rêve, au contraire, ils étaient très retenus.

— Ce n'est pas un rêve ! Non, je le jure, ce n'était pas un rêve, tout ça vient d'arriver ! s'écria Ivan Fiodorovitch, qui se jeta vers la fenêtre et ouvrit la lucarne. Aliocha, mais je t'avais dit de ne pas venir ! cria-t-il, fou furieux, à son frère. En deux mots : qu'est-ce qu'il te faut ? En deux mots, tu entends ?

— Smerdiakov s'est pendu il y a une heure, répondit Aliocha de dehors.

— Passe par le perron, je t'ouvre tout de suite, dit Ivan et il partit ouvrir à Aliocha.

X

"C'EST LUI QUI LE DISAIT !"

Aliocha, en entrant, rapporta à Ivan Fiodorovitch qu'il y avait un petit peu plus d'une heure il avait vu accourir chez lui Maria Kondratievna qui lui avait déclaré que Smerdiakov avait attenté à ses jours. “J’entre, n’est-ce pas, chez lui, pour remporter le samovar, et lui, contre le mur, accroché à un clou.” Quand Aliocha lui avait demandé si elle l’avait fait savoir à qui de droit, elle avait répondu qu’elle ne l’avait encore fait savoir à personne, mais “je me suis tout de suite précipitée chez vous, j’ai couru, à toutes jambes, toute la route”. Elle était comme folle, rapportait Aliocha, elle tremblait comme une feuille des pieds jusqu’à la tête. Quand Aliocha avait couru avec elle dans leur isba, il avait trouvé Smerdiakov toujours pendu. Sur la table, il avait vu un mot : “J’extermine ma vie de ma propre envie et volonté, pour n’accuser personne.” Aliocha avait laissé ce mot sur la table et s’était rendu directement chez l’*ispravnik*, lui avait fait toute la déclaration, “et, de là, directement chez toi”, conclut Aliocha, regardant fixement le visage d’Ivan. Et, tout le temps qu’avait duré son récit, il ne l’avait pas quitté des yeux, comme profondément frappé par quelque chose dans l’expression de son visage.

— Frère, s’écria-t-il soudain, tu dois être terriblement malade ! Tu as l’air de ne rien avoir compris de ce que j’ai dit.

— C’est bien que tu sois venu, murmura Ivan d’une sorte de ton pensif, et comme s’il n’avait pas du tout entendu l’exclamation d’Aliocha. Mais je le savais, qu’il s’était pendu.

— De qui ça ?

— Je ne sais pas de qui. Mais je le savais. Est-ce que je le savais ? Oui, il me l’a dit. Il vient encore de me le dire…

Ivan se tenait au milieu de la pièce et parlait toujours d’un ton aussi pensif, les yeux fixés au sol.

— Qui, *il* ? demanda Aliocha, regardant malgré lui autour de lui.

— Il a filé.

Ivan releva la tête et eut un sourire silencieux.

— Il a eu peur de toi, d'une colombe. Tu es “un pur chérubin”. Dmitri il t'appelle le chérubin. Chérubin… Le tonnerre, le hurlement heureux des séraphins ! Qu'est-ce que c'est, un séraphin ? Peut-être que c'est toute une constellation. Ou, peut-être, c'est toute la constellation qui n'est juste qu'une espèce de molécule chimique… Ça existe, la constellation du Lion et du Soleil, tu ne sais pas ?

— Frère, assieds-toi ! murmura Aliocha, effrayé. Assieds-toi, au nom du ciel, sur le divan. Tu délires, pose ta tête sur l'oreiller, comme ça. Tu veux une serviette mouillée sur la tête ? Peut-être que ça te fera du bien ?

— Donne-moi la serviette, là, sur la chaise, je l'ai jetée là tout à l'heure.

— Elle n'y est pas. Ne t'inquiète pas, je sais où tu la mets ; la voilà, dit Aliocha, retrouvant à l'autre bout de la pièce, près de la table de toilette d'Ivan une serviette propre, encore pliée et non utilisée. Ivan posa un regard étrange sur la serviette ; la mémoire lui revint comme d'un coup.

— Attends, fit-il, se redressant à demi, tout à l'heure, il y a une heure, cette serviette, je l'ai prise de là-bas, et je l'ai trempée. Je l'ai enroulée autour de ma tête et je l'ai jetée ici… pourquoi est-ce qu'elle est sèche ? Il n'y en avait pas d'autre.

— Tu t'es enroulé cette serviette autour de la tête ? demanda Aliocha.

— Oui, et j'ai marché dans la pièce, il y a une heure… Pourquoi est-ce que les bougies ont fondu comme ça ? Quelle heure est-il ?

— Bientôt minuit.

— Non, non, non, s'écria soudain Ivan, ce n'était pas un rêve ! Il était là, il s'est assis, là, sur l'autre divan. Quand tu as frappé à la fenêtre, je lui ai jeté un verre à la figure… celui-là, là… Attends, l'autre fois aussi, je dormais, mais ce n'est pas un rêve. L'autre fois, c'était pareil. J'ai de ces rêves, maintenant, Aliocha… ce n'est pas des rêves, c'est en vrai ; je marche, je parle et je vois… et pourtant, je dors. Mais il était là, assis, il était là, là, sur l'autre divan… Il est affreusement bête, Aliocha, affreusement bête, continua Ivan en éclatant soudain de rire et il se remit à marcher dans la pièce.

— Qui est bête ? De qui est-ce que tu parles, vieux frère ? redemanda Aliocha avec angoisse.

— Le diable ! Il s'est mis à me rendre visite. Il est venu deux fois, même presque trois. Il s'est moqué de moi parce que, soi-disant, je me mettais en colère qu'il soit juste un diable et pas Satan aux ailes de feu, dans son tonnerre et son éclat. Mais il n'est pas Satan, ça, il ment. C'est un usurpateur. C'est simplement un diable, un diable de rien du tout, mesquin. Il va aux bains publics. Si tu le déshabilles, je suis sûr que tu retrouveras une queue, longue, lisse, comme celle d'un chien danois, une aune de long, couleur fauve… Aliocha, tu es gelé, tu as été dans la neige, tu veux du thé ? Quoi ? il est froid ? Tu veux que je t'en fasse faire ? *C'est à ne pas mettre un chien dehors**…

Aliocha courut au lavabo, mouilla la serviette, persuada Ivan de se rasseoir et lui enroula la serviette mouillée autour de la tête. Puis il s'assit auprès de lui.

— Qu'est-ce que tu me disais, tout à l'heure, à propos de Liza ? reprit à nouveau Ivan. (Il devenait très bavard.) Elle me plaît, Liza. Je t'ai dit quelque chose de moche sur elle. J'ai menti, elle me plaît bien… J'ai peur, demain, pour Katia, surtout ça qui me fait peur.

Pour l'avenir. Demain, elle va m'abandonner, elle me piétinera. Elle pense que c'est parce que je suis jaloux d'elle que je veux perdre Mitia ! Oui, elle pense ça ! Eh bien, non ! Demain, c'est la croix, pas la potence. Non, je ne me pendrai pas. Tu sais que je suis incapable de me suicider, Aliocha ! Par crapulerie, tu penses ? Je ne suis pas un lâche. Pourquoi je le savais, que Smerdiakov s'était pendu ? Oui, c'est *lui* qui me l'a dit…

— Et tu es absolument sûr qu'il y a eu quelqu'un ici ? demanda Aliocha.

— Là, sur l'autre divan, dans le coin. Toi, tu l'aurais chassé. D'ailleurs, tu l'as chassé : il a disparu quand tu es arrivé. J'aime ton visage, Aliocha. Tu le savais, que j'aimais ton visage ? Mais, *lui* – c'est moi, Aliocha, moi-même. Tout ce que j'ai de vil, tout ce que j'ai de crapuleux et de méprisable ! Oui, je suis un "romantique", il a remarqué ça… même si c'est une calomnie. Il est affreusement bête, mais c'est comme ça qu'il gagne. Il est rusé, bestialement rusé, il savait comment faire pour me mettre en rage. Il n'arrêtait pas de me narguer, de dire que je croyais en lui, et donc il m'a obligé à l'écouter. Il m'a berné comme un gamin. Remarque, il m'a dit pas mal de vérités sur moi. Moi, jamais je ne me le serais dit tout seul. Tu sais, Aliocha, tu sais, ajouta Ivan d'un ton affreusement sérieux et comme confidentiel, j'aimerais beaucoup qu'en vérité ce soit vraiment *lui* et pas moi !

— Il t'a épuisé, dit Aliocha, regardant son frère avec compassion.

— Il me narguait ! Et, tu sais, c'était futé, futé : "La conscience ! Qu'est-ce que c'est, la conscience ? C'est moi-même qui la fais. Alors, pourquoi est-ce que je me torture ? Par habitude. Suite à une habitude universelle de l'homme depuis sept mille ans. Perdons-la donc, cette habitude, et nous serons des dieux." Il disait ça, il disait ça !

— Et ce n'était pas toi, ce n'était pas toi ? s'écria malgré lui Aliocha avec un regard clair sur son frère. Mais laisse-le, laisse-le, oublie-le ! Qu'il emporte avec lui tout ce que tu maudis en ce moment, et qu'il ne revienne jamais plus !

— Oui, mais il est méchant. Il se moquait de moi. Il était insolent, Aliocha, murmura Ivan avec un tressaillement de dégoût. Mais il m'a calomnié, il m'a calomnié sur plein de choses. Il m'a menti sur moi-même, en face. "Oh, tu pars accomplir un exploit de vertu, tu vas déclarer que tu as tué le père, que le laquais l'a tué sur ton incitation..."

— Frère, l'interrompit Aliocha, retiens-toi : ce n'est pas toi qui as tué. Ce n'est pas vrai !

— C'est lui qui le dit, lui, et, lui, il le sait : "Tu pars accomplir un exploit de vertu, mais c'est à la vertu que tu ne crois pas – voilà ce qui te met en rage et ce qui te torture, voilà pourquoi tu es tellement rancunier." C'est ça qu'il me disait de moi-même, et, lui, il sait ce qu'il dit...

— C'est toi qui dis ça, ce n'est pas lui ! s'exclama douloureusement Aliocha. Et tu le dis dans ta maladie, dans le délire, en te torturant toi-même !

— Non, il sait ce qu'il dit. C'est par orgueil, il me dit, que tu y vas, tu vas te dresser et tu diras : "C'est moi qui ai tué, qu'est-ce que vous avez à grimacer d'horreur, vous mentez ! Je méprise votre opinion, je méprise votre horreur." C'est de moi qu'il dit ça, et d'un seul coup, il dit : "N'empêche, tu sais, tu as envie qu'ils te fassent des compliments : un criminel, n'est-ce pas, un assassin, mais, n'empêche, quels nobles sentiments, il a voulu sauver son frère et il a avoué !" Mais ça, alors, c'est un mensonge, Aliocha ! s'écria soudain Ivan, des éclairs dans les yeux. Je ne veux pas que les merdeux me fassent des louanges ! Là, il a menti, Aliocha, il a menti, je te le jure ! Je lui ai jeté le verre de thé, il s'est cassé contre sa gueule !

— Frère, apaise-toi, arrête ! le suppliait Aliocha.

— Non, il sait torturer, il est cruel, poursuivait Ivan, sans l'écouter. J'ai toujours senti pourquoi il venait. "Tu y allais peut-être par fierté, il me dit, mais il y avait quand même un espoir que Smerdiakov soit découvert et qu'ils l'envoient au bagne, que Mitia soit acquitté, et que, toi, tu te fasses condamner seulement *au moral* (tu entends, là, il rigolait !), alors que, les autres, ils te feraient des compliments. Mais voilà, Smerdiakov est mort, il s'est pendu – alors qui donc, maintenant, au tribunal, ira te croire, toi tout seul ? Et pourtant, tu y vas, tu y vas, tu vas y aller quand même, tu as décidé que tu irais. Pourquoi est-ce que tu y vas, après ça ?" Ça fait peur, Aliocha, je n'arrive pas à supporter ces questions. Qui a le droit de me poser des questions pareilles !

— Frère, l'interrompit Aliocha, le cœur figé de peur, mais toujours avec une espèce d'espoir de faire revenir Ivan à la raison, qui donc a pu te parler de la mort de Smerdiakov avant mon arrivée alors que personne n'était au courant, et personne n'avait eu le temps d'être au courant ?

— C'est lui qui le disait, prononça fermement Ivan, sans laisser place au moindre doute. Il ne m'a parlé que de ça, si tu veux savoir. "Et si encore, il me dit, tu croyais à la vertu : tant pis s'ils ne me croient pas, j'y vais pour le principe. Mais tu es un petit cochon, pareil que Fiodor Pavlovitch, et qu'est-ce que ça te fait, la vertu ? Alors, pourquoi tu vas te traîner là-bas, si ton sacrifice ne sert à rien ? Mais c'est parce que tu ne le sais pas toi-même, pourquoi tu y vas ! Oh, tu donnerais cher pour le savoir, pourquoi tu y vas ! Et comme si tu avais pris ta décision ! Tu ne l'as pas prise, ta décision. Tu vas y passer toute la nuit, à la prendre, y aller ou ne pas y aller ? Mais, malgré tout, tu vas y aller, tu sais que tu vas y aller, tu le sais toi-même, quelle que soit la décision que tu puisses prendre, et, la décision, elle ne t'appartient pas. Tu vas y aller, parce que tu n'oses pas ne pas y aller. Pourquoi tu n'oses pas – ça, c'est à toi de deviner, tiens, voilà une énigme à résoudre !" Il s'est levé et il est parti. Toi, tu es venu, lui, il est parti. Il m'a traité de lâche, Aliocha ! *Le mot de l'énigme**, que je suis un lâche ! "C'est pas des aigles comme toi qui planeront sur la terre !" Il a ajouté ça, il a ajouté ça ! Et Smerdiakov il a dit la même chose. Il faut le tuer. Katia me méprise, je le vois depuis un mois, Liza aussi, elle va commencer à me mépriser ! "Tu y vas pour qu'on te fasse des compliments" – c'est un mensonge bestial ! Et toi aussi, tu me méprises, Aliocha. Maintenant, je vais me remettre à te haïr. Et le monstre aussi, je le hais, le monstre, je le hais ! Je ne veux pas sauver le monstre, qu'il y pourrisse, au bagne ! Il a entonné son hymne ! Oh, demain, je vais y aller, je me dresserai devant eux, je leur cracherai tous à la figure !

Il bondit dans un état second, s'arracha la serviette et se remit à arpenter la pièce. Aliocha se souvint de ses paroles de tout à l'heure : "Ce n'est pas des rêves, c'est en vrai ; je marche, je parle et je vois… et pourtant, je dors." C'est justement cela qui avait dû se produire à cet instant. Aliocha ne le quittait plus d'un pas. Il eut un instant l'idée de courir chercher le médecin et de le ramener, mais il craignit de laisser son frère tout seul : il n'y avait personne à qui le confier. Finalement, Ivan se mit petit à petit à perdre conscience. Il continuait toujours de parler, il parlait sans fin ni cesse, mais, cette fois, sans plus aucune cohérence. Il en arrivait à articuler de plus en plus mal, et, brusquement, il tangua violemment sur place. Mais Aliocha eut le temps de le retenir. Ivan se laissa conduire jusqu'au lit, Aliocha, à grand-peine, parvint à le déshabiller et à le coucher. Luimême, il resta à son chevet encore bien deux heures. Le malade dormait profondément, sans mouvement, d'une respiration paisible et profonde. Aliocha prit un oreiller et se coucha sur le divan sans se déshabiller. En s'endormant, il pria pour Mitia et pour Ivan. Il commençait à comprendre la maladie d'Ivan : "Les tortures d'une décision de la fierté, la conscience profonde !" Dieu, en qui il ne croyait pas, et Sa vérité s'emparaient de son cœur qui refusait toujours de se soumettre. "Oui, se disait Aliocha dans un éclair, alors qu'il avait déjà la tête sur l'oreiller, oui, si Smerdiakov est mort, personne ne croira plus le témoignage d'Ivan ; mais il ira et il témoignera !" Aliocha eut un sourire paisible : "Dieu vaincra ! se dit-il. Soit il se relèvera dans la lumière de la vérité… soit il mourra dans la haine, se vengeant, contre soi-même et les autres, d'avoir à servir ce en quoi il n'a aucune foi", ajouta amèrement Aliocha et il fit une autre prière pour Ivan.

Livre douzième

L'ERREUR JUDICIAIRE

I

LE JOUR FATAL

Le lendemain des événements que je viens de décrire, à dix heures du matin, s'ouvrait l'audience de notre tribunal de district et commençait le procès de Dmitri Karamazov.

Je le dirai à l'avance, et je le dirai en insistant : je suis loin d'estimer avoir la force de rapporter tout ce qui s'est déroulé au procès, et non seulement avec la plénitude requise, mais ne serait-ce que dans l'ordre requis. J'ai toujours l'impression que si je me souvenais de tout et si j'expliquais tout comme il faut, il y faudrait un livre entier, et même des plus volumineux. Et donc, qu'on ne m'en veuille pas si je ne rapporte que ce qui m'a frappé à titre personnel et ce dont je me souviens tout particulièrement. J'ai pu prendre quelque chose de secondaire pour de l'essentiel, voire laisser complètement inaperçus les traits les plus violents, les plus indispensables… Remarquez, je vois qu'il vaut mieux ne pas s'excuser. Je ferai comme je sais, et les lecteurs comprendront d'eux-mêmes que je n'ai fait que comme j'ai pu.

Et, d'abord, avant d'entrer dans la salle du tribunal, je parlerai de ce qui m'a tout particulièrement surpris ce jour-là. Au reste, je n'étais pas le seul à être étonné, comme cela devait apparaître par la suite, tout le monde l'avait été. Et donc : tout le monde savait que cette affaire avait éveillé l'intérêt de vraiment trop de gens, que tout le monde brûlait d'impatience de voir le procès commencer, notre société grouillait de conversations, de suppositions, d'exclamations, de rêves depuis déjà plus de deux mois. Tout le monde savait aussi que cette affaire avait eu un écho dans la Russie entière, mais, malgré tout, personne n'imaginait qu'elle pût être tellement brûlante, qu'elle ait pu bouleverser tous et chacun jusqu'à un tel état de nerfs, et même pas seulement chez nous, mais, partout, comme cela devait s'avérer ce jour-là dans la salle même du tribunal. Nous avons vu arriver chez nous pour ce jour-là non seulement des visiteurs originaires de notre chef-lieu de province, mais aussi de quelques autres villes de Russie, et, enfin, même de Moscou et de Pétersbourg. Il arriva des juristes, il arriva même un certain nombre de notabilités, ainsi que des dames. Tous les billets s'étaient arrachés. Pour les visiteurs particulièrement importants et en vue parmi les hommes on avait même créé un certain nombre de places carrément invraisemblables derrière l'estrade sur laquelle siégeait le tribunal : on vit paraître là toute une rangée de fauteuils occupés par différentes personnes, ce qui ne s'était jamais vu chez nous auparavant. Il y eut un nombre tout particulier de dames – des nôtres et des dames en visite, je pense qu'elles devaient bien composer la moitié du public. Les juristes, accourus de partout, étaient si nombreux qu'on ne savait même plus où les placer, du fait que tous les billets avaient été distribués depuis longtemps, à force de demandes et de suppliques. J'ai vu de mes yeux vu, au fond de la salle, derrière l'estrade, arranger temporairement et à la hâte une cloison particulière derrière laquelle on fit entrer tous ces juristes amassés, et ils s'estimèrent heureux de pouvoir ne serait-ce que rester debout, parce que les chaises, histoire de gagner un peu de place derrière cette cloison, avaient été bannies complètement, si bien que toute cette foule qui était accourue resta debout, pendant toute l'affaire, en masse compacte et serrée, épaule contre épaule. Certaines dames, surtout parmi les visiteuses, parurent aux galeries de la salle particulièrement endimanchées, mais la plupart des dames avaient même oublié de penser aux toilettes. On lisait sur tous les visages une curiosité hystérique, avide, quasiment maladive. L'une des particularités les plus caractéristiques de toute la société qui se retrouvait dans cette salle et qu'il est indispensable de noter consistait en ceci, comme cela se vérifia par la suite à de nombreuses observations, que presque toutes les dames, du moins l'immense majorité d'entre elles, étaient du côté de Mitia et pour son acquittement. Peut-être surtout parce qu'il s'était fait une image de lui comme d'un bourreau des cœurs. On savait qu'on verrait deux femmes rivales. L'une d'elles, c'est-à-dire Katérina Ivanovna, surtout, intéressait chacun ; on racontait à son propos quantité de choses extraordinaires, sur sa passion pour Mitia, malgré même son crime, on racontait des histoires étonnantes. On parlait essentiellement de son orgueil (elle n'avait fait de visite à quasiment personne dans notre ville), de ses "relations aristocratiques". On disait qu'elle avait l'intention de demander au gouvernement l'autorisation d'accompagner le criminel au bagne et de se marier avec lui quelque part dans les mines, sous la terre. C'est aussi avec une agitation non moindre qu'on attendait l'apparition au procès de Grouchenka, la rivale de Katérina Ivanovna. C'est avec une curiosité torturante qu'on attendait la rencontre des deux rivales au tribunal – de la jeune et orgueilleuse aristocrate et de "l'hétaïre" ; Grouchenka, du reste, était plus connue de nos dames que Katérina Ivanovna. Elle "qui avait fait la perte de Fiodor Pavlovitch et celle de son malheureux fils", nos dames l'avaient déjà vue avant, et toutes, de la première, quasiment, à la dernière, s'étonnaient de voir que le père et le fils aient pu tomber amoureux à un tel point de cette "fille d'artisan russe si ordinaire, et même tout à fait laide". Bref, on n'arrêtait pas d'en parler. Je sais positivement que, rien que dans notre ville, on avait même vu un certain nombre de graves disputes familiales à cause de Mitia. Beaucoup de dames s'étaient violemment brouillées avec leurs époux pour des divergences d'opinion sur cette affreuse affaire, et, naturellement, en conséquence, tous les maris de ces dames paraissaient dans la salle d'audience non seulement mal disposés envers le prévenu, mais carrément très aigris contre lui. Et, en général, on pouvait dire positivement que, contrairement au parti des dames, celui des hommes était très remonté contre le prévenu. On voyait des visages sévères, renfrognés, d'autres, même, carrément irrités, et, cela, en foule. Il faut dire que Mitia avait réussi à en offenser personnellement un grand nombre pendant le temps qu'il avait vécu chez nous. Bien sûr, certains visiteurs se montraient presque joyeux ou tout à fait indifférents au destin de Mitia en tant que tel, mais, là encore, pas à l'affaire qu'on se préparait à juger ; tous étaient passionnés par son issue, et la majorité des hommes souhaitait résolument le châtiment du criminel, à part, bien sûr, les juristes, qui tenaient moins à l'aspect moral de l'affaire qu'à son aspect, pour ainsi dire, d'actualité juridique. Tous étaient bouleversés par l'arrivée du célèbre Fétioukovitch. Son talent était connu partout, et ce n'était déjà pas la première fois qu'il descendait en province pour assurer la défense dans des affaires criminelles célèbres. D'ailleurs, c'est toujours après sa défense que ces affaires devenaient célèbres dans toute la Russie et se gravaient dans les annales. On racontait aussi plusieurs histoires sur notre procureur et le président de notre tribunal. On racontait que notre procureur frissonnait à l'idée de rencontrer Fétioukovitch, qu'ils étaient ennemis de longue date déjà depuis Pétersbourg, depuis le début de leur carrière, que notre orgueilleux Hippolyte Kirillovitch, qui se considérait toujours persécuté par Dieu sait qui déjà depuis Pétersbourg parce que ses talents n'avaient pas été appréciés à leur valeur, avait comme moralement ressuscité avec l'affaire Karamazov et rêvait même de ressusciter par cette affaire sa carrière mal en point, mais qu'il ne craignait que Fétioukovitch. Or, au sujet des frissons devant Fétioukovitch, ces jugements n'étaient pas entièrement fondés. Notre procureur n'était pas de ces caractères qui se laissent abattre par le danger, c'était au contraire quelqu'un dont l'amour-propre s'accroît et se sent pousser des ailes justement à mesure que le danger grandit. En général, il faut remarquer que notre procureur était trop impatient et maladivement sensible. Il y avait des affaires où il mettait toute son âme et qu'il menait comme si tout son destin et toute sa fortune dépendaient de leur issue. Dans le monde juridique, cela lui valait quelques railleries, car c'est précisément cette qualité qui avait valu à notre procureur une certaine célébrité, loin, certes, d'être générale, mais, enfin, beaucoup plus grande que celle à laquelle il pouvait prétendre vu la modestie de sa position au sein de notre tribunal. On se moquait tout particulièrement de sa passion pour la psychologie. A mon avis, le monde se trompait : notre procureur, en tant qu'homme et en tant que caractère, était beaucoup plus sérieux que d'aucuns n'auraient pu le penser. Mais cet homme maladif n'avait su se présenter que bien maladroitement dès ses tout premiers pas dans la carrière, et cela devait rester pareil pour tout le reste de sa vie.

Quant au président de notre cour, on peut dire seulement de lui que c'était un homme cultivé, humain, qui avait une connaissance pratique de son affaire et s'en tenait aux idées les plus contemporaines. Il avait pas mal d'amour-propre, mais ne se souciait pas trop de sa carrière. Le but principal de sa vie était d'être un homme de progrès. De plus, il avait des relations et de la fortune. Il avait une opinion assez passionnée, comme on l'apprit par la suite, sur l'affaire Karamazov, mais seulement au sens général. Ce qui l'intéressait, c'était le phénomène, sa classification, le fait de le considérer comme un produit de certains fondements sociaux, comme une caractéristique de l'élément russe, etc. Quant au caractère personnel de l'affaire, sa tragédie, de même que les personnalités de ses protagonistes, à commencer par celle du prévenu, il les regardait avec une certaine indifférence, dans l'abstrait, comme, du reste, il le fallait peut-être.

Longtemps avant l'entrée du tribunal, la salle était déjà pleine à craquer. Chez nous, la salle d'audience est la meilleure de la ville, elle est vaste, haute, sonore. A droite des juges qui se trouvaient légèrement en hauteur, on avait préparé une table et deux rangs de fauteuils pour les jurés. A gauche, c'était la place du prévenu et celle de son avocat. Au milieu de la salle, près de l'endroit où les juges siégeaient, on avait placé la table aux “pièces à conviction”. On y voyait la robe de chambre de soie blanche ensanglantée de Fiodor Pavlovitch, le fatal pilon de cuivre qui avait servi à commettre le crime supposé, la chemise de Mitia avec sa manche souillée de sang, sa veste toute couverte de sang, derrière, à l’endroit de la poche, où il avait fourré son mouchoir tout mouillé de sang, le mouchoir lui-même, tout froissé de sang séché et, à présent, complètement jauni, le pistolet que Mitia avait chargé chez Perkhotine en vue de se suicider et que Trifone Borissovitch lui avait barboté en douce à Mokroïé, l’enveloppe avec l’inscription dans laquelle étaient préparés les trois mille roubles pour Grouchenka, et le petit ruban rose qui avait servi à la fermer, ainsi que de nombreux autres objets dont je ne me souviens plus. A une certaine distance plus loin, plus vers le fond de la salle, commençaient les places du public, mais, dès avant la balustrade, on avait disposé quelques fauteuils pour les témoins qui avaient déjà déposé et devaient rester dans la salle. A dix heures, parut le tribunal, composé du président, d’un autre juge et d’un juge de paix honoraire. Evidemment, le procureur apparut, lui aussi, sur-le-champ. Le président était un homme râblé, trapu, d’une taille plus petite que la moyenne, au visage hémorroïdal, âgé d’une cinquantaine d’années, aux cheveux sombres semés de quelques mèches grises, coupés court, et portant un ruban rouge – je ne me souviens plus de quel ordre. Le procureur, quant à lui, me sembla, à moi et à tout le monde, comme vraiment presque livide, le visage quasiment vert, comme bizarrement d’un seul coup amaigri, en l’espace, peut-être, d’une seule nuit, parce que je l’avais vu, juste l’avant-veille, dans son état encore habituel. Le président commença par une question au greffier : tous les jurés s’étaient-ils présentés ?…

Je vois pourtant que je ne peux pas continuer, pour cette bonne raison, déjà, qu'il y a beaucoup de choses que je n'ai pas entendues, qu'il y en a d'autres que je n'ai pas eu le temps de comprendre, d'autres que j'ai oublié de garder en mémoire, et surtout, parce que, comme je l'ai déjà dit plus haut, s'il fallait que je me souvienne de tout ce qui a été dit et ce qui s'est passé, je n'aurais, littéralement, ni assez de temps ni assez de place. Je sais seulement que les jurés récusés par une partie ou par l'autre, c'est-à-dire la défense ou l'accusation, n'étaient pas très nombreux. Mais je me souviens de la composition des douze jurés : quatre fonctionnaires de chez nous, deux commerçants et six paysans et artisans de notre ville. Chez nous, dans la société, je me souviens, longtemps encore avant le procès, on demandait avec un certain étonnement, surtout les dames : "Comment se fait-il qu'une affaire aussi fine, aussi complexe, aussi psychologique, puisse être soumise au jugement fatal d'on ne sait quels fonctionnaires, et, finalement, à des moujiks, et, réellement, est-ce qu'un fonctionnaire, comme ça, et à plus forte raison un moujik, peut y comprendre quelque chose ?" De fait, tous les quatre fonctionnaires qui se retrouvaient au nombre des jurés étaient des gens petits, de grade modeste, les cheveux gris – un seul avait l'air un petit peu plus jeune –, peu connus dans notre société, végétant sur un salaire modique, ayant, peut-être, de vieilles épouses qu'il n'y avait aucun moyen d'emmener nulle part, et des masses d'enfants qui se promenaient peut-être même pieds nus, qui (et encore, et encore !) pouvaient occuper leurs loisirs par je ne sais quelles parties de cartes et n'avaient jamais lu, bien sûr, le moindre livre. Quant aux deux commerçants, ils avaient, certes, un air plus digne, mais se montraient comme étrangement silencieux et figés ; l'un d'eux se rasait la barbe et s'habillait à l'européenne ; l'autre, avec une barbiche grise, portait au cou, sur ruban rouge, je ne sais quelle médaille. Les artisans et les paysans, que voulez-vous dire d'eux ? Nos artisans de Skotoprigonievsk, ils sont quasiment comme des paysans, il y en a même qui labourent. Deux d'entre eux étaient également vêtus à l'européenne, ce pourquoi, sans doute, ils avaient l'air plus sale et plus laid que les quatre autres. Au point que, réellement, l'idée pouvait vous venir, comme elle m'est venue à moi-même, par exemple, dès qu'on les découvrait : "Ceux-là, comment peuvent-ils y comprendre quelque chose ?" Malgré tout, leurs visages produisaient une espèce d'impression étrangement puissante et presque menaçante, ils étaient sévères et rembrunis.

Finalement, le président déclara ouvert le procès de l'affaire du meurtre du conseiller titulaire à la retraite Fiodor Pavlovitch Karamazov – je ne me souviens pas de la façon précise dont il le dit à ce moment-là. Le greffier reçut ordre de faire entrer le prévenu, et c'est là que parut Mitia. Tout se tut dans la salle, on aurait pu entendre une mouche voler. Je ne sais pas ce qu'il en fut pour les autres, mais l'allure de Mitia me fit une impression des plus désagréables. Surtout, il paraissait comme un dandy terrible, vêtu d'un veston flambant neuf. J'appris plus tard qu'il avait spécialement commandé pour ce jour-là un veston à Moscou, à son ancien tailleur qui avait gardé ses mesures. Il avait des gants de daim noirs tout neufs et une chemise du dernier chic. Il avança, de son pas de géant, les yeux dardés droit devant lui jusqu'à en paraître figés, et s'assit à sa place de l'air le plus serein du monde. Parut alors immédiatement son avocat, le célèbre Fétioukovitch, et une espèce de rumeur étouffée parcourut la salle. C'était un homme sec et long, aux jambes longues et fines, aux doigts incroyablement longs, pâles et fins, au visage rasé, aux cheveux coiffés avec modestie et coupés assez court, aux lèvres fines qui grimaçaient, de loin en loin, pour un ricanement ou un sourire. Il avait l'air d'avoir une quarantaine d'années. Son visage aurait pu être agréable, sans ses yeux, pas très grands et inexpressifs en eux-mêmes, mais placés si étonnamment près l'un de l'autre qu'ils n'étaient séparés que par la fine paroi de son nez fin et long. Bref, sa physionomie avait quelque chose d'incroyablement proche d'un oiseau, tellement que cela vous sidérait. Il portait un frac et une cravate blanche. Je me souviens du premier interrogatoire de Mitia par le président, c'est-à-dire son nom, son titre, etc. Mitia répondit brutalement, mais d'une voix comme soudain sonore, au point que le président secoua la tête et lui lança un regard presque surpris. Ensuite, on lut la liste des personnes convoquées au procès, c'est-à-dire celle des témoins et des experts. Cette liste était longue ; quatre témoins ne s'étaient pas présentés : Mioussov qui se trouvait alors une nouvelle fois à Paris, mais dont on avait le témoignage dans l'enquête préliminaire, Mme Khokhlakova et le propriétaire Maximov, pour maladie, et Smerdiakov, pour cause de mort soudaine, ce sur quoi il y avait un certificat de la police. La nouvelle au sujet de Smerdiakov produisit un grand mouvement et un murmure dans la salle. Bien sûr, nombreux étaient les membres du public qui n'étaient encore pas du tout au courant de cet épisode du suicide. Mais ce qui frappa le plus, ce fut la soudaine saillie de Mitia ; à peine avait-on appris la nouvelle de Smerdiakov, il cria brusquement de sa place, pour toute la salle :

— Au chien la mort d'un chien !

Je me souviens comme son avocat se précipita vers lui et le président s'adressa à lui en le menaçant de prendre des mesures sévères si une saillie pareille se reproduisait ne serait-ce qu'une seule fois. Mitia, avec violence, hochant la tête, mais comme s'il ne se repentait pas du tout, répéta plusieurs fois de suite à son avocat :

— J'arrête, j'arrête ! Ça m'a échappé ! C'est dit, j'arrête !

On le pense bien, ce tout petit épisode ne parla pas en sa faveur dans l'opinion des jurés et du public. Un caractère se montrait, qui se passait de commentaires. C'est sous cette impression que le secrétaire du tribunal donna lecture de l'acte d'accusation.

Cet acte était assez bref, mais circonstancié. On y exprimait seulement les raisons essentielles qui faisaient qu'on avait accusé un tel, la raison qui faisait qu'on avait dû le traduire devant le tribunal, et ainsi de suite. Malgré cela, il me fit une impression puissante. Le secrétaire lut d'une voix distincte, sonore, claire. Toute cette tragédie semblait ressurgir devant tous comme en relief, d'une façon comme concentrique, sous une lumière fatale et impitoyable. Je me souviens que, tout de suite après la lecture, le président interrogea Mitia d'une voix sonore et grave :

— Prévenu, vous reconnaissez-vous coupable ?

Mitia se leva soudain de sa place :

— Je me reconnais coupable d'ivrognerie et de débauche, s'exclama-t-il, là encore, avec une sorte de voix inattendue, quasiment frénétique, de paresse et de dépravation. Je voulais devenir pour toujours un homme honnête à la minute précise où le destin m'a fauché ! Mais de la mort du vieux, de mon ennemi et de mon père – je ne suis pas coupable ! Mais de l'avoir volé – non, non, je ne suis pas coupable, et je ne peux pas être coupable : Dmitri Karamazov est une crapule, mais pas un voleur !

Sur ce, il se rassit à sa place, tremblant, visiblement, de tout son corps. Le président s'adressa de nouveau à lui en lui enjoignant, en termes brefs, de ne répondre qu'aux questions et de ne pas se lancer dans des exclamations annexes et frénétiques. Ensuite, il passa à l'audience elle-même. On fit entrer tous les témoins pour prêter serment. C'est là que je les vis tous à la fois. Du reste, les frères du prévenu furent admis à témoigner sans serment. Après l'exhortation du prêtre et du président, on fit sortir les témoins et on les fit asseoir, autant que possible, le plus loin les uns des autres. Ensuite, on se mit à les appeler un à un.

II

DES TÉMOINS DANGEREUX

Je ne sais si les témoins du procureur et ceux de la défense avaient été séparés en groupes distincts par le président, et quel était précisément l'ordre dans lequel on devait les appeler. Cela devait avoir été le cas. Je sais seulement que les premiers témoins à être appelés étaient ceux du procureur. Je le répète, je n'ai pas l'intention de décrire tous les interrogatoires et, qui plus est, pas à pas. En outre, une telle description de ma part pourrait s'avérer quelque peu superflue, parce que, dans les discours du procureur et de l'avocat, quand ce fut l'heure des plaidoiries, toute la démarche et tout le sens des témoignages donnés et entendus étaient ramenés comme à un seul point sous une lumière éclatante et caractéristique, et, ces deux discours remarquables, du moins en certains endroits, je les ai notés dans leur intégralité et je les rapporterai en lieu et place, de même qu'un épisode extraordinaire et tout à fait inattendu du procès qui se déroula soudainement avant les plaidoiries et qui eut une influence indubitable sur son issue terrifiante et fatale. Je remarquerai seulement que, dès les premières minutes du procès, on vit paraître une certaine caractéristique particulière de cette "affaire", une caractéristique que tout le monde remarqua, à savoir : la force extraordinaire de l'accusation comparée aux moyens dont disposait la défense. Cela, tout le monde le comprit à l'instant, quand, dans cette salle effrayante du tribunal, les faits commencèrent à se concentrer, à se regrouper et que l'on vit remonter peu à peu à la surface toute cette horreur et tout ce sang. Tout le monde, je crois bien, comprit, et dès les premiers pas, que l'affaire en question était même loin d'être discutable, qu'il n'y avait pas là le moindre doute, que, finalement, il n'y avait même besoin d'aucun débat, que les débats ne seraient là que pour la forme, et que le criminel était coupable, coupable évidemment, coupable d'une façon définitive. Je pense même que toutes les dames, toutes, de la première à la dernière, qui attendaient avec impatience l'acquittement d'un prévenu si intéressant, étaient en même temps parfaitement persuadées de sa totale culpabilité. Bien plus, je pense qu'elles auraient même été peinées si sa culpabilité n'avait pas été si puissamment confirmée, car, à ce moment-là, il n'y aurait plus eu aucun effet quand le criminel se serait vu acquitté. Or, qu'il serait acquitté – cela, étrangement, toutes les dames en étaient absolument persuadées pour ainsi dire jusqu'à la toute dernière minute : "Coupable, mais il sera acquitté par humanité, à cause des idées nouvelles, des sentiments nouveaux qui sont en vogue de nos jours", etc.

C'était bien pour cela qu'elles étaient toutes accourues avec une telle impatience. Les hommes, eux, s'intéressaient plus à la lutte entre le procureur et le glorieux Fétioukovitch. Tous s'étonnaient et se demandaient : que pouvait faire d'une cause aussi perdue, d'une coquille d'œuf tellement vide, même un talent de l'ampleur de celui de Fétioukovitch ? – et c'est pourquoi on suivait pas à pas ses exploits avec une attention fébrile. Mais, jusqu'à la toute fin, jusqu'à sa plaidoirie, Fétioukovitch resta un mystère pour chacun. Les gens d'expérience pressentaient bien qu'il avait un système, qu'il s'était bien formé quelque chose, qu'il poursuivait un certain but, mais, lequel – il était presque impossible de le deviner. Sa certitude et son assurance sautaient pourtant aux yeux. En outre, tout le monde avait remarqué à l'instant que, durant son bref séjour chez nous, en quelque trois ou quatre jours peut-être, il avait réussi à se faire une idée étonnamment fouillée du dossier et qu'il le connaissait "sur le bout des doigts". On racontait avec jouissance, par exemple, plus tard, qu'il avait su "piéger" au bon moment tous les témoins du procureur, et, autant que possible, les désarçonner, et, surtout, souiller un peu leur réputation morale, et donc, évidemment, souiller aussi leur témoignage. On supposait du reste qu'il faisait cela, et pas qu'un peu, pour jouer, si je puis dire, pour une espèce de brillant judiciaire, afin que, réellement, rien ne soit oublié des procédés admis par les avocats : car tout le monde était persuadé qu'il ne pouvait guère atteindre un profit important ou définitif par ses "petites souillures", et que, cela, sans doute, il le comprenait mieux que quiconque, gardant toujours son propre but en vue, une arme mystérieuse de la défense, une arme qu'il allait découvrir d'un coup, le moment venu. Mais, en attendant, avec toute la conscience de sa force, c'était comme s'il jouait et s'amusait. Ainsi, par exemple, pendant l'interrogatoire de Grigori Vassiliev, l'ancien chambellan de Fiodor Pavlovitch, qui donnait le témoignage le plus capital sur "la porte du jardin ouverte", l'avocat le prit-il littéralement dans ses griffes quand son tour arriva de poser des questions. Il faut remarquer que Grigori Vassiliévitch s'était présenté dans la salle sans être troublé le moins du monde par la grandeur du tribunal, ni par la présence de l'immense public qui l'écoutait, d'un air tranquille et quasiment majestueux. Il énonçait sa déposition avec une assurance telle qu'on pouvait croire qu'il conversait en tête à tête avec Marfa Ignatievna, sur un ton juste un peu plus respectueux. Il était impossible de l'ébranler. Au début, il fut longuement interrogé par le procureur sur tous les détails de la famille Karamazov. Le tableau familial apparut violemment. On entendait, on voyait que le témoin était simple et impartial. Avec tout le respect le plus profond qu'il éprouvait pour la mémoire de son ancien maître, il déclara néanmoins que ce maître s'était montré injuste envers Mitia et qu'il n'avait pas "bien élevé ses enfants. Lui, un petit garçon, sans moi, les poux l'auraient bouffé, ajouta-t-il, parlant des années d'enfance de Mitia. Ce qui allait pas non plus, c'est que le père lèse le fils sur le domaine de sa mère, son domaine ancestral." A la question du procureur de savoir sur quelles bases il pouvait affirmer que Fiodor Pavlovitch avait lésé son fils pour sa fortune, Grigori Vassiliévitch, à la surprise de tous, fut incapable de présenter des faits un tant soit peu fondamentaux, mais, malgré tout, il maintint que le calcul avec le fils avait été "injuste", et que, c'était sûr, il "restait à payer quelques milliers de roubles". Je remarquerai, à propos, que, cette question – savoir s'il était vrai que Fiodor Pavlovitch aurait dû payer davantage à son fils ? –, le procureur devait par la suite la poser avec une insistance particulière à tous les témoins à qui il pouvait la poser, y compris Aliocha et Ivan Fiodorovitch, mais aucun des témoins ne put lui fournir de renseignements exacts ; tout le monde confirmait le fait, et personne ne pouvait fournir ne serait-ce qu'un début de preuve tangible. Après que Grigori eut décrit la scène à table, quand Dmitri Fiodorovitch avait fait irruption et roué son père de coups, menaçant de revenir pour le tuer, une impression lugubre se répandit dans la salle, d'autant que le vieux serviteur racontait d'un ton calme, sans fioriture, avec sa langue originale, et le résultat fut terriblement éloquent. Pour l'offense que Mitia lui avait faite, en le frappant au visage et en le jetant au sol, il remarqua qu'il ne lui en voulait plus et qu'il lui avait pardonné depuis longtemps. Du défunt Smerdiakov, il dit, en se signant, que le petit gars avait des dons mais qu'il était bête et écrasé par sa maladie, et, pis encore, qu'il n'avait pas de Dieu, et que, de vivre sans Dieu, c'est Fiodor Pavlovitch et son fils aîné qui le lui avaient appris. Mais il confirma l'honnêteté de Smerdiakov presque avec fougue et raconta tout de suite la façon dont Smerdiakov, jadis, trouvant les sous que son maître avait laissés tomber, ne les avait pas cachés mais les avait rendus au maître, ce pour quoi ce dernier lui avait donné "une pièce d'or", et lui avait voué depuis une confiance absolue. Quant à la porte du jardin ouverte, il la confirma avec une insistance obtuse. Du reste, on lui posa tant de questions que je suis hors d'état de me souvenir de tout. La parole passa enfin à l'avocat de la défense, et ce dernier commença par se renseigner sur le paquet dans lequel, soi-disant, Fiodor Pavlovitch avait caché trois mille roubles "pour la personne que nous savons". "Vous-même, est-ce que vous l'avez vu – vous, qui, pendant de si longues années avez été si proche de votre maître ?" Grigori répondit qu'il ne l'avait pas vu, et qu'il n'avait même jamais entendu parler de cet argent, et de la part de personne, "jusqu'au moment où, là, maintenant, tout le monde en a parlé". Cette question sur le paquet, Fétioukovitch la posa à tous les témoins à qui il était possible de la poser, avec la même insistance que le procureur sa question sur le partage du domaine, et il reçut de tous une seule et même réponse, à savoir que personne n'avait vu le paquet, même si nombreux étaient ceux qui en avaient entendu parler. Tout le monde remarqua dès le début cette insistance de l'avocat sur cette question.

— A présent, puis-je vous poser une question, si seulement vous me le permettez, demanda soudain et tout à trac Fétioukovitch, de quoi était composé le baume, ou, pour mieux dire, la décoction à l'aide de laquelle, ce soir-là, avant de vous endormir, comme cela apparaît dans l'enquête préliminaire, vous avez frotté vos reins endoloris, en espérant ainsi vous guérir ?

Grigori posa un regard obtus sur son interrogateur et, après un certain silence, il marmonna :

— Il y avait de la sauge.

— Seulement de la sauge ? Vous ne vous souviendriez pas d'autre chose ?

— Du plantain aussi, il y avait.

— Et du poivre, peut-être ? s'enquit Fétioukovitch.

— Il y avait aussi du poivre.

— Et ainsi de suite. Et tout ça, n'est-ce pas, dans de la vodka ?

— Dans de l'alcool.

Un petit rire étouffé se répandit dans la salle.

— Tiens donc, même dans de l'alcool. Vous vous êtes frotté le dos et puis, le reste de la bouteille, avec une certaine prière pieuse connue seulement de votre épouse, vous l'avez bu, n'est-ce pas ?

— Je l'ai bu.

— Et vous en avez bu beaucoup, plus ou moins ? Plus ou moins ? Un petit verre, un autre ?

— Un verre à thé, disons.

— Disons même un verre à thé. Et peut-être même un verre à thé et demi ?

Grigori se tut. Il venait comme de comprendre quelque chose.

— Un verre à thé et demi, n'est-ce pas, d'alcool pur – ce n'est pas si mal que ça, qu'en pensez-vous ? Ça vous donnerait à voir "ouvertes les portes du paradis", je ne dis même pas les portes sur le jardin ?

Grigori s'obstinait dans son silence. Il y eut un nouveau petit rire dans la salle. Le président bougea un peu.

— Vous n'en êtes pas sûr, continua Fétioukovitch en resserrant de plus en plus l'étau de ses griffes, si vous dormiez à la minute où vous avez vu la porte donnant sur le jardin ouverte ?

— J'étais sur mes deux pieds.

— Ça, ce n'est pas encore une preuve que vous ne dormiez pas (là encore, petit rire dans la salle). Auriez-vous pu, par exemple, répondre à cette minute, si quelqu'un, je ne sais pas, vous avait posé une question – disons, par exemple, en quelle année nous sommes en ce moment ?

— Ça, je ne sais pas.

— Et quelle année sommes-nous, en ce moment, quelle année de notre ère, après Jésus-Christ, ça, vous ne le savez pas ?

Grigori restait là, l'air désarçonné, il dardait son regard sur son bourreau. Si étrange que cela pût paraître, réellement, il ne savait pas en quelle année nous étions.

— Vous savez peut-être, néanmoins, combien vous avez de doigts sur la main ?

— Je suis un homme pas libre, lança soudain Grigori d'une voix sonore et claire, si l'autorité a dans le désir de se moquer de moi, moi, je dois supporter.

Fétioukovitch fut un peu déconcerté, mais le président intervint et rappela fermement à l'avocat qu'il devait poser des questions qui avaient plus de rapport avec l'affaire. Fétioukovitch l'écouta, s'inclina d'un air digne et déclara qu'il n'avait plus de questions. Bien sûr, aussi bien dans le public que chez les jurés, il pouvait rester un petit soupçon de doute sur le témoignage d'un homme qui avait la possibilité de "voir ouvertes les portes du paradis" dans un certain état de sa cure, et qui, en outre, ignorait en quelle année après Jésus-Christ nous étions, en sorte que l'avocat avait tout de même atteint son but. Le président, s'adressant au prévenu, lui demanda s'il n'avait pas quelques remarques à faire à propos de ce témoignage.

— A part la porte, il n'a dit que la vérité, cria Mitia d'une voix de stentor. Qu'il me grattait mes poux – je le remercie, qu'il m'a pardonné mes coups de poing – je le remercie ; le vieux, il a été honnête toute sa vie, et fidèle à mon père comme sept cents caniches.

— Prévenu, choisissez vos expressions, dit sévèrement le président.

— Je ne suis pas un caniche, dit également Grigori.

— Bon, alors, c'est moi, le caniche, moi ! cria Mitia. Si ça vexe, alors, je le prends sur moi et, lui, je lui demande pardon : j'ai été une bête avec lui, et cruel ! Avec Esope aussi, j'ai été cruel.

— Avec quel Esope ? reprit le président avec la même sévérité.

— Mais Pierrot, là… le père, Fiodor Pavlovitch.

Le président, une nouvelle fois, avec, cette fois une sévérité très soulignée, répéta à Mitia qu'il devait faire plus attention à choisir ses expressions.

— Vous vous nuisez à vous-même dans l'opinion du tribunal.

L'avocat fit preuve de la même habileté en questionnant le témoin Rakitine. Je remarquerai que Rakitine était un des témoins les plus importants, un de ceux auxquels le procureur tenait le plus. Il s'avéra qu'il savait tout, qu'il savait une quantité de choses étonnantes, qu'il s'était rendu chez tout le monde, avait tout vu, avait parlé avec chacun, connaissait sur le bout des doigts la biographie de Fiodor Pavlovitch et celle de tous les Karamazov. Certes, le paquet aux trois mille roubles, lui aussi, il n'en avait entendu parler que par Mitia. En revanche, il décrivit en détail les exploits de Mitia dans la taverne *La Ville capitale*, toutes ses paroles et tous ses gestes compromettants et rapporta l'histoire de la "filasse" du capitaine Snéguiriov. Au sujet du point particulier de savoir si Fiodor Pavlovitch devait de l'argent à Mitia quant au partage du domaine – Rakitine lui-même fut hors d'état de dire quoi que ce soit et ne s'en sortit que par des lieux communs d'un caractère méprisant : "Qui pouvait distinguer, n'est-ce pas, lequel d'entre eux était coupable et compter qui devait quoi à qui dans ce «karamazovisme» de bons à rien, dans lequel personne ne pouvait ni se comprendre ni se définir ?" Il dépeignit toute la tragédie du crime qu'on jugeait comme un produit de mœurs arriérées liées au servage et à une Russie plongée dans le désordre en l'absence d'établissements appropriés. Bref, on lui laissa dire certaines choses. C'est à ce procès que M. Rakitine se fit connaître pour la première fois et fut remarqué ; le procureur savait que le témoin préparait un article pour une revue à propos du crime présent et, par la suite, dans son discours (comme nous le verrons plus loin), il cita quelques idées tirées de cet article, donc, il le connaissait déjà. Le tableau dépeint par le témoin fut lugubre et fatal et renforça considérablement "l'accusation". En général, l'exposé de Rakitine séduisit le public par l'indépendance de sa pensée et la noblesse extraordinaire de son envol. On entendit même deux ou trois salves d'applaudissements soudains aux moments précis où l'on parlait du servage et de la Russie souffrant de sa déréliction. Mais Rakitine, qui était malgré tout un jeune homme, commit une petite faute dont l'avocat sut tout de suite tirer profit. Répondant à certaines questions au sujet de Grouchenka et entraîné par un succès, dont, bien sûr, il avait parfaitement conscience, et par le degré de noblesse auquel il s'élevait, il se permit de parler d'Agraféna Alexandrovna avec un certain mépris, comme d'une femme "entretenue par le marchand Samsonov". Il aurait donné cher par la suite pour revenir sur cette petite expression, car c'est justement à cause d'elle qu'il se fit piéger par Fétioukovitch. Et tout cela, parce que Rakitine ne pensait pas du tout qu'il pût dans un délai aussi bref s'imprégner de l'affaire dans des détails aussi intimes.

— Permettez-moi de vous demander, commença l'avocat avec le sourire le plus aimable voire le plus respectueux quand ce fut son tour de poser des questions, vous êtes, bien sûr, le même M. Rakitine dont je viens de lire la brochure éditée par les autorités de l'éparchie, *La Vie en Dieu du défunt père starets Zossima*, si pleine de pensées profondes et religieuses, avec une dédicace si magnifique et si dévote à l'évêque, et que j'ai lue récemment avec un tel plaisir ?

— Je ne l'ai pas écrite pour la publication… c'est après que ça a été publié, marmonna Rakitine, comme d'un seul coup interloqué, et presque avec honte.

— Oh, c'est magnifique ! Un penseur comme vous peut, et même doit, avoir un regard très large sur chaque phénomène de notre société. Grâce à la protection de l'évêque, votre brochure si utile s'est arrachée et a été d'un certain profit… Mais voilà, surtout, ce que j'aimerais vous poser comme question : vous venez juste d'affirmer que vous connaissez de très près Mme Svétlova ? (*Nota bene*. Le nom de Grouchenka s'avéra être "Svétlova". C'est là que je l'appris pour la première fois, au cours de ce procès.)

— Je ne peux pas répondre de toutes mes relations… Je suis un jeune homme… et qui pourrait répondre de tous les gens qu'il rencontre, répondit Rakitine, s'empourprant littéralement.

— Je comprends, je ne comprends que trop ! s'exclama Fétioukovitch, comme confus lui-même et s'empressant comme à toute vitesse de s'excuser. A l'instar de n'importe qui d'autre, vous avez pu, à votre tour, être intéressé par la rencontre d'une jeune et jolie femme, qui recevait volontiers chez elle toute la fleur de la jeunesse locale, mais… je voulais juste un renseignement : comme on le savait, voici deux mois, Svétlova avait un désir tout particulier de connaître le benjamin des Karamazov, Alexéï Fiodorovitch, et, seulement pour que vous l'ameniez chez elle, et précisément vêtu de la soutane qu'il portait alors, elle a promis de vous donner vingt-cinq roubles, seulement pour l'amener chez elle. Cela, comme on sait, a eu lieu justement au soir de cette journée dont l'issue fut la catastrophe tragique qui sert de fondement à l'affaire qui nous réunit ici. Vous avez amené Alexéï Karamazov chez Mme Svétlova et – avez-vous touché de Svétlova ces vingt-cinq roubles de récompense, voilà ce que je voudrais vous entendre dire ?

— C'était une plaisanterie… Je ne vois pas en quoi ça peut vous intéresser. Je les ai pris pour plaisanter… pour les rendre par la suite…

— Donc, vous les avez acceptés. Et pourtant, vous ne les avez toujours pas rendus… ou bien vous les avez rendus ?

— Ce n'est rien… marmonnait Rakitine, je ne peux pas répondre à des questions… Bien sûr que je les rendrai.

Le président intervint, mais l'avocat annonça qu'il n'avait plus de questions à poser à M. Rakitine. M. Rakitine redescendit de scène quelque peu chiffonné. L'impression de haute noblesse produite par son discours avait quand même été gâchée, et Fétioukovitch, le raccompagnant des yeux, semblait dire, en le désignant au public : "Voilà, n'est-ce pas, quels sont nos nobles accusateurs !" Je me souviens que cela ne se passa pas sans un épisode de la part de Mitia : fou furieux du ton que Rakitine prenait pour parler de Grouchenka, il se mit soudain à crier de sa place : "Bernard !" Quand le président, à la fin de l'interrogatoire de Rakitine, se tourna vers le prévenu, lui demandant s'il n'avait pas quelque remarque à faire de son côté, Mitia hurla de sa voix de stentor :

— Il venait me voir, déjà en prison, il m'empruntait de l'argent ! Un Bernard méprisable et un carriériste, et il ne croit même pas en Dieu, il a roulé l'évêque !

Mitia se fit bien sûr encore rappeler à l'ordre pour la violence de ses expressions, mais M. Rakitine était fini.

Le témoignage du capitaine Snéguiriov n'eut guère plus de chance, mais pour une tout autre raison. Snéguiriov se présenta tout dépenaillé, les habits sales, les bottes sales, et, malgré toutes les précautions et les "expertises" préalables, il s'avéra soudain complètement soûl. Aux questions sur l'offense que Mitia lui avait faite, il refusa soudain de répondre.

— Tant pis, n'est-ce pas. Iliouchetchka veut pas. Dieu, n'est-ce pas, là-haut, Il me dédommagera.

— Qui ne veut pas que vous parliez ? A qui faites-vous allusion ?

— Iliouchetchka, mon fils à moi : "Mon petit papa, mon petit papa, comme il t'a abaissé !" Il a dit, n'est-ce pas, devant la pierre. Il est en train de mourir en ce moment…

Le capitaine fondit soudain en sanglots et, de tout son élan, se jeta à genoux devant le président. On s'empressa de le faire sortir, sous les rires du public. L'impression préparée par le procureur était tombée à l'eau complètement.

L'avocat, lui, continuait d'utiliser tous les moyens à sa disposition et étonnait de plus en plus par la profondeur de sa connaissance de l'affaire, jusqu'aux détails les plus infimes. Ainsi, par exemple, la déposition de Trifone Borissovitch avait-elle produit une impression des plus puissantes et, bien sûr, des plus défavorables pour Mitia. Trifone Borissovitch avait compté, quasiment sur ses doigts, que Mitia, lors de sa première descente à Mokroïé, un mois avant la catastrophe, n'avait pas pu dépenser moins de trois mille roubles ou "tout juste un peu moins. Rien que pour les Tziganes, tout ce qu'il a jeté par les fenêtres ! Et à nos moujiks pouilleux, ce n'est pas des «demi-roubles qu'il distribuait dans la rue», mais monsieur offrait des vingt-cinq roubles, monsieur donnait jamais moins. Et combien il y a en qui en ont simplement volé, n'est-ce pas ! Et ceux qui ont volé, n'est-ce pas, ils vous ont pas laissé leur adresse, où vous voulez qu'on les reprenne, les voleurs, je veux dire, quand c'est monsieur lui-même qui jetait pour de rien ! Parce que, chez nous, le peuple, c'est des brigands, leur âme elle leur est rien. Et les filles, hein, les filles du village, tout ce qu'elles ont pu se faire ! Elles sont devenues riches, depuis ce temps-là, voilà, avant, c'était la pauvreté." Bref, il rappela la moindre dépense et calcula le tout comme sur un boulier. Ainsi, la supposition que Mitia pouvait n'avoir dépensé que mille cinq cents roubles, alors que l'autre moitié était gardée dans le viatique, devenait-elle impensable. "Je l'ai vu de mes yeux, j'ai vu dans les mains de monsieur trois mille roubles, exactement, je les ai regardés de mes yeux, moi, tiens, je saurais pas compter !..." s'exclamait Trifone Borissovitch, cherchant de toutes ses forces à plaire à "l'autorité". Mais quand les questions passèrent à la défense, Fétioukovitch, en ne s'efforçant presque pas de contredire le témoignage, rappela soudain que le cocher Timoféï et un autre paysan, Akime, avaient ramassé à Mokroïé, pendant ce premier festin, un mois, donc, avant l'arrestation, un billet de cent roubles, par terre, dans le couloir, que Mitia, en état d'ivresse, avait laissé tomber, et que, ce billet, ils l'avaient donné à Trifone Borissovitch, ce pour quoi ce dernier leur avait offert un rouble à chacun. "Et, ces cent roubles, les avez-vous rendus, oui ou non, à M. Karamazov ?" Trifone Borissovitch eut beau essayer de tourner autour du pot, il avoua, après l'interrogatoire des moujiks, pour ce billet de cent roubles qu'ils avaient retrouvé, ajoutant seulement qu'il l'avait tout de suite religieusement rendu à Dmitri Fiodorovitch et remis en mains propres : "Avec toute mon honnêteté, même si monsieur, qui était complètement, n'est-ce pas, soûl, aura du mal à se souvenir." Mais comme, malgré tout, avant le témoignage des moujiks, il avait nié avoir trouvé les cent roubles, son témoignage sur le fait qu'il avait rendu la somme à un Mitia en état d'ivresse resta évidemment soumis au doute le plus grand. Ainsi donc, l'un des témoins les plus dangereux mis en avant par le procureur repartit, lui aussi, quelque peu soupçonné et la réputation fortement entachée. Il arriva la même chose aux Polonais ; ils s'étaient présentés avec un air fier et détaché. Ils firent savoir d'une voix sonore que, d'abord, l'un comme l'autre, ils avaient "servi la couronne" et que "*pan* Mitia" leur avait proposé trois mille roubles pour acheter leur honneur, et qu'ils avaient vu de leurs propres yeux une forte somme dans ses mains. *Pan* Mussalowicz truffait son discours de termes polonais, et, voyant que cela le haussait au regard du président et du procureur, il finit par se hausser complètement et ne parla plus que polonais. Mais Fétioukovitch, là encore, les prit dans ses filets : Trifone Borissovitch, rappelé, eut beau tourner autour du pot, il fut obligé d'avouer que *pan* Wroblewski avait remplacé son jeu de cartes par le sien, et que *pan* Mussalowicz, en tenant la banque, avait escamoté une carte. Ce fait fut confirmé par Kalganov quand vint son tour de témoigner, et les deux *pans* repartirent avec un certain déshonneur, voire sous les rires du public.

Ensuite, il arriva quasiment la même chose à tous les autres témoignages dangereux. Fétioukovitch parvint à les souiller moralement et à leur moucher le nez plus ou moins à tous. Les amateurs et les juristes ne pouvaient qu'admirer et, là encore, ils restaient stupéfaits en se demandant à quel but, grand et définitif, tout cela pouvait mener, car, je le répète, tout le monde sentait que l'accusation était indiscutable, et cette impression ne faisait que grandir tragiquement. Mais à l'assurance du "grand mage", on voyait qu'il était tranquille, et on attendait : ce n'était quand même pas pour rien qu'un homme pareil était venu de Pétersbourg, ce n'était pas un homme, tout de même, à repartir bredouille.

III

L'EXPERTISE MÉDICALE ET UNE LIVRE DE NOISETTES

L'expertise médicale, elle non plus, ne fut pas d'un grand secours au prévenu. Fétioukovitch lui-même, d'ailleurs, ne comptait pas trop dessus, à juste titre, comme on devait le voir. Dans sa base, elle ne s'était tenue que sur l'insistance de Katérina Ivanovna qui avait fait venir tout exprès un docteur célèbre de Moscou. La défense, bien sûr, ne pouvait rien y perdre et, dans le meilleur des cas, elle pouvait y gagner. Du reste, le résultat fut même en partie un peu comique, à cause, précisément, d'un certain désaccord entre les docteurs. Il y eut trois experts : le célèbre docteur de Moscou, ensuite notre Dr Herzenstube, et, enfin, le jeune médecin Varvinski. Les deux derniers figuraient également comme simples témoins, appelés par le procureur. Le premier interrogé en qualité d'expert fut le Dr Herzenstube. C'était un vieil homme de soixante-dix ans, chenu et chauve, de taille moyenne, trapu. Tout le monde chez nous en ville l'appréciait beaucoup et le respectait. C'était un médecin consciencieux, un homme admirable et pieux, une espèce de *Herrnhuter* ou de "frère morave" – je ne sais plus exactement. Il vivait chez nous depuis très longtemps et se tenait avec une dignité extrême. Il était bon et humain, il soignait les malades et les paysans gratuitement, se rendait lui-même dans leurs terriers et leurs isbas et laissait de l'argent pour les remèdes, et, en même temps, il était têtu comme une mule. Le faire changer d'idée, une fois qu'il pensait quelque chose, était une chose impossible. A propos, tout le monde ou presque en ville savait que le célèbre médecin de Moscou en ses quelque trois jours de séjour chez nous s'était permis un certain nombre de jugements des plus blessants sur les talents du Dr Herzenstube. Le fait est que le médecin de Moscou avait beau ne pas prendre moins de vingt-cinq roubles par visite, il y eut pourtant des gens dans notre ville qui se réjouirent de l'occasion de sa venue et qui, sans regarder à la dépense, coururent lui demander conseil. Tous ces malades étaient naturellement soignés avant lui par le Dr Herzenstube, et voilà que le célèbre médecin critiqua partout ses traitements et, ce, avec une violence extrême. A la fin, même, quand il entrait chez un malade, il demandait directement : "Alors, qui est-ce qui a fait ce gâchis avec vous, Herzenstube ? Hé hé !" Le Dr Herzenstube, bien sûr, vint à l'apprendre. Et voilà que les trois médecins paraissaient l'un après l'autre à l'interrogatoire. Le Dr Herzenstube déclara directement que "l'anormalité des capacités intellectuelles du prévenu se voyait d'elle-même". Ensuite, exposant ses conceptions que je vais sauter ici, il ajouta que cette anormalité se voyait surtout, non seulement dans les agissements passés du prévenu, mais aussi maintenant, et même à la minute présente, et quand on lui demanda d'expliquer en quoi cela se voyait maintenant, à la minute présente, le vieux docteur expliqua avec toute la droiture de sa simplicité que le prévenu, en entrant dans la salle, "avait un air extraordinaire et étonnant au vu des circonstances, il marchait droit devant lui comme un soldat et regardait un point fixe devant ses yeux, obstinément, alors qu'il aurait plutôt dû regarder à sa gauche, où il y avait des dames dans le public, car il était un grand amateur du beau sexe et aurait dû beaucoup penser à ce qu'allaient dire de lui les dames", conclut le petit vieux dans sa langue originale. Il faut ajouter qu'il parlait russe volontiers et avec volubilité mais que chaque phrase qu'il disait sonnait un peu à l'allemande, ce qui, du reste, ne le troublait jamais, car, tout au long de sa vie, il avait eu la faiblesse de considérer qu'il avait un russe modèle, "meilleur, même, que celui des Russes", et il nourrissait une passion particulière pour les proverbes russes, assurant à chaque fois que les proverbes russes sont les meilleurs et les plus expressifs de tous les proverbes du monde. Je remarquerai en outre que, dans la conversation, par distraction peut-être, il oubliait souvent les mots les plus simples, qu'il connaissait parfaitement, mais qui, d'un coup, allez savoir pourquoi, s'effaçaient de son esprit. Il lui arrivait la même chose, ceci dit, quand il parlait allemand, et, à ce moment-là, il agitait toujours le bras devant son visage, comme s'il cherchait à le rattraper, ce petit mot perdu, et personne n'arrivait plus à lui faire continuer le discours qu'il avait entamé avant qu'il n'eût retrouvé ce mot disparu. La remarque comme quoi le prévenu, en entrant, aurait soi-disant dû regarder les dames éveilla un murmure joyeux dans le public. Chez nous, toutes nos dames aimaient beaucoup ce petit vieux, on savait aussi que c'était un homme qui avait vécu célibataire toute sa vie, un homme plein de piété et de pudeur, qui regardait les femmes comme des êtres supérieurs et idéaux. Voilà pourquoi sa remarque inattendue parut à tous d'une étrangeté totale.

Le docteur de Moscou, interrogé à son tour, confirma avec une brutalité insistante qu'il considérait l'état mental du prévenu comme anormal, "et même au plus haut point". Il parla beaucoup et très profondément de "l'affect" et de la "manie" et démontra que, selon toutes les données réunies, le prévenu, déjà depuis plusieurs jours avant son arrestation, se trouvait dans un affect maladif indubitable et, s'il avait commis ce crime, c'était, certes, en ayant conscience de ses actes, mais d'une façon presque involontaire, en n'ayant aucune force pour lutter contre la pulsion morale maladive qui s'était emparée de lui. Mais, en dehors de l'affect, le docteur observait également une manie, ce qui promettait à l'avenir, selon ses dires, une voie directe vers une folie, cette fois, totale. (*Nota bene*. Je transmets cela avec mes mots, le docteur, lui, s'exprimait dans une langue très savante et spécialisée.) "Tous ses gestes vont à rebours du bon sens et de la logique, poursuivait-il. Je ne parle pas de ce que je n'ai pas vu, c'est-à-dire du crime lui-même et de toute cette catastrophe, mais, ne serait-ce qu'avant-hier, pendant notre entretien, il a eu un regard incompréhensiblement fixe. Un rire inattendu, quand il était totalement hors de propos. Un état de nerfs incompréhensible, des paroles étranges : «Bernard, l'éphique», et d'autres, qu'il ne fallait pas." Mais le docteur observait surtout la manie dans le fait que le prévenu se montrait catégoriquement incapable de parler des trois mille roubles pour lesquels il s'estimait roulé sans une espèce d'énervement extraordinaire, alors qu'il parlait et repensait avec une certaine indifférence à tous les autres échecs et les offenses qu'il avait dû essuyer. Finalement, selon les renseignements fournis, exactement comme avant, chaque fois qu'on parlait de ces trois mille roubles, il tombait dans une espèce d'état second, alors que tous disaient de lui qu'il était désintéressé et dénué de cupidité. "Quant à l'opinion de mon savant confrère, ajouta ironiquement le docteur de Moscou en terminant son discours, selon laquelle le prévenu, entrant dans la salle, aurait dû regarder les dames, et pas droit devant lui, je ne dirai qu'une chose, c'est qu'à part le côté plaisant de cette remarque elle est, en outre, radicalement erronée ; car même si je suis parfaitement d'accord que le prévenu, en entrant dans la salle d'audience où se joue son destin, n'aurait pas dû avoir ce regard immobile droit devant lui, ce qui, de fait, peut être considéré comme un symptôme de l'anormalité de son état mental à la minute donnée, j'affirme en même temps qu'il n'aurait pas du tout dû regarder du côté des dames, mais, au contraire, précisément à droite, cherchant à droite son avocat, en l'aide duquel réside tout son espoir et de la défense duquel dépend aujourd'hui tout son destin." Cette opinion, le docteur l'exprima d'un ton résolu et sans appel. Mais ce fut la conclusion inattendue du médecin Varvinski, interrogé en dernier, qui donna un comique particulier au désaccord entre les deux experts. Selon lui, le prévenu, au moment où il parlait, et auparavant, se trouvait dans un état parfaitement normal, et même si, de fait, avant son arrestation, il devait se trouver dans un état nerveux et particulièrement excité, cet état pouvait provenir des raisons les plus évidentes : de la jalousie, de la colère, d'un état d'ivresse incessant, etc. Mais cet état de nerfs ne pouvait porter aucune trace de cet "affect" particulier dont on venait de parler. Quant au fait de savoir si le prévenu devait regarder à droite ou à gauche en entrant dans la salle, selon “sa modeste opinion” à lui, le prévenu devait, en entrant dans la salle, regarder droit devant lui, ce qu’il avait fait réellement, car c’est droit devant lui que se tenaient le président et les juges dont tout son destin dépendait à présent, “si bien qu’en regardant droit devant lui, il avait fait par là même la preuve de la normalité parfaite de ses facultés mentales à la minute présente”, dit le jeune médecin pour conclure, avec une certaine fougue, sa “modeste” déposition.

— Bravo, toubib ! cria Mitia de sa place. C’est ça !

Mitia fut bien sûr rappelé à l’ordre, mais l’opinion du jeune médecin eut une influence décisive sur le tribunal comme sur le public, car, comme cela devait s’avérer par la suite, tout le monde tomba d’accord avec lui. Du reste, le Dr Herzenstube, interrogé cette fois comme témoin, apporta soudain un soutien très inattendu à Mitia. Comme un vieil habitant de la ville, qui connaissait depuis toujours la famille Karamazov, il témoigna de certains faits très intéressants pour “l’accusation”, et, brusquement, après un petit moment de réflexion, il ajouta :

— Et pourtant, le malheureux jeune homme aurait pu recevoir un destin infiniment meilleur, car il avait bon cœur, et dans son enfance et après son enfance, parce que je le sais. Mais le proverbe russe dit : “Si quelqu’un a une tête, c’est bien, et s’il reçoit chez lui quelqu’un d’autre qui a aussi une tête, ce sera encore mieux, car à ce moment-là, il y aura deux têtes, et pas seulement une seule…”

— Une tête c’est bien, deux têtes, c’est mieux, souffla, impatient, le procureur qui connaissait depuis déjà longtemps l’habitude qu’avait le petit vieux de tenir des discours aussi délayés qu’interminables, sans se troubler le moins du monde de l'effet qu'il produisait et du fait qu'il se faisait attendre, en se flattant, au contraire, au plus haut point de son humour de mangeur de saucisses, toujours très satisfait de lui-même. Le petit vieux adorait faire des mots d'esprit.

— Oh, oui, c'est exactement ce que je dis, reprit-il en s'obstinant, une tête c'est bien et deux, c'est beaucoup mieux. Et donc, il y en a un qui avait une tête qui n'est pas venu le voir, et, lui, la sienne, il l'a envoyée… Comment, je veux dire, où est-ce qu'il l'a envoyée ? C'est un mot – c'est quand on envoie sa tête quelque part, j'oublie, poursuivit-il, agitant le bras devant ses yeux, ah oui, *spazieren.*

— Promener ?

— Oui, c'est ça, promener, c'est exactement ce que je dis. Et donc, sa tête, elle est partie se promener et elle est arrivée à un endroit si profond qu'elle s'est perdue. Et pourtant, c'était un jeune homme reconnaissant et sensible, oh, je me souviens très bien de lui encore tellement petit, abandonné par son père dans l'arrière-cour, quand il courait sur terre sans souliers et avec une culotte à un seul bouton.

Une espèce de note émue et bouleversée tinta soudain dans la voix de l'honnête vieillard. Fétioukovitch fut pris d'un tressaillement et, comme s'il pressentait quelque chose, s'y attacha à la seconde.

— Oh oui, moi aussi, à ce moment-là, j'étais encore un jeune homme… J'avais… quoi, oui, j'avais quarante-cinq ans, et je venais juste d'arriver ici. Et je l'ai pris en pitié, à ce moment-là, le petit garçon, je me suis demandé : pourquoi est-ce que je ne peux pas lui acheter une livre… Mais oui, une livre de quoi ? J'ai oublié comment ça s'appelle… une livre de ce que les enfants ils adorent, comment – mais comment c'est… fit le docteur, se remettant à agiter les bras – ça pousse sur les arbres, on les ramasse, on les donne à tout le monde…

— Des pommes ?

— Oh nnnoon ! Une livre, une livre, les pommes, ça fait une dizaine, pas une livre… non, là, il y en a plein et elles sont petites, on les met dans la bouche, et cccrac !…

— Des noisettes ?

— Eh oui, des noisettes, c'est bien ce que je dis, confirma le docteur le plus tranquillement du monde, comme s'il n'avait jamais cherché ce mot, et je lui ai apporté une livre de noisettes, car jamais à ce petit garçon personne ne lui avait apporté une livre de noisettes, et j'ai levé mon doigt et je lui ai dit : "Garçon ! *Gott der Vater*", lui, il rit, et il dit : *"Gott der Vater. – Gott der Sohn."* Là, il se remet à rire, et il babille : *"Gott der Sohn. – Gott der heilige Geist."* Et, là, il se remet à rire, et il a répété comme il pouvait : *"Gott der heilige Geist."* Et je suis parti. Et, le surlendemain, je passe dans la rue, et, lui, il me crie : "Monsieur, *Gott der Vater, Gott der Sohn*", et, juste, il avait oublié *"Gott der heilige Geist"*, mais je le lui ai rappelé et, là, encore, j'ai eu beaucoup pitié de lui. Mais on l'a emmené, et je ne l'ai plus revu. Et voilà, vingt-trois ans plus tard, je suis, un matin, dans mon cabinet, la tête déjà blanche, et, brusquement, je vois entrer chez moi un jeune homme florissant, que je n'arrive pas du tout à reconnaître, mais il lève son doigt et, en riant, il dit : "*Gott der Vater, Gott der Sohn und Gott der heilige Geist !* Je viens d'arriver et je viens vous remercier pour la livre de noisettes, parce que personne ne m'avait acheté une livre de noisettes, et vous, le seul, vous m'avez acheté une livre de noisettes." Et, alors, je me suis souvenu de mon heureuse jeunesse et du pauvre petit garçon dans la cour, sans souliers, et mon cœur s'est retourné, et j'ai dit : "Tu es un jeune homme reconnaissant, car, toute la vie, tu t'es souvenu de cette livre de noisettes que je t'ai apportée dans ton enfance." Et je l'ai serré contre moi et je l'ai béni. Et j'ai pleuré. Lui, il riait, mais il pleurait aussi... car le Russe rit très souvent où il faudrait pleurer. Mais il pleurait aussi, je l'ai vu. Et maintenant, hélas !...

Quoi qu'il en soit, la petite histoire produisit sur le public une certaine impression bénéfique. Mais l'effet principal en faveur de Mitia fut produit par la déposition de Katérina Ivanovna, dont je vais parler maintenant. En général, quand commencèrent les dépositions *à décharge**, c'est-à-dire celles qui étaient appelées par la défense, ce fut comme si le destin, d'un coup, et même sérieusement, souriait à Mitia et – voilà le plus remarquable – au point que la défense même ne s'y attendait pas. Mais avant Katérina Ivanovna, on interrogea Aliocha qui se souvint soudain d'un fait qui parut, lui, carrément, un témoignage positif contre l'un des points les plus essentiels de l'accusation.

IV

LA CHANCE SOURIT A MITIA

Cela se produisit d'une façon tout à fait fortuite même pour Aliocha. Il avait été appelé sans prêter serment, et je me souviens que les deux parties s'adressaient à lui dès le début de l'interrogatoire avec une douceur et une sympathie extrêmes. On voyait qu'il était précédé par une bonne réputation. Aliocha fit une déposition modeste et réservée, mais sa déposition trahissait évidemment une sympathie brûlante pour son malheureux frère. Répondant à une question, il peignit le caractère de son frère comme étant celui d'un homme, peut-être, frénétique et entraîné par ses passions mais également noble, fier et généreux, prêt même au sacrifice, si on l'avait exigé de lui. Il avoua, du reste, que, les derniers jours, son frère, en raison de sa passion pour Grouchenka, en raison de sa rivalité avec son père, s'était trouvé dans une situation insupportable. Mais il rejeta avec indignation l'idée même que son frère pût avoir tué dans le but de voler, même s'il avouait que ces trois mille roubles étaient devenus dans l'esprit de Mitia une espèce, quasiment, de manie, qu'il les considérait comme quelque chose que son père lui retenait par tromperie sur son héritage, et que, tout en étant, certes, désintéressé, il ne pouvait pas parler de ces trois mille roubles sans tomber dans la frénésie et la fureur. Sur la rivalité des deux "personnes", selon l'expression du procureur, c'est-à-dire celle de Grouchenka et de Katia, il répondit évasivement et même, pour une ou deux questions, ne voulut pas répondre du tout.

— Votre frère vous a-t-il dit au moins qu'il avait l'intention de tuer son père ? demanda le procureur. Vous pouvez ne pas répondre si vous l'estimez utile, ajouta-t-il.

— Il ne me l'a pas dit directement, répondit Aliocha.

— Et comment l'a-t-il dit ? Indirectement ?

— Il m'a parlé une fois de la haine personnelle qu'il éprouvait envers son père et du fait qu'il avait peur, de... dans une minute d'extrémité... dans une minute de dégoût total... peut-être, d'être capable de le tuer.

— Et vous, quand vous avez entendu cela, vous l'avez cru ?

— J'ai peur de le dire, mais je l'ai cru. Pourtant j'ai toujours été persuadé qu'il y aurait toujours une espèce de sentiment supérieur qui le sauverait à la minute fatale, comme il l'a sauvé vraiment, parce que *ce n'est pas lui* qui a tué mon père, conclut fermement Aliocha d'une voix sonore et pour toute la salle. Le procureur tressaillit comme un cheval de combat qui vient t'entendre le clairon.

— Soyez assuré que je crois absolument en la totale sincérité de votre conviction, sans la lier et sans l'assimiler le moins du monde à l'amour que vous éprouvez pour votre malheureux frère. Votre opinion originale sur tout l'épisode tragique qui s'est joué dans votre famille nous est déjà connue par l'enquête préliminaire. Je ne vous cacherai pas qu'elle est au plus haut point particulière et qu'elle vient en contradiction de toutes les autres dépositions reçues par le parquet. Voilà pourquoi j'estime nécessaire de vous demander, cette fois en insistant : quelles sont précisément les données qui ont dirigé votre réflexion et l'ont menée à cette conclusion définitive sur l'innocence de votre frère et, à rebours, la culpabilité d'une autre personne, que vous avez désignée directement pendant l'enquête préliminaire ?

— Pendant l'enquête préliminaire, je n'ai fait que répondre aux questions, reprit Aliocha d'une voix douce et paisible, ce n'est pas moi qui ai accusé directement Smerdiakov.

— Mais, tout de même, vous l'avez désigné ?

— Je l'ai désigné d'après ce que m'avait dit mon frère Dmitri. Dès avant mon interrogatoire, on m'avait raconté ce qui s'était passé pendant son arrestation, et comment c'est lui-même qui avait désigné Smerdiakov. Je crois totalement que mon frère n'est pas coupable. Et si ce n'est pas lui qui a tué, alors…

— Alors, c'est Smerdiakov ? Pourquoi précisément Smerdiakov ? Et pourquoi avez-vous cette conviction définitive sur l'innocence de votre frère ?

— Je ne pouvais pas ne pas croire mon frère. Je sais qu'il ne me mentira pas. Je l'ai vu à son visage, qu'il ne me mentait pas.

— Seulement au visage ? C'est en cela que consistent toutes vos preuves ?

— Je n'ai pas d'autres preuves.

— Et, pour la culpabilité de Smerdiakov, là encore, vous ne vous basez pas sur la moindre preuve à part les seules paroles de votre frère et les expressions de son visage ?

— C'est cela, je n'ai pas d'autre preuve.

Sur ce, le procureur mit un terme à ses questions. Les réponses d'Aliocha avaient produit sur le public l'effet le plus décevant. On avait déjà dit chez nous ceci et cela sur Smerdiakov avant même le procès, on avait déjà entendu dire que… on pouvait affirmer que… on disait d'Aliocha qu'il avait accumulé des preuves extraordinaires en faveur de son frère et de la culpabilité du laquais, et, voilà – rien, aucune preuve, à part on ne savait quelles convictions morales, si naturelles en sa qualité de propre frère de l'accusé.

Mais les questions passèrent à Fétioukovitch. A la question : quand, précisément, le prévenu lui avait parlé, à lui Aliocha, de sa haine envers son père et du fait qu'il pouvait le tuer, et l'avait-il entendu, cela, par exemple, au cours de leur dernière rencontre avant la catastrophe, Aliocha, en répondant, eut une espèce de tressaillement, comme si c'était seulement là qu'il se rappelait et réalisait une certaine chose :

— Je me rappelle maintenant une circonstance que j'avais même complètement oubliée, mais, à l'époque, elle me paraissait tellement obscure, alors, que, maintenant...

Et Aliocha, avec passion, comme si, lui-même, c'était seulement maintenant, et d'un seul coup, qu'il venait d'en avoir l'idée, se souvint qu'au cours de sa dernière rencontre avec Mitia, le soir, devant l'arbre, sur le chemin du monastère, Mitia, en se frappant la poitrine, "la partie supérieure de la poitrine", lui avait répété plusieurs fois qu'il avait un moyen de rétablir son honneur, que ce moyen était là, ici, là, sur sa poitrine... "Je m'étais dit à ce moment-là qu'en se frappant la poitrine il parlait de son cœur, poursuivit Aliocha, sur le fait qu'il aurait pu trouver dans son cœur assez de forces pour se sortir d'une certaine honte absolument épouvantable qu'il devait affronter et qu'il n'osait même pas m'avouer. J'avoue que, justement, j'ai pensé qu'il me parlait de notre père et qu'il tressaillait, comme de honte, à l'idée de se rendre chez son père et d'accomplir sur lui je ne sais quel acte de violence, or, justement, à ce moment-là, c'était comme s'il m'indiquait je ne sais quoi sur sa poitrine, au point que, je m'en souviens, je me suis dit une seconde dans une espèce d'idée que le cœur ne se trouvait pas du tout à cet endroit de la poitrine, mais plus bas, et que, lui, il se frappait beaucoup plus haut, ici, là, tout de suite en dessous du cou, que c'était cet endroit-là qu'il désignait. Mon idée m'a paru bête sur le moment, or, lui, justement, peut-être, il m'indiquait ce viatique dans lequel il avait cousu les mille cinq cents roubles !..."

— Parfaitement ! cria soudain Mitia de sa place. C'est ça, Aliocha, c'est sur ça que j'ai cogné du poing !

Fétioukovitch se précipita vers lui, le suppliant de se calmer, et, tout de suite, il se jeta sur Aliocha. Aliocha, entraîné lui-même par ce souvenir, exposa avec chaleur sa supposition, à savoir que cette honte, le plus probablement, consistait en ceci que, disposant de ces mille cinq cents roubles, qu'il aurait pu remettre à Katérina Ivanovna, comme la moitié de sa dette, lui, il avait malgré tout décidé de ne pas rendre cette moitié et de l'utiliser à autre chose, c'est-à-dire pour emmener Grouchenka, si elle avait accepté…

— C'est ça, c'est exactement ça, s'exclamait Aliocha dans une agitation soudaine, mon frère s'est justement exclamé que c'était la moitié, la moitié de sa honte (il l'a répété plusieurs fois : *la moitié* !) qu'il pouvait s'enlever tout de suite, mais que la faiblesse de son caractère le rendait si malheureux qu'il ne le ferait pas… il savait d'avance, que, ça, il n'aurait pas la force de le faire !

— Et vous vous souvenez fermement, clairement, qu'il se frappait cet endroit précis de la poitrine ? questionnait avidement Fétioukovitch.

— Clairement et fermement, parce que, justement, je m'étais demandé, sur l'instant, pourquoi il se frappait si haut, alors que le cœur est plus bas, et, moi, à ce moment-là, mon idée m'a paru bête… et je m'en souviens, qu'elle m'a paru bête… c'était un éclair. Et c'est pour ça que, maintenant, ça m'est revenu. Et comment ai-je pu oublier ça jusqu'à maintenant ! C'est précisément ce viatique qu'il me désignait, et le fait qu'il avait les moyens, mais qu'il ne rendrait pas les mille cinq cents roubles ! Et, à son arrestation, à Mokroïé, justement, il a crié – je le sais, on me l'a dit – qu'il estimait que la chose la plus honteuse de toute sa vie, c'est qu'en ayant les moyens de rendre la moitié (précisément, la moitié !) de sa dette à Katérina Ivanovna et de ne pas passer à ses yeux pour un voleur, il avait malgré tout décidé de ne pas la rendre, et il avait préféré rester un voleur, plutôt que de se priver de cet argent ! Et comme cette dette le torturait, comme elle le torturait ! finit par s'exclamer Aliocha.

Il va de soi que le procureur s'en mêla. Il demanda à Aliocha de décrire une nouvelle fois comment tout cela s'était passé, et il insista plusieurs fois en demandant : est-ce que, réellement, le prévenu, en se frappant la poitrine semblait comme désigner quelque chose ? Peut-être, tout simplement, se frappait-il la poitrine avec le poing ?

— Mais pas avec le poing ! s'exclamait Aliocha. Justement, il le désignait avec ses doigts, et il le désignait ici, très haut… Mais comment ai-je pu oublier ça aussi complètement jusqu'à cette minute précise !

Le président se tourna vers Mitia, lui demandant ce qu'il pouvait dire au sujet de cette déposition. Mitia confirma que c'était précisément cela qui s'était passé, qu'il avait désigné précisément les mille cinq cents roubles qu'il portait sur la poitrine, juste en dessous du cou, et que, bien sûr, c'était une honte, "une honte que je ne renie pas, l'acte le plus honteux de toute ma vie ! s'écria Mitia. J'aurais pu les rendre, et je ne les ai pas rendus. J'ai préféré passer à ses yeux pour un voleur, mais je ne les ai pas rendus, et, la honte principale, c'est que je le savais à l'avance, que je ne les rendrais pas ! Il a raison, Aliocha ! Merci, Aliocha !"

Ainsi s'acheva l'interrogatoire d'Aliocha. La chose importante et caractéristique était précisément cette circonstance qu'on avait découvert ne serait-ce qu'un seul fait, juste une seule preuve, ne fût-ce même que la plus mince, pour ainsi dire juste un soupçon de preuve, mais qui témoignait ne serait-ce qu'un tant soit peu que ce viatique avait existé réellement, qu'il avait bien contenu les mille cinq cents roubles et que le prévenu n'avait pas menti pendant l'enquête préliminaire quand il avait déclaré à Mokroïé que ces mille cinq cents roubles étaient “à lui”. Aliocha était content : tout rouge, il rejoignit la place qu'on lui désignait. Il se répéta encore longuement en lui-même : “Comment ai-je pu l'oublier ! Comment ai-je pu l'oublier ! Et tout ça m'est revenu d'un seul coup à la mémoire !”

Commença l'interrogatoire de Katérina Ivanovna. Sitôt qu'elle apparut, quelque chose d'extraordinaire parcourut la salle. Les dames saisirent leurs lorgnettes et leurs binocles, les époux remuèrent, certains se levaient de leur place pour mieux voir. Tout le monde affirma plus tard que Mitia était “devenu pâle comme un linge” dès qu'elle était entrée. Entièrement vêtue de noir, elle se présenta vers l'endroit qu'on lui indiquait avec un port modeste, pour ainsi dire timide. On ne pouvait pas deviner à son visage qu'elle était dans un grand état d'agitation, mais la résolution luisait dans son regard noir, ténébreux. Je dois remarquer qu'un grand nombre de gens affirmèrent par la suite qu'elle était d'une beauté étonnante à cette minute-là. Elle parla d'une voix basse, mais claire, audible de toute la salle. Elle s'exprima avec un calme total ou, du moins, elle s'efforça d'être calme. Le président commença ses questions d'un ton prudent, avec le plus grand respect, comme s'il craignait de toucher “certaines cordes”, et compatissant à un grand malheur. Mais Katérina Ivanovna elle-même, dès ses premiers mots, affirma fermement à l'une des questions qu'on lui avait posée qu'elle avait été la fiancée officielle du prévenu “jusqu'au moment où c'est lui qui m'a laissée”… ajouta-t-elle d'une voix basse. Quand on l'interrogea sur les trois milles roubles qu'elle avait confiés à Mitia pour qu'il les envoie par la poste à sa famille, elle répondit d'une voix ferme : "Je ne les lui ai pas donnés directement pour la poste ; je pressentais à ce moment qu'il avait un besoin d'argent pressant… à cette minute… Je lui ai donné ces trois mille roubles sous condition qu'il les expédie, s'il le voulait, dans le courant du mois. Il a eu tort de se torturer autant pour cette dette…"

Je ne rapporte pas toutes les questions et toutes ses réponses exactes, je rapporte juste l'essence de sa déposition.

— J'étais fermement persuadée qu'il saurait toujours renvoyer ces trois mille roubles sitôt qu'il les aurait touchés de son père, poursuivit-elle, répondant aux questions. J'ai toujours été convaincue que c'était un homme désintéressé et honnête… d'une haute honnêteté… dans les affaires d'argent. Lui, il était fermement convaincu qu'il toucherait ces trois mille roubles de son père, et il m'en a parlé plusieurs fois. Je savais qu'il était brouillé avec son père, et j'ai toujours été, je suis toujours, convaincue qu'il a été lésé par son père. Je ne me souviens d'aucune menace qu'il ait pu proférer contre son père. En ma présence, du moins, il n'a jamais rien dit, aucune menace. S'il était venu me voir à ce moment-là, j'aurais tout de suite apaisé son inquiétude pour ces malheureux trois mille roubles qu'il me devait, mais il n'est plus venu me voir… et, moi-même… je me suis trouvée placée dans une situation telle… que je ne pouvais plus lui demander de venir… Et puis, je n'avais aucun droit d'exiger de lui quoi que ce soit pour cette dette, ajouta-t-elle soudain, et une note résolue tinta dans sa voix, moi-même, jadis, j'ai touché de sa part un prêt en argent d'une somme encore plus importante que ces trois mille roubles, et je l'ai accepté, même si je n'arrivais pas du tout à imaginer que je puisse un jour être en état de lui rembourser ma dette…

Il y eut comme une espèce de défi qui sembla tinter dans le timbre de sa voix. C'est précisément à cet instant que les questions passèrent à Fétioukovitch.

— Cela ne s'est pas passé ici, mais au moment de votre rencontre ? reprit Fétioukovitch, approchant prudemment, car, en l'espace d'une seule seconde, il avait senti quelque chose de favorable. (Je remarquerai entre parenthèses que, même s'il avait été appelé de Moscou aussi par Katérina Ivanovna elle-même, malgré tout, il ignorait complètement l'épisode des cinq mille roubles que Mitia lui avait donnés dans l'autre ville, et celui du "salut jusqu'à terre". Cela, elle ne le lui avait pas dit et elle l'avait caché ! Et c'était étonnant. On peut supposer avec assurance qu'elle-même, jusqu'à la toute dernière minute, elle ne savait pas si elle raconterait cet épisode devant le tribunal ou si elle le passerait sous silence, et elle attendait une espèce d'inspiration.)

Non, jamais je ne pourrai oublier ces minutes ! Elle commença à raconter, elle raconta *tout*, tout cet épisode que Mitia avait rapporté à Aliocha, et "le salut jusqu'à terre", et les raisons, et l'histoire de son père, et son apparition chez Mitia, et elle ne rappela pas par un seul mot, par la moindre allusion le fait que c'était Mitia qui, par sa sœur, lui avait, lui-même, proposé "de lui envoyer Katérina Ivanovna chercher l'argent". Cela, elle le tut généreusement et n'eut pas honte de mettre en évidence le fait que c'était elle, elle-même, qui avait couru chez un jeune officier, elle, de son propre élan, espérant quelque chose… pour lui demander de l'argent. C'était quelque chose d'hallucinant. Je me sentais trembler et me glacer en l'écoutant, la salle était figée, elle buvait ses paroles. Il y avait là quelque chose de sans précédent, au point que même de la part d'une jeune fille aussi autoritaire et pleine d'un orgueil aussi dédaigneux qu'elle, il était presque impossible d'attendre une déposition aussi hautement sincère, un tel sacrifice, une telle offrande de soi à la pâture du public. Et pour quoi, pour qui ? Pour sauver un homme qui l'avait trahie et humiliée, pour participer, ne serait-ce qu'un tant soit peu, ne serait-ce qu'en quoi que ce soit, à son salut, en ayant fait une bonne impression en sa faveur ! Et, de fait : l'image de l'officier qui donnait ses derniers cinq mille roubles – tout ce qui lui restait dans la vie – et s'inclinait respectueusement devant une jeune fille innocente parut tout à fait séduisante et sympathique, mais… moi, j'eus le cœur serré de douleur ! Je sentis que cela pouvait donner plus tard (et, de fait, de fait !) une calomnie ! C'est avec un petit rire méchant qu'on devait par la suite dire en ville que le récit, peut-être bien, n'était pas tout à fait juste, précisément à l'endroit où l'officier avait laissé repartir la jeune fille "soi-disant avec un simple salut respectueux". On laissait à penser qu'il y avait là comme "un non-dit". "Et quand bien même il n'y aurait pas eu de non-dit, si tout avait été vrai, reprenaient même les plus dignes de nos dames, même à ce moment-là, on se demande : est-ce que c'est une conduite très noble pour une jeune fille, ne serait-ce même que pour sauver son père ?" Et est-ce donc vraiment que Katérina Ivanovna, avec toute son intelligence, avec toute sa lucidité maladive, ne pressentait pas à l'avance qu'on le chuchoterait ? Elle le pressentait évidemment, et voilà, malgré cela, elle s'était résolue à tout dire ! Il va de soi que tous ces petits doutes répugnants quant à la véracité du récit ne commencèrent que plus tard, et que, les premières minutes, tout le monde fut stupéfait. Quant aux juges, ils écoutaient Katérina Ivanovna dans un silence vénérateur, pour ainsi dire, et même honteux. Le procureur ne se permit pas la moindre question sur ce thème. Fétioukovitch la salua très respectueusement. Oh, il triomphait presque ! Beaucoup de choses étaient gagnées : un homme qui donnait, dans un élan de noblesse, ses derniers cinq mille roubles, et ce même homme qui tuait son père, la nuit, dans le but de le détrousser de trois mille roubles – c'était quelque chose d'un peu incompatible. Du moins, Fétioukovitch pouvait-il à présent écarter le vol. "L'affaire" avait soudain acquis une sorte d'éclairage nouveau. Une espèce de sympathie se répandit en faveur de Mitia. Mais lui… de lui, on disait que, pendant la déposition de Katérina Ivanovna, il avait bondi de sa place une ou deux fois, puis qu'il était retombé sur son banc et s'était caché le visage dans les deux mains. Mais, quand elle eut fini, il s'exclama soudain d'une voix lourde de sanglots, les bras tendus vers elle :

— Katia, pourquoi tu m'as perdu ?

Et toute la salle fut emplie de ses sanglots sonores. Du reste, il se retint tout de suite et cria à nouveau :

— Maintenant, je suis condamné !

Ensuite, ce fut comme s'il restait engourdi sur place, les dents serrées, les bras plaqués en croix sur la poitrine. Katérina Ivanovna demeura dans la salle et s'assit sur la chaise qu'on lui indiquait. Elle était pâle et restait tête baissée. Ceux qui se trouvaient près d'elle racontaient qu'elle resta longtemps comme tremblante de fièvre. Grouchenka se présenta à la barre.

J'approche tout près de cette catastrophe qui, éclatant brutalement, fut, de fait, peut-être, ce qui perdit Mitia. Car je suis persuadé, et tout le monde avec moi, tous les juristes l'ont dit par la suite, que, sans cet épisode, le criminel aurait eu au moins droit aux circonstances atténuantes. Mais j'en parle tout de suite. Juste deux mots auparavant sur Grouchenka.

Elle aussi, elle parut dans la salle tout habillée de noir, son splendide châle noir sur les épaules. De sa démarche coulée, silencieuse, un peu déhanchée, comme marchent parfois les femmes plantureuses, elle s'approcha de la barre, les yeux fixés sur le président et sans jeter un seul regard ni à droite ni à gauche. A mon avis, elle était très belle à cet instant, et sans la moindre pâleur, contrairement à ce que devaient affirmer nos dames. Ces dernières affirmaient aussi qu'elle avait un visage comme concentré et méchant. Je pense seulement qu'elle était sur les nerfs et ressentait douloureusement les regards pleins d'une curiosité méprisante que dardait sur elle notre public avide de scandale. C'était un caractère fier, qui ne supportait pas le mépris, un de ceux qui, sitôt qu'ils soupçonnent le mépris de quiconque, s'enflamment aussitôt de colère et d'une soif de réponse. Il y avait en même temps, bien sûr, la timidité, et la honte intérieure pour cette timidité, si bien qu'il est naturel que son discours manquât d'harmonie – tombant tantôt dans la colère, tantôt dans le dédain ou devenant d'une grossièreté brutale, tantôt, sinon, on entendait dans une note sincère, du fond du cœur, qu'elle se condamnait, qu'elle s'accusait elle-même. D'autres fois, même, elle parlait comme si elle se précipitait dans une espèce d'abîme : “Quelle importance, n'est-ce pas, moi, tant pis pour les conséquences, je parlerai quand même…” Au sujet de ses relations avec Fiodor Pavlovitch, elle fit cette remarque brutale : “Tout ça, c'est des bêtises, est-ce que c'est ma faute s'il s'est attaché à moi ?” Puis, une minute plus tard, elle ajoutait : “Je suis la coupable de tout, je me suis moquée de l'un comme de l'autre – et du vieux, et de lui, là – et c'est les deux que j'ai menés à ce point-là. A cause de moi que tout est arrivé." On en vint un moment à parler de Samsonov : "Qui est-ce que ça regarde, rétorqua-t-elle tout de suite avec une sorte de défi insolent, il a été mon bienfaiteur, il m'a prise quand j'allais pieds nus, quand, mes parents, ils m'avaient jetée de chez eux." Le président, d'un ton, du reste, très poli, lui rappela qu'elle devait répondre directement aux questions, sans entrer dans des détails inutiles. Grouchenka rougit, ses yeux lancèrent des éclairs.

Le paquet d'argent, elle ne l'avait pas vu, elle avait seulement entendu dire par "le monstre" qu'il y avait chez Fiodor Pavlovitch un certain paquet avec trois mille roubles. "Sauf que, tout ça, c'est des bêtises, moi, je riais, pour rien au monde j'y serais allée..."

— De qui venez-vous de parler en disant "le monstre" ? s'enquit le procureur.

— Mais du laquais, de Smerdiakov, celui qui a tué son maître et qui s'est pendu hier.

Bien sûr, on l'interrogea sur-le-champ : sur quelles bases pouvait-elle lancer une accusation si péremptoire, mais, là encore, il s'avéra qu'elle n'avait aucune base.

— C'est ce que Dmitri Fiodorovitch m'a dit lui-même, et c'est lui qu'il faut croire. C'est celle qui nous sépare qui l'a perdu, voilà, c'est elle la seule cause de tout, voilà, ajouta Grouchenka comme prise d'une haine qui la faisait tressaillir de tout son corps, et il y eut une note méchante à tinter dans sa voix.

On s'enquit de savoir à qui elle faisait allusion.

— Mais la demoiselle, là, cette Katérina Ivanovna. Elle m'avait invitée, l'autre fois, chez elle, elle m'a offert du chocolat, elle voulait me séduire. De vraie pudeur, elle en a pas beaucoup, voilà...

Ici, le président l'arrêta sévèrement, en lui demandant de modérer ses expressions. Mais le cœur de la femme jalouse s'était déjà embrasé, et elle était prête à se précipiter même au fond de l'abîme…

— Pendant l'arrestation à Mokroïé, demanda le procureur en y repensant, tout le monde vous a vue et entendue faire irruption depuis une pièce voisine et crier : "C'est moi qui suis coupable de tout, nous irons au bagne ensemble !" Donc, vous aviez déjà l'assurance, dès ce moment-là, qu'il était un parricide ?

— Je ne me souviens pas de ce que je ressentais à ce moment-là, répondit Grouchenka, tout le monde criait qu'il avait tué son père, et j'ai senti que c'était moi, la coupable, que c'était à cause de moi qu'il avait tué. Et quand il a dit qu'il était innocent, je l'ai cru tout de suite, et je le crois encore, et je le croirai toujours : ce n'est pas le genre d'homme qui ment.

Les questions passèrent à Fétioukovitch. Entre autres, je me souviens qu'il posa une question sur Rakitine et sur ses vingt-cinq roubles "pour lui avoir amené Alexéï Fiodorovitch Karamazov".

— Qu'est-ce qu'il y a d'étonnant qu'il ait pris l'argent ? ricana Grouchenka avec une haine méprisante. Il venait toujours me voir pour me mendier de l'argent, trente roubles par mois, des fois, il me prenait, et toujours, surtout, pour des gâteries : pour le boire et le manger, il avait de quoi sans moi.

— Sur quelle base vous montriez-vous si généreuse envers M. Rakitine ? reprit Fétioukovitch, même si le président remuait beaucoup.

— Mais c'est mon cousin. Ma mère et sa mère sont sœurs. Seulement, il m'a beaucoup suppliée de ne le dire à personne ici, il avait vraiment honte de moi.

Ce fait nouveau fut une surprise totale pour tout le monde, personne n'était au courant de cela dans notre ville, et même au monastère, même Mitia l'ignorait. On raconte que Rakitine s'empourpra de honte sur sa chaise. Grouchenka, dès avant d'entrer dans la salle, avait appris, je ne sais comment, qu'il avait déposé contre Mitia, et c'est pourquoi elle avait été prise de rage. Tout le discours que venait de tenir M. Rakitine, toute sa noblesse, toutes ses attaques contre le servage, contre l'inorganisation de la société russe – tout cela, cette fois, fut définitivement enterré et anéanti dans l'opinion publique. Fétioukovitch était content : une nouvelle fois, tel était pris qui croyait prendre. En général, Grouchenka ne fut pas interrogée trop longtemps, et elle ne pouvait pas, bien sûr, avoir beaucoup de choses particulièrement nouvelles à dire. Elle laissa dans le public une impression des plus défavorables. Des centaines de regards méprisants se dirigèrent sur elle quand, sa déposition achevée, elle partit s'asseoir dans la salle, à une distance assez grande de Katérina Ivanovna. Tout le temps qu'on l'avait interrogée, Mitia s'était tu, comme pétrifié, les yeux fixés à terre.

Ivan Fiodorovitch parut pour témoigner.

V

LA CATASTROPHE SOUDAINE

Je remarquerai qu'on l'avait appelé dès avant Aliocha. Mais le greffier avait alors fait savoir au président que, suite à une maladie soudaine, ou à une espèce de crise, le témoin ne pouvait pas se présenter sur le moment, mais que, sitôt qu'il se remettrait, il serait prêt à déposer quand on le souhaiterait. Cela, au demeurant, personne, d'une façon ou d'une autre, ne l'entendit, et on ne l'apprit que par la suite. Son apparition, à la première minute, passa comme inaperçue ; les témoins essentiels, surtout les deux rivales, avaient été interrogés ; la curiosité, sur le moment, avait été satisfaite. On sentait même une sorte de lassitude dans le public. Il restait à entendre un certain nombre de témoins qui, visiblement, ne pouvaient rien rapporter de particulier au vu de tout ce qui avait déjà été rapporté. Le temps, lui, passait. Ivan Fiodorovitch s'approcha avec une espèce de lenteur étonnante, sans regarder personne, en baissant même la tête, comme si, d'un air renfrogné, il était en train de réfléchir à quelque chose. Sa mise était irréprochable, mais son visage, à moi, du moins, me fit une impression maladive : il y avait dans ce visage quelque chose qui était comme touché par la terre, quelque chose qui ressemblait au visage d'un homme à l'agonie. Le regard était trouble ; il leva les yeux et observa longuement la salle. Aliocha bondit soudain de sa chaise et gémit : oh ! Cela, je m'en souviens. Mais peu de gens y firent attention.

Le président commença par déclarer que, puisque le témoin n'avait pas à prêter serment, il pouvait soit témoigner soit garder le silence, mais que, bien sûr, il devait témoigner en son âme et conscience, etc. Ivan Fiodorovitch l'écoutait et le suivait de son regard trouble ; mais, soudain, son visage s'éclaircit lentement en un sourire, et, sitôt que le président, qui le regardait avec surprise, eut fini de parler, il éclata soudain de rire.

— Bon, et quoi d'autre encore ? demanda-t-il tout haut.

Tout se tut dans la salle, il y avait comme quelque chose qui se ressentait. Le président commença à s'inquiéter.

— Vous… vous êtes peut-être encore un peu souffrant ? marmonna-t-il, cherchant des yeux le greffier.

— Ne vous inquiétez pas, Votre Excellence, je me sens assez bien et il y a des choses curieuses que je peux vous raconter, répondit soudain Ivan Fiodorovitch d'un ton tout à fait tranquille et respectueux.

— Vous avez une communication particulière à nous faire ? demanda le président, toujours avec une espèce d'incertitude.

Ivan Fiodorovitch baissa la tête, tarda quelques secondes et, relevant la tête une nouvelle fois, il répondit, comme en bafouillant :

— Non… je n'ai rien. Je n'ai rien de particulier.

On se mit à l'interroger. Il répondait comme tout à fait à contrecœur, avec une brièveté comme soulignée, une espèce, même, de dégoût, qui ne faisait que grandir de plus en plus, quoique, du reste, il répondît tout de même d'une façon cohérente. Pour bien des choses, il se défaussa par l'ignorance. Pour les disputes d'argent entre son père et Dmitri Fiodorovitch, il n'était au courant de rien. "Et je ne m'en occupais pas", prononça-t-il. Les menaces de tuer le père, il les tenait de la bouche du prévenu. L'argent dans le paquet, il en avait entendu parler par Smerdiakov…

— Toujours la même chose, coupa-t-il soudain d'un air las, et je ne peux rien communiquer de particulier au tribunal.

— Je vois que vous êtes souffrant, je comprends ce que vous ressentez… commença le président.

Il se tourna vers les parties, le procureur et la défense, les invitant, s'ils le pensaient utile, à poser des questions, quand, brusquement, Ivan Fiodorovitch demanda d'une voix épuisée :

— Laissez-moi partir, Votre Excellence, je ne me sens vraiment pas bien.

Et, à ces mots, sans attendre la réponse, d'un coup, c'est lui-même qui se tourna et entreprit de sortir de la salle. Mais il n'avait pas fait quatre pas qu'il s'arrêtait, comme si, d'un coup, il se mettait à réfléchir à quelque chose, eut un ricanement étouffé et revint à sa place.

— Votre Excellence, je suis comme la petite paysanne, là, vous savez, comment ? "Ça me plaît, z'y vais, ça me plaît, z'm'en vais." On lui amène son sarafane, sa robe de mariage, ou quoi, qu'elle vienne, pour qu'on les lui noue, et qu'on la conduise à l'église, et, elle, elle dit ça : "Ça me plaît, z'y vais, ça me plaît, z'm'en vais." Un épisode de chez nous, n'est-ce pas, populaire…

— Que voulez-vous dire par là ? demanda sévèrement le président.

— Tenez, fit Ivan Fiodorovitch, sortant soudain une liasse d'argent, voilà l'argent… cette somme, là, qui était dans le paquet – il désigna la table des pièces à conviction –, à cause de laquelle le père s'est fait tuer. Où je le mets ? Monsieur le greffier, transmettez.

Le greffier prit toute la liasse et la remit au président.

— De quelle façon cette somme a-t-elle pu se retrouver chez vous… s'il s'agit de cette même somme ? demanda, très surpris, le président.

— Je l'ai reçue de Smerdiakov, de l'assassin, hier. Je suis allé le voir avant qu'il se pende. C'est lui qui a tué le père, pas mon frère… Il a tué, mais, moi, je lui ai donné l'idée de tuer… Qui ne veut pas la mort du père ?

— Avez-vous tout votre esprit ? laissa échapper le président.

— Tout le truc est là, que oui, j'ai tout mon esprit… toute ma crapule d'esprit, pareil que vous, là, et toutes ces… t-tronches ! fit-il, se tournant soudain vers le public. On a tué le père et on fait semblant qu'on a peur, marmonna-t-il avec un mépris ardent. On se fait des grimaces les uns aux autres. Les menteurs ! Tous, on la veut, la mort du père. Le premier serpent qui bouffe le deuxième… Il n'y aurait pas de parricide – tout le monde serait fâché, on se quitterait en rage… Des spectacles ! "Du pain et des spectacles !" Remarquez, moi aussi, je me pose là ! Vous en avez de l'eau, oui ou non, laissez-moi boire, au nom du Christ ! fit-il, se saisissant soudain la tête.

Le greffier s'approcha tout de suite de lui. Aliocha bondit soudain et cria : "Il est malade, ne le croyez pas, il a la fièvre chaude !" Katérina Ivanovna se leva d'un bond de sa chaise, et, immobile d'épouvante, garda les yeux fixés sur Ivan Fiodorovitch. Mitia s'était levé et, affichant une espèce de sourire frénétique, grimaçant, il regardait avidement et écoutait son frère.

— Calmez-vous, je ne suis pas fou, je suis juste un assassin ! reprit Ivan. On ne peut pas demander d'éloquence à un assassin… ajouta-t-il soudain Dieu seul savait pourquoi et il éclata d'un rire grimaçant.

Le procureur, dans un trouble visible, se pencha vers le président. Les juges chuchotaient entre eux en s'agitant. Fétioukovitch était tout ouïe, ne voulant rien laisser passer. La salle était figée d'attente. Soudain, le président sembla reprendre ses esprits.

— Témoin, vos paroles sont incompréhensibles et impossibles dans cette enceinte. Calmez-vous si vous pouvez, et racontez… si vous avez réellement quelque chose à dire. Qu'avez-vous pour confirmer un tel aveu… si seulement vous ne délirez pas ?

— C'est bien le truc, que je n'ai pas de témoins. Le chien de Smerdiakov, il n'enverra pas son témoignage de l'autre monde… dans un paquet. Vous, il vous faut toujours des paquets, ça va déjà avec un. Je n'en ai pas, de témoins… A part juste un seul, fit-il avec un ricanement pensif.

— Qui est votre témoin ?

— Il a une queue, Votre Excellence, ça ne fera pas réglementaire ! *Le diable n'existe point* * *!* Ne faites pas attention, un diable de rien du tout, mesquin, ajouta-t-il, cessant de rire et d'un air comme confidentiel, il doit être ici, quelque part, sous cette table, tiens, avec les preuves matérielles, où est-ce qu'il pourrait être sinon là ? Vous voyez, écoutez-moi : je lui ai dit : je ne peux pas me taire, et, lui, il me parle de la révolution géologique… bêtises ! Allez, quoi, libérez-le, le monstre… il entonne son hymne, lui, parce qu'il se sent bien ! Exactement comme une canaille d'ivrogne qui vous braille que "Vanka part pour Piter", alors que, moi, pour deux secondes de joie, j'aurais donné un quatrillion de quatrillions. Oh, vous ne me connaissez pas ! Comme tout est bête chez vous ! Allez, quoi, prenez-moi à sa place ! Il faut bien que je sois venu pour quelque chose… Pourquoi, pourquoi est-ce que tout ce qui existe est aussi bête !…

Et, une nouvelle fois, il se mit lentement, et d'une façon comme pensive, à toiser la salle. Tout le monde s'agitait déjà. Aliocha voulait se précipiter vers lui depuis sa chaise, mais le greffier avait déjà pris le bras d'Ivan Fiodorovitch.

— Qu'est-ce que c'est que ça, s'écria ce dernier, fixant la figure du greffier, et, d'un seul coup, le saisissant par les épaules, il le jeta furieusement contre terre. Mais la garde arrivait déjà, on se saisit de lui, et, là, il poussa un cri épouvantable. Et pendant tout le temps qu'on mit à le faire sortir à bout de bras, il continua de hurler et de crier des choses incohérentes.

Ce fut l'affolement. Je ne me souviens pas de tout dans l'ordre, j'étais bouleversé moi-même et j'ai pu rater des choses. Je sais seulement que, plus tard, une fois que tout se fut calmé et que tout le monde eut compris de quoi il s'agissait, le greffier dut se faire secouer les puces, encore qu'il eût beau expliquer de long en large aux autorités que le témoin s'était tout le temps montré bien portant, que le docteur l'avait examiné, qu'une heure auparavant il avait eu un léger malaise, mais qu'avant d'entrer dans la salle d'audience il avait toujours parlé d'une façon cohérente, en sorte qu'il était absolument impossible de prévoir quoi que ce soit ; que c'était lui-même, au contraire, qui insistait et voulait témoigner coûte que coûte. Mais avant qu'on ait pu se calmer un tant soit peu et reprendre ses esprits, cette scène fut immédiatement suivie par une deuxième : Katérina Ivanovna fut prise d'une crise nerveuse. Poussant des cris aigus, elle se mit à sangloter, mais refusa de sortir, se débattit, implora qu'on la laisse rester, et, soudain, elle cria au président :

— Je dois faire un autre témoignage, tout de suite... tout de suite !... Voilà un papier, une lettre... prenez-la, lisez-la vite, vite ! C'est une lettre de ce monstre, de celui-là, de celui-là ! (Elle désignait Mitia.) C'est lui qui a tué son père, vous verrez, il me l'écrit, comment il va tuer son père ! Et l'autre, il est malade, il est malade, il a la fièvre chaude ! Depuis trois jours, je le vois, qu'il a la fièvre chaude !

Voilà ce qu'elle criait, hors d'elle-même. Le greffier prit le papier qu'elle tendait au président, après quoi, retombant sur sa chaise et se cachant le visage, elle se mit à sangloter convulsivement et sans bruit, en tremblant de tout le corps, et renfonçant le moindre de ses gémissements de crainte qu'on ne veuille la faire sortir de la salle. Le papier qu'elle avait donné était la fameuse lettre que Mitia avait écrite dans la taverne *La Ville capitale*, et qu'Ivan Fiodorovitch qualifiait de document d'une importance mathématique. Hélas, on lui reconnut justement cette importance mathématique, et, sans cette lettre, Mitia n'aurait peut-être pas été perdu ou, du moins, n'aurait-il pas été perdu si affreusement ! Je le répète, il était difficile de suivre tous les détails. Aujourd'hui encore, je me représente tout cela dans un tel affolement. Il faut croire que le président communiqua sur-le-champ ce nouveau document au tribunal, au procureur, à l'avocat, aux jurés. Je me souviens seulement du début de l'interrogatoire du témoin. A la question de savoir si elle s'était calmée, que le président lui avait adressée d'une voix douce, Katérina Ivanovna s'exclama ardemment :

— Je suis prête, je suis prête ! Je suis totalement en état de vous répondre, ajouta-t-elle, visiblement affolée que, pour une raison ou pour une autre, on ne la laisse pas parler. On lui demanda d'expliquer plus en détail : qu'est-ce que c'était que cette lettre et en quelles circonstances l'avait-elle reçue ?

— Je l'ai reçue la veille du crime lui-même, mais il l'avait écrite encore la veille, dans une taverne, donc, deux jours avant son crime – regardez, elle est écrite sur je ne sais quelle addition ! criait-elle en haletant. Il me haïssait à ce moment-là, parce que, lui-même, il avait fait un acte crapuleux, et il était parti derrière cette créature… et puis aussi parce qu'il me devait ces trois mille roubles… Oh, il se sentait blessé pour ces trois mille roubles, à cause de sa propre bassesse ! Ces trois mille roubles, voilà ce qui s'est passé – je vous demande, je vous supplie de m'écouter : trois semaines avant de tuer son père, il est venu me voir un matin. Je savais qu'il avait besoin d'argent, et je savais pour quoi – justement, justement, oui, pour séduire cette créature et l'emmener avec lui. Je savais à ce moment qu'il m'avait déjà trahie et qu'il voulait m'abandonner, et c'est moi, moi-même qui lui ai tendu cet argent, qui le lui ai proposé, soi-disant pour qu'il l'envoie à ma sœur à Moscou – et quand je le lui ai donné, je l'ai regardé dans les yeux, et je lui ai dit qu'il pouvait faire l'envoi quand il voulait, "ne serait-ce que dans un mois". Mais comment, comment n'aurait-il pas compris que je lui disais, en face, les yeux dans les yeux : "Tu as besoin d'argent pour me trahir avec ta créature, alors, tiens, cet argent, je te le donne moi-même, prends-le, puisque tu as si peu d'honneur que tu le prendras !..." Je voulais le démasquer, et quoi ? Il l'a pris, il l'a pris, et il l'a emporté, et il l'a dépensé avec cette créature, là-bas, en une seule nuit... Mais il a compris, il a compris que je savais tout, je vous assure qu'il a aussi compris en même temps que, moi, quand je lui donnais cet argent, c'était juste pour le mettre à l'épreuve : manquerait-il à ce point d'honneur pour l'accepter de moi, ou quand même pas ? Moi, je le regardais dans les yeux, et, lui aussi, il me regardait dans les yeux, et il comprenait tout, il comprenait tout, et il l'a pris, il l'a pris, et il a emporté mon argent !

— C'est vrai, Katia ! hurla soudain Mitia. Je te regardais dans les yeux et je comprenais que tu me déshonorais et, malgré ça, je l'ai pris, l'argent. Méprisez la crapule, méprisez, tous, je le mérite !

— Prévenu, s'écria le président, encore un mot, et je vous fais expulser.

— Cet argent le torturait, poursuivait Katia dans une hâte convulsive, il voulait me le rendre, il le voulait, c'est vrai, mais il avait aussi besoin d'argent pour cette créature. Et donc, il a tué son père, et, l'argent, malgré tout, il ne me l'a pas rendu, et il est parti avec elle dans ce village où il a été arrêté. Là, une nouvelle fois, il a flambé cet argent, celui qu'il avait volé chez son père qu'il avait tué. Et donc, un jour avant de tuer son père, il m'a écrit cette lettre, il l'a écrite alors qu'il était ivre, je l'ai vu tout de suite, il l'a écrite par rage, et en sachant, en sachant à coup sûr, que je ne montrerais cette lettre à personne, quand bien même il aurait tué. Sinon, il ne l'aurait pas écrite. Il savait que je refuserais de me venger de lui et de faire sa perte ! Mais lisez, lisez attentivement, je vous en prie, aussi attentivement que possible, et vous verrez que, dans cette lettre, il a tout décrit, tout à l'avance : comment il allait tuer son père et où son père gardait l'argent. Regardez, s'il vous plaît, remarquez-le bien, il y a une phrase : "Je le tuerai, pourvu seulement qu'Ivan s'en aille." Donc, il l'avait préméditée, la façon dont il allait tuer, soufflait au tribunal Katérina Ivanovna, narquoise, pleine d'une joie méchante. Oh, l'on voyait qu'elle avait lu et relu cette lettre fatale dans le moindre mot, qu'elle en avait étudié la moindre ligne. S'il n'avait pas été ivre, il ne l'aurait pas écrite, mais, regardez, tout y est décrit à l'avance, tout, exactement, comme il a tué plus tard, tout le programme !

Ainsi s'exclamait-elle, dans un état second, et, bien sûr, au mépris de toutes les conséquences qu'elle allait avoir à encourir, même si, évidemment, elle les avait prévues, peut-être, encore un mois auparavant, parce que, dès ce moment-là, peut-être, en frissonnant de colère, elle rêvait : "Pourquoi, n'est-ce pas, ne pas lire ça au tribunal ?" A présent, c'était comme si elle était prise dans une avalanche. Je me souviens, je crois que c'est précisément à ce moment-là que la lettre fut lue à haute voix par le secrétaire, et elle produisit une impression hallucinante. On se tourna vers Mitia avec une question : "Reconnaissait-il avoir écrit cette lettre ?"

— C'est de moi, de moi, s'exclama Mitia. Si je n'avais pas bu, je ne l'aurais pas écrite !... On se haïssait pour beaucoup de choses, Katia, mais, je te le jure, je te le jure, moi, même en te haïssant, je t'aimais, alors que, toi – non !

Il retomba sur sa chaise, se tordant les mains, au désespoir. Le procureur et l'avocat entreprirent un interrogatoire croisé, surtout dans ce sens : "Pourquoi, enfin, quelles étaient les raisons qui vous ont poussée tout à l'heure à cacher un tel document et à faire d'abord une déposition dans un esprit et un ton entièrement différents ?"

— Oui, oui, tout à l'heure, j'ai menti, je mentais tout le temps, contre l'honneur et la conscience, mais, tout à l'heure, je voulais le sauver, parce qu'il me haïssait et il me méprisait tant, s'exclamait Katia, comme folle. Oh, il me méprisait affreusement, il m'a toujours méprisée, et, vous savez, vous savez – il m'a méprisée depuis la minute précise où je me suis inclinée jusqu'à terre devant lui pour cet argent. Ça, je l'avais vu... Ça, je l'avais ressenti tout de suite, mais j'ai mis beaucoup de temps à me croire moi-même. "Malgré tout, c'est toi qui es venue me trouver." Oh, il n'a pas compris, il n'a rien compris, pourquoi j'avais couru chez lui, il n'est capable de soupçonner que de la bassesse ! Il mesurait à son aune, il pensait que tous les autres sont comme lui, lança furieusement Katia, réellement, là, dans un état de frénésie. Et, s'il a voulu m'épouser, c'est seulement parce que je venais de toucher cet héritage, c'est pour ça, c'est pour ça ! Je m'en suis toujours doutée, que c'était pour ça ! Oh, c'est un fauve ! Toute sa vie, il a été persuadé que, moi, devant lui, j'allais trembler de honte toute ma vie, d'être venue le trouver, et qu'il avait le droit de me mépriser pour ça, et donc, de dominer – c'est pour ça qu'il a voulu se marier ! C'est comme ça, oui, entièrement comme ça ! J'ai essayé de le vaincre par mon amour, par un amour sans fin, je voulais même supporter la trahison, mais, lui, il n'a rien, mais rien compris. Mais est-ce qu'il est capable de comprendre quelque chose ! C'est un monstre ! Cette lettre, je ne l'ai reçue que le lendemain soir, on me l'a apportée de la taverne et, le matin encore, le matin de cette journée-là, je voulais tout lui pardonner, tout, même sa trahison !

Bien sûr, le président et le procureur tentèrent de l'apaiser. Je suis persuadé que tous, même, si ça se trouve, ils avaient honte d'utiliser ainsi sa frénésie et d'avoir à entendre des aveux pareils. Je me souviens, je les entendis qui lui disaient : "Nous comprenons à quel point cela vous est pénible, nous sommes capables de ressentir, etc." – mais, la déposition, ils la tirèrent quand même de la bouche d'une femme prise d'un coup de folie, d'une crise nerveuse. A la fin, elle décrivit, avec une clarté extraordinaire, qui fuse si souvent, ne serait-ce qu'une minute, dans ce genre d'états de tension, la façon dont Ivan Fiodorovitch était devenu quasiment fou pendant tous ces deux mois dans l'idée de sauver "le monstre et l'assassin", son frère.

— Il se torturait, s'exclamait-elle, il voulait toujours diminuer sa faute, en m'avouant que, lui non plus, il n'aimait pas son père et, lui-même, peut-être, il désirait sa mort. Oh, c'est une conscience profonde, profonde !

Il s'est mis au supplice avec sa conscience ! Il me révélait tout, tout, il venait me voir et il me parlait tous les jours, comme à son seul ami. J'ai cet honneur d'être son seul ami ! s'exclama-t-elle soudain, comme avec une sorte de défi, des étincelles dans les yeux. Il est allé deux fois chez Smerdiakov. Un jour, il entre chez moi, et il me dit : si ce n'est pas mon frère qui a tué, mais Smerdiakov (parce que, cette fable, tout le monde la répétait, comme quoi c'est Smerdiakov qui avait tué), alors, peut-être, je suis coupable moi aussi, parce que Smerdiakov savait que je n'aimais pas mon père, et il pensait peut-être que je désirais la mort de mon père. Alors, j'ai sorti cette lettre et je la lui ai montrée, pour qu'il se persuade totalement que c'est son frère qui avait tué, et, ça, ça l'a foudroyé complètement. Il n'a pas pu supporter que son propre frère puisse être un parricide ! Il y a déjà une semaine, j'ai vu qu'il en était tombé malade. Ces derniers jours, quand il était chez moi, il délirait. J'ai vu qu'il avait des troubles mentaux. Il marchait et il délirait, on l'a vu comme ça dans la rue. Le docteur de Moscou, à ma demande, l'a examiné avant-hier et m'a dit qu'il était proche d'une fièvre chaude – tout ça à cause de lui, à cause de ce monstre ! Et, hier, il a appris que Smerdiakov était mort – ça l'a tellement bouleversé qu'il est devenu fou… tout ça à cause du monstre, tout ça parce qu'il voulait sauver le monstre !

Oh, on le comprend bien, tenir de tels discours, faire de tels aveux n'est possible qu'une seule fois dans sa vie – une minute avant sa mort, par exemple, en montant sur l'échafaud. Mais Katia, justement, exprimait tout son caractère, c'était l'instant de sa vie. C'était cette même Katia si pleine de fougue qui s'était jetée aux pieds d'un jeune débauché pour sauver son père ;

c'était cette même Katia qui, tout à l'heure, devant tout ce public, fière et pudique, s'était sacrifiée, elle-même et son honneur de jeune fille, en racontant "le geste noble de Mitia" pour adoucir ne serait-ce qu'un tant soit peu le sort qui l'attendait. Et voilà qu'ici encore elle s'offrait en sacrifice, exactement de la même façon, mais, cette fois, pour un autre, et, peut-être, en n'ayant qu'à présent, là, à la minute, senti et compris parfaitement à quel point cet autre homme lui était cher ! Elle se sacrifiait parce qu'elle avait peur pour lui, s'imaginant soudain qu'il s'était perdu lui-même en ayant dit dans sa déposition que c'était lui qui avait tué, et pas son frère, elle s'était sacrifiée pour le sauver, lui, sa gloire, sa réputation ! Et, néanmoins, une chose affreuse fusa une seconde : mentait-elle contre Mitia, en décrivant leurs relations passées – telle était la question. Non, non, elle ne le calomniait pas intentionnellement quand elle criait que Mitia la méprisait pour son salut jusqu'à terre. Elle le croyait elle-même, elle en était profondément persuadée, depuis, peut-être, ce salut, que Mitia, cet homme tout simple, qui l'adorait dès ce moment-là, se moquait d'elle et qu'il la méprisait. Et c'est seulement par orgueil qu'elle-même s'était liée à lui d'un amour déchiré, hystérique, par son orgueil blessé, et, cet amour, il ressemblait moins à de l'amour qu'à une vengeance. Oh, si ça se trouve, cet amour hystérique, il aurait pu en devenir un vrai, si ça se trouve Katia voulait rien d'autre que cela, mais Mitia l'avait offensée jusqu'au fond de son âme par sa trahison, et l'âme n'avait pas pardonné. Quant à la minute de vengeance, c'est par surprise qu'elle était descendue sur elle, et tout ce qui s'était accumulé si longuement et si douloureusement dans la poitrine de cette femme offensée, d'un coup, et, là encore, par surprise, avait éclaté à l'extérieur. Elle avait trahi Mitia, mais elle s'était aussi trahie elle-même ! Et, on le comprend bien, à peine étaitelle parvenue à s'exprimer, la tension cassa, et la honte la submergea. La crise nerveuse recommença, elle tomba, sanglotant et hurlant. On l'emmena. A l'instant où on la portait, Grouchenka, en criant, s'arracha à sa place et se jeta vers Mitia, si vite qu'on n'eut même pas le temps de la retenir.

— Mitia ! hurla-t-elle. Elle t'a perdu, ta vipère ! Ah, elle vous l'a montré, ce qu'elle est ! cria-t-elle, tremblant de rage, au tribunal. D'un geste du président, on se saisit d'elle et on entreprit de l'expulser de la salle. Elle résistait, se débattait et cherchait à retrouver Mitia. Mitia hurla à son tour et, lui aussi, voulut se précipiter vers elle. On parvint à le saisir.

Oui, je suppose que toutes nos dames spectatrices restèrent satisfaites : le spectacle était riche. Ensuite, je me souviens de l'apparition du docteur de Moscou. Je crois que le président avait déjà envoyé le greffier afin de prendre les mesures d'aide qui s'imposaient pour Ivan Fiodorovitch. Le docteur fit savoir au tribunal que le malade se trouvait dans une crise de fièvre chaude des plus dangereuses, et qu'il fallait le reconduire immédiatement. Aux questions du procureur et du défenseur, il confirma que le patient était venu de lui-même le trouver l'avant-veille et qu'il lui avait prédit une fièvre chaude imminente, mais que le patient avait refusé de se soigner. "Il ne jouissait pas, résolument, de toutes ses facultés mentales, il m'a avoué lui-même qu'il avait des visions, qu'il croisait dans la rue différentes personnes qui étaient déjà mortes, et que, tous les soirs, il recevait la visite de Satan", conclut le docteur. Sa déposition achevée, le célèbre médecin repartit. La lettre montrée par Katérina Ivanovna fut ajoutée aux pièces à conviction.

Après une délibération, le tribunal décida de poursuivre le procès et de joindre au procès-verbal les deux témoignages inattendus (ceux de Katérina Ivanovna et d'Ivan Fiodorovitch).

Mais je ne décrirai plus la suite des interrogatoires. D'ailleurs, les dépositions des autres témoins ne furent qu'une répétition et une confirmation des précédentes, même si, toutes, elles comportaient des particularités caractéristiques. Mais, je le répète, tout se concentrera en un seul point dans le réquisitoire du procureur, auquel je vais passer à présent. Il régnait une grande agitation, tout le monde était électrisé par la dernière catastrophe et, avec une impatience brûlante, n'attendait plus, là, maintenant, que le dénouement, les plaidoiries des parties et le verdict. Fétioukovitch avait visiblement été stupéfait du témoignage de Katérina Ivanovna. En revanche, c'est le procureur qui triomphait. Quand les dépositions des témoins furent achevées, on annonça une suspension d'audience qui devait durer presque une heure. Finalement, le président ouvrit les débats. Il était, je crois, huit heures du soir précises quand notre procureur, Hippolyte Kirillovitch, entama son réquisitoire.

VI

LE RÉQUISITOIRE DU PROCUREUR. CARACTÉRISATION

Son réquisitoire, Hippolyte Kirillovitch le commença secoué dans son corps de tremblements nerveux, une sueur maladive sur les tempes, tout le corps traversé de crises de chaud et de froid. C'est lui-même qui le raconta plus tard. Il considérait ce réquisitoire comme son *chef-d'œuvre* *, le *chef-d'œuvre* * de toute sa vie, son chant du cygne. De fait, il devait décéder neuf mois plus tard des suites d'une mauvaise phtisie, de telle sorte que, réellement, il aurait eu le droit de se comparer à un cygne qui chante son dernier chant, s'il avait pressenti à l'avance cette fin prochaine. Ce réquisitoire, il y avait mis tout son cœur, et toute son intelligence, et il démontra, à la surprise générale, qu'il était pénétré de sentiments civiques, et des questions "maudites", du moins dans la mesure où notre pauvre Hippolyte Kirillovitch pouvait les porter en son cœur. Surtout, ce qui impressionna dans sa parole, c'est qu'elle était sincère : il croyait sincèrement en la culpabilité du prévenu ; ce n'était pas sur commande, pas par sa fonction qu'il l'accusait et, en en appelant au "châtiment", il tremblait réellement du désir de "sauver la société". Même notre public de dames, finalement hostile à Hippolyte Kirillovitch, reconnaissait néanmoins l'impression formidable qu'il en avait reçue. Il commença d'une voix éraillée, hoquetante, mais, bientôt, très vite, sa voix devint puissante et tonna dans toute la salle, et ce, jusqu'à la fin du réquisitoire. Mais dès qu'il eut fini, il faillit s'évanouir.

"Messieurs les jurés, commença le procureur, l'affaire présente a résonné à travers toute la Russie. Mais de quoi s'étonner, pourrait-on croire, de quoi faudrait-il s'effrayer tout particulièrement ? Et nous, oui, surtout nous ? Nous, nous sommes tellement habitués à tout cela ! C'est là qu'est notre horreur, que ces affaires si sombres ne nous effraient presque plus ! Voilà de quoi il faudrait s'effrayer, de notre habitude, et non du méfait unique de tel ou tel individu. Où sont donc les raisons de notre indifférence, de notre douce tiédeur à l'égard de ces affaires, de ces signes du temps, qui nous annoncent un avenir peu enviable ? Est-ce notre cynisme, le précoce assèchement de l'esprit et de l'imagination de notre société si jeune, mais si précocement vieillie ? Sont-ce les fondements ébranlés de nos principes moraux ou bien, finalement, que, ces principes moraux, chez nous, peut-être, ils n'ont tout simplement pas d'existence ? Je ne réponds pas à ces questions, et, malgré cela, elles sont torturantes, et tout citoyen, je ne dis pas «doit» en souffrir, mais a le devoir d'en souffrir. Notre presse naissante, encore timide, s'est déjà montrée, pourtant, assez utile à notre société, puisque jamais sans elle nous n'aurions connu un tant soit peu pleinement les horreurs de ce vouloir sans frein et de la chute morale qu'elle rapporte sans arrêt dans ses colonnes, et à tout le monde, cette fois, non plus seulement à ceux qui fréquentent les salles des nouveaux tribunaux publics que nous a donnés le nouveau règne. Et que lisons-nous donc quasiment tous les jours ? Oh, sans arrêt de ces choses devant lesquelles l'affaire d'aujourd'hui pâlit et se présente même comme quelque chose de presque, cette fois, ordinaire. Mais, plus important que tout, un grand nombre de nos affaires de droit commun russes, nationales, témoignent justement d'un phénomène général, d'une espèce de malheur général, qui est entré en nous, et avec lequel, comme avec le mal universel, il est difficile de lutter. Tenez, par exemple, un brillant officier de la société la plus haute, qui commence à peine sa vie et sa carrière, crapuleusement, sous le couvert de la nuit, sans le moindre remords de conscience, égorge un petit fonctionnaire qui est un peu son bienfaiteur, et sa servante avec, pour récupérer par la force une de ses reconnaissances de dettes, et, en même temps, tout l'argent que le fonctionnaire pourrait avoir : «Ça me servira, n'est-ce pas, pour mes plaisirs mondains, et ma carrière qui s'annonce.» Il les égorge tous les deux et il s'en va, non sans avoir placé sous la tête des deux victimes un oreiller. Ailleurs, un autre héros, bardé de croix pour sa bravoure, assassine comme un brigand, sur la grand-route, la mère de son chef et bienfaiteur, et, essayant de pousser ses camarades, les assure qu'elle, «elle l'aime comme son propre fils, suivra tous ses conseils, et ne prendra aucune mesure de prudence». Je veux bien que ce soit un monstre, mais, aujourd'hui, à l'époque où nous sommes, je ne prends pas sur moi de dire que c'est un monstre unique. Un autre ne vous tuera peut-être pas, mais il pensera, il sentira exactement la même chose que lui, et, dans son âme, il ignore tout autant l'honneur que lui. La nuit, seul avec sa conscience, peut-être se demande-t-il : «Mais qu'est-ce que c'est que l'honneur, et le sang, n'est-ce pas un préjugé ?» Peut-être criera-t-on pour m'arrêter, et dira-t-on que je suis un homme maladif, hystérique, que je profère des calomnies monstrueuses, je délire, j'exagère. Je veux bien, je veux bien. Et, Dieu, comme j'en serais heureux, moi le tout premier ! Oh, ne me croyez pas, faites-moi passer pour un malade, mais, malgré tout, souvenez-vous de ce que je vous dis : car si ne serait-ce qu'un dixième, qu'un vingtième de ce que je dis est vrai, même là, c'est déjà effrayant ! Regardez, messieurs, regardez comme les jeunes se suicident chez nous : oh, sans la moindre question hamlétienne pour savoir comment ce sera *«là-bas»*, sans le moindre signe de ces questions, comme si ce problème de notre esprit et de tout ce qui nous attend outre-tombe, dans leur nature à eux, ils l'ont réglé depuis longtemps, c'est mort et enterré, c'est enfoui sous le sable. Regardez, finalement, notre débauche, regardez nos jouisseurs. Fiodor Pavlovitch, la malheureuse victime du procès en cours, devant certains d'entre eux, n'est rien qu'un innocent bébé. Or, nous tous ici, nous l'avons connu, «il vécut parmi nous[1]»… Oui, la psychologie du criminel russe sera un terrain de recherche, un jour, peut-être, pour nos plus grands esprits, les nôtres et ceux de toute l'Europe, car le thème en est digne. Mais, cette étude, elle aura lieu je ne sais quand, plus tard, quand nous en aurons le loisir, quand tout cet embrouillamini tragique de notre minute présente passera à un plan plus éloigné, et qu'on pourra l'observer d'un œil à la fois plus intelligent et plus impartial que ne peuvent le faire, par exemple, des hommes comme moi. Pour le moment, soit nous sommes effrayés, soit nous faisons semblant d'être effrayés, et, nous-mêmes, au contraire, nous jouissons du spectacle comme des amateurs de sensations fortes, excentriques, qui remuent notre oisiveté cynique et paresseuse, ou, finalement, comme de petits enfants, nous chassons à grands gestes ces terribles fantômes et nous cachons notre tête sous notre oreiller, le temps que cette vision d'horreur s'en aille, pour l'oublier tout de suite complètement dans la gaieté et dans la joie. Mais il faudra bien un jour que nous commencions notre vie d'une façon lucide et réfléchie, il faudra bien que nous nous examinions nous-mêmes en tant que société, il faudra bien que nous comprenions ne serait-ce que quelque chose dans cette vie de notre société, ou, même, seulement, que nous commencions à comprendre. Un grand écrivain de l'époque qui nous a précédés, dans le finale de la plus grande de ses

1. Citation d'un poème de Pouchkine, dédié à Mickiewicz, utilisé ici comme une espèce de proverbe.

œuvres, s'exclame, en représentant toute la Russie sous l'apparence d'une troïka russe filant au grand galop vers un but inconnu : «Troïka, troïka, mon bel oiseau, qui donc t'a inventée[1] ?» – et, dans une exaltation pleine de fierté, il ajoute que, devant cette troïka qui galope à bride abattue, tous les peuples s'écartent respectueusement. C'est un fait, messieurs, tant mieux, qu'ils s'écartent, avec respect ou pas, mais, à mon avis de pécheur, si le grand artiste a terminé ainsi, c'était soit dans un accès de belles pensées enfantines et innocentes, soit simplement parce qu'il avait peur de la censure de l'époque. Car si l'on n'attelait dans la troïka que ses propres héros, les Sobakévitch, les Nozdriov, les Tchitchikov, on pourrait prendre pour cocher qui on voudra, je doute que ces chevaux-là puissent nous amener où que ce soit d'acceptable ! Et ce ne sont ici que des chevaux passés, qui sont très loin de ceux d'aujourd'hui, nous, c'est encore bien autre chose..."

Ici, le réquisitoire d'Hippolyte Kirillovitch fut interrompu par des applaudissements. Le libéralisme de la peinture de la troïka russe avait séduit. Certes, il n'y eut qu'une claque de deux ou trois personnes, de sorte que le président n'éprouva même pas le besoin de s'adresser au public en menaçant d'évacuer la salle, et se contenta d'un regard sévère du côté des claqueurs. Mais Hippolyte Kirillovitch se sentit encouragé : jamais encore on ne l'avait applaudi ! Un homme que, pendant de si longues années, personne n'avait voulu écouter, et, là, d'un coup, la possibilité de se faire entendre dans toute la Russie !

"De fait, poursuivit-il, qu'est-ce que c'est que cette famille Karamazov qui s'est gagné soudain une si triste

1. Allusion aux *Ames mortes* de Gogol.

célébrité à travers même la Russie tout entière ? J'exagère trop, peut-être, mais il me semble que, dans le tableau de cette petite famille, on voit passer certains éléments de base communs à notre société intellectuelle – oh, pas tous les éléments, et cela ne fait que passer sous une forme microscopique, «comme le soleil dans une petite goutte d'eau», mais, tout de même, il se reflète quelque chose, tout de même il se dit quelque chose. Regardez ce malheureux vieillard, débauché et sans frein, ce «père de famille», qui a si tristement fini son existence. Un noble de souche, qui commence sa carrière comme un pauvre pique-assiette, qui, par un mariage aussi fortuit qu'inattendu, se capte en dot un petit capital, d'abord petit filou et un bouffon flatteur, avec un embryon de capacités intellectuelles, assez puissantes, du reste, et, avant toute chose, un usurier. Les années passent, je veux dire que son capital s'accroît, et le voilà qui s'enhardit. L'abaissement, la servilité disparaissent, ne restent que le cynisme ironique et méchant et la soif de jouissance. Tout le côté spirituel est enterré, mais il y a une soif de vivre extraordinaire. Au résultat, en dehors des jouissances de la sensualité, il ne voit plus rien dans la vie, et c'est ce qu'il apprend à ses enfants. Qu'il pense avoir un devoir spirituel quelconque, en tant que père – jamais. Ces devoirs, il s'en moque, il élève ses enfants en bas âge dans une arrière-cour, et il est heureux quand on les lui emmène. Il les oublie même complètement. Toute la règle morale de ce vieillard, c'est *après moi, le déluge**. Tout ce qui est contraire à l'idée de citoyen, une séparation des plus totales, hostile, même, d'avec la société : «Que le monde entier soit pris dans l'incendie, tant pis, si, moi seul, je suis bien.» Et il est bien, il est totalement satisfait, il rêve de vivre encore vingt ou trente ans. Il berne son propre fils, et, sur son propre argent, avec l'héritage de sa mère, qu'il ne veut pas lui donner, il veut lui prendre, à lui, son fils, sa maîtresse. Non, je ne veux pas céder la défense du prévenu au grand talent du défenseur qui est venu de Pétersbourg. Moi-même, je dirai la vérité, je comprends moi-même toute cette somme d'indignation qu'il a accumulée dans le cœur de son fils. Mais assez, assez parlé de ce malheureux vieillard, il a reçu son dû. Souvenons-nous, pourtant, que c'est un père, et l'un de nos pères d'aujourd'hui. Offenserai-je la société si je dis que c'est même l'un de ces multiples pères d'aujourd'hui ? Hélas, ils sont si nombreux, les pères d'aujourd'hui, qui, simplement, ne s'expriment pas d'une façon aussi cynique que celui-là, parce qu'ils sont mieux éduqués, plus cultivés, mais – au fond – qui se tiennent à une philosophie presque identique. Mais, soit, je suis un pessimiste, soit. Nous nous sommes déjà dit que vous me pardonniez. Accordons-nous d'avance : ne me croyez pas, ne croyez pas ce que je vais vous dire, non, ne me croyez pas. Mais, tout de même, laissez-moi m'exprimer, tout de même, n'oubliez pas certaines choses que je vais vous dire. Et voilà donc les enfants de ce vieillard, de ce père de famille : l'un d'eux est devant nous sur le banc des accusés, nous parlerons de lui dans toute la suite ; je ne parlerai des autres qu'en passant. De ces deux autres, l'aîné est un de ces jeunes gens d'aujourd'hui à l'éducation brillante, doués d'un esprit assez puissant, mais qui ne croient déjà plus en rien, qui ont rejeté et enterré beaucoup, oh beaucoup trop de choses, exactement comme son père. Nous l'avons tous entendu, notre société le recevait très amicalement. Il ne cachait pas ses opinions, même au contraire, oui, au contraire complètement, ce qui me laisse l'audace de parler de lui avec un tant soit peu de sincérité, bien sûr, non pas en tant qu'individu, mais seulement comme d'un membre de la famille Karamazov. Chez nous est mort, hier, par suicide, dans le faubourg de la ville, un idiot maladif, fortement impliqué dans l'affaire présente, l'ancien serviteur, et peut-être le fils illégitime de Fiodor Pavlovitch, Smerdiakov. Il m'a raconté avec des larmes hystériques, pendant l'enquête préliminaire, comment ce jeune Karamazov, Ivan Fiodorovitch, l'avait effrayé par son débridement moral : «Tout est permis, n'est-ce pas, d'après monsieur, de ce qu'il y a dans le monde, et rien ne doit plus être interdit, voilà ce que monsieur n'arrêtait pas de m'enseigner.» Je crois que c'est sur cette thèse qu'on lui a mise dans le crâne que cet idiot a définitivement perdu l'esprit, même si, bien sûr, tout son trouble mental est aussi dû, évidemment, à son épilepsie et toute cette catastrophe terrifiante qui a éclaté chez eux. Mais cet idiot a laissé échapper une remarque des plus intéressantes, qui aurait fait honneur à un observateur bien plus intelligent que lui, et voilà même pourquoi j'en parle : «S'il y en a un, m'a-t-il dit, des fils de Fiodor Pavlovitch qui lui ressemble le plus, de caractère, eh bien, c'est lui, Ivan Fiodorovitch !» J'arrête sur cette remarque la caractérisation que j'ai entreprise, j'estime indélicat de continuer. Oh, je ne veux pas tirer de conclusions ultérieures et, tel un corbeau, ne croasser à ce jeune destin qu'une mort inévitable. Nous avons vu, pas plus tard qu'aujourd'hui, dans cette salle, que la force vive de la justice vit encore dans son jeune cœur, que les sentiments d'attachement familial n'y sont pas encore étouffés par une incroyance et un cynisme moral acquis plutôt par héritage que par une authentique souffrance de la pensée. Ensuite, son autre fils – oh, c'est encore un jeune homme, humble et pieux, qui, au contraire de la vision du monde sombre et destructrice de son frère, cherche à se rattacher, pour ainsi dire, aux «principes populaires», ou à ce que nous qualifions de cette expression alambiquée dans certains cercles théoriques de notre intelligentsia pensante. Lui, voyez-vous, il s'est rattaché au monastère ; il a failli se faire moine. En lui s'est exprimé, me semble-t-il, comme inconsciemment, et si tôt, ce désespoir timide avec lequel ils sont si nombreux, aujourd'hui, dans notre malheureuse société, craignant son cynisme et sa dépravation, à se jeter, comme ils disent, «vers le terreau natal», pour ainsi dire dans les étreintes maternelles de leur terre natale, comme des enfants, effrayés par des fantômes, et qui, sur le sein desséché de leur mère épuisée, rêvent ne serait-ce que de s'endormir et de dormir même toute leur vie, pourvu qu'ils ne voient pas ces horreurs effrayantes. De mon côté, je souhaite à ce jeune homme, au cœur bon et doué, tout ce qu'on peut souhaiter de mieux, je souhaite que cette jeune beauté de l'âme et cet élan vers les principes populaires ne se transforment pas par la suite, comme cela arrive si souvent, du point de vue moral, en mysticisme ténébreux, et, du point de vue civique, en chauvinisme obtus – deux qualités qui menacent peut-être la nation d'un mal encore plus grand qu'une dépravation précoce due à une culture européenne mal comprise et acquise sans effort, ce dont souffre son frère aîné."

Le chauvinisme et le mysticisme lui valurent deux ou trois applaudissements. Et, bien sûr, Hippolyte Kirillovitch se laissait entraîner, et tout cela n'avait que peu de rapport avec l'affaire en cours, sans parler déjà du fait que ce qu'il disait n'était pas des plus clairs, mais cet homme aigri et phtisique avait une trop forte envie de s'exprimer une fois dans sa vie. On a dit chez nous plus tard que, dans sa caractérisation d'Ivan Fiodorovitch, il avait été animé d'un sentiment qui était même indélicat, parce que Ivan Fiodorovitch, deux ou trois fois, l'avait laissé le bec dans l'eau dans des débats publics, et qu'Hippolyte Kirillovitch, gardant cela en mémoire, avait voulu se venger. Mais je ne sais pas s'il est possible de tirer cette conclusion. Toujours est-il que tout cela ne fut qu'une introduction ; ensuite, le réquisitoire fut plus direct et plus proche de l'affaire.

"Mais voilà le troisième fils du père de la famille d'aujourd'hui, poursuivait Hippolyte Kirillovitch, il est sur le banc des accusés, il est devant vous. Nous avons aussi devant nous ses exploits, sa vie, ses faits et gestes : l'heure est venue, tout s'est dévoilé, tout s'est découvert. Au contraire de l'«européisme» et des «principes populaires» de ses frères, c'est comme s'il représentait en lui-même la Russie immédiate – oh, pas toute la Russie, pas toute, Dieu nous en garde, que ce soit toute la Russie ! Et, pourtant, elle est là, notre bonne vieille Russie, on sent là son odeur, son parfum, à notre bonne vieille mère. Oh, nous sommes immédiats, nous faisons le bien et le mal dans un mélange des plus étonnants, nous sommes des amateurs des Lumières et de Schiller et, en même temps, nous faisons du scandale dans les tavernes et nous tirons la barbe à des petits ivrognes, nos compagnons de soûlerie. Oh, oui, nous pouvons être bons et magnifiques, mais seulement quand c'est pour nous que tout est bon et magnifique. Au contraire, là, nous sommes possédés par la tempête – parfaitement, possédés –, par les idéaux les plus nobles, mais à la condition expresse que nous puissions les atteindre par nous-mêmes, qu'ils nous tombent tout cuits, du ciel, et, surtout, gratuitement, gratuitement, que nous n'ayons pas à les payer. Payer, c'est quelque chose que nous détestons, mais, recevoir, ça, nous adorons, et dans tous les domaines. Oh, donnez-nous, donnez-nous, tous les biens de la vie possibles et imaginables (parfaitement, possibles et imaginables – à moins, nous n'accepterons pas), et, surtout, ne faites obstacle en rien à notre caractère, et là, alors, nous aussi, nous vous prouverons que nous pouvons être bons et magnifiques. Nous ne sommes pas avides, non, et pourtant, n'empêche, donnez-nous de l'argent, encore et encore, le plus d'argent possible, et vous verrez avec quelle générosité, avec quel mépris du vil métal nous allons le flamber en une nuit, dans une débauche sans frein. Et si on ne nous donne pas d'argent, eh bien, nous montrerons comment nous savons en trouver, si, réellement, nous en avons envie. Mais, cela – plus tard, prenons les choses dans l'ordre. Avant toute chose, nous avons devant nous un pauvre gamin abandonné, «dans l'arrière-cour, sans souliers» comme vient de le dire notre honorable et respecté concitoyen, hélas, d'origine étrangère ! Je le répète encore – je ne céderai à personne la défense du prévenu ! J'accuse, et je défends aussi. Oui, n'est-ce pas, nous aussi, nous sommes humains, et nous sommes des hommes, nous sommes capables de mesurer à quel point les premières impressions de l'enfance et du cocon familial peuvent influer sur le caractère. Mais voilà que ce petit garçon devient un adolescent, puis un jeune homme, un officier ; pour ses frasques violentes et une provocation en duel, on l'exile dans une des lointaines petites villes frontalières de notre chère bonne mère Russie. Là-bas, il sert, là-bas il flambe, et bien sûr – à grand vaisseau le vent du large ! Il nous faut, n'est-ce pas, des moyens, des moyens avant tout, et, voilà, après de longues disputes, il s'entend avec son père sur les derniers six mille roubles, et on les lui envoie. Remarquez qu'il remet un papier, et que la lettre existe, par laquelle il renonce quasiment à tout le reste, et met un terme avec ces six mille roubles à tout litige avec son père concernant l'héritage. Ici se produit sa rencontre avec une jeune fille d'un caractère noble et évolué. Oh, je n'ose pas répéter les détails, nous venons juste de les entendre : on voit ici l'honneur, on voit ici le sacrifice, et je me tais. L'image de ce jeune homme, frivole et débauché, mais s'inclinant devant la noblesse véritable, devant une idée supérieure, est passée une seconde devant nos yeux avec une aura très sympathique. Mais, brusquement, après cela, dans cette même salle d'audience, nous avons vu, profondément surpris, la face opposée de la médaille. Là encore, je n'ose pas me lancer dans des suppositions et je m'abstiendrai d'analyser la raison qui fait que nous avons vu cette suite. Et pourtant, il devait y en avoir, des raisons, si, cette suite, nous l'avons vue. Cette même personne, toute secouée des larmes d'une indignation qu'elle avait trop longtemps essayé de cacher, nous déclare que c'est lui, lui-même, qui la méprisait, pour son élan imprudent, irreffréné, peut-être, mais tout de même haut, mais tout de même noble. C'est chez lui, chez le fiancé de cette jeune fille, qu'a fusé tout d'abord ce sourire ironique qu'elle n'était incapable de supporter que de sa part à lui. Sachant qu'il l'avait déjà trahie (trahie avec la conviction qu'elle devait tout supporter, venant de lui, même sa trahison), sachant cela, elle lui propose, exprès, la somme de trois mille roubles, et lui donne trop clairement, oui, trop clairement à comprendre que, cet argent, elle le lui offre pour la trahir : «Quoi, tu le prendras ou tu ne le prendras pas, est-ce que tu seras assez cynique ?» lui dit-elle en silence, de son regard qui le juge et le met à l'épreuve. Lui, il la regarde, il comprend parfaitement ce qu'elle pense (il l'a bien avoué devant nous, qu'il avait tout compris), et s'approprie sans discussion ces trois mille roubles, et il les flambe, en deux jours, avec sa nouvelle bien-aimée ! A quoi donc croire ? A la première légende – à cet élan de haute noblesse qui donne ses derniers moyens de vivre et s'incline devant la vertu, ou la face opposée de la médaille, si répugnante ? Généralement, dans la vie, devant deux oppositions, il faut chercher la vérité au milieu ; dans le cas présent, ce n'est absolument pas le cas. Le plus probable était que, dans le premier cas, il a été d'une noblesse sincère, et, dans le deuxième cas, d'une bassesse tout aussi sincère. Pourquoi ? Mais, justement, parce que nous sommes des natures larges, karamazoviennes – et c'est à cela que je veux en venir –, capables de contenir toutes les contradictions possibles et de contempler en même temps les deux abîmes, l'abîme au-dessus de nous, l'abîme des idéaux supérieurs, et l'abîme sous nos pieds, l'abîme de la chute la plus basse et la plus nauséabonde. Souvenez-vous de cette brillante pensée qu'a exprimée tout à l'heure ce jeune observateur, qui a regardé d'un œil aussi profond que proche toute la famille Karamazov, M. Rakitine : «La sensation de la bassesse de la chute est aussi nécessaire à ces natures débridées et sans frein que la sensation de la noblesse la plus haute» – et c'est bien vrai : ils ont précisément besoin de ce mélange contre nature, et, ce, d'une façon constante et continue. Deux abîmes, deux abîmes, messieurs, et, ce, au même moment – sans cela, nous sommes malheureux et insatisfaits, notre existence n'est pas pleine. Nous sommes larges, nous sommes larges, comme notre bonne vieille mère Russie, nous pouvons tout contenir, nous habituer à tout ! A propos, messieurs les jurés, nous venons d'évoquer ces trois mille roubles, et je me permettrai de prendre un peu les devants. Imaginez seulement que, lui, ce caractère, une fois qu'il a reçu cet argent, et comment, de quelle façon, au prix de quelle honte, au prix de quel déshonneur, au tout dernier degré de l'abaissement, – imaginez cela seulement, que, le même jour, il aurait soi-disant pu en prélever la moitié, la coudre dans un viatique et, tout un mois durant, avoir la fermeté de le porter, ce viatique, autour du cou, malgré toutes les tentations et les besoins les plus pressants ! Ni pendant ses débauches d'ivrogne à la taverne, ni quand il lui a fallu courir hors de la ville et trouver auprès de Dieu sait qui un argent dont il avait le besoin le plus vital pour emmener sa bien-aimée loin des tentations de son rival, son père – lui, il n'ose pas toucher à ce viatique. Mais ne serait-ce que pour ne pas laisser sa bien-aimée devant les tentations de son père dont il était tellement jaloux, il aurait dû ouvrir ce viatique et rester chez lui en gardien inflexible de sa bien-aimée, en attendant la minute où elle allait enfin lui dire : «Je suis à toi», pour s'envoler avec elle n'importe où, mais le plus loin possible de cette fatale situation actuelle. Mais non, il ne touche pas à son talisman, et, quoi, sous quel prétexte ? Le premier prétexte, nous l'avons dit, était précisément celui que, lorsqu'elle lui dirait : «Je suis à toi, emmène-moi où tu veux», il puisse avoir les moyens de l'emmener. Mais ce premier prétexte, de l'aveu même du prévenu, pâlit devant le deuxième. Tant que je porte cet argent sur moi, n'est-ce pas, «je suis une crapule, mais pas un voleur», car je peux toujours aller trouver ma fiancée humiliée, et, déposant devant elle cette moitié de la somme que je me suis accaparée par duplicité, je peux toujours lui dire : «Tu vois, j'ai flambé la moitié de ton argent, j'ai prouvé ainsi que je suis un homme faible et immoral, et, si tu veux, une crapule (je reprends les termes mêmes du prévenu), mais, j'ai beau être une crapule, je ne suis pas un voleur, parce que, si j'avais été un voleur, je ne t'aurais pas rapporté cette moitié restante de ton argent, je me la serais prise pour moi, comme la première.» Une explication étonnante ! Cet homme frénétique mais faible, qui n'est pas capable de renoncer à la tentation de prendre les trois mille roubles dans des conditions tellement honteuses – ce même homme trouve soudain en lui-même une fermeté aussi stoïque et porte à son cou des milliers de roubles sans oser les toucher ! Cela est-il compatible, si peu que ce soit, avec le caractère que nous étudions ? Non, et je me permettrai de vous raconter comment aurait agi dans un tel cas le vrai Dmitri Karamazov, quand bien même il aurait réellement décidé de coudre son argent dans un viatique. A la première tentation – ne serait-ce que pour distraire cette même nouvelle bien-aimée avec laquelle il vient de flamber la première moitié de l'argent –, il aurait décousu son viatique et en aurait retiré, eh bien, mettons, en toute première urgence, ne serait-ce que cent roubles, parce que, pourquoi faudrait-il absolument qu'il porte sur lui une moitié exacte, je veux dire mille cinq cents roubles, c'est la même chose avec mille quatre cents – le résultat, n'est-ce pas, sera le même : «Je suis une crapule, n'est-ce pas, mais pas un voleur, parce que, tout de même, je te rapporte mille quatre cents roubles, alors qu'un voleur, lui, il n'aurait rien rendu.» Ensuite, après encore un certain temps, il aurait à nouveau décousu son viatique et en aurait enlevé une deuxième centaine, puis une troisième, puis une quatrième, et puis, au bout d'un mois, grand maximum, il aurait fini par sortir son avant-dernière centaine de roubles : n'est-ce pas, je peux toujours rapporter la dernière centaine, et le résultat sera le même : «Je suis une crapule, mais pas un voleur. J'ai flambé vingt-neuf centaines, mais j'en ai quand même rendu une, alors qu'un voleur, lui, n'aurait rien rendu.» Et puis, enfin, après avoir flambé cette avant-dernière centaine, il aurait regardé les derniers cent roubles, et il se serait dit : «Et, c'est vrai, à quoi ça sert, de rapporter seulement cent roubles – allez, je vais les flamber aussi !» Voilà comment aurait agi le vrai Dmitri Karamazov, tel que nous le connaissons ! La légende du viatique – elle contredit la réalité au degré même le plus inimaginable. On pourrait supposer n'importe quoi, mais pas cela. Mais, cela, nous y reviendrons encore."

Après avoir spécifié dans l'ordre tout ce que l'enquête judiciaire pouvait savoir des disputes patrimoniales et des relations familiales du père et du fils, et avoir conclu, encore et encore, que, selon toutes les données dont on pouvait disposer, il n'y avait pas le moindre moyen de trancher, dans cette question du partage de l'héritage, qui avait lésé ou trop payé qui, Hippolyte Kirillovitch, à propos de ces trois mille roubles qui obsédaient la pensée de Mitia comme une idée fixe, parla aussi de l'expertise médicale.

VII

SURVOL HISTORIQUE

"L'expertise des médecins s'est efforcée de nous démontrer que le prévenu ne jouissait pas de ses facultés mentales et qu'il était un maniaque. J'affirme qu'il jouit pleinement de toutes ses facultés mentales, et que c'est bien cela le pire ; il n'aurait pas joui de ses facultés mentales, il se serait montré, allez savoir, bien plus intelligent. Quant au fait qu'il soit un maniaque, cela, je serais plutôt prêt à l'accepter, mais juste sur un seul point – un fait que l'expertise a indiqué, à savoir l'opinion du prévenu selon laquelle c'était son père qui lui devait ces trois mille roubles. Malgré cela, il est peut-être possible de trouver un point de vue beaucoup plus proche pour expliquer cette frénésie constante du prévenu au sujet de cet argent plutôt qu'une tendance à la folie. De mon côté, je suis parfaitement d'accord avec l'opinion du jeune médecin qui trouve que le prévenu jouit et a toujours joui de la plénitude de ses facultés mentales tout à fait normales, et qu'il est juste aigri et à bout de nerfs. C'est bien de cela qu'il s'agit : ce n'est pas dans les trois mille roubles, pas dans la somme elle-même que consistait finalement l'objet de la rage constante et frénétique du prévenu, mais dans le fait qu'il y avait une autre raison qui éveillait sa colère. Cette raison, c'est la jalousie !"

Ici, Hippolyte Kirillovitch développa largement tout le tableau de la passion fatale du prévenu pour Grouchenka. Il commença par le moment où le prévenu s'était rendu chez "la jeune personne" pour "lui casser la figure", en reprenant ses propres termes, expliqua Hippolyte Kirillovitch, "mais, au lieu de lui casser la figure, il était resté à ses pieds – tel avait été le début de cet amour. Au même moment, le vieillard, lui aussi, le père du prévenu, jette un regard sur cette personne – une coïncidence étonnante et fatale, car les deux cœurs se sont enflammés d'un coup, au même moment, même si, tous deux, ils connaissaient déjà et avaient déjà vu cette personne – et ces deux cœurs se sont enflammés de la passion la plus irreffrénée, la plus karamazovienne.

Ici, nous disposons de son propre aveu à elle : «Je me suis moquée, nous dit-elle, de l'un comme de l'autre.» Oui, elle a eu soudain envie de rire un peu de l'un comme de l'autre ; avant, elle n'avait pas envie, et, là, d'un coup, cette intention lui passe par la tête – et, au bout du compte, ce sont les deux qui tombent, vaincus, à ses pieds. Le vieillard, qui n'a de dieu que l'argent, lui prépare tout de suite trois mille roubles juste pour qu'elle lui rende visite, mais, très vite, on le pousse dans un état tel qu'il prendra pour un bonheur de déposer à ses pieds son nom et toute sa fortune, pourvu qu'elle accepte de devenir son épouse légitime. Quant au prévenu, sa tragédie est évidente, elle est devant nous. Mais tel était le jeu de cette «jeune personne». Au malheureux jeune homme, la séductrice ne lui donnait même aucun espoir, parce que l'espoir, l'espoir véritable ne lui a été donné qu'au tout dernier moment quand, à genoux devant celle qui le torturait, il lui tendait ses mains déjà rougies du sang de son père et rival : c'est dans cette position précise qu'il a été arrêté. «Envoyez-moi, moi, en même temps que lui, au bagne, c'est moi qui l'ai rendu fou, je suis la plus coupable !» s'exclamait cette femme elle-même, prise, cette fois, d'un remords sincère, à la minute de son arrestation. Le jeune homme plein de talent qui a pris sur lui de décrire l'affaire présente – je parle toujours de M. Rakitine, que j'ai déjà mentionné – définit le caractère de cette héroïne en quelques phrases concentrées et caractéristiques : «Une désillusion précoce, une tromperie et une chute précoces, la trahison de son séducteur de fiancé, qui l'abandonne, ensuite, la pauvreté, la malédiction de sa famille honnête, et, finalement, la protection d'un vieillard fortuné qu'elle considère elle-même, du reste, comme son bienfaiteur. Dans ce jeune cœur, qui renferme en lui-même, peut-être, de grandes dispositions au bien, se cache une trop grande colère depuis le tout début. Se forme un caractère calculateur, visant à amasser un capital. Se forment une ironie, une rancune envers la société.» Après une telle caractérisation, on conçoit bien qu'elle ait pu rire de l'un comme de l'autre dans le seul but de s'amuser, de s'amuser méchamment. Et voilà que durant ce mois d'amour désespéré, de chutes morales, de trahison à sa fiancée, d'accaparement d'une somme d'argent confiée à son honneur – le prévenu, en plus de tout, en arrive quasiment à une espèce d'état second, tombe dans la furie, sous le coup d'une jalousie continuelle, et envers qui ? envers son père ! Et, surtout, ce vieillard fou attire, séduit l'objet de sa passion – avec ces mêmes trois mille roubles que le fils considère comme son héritage ancestral, maternel, et qu'il reproche à son père. Oui, j'en conviens, c'était une chose difficile à supporter ! Il y avait largement de quoi donner une «manie». Il ne s'agissait pas de l'argent, mais du fait que, par cet argent, avec un cynisme si répugnant, c'est son bonheur qui se trouvait détruit !"

Ensuite, Hippolyte Kirillovitch passa à la façon dont, peu à peu, l'idée du parricide était née dans l'esprit du prévenu, et il la développa point par point.

"Au début, nous ne faisons que crier dans les tavernes – nous crions tout au long de ce mois. Oh, nous aimons vivre sous les yeux des gens, et tout leur faire savoir tout de suite, même nos idées les plus infernales et les plus dangereuses, nous aimons partager avec les gens, et, on ne sait pas pourquoi, nous exigeons tout de suite de ces gens, que, là, sur-le-champ, ils nous répondent par la même sympathie la plus totale, qu'ils entrent dans tous nos soucis et toutes nos inquiétudes, qu'ils nous approuvent, et qu'ils ne fassent pas obstacle à notre caractère. Sinon, nous tomberons dans la rage, et nous démolirons toute la taverne. (Suivit l'histoire avec le capitaine Snéguiriov.) Ceux qui ont vu et entendu le prévenu durant tout ce mois ont fini par sentir qu'il pouvait y avoir là autre chose que des cris ou des menaces contre le père, et que, devant une telle frénésie, les menaces pouvaient bien se transformer en actes. (Ici, le procureur décrivit la rencontre familiale au monastère, les conversations avec Aliocha et la scène de violence monstrueuse dans la maison du père quand le prévenu avait fait irruption chez lui après le repas.) Je ne pense pas affirmer avec insistance, poursuivit Hippolyte Kirillovitch, que, jusqu'à cette scène, le prévenu avait, d'une façon réfléchie et préméditée, décidé d'en finir avec son père par le meurtre. Néanmoins, cette idée s'était déjà présentée à lui à plusieurs reprises, et il l'avait considérée en y réfléchissant – cela, c'est établi d'après les faits, par des témoins et de son propre aveu. Je vous avoue, messieurs les jurés, ajouta Hippolyte Kirillovitch, j'ai hésité même jusqu'au jour d'aujourd'hui à faire peser sur le prévenu la préméditation totale et consciente d'un acte qui l'appelait de lui-même. J'étais fermement persuadé que son âme avait considéré ce moment fatal à l'avance, à de multiples reprises, mais qu'elle n'avait fait que le considérer, que se le représenter en possibilité, et qu'elle n'avait encore essayé de lui fixer ni une date d'exécution ni la moindre circonstance. Mais je n'ai hésité que jusqu'au jour d'aujourd'hui, jusqu'à ce document fatal que Mme Verkhovtséva a présenté aujourd'hui au tribunal. Vous avez entendu vous-mêmes son exclamation, messieurs : «C'est un plan, c'est le programme du meurtre !», voilà comment elle a défini cette malheureuse lettre «ivre» du malheureux prévenu. Et, de fait, cette lettre a toute l'importance d'un programme et d'une préméditation. Elle est écrite deux jours avant le crime, et, de cette façon, nous savons aujourd'hui fermement que, deux jours avant l'accomplissement de son effroyable projet, le prévenu a déclaré, par serment, que si, le lendemain, il ne trouvait pas d'argent, il tuerait son père, pour prendre son argent sous l'oreiller «dans un paquet avec un ruban rouge, pourvu seulement qu'Ivan s'en aille». Vous entendez : «pourvu seulement qu'Ivan s'en aille» – là, visiblement, tout est déjà réfléchi, toutes les circonstances sont pesées – et quoi : ensuite, tout s'est fait comme c'était écrit ! La préméditation et la réflexion ne font aucun doute, le crime devait s'accomplir dans le but de voler, cela est affirmé directement, c'est écrit, c'est signé. Le prévenu ne dénie pas sa signature. On dira : c'est écrit par un homme en état d'ivresse. Mais cela n'enlève rien, et c'est d'autant plus important : en état d'ivresse, il a écrit ce qu'il avait conçu quand il était à jeun. Il ne l'aurait pas conçu à jeun, il ne l'aurait pas écrit ivre. On dira peut-être : mais pourquoi clamait-il son intention dans les tavernes ? Quand on se décide *avec préméditation* à une chose pareille, on se tait, on le garde pour soi. Certes, mais il ne criait qu'au moment où il n'y avait encore ni plan ni préméditation, où il n'y avait encore devant lui qu'un désir, quand c'était juste l'élan qui mûrissait. Plus tard, il le crie moins. Le soir où il a écrit cette lettre, après s'être soûlé dans la taverne *La Ville capitale*, contrairement à son habitude, il s'est montré silencieux, il n'a pas joué au billard, il est resté à part, il n'a parlé à personne et a juste mis dehors le commis d'un marchand de notre ville, mais, cela, c'était presque inconscient, c'était son habitude des querelles, dont, entrant dans une taverne, il ne pouvait vraiment pas se passer. Certes, en même temps que la décision définitive, le prévenu devait évidemment craindre d'avoir beaucoup trop crié à l'avance à travers la ville, et craindre que tout cela ne serve fort à le démasquer et le confondre une fois qu'il aurait accompli son intention. Mais, que voulez-vous, le fait de l'annonce est une donnée, on ne peut pas revenir dessus, et, finalement, sa bonne étoile l'a toujours tiré d'affaire, là encore, elle devrait l'aider. Oui, nous avions espoir en notre étoile, messieurs ! Je dois, qui plus est, avouer qu'il a entrepris beaucoup de choses pour éviter cette minute fatale, qu'il a fait réellement beaucoup d'efforts pour éviter l'issue sanglante. «Demain, je demanderai trois mille roubles à tout le monde, comme il l'écrit dans sa langue particulière, et, si les gens ne me les donnent pas, le sang coulera.» Encore une fois, c'est écrit en état d'ivresse, et, encore une fois, c'est accompli, la tête claire, exactement comme c'est écrit !"

Ici, Hippolyte Kirillovitch passa à l'examen détaillé de tous les efforts de Mitia pour trouver de l'argent et éviter le crime. Il décrivit ses démarches chez Samsonov, le voyage chez Chien-d'Arrêt – tout cela sur documents. "Epuisé, ridiculisé, malade, après avoir vendu sa montre pour faire ce voyage (tout en ayant sur lui mille cinq cents roubles – soi-disant, ô, soi-disant !), torturé par la jalousie envers l'objet de son amour qu'il a laissé en ville, craignant qu'en son absence elle n'aille retrouver Fiodor Pavlovitch, il revient finalement en ville. Dieu soit loué ! Elle ne s'est pas montrée chez Fiodor Pavlovitch. Là, c'est lui-même qui la raccompagne chez son protecteur Samsonov. (Chose étrange, de Samsonov nous ne sommes pas jaloux, et c'est une curiosité psychologique très caractéristique dans cette affaire !) Ensuite, il court à son poste d'observation, «à l'arrière» et, là – il apprend que Smerdiakov a une crise d'épilepsie, que le deuxième serviteur est malade – la voie est libre, et il possède les «signaux» – quelle tentation ! Malgré cela, il continue de résister ; il va trouver une habitante temporaire de notre ville, la très respectée Mme Khokhlakova. Compatissant depuis longtemps à son destin, cette dame lui offre le plus raisonnable des conseils : abandonner toute cette débauche, cet amour monstrueux, cette vaine perte de temps dans les tavernes, cette perte stérile de ses jeunes forces, et partir en Sibérie, dans les mines d'or : «Là est l'issue des tempêtes de vos forces, de votre caractère romanesque, qui a tellement soif d'aventures.»" Après avoir décrit l'issue de la conversation et le moment où le prévenu reçoit brusquement la nouvelle que Grouchenka n'est pas du tout restée chez Samsonov, après avoir décrit le moment de frénésie de cet homme malheureux et jaloux, épuisé par ses nerfs, à l'idée, que, justement, elle vient de le tromper et qu'elle se trouve à ce moment chez lui, chez Fiodor Pavlovitch, Hippolyte Kirillovitch conclut en mettant en valeur toute l'importance fatale du hasard : "Si la servante avait eu le temps de lui dire que sa bien-aimée était à Mokroïé, avec son «premier» et son «indiscutable» – il ne se serait rien passé. Mais elle est restée stupéfaite de frayeur, elle a juré ses grands dieux, et si le prévenu ne l'a pas tuée séance tenante, c'est seulement parce qu'il s'est précipité tout de suite, à toutes jambes, vers celle qui l'avait trompé. Pourtant, remarquez-le, il a beau être hors de lui, il emporte quand même un pilon de cuivre. Pourquoi précisément un pilon, pourquoi pas une autre arme ? Mais si cela fait tout un mois que nous regardons ce tableau et que nous nous y sommes préparés, il suffit que quelque chose, l'espace d'une seconde, qui ait forme d'arme nous tombe sous les yeux, c'est comme d'une arme que nous nous en emparons. Et qu'un objet quelconque de ce genre-là puisse servir d'arme – cela, nous nous le sommes figuré depuis déjà un mois. Voilà pourquoi, sans l'ombre d'un doute et d'une hésitation, nous l'avons reconnu comme une arme ! Et voilà pourquoi ce n'est quand même pas inconsciemment, ce n'est pas sans le vouloir qu'il s'est emparé de ce pilon fatal. Mais le voici dans le jardin de son père – le champ est libre, il n'y a pas de témoins, la nuit est profonde, ténèbres et jalousie. Le soupçon qu'elle est là, avec lui, avec son rival, dans ses étreintes, et, peut-être bien, qu'elle se moque de lui à cet instant, lui saisit tout l'esprit. Et puis, ce n'est pas qu'un soupçon – comment ça, un soupçon, la tromperie est claire, évidente : elle est là, ici, dans cette chambre d'où vient la lumière, elle est là-bas chez lui, derrière le paravent – et voilà le malheureux qui se glisse vers la fenêtre, qui y jette un coup d'œil respectueux, accepte pieusement et, raisonnablement, revient sur ses pas, vite, le plus loin possible de la catastrophe, pour qu'il ne se passe rien de dangereux ou d'immoral – et c'est cela dont on veut nous assurer, nous, qui connaissons le caractère du prévenu, qui comprenons quel était son état d'esprit, un état que nous connaissons factuellement, et, surtout, en possédant les signaux avec lesquels il pouvait tout de suite ouvrir la maison et entrer !" Ici, à propos des "signaux", Hippolyte Kirillovitch laissa pour un temps son accusation et estima nécessaire de s'étendre à propos de Smerdiakov, de façon à épuiser complètement tout cet épisode introductif à propos du soupçon de crime qui pesait sur Smerdiakov et en finir pour toujours avec cette idée. Il le fit d'une manière fort circonstanciée, et tout le monde comprit que, malgré tout le mépris qu'il avait exprimé pour cette hypothèse, il la considérait tout de même comme très importante.

VIII

TRAITÉ SUR SMERDIAKOV

“D’abord, d’où vient la possibilité d’un soupçon comme celui-là ? commença Hippolyte Kirillovitch en passant à cette question. Le premier à avoir crié que l’assassin est Smerdiakov a été le prévenu lui-même au moment de son arrestation, et, néanmoins, depuis son premier cri, jusqu’à cette minute présente de son procès, il n’a pas pu fournir le moindre fait pour étayer son accusation – et pas seulement un fait, mais même une allusion à un fait un tant soit peu compatible avec la logique humaine. Ensuite, cette accusation n’est confirmée que par trois personnes : les deux frères du prévenu et Mme Svétlova. Mais l’aîné des frères n’a fait part de son accusation qu’aujourd’hui même, malade, dans un accès de trouble mental et de fièvre incontestables, alors qu’auparavant, pendant tous ces deux mois, comme nous le savons sans aucun doute, il a pleinement partagé la conviction de la culpabilité de son frère, et n’a même pas cherché à répliquer à cette idée. Mais, sur cela, nous nous pencherons spécialement plus tard. Ensuite, le frère cadet du prévenu nous explique lui-même tout à l’heure que, de faits ou de confirmations à son idée que le coupable est Smerdiakov, il n’en a pas du tout, mais pas le moindre, et il conclut seulement par les mots du prévenu lui-même et «à l’expression de son visage» – oui, cette preuve colossale a été prononcée deux fois, tout à l’heure, par son frère. Quant à Mme Svétlova, elle a eu une expression peut-être plus colossale encore : «Ce que le prévenu vous dira, croyez-le, ce n’est pas un homme à mentir.» Voilà toutes les preuves factuelles contre Smerdiakov que fournissent ces trois personnes par trop intéressées au destin du prévenu. Et pourtant, l'accusation contre Smerdiakov s'est répandue, s'est maintenue et se maintient encore – cela, peut-on le croire, peut-on se l'imaginer ?"

Ici, Hippolyte Kirillovitch jugea utile de décrire rapidement le caractère du défunt Smerdiakov "qui avait mis fin à sa vie dans un accès de folie et de frénésie mentale maladive". Il le présenta comme un débile mental, doué de quelques embryons d'une vague éducation, désarçonné par des idées philosophiques au-dessus de ses forces et effrayé par certaines doctrines d'aujourd'hui sur le devoir et les obligations qu'on lui avait largement présentées dans la pratique – par la vie insouciante de son défunt maître, et peut-être de son père, Fiodor Pavlovitch – et, pour la théorie, par toutes sortes de conversations philosophiques étranges avec le fils aîné de son maître, Ivan Fiodorovitch, lequel se permettait volontiers cette distraction – sans doute par désœuvrement, ou par un besoin de se moquer qui n'aurait pas trouvé de meilleure application. "Il m'a parlé lui-même de son état mental pendant les derniers jours de son séjour chez son maître, expliqua Hippolyte Kirillovitch, mais nous avons aussi d'autres témoins : le prévenu lui-même, son frère, et même le serviteur Grigori, c'est-à-dire tous ceux qui devaient le connaître le plus près. En outre, accablé par l'épilepsie, Smerdiakov était «une poule mouillée». «Il tombait à mes pieds et me baisait les pieds», nous a déclaré le prévenu lui-même à une minute où il ne comprenait pas encore qu'une telle déclaration ne lui était pas entièrement favorable, «c'est une poule mouillée qui a l'épilepsie», nous a-t-il dit de lui dans sa langue caractéristique. Et c'est donc lui que le prévenu (ce dont il témoigne lui-même) choisit comme son homme de confiance et qu'il terrorise au point que l'autre finit par accepter de lui servir d'espion et d'émissaire. En cette qualité de témoin domestique, il trahit son maître, fait part au prévenu de l'existence du paquet d'argent, puis des signaux, grâce auxquels on peut s'introduire chez le maître – et comment aurait-il pu ne pas lui en faire part ! «Monsieur me tuera, je l'ai vu très clair, qu'il me tuera, monsieur !» disait-il au cours de l'enquête, tremblant et frissonnant devant nous, même si le bourreau qui l'avait terrorisé se trouvait déjà lui-même emprisonné et ne pouvait plus revenir le punir. «Il me soupçonnait, n'est-ce pas, toutes les minutes, lui-même, n'est-ce pas, tremblant et frissonnant, juste pour rassasier sa colère, je m'empressais, n'est-ce pas, de lui dire tous les secrets, afin qu'il voie, par là même, toute mon innocence devant lui, et qu'il me laisse repartir vivant pour faire ma pénitence.» Voilà ses propres mots, je les ai notés et gardés en mémoire : «Il se mettait à me crier, n'est-ce pas, dessus, moi, je tombais à genoux, comme ça, net, devant lui.» Jeune homme d'une nature des plus honnêtes, et entré ainsi dans la confiance de son maître, qui avait distingué en lui cette honnêteté quand il lui avait rendu l'argent que ce dernier avait perdu, le malheureux Smerdiakov, on peut le supposer, était affreusement torturé de remords à l'idée d'avoir trahi son maître qu'il aimait comme son bienfaiteur. Les personnes gravement atteintes d'épilepsie ont toujours tendance, au témoignage des plus grands psychiatres, à s'accuser elles-mêmes, maladivement, d'une façon incessante. Elles sont torturées par leur «culpabilité» pour telle chose ou devant telle personne, elles se torturent de remords, souvent même sans aucune base, elles exagèrent, voire elles s'inventent elles-mêmes différentes formes de crimes. Et voilà qu'un sujet de ce genre devient réellement coupable et criminel, par peur, à force d'être terrorisé. Sans compter qu'il pressentait fortement que les circonstances qui s'agençaient sous ses yeux pouvaient déboucher sur du vilain. Quand le fils aîné de Fiodor Pavlovitch, Ivan Fiodorovitch, juste avant la catastrophe, est parti pour Moscou, Smerdiakov l'a supplié de rester, sans oser, néanmoins, par sa coutume peureuse, lui exprimer toutes ses craintes sous une forme claire et catégorique. Il s'est juste contenté d'allusions, mais ces allusions n'ont pas été comprises. Il faut remarquer qu'il voyait en Ivan Fiodorovitch comme, un peu, sa défense, comme une garantie que, tant que ce dernier habiterait la maison, il n'arriverait pas malheur. Souvenez-vous de l'expression dans la lettre «ivre» de Dmitri Karamazov : «Je tuerai le vieux, pourvu seulement qu'Ivan s'en aille» ; donc, la présence d'Ivan Fiodorovitch semblait à tous comme une espèce de garantie de calme et d'ordre dans la maison. Et voilà donc qu'il part, alors que Smerdiakov, tout de suite, pour ainsi dire une heure après le départ de son jeune maître, tombe dans une crise d'épilepsie. Mais cela est parfaitement compréhensible. Ici, il faut se souvenir qu'accablé par ses peurs et une espèce de désespoir Smerdiakov, les derniers jours, avait tout particulièrement ressenti en lui-même la possibilité que surviennent des crises d'épilepsie, une épilepsie qui lui arrivait constamment dans des minutes de chocs ou de tension émotionnelle. Il est impossible, bien sûr, de prévoir le jour et l'heure de ces crises, mais tout épileptique peut ressentir en lui-même à l'avance une prédisposition à ces crises. C'est ce que dit la médecine. Et donc, sitôt qu'Ivan Fiodorovitch a disparu, Smerdiakov, sous l'impression, pour ainsi dire, de se retrouver orphelin et sans défense, se rend, pour quelque tâche domestique, à la cave, il descend l'escalier et se dit : «Je l'aurai, la crise, oui ou non, eh quoi si elle arrive maintenant ?» Et c'est précisément de cet état, de cette crainte, de ces questions, qu'il est saisi par le spasme à la gorge qui précède toujours l'épilepsie, et qu'il s'écroule, inconscient, tout au bas de la cave. Et c'est là, dans ce hasard qui est le plus naturel, qu'on s'ingénie à voir je ne sais quel soupçon, je ne sais quelle indication, quelle allusion au fait que c'est *intentionnellement* qu'il aurait feint d'être malade ! Mais si la chose était intentionnelle, alors, tout de suite, la question se pose : pour quoi faire ? Par quel calcul, dans quel but ? Je ne parle même pas de la médecine ; la science, n'est-ce pas, ment, la science se trompe, les docteurs ne savent pas distinguer la vérité de l'imitation – soit, soit, mais répondez-moi, pourtant, à cette question : pourquoi aurait-il dû faire semblant ? N'est-ce pas pour, une fois le meurtre prémédité, attirer sur lui, au plus vite et à l'avance, par cette crise qui viendrait, l'attention générale de la maison ? Voyez-vous, messieurs les jurés, pendant la nuit du crime, il y a eu cinq personnes à se trouver chez Fiodor Pavlovitch : d'abord, Fiodor Pavlovitch lui-même, mais ce n'est pas lui qui s'est tué, cela, c'est clair ; deuxièmement, son serviteur Grigori, mais ce dernier a failli se faire tuer lui-même, et, troisièmement, la femme de Grigori, la servante Marfa Ignatievna, mais à l'imaginer, elle, en meurtrière de son maître, on a simplement honte. Restent donc en vue deux personnes : le prévenu et Smerdiakov. Mais comme le prévenu nous assure que ce n'est pas lui qui a tué, donc, celui qui a dû tuer, c'est Smerdiakov, il n'y a pas d'autre issue, car on ne peut trouver personne d'autre, il n'y a moyen de dénicher aucun autre assassin. Voilà, voilà, donc, d'où vient cette accusation «futée» et colossale contre ce malheureux idiot qui s'est suicidé hier ! Pour cette seule raison qu'il n'y a personne d'autre à dénicher ! Qu'il y ait ne serait-ce qu'une ombre, qu'un seul soupçon contre qui que ce soit d'autre, un quelconque sixième homme, je suis sûr que le prévenu lui-même aurait eu honte d'accuser Smerdiakov, et aurait accusé ce sixième homme, parce que accuser Smerdiakov de ce meurtre est une totale absurdité.

Messieurs, laissons la psychologie, laissons la médecine, laissons finalement la logique elle-même, tenons-nous-en seulement aux faits, rien qu'aux faits, et regardons ce que nous diront les faits. Smerdiakov a tué, mais comment ? Tout seul, ou avec la complicité de l'accusé ? Examinons d'abord la première hypothèse, c'est-à-dire que Smerdiakov ait tué tout seul. Bien sûr, s'il a tué, ce doit être pour quelque chose, pour un profit quelconque. Mais n'ayant pas l'ombre d'un motif de tuer comme ceux que pouvait avoir le prévenu, c'est-à-dire la haine, la jalousie, etc., Smerdiakov, sans l'ombre d'un doute, ne pouvait tuer que pour l'argent, pour s'emparer précisément de ces trois mille roubles qu'il avait vus alors que son maître les empaquetait. Et donc, ayant l'idée du meurtre, il révèle à l'avance à une autre personne – et, qui plus est, à une personne hautement intéressée, je veux dire le prévenu – tous les détails sur l'argent et les signaux : où se trouve le paquet, ce qui est précisément écrit sur le paquet, ce qui l'enveloppe, et, surtout, surtout, il lui révèle ces «signaux» grâce auxquels on peut s'introduire chez son maître. Eh quoi, il le fait, cela, pour se livrer lui-même ? Ou bien pour se trouver un rival, qui, allez savoir, voudra lui-même entrer pour s'approprier ce paquet ? Non, me dira-t-on, s'il l'a dit, c'est par peur. Mais comment donc ? Un homme qui peut, sans ciller, imaginer une affaire aussi bestiale et audacieuse, et puis de l'exécuter – il fait part de nouvelles pareilles, qu'il est le seul au monde à connaître, et dont, s'il n'en avait rien dit, personne dans le monde entier n'aurait jamais eu vent. Non, cet homme avait beau être peureux, s'il avait entrepris une chose pareille, pour rien au monde il n'en aurait parlé, je parle au moins du paquet et des signaux, parce que cela aurait voulu dire se livrer à l'avance. Il aurait inventé quelque chose exprès, il aurait trouvé un mensonge quelconque, si on avait absolument exigé de lui des nouvelles, mais, cela, il n'en aurait rien dit ! Au contraire, je le répète, s'il n'avait rien dit, ne serait-ce que sur l'argent, et puis s'il avait tué, et s'il s'était approprié cet argent, personne au monde n'aurait pu l'accuser au moins d'avoir tué pour de l'argent, parce que cet argent, n'est-ce pas, personne à part lui ne l'avait vu, personne ne savait qu'il existait dans cette maison. Et quand bien même on l'aurait accusé, on aurait obligatoirement considéré qu'il devrait avoir tué pour un autre motif. Mais comme, de ces motifs, personne n'en a jamais remarqué aucun, au contraire, comme il était aimé de son maître, honoré de la confiance de son maître, il va de soi qu'il aurait été le dernier à être soupçonné, et l'on aurait d'abord soupçonné quelqu'un qui possédait, lui, ces motifs, qui le criait lui-même, qu'il avait ces motifs, qui ne le cachait pas, qui le dévoilait au premier venu, on aurait soupçonné le fils de la victime, Dmitri Fiodorovitch. Smerdiakov aurait tué et volé, mais l'accusé aurait été le fils – cela, Smerdiakov-l'assassin aurait quand même dû le juger plus profitable ? Or, donc, c'est à ce fils-là, à Dmitri Fiodorovitch, qu'ayant tramé le meurtre il parle à l'avance de l'argent, du paquet et des signaux – comme c'est logique, comme c'est clair !

Arrive le jour du meurtre tramé par Smerdiakov, et voilà qu'il dégringole, *en feignant*, pris dans une crise d'épilepsie, pour quoi ? Bien sûr, d'abord, pour que le serviteur Grigori, qui, lui, prépare son traitement, et, voyant qu'il ne reste personne à garder la maison, remette peut-être ce traitement à plus tard et entreprenne de monter la garde. Ensuite, bien sûr, parce que le maître lui-même, voyant que personne ne monte la garde auprès de lui, et redoutant terriblement l'arrivée de son fils, ce qu'il ne cachait pas, accroisse encore sa méfiance et sa prudence. Enfin et surtout, bien sûr, pour que, lui, Smerdiakov, foudroyé par la crise, on l'évacue tout de suite de la cuisine où il dormait toujours seul et où il avait une sortie et une entrée à lui, pour l'installer dans la petite chambre de Grigori, derrière leur cloison, à trois pas de leur propre lit, comme cela s'était toujours passé, depuis que le monde est monde, dès qu'il avait une crise, selon les dispositions de son maître et de ce cœur d'or qu'est Marfa Ignatievna. Là-bas, étendu derrière la cloison, c'est le plus vraisemblable, pour mieux se dire malade, il commencera, bien sûr, à geindre, c'est-à-dire à les réveiller toute la nuit (comme cela a été le cas, selon la déposition de Grigori et de son épouse) – et, tout cela, oui, tout cela, pour qu'il soit plus pratique de se relever soudain et d'aller tuer son maître !

Mais on me dira que, justement, peut-être, il a fait semblant pour qu'on ne le soupçonne pas, étant malade, et qu'il a parlé au prévenu de l'argent et des signaux justement pour que ce dernier cède à la tentation et qu'il arrive lui-même, qu'il tue, et donc, quand, voyez-vous, Dmitri, ayant tué, serait reparti en emportant l'argent, et que, ce faisant, allez savoir, il aurait fait du vacarme, du raffut, il aurait réveillé les témoins, là, voyez-vous, c'est Smerdiakov qui se serait levé et qui serait allé – allé faire quoi ? Eh bien, mais si, il serait aller tuer son maître une deuxième fois, et, une deuxième fois, emporter de l'argent qu'on aurait déjà emporté. Messieurs, vous riez ? J'ai honte moi-même de faire de telles hypothèses, et pourtant, imaginez, c'est précisément ce que le prévenu affirme : après moi, n'est-ce pas, une fois que je suis ressorti de la maison, après avoir renversé Grigori et fait tout ce vacarme, il s'est levé, il y est allé, il a tué et il a volé. Je ne demande même pas comment Smerdiakov aurait pu tout savoir d'avance comme une mécanique, c'est-à-dire que le fils, furieux, à bout de nerfs, allait se présenter dans le seul but de regarder respectueusement par la fenêtre et, disposant des signaux, battre en retraite, en lui laissant à lui, Smerdiakov, tout le butin ! Messieurs, je pose la question sérieusement : où est le moment où Smerdiakov a commis son crime ? Indiquez-moi ce moment, car, sans cela, il n'est pas possible de l'accuser.

Mais peut-être l'épilepsie a-t-elle été vraie. Le malade est revenu à lui d'un coup, il a entendu le cri, il est sorti – bon, et quoi ? Il a regardé autour de lui et il s'est dit : «Tiens, je vais aller tuer mon maître ?» Et comment a-t-il pu savoir ce qu'il y avait, ce qui s'était passé, si, jusqu'alors, il était inconscient ? Mais, bon, messieurs, il est une limite même aux fantaisies.

«Certes, diront les gens malins, mais si les deux étaient d'accord, si c'est les deux ensemble qui ont tué et qu'ils ont partagé l'argent, alors ?»

Oui, de fait, le soupçon est grave, et, d'abord – tout de suite, des pièces à convictions colossales, le confirment : le premier tue et prend tous les efforts sur lui, et l'autre complice reste couché bien tranquille, feignant une crise d'épilepsie – justement pour éveiller préventivement les soupçons de chacun, et l'inquiétude du maître, l'inquiétude de Grigori. Question curieuse, sur quels motifs les deux complices ont-ils pu inventer précisément un plan aussi fou ? Mais peut-être que ce n'était pas du tout une complicité aussi active de la part de Smerdiakov, c'était une complicité, pour ainsi dire, passive et martyrisée : peut-être que Smerdiakov, terrorisé, a seulement accepté de ne pas faire obstacle au meurtre et, pressentant qu'il se ferait bien sûr accuser d'avoir laissé tuer son maître, de ne pas avoir crié ou résisté, s'était-il fait accorder à l'avance par Dmitri Karamazov la permission de rester couché pendant tout ce temps, soi-disant, dans une crise d'épilepsie – «toi, tu peux tuer qui tu veux, moi, je ne suis pas concerné». Mais quand bien même ce serait le cas, puisque, encore une fois, cette crise d'épilepsie devait provoquer l'affolement dans la maison, Dmitri Karamazov, prévoyant cela, ne pouvait évidemment pas accepter une telle répartition des rôles. Mais je vous le concède, je veux bien qu'il ait accepté ; de toute façon, le résultat serait alors que l'assassin est bien Dmitri Karamazov, l'assassin direct et l'instigateur, et Smerdiakov juste un acteur passif, et pas même un acteur, juste quelqu'un qui laisse faire, par peur et malgré lui, et le tribunal pourrait évidemment faire là une distinction – or donc, que voyons-nous ? Dès que le prévenu est arrêté, à l'instant même, il charge de tout le seul Smerdiakov, et ne l'accuse que *lui seul*. Il ne l'accuse pas de complicité, mais lui tout seul : c'est lui tout seul, n'est-ce pas, qui a tout fait, il a tué et volé, il n'y a que lui ! Mais qu'est-ce que c'est que ces complices qui commencent tout de suite par se dénoncer les uns les autres – c'est quelque chose de jamais vu. Et, remarquez, quel risque pour Karamazov : il est l'assassin principal, et, l'autre, il n'est pas le principal, l'autre a seulement laissé faire en restant couché derrière la cloison, or, voilà qu'il charge celui qui est resté couché. Mais l'autre, celui qui est resté couché, il aurait pu se fâcher, et, rien que par réflexe d'autodéfense, s'empresser de déclarer la vérité vraie : les deux, n'est-ce pas, y ont participé, mais, moi, je n'ai pas tué, j'ai seulement permis, j'ai laissé faire, par peur. Smerdiakov, quand même, il était en état de comprendre que le tribunal aurait su distinguer tout de suite son degré de culpabilité, et donc, il pouvait espérer que, s'il était puni, sa punition soit infiniment moins sévère que celle de l'autre, de l'assassin principal, qui avait voulu le charger de tout. Mais à ce moment-là, donc, c'est malgré lui qu'il aurait avoué. Tout cela, pourtant, nous ne l'avons pas vu. Smerdiakov n'a pas fait une seule allusion à une complicité, même si l'assassin l'avait tout le temps fermement accusé et le désignait, lui, comme l'assassin unique. Bien plus : c'est Smerdiakov qui a révélé à l'enquête que c'était *de lui-même* qu'il avait parlé de l'argent et des signaux au prévenu et que, sinon, ce dernier n'aurait jamais rien su. S'il avait été réellement complice et coupable, cela, l'aurait-il dit si facilement aux enquêteurs, c'est-à-dire que c'est lui-même qui a tout dit au prévenu ? Au contraire, il se serait défendu et n'aurait pas manqué de déformer les faits ou de les minimiser. Mais il ne les a ni déformés ni minimisés. Ne peut agir ainsi qu'un innocent qui n'a pas peur qu'on l'accuse de complicité. Et voilà donc que dans un accès de mélancolie maladive due à son épilepsie et à toute cette catastrophe soudaine, il s'est pendu hier. En se pendant, il a laissé un billet, écrit dans un style particulier : «J'extermine ma vie de ma propre envie et volonté, pour n'accuser personne.» Pourquoi n'aurait-il pas pu ajouter dans ce billet : c'est moi qui ai tué, et pas

Karamazov. Mais il ne l'a pas ajouté : pour une chose, il a eu assez de conscience, et, pour l'autre, non ?

Eh quoi : tout à l'heure, ici, au tribunal, on apporte de l'argent, trois mille roubles – «les fameux trois mille roubles, soi-disant, qui se trouvaient dans ce fameux paquet qui est sur la table des pièces à conviction, je l'ai reçu, hier, de Smerdiakov». Pourtant, messieurs les jurés, vous vous souvenez bien du triste tableau de tout à l'heure. Je ne reviendrai pas sur les détails, mais je me permettrai de faire deux ou trois réflexions, en choisissant les plus insignifiantes – justement parce qu'elles sont insignifiantes, et donc, qu'elles peuvent ne pas venir à tout le monde et s'oublier facilement. D'abord, et encore une fois : rongé par les remords, Smerdiakov, hier, a rendu l'argent et s'est pendu. (Puisque, sans remords, il n'aurait pas rendu l'argent.) Et, bien sûr, ce n'est qu'hier soir qu'il a avoué son crime pour la première fois à Ivan Karamazov, comme nous l'a déclaré Ivan Karamazov lui-même, sinon, pourquoi se serait-il tu jusqu'à présent ? Bref, donc, il a avoué, alors pourquoi, je le répète encore, dans son billet d'adieu n'a-t-il pas déclaré toute la vérité, sachant que, dès le lendemain, un prévenu innocent allait affronter le jugement suprême ? L'argent tout seul n'est pas une preuve. J'ai appris, par exemple, ainsi que deux autres personnes dans cette salle, tout à fait fortuitement, et voici encore une semaine, un certain fait, à savoir qu'Ivan Fiodorovitch Karamazov a envoyé changer au chef-lieu de province deux billets à cinq pour cent de cinq mille roubles chaque, c'est-à-dire dix mille roubles. Je dis cela seulement pour montrer que n'importe qui peut disposer d'argent à un moment précis et que le fait d'apporter trois mille roubles n'est pas une preuve que ce sont précisément ces mêmes trois mille roubles qui se trouvaient dans tel tiroir ou tel paquet. Finalement, Ivan Fiodorovitch, après avoir appris une nouvelle si importante de la part de l'assassin véritable, reste de marbre. Pourquoi ne serait-il pas venu faire une déclaration tout de suite ? Pourquoi a-t-il remis cette déclaration jusqu'au lendemain matin ? Je suppose que j'ai le droit de deviner pourquoi : la santé chancelante depuis déjà une semaine, après avoir avoué lui-même au docteur et à ses proches qu'il avait des visions, qu'il croisait dans la rue des gens décédés ; à la veille d'une attaque de fièvre chaude qui l'a terrassé aujourd'hui même, et apprenant soudain le décès de Smerdiakov, il s'est soudain construit le raisonnement suivant : «Cet homme est mort, on peut l'accuser, lui, et je sauverai mon frère. De l'argent, moi, j'en ai : je prends une liasse et je dis que Smerdiakov me l'a donnée avant de mourir.» Vous me direz que c'est malhonnête ; c'est malhonnête de mentir, même à propos d'un mort, et même pour sauver son frère ? Eh quoi s'il avait menti sans en avoir conscience, s'il s'est imaginé lui-même, comme cela s'est passé dans les faits, définitivement foudroyé comme il l'était, dans sa raison, par la nouvelle de cette mort soudaine du domestique ? Vous avez bien vu la scène de tout à l'heure, vous avez vu dans quel état était cet homme. Il se tenait debout et il parlait, mais où était son esprit ? Le témoignage de cet homme délirant a été suivi par un document, une lettre du prévenu à Mme Verkhovtséva, écrite deux jours avant le crime, et contenant un programme détaillé, et à l'avance, de ce crime. Mais qu'avons-nous à chercher un programme et ceux qui l'auraient composé ? C'est selon ce programme-là que tout s'est accompli – et qui l'a composé ? personne, sinon celui qui l'a écrit. Oui, messieurs les jurés, «tout s'est fait comme c'était écrit». Et ce n'est pas du tout, mais du tout vrai, que nous nous sommes enfui, respectueusement, loin de la fenêtre de notre père, fermement persuadé, qui plus est, que notre bien-aimée se trouvait chez lui. Non, cela, c'est inepte et invraisemblable. Il est entré – et il en a fini. Il a sans doute tué dans son emportement, brûlant de colère, dès qu'il a lancé un regard sur son rival, sur l'homme qu'il haïssait, mais, l'ayant tué, ce qu'il a fait, peut-être, d'un seul coup, d'un seul élan du bras, armé de son pilon de cuivre, et non sans s'être convaincu, après une fouille détaillée, qu'elle n'était pas là, il n'a, malgré tout, pas oublié de fourrer sa main sous l'oreiller et d'en tirer l'enveloppe d'argent, cette enveloppe qui, déchirée, se trouve en ce moment ici, sur la table des pièces à conviction. Je le dis pour que vous remarquiez une circonstance, que je trouve des plus caractéristiques. Si ç'avait été un assassin expérimenté, ou bien un assassin uniquement animé par le vol – enfin, quoi, aurait-il laissé par terre cette enveloppe, telle que nous l'avons retrouvée par la suite, et, qui plus est, à côté du cadavre ? Si ç'avait été, par exemple, Smerdiakov, qui avait tué pour voler – mais il aurait tout simplement emporté le paquet, sans se donner la peine de le décacheter devant le cadavre de sa victime ; parce qu'il aurait su à coup sûr que cette enveloppe contenait l'argent – et, s'il emporte cette enveloppe, à ce moment-là, personne ne sait plus que le vol a eu lieu. Je vous le demande, messieurs les jurés, est-ce ainsi qu'aurait agi Smerdiakov, aurait-il laissé cette enveloppe par terre ? Non, mais c'est précisément ce qu'aurait dû faire un assassin pris de frénésie, trop peu capable de réfléchir, un assassin qui n'est pas un voleur, qui n'a jamais rien volé jusqu'à ce moment-là, et qui, cette fois encore, d'ailleurs, n'arrache pas cet argent de sous le lit comme un voleur qui vole, mais qui reprend son bien à un voleur qui l'a volé – car telles étaient précisément les idées de Dmitri Karamazov sur ces trois mille roubles, qui avaient atteint chez lui un degré de manie. Et donc, saisissant ce paquet, qu'il n'a encore jamais vu, il déchire l'enveloppe, pour s'assurer qu'il contient bien l'argent, puis il s'enfuit, cet argent dans la poche, en oubliant même de penser qu'il laisse contre lui-même une accusation colossale sous la forme de cette enveloppe déchirée. Tout cela parce que c'est Karamazov, et pas Smerdiakov, qui n'y a pas pensé, qui n'a pas réfléchi, et comment aurait-il pu ! Il s'enfuit, il entend le cri du serviteur qui le rattrape, le serviteur se saisit de lui, l'arrête et il tombe, foudroyé par le pilon de cuivre. Le prévenu saute à terre vers lui, poussé par la pitié. Figurez-vous qu'il nous assure soudain que, s'il a sauté à bas de la palissade pour le retrouver, c'était par pitié, pour voir s'il ne pouvait pas l'aider. Mais est-ce donc une minute où il pouvait faire preuve de ce genre de pitié ? Non, s'il a sauté à bas de la palissade, c'est pour se convaincre d'une seule chose : l'unique témoin de son méfait était-il encore vivant ? Tout autre sentiment, toute autre motivation serait contre nature ! Remarquez qu'il s'affaire autour de Grigori, il lui essuie la tête de son mouchoir, et, assuré qu'il est mort, éperdu, couvert de sang, il se précipite à nouveau là-bas, au domicile de sa bien-aimée – et comment n'a-t-il pas pensé qu'il était tout en sang et qu'on le démasquerait tout de suite ? Mais le prévenu nous assure lui-même qu'il n'y a même pas fait attention, qu'il était couvert de sang ; cela, on peut l'admettre, c'est très possible, cela arrive toujours dans des minutes pareilles avec les criminels. Pour une chose, un calcul infernal, pour une autre chose, un manque total de réflexion. Mais, à cette minute-là, il ne pensait qu'à savoir *où elle était*. Il avait besoin de savoir où elle était le plus vite possible, et voilà qu'il fait irruption à son domicile et apprend une nouvelle inattendue et des plus colossales : elle est partie à Mokroïé, avec son «premier», son «indiscutable».”

IX

PSYCHOLOGIE A TOUTE VAPEUR. LA TROÏKA AU GALOP. PÉRORAISON DU RÉQUISITOIRE DU PROCUREUR

Arrivé à ce moment de son réquisitoire, Hippolyte Kirillovitch, qui avait visiblement choisi la méthode d'exposition strictement historique qu'apprécient tant tous les orateurs nerveux qui se cherchent spécialement des cadres rigidement fixés pour contenir leur propre passion impatiente, Hippolyte Kirillovitch, donc, s'attarda particulièrement sur le “premier” et sur “l'indiscutable” et exprima sur ce thème une série de pensées assez intéressantes dans leur genre. “Karamazov, jaloux de tous jusqu'à la folie, semble, soudain et d'un coup, comme tomber et disparaître devant «le premier» et «l'indiscutable». Et c'est d'autant plus étrange qu'auparavant il n'avait presque pas fait attention à ce nouveau danger qui le menaçait et venait d'éclater en la personne de ce rival inattendu. Mais il se figurait toujours que tout cela était encore très loin, et Karamazov ne vit toujours que de la minute présente. Sans doute le prenait-il même pour une fiction. Mais il comprend, en une seconde, avec son cœur malade, que, peut-être bien, c'est pour cela que cette femme lui cache ce nouveau rival, c'est pour cela qu'elle vient de le tromper, que ce rival, dont le retour est tellement providentiel, pour elle, il est tout sauf une fantaisie, tout sauf une fiction, non, pour elle, il est tout, il est toute son espérance dans la vie – il comprend cela d'un seul coup, et se soumet. Eh quoi, messieurs les jurés, je ne puis passer sous silence ce nouveau trait inattendu dans l'âme du prévenu qui, aurait-on pu croire, n'aurait pour rien au monde été capable de le révéler, mais, ce qui s'est dit d'un coup, c'est un besoin impitoyable de vérité, de respect envers une femme, de reconnaissance des droits de son cœur, et quand – au moment où, à cause d'elle, il a baigné ses mains dans le sang de son père ! Il est vrai également que le sang versé crie déjà vengeance à cet instant, car, lui qui avait tué son âme et toute sa destinée terrestre, il fallait malgré lui qu'il ressente et qu'il se demande à cet instant : «Que signifiait-il, lui, que pouvait-il signifier *maintenant* pour elle, pour cet être qu'il aimait plus que son âme, devant ce "premier" et cet "indiscutable", qui avait fait repentance et était revenu vers cette femme qu'il avait jadis perdue, avec un nouvel amour, avec des propositions honnêtes, la promesse d'une vie renouvelée et, cette fois, heureuse ? Et lui, le malheureux, qu'allait-il lui donner, *maintenant*, que lui proposerait-il ?» Karamazov avait compris tout cela, il avait compris que le crime lui avait fermé toutes les voies et qu'il n'était plus qu'un criminel condamné au supplice, et pas un homme qui pouvait vivre ! Cette pensée l'a écrasé, anéanti. Et voilà qu'en l'espace d'un instant il s'arrête sur un plan frénétique qui, vu le caractère de Karamazov, ne peut pas ne pas lui apparaître comme la seule et fatale issue à sa situation effroyable. Cette issue, c'est le suicide. Il court chez le fonctionnaire Perkhotine, récupérer les pistolets qu'il a mis en gage chez lui, et, en même temps, pendant le trajet, en courant, il sort de sa poche tout cet argent pour lequel il a souillé ses mains du sang de son père. Oh, l'argent, maintenant, il en a plus besoin que tout : Karamazov se meurt, Karamazov se brûle la cervelle, et c'est une chose dont on doit se souvenir ! Ce n'est pas pour rien que nous sommes poète, ce n'est pas pour rien que nous avons brûlé notre vie, comme une bougie, par les deux bouts. «Vers elle, vers elle – et, là-bas, oh, là-bas, je donne une fête à tout casser, une fête comme on n'en a encore jamais vu, qu'on s'en souvienne et qu'on en parle longtemps plus tard. Au milieu des cris frénétiques, des chansons et des danses délirantes des Tziganes, nous lèverons une coupe en l'honneur de la femme que nous aimons, nous lui dirons nos vœux de bonheur, et puis – là, à ses pieds –, nous nous ferons éclater le crâne et châtierons notre vie ! Elle se souviendra un jour de Mitia Karamazov, elle verra comme Mitia l'aimait, elle le plaindra, Mitia !» Beaucoup de pittoresque, de frénésie romanesque, de sensualité, de débridement sauvage, karamazovien – bon, et encore d'autre chose, messieurs les jurés, de quelque chose qui crie au fond de l'âme, qui frappe dans la tête sans cesse et empoisonne son cœur jusqu'à la mort ; ce *quelque chose* – c'est la conscience, messieurs les jurés, c'est son jugement, ce sont ses remords terrifiants ! Mais le pistolet réconciliera tout, le pistolet – voilà la seule issue, et il n'y en a pas d'autre, et, ensuite – je ne sais pas si, à cette minute-là, Karamazov se demandait *«ce qu'il en serait là-bas»*, et si Karamazov est capable de penser comme Hamlet sur ce qu'il y aura là-bas ? Non, messieurs, les jurés, eux, ils ont des Hamlet, nous, pour l'instant, nous n'avons encore que des Karamazov !"

Ici, Hippolyte Kirillovitch déploya un tableau des plus détaillés des préparatifs de Mitia, de la scène chez Perkhotine, à la boutique, avec les cochers. Il cita une masse de mots, d'expressions, de gestes, tous confirmés par témoins – et le tableau eut une influence terrible sur la conviction des auditeurs. Surtout, c'est la conjonction des faits qui influa. La culpabilité de cet homme frénétique, affolé et qui ne faisait plus attention à rien apparaissait indiscutable. "Il n'avait plus besoin de faire attention à lui, disait Hippolyte Kirillovitch, deux ou trois fois il a failli avouer complètement, il faisait presque des allusions, et, juste, il n'allait pas jusqu'au bout (ici suivaient les dépositions des témoins). Même au cocher sur la route, il a crié : «Tu le sais, que tu conduis un assassin ?» Mais, malgré tout, il était impossible de tout dire jusqu'au bout : il fallait d'abord arriver au bourg de Mokroïé et, là, finir tout le poème. Mais, cependant, qu'est-ce donc qui attend ce malheureux ? Le fait est que, dès ses deux premières minutes à Mokroïé, il voit et, pour finir, il comprend complètement que son rival «indiscutable», si ça se trouve, est très loin d'être indiscutable et que ses vœux de bonheur et la coupe levée à sa santé, on n'en veut pas, on ne les reçoit pas. Mais vous connaissez déjà les faits, messieurs les jurés, d'après l'enquête judiciaire. Le triomphe de Karamazov sur son rival s'est avéré total et, là – oh, là, commence dans son âme une phase toute nouvelle, et même la phase la plus terrible de toutes celles que cette âme a eu à vivre, et qu'elle aura encore à vivre un jour ! On peut positivement reconnaître, messieurs les jurés, s'exclama Hippolyte Kirillovitch, que la nature bafouée et le cœur criminel se vengent eux-mêmes bien plus pleinement que toute justice terrestre ! Bien plus : la justice et le châtiment terrestres allègent même le châtiment de la nature, ils sont même indispensables à l'âme du criminel dans ces moments pour la sauver du désespoir, car je ne peux m'imaginer cette horreur et ces souffrances morales de Karamazov quand il a appris qu'elle l'aimait, que, pour lui, elle rejetait son «premier» et son «indiscutable» et que, lui, lui, «Mitia», elle l'appelait avec elle vers une vie renouvelée, lui promettait le bonheur, et quand donc ? Quand tout est fini pour lui et quand rien n'est déjà plus possible ! A propos, je ferai en passant une remarque qui nous sera très importante pour expliquer l'essence réelle de la situation du prévenu à ce moment-là : cette femme, avec cet amour pour elle jusqu'à cette dernière minute, jusqu'au moment même de l'arrestation, elle restait pour lui un être inaccessible, passionnément désiré, mais hors d'atteinte. Mais pourquoi, pourquoi ne s'est-il pas brûlé la cervelle à ce moment-là, pourquoi a-t-il laissé cette résolution qu'il avait prise et a-t-il même oublié où il avait mis son pistolet ? Mais justement, cette soif passionnée d'amour et son espoir de la rassasier, là, tout de suite, l'ont retenu. Dans la folie du festin, il s'est attaché à sa bien-aimée, qui festoyait avec lui, plus charmante et séduisante pour lui que jamais – il ne la quitte plus d'un pas, il la contemple, il disparaît devant elle. Cette soif passionnée a même eu assez de force pour renfoncer un instant, non seulement la peur de l'arrestation, mais même les remords de sa conscience ! Un instant, oh, seulement un instant ! Je m'imagine l'état de l'âme du criminel à ce moment-là dans sa soumission indiscutée et servile à trois éléments qui l'ont écrasée définitivement : d'abord, l'état d'ivresse, la folie et le vacarme, le fracas de la danse, les hurlements des chansons, et elle, elle, toute rougie par le vin, qui chante et qui danse, ivre, et qui rit devant lui ! Ensuite, le rêve lointain et réconfortant que le dénouement final est encore loin, du moins qu'il n'est pas proche – ce n'est guère que le lendemain, au matin, qu'on viendra le saisir. Donc, il reste quelques heures, c'est beaucoup, c'est énorme ! En quelques heures, on peut inventer tellement de solutions ! Je m'imagine qu'il lui est arrivé quelque chose qui devait ressembler à ce qu'éprouve le criminel quand on le conduit à l'échafaud, à la potence : il faut encore passer une rue longue, très longue, et au pas, qui plus est, devant des milliers de gens, ensuite, il y aura un tournant dans une autre rue, et, à la fin, seulement, de cette autre rue, la place terrible ! J'ai précisément l'impression qu'au début de la marche le condamné, assis dans sa charrette d'infamie, doit justement ressentir qu'il a encore devant lui une vie interminable. Mais voilà, pourtant, que les maisons défilent, la charrette roule toujours – oh, ce n'est rien, jusqu'au tournant dans la deuxième rue, il y a encore si loin, et le voilà, lui, donc, qui continue de regarder encore avec animation de tous les côtés, ces milliers de personnes indifférentes et curieuses, qui ont fixé leurs yeux sur lui, et il a toujours comme l'impression qu'il est un être humain exactement comme eux. Mais voilà déjà le tournant dans cette autre rue – oh, ce n'est rien, ce n'est rien, il reste encore la rue entière. Et malgré toutes les maisons qui passent, lui, il continuera toujours de penser : «Il reste encore beaucoup de maisons.» Et ainsi de suite jusqu'à la toute fin, jusqu'à la place elle-même. C'est exactement ainsi que je me représente ce qui se passait avec Karamazov. «Ils n'ont pas encore eu le temps là-bas, se dit-il, on peut encore se trouver quelque chose, oh, j'aurai encore le temps de m'inventer un plan de défense, de réfléchir à une réplique, mais, maintenant, maintenant – maintenant, oh, ce qu'elle est belle !» Le trouble, la peur règnent dans son âme, mais il arrive néanmoins à prélever la moitié de son argent et à la cacher quelque part – sinon, je ne peux pas m'expliquer où a pu disparaître toute une moitié de ces trois mille roubles qu'il vient juste de prendre sous l'oreiller de son père. Ce n'est pas la première fois qu'il vient à Mokroïé, il y a déjà festoyé pendant deux jours. Il connaît cette grande et vieille maison de bois, avec ses granges, ses galeries. Je suppose précisément qu'une partie de l'argent a été cachée là, dans cette maison, peu de temps avant l'arrestation, dans une fente quelconque, dans une lézarde, sous une latte, quelque part dans un coin, sous le toit – pourquoi ? Comment, pourquoi ? La catastrophe peut arriver d'un coup, bien sûr, nous n'avons pas encore réfléchi au moyen de l'éviter, et nous n'avons pas le temps, et puis, on a la tête comme une enclume, et tout nous appelle *vers elle*, bon, mais l'argent ? – l'argent, de toute façon, il est indispensable ! Un homme qui a de l'argent – c'est un homme partout. Peut-être qu'un calcul pareil, à un moment pareil, vous paraîtra contre nature ? Mais il nous assure lui-même qu'un mois encore auparavant, au moment le plus dramatique, le plus fatal de sa vie, il a prélevé la moitié des trois mille roubles et qu'il l'a cousue, cette moitié, dans un viatique, et, si, bien sûr, ce n'est pas vrai, ce que nous allons prouver tout de suite, malgré tout, c'est une idée que Karamazov connaît, il l'a déjà considérée. Bien plus, quand, par la suite, il assure au juge d'instruction qu'il a caché mille cinq cents roubles dans un viatique (lequel n'a jamais existé), ce viatique, aussi bien, il l'a inventé, là, sur-le-champ, justement parce que, deux heures auparavant, il a prélevé la moitié de l'argent et l'a caché quelque part à Mokroïé, à tout hasard, jusqu'au matin, juste pour ne pas le garder sur lui, sur une inspiration qui lui serait venue d'un coup. Deux abîmes, messieurs les jurés, souvenez-vous que Karamazov est capable de contempler deux abîmes, et tous les deux en même temps ! Dans cette maison, nous avons cherché, mais nous n'avons rien trouvé. Peut-être que cet argent s'y trouve encore au moment où je vous parle, ou, allez savoir, qu'il aura disparu le lendemain et se trouve en ce moment entre les mains du prévenu. Toujours est-il qu'il se fait arrêter auprès d'elle, devant elle, à genoux, elle était étendue sur un lit, lui, il tendait les bras vers elle, et il avait tellement tout oublié à ce moment-là qu'il n'a même pas entendu l'approche de ceux qui entraient pour l'arrêter. Il n'avait encore rien eu le temps de préparer dans son esprit pour sa réponse. Et lui et son esprit, ils ont été cueillis par surprise.

Et voilà donc qu'il est devant ses juges, devant ceux qui vont décider de son destin. Messieurs les jurés, il y a des moments où, en accomplissant notre devoir, nous-mêmes sommes presque pris de peur devant une personne, et avons peur pour cette personne ! Ce sont des minutes de contemplation d'une frayeur animale, quand le criminel vient de comprendre que tout est perdu, mais qu'il lutte encore, qu'il a toujours l'intention de lutter contre vous. Ce sont des minutes où tous les instincts d'autodéfense se redressent en lui d'un coup et où, en essayant de se sauver, il vous regarde d'un regard pénétrant, douloureux et interrogateur, qu'il vous saisit et qu'il vous examine, vous, votre visage, vos pensées, qu'il attend de voir de quel côté vous allez frapper, et se crée à la seconde dans son esprit bouleversé des milliers de plans, mais où, malgré tout, il a peur de parler, il a peur de se trahir ! Ces moments d'abaissement de l'âme humaine, ces tribulations de l'âme d'épreuve en épreuve, cette soif animale de se sauver – ils sont affreux et ils éveillent parfois, dans l'âme même de l'enquêteur, une compassion envers le criminel. Et c'est de tout cela que nous avons été témoins. Au début, il est en état de choc, et, dans son horreur, il laisse échapper quelques mots qui le compromettent très fort : «Le sang ! Je l'ai mérité !» Mais il se retient très vite. Que dire, comment répondre – rien de tout cela n'est encore prêt en lui, la seule chose qui soit prête est une vaine dénégation : «De la mort de mon père, je ne suis pas coupable !» Voilà, pour le moment, notre palissade, et, là-bas, derrière la palissade, nous pourrons peut-être encore arranger quelque chose, une barricade quelconque. Ses premières exclamations compromettantes, devançant nos questions, il s'empresse de les expliquer par le fait qu'il ne s'estime coupable que de la mort du serviteur Grigori. «De ce sang-là, je suis coupable, mais qui donc a tué le père, messieurs, qui l'a tué ? Qui donc a pu le tuer, *si ce n'est pas moi* ?» Vous entendez cela : il nous le demande à nous, à nous, qui arrivons pour lui poser cette même question ! Vous entendez cette petite phrase qui a pris les devants : «si ce n'est pas moi», cette ruse animale, cette impatience naïve et karamazovienne ? Ce n'est pas moi qui ai tué, n'essaie même pas d'imaginer que c'est moi : «Je voulais tuer, messieurs, je voulais tuer, avoue-t-il le plus vite possible (il se précipite, il se précipite terriblement !) – mais, malgré tout, je ne suis pas coupable, ce n'est pas moi qui ai tué !» Il nous concède qu'il a voulu tuer : vous voyez, n'est-ce pas, vous-mêmes, comme je suis sincère, eh bien, vous m'en croirez plus vite, que je n'ai pas tué. Oh, dans ces cas-là, le criminel peut se montrer parfois d'une frivolité, d'une crédulité incroyables. Et là, comme tout à fait fortuitement, l'enquêteur lui pose la question la plus débonnaire : «Mais ne serait-ce pas Smerdiakov qui a tué ?» Il s'est passé ce que nous attendions : il est tombé dans une colère terrible d'avoir été devancé, pris par surprise, alors qu'il n'avait pas encore eu le temps de se préparer, de choisir et de saisir le moment où il aurait pu revenir sur Smerdiakov avec le plus de vraisemblance. En accord avec sa nature, il s'est tout de suite jeté dans une extrémité et a commencé de lui-même de nous assurer à toute force que Smerdiakov ne pouvait pas avoir tué, qu'il n'était pas capable de tuer. Mais ne le croyez pas, ce n'est là que sa ruse : il ne renonce pas du tout, mais pas du tout, à Smerdiakov, au contraire, il nous le ressortira, parce que, qui donc pourra-t-il ressortir sinon lui, mais il le fera à un autre moment, parce que, pour l'instant, toute l'affaire est gâchée. Il ne le ressortira que demain, peut-être, ou même quelques jours plus tard, à un moment favorable, pendant lequel c'est lui qui nous criera : «Vous voyez, c'est moi-même qui défendais Smerdiakov bien plus que vous, vous vous en souvenez, mais, maintenant, moi aussi, je m'en suis persuadé : c'est lui qui a tué, évidemment que c'est lui !» Mais tandis qu'il tombe avec nous dans cette sombre et nerveuse dénégation, son impatience et sa colère lui soufflent, pourtant, l'explication la plus maladroite et la plus invraisemblable pour dire qu'il n'a fait que regarder par la fenêtre de son père, après quoi il s'est écarté respectueusement de cette fenêtre. Surtout, il ne connaît pas encore les circonstances, le degré de la déposition de Grigori qui a repris conscience. Nous passons à l'examen et à la fouille. La fouille le plonge dans la colère, mais le ranime aussi : on n'a pas retrouvé tous les trois mille roubles, on n'en retrouve que la moitié. Et, bien sûr, c'est seulement pendant qu'il se tait et qu'il nie rageusement que lui passe par la tête, pour la première fois de sa vie, cette idée du viatique. Sans l'ombre d'un doute, il sent toute l'invraisemblance de son invention et se torture, il se torture terriblement pour la rendre un peu plus vraisemblable, pour l'inventer de telle sorte qu'elle donne un vrai roman, lui, vraisemblable. Dans ces cas-là, la première tâche de l'enquêteur, c'est de ne pas laisser se préparer, de prendre par surprise, pour que le criminel exprime ses idées les plus secrètes dans toute cette sincérité qui le trahiront, dans leurs invraisemblances et leurs contradictions. Forcer le criminel à parler n'est possible qu'en lui annonçant par surprise, et comme fortuitement, un quelconque fait nouveau, une circonstance quelconque de l'affaire qui est, par son importance, colossale, mais qu'il n'aurait jusqu'à présent pour rien au monde pu prévoir ou prendre en compte. Ce fait, nous le tenions tout prêt, oh, il était prêt depuis longtemps : c'est la déposition de Grigori quand il avait repris conscience, sur la porte ouverte par laquelle le prévenu s'est enfui. Cette porte, il l'avait complètement oubliée, et que Grigori ait pu la voir, il était à cent lieues de l'imaginer. L'effet a été colossal. Il a bondi et il nous a crié : «C'est Smerdiakov qui a tué, c'est Smerdiakov !» – et là, il avait trahi son idée la plus secrète, son idée principale, dans sa forme la plus invraisemblable, parce que Smerdiakov n'avait pu tuer qu'après que, lui, il eut renversé Grigori et il se fut enfui. Quand nous lui avons rapporté que Grigori avait vu la porte ouverte avant de tomber, et qu'en sortant de chez lui il avait entendu les gémissements de Smerdiakov – Karamazov s'est vu réellement écrasé. Mon collaborateur, notre honorable et spirituel Nikolaï Parfionovitch, m'a dit plus tard qu'à cet instant il a eu pitié de lui à pleurer. Et c'est donc à ce moment-là, pour redresser l'affaire, qu'il s'empresse de nous faire part de l'existence de ce fameux viatique : eh bien, soit, n'est-ce pas, entendez ce récit ! Messieurs les jurés, je vous ai déjà exprimé mes pensées, pourquoi je considérais toute cette invention sur l'argent cousu dans un viatique depuis un mois, non seulement comme une absurdité, mais comme l'invention la plus invraisemblable qu'il était seulement possible de trouver dans ce cas-là. On aurait pu même parier pour savoir ce qu'il était possible de produire de plus invraisemblable – même là, on n'aurait pas pu inventer pire. Surtout, il est possible de désarçonner, de réduire en poussière le romancier triomphant par des détails, par ces fameux détails dont la réalité est toujours si riche et qui, toujours, comme de petits riens apparemment insignifiants et inutiles, sont méprisés par ces malheureux inventeurs involontaires, des petits riens qui, même, ne leur passent jamais par la tête. Oh, à ce moment-là, ils ont d'autres chats à fouetter, leur esprit ne façonne qu'une entité grandiose – et voilà qu'on ose leur proposer de si petits détails ! Mais c'est cela qui les démasque ! On pose au prévenu une question : «Bon, et où avez-vous pris le matériau de votre viatique, qui vous l'a cousu ? – Je l'ai cousu tout seul. – Et le tissu, où l'avez-vous pris ?» Ici, le prévenu est déjà vexé, il considère cela comme un détail qui est presque une offense personnelle, et, croyez-moi, il est sincère, il est sincère ! Mais ils sont tous pareils. «J'ai déchiré une de mes chemises. – Parfait. Donc, demain, dans votre linge, nous retrouverons cette chemise au pan arraché.» Et imaginez, messieurs les jurés, si seulement, réellement, nous avions retrouvé cette chemise (et comment ne l'aurions-nous pas retrouvée dans sa valise ou sa commode, si cette chemise avait réellement existé), eh bien, ç'aurait déjà été un fait, un fait palpable pour témoigner de la véracité de sa déposition ! Mais, cela, il n'est pas en état de le comprendre. «Je ne me souviens pas, peut-être que ce n'était pas une chemise, je les ai cousus dans le bonnet de ma logeuse. – Comment ça, dans le bonnet ? – Je l'ai pris chez elle, ça traînait, un vieux chiffon de calicot. – Et, cela, vous vous en souvenez fermement ? – Non, je ne m'en souviens pas fermement...» Et il peste, et il peste, mais, pourtant, imaginez : comment pourrait-il avoir oublié ? Dans les minutes les plus tragiques de la vie, enfin, quand on vous conduit au supplice, c'est justement ce genre de petits détails qui se gravent dans la mémoire. On peut tout oublier, mais, je ne sais pas, un toit vert, une seconde, en passant, sur le chemin, ou une pie sur une croix – cela, on s'en souviendra. Parce qu'en le cousant, son viatique, il avait dû se cacher de ses logeurs, il devait s'en souvenir, comme il souffrait d'une peur humiliante, l'aiguille à la main, qu'ils n'entrent et ne le découvrent ; comme, au premier bruit, il bondissait et courait derrière la cloison (il y a une cloison chez lui)... Mais, messieurs les jurés, pourquoi vous fais-je part de tout cela, de tous ces détails, ces petits riens ! s'exclama soudain Hippolyte Kirillovitch. Mais justement parce que le prévenu s'obstine, à la minute présente encore, dans cette absurdité ! Pendant tous ces deux mois, depuis cette nuit qui lui fut si fatale, il n'a rien expliqué, il n'a ajouté aucune circonstance réelle pour expliquer sa déposition de pur fantasme ; tout cela, n'est-ce pas, ce sont de petits riens, vous, croyez-moi sur l'honneur ! Oh, nous sommes heureux de croire, nous avons soif de croire, même sur l'honneur ! Serions-nous des chacals, assoiffés de sang humain ? Donnez-nous, montrez-nous ne serait-ce qu'un seul fait en faveur du prévenu, et nous serons heureux,

– mais un fait palpable, réel, et pas une déduction de son propre frère d'après l'expression du visage du prévenu ou l'indication de ce qu'en se frappant la poitrine il devait obligatoirement désigner ce viatique, et encore dans le noir. Nous serons heureux d'avoir un fait nouveau, nous serons les premiers à renoncer à notre accusation, nous nous empresserons d'y renoncer. Pour l'instant, c'est la justice qui proteste, et, nous, nous insistons, nous ne pouvons renoncer à rien." Hippolyte Kirillovitch en vint alors à la péroraison. Il était comme fiévreux, il en appelait au sang versé, au sang du père, tué par son fils "dans le but infâme de le voler". Il désigna clairement la conjonction tragique des faits, elle en appelait d'elle-même. "Et quoi que nous puissions entendre de la part de l'avocat du prévenu, si célèbre pour son talent, ne put s'empêcher de lancer Hippolyte Kirillovitch, quelles que soient les paroles éloquentes et touchantes qui pourront résonner ici, des paroles qui en appelleront à votre corde sensible, souvenez-vous malgré tout en cette minute précise que vous êtes dans le temple de notre justice. Souvenez-vous que vous êtes les défenseurs de notre vérité, les défenseurs de notre sainte Russie, de ses fondements, de sa famille, de tout ce qu'elle a de sacré ! Oui, vous représentez ici la Russie du moment présent, et ce n'est pas seulement dans cette salle que tonnera votre verdict, mais dans toute la Russie, et toute la Russie vous écoutera comme ses défenseurs et ses juges et sera soit ranimée, soit accablée, par la sentence qui sera la vôtre. Ne faites donc pas souffrir la Russie et son attente, notre troïka fatale court, peut-être bien, au grand galop, au-devant de sa perte. Et depuis longtemps, dans toute la Russie, il est des hommes qui tendent les bras et en appellent à arrêter ce galop frénétique, impitoyable. Et si, pour le moment encore, les autres peuples s'écartent devant notre troïka lancée à toute bride, peut-être n'est-ce pas du tout par respect envers elle, comme le voulait le poète, mais seulement par effroi – cela, remarquez-le. Par effroi et, peut-être, par dégoût à son égard, et c'est encore bien s'ils s'écartent, parce qu'ils sont bien capables, allez savoir, de ne plus s'écarter, mais de se dresser comme un mur infranchissable devant cette vision au grand galop, et ce sont eux qui arrêteront la course folle de notre emportement, pour se sauver eux-mêmes, eux-mêmes, et la culture, la civilisation ! Ces voix inquiètes de l'Europe, nous les avons déjà entendues. Elles commencent déjà à s'élever. Ne succombez pas à leur tentation, n'accumulez pas leur haine grandissante par un verdict qui justifierait le meurtre du père par son propre fils !…"

Bref, Hippolyte Kirillovitch avait beau s'être laissé réellement entraîner, il avait tout de même fini sur le pathétique – et, de fait, l'effet de son réquisitoire fut formidable. Lui-même, son réquisitoire achevé, s'empressa de sortir, je le répète, il faillit s'évanouir dans une pièce voisine. La salle n'applaudit pas mais les gens sérieux furent satisfaits. Il n'y avait de moins satisfaites que les dames, mais, tout de même, l'éloquence leur avait plu, d'autant qu'elles n'en craignaient pas du tout les conséquences et attendaient tout de Fétioukovitch : "Enfin, il va parler et, là bien sûr, il triomphera de tous !" Tout le monde lançait des regards en direction de Mitia ; durant tout le réquisitoire du procureur, il était resté sans rien dire, les bras croisés, les lèvres serrées, les yeux baissés. De loin en loin, il se contentait de relever la tête et d'écouter. Surtout quand il fut question de Grouchenka. Quand le procureur reprit l'opinion qu'avait d'elle Rakitine, le visage de Mitia montra un sourire méprisant et méchant, et il prononça d'une voix assez audible : "Bande de Bernards !" Quand Hippolyte Kirillovitch rapporta la façon dont il l'avait questionné et torturé à Mokroïé, Mitia releva la tête et écouta avec une curiosité terrible. A un moment du réquisitoire, il voulut même bondir et crier quelque chose, mais, pourtant, il sut se dominer et se contenta de hausser les épaules avec mépris. Par la suite, on parla chez nous, dans la société, de la péroraison du réquisitoire, précisément des exploits du procureur à Mokroïé pendant l'interrogatoire du criminel, et on se moquait un peu d'Hippolyte Kirillovitch : "Il n'y a pas tenu, n'est-ce pas, il a fallu qu'il se vante de ses talents." L'audience fut suspendue, mais pour un bref délai, un quart d'heure, vingt minutes au plus. Des conversations et des exclamations fusaient dans le public. Je me souviens de quelques-unes :

— Sérieux, le réquisitoire ! remarqua un monsieur renfrogné dans un certain groupe.

— Ce qu'il vous a mis comme psychologie, fit une autre voix.

— Oui, mais tout est vrai, c'est la vérité nue !

— Oui, ça, c'est un chef.

— Il a tiré la morale.

— A nous aussi, à nous aussi, il nous a tiré la morale, ajouta une troisième voix. Au début du réquisitoire, vous vous souvenez – que nous sommes tous comme Fiodor Pavlovitch ?

— Et à la fin aussi. Sauf qu'il se met le doigt dans l'œil.

— Et ce n'était pas très clair.

— Il s'est un peu monté le bourrichon.

— Il avait tort, il avait tort, monsieur.

— N'empêche, c'était habile. Il vous a attendu son heure longtemps et, vlan, il a tout déballé !

— Qu'est-ce qu'il va dire, l'avocat ?

Dans un autre groupe :

— Il a eu tort d'attaquer, là, le Pétersbourgeois : "ceux qui en appellent à votre corde sensible", vous vous souvenez ?

— Oui, ça, c'était maladroit.

— Il est allé plus vite que la musique.

— Nerveux, le bonhomme, voilà.

— On rigole, là, mais le prévenu, qu'est-ce qu'il pense ?

— Ouais. Le Mitenka, il se sent comment ?

— Oui, qu'est-ce qu'il va dire, l'avocat ?

Dans un troisième groupe :

— C'est qui, cette femme, avec la lorgnette, la grosse, là, qui est assise sur le bord ?

— C'est une générale, une divorcée, je la connais.

— Pour ça, donc, qu'elle a une lorgnette.

— Bonne à jeter.

— Ah non, elle est pas mal.

— Et à côté d'elle, à deux chaises, la petite blonde, celle-là, elle est mieux.

— Ils ont été habiles, hein, l'autre fois, pour le choper à Mokroïé, hein ?

— Ça, oui, très habiles. Il est encore allé le raconter. Dans combien de maisons, ici, il est allé le raconter.

— Cette fois pareil, il y a pas tenu. L'amour-propre.

— Un homme blessé, hé hé !

— Et puis blessable. Et cette rhétorique qu'il y a mise, les phrases, interminables.

— Et il fait peur, remarquez ça, il fait tout le temps peur. La troïka, tiens, vous vous souvenez ? "Là-bas, ils ont des Hamlet, nous, pour l'instant, nous n'avons encore que des Karamazov !" Ça, c'était habile, tiens.

— C'est au libéralisme qu'il faisait du pied. Il a peur !

— Et de l'avocat aussi, il a peur.

— Oui, qu'est-ce qu'il va dire, M. Fétioukovitch ?

— Il aura beau dire tout ce qu'il veut, nos petits paysans, il pourra toujours courir pour leur casser leur carapace.

— Vous pensez ?

Un quatrième groupe :

— Mais le coup de la troïka, n'empêche, c'était pas mal, l'histoire des peuples, là.

— Et c'est vrai, n'empêche, tu te souviens, ce qu'il disait que, les peuples, ils attendront pas.

— De quoi ?

— Bah, dans le Parlement anglais, il y a un membre qui s'est levé, déjà, la semaine dernière, au sujet des nihilistes, et il a interrogé le ministère : est-ce qu'il ne serait pas temps de leur rentrer dans le lard, à cette nation de sauvages, pour nous apprendre à vivre ? Hippolyte, c'est de lui qu'il parlait, je le sais, que c'est de lui. Il en parlait déjà la semaine dernière.

— Tu parles.

— Pourquoi "tu parles" ? Et pourquoi pas ?

— Nous, tiens, on va fermer Kronstadt, et on leur livre plus notre blé. Où est-ce qu'ils le prendront ?

— Et en Amérique ? Maintenant, c'est l'Amérique.

— Mon œil.

Mais la clochette tinta, tout le monde courut regagner sa place. Fétioukovitch monta sur l'estrade.

X

PLAIDOIRIE DE L'AVOCAT. L'ENDROIT ET L'ENVERS

Tout s'apaisa quand résonnèrent les premiers mots du célèbre orateur. La salle entière le dévorait des yeux. Il commença d'une manière directe, simple et convaincue au possible, mais sans la moindre arrogance. Pas la moindre tentative d'atteindre l'éloquence, pas de petites notes pathétiques, de petites formules clinquantes. C'était un homme qui parlait dans un cercle intime de personnes partageant ses convictions. Sa voix était splendide, sonore et sympathique, et sa voix elle-même semblait comme montrer quelque chose de sincère et de simple. Mais tout le monde comprit immédiatement que l'orateur était capable de s'élever d'un coup jusqu'au pathétique véritable – et "de frapper les cœurs d'une force inconnue[1]". Sa langue était peut-être moins irréprochable que celle d'Hippolyte Kirillovitch, mais sans longues phrases, et elle était même plus précise. Une chose déplut assez aux dames : il était toujours comme en train de plier le dos, surtout au début de sa plaidoirie, non pas en s'inclinant, mais comme en se précipitant, en volant vers son auditoire, et il se penchait, justement, comme à la moitié de son dos étiré, comme si au milieu de ce dos long et maigre, il y avait une espèce de charnière qui faisait qu'il pouvait se plier quasiment en deux, et presque à angle droit. Au début de la plaidoirie, il parlait comme sans ordre, comme sans système, en prenant les faits au hasard, et,

1. Citation d'un poème de Pouchkine, *Réponse à l'Anonyme* (1830).

à la fin, cela donna un tout construit. On pouvait diviser sa plaidoirie en deux moitiés : la première moitié, c'était une critique, une réplique à l'accusation, parfois méchante et sarcastique. Mais dans la deuxième moitié de sa plaidoirie, ce fut comme s'il changeait de ton et même de procédé et il s'éleva d'un coup jusqu'au pathétique, or, c'était comme si la salle n'attendait que cela, et elle se mit tout entière à frissonner d'exaltation. Il aborda l'affaire directement et commença par dire que, même si sa carrière se faisait à Pétersbourg, ce n'était pas la première fois qu'il visitait des villes de Russie pour défendre des prévenus, mais des prévenus dont il était convaincu de l'innocence, ou du moins dont il la pressentait. "C'est exactement ce qui m'est arrivé dans le cas présent, expliqua-t-il. Dès les premières correspondances des journaux, quelques traits fugitifs qui m'avaient déjà extrêmement frappé en faveur du prévenu. Bref, ce qui m'intéressait avant tout, c'était un certain fait juridique, qui, certes, se répète assez souvent dans la pratique judiciaire, mais encore jamais, me semble-t-il, dans une telle plénitude et avec des particularités aussi caractéristiques que celles de l'affaire présente. Ce fait, je devrais plutôt ne le formuler que dans la péroraison de ma plaidoirie, quand j'achèverai mon discours, mais, pourtant, je vais exprimer ma pensée aussi tout au début, parce que j'ai la faiblesse d'entrer tout de suite dans le vif du sujet, sans chercher les effets de manche, et sans économiser mes impressions. Ce n'est peut-être pas très raisonnable de ma part, mais c'est sincère. Ma pensée, ma formule sont les suivantes : il existe contre le prévenu une conjonction écrasante de faits et, en même temps, pas un seul fait qui soutienne la critique si on l'examine en lui-même, en tant que tel ! Continuant de suivre d'après les rumeurs et les journaux, je me confortais de plus en plus dans mon idée, quand, brusquement, j'ai reçu de la famille du prévenu une invitation à prendre sa défense. Je me suis empressé d'accepter et, ici, ma conviction est devenue définitive. Et c'est pour détruire cette épouvantable conjonction de faits et démontrer l'absence de démonstration, le caractère fantasmatique de chaque fait cité par l'accusation pris en lui-même, que j'ai accepté de défendre ce dossier."

Ainsi commença l'avocat, et il proclama soudain :

"Messieurs les jurés, je suis ici un homme neuf. Toutes les impressions me sont venues sans préjugés. Le prévenu, violent de caractère et débridé, ne m'avait pas offensé, comme une centaine, peut-être, de personnes dans cette ville, d'où vient qu'ils sont nombreux, ceux qui nourrissent contre lui des préjugés. Bien sûr, je le reconnais, moi aussi, le sens moral de la société de cette ville a été justement révolté : le prévenu est violent et débridé. La société de cette ville, pourtant, le recevait, et il fut couvert de bienfaits même dans la famille de notre très talentueux procureur. (*Nota bene*. Deux ou trois petits rires éclatèrent dans le public, certes très rapidement réprimés, mais que tout le monde remarqua. Tout le monde savait chez nous que le procureur recevait Mitia à contrecœur, seulement parce que, pour une raison ou pour une autre, c'était sa femme – une dame au plus haut point vertueuse et respectable, mais fantastique et imprévisible et qui aimait pour certaines choses, surtout des petits riens, s'opposer à son époux – qui le trouvait très curieux. Mitia, du reste, ne leur avait rendu visite que rarement.) Malgré cela, j'aurai l'audace de supposer, poursuivit l'avocat, que même un esprit aussi indépendant et un caractère épris de justice que le sont ceux de mon contradicteur ont pu former un certain préjugé erroné à l'égard de mon malheureux client. Oh, c'est tellement naturel : le malheureux n'a que trop mérité qu'on le traite même avec des préjugés. Le sens moral et, plus encore, le sens esthétique offensés peuvent être impitoyables. Bien sûr, dans le très talentueux réquisitoire, nous avons tous entendu une analyse sévère du caractère et des agissements du prévenu, un examen plein d'une critique sévère de tout le dossier, et, surtout, on a mis en valeur de telles profondeurs psychologiques pour expliquer le fond de l'affaire que la compréhension de ces profondeurs aurait été foncièrement impossible pour peu que l'on considère la personne du prévenu avec un préjugé délibéré un tant soit peu haineux. Mais il y a des choses qui sont pires, qui sont, oui, plus fatales en de tels cas, qu'un examen par un esprit préconçu et porté par la haine. Surtout si, par exemple, nous sommes dominés par une espèce, pour ainsi dire, de jeu esthétique, de besoin de création artistique, pour ainsi dire, d'élaboration d'un roman, surtout par la richesse des dons psychologiques dont Dieu nous a donné la jouissance. A Pétersbourg encore, quand je me préparais à ce déplacement, on m'avait prévenu – et je le savais déjà, d'ailleurs, sans que personne n'ait eu besoin de me prévenir, que je rencontrerais ici un adversaire profond, et un psychologue des plus fins, qui a depuis longtemps gagné par ce don personnel une sorte de gloire particulière dans notre monde juridique encore si jeune. Mais la psychologie, messieurs, c'est, certes, une chose profonde, et, pourtant, quoi qu'on dise, elle a son endroit et son envers (petit rire dans le public). Oh, vous excuserez, bien sûr, mon expression par trop triviale ; je ne suis pas trop un maître de l'éloquence. Mais voilà, tout de même, un exemple – je prends le premier au hasard dans le réquisitoire. Le prévenu, la nuit, dans le jardin, en s'enfuyant, grimpe par-dessus la palissade et frappe avec le pilon de cuivre le serviteur qui s'accroche à sa jambe. Ensuite, tout de suite, il saute à nouveau dans le jardin et se démène pendant cinq pleines minutes sur le blessé, en essayant de comprendre s'il l'a tué ou pas. Et voilà que l'accusation refuse absolument de croire en la justesse de la déposition du prévenu, qui dit que c'est par pitié qu'il a sauté vers le vieux Grigori. «Non, n'est-ce pas, une telle sensibilité peut-elle se faire jour à une minute pareille ; cela, non, c'est contre nature, et, s'il a sauté, c'est pour s'assurer de la mort de l'unique témoin de son méfait, et, donc, ainsi, il aura témoigné que c'est lui qui l'a commis, ce méfait, puisqu'il ne pouvait pas sauter dans le jardin pour une autre raison, un mouvement ou un sentiment quelconque.» Cela, c'est la psychologie : mais prenons cette même psychologie et appliquons-la au dossier, mais en le prenant par l'envers, et cela donnera quelque chose de tout aussi vraisemblable. L'assassin saute à terre par prudence, pour voir si le témoin est mort ou bien vivant, et pourtant, il vient de laisser dans le bureau de son père qu'il vient de tuer, selon le témoignage du procureur lui-même, une pièce à conviction colossale, je veux dire ce paquet déchiré sur lequel il était écrit qu'il contenait trois mille roubles. «S'il avait emporté ce paquet, personne dans le monde entier n'aurait pu savoir que ce paquet avait existé, et donc, que l'argent avait été volé par le prévenu.» Je cite le procureur lui-même. Eh bien, pour une chose, la prudence lui manque, l'homme perd tous ses moyens, il prend peur et s'enfuit, laissant par terre une pièce à conviction, et puis, deux minutes plus tard, il frappe et tue un autre homme, et, là, tout de suite, on voit paraître en lui le sentiment de prudence le plus cruel et le plus calculateur, le tout à votre service. Mais soit, soit, cela s'est passé ainsi : c'est bien là la finesse de la psychologie que, devant telles circonstances, je suis sanguinaire et lucide comme un aigle du Caucase et, la minute suivante, je suis aveugle et craintif comme une vulgaire taupe. Mais si je suis aussi sanguinaire et aussi cruellement calculateur, au point d'avoir tué et de sauter par terre seulement pour voir si le témoin vit encore, alors, pourquoi, pourrait-on croire, perdre cinq pleines minutes à me démener sur ma nouvelle victime, et me faire accabler, allez savoir, de nouveaux témoignages ? A quoi bon mouiller mon mouchoir, en essuyer le sang du front de la victime, pour que ce mouchoir serve par la suite de pièce à conviction pour me confondre ? Non, si nous sommes si calculateur et si cruel, n'aurait-il pas mieux valu, sautant à terre, assommer simplement le serviteur avec ce même pilon une nouvelle fois et puis une autre, pour le tuer, cette fois, définitivement, et pour s'ôter tout souci du fond du cœur après avoir exterminé le témoin ? Et finalement, je saute à terre pour vérifier si le témoin est toujours vivant, et, là, sur le sentier, je laisse un deuxième témoin, je veux dire ce pilon dont je me suis emparé chez les deux femmes et que, toutes les deux, elles peuvent toujours reconnaître comme étant leur pilon à elles, et témoigner de ce que je le leur ai volé. Et ce n'est pas que je l'aie oublié sur le petit sentier, que je l'aie laissé tomber par distraction, parce que j'étais perdu : non, notre arme, nous l'avons bien jetée, parce qu'on l'a retrouvée à une quinzaine de pas de l'endroit où Grigori a été foudroyé. Question : pourquoi donc avons-nous fait cela ? Eh bien, si nous l'avons fait, c'est que nous avons été pris de douleur d'avoir tué un homme, le vieux serviteur, et voilà pourquoi, par dépit, en le maudissant, nous avons projeté ce pilon, comme l'arme du crime, c'est évidemment ainsi, parce que, pourquoi, sinon, l'aurions-nous lancé avec un tel élan ? Et si nous avons été capable de ressentir de la douleur et de la compassion d'avoir tué un homme, eh bien, c'est évidemment parce que nous n'avons pas tué notre père : si nous avions tué notre père, nous n'aurions pas sauté à terre par compassion pour une autre victime, là, ç'aurait été un sentiment tout autre, nous aurions eu d'autres soucis que la compassion, nous aurions essayé de nous sauver, évidemment que oui. Au contraire, je le répète, nous lui aurions écrabouillé le crâne une fois pour toutes, au lieu de rester nous démener avec lui pendant cinq longues minutes. Si la compassion, si un bon sentiment ont pu jaillir, c'est justement parce que la conscience, auparavant, elle était pure. C'est donc là une autre psychologie. Et j'ai fait exprès, messieurs les jurés, de me tourner moi-même vers la psychologie pour vous montrer clairement qu'on peut en tirer ce qu'on veut. Tout le problème est de savoir qui s'en sert. La psychologie incite au roman même les hommes les plus sérieux, et, ce, tout à fait malgré eux. Je parle d'un excès de la psychologie, messieurs les jurés, d'un certain abus de la psychologie."

Ici, on entendit à nouveau quelques petits rires d'approbation dans le public, tout cela à l'adresse du procureur. Je ne citerai pas ici la plaidoirie de l'avocat dans tous ses détails, j'en prendrai seulement quelques extraits, quelques points essentiels.

XI

IL N'Y AVAIT PAS D'ARGENT. IL N'Y A PAS EU DE VOL

Il y eut un point qui stupéfia réellement tout le monde dans la plaidoirie de l'avocat, je veux dire sa négation complète de l'existence de ces fatals trois mille roubles, et, donc, de toute possibilité de les voler.

"Messieurs les jurés, commença l'avocat, dans le dossier présent tout homme neuf et dénué de préjugés est stupéfait par une particularité des plus caractéristiques, je veux dire : l'accusation de vol, et, en même temps, l'impossibilité totale de répondre à cette question : qu'est-ce donc qui a été volé précisément ? On a volé, soi-disant, de l'argent, je veux dire trois mille roubles – mais ont-ils existé réellement, cela, personne n'en sait rien. Réfléchissez : d'abord, comment avons-nous su qu'il s'agissait de trois mille roubles, et qui les a vus ? Le seul à les avoir vus, à les avoir vus enveloppés dans le paquet avec une inscription, c'est le serviteur Smerdiakov. C'est lui qui, dès avant la catastrophe, a communiqué ce renseignement au prévenu et à son frère Ivan Fiodorovitch. On l'a également donné à savoir à Mme Svétlova. Mais, ces trois personnes, l'argent en tant que tel, elles ne l'ont pas vu, le seul à l'avoir vu, là encore, est Smerdiakov, et, là, une question se pose d'elle-même : si tant est qu'il est vrai qu'il ait existé, et que Smerdiakov l'ait vu, quand l'a-t-il vu pour la dernière fois ? Et si, cet argent, le maître l'avait ôté de sous son lit, et l'avait remis dans sa cassette, sans rien lui dire ? Remarquez, d'après le témoignage de Smerdiakov, l'argent était caché sous le lit, sous le matelas ; le prévenu aurait dû l'arracher de sous le matelas, et, pourtant, le lit n'était pas du tout froissé, et ce fait est soigneusement établi dans le procès-verbal. Comment le prévenu, là encore, a-t-il pu ne rien froisser et, qui plus est, les mains en sang, ne pas souiller ce linge de lit, le plus frais et le plus fin, qu'on avait étendu tout exprès cette nuit-là ? Mais, nous dira-t-on : mais, et le paquet sur le sol ? Ce paquet, parlons-en un petit peu. Tout à l'heure, je me suis vu un peu surpris : le très talentueux procureur, parlant de ce paquet, soudain, de lui-même – vous entendez, messieurs, de lui-même –, a dit à son propos dans son réquisitoire, à l'endroit où il parlait de l'ineptie de la supposition que le meurtrier fût Smerdiakov. «S'il n'y avait pas eu ce paquet, s'il n'était pas resté par terre comme une pièce à conviction, si le voleur l'avait pris avec lui, personne dans le monde entier n'aurait su que ce paquet a existé, contenant de l'argent, et que, donc, l'argent a été volé par le prévenu.» Et donc, c'est uniquement ce bout de papier déchiré avec son inscription, de l'aveu même du procureur, qui a servi à accuser le prévenu de vol, «sans quoi personne n'aurait su qu'il y avait eu vol et, peut-être, qu'il y avait eu cet argent». Mais enfin, le fait que ce bout de papier gise sur le plancher est-il donc une preuve suffisante qu'il contenait de l'argent, et que cet argent a été volé ? «Mais, répondra-t-on, Smerdiakov a vu l'argent dans le paquet», oui, mais quand, quand l'a-t-il vu pour la dernière fois, voilà ce que je demande ? J'ai parlé avec Smerdiakov, et il m'a dit qu'il l'avait vu deux jours avant la catastrophe ! Mais pourquoi n'ai-je pas le droit de supposer, par exemple, disons, cette circonstance, que le vieux Fiodor Pavlovitch, s'enfermant chez lui, dans l'attente impatiente, hystérique, de sa bien-aimée, soudain, ne se soit pas mis en tête, pour meubler le temps, de sortir le paquet et de le décacheter ;

«Un paquet, n'est-ce pas, elle serait capable de ne pas y croire, alors que, si je lui montre trente billets arc-en-ciel dans une seule liasse, là, je parie que l'effet sera plus fort, tiens, elle va saliver» – et il déchire l'enveloppe, il sort l'argent, et puis, l'enveloppe, il la jette par terre, de sa puissante main de maître de maison, et, on le comprend bien, sans avoir peur d'aucune pièce à conviction. Ecoutez, messieurs les jurés, y a-t-il quelque chose de plus possible qu'une telle supposition et qu'un tel fait ? Pourquoi est-ce impossible ? Mais si seulement quelque chose de semblable a pu exister, alors, l'accusation de vol est détruite d'elle-même : il n'y avait pas d'argent, il n'y a pas eu, donc, de vol. Si le paquet gisait sur le plancher comme une pièce à conviction qu'il avait contenu de l'argent, pourquoi, moi, n'ai-je pas le droit d'affirmer le contraire, je veux dire que, si ce paquet traînait sur le plancher, c'était justement parce qu'il ne contenait plus d'argent, que le maître de maison lui-même l'en avait ôté. «Mais, dans ce cas-là, où est passé l'argent, si c'est Fiodor Pavlovitch lui-même qui l'a pris dans le paquet, qu'on ne l'a pas retrouvé en fouillant la maison ?» D'abord, dans sa cassette, on a retrouvé une partie de l'argent, et, ensuite, il avait pu l'enlever encore le matin, voire la veille, en disposer complètement, le donner, l'envoyer, changer, finalement, d'idée, son plan d'action dans sa base même et, ce faisant, sans juger le moins du monde nécessaire d'en prévenir auparavant Smerdiakov. Or, s'il existe ne serait-ce qu'une possibilité d'une telle supposition, alors, comment est-il possible d'accuser le prévenu si péremptoirement, avec une telle insistance, d'avoir commis le meurtre pour voler, et d'affirmer que le vol a réellement eu lieu ? Car quoi, de cette façon-là, nous entrons dans le domaine des romans. Car si l'on affirme que telle chose a été volée, il faut désigner cette chose, ou du moins prouver sans risque d'erreur que cette chose a existé. Or, personne ne l'a jamais vue. Récemment, à Pétersbourg, un jeune homme, presque un gamin, de dix-huit ans, le petit commis d'un marchand des rues, est entré, en plein jour, une hache à la main, dans une boutique de change et, avec une audace extraordinaire, typique, a tué le patron de la boutique et a emporté mille cinq cents roubles. Quelque cinq heures plus tard, il a été arrêté, on a retrouvé sur lui, hormis quinze roubles qu'il avait déjà eu le temps de dépenser, tous ces mille cinq cents roubles. En outre, un commis, retournant à la boutique après le meurtre, a indiqué à la police non seulement le montant de la somme volée, mais la composition précise de cette somme, c'est-à-dire combien il y avait de billets arc-en-ciel, combien de billets bleus, combien de rouges, combien de pièces d'or, et lesquelles précisément, et, sur l'assassin arrêté, on a retrouvé justement cette somme-là, et ces pièces. De plus, tout cela a été suivi par un aveu complet et sincère de l'assassin, comme quoi c'était lui qui avait tué, et qu'il avait pris cet argent. Voilà, messieurs les jurés, ce que j'appelle des pièces à conviction ! Là, je sais, je vois, je peux toucher cet argent et je ne peux pas dire qu'il n'a pas existé. Est-ce la même chose dans le cas présent ? Et pourtant, c'est une question de vie ou de mort, il y va du destin d'un homme. «Mais, me dirat-on, il a festoyé toute la nuit, il a flambé l'argent, on a retrouvé sur lui mille cinq cents roubles – où les avait-il pris ?» Mais justement, puisqu'on n'a retrouvé sur lui que mille cinq cents roubles, et qu'il a été absolument impossible de retrouver, de ramener au jour l'autre moitié, c'est justement cela qui prouve que cet argent pouvait ne pas du tout être celui-là, de l'argent qui ne s'était jamais trouvé dans aucun paquet. En calculant le temps (et, ce, avec la plus grande rigueur), l'enquête préliminaire a établi et prouvé que le prévenu, après être sorti en courant de chez les servantes pour se rendre chez le fonctionnaire Perkhotine, ne s'est pas arrêté chez lui, qu'il ne s'est arrêté nulle part, qu'il s'est toujours trouvé en compagnie de quelqu'un, et donc, qu'il n'a pas pu prélever mille cinq cents roubles sur les trois mille et les cacher je ne sais où en ville. C'est précisément cette réflexion qui explique l'hypothèse de l'accusation selon laquelle l'argent est caché je ne sais où dans un trou, au village de Mokroïé. Mais pourquoi pas dans les caves du château d'Udolphe[1], messieurs ? Mais n'est-ce pas là une hypothèse fantastique, romanesque ? Et, remarquez-le, pour peu que s'effondre ne serait-ce que cette hypothèse-là, c'est-à-dire que l'argent est caché à Mokroïé, toute l'accusation de vol est réduite à néant, car où donc, oui, où donc sont passés ces mille cinq cents roubles ? Par quel miracle ont-ils pu disparaître s'il est démontré que le prévenu ne s'est arrêté nulle part ? Et c'est avec ce genre de romans que nous sommes prêts à sacrifier la vie d'un homme ! On dira : «Malgré tout, il n'a pas su expliquer où il a pris ces mille cinq cents roubles qu'on a trouvés sur lui, et, en outre, tout le monde savait qu'avant cette nuit-là il n'avait pas d'argent.» Et qui donc le savait ? Pourtant, le prévenu a donné une explication claire et ferme sur l'origine de cet argent, et – si vous voulez, messieurs les jurés, si vous voulez – rien jamais n'a pu et ne peut être plus vraisemblable que cette explication, et rien,

1. Référence à un roman d'Ann Radcliffe, *Les Mystères d'Udolphe*, très populaire dans la Russie de la première moitié du XIXe.

en outre, de plus compatible avec le caractère et l'âme du prévenu. L'accusation s'est laissé séduire par son propre roman : un homme de peu de volonté, qui décide de s'approprier les trois mille roubles qui lui ont été si honteusement offerts par sa fiancée, ne pouvait pas, soi-disant, en prélever la moitié et la coudre dans un viatique, au contraire, quand bien même il l'aurait fait, il aurait décousu son viatique tous les deux jours, en aurait pris chaque fois cent roubles, et aurait ainsi tout dépensé en l'espace d'un mois. Souvenez-vous, tout cela a été exposé sur un ton qui ne souffrait aucune réplique. Et si les choses se sont passées tout autrement, et si vous aviez composé un roman, avec un personnage complètement différent ? Le fait est là, que vous avez créé un personnage complètement différent ! On répliquera, je parie : «Il y a des témoins qui l'ont vu flamber à Mokroïé tous ces trois mille roubles qu'il a pris chez Mme Verkhovtséva, un mois avant la catastrophe, d'un coup, comme un seul kopeck, donc, il n'a pas pu en prélever la moitié.» Mais qui sont ces témoins ? Le degré de fiabilité de ces témoins est apparu à l'audience. En outre, dans la main du voisin, le pain est toujours plus gros. Et puis, aucun de ces témoins n'a compté cet argent, on n'a jugé qu'à l'estime. Le témoin Maximov a bien indiqué, lui, que le prévenu avait entre les mains vingt mille roubles. Vous voyez, messieurs les jurés, comme, dans la psychologie, il y a l'endroit et l'envers, permettez-moi donc de supposer aussi cet envers, et regardons ce que cela donnera.

Un mois avant la catastrophe, le prévenu a reçu trois mille roubles des mains de Mme Verkhovtséva pour les envoyer par la poste, mais, question : est-il exact qu'ils lui aient été confiés au prix d'une telle honte, d'un tel abaissement, comme cela a été proclamé tout à l'heure ?

Dans le premier témoignage de Mme Verkhovtséva à ce sujet, ce n'était pas ça, absolument pas ça : dans son deuxième témoignage, nous n'avons entendu que des cris de colère, de vengeance, des cris d'une haine qui s'était trop longtemps dissimulée. Mais le seul fait que le témoin, dans son premier témoignage, ait fait une déposition fausse nous donne le droit de conclure que sa deuxième déposition, elle aussi, peut être fausse. Le procureur «ne veut pas, n'ose pas» (je reprends ses termes) toucher à ce roman. Soit, moi non plus, je n'y toucherai pas, et, pourtant, je me permettrai seulement de remarquer que si cette personne pure et hautement morale qu'est sans aucun doute la très honorable Mme Verkhovtséva, si une telle personne, dis-je, se permet soudain, d'un coup, au tribunal, de modifier sa première déposition, dans le but évident de perdre le prévenu, il est clair que ce témoignage n'a pas été donné avec impartialité, avec sang-froid. Pourra-t-on nous enlever le droit de conclure qu'une femme qui se vengeait a pu exagérer un certain nombre de choses ? Oui, précisément exagérer cette honte et cet abaissement avec lesquels elle avait proposé l'argent. Au contraire, cet argent avait été proposé de telle sorte qu'on pouvait encore l'accepter, surtout s'agissant d'un homme aussi frivole que notre prévenu. Surtout, il escomptait à ce moment-là toucher incessamment de son père les trois mille roubles qu'il pensait lui être dus. C'était frivole, mais, justement, c'est en raison de sa frivolité qu'il était sûr que son père ne manquerait pas de les lui donner, qu'il les toucherait et que, donc, il pourrait toujours envoyer par la poste l'argent que lui avait confié Mme Verkhovtséva, et s'acquitter de sa dette. Mais le procureur refuse absolument d'admettre qu'il ait pu, le jour même, le jour de l'accusation, prélever la moitié de la somme qu'il venait de recevoir et la coudre dans un viatique : «Ce n'est pas, soi-disant, son caractère, il n'a pas pu avoir ces sentiments.» Mais vous avez crié vous-même que Karamazov était une nature large, vous l'avez crié vous-même, que Karamazov pouvait contempler en même temps deux abîmes opposés. Karamazov est justement une nature à deux faces, à deux abîmes, et, avec un besoin tellement irreffréné de débauche, il est capable de s'arrêter, si quelque chose le frappe du côté opposé. Or, ce qu'il y a de l'autre côté – c'est l'amour, ce fameux nouvel amour qui s'embrase à ce moment-là comme de la poudre, et, pour cet amour, il a besoin d'argent, oh, il en a beaucoup plus besoin, oh, beaucoup plus que pour la fête avec cette même bien-aimée. Elle lui dira : «Je suis à toi, je ne veux pas de Fiodor Pavlovitch», et, lui, tout de suite, il l'emmènera – il faut avoir de quoi l'emmener. Cela, c'est plus important que la fête. Karamazov peut-il ne pas le comprendre ? Mais c'est justement cela qui le rend malade, ce souci-là – qu'y a-t-il donc d'invraisemblable à ce qu'il ait divisé cet argent et l'ait caché au cas où ? Mais voilà, pourtant, le temps passe, et Fiodor Pavlovitch ne donne toujours pas les trois mille roubles au prévenu, au contraire, on apprend qu'il les destine justement à essayer d'attirer sa bien-aimée. «Si Fiodor Pavlovitch ne les donne pas, pense-t-il, moi, je passerai pour un voleur aux yeux de Katérina Ivanovna.» Et là, l'idée se forme en lui, pour ces mille cinq cents roubles qu'il continue de porter sur lui en viatique, de se présenter à Mme Verkhovtséva, de les déposer devant elle et de lui dire : «Je suis une crapule, mais pas un voleur.» Et donc, n'est-ce pas, voilà sans doute une deuxième raison de veiller sur ces mille cinq cents roubles comme sur la prunelle de ses yeux, de se garder de découdre le viatique et de le dépenser par portion de cent roubles. Pourquoi refuseriez-vous au prévenu le sens de l'honneur ? Non, il a un sens de l'honneur, mettons qu'il ne soit pas entièrement juste, mettons qu'il soit souvent fautif, mais ce sens existe, il existe jusqu'à la passion, et le prévenu l'a déjà prouvé. Mais voilà pourtant que l'affaire se complique, les tortures de la jalousie atteignent un degré insupportable, et les deux mêmes questions, les deux questions de toujours se présentent toujours, toujours plus torturantes à l'esprit du prévenu : «Si je les rends à Katérina Ivanovna : avec quels moyens emmènerai-je Grouchenka ?» S'il s'est montré si fou, s'il a tellement bu, s'il a mené cette vie de scandales dans les tavernes tout au long de ce mois, c'est justement, peut-être, parce que, lui-même, il avait tant de mal, il lui était impossible de le supporter. Ces deux questions ont fini par atteindre une telle acuité qu'elles l'ont poussé au désespoir. Il veut envoyer son jeune frère demander pour la dernière fois ces trois mille roubles à son père, mais, sans attendre la réponse, il fait irruption lui-même, et, pour finir, il roue de coups le vieil homme, devant témoins. Après cela, bien sûr, il ne peut plus rien toucher de personne, le père roué de coups ne donnera rien. Le même jour, au soir, il se frappe la poitrine, la partie supérieure de la poitrine, là où il porte le viatique, et jure à son frère qu'il possède le moyen de ne pas être une crapule, mais que, lui, malgré tout, il restera une crapule, car il prévoit qu'il n'utilisera pas ce moyen, il n'aura pas assez de force d'âme, pas assez de caractère. Pourquoi, pourquoi l'accusation ne croit-elle pas en la déposition d'Alexéï Karamazov, qui a été donnée d'une façon si pure, si sincère, si spontanée et vraisemblable ? Pourquoi, au contraire, m'oblige-t-elle à croire que l'argent est dans je ne sais quelle lézarde, dans les caves du château d'Udolphe ? Le même soir, après sa conversation avec son frère, le prévenu écrit cette lettre fatale, et c'est bien cette lettre qui est la pièce à conviction essentielle, la plus colossale, pour l'accuser de vol ! «Je demanderai à tout le monde, et si les gens ne me les donnent pas, je tuerai le père et je lui prendrai sous le matelas, dans le paquet au ruban rose, pourvu seulement qu'Ivan s'en aille» – le programme complet, n'est-ce pas, du meurtre, évidemment que c'est lui ! «Ça s'est fait comme c'était écrit !» s'exclame l'accusation. Mais, d'abord, cette lettre est écrite en état d'ivresse, dans un état d'excitation terrible ; ensuite, le paquet, là encore, il en parle seulement d'après ce qu'a dit Smerdiakov, parce que, lui-même, le paquet, il ne l'a pas vu, et enfin, cette lettre, elle est écrite, certes, mais tout s'est-il fait comme c'était écrit, cela, comment le prouver ? Le prévenu a-t-il trouvé le paquet sous l'oreiller, a-t-il trouvé l'argent, cet argent, en général, a-t-il existé ? D'ailleurs, est-ce pour chercher l'argent que le prévenu s'est précipité, souvenez-vous, souvenez-vous ! Il s'est précipité, les jambes à son cou, non pas pour voler, mais seulement pour savoir où elle était, où était cette femme qui le rongeait – donc, ce n'est pas en suivant le programme, pas d'après le texte écrit qu'il a couru, c'est-à-dire pour un vol prémédité, mais il a couru soudain, sans le faire exprès, pris d'une frénésie de la jalousie ! «Mais, dira-t-on, malgré tout, il est accouru et il a tué, et il a pris l'argent.» Mais enfin, là encore, a-t-il tué, oui ou non ? Je rejette avec indignation l'accusation de vol : on ne peut pas accuser de vol si l'on ne peut pas désigner exactement ce qui a été volé, c'est un axiome ! Mais, en dehors de cela, a-t-il tué, a-t-il tué sans voler ? Cela, est-ce prouvé ? Cela, n'est-ce pas un roman ?"

XII

ET PAS DE MEURTRE NON PLUS

“Permettez, messieurs les jurés, il y va de la vie d’un homme, et il faut être prudent. Nous avons vu que l’accusation elle-même a témoigné avoir hésité jusqu’à ce dernier jour, jusqu’au jour d’aujourd’hui, jusqu’au jour du procès, qu’elle a hésité à accuser le prévenu d’un meurtre entièrement, totalement prémédité, qu’elle a hésité jusqu’à cette fatale lettre «en état d’ivresse» que l’on a présentée à l’audience. «Tout s’est fait comme c’était écrit !» Mais, là encore, je le répète : il a couru vers elle, la chercher, elle, juste pour savoir où elle était. Cela, c’est un fait établi. Si elle s’était trouvée chez elle, il n’aurait couru nulle part, il serait resté auprès d’elle et n’aurait pas tenu ce qu’il promettait dans sa lettre. Il a couru d’un seul coup, soudain, et, sa lettre «en état d’ivresse», peut-être bien, à ce moment-là, il l’avait complètement oubliée. «Il a pris, tout de même, le pilon» – et, souvenez-vous, comme de ce seul pilon on nous a tiré toute une psychologie : pourquoi, n’est-ce pas, il devait considérer ce pilon comme une arme, le saisir comme une arme, etc. Là, il me vient une idée des plus ordinaires : eh quoi si ce pilon ne s’était pas trouvé en vue, pas sur une étagère sur laquelle le prévenu l’a pris au vol, mais qu’il avait été rangé dans une armoire ? Là, n’est-ce pas, il n’aurait pas sauté aux yeux du prévenu, et ce dernier se serait enfui sans arme, les mains vides, et là, peut-être, il n’aurait jamais tué personne. Comment donc puis-je conclure à propos de ce pilon que c’est la preuve qu’il s’est armé et qu’il l’avait prémédité ? Oui, mais il criait dans les tavernes qu'il allait tuer son père, et, deux jours auparavant, le soir où il a écrit sa lettre en état d'ivresse, il a été calme, il ne s'est fâché dans la taverne qu'avec un commis de marchand, «parce que, n'est-ce pas, Karamazov ne peut pas ne pas se fâcher». Et moi, je vous répondrai que s'il avait déjà prémédité son meurtre, et en suivant un plan, qui plus est, suivant ce qu'il avait écrit, là, c'est sûr qu'il ne se serait pas fâché avec ce commis, et peut-être même ne serait-il pas entré dans la taverne, parce que l'âme qui prémédite une telle affaire cherche le silence et le camouflage, cherche la disparition, qu'on ne la voie pas, qu'on ne l'entende pas : «Oubliez-moi, n'est-ce pas, si vous pouvez», et pas seulement par calcul, mais par instinct. Messieurs les jurés, la psychologie a son endroit et son envers, nous aussi, nous savons la comprendre, la psychologie. Quant à tous ces cris de taverne tout au long de ce mois, n'entendons-nous pas crier les enfants ou des noceurs avinés, quand ils sortent des estaminets, et se disputent : «Je vais te tuer», et, pourtant, ils ne tuent personne. Et puis, cette lettre fatale elle-même – là encore, n'est-ce pas une excitation de l'ivresse, n'est-ce pas le cri d'un homme qui sort d'une taverne : je vous tuerai, oui, je vous tuerai tous ! Pourquoi n'est-ce pas ainsi, pourquoi ne pourrait-ce pas être le cas ? Pourquoi cette lettre est-elle fatale, pourquoi, au contraire, n'est-elle pas comique ? Mais parce qu'on a retrouvé le corps du père assassiné, parce qu'un témoin a vu le prévenu dans le jardin, armé et s'enfuyant, et qu'il a lui-même été frappé par lui, et que, donc, tout s'est passé comme c'était écrit, et voilà pourquoi cette lettre n'est pas comique, mais fatale. Dieu soit loué, nous sommes au point final : «S'il était dans le jardin, c'est qu'il a tué.» Avec ces deux mots : s'il y *était*, alors, évidemment, *donc*, tout se résume, toute l'accusation – «il y était, eh bien, donc». Et si ce n'est pas *donc*, même s'il y était ? Oh, je vous l'accorde, la conjonction des faits, la coïncidence des faits, tout cela est réellement éloquent. Mais regardez, pourtant, chacun de ces faits en lui-même, sans faire attention à leur conjonction : pourquoi, par exemple, l'accusation refuse-t-elle absolument d'admettre la vraisemblance de la déposition du prévenu, selon laquelle il s'est enfui de la fenêtre de son père ? Souvenez-vous même des sarcasmes auxquels s'est livrée l'accusation au sujet du respect et des sentiments de «piété» qui saisissent soudain le meurtrier. Et si, de fait, il s'était passé quelque chose de semblable, c'est-à-dire peut-être pas un sentiment de respect, mais une certaine piété des sentiments ? «C'est ma mère, sans doute, qui a prié pour moi à cet instant», indique le prévenu pendant l'enquête, et donc il s'est enfui sitôt qu'il a acquis la conviction que Svétlova n'était pas chez son père. «Mais il n'a pas pu s'en assurer par la fenêtre», nous réplique l'accusation. Et pourquoi pas ? La fenêtre s'était ouverte aux signes frappés par le prévenu. Un mot quelconque, je ne sais pas, aurait pu être prononcé par Fiodor Pavlovitch, il aurait pu laisser échapper un cri – et le prévenu a pu s'assurer d'un coup que Svétlova n'était pas là. Pourquoi faut-il absolument supposer comme nous l'imaginons, comme nous avons supposé qu'il fallait imaginer ? La réalité peut faire jaillir des milliers de détails qui échappent à l'attention du romancier le plus fin. «Oui, mais Grigori a vu la porte ouverte, et, donc, il est sûr que le prévenu est entré dans la maison, et donc qu'il a tué.» Cette porte, messieurs les jurés… Voyez-vous, cette porte, elle n'est établie que par une seule personne qui se trouvait elle-même, alors, dans un tel état que… Mais, bon, bon, je veux bien que la porte ait été ouverte, je veux bien que le prévenu ait nié, qu'il ait menti par un sentiment d'autofédense, si compréhensible dans sa situation, je veux bien, je veux bien qu'il soit entré dans la maison, qu'il ait été dans la maison – et alors, quoi, pourquoi faut-il absolument, s'il s'est trouvé dans la maison, qu'il ait tué ? Il a pu faire irruption, faire le tour de toutes les pièces, il a pu bousculer son père, il a même pu frapper son père, mais, après s'être assuré que Svétlova n'était pas là, il s'est enfui, tout heureux qu'elle ne soit pas là, et qu'il se soit enfui, lui, sans avoir tué son père. C'est justement pour cette raison, peut-être, qu'une minute plus tard il a pu sauter à bas de la palissade vers Grigori qu'il avait frappé dans son emportement, parce qu'il était capable de ressentir une émotion pure, l'émotion de la compassion et de la pitié, parce qu'il avait fui la tentation de tuer son père, qu'il ressentait en lui-même un cœur pur et la joie de ne pas avoir tué son père. L'accusation nous donne une description d'une éloquence effrayante de l'état terrifiant du prévenu à Mokroïé, au moment où l'amour s'ouvre à nouveau à lui, l'appelant vers une vie nouvelle, et qu'il ne lui est plus possible d'aimer, parce qu'il a derrière lui le cadavre sanglant de son père, et, derrière le cadavre, le châtiment. Et pourtant, l'accusation admet tout de même l'amour, amour qu'elle explique toujours selon sa psychologie : «Un état d'ivresse, n'est-ce pas, le criminel qu'on conduit au supplice, il y a encore longtemps à attendre, etc.» Mais n'avez-vous pas créé un autre personnage, monsieur le procureur, là encore, je vous le demande ? Le prévenu est-il à ce point, mais à ce point, grossier, sans cœur, qu'il ait été capable à ce moment-là de penser encore à l'amour et à ses dérobades devant le tribunal, si, réellement, il avait eu sur les mains le sang de son père ? Non, non et non ! A peine se serait-il révélé qu'elle l'aimait, qu'elle l'appelait à la suivre, qu'elle lui promettait un nouveau bonheur – oh, je le jure, il aurait dû ressentir à ce moment-là un double, un triple besoin de se suicider, et il se serait suicidé sans le moindre doute, s'il avait eu derrière lui le cadavre de son père ! Oh non, il n'aurait pas oublié où il avait posé ses pistolets ! Je connais le prévenu : cette cruauté sauvage, impénétrable, dont l'affuble l'accusation, elle est incompatible avec son caractère. Il se serait tué, cela, c'est sûr ; s'il ne s'est pas tué, c'est justement parce que «sa mère a prié pour lui», et que son cœur n'est pas coupable du sang de son père. S'il se torturait, s'il se rongeait, cette nuit-là, à Mokroïé, c'était seulement pour le vieux Grigori qu'il avait assommé, et il priait secrètement le bon Dieu que le vieillard se relève et se réveille, que son coup n'ait pas été mortel et qu'il n'ait pas à être châtié pour lui. Pourquoi ne pas accepter une telle explication des faits ? Quelle preuve formelle avons-nous que le prévenu nous mente ? Mais le cadavre du père, nous dira-t-on une nouvelle fois : il est ressorti en courant, il n'a pas tué, mais alors, qui a tué le vieil homme ?

Je le répète, voilà toute la logique de l'accusation : qui donc a tué, si ce n'est pas lui ? Il n'y a personne, n'est-ce pas, à mettre à sa place. Messieurs les jurés, est-ce bien le cas ? Est-ce bien vrai, est-ce bien réel, que nous n'ayons personne ? Nous avons entendu l'accusation nous compter sur les doigts toutes les personnes présentes, ou qui étaient passées, cette nuit-là, dans la maison. On en dénombre cinq. Trois d'entre elles, je vous l'accorde, sont totalement hors de cause : c'est la victime elle-même, le vieux Grigori et son épouse. Restent donc le prévenu et Smerdiakov, et voilà l'accusation qui clame avec pathos que si le prévenu lui désigne

Smerdiakov, c'est qu'il n'y a personne d'autre à désigner, et que, s'il y avait eu une sixième personne, ou ne serait-ce que le spectre d'une sixième, le prévenu aurait tout de suite cessé d'accuser Smerdiakov, pris par la honte, et aurait désigné ce sixième en question. Mais, messieurs les jurés, n'est-il pas possible de conclure exactement l'inverse ? Ils sont deux : le prévenu et Smerdiakov – pourquoi ne puis-je pas dire que vous accusez mon client uniquement parce que vous n'avez personne à accuser ? Et vous n'avez personne seulement parce que, suite à un préjugé total, vous avez lavé à l'avance Smerdiakov de tout soupçon. Oui, certes, Smerdiakov n'est désigné que par le seul prévenu, par ses deux frères, par Svétlova, et c'est tout. Mais il y a encore quelques autres dépositions : on sent là comme une espèce de fermentation, pas encore du tout claire dans notre société, d'une espèce de question, d'une espèce de soupçon, on entend comme une sorte de rumeur mystérieuse, on sent qu'il existe comme je ne sais quelle attente. Ensuite, témoigne aussi une certaine coïncidence de faits, très caractéristique, quoique, je l'avoue, encore indéfinie ; d'abord, cette crise d'épilepsie le jour précis de la catastrophe, une crise que, je ne sais pas pourquoi, le procureur a dû défendre et souligner avec une telle fougue. Ensuite, ce suicide brutal de Smerdiakov à la veille du procès. Ensuite, cette déposition, non moins brutale, du frère aîné du prévenu, aujourd'hui même à l'audience, ce frère qui, jusqu'à présent, alors qu'il avait toujours cru en la culpabilité de son frère, apporte soudain l'argent et, à son tour, proclame le nom de Smerdiakov comme étant celui de l'assassin ! Oh, je suis pleinement persuadé, comme la cour et le procureur, qu'Ivan Karamazov est un homme malade, atteint de fièvre chaude, que sa déposition a, de fait, pu être une tentative désespérée, imaginée, qui plus est, en plein délire, pour sauver son frère, en accusant un mort. Et pourtant, malgré tout, le nom de Smerdiakov est prononcé, malgré tout, on entend comme quelque chose de mystérieux. Il y a là comme quelque chose qui n'est pas entièrement dit, messieurs les jurés, pas entièrement achevé. Et qui, peut-être, se dira encore. Mais cela, pour l'instant, laissons-le, c'est encore devant nous. Le cour a décidé tout à l'heure de poursuivre l'audience, mais, pour l'instant, d'ici là, en attendant, je pourrais faire quelques remarques, par exemple, au sujet de la description du défunt Smerdiakov dressée avec une telle finesse et un tel talent par le M. le procureur. Mais, en m'étonnant de ce talent, je ne peux pas, pourtant, être d'accord avec l'essence de cette description. Je me suis rendu chez Smerdiakov, je l'ai vu et je lui ai parlé, et il m'a fait une impression toute différente. Il était de santé faible, certes, mais, de caractère, de cœur – oh non, c'était loin d'être un homme aussi faible que le croit l'accusation. Surtout, je n'ai trouvé en lui aucune trace de timidité, de cette timidité que l'accusation nous a si pittoresquement décrite. La simplicité, il en était dénué entièrement, au contraire, j'ai trouvé en lui une méfiance terrible, qui se cachait sous un masque de naïveté, et un esprit tout à fait capable d'envisager beaucoup de choses. Oh, l'accusation s'est montrée bien trop simple quand elle l'a pris pour un faible d'esprit. Moi, il m'a fait une impression tout à fait claire : je suis reparti avec la conviction que c'était un être fondamentalement méchant, doué d'une vanité sans mesure, rancunier, maladivement jaloux. J'ai fait une rapide enquête : il haïssait son origine, il en avait honte et il grinçait des dents en se rappelant qu'il «provenait de la Puante». Envers le serviteur Grigori et son épouse, qui avaient été les bienfaiteurs de son enfance, il faisait preuve d'un grand manque de respect. Il maudissait la Russie et se moquait d'elle. Il rêvait de partir en France, afin de se transformer en Français. Il avait dit souvent, et depuis bien longtemps, que, pour ce faire, c'est l'argent qui lui manquait. Je pense qu'il n'aimait personne à part lui-même, et, lui-même, il se plaçait étrangement haut. Il voyait la culture dans les beaux habits, des chemises propres et des bottes bien cirées. Se considérant lui-même (et il n'avait peut-être pas tort) comme le fils illégitime de Fiodor Pavlovitch, il pouvait détester sa situation comparée à celle des enfants légitimes de son maître : eux, n'est-ce pas, ils auraient tout, et, lui, rien, eux, ils avaient tous les droits, eux, ils avaient l'héritage, et, lui, il n'était que maître queux. Il m'a rapporté qu'il avait empaqueté l'argent lui-même avec Fiodor Pavlovitch. La destination de cette somme – une somme qui pouvait faire toute sa carrière –, bien sûr, il ne pouvait que la haïr. De plus, il avait vu ces trois mille roubles en billets de banque arc-en-ciel (cela, je le lui ai demandé spécialement). Oh, ne montrez jamais à un homme jaloux et vaniteux une grosse somme d'un seul coup – et, lui, une somme pareille, c'était la première fois qu'il la voyait devant lui. L'impression laissée par cette liasse arc-en-ciel a pu s'imprimer maladivement dans son imagination, au début, d'abord sans aucune conséquence. Le très talentueux procureur nous a dépeint avec une finesse extraordinaire tout le *pro* et le *contra* d'une possibilité d'accuser Smerdiakov du meurtre, et, surtout, il a posé cette question : pourquoi aurait-il eu besoin de feindre une crise d'épilepsie ? Oui, mais il aurait très bien pu ne pas la feindre du tout, la crise aurait pu venir le plus naturellement du monde, mais passer également le plus naturellement du monde, et le malade pouvait reprendre conscience. Mettons, je ne dis pas se remettre, mais enfin, d'une façon ou d'une autre, reprendre ses esprits, comme il en va toujours dans les cas d'épilepsie. L'accusation demande : où est le moment où Smerdiakov commet le crime ? Mais indiquer ce moment est extrêmement facile. Smerdiakov peut se réveiller, et se lever, sortant d'un sommeil profond (car il ne faisait que dormir : une crise d'épilepsie est toujours suivie d'un sommeil profond), au moment précis où le vieillard Grigori, saisissant par la jambe sur la palissade le prévenu qui s'enfuyait, se met à hurler de toutes ses forces : «Parricide !» Ce cri, il est tout sauf commun, dans la nuit et le silence, il a pu réveiller Smerdiakov, dont le sommeil à ce moment-là pouvait ne pas être très profond : il avait naturellement pu commencer à se réveiller depuis une heure. Il se lève de son lit, se dirige, presque inconsciemment, et sans aucune intention, dans la direction du cri, pour voir ce qui se passe. Sa tête est lourde d'un brouillard maladif, son cerveau dort encore, mais le voilà dans le jardin, il s'approche de la fenêtre éclairée et apprend de son maître la nouvelle terrible, de son maître qui, évidemment, est heureux de le voir. Le cerveau se rallume tout de suite dans sa tête. Son maître effrayé lui apprend tous les détails. Et voilà que, peu à peu, dans sa cervelle malade et troublée, se forme une pensée – effrayante, mais tentatrice et imparablement logique : tuer, prendre les trois mille roubles et charger de tout le jeune monsieur : qui donc se fera soupçonner à présent, sinon le jeune monsieur, qui donc se fera accuser sinon lui, toutes les preuves de sa présence sont réunies ? Une soif terrible d'argent, de butin, a pu s'emparer de son âme, en même temps que la conscience qu'il ne courait aucun danger. Oh, ces élans soudains et imparables, ils arrivent si souvent quand l'occasion se présente, et, surtout, ils arrivent par surprise à des assassins qui, une minute auparavant, ne savaient pas qu'ils allaient vouloir tuer ! Et voilà que Smerdiakov a pu entrer chez son maître et accomplir son plan, comment, avec quelle arme – eh, n'importe quelle pierre ramassée dans le jardin. Mais pourquoi donc, dans quel but ? Enfin, ces trois mille roubles, c'est une carrière. Oh ! je ne me contredis pas : cet argent, il a peut-être bien pu exister. Et même, peut-être bien, Smerdiakov était-il le seul à savoir où le trouver, où précisément son maître l'avait caché. «Mais, et l'enveloppe de l'argent, le paquet déchiré sur le sol ?» Tout à l'heure, quand M. le procureur a parlé de ce paquet, il nous a fait part d'une de ses réflexions très fines sur le fait que seul un voleur sans expérience a pu le laisser sur le sol, un voleur exactement comme Karamazov, et pas du tout Smerdiakov, qui n'aurait pour rien au monde laissé une telle pièce à conviction – tout à l'heure, messieurs les jurés, en l'écoutant, j'ai senti quelque chose que je connaissais par cœur. Et, figurez-vous, c'était exactement cette réflexion, cette idée sur la façon dont Karamazov aurait pu agir avec le paquet, que j'ai entendue, voici exactement deux jours, de la bouche de Smerdiakov lui-même, bien plus, il m'avait stupéfié sur le coup : j'avais eu précisément l'impression qu'il jouait faussement les naïfs, qu'il prenait les devants, qu'il voulait me souffler cette idée, de façon qu'elle m'apparaisse comme ma propre réflexion et non pas quelque chose qui me soit soufflé. N'aurait-il pas soufflé cette idée pendant l'enquête préliminaire ? Ne l'a-t-il pas insinuée au très talentueux accusateur ? On dira : mais la vieille, la femme de Grigori ? Elle, n'est-ce pas, elle a entendu le malade qui gémissait à côté d'elle toute la nuit. Oui, elle l'a entendu, mais cette réflexion aussi est très fragile. J'ai connu une dame qui se plaignait amèrement d'avoir été réveillée toute la nuit par un chien dans la cour qui ne la laissait pas dormir. Et pourtant, l'infortuné cabot, comme on l'a su plus tard, n'avait grogné que deux ou trois fois dans la nuit. Et c'est bien naturel : on dort et on entend soudain un gémissement, on se réveille, dépité d'avoir été réveillé, mais on se rendort à la seconde. Deux heures plus tard, nouveau gémissement, on se réveille, et on se rendort une nouvelle fois, et puis, enfin, un troisième gémissement, et, encore une fois, deux heures plus tard, ce qui fera trois fois dans toute la nuit. Le lendemain, le dormeur se réveille et se plaint que quelqu'un ait gémi toute la nuit et l'ait constamment réveillé. Et il ne pouvait pas ne pas avoir cette impression : les intervalles de sommeil, ce qui s'est passé pendant ces deux heures, il les a passés à dormir et ne s'en souvient pas, il ne se souvient que des minutes de son réveil, et donc, il garde l'impression qu'on l'a réveillé toute la nuit. Mais pourquoi, pourquoi, s'exclame l'accusation, Smerdiakov n'a-t-il pas avoué dans son billet posthume ? «Pour une chose, il a assez de conscience, et pour l'autre, non.» Mais, permettez : la conscience, c'est déjà du remords, et, ce remords, le suicidé a très bien pu ne pas l'éprouver, il pouvait n'éprouver que du désespoir. Le désespoir et le remords – ce sont deux choses toutes différentes. Le désespoir peut être méchant et entêté, et le suicidé, attentant à ses jours, au moment même où il le faisait, pouvait doublement haïr tous ceux dont, toute sa vie, il avait été jaloux. Messieurs les jurés, gardez-vous d'une erreur judiciaire ! En quoi, en quoi ce que je viens de vous présenter et de vous peindre est-il invraisemblable ? Trouvez une erreur dans mon exposé, trouvez l'absurde, l'impossibilité ?

Mais si mes hypothèses ont ne serait-ce que l'ombre d'une possibilité, ne serait-ce que l'ombre d'une vraisemblance – retenez-vous du verdict. Or, est-ce seulement une ombre ? Je vous le jure sur tout ce qui est sacré, je crois totalement à cette explication du meurtre que je viens de vous exposer. Et surtout, surtout, je suis troublé et indigné par cette idée sempiternelle que, de toute cette masse de faits que l'accusation a accumulés contre le prévenu, il n'y en ait pas un seul d'un tant soit peu précis, indiscutable, tandis que ce malheureux est condamné par la conjonction de ces faits. Oui, cette conjonction est affreuse : ce sang, ce sang qui dégouline le long des doigts, le linge en sang, cette nuit obscure, assourdie par ce cri : «Parricide !», et celui qui vient de crier, qui tombe, la tête fracassée, et puis cette masse d'expressions, de dépositions, de gestes, de cris – oh, cela influe tellement, cela peut emporter la conviction, mais, la vôtre, messieurs les jurés, la vôtre, de conception, pourra-t-elle l'emporter ? Souvenez-vous, il vous est donné un pouvoir incommensurable, le pouvoir de lier et de délier[1]. Mais plus effrayant est le pouvoir, plus effrayante est son application ! Je ne renie pas un iota de ce que je viens de dire, mais soit, bon, j'accepte, soit, j'accepte une minute, moi aussi, je veux tomber d'accord avec l'accusation, pour dire que mon client a rougi ses mains dans le sang de son père. C'est seulement une hypothèse, je le répète, je ne doute pas un seul instant de son innocence, mais, soit, je supposerai que mon prévenu est coupable de parricide, mais, écoutez, pourtant, ce que je dis, quand bien même j'aurais accepté une telle hypothèse. J'ai encore sur le cœur quelque chose à vous dire, car dans vos cœurs et vos

1. Référence à Matthieu, XVI, 18, ou XVIII, 18.

esprits aussi je sens une grande lutte... Pardonnez-moi ce que je dis, messieurs les jurés, sur vos cœurs et vos esprits. Mais je veux être juste et sincère jusqu'au bout. Soyons tous sincères !..."

A ce moment, l'avocat fut interrompu par des applaudissements assez soutenus. De fait, ses dernières paroles, il les avait prononcées avec une note qui avait sonné si sincère que tout le monde sentit que, peut-être bien, réellement il avait quelque chose à dire, et que ce qu'il allait dire maintenant, ce serait l'essentiel. Mais le président, devant les applaudissements, menaça bruyamment de "faire évacuer" la salle d'audience si "un cas pareil" venait à se répéter. Tout s'apaisa, et Fétioukovitch commença d'une espèce de voix toute nouvelle, pénétrée, pas du tout celle qu'on lui avait entendue jusqu'alors.

XIII

UN CONCUPISCENT DE LA PENSÉE

"Ce n'est pas seulement la conjonction des faits qui condamne mon client, messieurs les jurés, s'exclama-t-il, non, ce qui condamne mon client, en réalité, c'est uniquement un seul fait : c'est le cadavre de son vieux père ! Il se serait agi d'un meurtre tout simple, devant l'insignifiance des faits, devant le manque de preuves, devant leur côté fantastique, si on les examine chacune isolément, et non pas dans leur conjonction, vous auriez rejeté cette accusation, du moins auriez-vous redouté de sceller le destin d'un homme sur la seule foi d'un préjugé contre lui, un préjugé, hélas, qu'il a tant mérité ! Mais il ne s'agit pas là d'un meurtre tout simple, il s'agit d'un parricide ! Cela en impose, et à un tel point que les preuves, insignifiantes, inexistantes, des faits qui l'accusent deviennent comme moins insignifiantes, comme plus prouvées, et cela, même dans l'esprit le plus libre de préjugés. Quoi, comment acquitter un prévenu pareil ? Comment pourrait-il avoir tué et repartir non châtié – voilà ce que chacun ressent au fond du cœur, comme malgré lui, d'instinct. Oui, c'est une chose effrayante, d'avoir versé le sang de son père – le sang de celui qui m'a donné la vie, de celui qui m'aime, le sang de celui qui n'épargne pas sa vie pour moi, qui, depuis les années de mon enfance, souffre de mes maladies, souffre toute sa vie pour mon bonheur, et qui ne vit que de mes joies, que de mes succès ! Oh, tuer un tel père – mais c'est même impossible à penser ! Messieurs les jurés, qu'est-ce que c'est qu'un père, un vrai père, qu'est-ce que ce mot sublime, quelle idée si effrayante dans sa grandeur est renfermée dans ce nom ? Nous venons d'indiquer en partie ce que c'était et ce que devait être un vrai père. Dans l'affaire présente, celle qui nous occupe en ce moment, celle qui fait tant souffrir nos âmes – dans l'affaire présente, le père, le défunt Fiodor Pavlovitch Karamazov ne ressemblait pas du tout à cette idée du père qui vient de se dire à nos cœurs. C'est un malheur. Oui, réellement, il est des pères qui ressemblent à des malheurs. Examinons donc ce malheur de plus près – car nous ne devons avoir peur de rien, messieurs les jurés, vu la gravité de la décision qui va être la vôtre. C'est même maintenant, tout particulièrement, que nous ne devons pas avoir peur, en essayant de nous débarrasser de certaines idées par de grands gestes, comme les enfants ou les femmes craintives, selon l'heureuse formule de la très talentueuse accusation. Mais dans son réquisitoire passionné, mon honorable adversaire (mon adversaire avant que je prononce mes premières paroles), mon adversaire, donc, s'est exclamé à plusieurs reprises : «Non, je ne céderai à personne la défense du prévenu, je ne céderai pas sa défense à son avocat qui nous vient de Pétersbourg – je suis l'accusateur, mais je suis aussi l'avocat !» Voilà ce qu'il s'est exclamé à plusieurs reprises et, pourtant, il a oublié de rappeler que si ce prévenu épouvantable a su rester reconnaissant pendant vingt-trois ans pour une simple livre de noisettes, reçue du seul homme qui se soit montré gentil avec lui dans la maison de son père, à l'inverse, cet homme ne pouvait pas ne pas se rappeler, pendant ces vingt-trois ans, qu'il avait couru pieds nus chez son père, «dans l'arrière-cour, sans souliers, sa petite culotte qui tenait par un seul bouton», selon l'expression du brave Dr Herzenstube. Oh, messieurs les jurés, à quoi bon examiner ce «malheur» de plus près, répéter ce que tout le monde sait déjà ! Qu'a trouvé mon client quand il est revenu ici, chez son père ? Et à quoi bon, à quoi bon représenter mon client comme un être insensible, un égoïste, un monstre ? Il est irreffréné, il est sauvage, violent, c'est bien pour cela que nous le jugeons, mais qui est coupable de son destin, qui est coupable du fait qu'avec de tels penchants pour le bien, un cœur noble et sensible, il ait reçu une éducation à ce point insensée ? Quelqu'un lui a-t-il jamais appris la raison, est-il éclairé par les sciences, quelqu'un l'a-t-il aimé tant soit peu dans son enfance ? Mon client a grandi sous la protection de Dieu, c'est-à-dire comme un animal sauvage. Il rêvait peut-être de revoir son père après de longues années de séparation, mille fois avant ce jour, peut-être, avant de le revoir, repensant à son enfance comme dans un rêve, il a chassé les fantômes dégoûtants qui le hantaient dans son enfance, et, de toute son âme, il voulait étreindre et justifier son père ! Eh quoi ? Il n'est reçu que par des moqueries cyniques, de la méfiance, des chicanes sur des questions d'argent ; il n'entend que des conversations et des règles de vie qui vous retournent le cœur, tous les jours, «devant un petit cognac», et, finalement, il voit son père qui lui dispute, à lui, son fils, et sur son propre argent à lui, sa maîtresse – oh, messieurs les jurés, c'est répugnant et c'est cruel ! Et ce même vieillard se plaint à tout le monde de l'irrespect et de la cruauté de son fils, il le salit dans la société, il le dénigre, le calomnie, rachète les traites de ses dettes pour le faire jeter en prison ! Messieurs les jurés, ces âmes, ces hommes qui semblent cruels, sauvages, irreffrénés, comme mon client, ils peuvent, et c'est le cas le plus souvent, avoir le cœur très tendre, à part qu'ils ne le montrent pas. Ne riez pas, ne riez pas de mon idée ! Le talentueux procureur vient de rire impitoyablement de mon client en mettant en avant son amour pour Schiller, pour «le splendide et le sublime». Moi, à sa place, à la place de l'accusation, je ne me serais pas moqué ! Oui, ces cœurs – ô, laissez-moi défendre ces cœurs que l'on comprend si rarement, et si faussement –, ces cœurs, très souvent, ont une soif de tendresse, de splendide et de sublime, et précisément comme par contraste devant eux-mêmes, à leur frénésie, à leur cruauté – ils en ont soif inconsciemment, oui, c'est le mot, ils en ont soif. Passionnés et cruels à l'extérieur, ils sont capables d'aimer jusqu'à se faire mal, par exemple, une femme, et, à chaque fois, d'un amour spirituel et sublime. Là encore, ne riez pas de moi : c'est justement ce qui arrive le plus souvent pour ce genre de natures ! Mais leur passion, et leur passion souvent brutale, ils n'arrivent pas à la cacher, et c'est cela qui frappe, c'est cela qu'on remarque, et nul ne voit l'homme intérieur. Au contraire, toutes ces passions sont rassasiées très vite, mais, à côté de l'être noble et splendide, l'homme qui paraît brutal, cruel, cherche un renouvellement, cherche une possibilité de s'amender, de devenir meilleur, de devenir sublime et noble – «sublime et splendide», malgré toutes les moqueries qu'on lance sur cette formule ! Tout à l'heure, j'ai dit que je ne me permettrais pas de toucher au roman de mon client et de Mme Verkhovtséva. Et pourtant, je peux dire un demi-mot : tout à l'heure, ce n'est pas une déposition que nous avons entendue, ce n'était que le cri d'une femme frénétique, d'une femme qui se vengeait, et ce n'est pas elle, non, ce n'est pas elle qui devrait reprocher une trahison, quand, elle-même, elle a trahi ! Si elle avait eu ne serait-ce qu'un petit peu de temps pour se reprendre, elle n'aurait pas donné ce témoignage ! Oh, ne la croyez pas, non, mon client n'est pas un «monstre», comme elle l'a appelé ! L'Ami crucifié de l'humanité s'apprêtant à Son chemin de croix disait : «Je suis le bon pasteur, le bon pasteur donne son âme pour ses brebis, afin que nulle ne périsse[1]...» Nous non plus, ne laissons pas périr une âme ! Je viens de demander ce que c'était qu'un père, et je me suis exclamé que c'était un mot grandiose, un nom précieux. Mais avec la parole, messieurs les jurés, il faut être honnête, et je me permettrai de nommer cet objet de son propre nom, de la parole qui lui convient : un père comme le vieux Karamazov assassiné ne peut pas être appelé un père, il n'est pas digne d'être appelé de ce mot. L'amour envers son père, non justifié par ce père, est une ineptie, une impossibilité. On ne peut créer l'amour à partir de rien,

1. Référence à Jean, X, 14-18.

Dieu seul crée à partir de rien. «Pères, n'exaspérez pas vos enfants[1]», nous dit l'apôtre, du fond de son cœur enflammé d'amour. Ce n'est pas pour mon client que je cite ici ces paroles sacrées, non, je les rappelle pour tous les pères. Qui m'a donné ce pouvoir de faire la leçon aux pères ? Personne. Mais c'est en tant qu'homme, en tant que citoyen que j'en appelle – *vivos voco*[2] ! Nous ne sommes pas sur terre pour longtemps, nous faisons bien des choses mauvaises, nous disons bien des paroles mauvaises. Voilà pourquoi nous devons profiter de cette minute heureuse de notre rencontre pour nous dire malgré tout une bonne parole. Ainsi pour moi : je suis à cette place et je profite de ma minute. Ce n'est pas en vain que cette tribune nous est donnée par le Pouvoir suprême – par elle, c'est toute la Russie qui nous entend. Je ne parle pas seulement des pères d'ici, non, j'en appelle à tous les pères : «Pères, n'exaspérez pas vos enfants !» Obéissons d'abord nous-mêmes à ce précepte du Christ, et c'est alors seulement que nous nous autoriserons de demander la même chose à nos enfants. Sinon, nous ne sommes pas des pères, mais des ennemis pour nos enfants, et eux ne sont pas nos enfants, mais nos ennemis, et c'est nous-mêmes qui les avons rendus nos ennemis ! «De la mesure dont vous mesurez on mesurera pour vous[3]» – cela, ce n'est plus moi

1. Référence à l'Epître aux Colossiens, III, 21. Fétioukovitch ne cite pas ce qui vient avant : "Enfants, obéissez en tout à vos parents, c'est cela qui est beau dans le Seigneur."
2. "J'appelle les vivants." Il s'agit d'un exergue choisi par Schiller pour *La Cloche*, repris par le publiciste Herzen pour la revue du même nom qu'il publiait à Londres.
3. Matthieu, VI, 1-2. Voir aussi Marc, IV, 24 et Luc VI, 37-38. Le père Karamazov cite ce passage (Ire partie, livre III, chap. VIII, "Un petit cognac"), et, lui aussi, en l'interprétant de travers.

qui le dis, c'est l'Evangile qui le prescrit : de mesurer de la mesure de laquelle on nous mesure à nous-mêmes. Comment accuser les enfants s'ils mesurent pour nous-mêmes de notre mesure à nous ? Récemment, en Finlande, une certaine jeune femme, une servante, a été soupçonnée d'avoir secrètement mis au monde un enfant. On l'a surveillée et, dans le grenier de la maison, dans un coin derrière des briques, on a retrouvé une de ses malles que personne ne connaissait, on l'a ouverte et on en a sorti le petit cadavre d'un nouveau-né, de cet enfant qu'elle avait tué. Dans la même malle, on a retrouvé deux squelettes d'enfants qu'elle avait mis au monde auparavant, et qu'elle avait tués à la minute de leur naissance, ce qu'elle a avoué. Messieurs les jurés, est-ce là une mère de ses enfants ? Oui, elle les a mis au monde, mais est-elle leur mère ? Quelqu'un d'entre nous osera-t-il la qualifier du nom sacré de mère ? Soyons audacieux, messieurs les jurés, soyons même téméraires, nous avons même le devoir d'être tels à la minute présente et de ne pas avoir peur de certains mots, de certaines idées, comme ces marchandes de Moscou, qui ont peur du «métal» et du «soufre[1]». Non, prouvons au contraire que le progrès de ces dernières années a également touché à notre développement, et disons-le tout net : celui qui donne la vie n'est pas le père, le père est celui qui donne la vie et qui mérite. Oh, bien sûr, il y a aussi un autre sens, une autre explication du mot «père», qui exige que le père, tout monstre qu'il puisse être, même monstre pour ses propres enfants, reste quand même mon père, seulement parce qu'il

1. Allusion à une pièce d'Alexandre Ostrovski, *Les Jours néfastes* (1863), dans laquelle une marchande dit qu'elle se met à trembler dès qu'elle entend ces deux mots à connotations bibliques.

m'a donné la vie. Mais ce sens-là est déjà, pour ainsi dire, mystique, un sens que je ne comprends pas par le cerveau, et que je ne puis accepter que par la foi, ou, pour mieux dire, que *comme une foi*, comme beaucoup d'autres choses que je ne comprends pas, mais que la religion m'impose, néanmoins, de croire. Mais, dans ce cas-là, laissons cela hors de la sphère de la vie réelle. Quant à la sphère de la vie réelle, qui possède non seulement ses droits, mais qui, en elle-même, impose des devoirs sublimes – dans cette sphère-là, si nous voulons être humains, chrétiens, en fin de compte, nous ne devons avancer, nous avons le devoir de n'avancer des convictions qu'en tant qu'elles sont passées à l'épreuve de la raison et de l'expérience, passées par la forge de l'analyse, bref, d'agir par la raison, et non par la folie, comme dans un rêve ou un délire, pour ne pas faire de tort à autrui, pour ne pas faire de mal, pour ne pas perdre autrui. C'est là, c'est là que cela sera un acte chrétien véritable, un acte pas seulement mystique, mais raisonnable, oui, un acte véritable d'amour d'autrui…"

A cet instant, de puissants applaudissements résonnèrent de plusieurs coins de la salle, mais Fétioukovitch fit soudain de grands gestes, comme pour supplier qu'on ne l'interrompe pas et qu'on le laisse finir. Tout s'apaisa tout de suite. L'orateur poursuivit :

"Pensez-vous, messieurs les jurés, que des questions pareilles puissent épargner nos enfants, mettons, déjà adolescents, de ceux, mettons qui commencent à réfléchir ? Non, elles ne le peuvent pas, et nous n'exigerons pas d'eux une retenue impossible ! La vue d'un père indigne, surtout comparée à celle d'autres pères, dignes, chez les autres enfants, ses camarades d'âge, insinue malgré lui à l'adolescent des questions torturantes. A ces questions, on apporte des réponses de routine : «Il t'a donné la vie, toi tu es son sang, voilà pourquoi tu dois l'aimer.» L'adolescent, malgré lui, est pensif : «Mais est-ce qu'il m'aimait quand il m'a donné la vie, demande-t-il, s'étonnant de plus en plus, est-ce pour moi qu'il m'a donné la vie : il ne me connaissait pas, ni moi ni même mon sexe à cette minute-là, à cette minute de passion, peut-être échauffée par le vin, et, tout ce qu'il m'a donné, c'est son penchant pour le vin – voilà son seul bienfait... Pourquoi dois-je l'aimer, pour le seul fait qu'il m'ait donné la vie, et puis ensuite que, pendant toute sa vie, il ne m'ait pas aimé ?» Oh, ces questions, peut-être, elles vous paraissent grossières, cruelles, mais n'exigez pas d'un jeune esprit une retenue impossible : «Chassez le naturel, il revient au galop» – et surtout, surtout, n'ayons pas peur du «métal» et du «soufre» et répondons à la question comme l'exigent de nous la raison et l'amour du prochain, et non comme l'exigent les conceptions mystiques. Or, comment y répondre ? Voilà comment : que le fils se place devant son père et lui demande, en pleine conscience : «Père, dis-moi : pourquoi dois-je t'aimer ? Père, prouve-moi que je dois t'aimer ?» – et si ce père a la force, s'il est en état de répondre et de le prouver – alors, voilà une vraie famille, une famille normale, pas une famille qui ne se maintient que par la force du préjugé, mais sur des bases raisonnables, conscientes, strictement humanistes. Dans le cas contraire, si le père ne le prouve pas – alors, c'est la fin immédiate de cette famille : lui, il n'est plus un père, et le fils reçoit la liberté et le droit de considérer dorénavant son père comme un étranger, voire comme son ennemi. Notre tribune, messieurs les jurés, doit être une école de vérité et de conceptions saines !"

Ici, l'orateur fut interrompu par des applaudissements irrépressibles, quasiment frénétiques. Bien sûr, ce n'était pas toute la salle qui applaudissait, mais tout de même, la moitié de la salle applaudissait. Applaudissaient des pères et des mères. En haut, là où se tenaient les dames, on entendait des cris, des hurlements. On agitait des mouchoirs. Le président se mit à agiter sa clochette de toutes ses forces. Il était visiblement irrité par la conduite de la salle, mais il n'osa évidemment pas "faire évacuer la salle", comme il venait d'en lancer la menace : on voyait applaudir et agiter leur mouchoir pour saluer l'orateur même des notables assis sur des chaises particulières, des petits vieillards au frac orné d'étoiles, si bien qu'au moment où le bruit s'apaisa le président se contenta de répéter d'une voix des plus sévères sa menace de "faire évacuer" la salle, tandis que, triomphant et bouleversé, Fétioukovitch reprenait sa plaidoirie.

"Messieurs les jurés, vous vous rappelez cette nuit affreuse, si souvent évoquée aujourd'hui, lorsque le fils, escaladant une palissade, s'est introduit dans la maison de son père et s'est dressé face à face contre son ennemi, son offenseur, celui qui lui avait donné la vie. De toutes mes forces, j'insiste – ce n'est pas pour l'argent qu'il était accouru à cet instant : l'accusation de vol est une absurdité, comme je l'ai déjà exposé tout à l'heure. Et ce n'est pas pour tuer, oh non, qu'il a fait irruption chez lui : s'il avait eu ce projet prémédité, il se serait au moins soucié de prendre une arme, alors que, le pilon de cuivre, il l'a saisi d'instinct, lui-même sans savoir pourquoi. Quand bien même il aurait abusé son père par les signaux, quand bien même il se serait introduit chez lui – j'ai déjà dit que je ne croyais pas une minute à cette légende, mais quand bien même, mettons, acceptons-la une minute ! Messieurs les jurés, je vous le jure sur tout ce qui est sacré, quand bien même ce n'aurait pas été son père, mais un offenseur inconnu, lui, après avoir parcouru toutes les pièces et s'être assuré que cette femme n'était pas dans cette maison, il se serait enfui à l'instant, sans faire le moindre mal à son rival, il l'aurait frappé, il l'aurait poussé, peut-être, mais c'est tout, parce qu'il aurait pensé à autre chose, il n'avait pas le temps, il avait besoin de savoir où elle était. Mais le père, le père – oh, c'est l'apparence du père qui a été la cause de tout, ce père qui le haïssait depuis l'enfance, son ennemi, son offenseur, et – à présent – son monstrueux rival ! Un sentiment de haine l'a saisi malgré lui, plus fort que lui, il n'y avait plus moyen de réfléchir : tout s'est soulevé en l'espace d'une minute ! C'était un affect de folie et de trouble mental, mais aussi l'affect de la nature, qui se vengeait pour ses lois éternelles, irrépressiblement, inconsciemment, comme toujours dans la nature. Mais le meurtrier, là encore, n'a pas tué – je l'affirme, je le crie –, non, il s'est contenté de lever le pilon, dans une indignation de dégoût, sans vouloir tuer, sans savoir qu'il tuerait. Si ce pilon fatal ne s'était pas trouvé entre ses mains, il aurait peut-être seulement roué son père de coups, mais il ne l'aurait pas tué. En s'enfuyant, il ne savait pas si le vieillard qu'il avait assommé était mort ou vivant. Un tel meurtre n'est pas un meurtre. Un tel meurtre n'est pas non plus un parricide. Non, le meurtre d'un tel père ne peut pas être qualifié de parricide. Un tel meurtre ne peut être rapporté au parricide que par un préjugé ! Mais est-ce, oui, est-ce un meurtre réellement, oui, j'en appelle à vous, encore et encore, du plus profond de mon âme ! Messieurs les jurés, si nous le condamnons, il se dira : «Ces hommes n'ont rien fait pour mon destin, pour mon éducation, mon instruction, pour me rendre meilleur, pour faire de moi un homme. Ces hommes ne m'ont pas donné à boire ou à manger, ils ne sont pas venus me voir, nu, dans ma cellule, et ce sont les mêmes hommes qui m'ont envoyé au bagne. Je suis quitte, maintenant, je ne leur dois rien, et je ne dois rien à personne, pour les siècles des siècles. Ils sont méchants, moi aussi, je serai méchant. Ils sont cruels, moi aussi, je serai cruel.» Voilà ce qu'il dira, messieurs les jurés ! Et, je le jure : par votre accusation, vous ne ferez que le soulager, vous soulagerez sa conscience, il maudira le sang qu'il a versé, au lieu de le regretter. En même temps, vous perdrez en lui l'homme encore possible, car il restera méchant et aveugle pour toute sa vie. Or, voulez-vous que votre châtiment soit effrayant, terrible, qu'il soit le châtiment le plus affreux qu'on puisse seulement imaginer, mais de façon à le sauver, et ranimer son âme pour toujours ? S'il en est ainsi, écrasez-le par votre miséricorde ! Vous verrez, vous entendrez son âme frissonner, s'épouvanter : «Moi, puis-je supporter votre grâce, est-ce pour moi, tant d'amour, en suis-je digne ?», voilà ce qu'il s'exclamera ! Oh, je connais, je connais ce cœur, ce cœur sauvage, mais noble, messieurs les jurés. Il s'inclinera devant votre exploit, il a soif d'un grand acte d'amour, il s'enflammera et ressuscitera à jamais. Il est des âmes qui accusent le monde entier de leurs limitations. Mais écrasez cette âme par la miséricorde, montrez-lui de l'amour, et elle maudira son acte, elle qui a tant de penchants pour le bien. Son âme s'élargira et verra comme Dieu est miséricordieux, et comme les hommes sont beaux et justes. Il sera épouvanté, il sera écrasé par le remords et le devoir innombrable qui, dorénavant, devra lui incomber. Et il ne dira pas à ce moment : «Je suis quitte», non, il dira : «Je suis coupable devant tous les hommes et, de tous les hommes, je suis le plus indigne.» Pleurant des larmes de remords et, plein d'un brûlant, d'un douloureux attendrissement, il s'exclamera : «Les hommes sont meilleurs que moi, car ils ont voulu me sauver, et non me perdre !» Oh, il vous est si facile de l'accomplir, cet acte de miséricorde, car, en l'absence de toute preuve qui ressemble de près ou de loin à une vérité, il vous sera trop difficile de prononcer : «Oui, il est coupable[1].» Mieux vaut relâcher dix coupables que de punir un innocent – entendez-vous, entendez-vous cette voix majestueuse du siècle passé de notre glorieuse histoire ? Est-ce à moi, dans mon insignifiance, de vous rappeler que le tribunal russe n'est pas seulement le châtiment, mais aussi le salut de l'homme qui se perd ! Qu'il soit, pour les autres nations, la lettre et le châtiment, chez nous, c'est l'esprit et le sens, le salut, la résurrection de ceux qui sont perdus. Et s'il en est ainsi, si réellement c'est là ce qu'est la Russie, ce qu'est son tribunal, eh bien – en avant, la Russie, ne nous faites pas peur, oh, ne nous faites pas peur avec vos troïkas frénétiques dont les autres nations s'écartent avec dégoût ! Ce n'est pas une troïka frénétique, mais le char majestueux de la Russie qui, solennel et tranquille, atteindra son but. Vous avez entre les mains le destin de mon client, vous avez entre les mains le destin de notre justice russe[2]. Vous saurez la sauver, vous saurez la défendre, vous prouverez qu'il existe des gens pour veiller sur elle, qu'elle est entre de bonnes mains !"

1. Citation un peu modifiée du Code militaire de Pierre le Grand (1716).
2. Fétioukovitch emploie le mot *pravda*, qui contient en russe, indissolublement liées, les deux notions de justice et de vérité.

XIV

LES MOUJIKS NE SE SONT PAS LAISSÉ DÉMONTER

Ainsi conclut Fétioukovitch, et l'enthousiasme des auditeurs qui éclata fut aussi irrépressible qu'une tempête. Il était même impensable de le contenir : les femmes pleuraient, beaucoup d'hommes pleuraient aussi, il y eut même deux notables qui eurent les larmes aux yeux. Le président se soumit et tarda même à agiter sa clochette : "Attenter à un tel enthousiasme aurait signifié attenter au sacré", devaient par la suite crier nos dames. L'orateur lui-même était sincèrement ému. Or, voilà qu'à cette minute précise notre Hippolyte Kirillovitch se leva une nouvelle fois pour "échanger des répliques". On dirigea sur lui des yeux de haine : "Quoi ? Comment ? Lui, il ose encore répliquer ?" babillèrent les dames. Mais quand bien même c'eût été les dames du monde entier qui se fussent mises à babiller, menées, qui plus est, par l'épouse d'Hippolyte Kirillovitch en personne, même à ce moment-là, il aurait été impossible de l'arrêter. Il était pâle, il frissonnait d'émotion ; les premiers mots, les premières phrases qu'il lança étaient même comme peu compréhensibles ; il haletait, il articulait mal, bafouillait. Au reste, il se reprit très vite. Mais, de son deuxième discours, je ne citerai que quelques phrases.

"… On nous reproche d'avoir composé des romans. Mais que fait donc la défense, sinon accumuler roman sur roman ? Il ne manquait plus que des vers. Fiodor Pavlovitch, dans l'attente de sa maîtresse, déchire l'enveloppe et la jette sur le plancher. On nous rapporte même ce qu'il a dit au cours de cet épisode étonnant.

Cela, n'est-ce donc pas un poème ? Et où est la preuve qu'il ait sorti l'argent, qui a entendu ce qu'il a dit ? Cet idiot débile de Smerdiakov, transfiguré en je ne sais quel héros byronien, se vengeant de sa bâtardise sur la société – cela, n'est-ce pas un poème dans le goût byronien ? Et le fils qui fait irruption chez son père, qui le tue, et qui, en même temps, ne le tue pas, cela, ce n'est même pas un roman, c'est un poème, c'est un sphinx qui pose des énigmes auxquelles, lui-même, évidemment, il est incapable de répondre. S'il a tué, il a tué, mais comment cela, s'il a tué, il n'a pas tué – qui peut comprendre cela ? Ensuite, on nous annonce que notre tribune est la tribune de la vérité et des conceptions saines, et voilà que, du haut de cette tribune des «conceptions saines», résonne, avec un serment, un axiome, celui qu'appeler parricide le meurtre d'un père, ce n'est qu'un préjugé ! Mais si le parricide est un préjugé, et si chaque enfant doit demander à son père : «Père, pourquoi est-ce que je dois t'aimer ?» – qu'en sera-t-il de nous, qu'en sera-t-il des fondements de notre société, que deviendra la famille ? Le parricide, c'est, voyez-vous, le «soufre» d'une marchande de Moscou. Les commandements les plus précieux, les plus sacrés pour la destination et l'avenir du tribunal russe sont présentés sous un jour perverti et frivole, juste pour atteindre un but, parvenir à justifier ce qu'on ne peut pas justifier. «Oh, écrasez-le par la miséricorde», s'exclame la défense, et le criminel, c'est tout ce qu'il demande, dès demain, vous verrez comme il sera écrasé. Mais la défense n'est-elle pas trop modeste, en ne demandant que l'acquittement du prévenu ? Pourquoi ne pas avoir demandé l'institution d'une bourse baptisée du nom du prévenu, pour perpétuer la mémoire de son haut fait pour la postérité et la jeune génération ?

On amende l'Evangile et la religion : tout cela, n'est-ce pas, ce n'est que du mysticisme, nous sommes les seuls, n'est-ce pas, à pratiquer un christianisme véritable, passé à l'épreuve de l'analyse de la raison et des conceptions saines. Et voilà qu'on dresse devant nous une fausse semblance du Christ ! *De la mesure dont vous mesurez on mesurera pour vous*, s'exclame la défense, et, au même instant, elle conclut que le Christ nous a confié de mesurer de la mesure qu'on nous mesure à nous – et, cela, du haut de la tribune de la vérité et des conceptions saines ! Nous n'avons ouvert l'Evangile qu'hier, pour briller par la connaissance d'un ouvrage tout de même assez original, qui peut servir, et qui nous garantit un certain effet, à mesure de nos besoins, tout cela dans la mesure de nos besoins ! Mais le Christ, justement, nous commande de ne pas le faire, de nous garder de le faire, parce que c'est ce que fait le monde de la haine, nous, nous devons pardonner et tendre notre joue, et non pas mesurer de la mesure qui est celle de nos offenseurs. Voilà la leçon de notre Dieu, et non pas qu'interdire aux enfants de tuer leur père est un préjugé. Et nous n'irons pas amender du haut de la chaire de la vérité et des conceptions saines l'Evangile de notre Dieu que la défense daigne appeler seulement «l'Ami crucifié de l'humanité», au contraire de toute notre Russie orthodoxe, qui l'invoque en ces termes : «Tu es notre Dieu !...»"

Ici, le président intervint et calma le passionné, lui demandant de ne pas exagérer, de rester dans les limites requises, etc., ce que disent généralement les présidents dans ce genre de circonstances. La salle aussi, d'ailleurs, était agitée. Le public remuait, on lançait même des exclamations indignées. Fétioukovitch ne voulut même pas répliquer, il se releva seulement pour, la main sur le cœur, d'une voix offensée, prononcer quelques mots pleins de dignité. Il ne toucha qu'à peine, et non sans ironie, les "romans" et la "psychologie" et, en passant, plaça à un certain moment : "Jupiter, tu es irrité, donc, tu as tort", ce qui éveilla des petits rires diffus et approbateurs de la part du public, parce que Hippolyte Kirillovitch ressemblait à qui vous voulez, mais pas à Jupiter. Ensuite, pour répondre à l'accusation selon laquelle il permettait à la jeune génération de tuer ses pères, Fétioukovitch remarqua avec une grande dignité qu'il ne répliquerait rien. Quant à la "fausse image du Christ", et au fait qu'il n'avait pas daigné qualifier le Christ de "Dieu", mais ne l'avait appelé que "l'ami crucifié de l'humanité", ce qui était "contraire à l'orthodoxie" et ne pouvait être prononcé "du haut de la chaire de la vérité et des conceptions saines" – Fétioukovitch fit allusion à une "insinuation" et dit qu'en se rendant ici il pensait à tout le moins que la tribune de cette salle d'audience devait le garantir des accusations "dangereuses pour ma personne en tant que citoyen et sujet"... Mais, à ces mots, le président le rappela à l'ordre, lui aussi, et Fétioukovitch, s'inclinant, termina sur la rumeur approbatrice de toute la salle. Hippolyte Kirillovitch, quant à lui, selon l'avis de nos dames, était "écrasé à jamais".

Ensuite, on donna la parole à l'accusé lui-même. Mitia se leva, mais parla peu. Il était affreusement fatigué, de corps comme d'esprit. L'apparence d'indépendance et de force avec laquelle, le matin, il s'était présenté dans la salle avait quasiment disparu. C'était comme si, ce jour-là, il avait vécu quelque chose qui l'avait marqué pour la vie, quelque chose qui lui avait appris et fait comprendre quelque chose de capital, qu'il ne comprenait pas jusqu'alors. Sa voix avait faibli, il ne criait plus, comme tout à l'heure. On entendit dans sa voix quelque chose de nouveau, comme d'une acceptation, quelque chose de vaincu, de soumis.

"Qu'est-ce que je peux dire, messieurs les jurés ! Mon jugement est arrivé, je sens sur moi la Dextre du Seigneur. La fin d'un homme déréglé ! Mais comme en me confessant à Dieu, je vous le dis, à vous aussi : «Du sang de mon père, non – je ne suis pas coupable !» Je le répète pour la dernière fois : «Ce n'est pas moi qui ai tué.» J'ai été déréglé, mais j'aimais le bien. A chaque instant, j'essayais de me corriger, mais je vivais comme une bête fauve. Merci au procureur, il m'a dit sur moi beaucoup de choses que je ne savais pas, mais ce n'est pas vrai que j'ai tué mon père, le procureur s'est trompé ! Merci aussi à l'avocat, j'ai pleuré en l'écoutant, mais ce n'est pas vrai que j'ai tué mon père, il ne fallait même pas le supposer ! Quant aux docteurs, ne les croyez pas, j'ai toute ma raison, sauf que mon âme est oppressée. Si vous m'épargnez, si vous me laissez repartir – je prierai pour vous. Je deviendrai meilleur, j'en donne ma parole, devant Dieu je la donne. Si vous me condamnez, je casserai moi-même mon épée au-dessus de ma tête, et, quand je l'aurai cassée, je baiserai les débris ! Mais épargnez-moi, ne me privez pas de mon Dieu, je me connais : je me rebellerai ! Ça me pèse dans l'âme, messieurs… épargnez-moi !"

Il faillit retomber à sa place, sa voix se brisa, il eut du mal à prononcer la dernière phrase. Ensuite, le tribunal passa à la rédaction des questions et demanda aux parties leurs conclusions. Mais je ne décris pas les détails. Finalement, les jurés se levèrent pour s'isoler et délibérer. Le président était très fatigué, c'est pourquoi il ne leur donna que quelques faibles recommandations : "Soyez impartiaux, ne vous laissez pas impressionner par l'éloquence de la défense, mais, pourtant, soupesez, souvenez-vous que vous êtes chargés d'un devoir sublime", etc. Les jurés s'éloignèrent, et ce fut une interruption de séance. On pouvait se lever, faire quelques pas, échanger les impressions accumulées, manger un morceau au buffet. Il était très tard, déjà près d'une heure du matin, mais personne ne rentrait se coucher. Tout le monde était si tendu, si passionné que personne ne pensait au repos. On attendait, le cœur figé, quoique, du reste, ce n'était pas tout le monde qui avait le cœur figé. Les dames étaient juste pleines d'une impatience hystérique, mais elles avaient le cœur tranquille : "L'acquittement, n'est-ce pas, est inévitable." Elles se préparaient toutes à une pittoresque minute d'enthousiasme. J'avoue que, dans la moitié de la salle réservée aux hommes aussi, beaucoup étaient entièrement convaincus d'un acquittement inévitable. Certains se réjouissaient, d'autres prenaient l'air sombre, d'autres encore baissaient le nez – ils n'en voulaient pas, de l'acquittement ! Fétioukovitch lui-même était fermement persuadé de son succès. Il était entouré, il recevait les félicitations, on cherchait à le flatter.

— Il existe, dit-il à un groupe, comme on devait le rapporter plus tard, il existe des fils invisibles qui lient l'avocat et les jurés. Ces fils se nouent et se sentent déjà pendant la plaidoirie. Je les ai sentis, ils existent. Nous gagnerons, soyez tranquilles.

— Mais nos moujiks, maintenant, qu'est-ce qu'ils vont dire ? dit un monsieur très renfrogné, ventripotent et vérolé, un propriétaire foncier des environs de la ville, en s'approchant d'un groupe de messieurs en conversation.

— Il n'y a pas que des moujiks. Ils ont quatre fonctionnaires.

— Oui, tiens, les fonctionnaires, dit, s'approchant, un membre du directoire du *zemstvo*.

— Et Prokhor Ivanovitch Nazariev, vous le connaissez, le marchand, là, avec sa médaille, le juré ?

— Pourquoi ?

— C'est une tête.

— Ben, il dit jamais rien.

— Pour rien dire, il dit rien, mais c'est tant mieux. C'est pas au gars de Pétersbourg de lui faire la leçon, lui, il ferait la leçon à Pétersbourg. Douze enfants, vous vous imaginez !

— Mais enfin, ils pourraient ne pas l'acquitter ? criait dans un autre groupe un de nos jeunes fonctionnaires.

— C'est sûr qu'ils l'acquitteront, fit une voix résolue.

— Ce serait honteux, scandaleux, de ne pas l'acquitter ! s'exclamait le fonctionnaire. Bon, je veux bien qu'il ait tué, mais il y a père et père ! Et puis, enfin, il était dans une telle frénésie… C'est vrai qu'il a juste pu lever le pilon, et, l'autre, il s'est écroulé. Ce qui ne va pas, seulement, c'est qu'ils ont eu besoin de mêler le laquais. Ça, c'est simplement ridicule. Moi, à la place de l'avocat, je leur aurais dit tout net : il a tué, mais il n'est pas coupable, et allez tous au diable !

— Mais c'est ce qu'il a dit, à part "allez tous au diable".

— Non, Mikhaïl Sémionytch, il l'a presque dit, reprit une troisième petite voix.

— Voyons, messieurs, mais pendant le Grand Carême, ils ont bien acquitté, chez nous, une actrice, qui avait coupé la gorge à l'épouse légitime de son amant.

— Mais elle ne l'a pas coupée jusqu'au bout.

— C'est pareil, c'est pareil, elle avait commencé à la couper[1] !

1. Allusion, anachronique en 1866, mais très actuelle en 1880, au procès Kaïrova, auquel Dostoïevski avait consacré un article dans son *Journal de l'écrivain* de janvier 1876.

— Et sur les enfants, hein, ce qu'il a dit ? Magnifique !

— Magnifique.

— Hein, et sur le mysticisme, hein, le mysticisme, hein ?

— Mais arrêtez avec le mysticisme, s'écria encore quelqu'un d'autre, mettez-vous à la place d'Hippolyte, regardez son destin à partir d'aujourd'hui ! Mais, demain, sa procureuse, pour Mitenka, elle lui crèvera les yeux avec ses ongles !

— Pourquoi, elle est là ?

— Elle est là ? Elle aurait été là, elle l'aurait déjà fait. Elle reste à la maison, elle a mal aux dents. Hé hé hé !

— Hé hé hé !

Un troisième groupe.

— Mitenka, si ça se trouve, il sera acquitté.

— Tu vas voir, demain, il va mettre sens dessus dessous toute *La Ville capitale*, il va se soûler pendant dix jours.

— Ah, le diable !

— Le diable, oui, on n'a pas pu s'en passer, tiens, du diable, il doit être là, je parie.

— Messieurs, mettons, c'est de l'éloquence. Mais ce n'est quand même pas possible de fendre le crâne de son père d'un coup de peson. Sinon, où est-ce qu'on va ?

— Et le char, le char, vous vous souvenez ?

— Oui, la carriole, il en a fait un char.

— Et, demain, le char, il en fera une carriole, "à mesure des besoins, tout en mesure des besoins".

— Ils sont futés, les gens, maintenant. On en a, une justice, en Russie, dites, messieurs, ou bien on n'en a pas ?

Mais la cloche sonna. Les jurés avaient délibéré exactement une heure, pas plus, pas moins. Il se fit un profond silence, sitôt que le public se fut rassis. Je me souviens comme les jurés firent leur entrée dans la salle. Enfin ! Je ne cite pas les questions point par point, d'ailleurs, je les ai oubliées. Je me souviens seulement de la réponse à la première question, la question principale, du président, c'est-à-dire : "A-t-il tué avec préméditation dans le but de voler ?" (Je ne me souviens pas de l'énoncé.) Tout se figea. Le premier juré, précisément le fonctionnaire qui était un peu plus jeune, d'une voix sonore et claire, au milieu d'un silence de mort de toute la salle, annonça :

— Oui, coupable !

Ensuite, point par point, ce fut toujours la même chose : coupable et coupable, et, ce, sans la moindre circonstance atténuante ! Cela, personne ne s'y attendait, tout le monde ou presque était au moins sûr qu'il y aurait des circonstances atténuantes. Le silence de mort de la salle ne fut pas rompu – littéralement, tout le monde était comme pétrifié : ceux qui rêvaient de la condamnation comme ceux qui rêvaient de l'acquittement. Mais cela ne dura que les premières minutes. Ensuite, ce fut un chaos épouvantable. Dans le public masculin, on vit beaucoup de gens très satisfaits. Certains se frottaient même les mains, sans chercher à cacher leur joie. Les mécontents étaient comme écrasés, ils haussaient les épaules, chuchotaient entre eux, mais comme s'ils ne comprenaient pas encore. Mais, mon Dieu, ce qu'il en fut de nos dames ! Je croyais qu'elles allaient faire une rébellion. Au début, ce fut comme si elles n'en croyaient pas leurs oreilles. Puis, d'un coup, dans toute la salle, on entendit des exclamations : "Mais qu'est-ce que c'est que ça ? Qu'est-ce que c'est que ça encore ?" Elles bondirent de leur place. Elles devaient avoir l'impression qu'on pouvait modifier, transformer quelque chose, là, tout de suite. A cet instant, on vit soudain Mitia qui se levait, et qui cria, dans une sorte de hurlement déchirant, tendant les bras devant lui :

— Je le jure par Dieu, par le Jugement dernier, je suis innocent du sang de mon père ! Katia, je te pardonne ! Mes frères, mes amis, épargnez l'autre !

Il n'acheva pas sa phrase et fondit en sanglots, à pleine voix, épouvantablement, d'une voix comme pas à lui, d'une voix toute nouvelle, inattendue, qui lui était venue soudain on ne savait d'où. Dans les galeries, en haut, dans le recoin le plus reculé, on entendit soudain le hurlement perçant d'une femme : c'était Grouchenka. Elle avait supplié Dieu sait qui, un peu auparavant, et on l'avait laissée entrer dans la salle, peu avant les plaidoiries. Mitia fut emmené. L'énoncé de la peine fut remis au lendemain. Toute la salle se leva, agitée, mais, moi, je n'attendais plus et je n'écoutais plus. Je me souviens seulement de quelques exclamations, sur le perron, à la sortie.

— Ça va flairer les vingt ans dans les mines.

— Pas moins.

— Ouais, ils se sont pas laissé démonter, nos moujiks.

— Ils vous l'ont zigouillé, notre Mitenka !

ÉPILOGUE

I

PROJETS POUR SAUVER MITIA

Au cinquième jour après le procès de Mitia, très tôt le matin, encore avant neuf heures, Katérina Ivanovna avait reçu la visite d'Aliocha qui venait s'entendre définitivement sur une certaine affaire très importante pour elle et lui et qui, en outre, était chargé d'une mission. Elle l'avait reçu et lui parlait dans cette même pièce où, naguère, elle avait reçu Grouchenka ; à côté, dans la pièce voisine, malade de fièvre chaude et inconscient, gisait Ivan Fiodorovitch. Tout de suite après la scène du tribunal, Katérina Ivanovna avait fait transporter chez elle un Ivan Fiodorovitch malade et dans le coma, au mépris de tous les murmures futurs et inévitables de la société, et de sa condamnation. L'une des deux parentes qui vivaient avec elle était tout de suite rentrée à Moscou après la scène du tribunal, tandis que l'autre était restée. Mais, quand bien même les deux seraient parties, Katérina Ivanovna n'aurait pas modifié sa décision et aurait continué de soigner le malade, à le veiller jour et nuit. Les soins étaient assurés par Varvinski et

Herzenstube ; le docteur moscovite, lui, était rentré à Moscou, non sans avoir refusé d'émettre une opinion sur une issue possible de la maladie. Les docteurs qui restaient, certes, essayaient de rassurer Katérina Ivanovna et Aliocha, mais on voyait qu'ils ne pouvaient pas encore donner d'espoir ferme. Aliocha passait voir son frère malade deux fois par jour. Mais, cette fois-là, il venait pour une affaire particulière, tout à fait délicate, et pressentait qu'il aurait beaucoup de mal à en parler, or, il était très pressé : il avait une autre affaire, des plus urgentes, le même matin, à un autre endroit, et chaque instant comptait. Ils conversaient déjà depuis un quart d'heure. Katérina Ivanovna était pâle, très fatiguée, et, en même temps, toute pleine d'une excitation maladive ; elle pressentait pourquoi, entre autres, Aliocha était venu la voir.

— Oh, ne vous inquiétez pas de sa décision, dit-elle à Aliocha avec une insistance inébranlable. D'une façon ou d'une autre, il arrivera quand même à cette issue : il doit s'évader ! Ce malheureux, ce héros de l'honneur et de la conscience – pas lui, pas Dmitri Fiodorovitch, non, lui, celui qui est derrière cette porte et qui s'est sacrifié pour son frère, ajouta Katia, des étincelles dans les yeux, il m'a confié depuis longtemps tout le plan de l'évasion. Vous savez, il a déjà pris des contacts… Il y a déjà certaines choses que je vous ai dites… Voyez-vous, ça se fera, selon toute vraisemblance, à la troisième étape à partir d'ici, quand le convoi des déportés partira vers la Sibérie. Oh, mais nous en sommes encore loin. Ivan Fiodorovitch est déjà allé trouver le chef de cette troisième étape. La seule chose qu'on ne sache pas, c'est qui sera le chef de convoi, mais, cela, c'est impossible de le savoir à l'avance. Demain, peut-être, je vous montrerai tous les détails de ce plan qu'Ivan Fiodorovitch m'a laissé la veille du procès, au cas où…

C'était cette fameuse fois, où, vous vous souvenez, un soir, là, vous nous aviez trouvés en pleine dispute : lui, il descendait déjà l'escalier, et, moi, quand je vous ai vu, je l'ai obligé à revenir – vous vous souvenez ? Vous savez pourquoi nous nous étions disputés ce jour-là ?

— Non, je ne sais pas, dit Aliocha.

— Bien sûr, il vous l'a caché : eh bien, justement à cause de ce plan d'évasion. Il m'avait révélé l'essentiel déjà trois jours auparavant – c'est à ce moment-là que nous avons commencé à nous disputer, ensuite de quoi nous nous sommes disputés pendant tous ces trois jours. Si nous nous sommes disputés, c'est qu'il m'a annoncé qu'au cas où Dmitri Fiodorovitch serait condamné il allait fuir à l'étranger avec cette créature, moi, brusquement, je me suis mise en rage – je ne vous dirai pas pourquoi, je ne sais pas pourquoi moi-même... Oh, bien sûr, c'est à cause de la créature, c'est pour cette créature que je me suis mise en rage, et justement parce qu'elle aussi elle allait fuir à l'étranger, avec Dmitri ! s'exclama soudain Katérina Ivanovna, et ses lèvres avaient tremblé de colère. Quand Ivan Fiodorovitch s'est rendu compte que je m'étais mise dans une telle rage à cause de cette créature, il s'est dit, à l'instant, que j'étais jalouse d'elle à cause de Dmitri, et que, donc, je continuais toujours d'aimer Dmitri. Et donc, ç'a été notre première dispute. Je n'ai pas voulu m'expliquer, je ne pouvais pas demander pardon ; je me sentais mal qu'un tel homme puisse me soupçonner de continuer d'aimer ce... Et cela, au moment où, moi-même, et il y a bien longtemps, je lui avais dit que je n'aimais pas Dmitri, que je ne l'aimais que lui seul ! C'est seulement de rage contre cette créature que je me suis mise en rage contre lui ! Trois jours plus tard, c'est-à-dire le soir où vous êtes entré, il m'a apporté une enveloppe cachetée, pour que je la décachette tout de suite s'il lui arrivait quelque chose. Oh, il prévoyait sa maladie ! Il m'a révélé que cette enveloppe contenait les détails de l'évasion et ce que je devais faire au cas où il mourrait ou il tomberait dangereusement malade, s'il fallait que je sauve Dmitri toute seule. Il m'a aussi laissé de l'argent – quasiment dix mille roubles –, ces dix mille roubles dont a parlé le procureur. J'ai été affreusement frappée soudain qu'Ivan Fiodorovitch, qui était toujours jaloux de moi et toujours persuadé que j'aimais Mitia, n'ait pas abandonné son idée de sauver son frère et que ce soit à moi, oui, à moi qu'il confiait le plan de son salut ! Oh, c'était un sacrifice ! Non, la dimension d'un sacrifice pareil, vous ne la comprendrez pas, Alexéï Fiodorovitch ! Je voulais m'effondrer à ses pieds, de vénération, mais quand, soudain, je me suis dit que, cela, il ne le comprendrait que comme ma joie que Mitia soit sauvé (et, lui, il n'aurait pas manqué de le comprendre ainsi !), je me suis vue si énervée à la seule idée d'une pensée aussi injuste de sa part, que, là encore, je me suis énervée, et, au lieu de lui baiser les pieds, je lui ai fait une nouvelle scène ! Oh, je suis malheureuse ! Tel est mon caractère – un caractère épouvantable, malheureux ! Oh, vous verrez encore : j'y arriverai, je l'amènerai à m'abandonner pour une autre, qui sera plus facile à vivre que moi, comme Dmitri, mais, là... non, là, je ne le supporterai pas, je me tuerai ! Et quand vous êtes entré ce jour-là, et quand je vous ai appelé, et que, lui, je lui ai ordonné de revenir, et quand il est revenu avec vous, j'ai été prise d'une telle colère pour ce regard de haine et de mépris qu'il m'a lancé d'un coup, que – vous vous souvenez – je vous ai crié d'un coup que c'était *lui, lui seul* qui m'avait persuadée que son frère Dmitri était un assassin ! Je l'ai calomnié exprès, pour le blesser une nouvelle fois, parce que lui, jamais, jamais il ne m'avait assuré que son frère était un assassin, au contraire, c'est moi, c'est moi qui le lui répétais ! C'est ma furie, la cause de tout, de tout ! C'est moi, moi, qui ai préparé cette scène maudite au tribunal ! Il a voulu me prouver qu'il avait l'âme noble et que, même si j'aimais son frère, lui, malgré tout, il refuserait de faire sa perte par vengeance ou par jalousie. Et donc, il s'est présenté au tribunal... Je suis la cause de tout, la seule coupable !

Jamais encore Katia n'avait fait de tels aveux à Aliocha, et il sentit qu'elle se trouvait à cet instant à ce degré de souffrance insupportable où le cœur le plus fier renfonce douloureusement sa fierté et s'effondre, vaincu par le malheur. Oh, Aliocha connaissait encore une autre raison affreuse de ses tortures actuelles, malgré tous les efforts qu'elle avait faits pour essayer de la lui cacher pendant les quelques jours qui avaient suivi la condamnation de Mitia ; mais, pour une raison ou pour une autre, lui-même il aurait eu trop mal si elle s'était résolue à se prosterner au point qu'elle lui aurait parlé elle-même, là, maintenant, aussi de cette raison. Elle souffrait de sa "trahison" au tribunal, et Aliocha pressentait que sa conscience la pressait de s'accuser, précisément devant lui, Aliocha, avec des larmes, des cris, des crises de nerfs, en se roulant par terre. Mais il avait peur de cette minute et voulait épargner cette femme qui souffrait. La mission avec laquelle il était venu en devenait d'autant plus difficile. Il ramena la conversation sur Mitia.

— Ce n'est rien, ce n'est rien, n'ayez pas peur pour lui ! reprit Katia, aussi obstinée que brutale. Tout ça, chez lui, ce n'est qu'une minute, je connais trop bien son cœur. Soyez sûr qu'il acceptera de s'évader. Et, surtout, ce n'est pas maintenant ; il aura encore le temps de se décider. Ivan Fiodorovitch sera remis pour ce moment-là, et c'est lui qui dirigera tout, moi, je n'aurai plus rien à faire. Ne vous inquiétez pas, il acceptera de s'évader. D'ailleurs, il est déjà d'accord : est-ce qu'il pourrait abandonner sa créature ? Au bagne, elle, on ne la laissera pas entrer, donc, il faudra bien qu'il s'évade. Surtout, c'est de vous qu'il a peur, il a peur que vous n'approuviez pas son évasion du point de vue moral, mais vous devez généreusement la lui *permettre*, si votre sanction est à ce point indispensable, ajouta fielleusement Katia.

Elle se tut un instant avec un faux sourire.

— Il parle, enfin, reprit-elle à nouveau, de je ne sais quels hymnes, d'une croix qu'il doit porter, de je ne sais quel devoir, je me souviens, Ivan Fiodorovitch m'en a beaucoup parlé sur le coup, et si vous saviez comment il m'en parlait ! s'exclama soudain Katia, pleine d'une émotion irrépressible. Si vous saviez comme il aimait ce malheureux à la minute où il me parlait de lui, et comme il le haïssait, peut-être bien, dans la même minute ! Et moi, oh, moi, j'ai écouté, ce jour-là, son récit et ses larmes avec un ricanement hautain ! Oh, la créature ! C'est moi, la créature ! C'est moi qui la lui ai donnée, cette fièvre chaude ! Et lui, le condamné – est-ce qu'il est prêt à souffrir ? conclut Katia avec agacement. Est-ce que ça peut souffrir, un homme comme lui ? Les hommes comme lui, ça ne souffre jamais !

Une sorte de sentiment de haine et de mépris dégoûté venait de sonner dans ces mots. Or, c'était elle qui l'avait trahi. "Eh quoi, si ça se trouve, c'est parce qu'elle se sent tellement coupable devant lui, qu'elle le hait par instants", se dit en lui-même Aliocha. Il avait envie que ce ne soit que "par instants". Dans les derniers mots de Katia, il avait entendu un défi, mais ne le releva pas.

— Si je vous ai fait venir aujourd'hui, c'est que vous avez promis vous-même de le convaincre. Ou bien, d'après vous, là encore, s'évader, ce serait malhonnête, déshonorant, ou quoi encore… pas chrétien, peut-être ? ajouta Katia avec un défi encore plus violent.

— Non, ce n'est rien. Je lui dirai tout… marmonna Aliocha. Il vous appelle à venir le voir aujourd'hui, lança-t-il soudain, la regardant droit dans les yeux. Elle tressaillit de tout son corps et eut un recul devant lui sur le divan.

— Moi… est-ce que c'est possible ? balbutia-t-elle, pâlissant.

— C'est possible et c'est indispensable ! commença Aliocha, d'une voix insistante, tout ranimé. Il a vraiment besoin de vous, en cet instant précis. Je ne me serais pas mis à vous torturer avec ça avant l'heure, s'il n'y avait pas cette nécessité. Il est malade, il est comme fou, il n'arrête pas de vous demander. Ce n'est pas pour faire la paix qu'il vous demande, mais il suffira que vous y alliez et que vous vous montriez sur le seuil. Il s'est passé beaucoup de choses en lui depuis l'autre jour. Il comprend à quel point il est infiniment coupable à votre égard. Ce n'est pas votre pardon qu'il veut : "On ne peut pas me pardonner", c'est ce qu'il dit lui-même, mais seulement que vous vous montriez sur le seuil…

D'un seul coup, comme ça, vous me… balbutia Katia, je n'ai pas cessé d'avoir ce pressentiment pendant toutes ces journées, que vous viendriez me voir pour ça… J'en étais sûre, qu'il m'appellerait !… C'est impossible !

— C'est peut-être impossible, mais faites-le. Souvenez-vous, c'est la première fois qu'il est tellement frappé de l'ampleur de l'offense qu'il vous a faite, la première fois de sa vie, jamais avant encore il ne l'avait compris avec une telle plénitude ! Il dit : si elle refuse de venir, moi "toute ma vie, maintenant, je serai malheureux". Vous entendez : un homme condamné à vingt ans de bagne se prépare encore à être heureux – vous n'aurez donc aucune pitié ? Réfléchissez : vous rendrez visite à un homme condamné à tort, laissa échapper Aliocha avec défi, ses mains sont pures, elles n'ont pas de sang sur elles ! Rendez-lui visite maintenant, au nom de sa souffrance sans fin ! Venez, accompagnez-le vers les ténèbres… montrez-vous sur le seuil, c'est tout… Vous devez, *vous devez* le faire ! conclut Aliocha, soulignant ce mot, "devez", avec une force incroyable.

— Je dois, mais… je ne peux pas, fit Katia, comme dans un gémissement, il va me regarder… je ne peux pas.

— Vos yeux doivent se croiser. Vous, comment vivrez-vous toute votre vie, si vous ne vous décidez pas maintenant ?

— Plutôt souffrir toute la vie.

— Vous devez y aller, vous *devez* y aller, souligna une nouvelle fois Aliocha, impitoyable.

— Mais pourquoi aujourd'hui, pourquoi maintenant ?… Je ne peux pas laisser le malade…

— Pour une minute, vous pouvez, parce que ce n'est qu'une minute. Si vous n'y allez pas, cette nuit, il aura la fièvre chaude. Je ne vous dirai pas de mensonge, ayez pitié !

— De moi, ayez pitié, dit Katia dans un reproche amer, et elle fondit en larmes.

— Donc, vous irez ! dit fermement Aliocha, voyant ses larmes. Je retourne lui dire que vous arrivez à l'instant.

— Non, pour rien au monde, ne lui dites ça ! s'écria Katia, épouvantée. J'irai, mais ne le lui dites pas à l'avance, parce que j'irai, mais peut-être que je n'entrerai pas… Je ne sais pas encore…

Sa voix se coupa. Elle avait du mal à respirer. Aliocha se leva pour sortir.

— Et si je rencontre quelqu'un ? demanda-t-elle soudain tout doucement, à nouveau toute pâle.

— C'est pour ça qu'il faut que vous y alliez maintenant, pour que vous ne rencontriez personne. Il n'y aura personne, je suis sûr de ce que je dis. Nous vous attendrons, conclut-il avec insistance, et il sortit de la pièce.

II

LE MENSONGE EST DEVENU VRAI UNE MINUTE

Il hâta le pas vers l'hôpital où se trouvait à présent Mitia. Le lendemain du verdict, il avait été pris d'une fièvre nerveuse et avait été envoyé à l'hôpital de notre ville, dans la section des détenus. Pourtant, le médecin Varvinski, à la demande d'Aliocha et de nombreuses autres personnes (Khokhlakova, Liza et d'autres), avait placé Mitia, non pas avec les détenus, mais à part, dans la petite cellule qui avait abrité naguère Smerdiakov. Certes, le bout du couloir était gardé par une sentinelle, il y avait des barreaux aux fenêtres, et Varvinski pouvait être tranquille pour la faveur, pas entièrement légale, qu'il avait accordée, mais c'était un jeune homme brave et compatissant. Il comprenait comme il était pénible pour quelqu'un comme Mitia de se retrouver d'un coup, soudain, dans la compagnie des assassins et des escrocs, et que c'était une chose à laquelle il fallait d'abord s'habituer. Quant aux visites des parents et des amis, elles étaient autorisées tant par le docteur que par le garde, et même par l'*ispravnik*, et tout cela en fermant les yeux. Pourtant, au cours de ces journées, Mitia n'avait reçu de visites que d'Aliocha et de Grouchenka. Rakitine avait émis le désir de le voir déjà deux fois de suite ; mais Mitia avait expressément demandé à Varvinski de ne pas le laisser entrer.

Aliocha le trouva assis sur sa couchette, en peignoir d'hôpital, légèrement fiévreux, une serviette mouillée d'eau vinaigrée enroulée autour de la tête. Il posa sur Aliocha qui entrait un regard indéfini, mais ce fut quand même comme une espèce d'effroi qui passa dans ce regard.

En général, depuis le procès, il était devenu terriblement pensif. Parfois, il restait muet pendant une demi-heure, méditant quelque chose, semblait-il, péniblement, douloureusement, oubliant celui qui était présent. S'il sortait de cette songerie et se mettait à parler, il parlait toujours d'une façon comme soudaine et, à chaque fois, jamais sur ce dont il fallait réellement qu'il parle. Parfois, il posait sur son frère des regards de souffrance. Avec Grouchenka, c'était comme s'il se sentait mieux qu'avec Aliocha. Certes, elle, il ne lui parlait pour ainsi dire pas du tout, mais, sitôt qu'elle entrait, lui, tout son visage s'illuminait de joie. Aliocha s'assit sans rien dire, près de lui, sur sa couchette. Cette fois, il attendait Aliocha fébrilement, mais il n'osa rien demander. Il jugeait impensable que Katia accepte de lui rendre visite, et, en même temps, il sentait que si elle ne venait pas il se passerait quelque chose de complètement impossible. Aliocha comprenait ce qu'il ressentait.

— Trifone Borissytch, hein, fit Mitia, se mettant à parler avec agitation, il paraît, il a ruiné toute son auberge : il enlève les planchers, il arrache les parois, toute la galerie, il paraît, il l'a mise sens dessus dessous – il cherche son trésor, cet argent, là, les mille cinq cents roubles que le procureur a dit que j'avais cachés là-bas. Dès qu'il est revenu, il paraît, il s'est mis à délirer. Bien fait pour lui, le voleur ! Le gardien d'ici qui m'a raconté ça ; il est de là-bas.

— Ecoute, dit Aliocha, elle viendra, mais je ne sais pas quand, peut-être aujourd'hui, peut-être ces jours-ci, ça, je ne le sais pas, mais elle viendra, elle viendra, c'est sûr.

Mitia tressaillit, il voulut dire quelque chose mais se tut. La nouvelle le remua terriblement. On voyait qu'il avait une envie torturante de connaître les détails de la conversation, mais que, là encore, il avait peur de poser la question : quelque chose de cruel ou de méprisant de la part de Katia lui aurait fait l'effet d'un coup de couteau à cette minute-là.

— Voilà ce qu'elle m'a dit, entre autres : que j'apaise absolument ta conscience au sujet de l'évasion. Si Ivan n'est pas remis d'ici-là, c'est elle qui prendra tout en main.

— Tu me l'as déjà dit, remarqua pensivement Mitia.

— Et toi, tu l'as déjà redit à Groucha, remarqua Aliocha.

— Oui, avoua Mitia. Elle ne viendra pas ce matin, fit-il, lançant un regard timide vers son frère. Elle ne viendra que ce soir. Quand je lui ai dit, hier, que Katia s'occupait de tout, elle n'a rien dit ; mais elle a eu comme une grimace. Elle a juste chuchoté : "Qu'elle fasse ce qu'elle veut !" Elle a compris que c'était important. Je n'ai pas osé fouiller plus. Elle le comprend, non, maintenant, que, l'autre, ce n'est pas moi qu'elle aime, mais c'est Ivan.

— Tu crois ? laissa échapper Aliocha.

— Peut-être que non. Mais, ce matin, elle ne viendra pas, s'empressa, une deuxième fois, de noter Mitia, je lui ai donné une mission… Ecoute, notre frère Ivan, il nous passera tous. C'est lui qui nous enterrera. Il va guérir.

— Figure-toi, Katia a beau trembler pour lui, elle ne doute presque pas qu'il va guérir, dit Aliocha.

— Donc, elle est convaincue qu'il va mourir. C'est par peur qu'elle est sûre qu'il va guérir.

— Notre frère est de complexion solide. Moi aussi, j'ai le ferme espoir qu'il va guérir, remarqua Aliocha d'un ton inquiet.

— Oui, il va guérir. Mais, elle, elle est persuadée qu'il va mourir. Elle en a, du malheur…

Il y eut un silence. Il y avait quelque chose de très important qui torturait Mitia.

— Aliocha, j'aime Groucha terriblement, murmura-t-il soudain, d'une voix tremblante, pleine de larmes.

— *Là-bas* on ne la laissera pas te rejoindre, reprit tout de suite Aliocha.

— Et voilà ce que je voulais encore te dire, continuait Mitia d'une espèce de voix qui, soudain, s'était mise à tinter, s'ils me battent, en chemin, ou *là-bas*, je ne me laisserai pas faire, je tuerai, et ils me fusilleront. Et ça, pendant vingt ans ! Ici, déjà, ils se mettent à me tutoyer. Les gardes, ils me tutoient. J'étais couché, là, aujourd'hui, toute la nuit, je me suis jugé : je ne suis pas prêt ! Je n'ai pas la force d'accepter ! Je voulais entonner "l'hymne", mais, le tutoiement d'un garde, c'est plus fort que moi ! Pour Groucha, j'aurais tout supporté, tout… à part, remarque, les coups… Mais ils ne la laisseront pas aller *là-bas*.

Aliocha eut un sourire doux.

— Ecoute, frère, une fois pour toutes, dit-il, voilà ce que je pense de ça. Et tu sais bien que je ne te mentirai pas. Ecoute donc : tu n'es pas prêt, ce n'est pas pour toi, une croix pareille. Bien plus : tu n'en as pas besoin, parce que tu n'es pas prêt, de la croix d'un martyre pareil. Si tu avais tué le père, j'aurais regretté que tu rejettes cette croix. Mais tu es innocent, et, cette croix-là, c'est beaucoup trop pour toi. Tu voulais faire renaître en toi un autre homme par la souffrance : à mon avis, penses-y seulement tout le temps, toute ta vie, où que tu puisses t'enfuir, à cet autre homme – pour toi, ce sera bien assez. Que tu aies refusé une grande croix de souffrance, ça te servira seulement à ressentir en toi-même un devoir plus grand, et c'est par cette sensation continue, dorénavant, pendant toute ta vie, que tu vas aider ta propre régénération, peut-être plus que si tu allais *là-bas*. Parce que, là-bas, tu ne supporteras pas, tu murmureras et, si ça se trouve, c'est vrai que tu diras : "Je suis quitte." L'avocat, là-dessus, il a dit vrai. Les jougs pesants, ils ne sont pas pour tout le monde, il y a des gens pour qui c'est impossible… Voilà ce que je pense, si ça te sert à quelque chose. S'il y en avait d'autres qui devaient répondre de ton évasion – des officiers, des soldats –, là, je ne t'aurais pas "permis" de t'évader, sourit Aliocha. Mais on dit et on assure (c'est l'officier d'étape lui-même qui l'a dit à Ivan) que, les conséquences graves, quand on s'y connaît, on peut les éviter et qu'on peut s'en tirer à peu de frais. Bien sûr, ce n'est pas honnête de corrompre, même dans ce cas-là, mais, là, je refuse absolument de juger, parce que, finalement, si c'était à moi qu'Ivan et Katia avaient demandé d'agir pour toi dans cette affaire, je sais que j'y serais allé et que j'aurais corrompu ; ça, je dois te dire toute la vérité. Et donc, ce n'est pas à moi de juger comment tu vas agir. Mais sache que je ne te condamnerai jamais. Et ce serait étrange, comment est-ce que je pourrais être ton juge dans une affaire pareille ?

Bon, maintenant, je crois que j'ai regardé ça de tous les points de vue.

— Mais moi, par contre, je me condamnerai ! s'exclama Mitia. Je m'évade, ça, on l'avait déjà décidé sans toi : est-ce que Mitia Karamazov peut ne pas s'évader ? Mais je me condamnerai et, après, je prierai toute ma vie pour mes péchés ! C'est ce qu'ils disent, non, les jésuites ? Comme toi et moi, là, en ce moment, hein ?

— Oui, fit Aliocha avec un sourire doux.

— Je t'aime parce que tu diras toujours toute la vérité, tu ne cacheras rien ! s'écria Mitia avec un rire joyeux. Donc, j'attrape mon Aliochka en jésuite ! Il faudrait que je te couvre de baisers, tiens, pour ça ! Bon, écoute aussi le reste, maintenant, je vais t'ouvrir toute la deuxième moitié de mon âme. Voilà ce que je me suis construit, ce que j'ai décidé : quand bien même je m'enfuirais, même avec de l'argent et un passeport, et même en Amérique, l'idée qui me ranime un peu, c'est que ce n'est pas pour faire la fête que je m'enfuis, pas pour être heureux, mais, réellement, pour un deuxième bagne, pas pire, peut-être bien, que l'autre ! Aussi dur, Alexéï, c'est vrai ce que je dis, qu'il sera aussi dur ! Moi, cette Amérique, que le diable l'embroche, j'en suis venu à la détester ! Bien sûr que Groucha sera avec moi, mais regarde-la : qu'est-ce qu'elle a d'une Américaine ? Elle est russe, russe jusqu'à la moelle de ses os, elle se rongera de nostalgie pour sa terre mère, et, moi, je le verrai tout le temps, qu'elle se rongera à cause de moi, qu'elle a pris une telle croix pour moi, et, elle, de quoi elle est coupable ? Et puis, est-ce que je les supporterai, les culs-terreux de là-bas, même s'ils sont mieux que moi, si ça se trouve, du premier au dernier ? Je la déteste, tiens, cette Amérique ! Et ils auront beau être, tous, là-bas, du premier au dernier, des machinistes invraisemblables, ou quoi – qu'ils aillent au diable, ce n'est pas des gens comme moi, pas des gens selon mon cœur ! J'aime la Russie, Alexéï, j'aime le Dieu russe, j'ai beau être une crapule ! Mais je vais crever là-bas ! s'exclama-t-il soudain, des étincelles dans les yeux.

Sa voix se mit à trembler de larmes.

— Voilà ce que j'ai décidé, Alexéï, écoute ! reprit-il, surmontant son émotion. On arrive là-bas, Groucha et moi, et, tout de suite, labourer, travailler, avec les ours sauvages, dans la solitude, loin, quelque part. Là-bas aussi, quand même, on trouvera bien un endroit loin ! Là-bas, il paraît, il y a encore des Peaux-Rouges, loin, quelque part, au bout de l'horizon, eh bien, là-bas, oui, dans ce pays, chez les derniers des Mohicans. Et puis, tout de suite, la grammaire, Groucha et moi. Le travail et la grammaire, et, comme ça, pendant trois ans. Pendant ces trois ans, on apprendra l'anglais comme des Anglais tout ce qu'il y a de plus anglais. Et, sitôt qu'on saura – finie, l'Amérique ! On se précipite ici, en Russie, comme citoyens américains. Ne t'inquiète pas, ici, dans cette petite ville, on ne reviendra pas. On se cachera quelque part, loin, au nord ou bien au sud. A ce moment-là, je serai changé, elle aussi, là-bas, en Amérique, il y aura un docteur qui me mettra une verrue, je ne sais pas, que ça serve à quelque chose, leur mécanique. Sinon, je me crève un œil, je me laisse pousser une barbe d'un mètre, blanche (de nostalgie, j'aurai les cheveux blancs) – peut-être qu'ils ne me reconnaîtront pas. Et s'ils me reconnaissent, qu'ils m'exilent, pareil, donc, c'était le destin ! Ici aussi, dans un trou perdu, on labourera la terre, et, moi, toute ma vie, je jouerai les Américains. Mais on mourra sur notre terre. Voilà mon plan, et, ça, c'est inflexible. Tu approuves ?

— J'approuve, dit Aliocha, qui ne voulait pas le contredire.

Mitia se tut une minute, puis, brusquement, il murmura :

— Comment ils ont mené ça, hein, au procès ! Comment ils ont mené ça !

— Même s'ils ne l'avaient pas mené comme ça, de toute façon, ils t'auraient condamné, répondit Aliocha avec un soupir.

— Oui, le public local m'a assez vu ! Qu'ils aillent au diable, mais ça pèse ! gémit Mitia avec souffrance.

Ils se turent une autre minute.

— Aliocha, égorge-moi tout de suite ! s'exclama-t-il soudain. Elle vient maintenant ou elle ne vient pas, parle ! Qu'est-ce qu'elle a dit ? Comment elle a parlé ?

— Elle a dit qu'elle viendrait, mais je ne sais pas si elle viendra aujourd'hui. C'est dur, quand même, pour elle ! fit Aliocha avec un regard timide vers son frère.

— Je pense bien que c'est dur ! Aliocha, ça me rendra fou, ça. Groucha n'arrête pas de me regarder. Elle comprend. Mon Dieu, Seigneur, apaise-moi : qu'est-ce que je demande ? Je demande Katia. J'y comprends quelque chose, à ce que je demande ? Irreffréné, à la Karamazov, le Sarrasin ! Je n'en suis pas capable, de la souffrance ! Une crapule, et tout est dit !

— La voilà ! s'exclama Aliocha.

A cet instant, Katia venait soudain de paraître sur le seuil. Elle marqua une seconde d'arrêt, observant Mitia avec une sorte de regard perdu. Lui, il bondit précipitamment, son visage exprima de l'épouvante, mais, tout de suite, un sourire timide, suppliant, se mit à luire sur ses lèvres et, d'un seul coup, irrépressiblement, il tendit les deux bras vers Katia. Apercevant cela, elle-même se précipita vers lui. Elle lui saisit les deux mains et le fit asseoir sur le lit, presque de force, s'assit elle-même à côté de lui, et, toujours sans libérer ses mains, elle les serrait très fort, convulsivement. Tous deux essayèrent plusieurs fois de dire quelque chose, mais s'arrêtaient et, à nouveau, muets, fixement, comme collés l'un à l'autre, ils se regardaient avec un sourire étrange ; il se passa ainsi dans les deux minutes.

— Tu m'as pardonné, ou non ? balbutia finalement Mitia et, se tournant à cet instant vers Aliocha, il lui cria, le visage déformé de joie : Tu entends ce que je demande, tu entends !

— C'est pour ça que je t'aimais, que ton cœur est généreux, laissa soudain échapper Katia. Et puis, ce n'est pas à moi de te pardonner, c'est toi qui dois me pardonner ; de toute façon, que tu me pardonnes ou pas, de toute ma vie, tu resteras en moi comme une blessure, et moi pour toi pareil – c'est ce qu'il faut… Elle s'arrêta pour reprendre son souffle. Moi, pourquoi je suis venue ? reprit-elle, frénétique, en toute hâte. Pour embrasser tes jambes, serrer tes mains, comme ça, jusqu'à faire mal, tu te souviens, comme je les serrais à Moscou, te le dire, une nouvelle fois, que tu es mon dieu, ma joie, te dire que je t'aime à la folie, fit-elle comme dans un gémissement de douleur, et, d'un seul coup, avidement, elle colla ses lèvres sur sa main. Des larmes avaient jailli de ses yeux.

Aliocha restait là, silencieux et troublé ; il ne s'attendait pas du tout à voir ce qu'il voyait.

— L'amour est passé, Mitia ! reprit Katia. Mais ce passé-là, j'y tiens jusqu'au mal qu'il me fait. Ça, il faut que tu le saches pour toujours. Mais, là, maintenant, pendant une petite minute, qu'il y ait ce qui aurait pu être, babilla-t-elle avec un sourire déformé, le regardant à nouveau joyeusement dans les yeux. Toi, maintenant, tu en aimes une autre et, moi aussi, j'en aime un autre, et, malgré tout, je t'aime pour toujours, et toi pareil pour moi, tu le savais, ça ? Tu entends, aime-moi, aime-moi toute la vie ! s'exclama-t-elle avec, même, une sorte de tremblement menaçant dans la voix.

— Je t'aimerai et… tu sais, Katia, dit à son tour Mitia, reprenant son souffle sur chaque mot, tu sais, il y a cinq jours, le soir, là, je t'aimais… Quand tu es tombée et qu'on t'a emportée… Toute la vie ! Ce sera comme ça, comme ça, pour toujours…

Ainsi, tous les deux, ils se babillaient des discours quasiment absurdes, frénétiques, peut-être même pas justes, mais, à cette minute-là, tout était devenu vrai, et, eux-mêmes, ils se croyaient sans aucun doute.

— Katia, s'exclama soudain Mitia, tu le crois, que j'ai tué ? Je sais que, maintenant, tu n'y crois pas, mais, à ce moment-là… pendant ta déposition… Tu y croyais, tu y croyais vraiment ?

— Même là je n'y croyais pas ! Jamais je n'y ai cru ! Je te détestais et, d'un coup, je me suis persuadée moi-même, à la seconde… Pendant que je déposais… je me suis persuadée, et j'y ai cru… et quand j'ai fini de déposer, là, tout de suite, j'ai cessé d'y croire. Tout ça, sache-le. J'ai oublié que j'étais venue me châtier ! dit-elle soudain avec une espèce d'expression complètement nouvelle, qui n'avait rien à voir avec le babil amoureux qu'elle avait une seconde auparavant.

— C'est dur pour toi, femme ! laissa soudain échapper Mitia dans une sorte de mouvement irrépressible.

— Laisse-moi, chuchota-t-elle, je viendrai encore, là, c'est dur !…

Elle se levait de sa place quand, brusquement, elle lança un cri et eut un recul. C'est Grouchenka qui, d'une manière totalement inattendue, encore qu'absolument sans bruit, venait d'entrer dans la pièce. Personne ne l'attendait. Katia se dirigea précipitamment vers la porte, mais, arrivée au niveau de Grouchenka, elle s'arrêta soudain, devint pâle comme un linge et, tout bas, presque dans un chuchotement, lui gémit :

— Pardonnez-moi !

L'autre darda sur elle un regard fixe et, après une seconde d'attente, lui répondit d'une voix fielleuse, empoisonnée de haine :

— On est méchantes, la mère, toi et moi ! Méchantes, les deux ! Comment tu veux qu'on pardonne, toi et moi ? Sauve-le, lui, tiens, toute ma vie je prierai pour toi.

— Mais tu ne veux pas pardonner ! cria Mitia dans un reproche effréné.

— Sois tranquille, va, je te le sauverai ! chuchota rapidement Katia et elle sortit en courant.

— Et tu as pu ne pas lui pardonner, après qu'elle-même elle t'a demandé "pardon" ? s'exclama à nouveau Mitia avec amertume.

— Mitia, je t'interdis de lui faire un reproche, tu n'as pas le droit ! cria Aliocha avec chaleur.

— Ses lèvres orgueilleuses qui parlaient, pas son cœur, prononça Grouchenka avec une espèce de dégoût. Si elle te sauve, je pardonnerai tout…

Elle se tut, comme renfonçant quelque chose au profond de son cœur. Elle n'arrivait pas encore à reprendre ses esprits. Elle était entrée, comme cela devait se révéler par la suite, totalement par hasard, sans soupçonner quoi que ce soit, et sans s'attendre à une rencontre pareille.

— Aliocha, cours la rejoindre ! demanda précipitamment Mitia à son frère. Dis-lui… je ne sais pas quoi… ne la laisse pas partir comme ça !

— Je reviendrai ce soir ! cria Aliocha et il courut à la poursuite de Katia. Il la rattrapa alors qu'elle avait déjà quitté l'enceinte de l'hôpital. Elle marchait à pas vifs, elle était pressée, mais, sitôt qu'Aliocha l'eut rattrapée, elle lui dit très vite :

— Non, devant elle, je ne peux pas me châtier ! Je lui ai dit "pardonne-moi" parce que je voulais me châtier jusqu'au bout. Elle n'a pas pardonné… Je l'aime pour ça ! ajouta Katia d'une voix déformée, et ses yeux lancèrent un éclair de colère farouche.

— Mon frère ne s'attendait pas du tout, marmonna Aliocha, il était sûr qu'elle ne viendrait pas…

— Sans aucun doute. Laissons ça, trancha-t-elle. Ecoutez : je ne peux pas vous accompagner là-bas, en ce moment, à l'enterrement. Je leur ai envoyé des fleurs pour la tombe. De l'argent, je crois qu'il leur en reste. S'ils en ont besoin, dites-leur qu'à l'avenir non plus je ne les laisserai jamais… Bon, maintenant, laissez-moi, laissez-moi, s'il vous plaît. Vous, vous êtes déjà en retard, on sonne le dernier office… Laissez-moi, s'il vous plaît !

III

L'ENTERREMENT D'ILIOUCHETCHKA. LE DISCOURS DEVANT LA PIERRE

De fait, il était en retard. On l'attendait et on avait déjà décidé de porter sans lui le petit cercueil fleuri à l'intérieur de l'église. C'était le cercueil d'Iliouchetchka, le pauvre petit garçon. Il était décédé deux jours après le verdict sur Mitia. Dès le portail de la maison, Aliocha fut accueilli par les cris des gamins, les camarades d'Ilioucha. Ils l'attendaient avec impatience et se réjouirent qu'il fût enfin là. En tout, ils étaient une douzaine, ils étaient tous venus avec leurs cartables et leurs sacs en bandoulière. "Papa va pleurer, soyez avec papa", leur avait demandé Ilioucha en mourant, et les gamins ne l'avaient pas oublié. Ils étaient menés par Kolia Krassotkine.

— Comme je suis heureux que vous soyez là, Karamazov ! s'exclama-t-il, tendant la main à Aliocha. Ici, c'est affreux. Je vous jure, ça fend le cœur de le voir. Snéguiriov n'est pas soûl, ça, nous en sommes sûrs, qu'il n'a rien bu aujourd'hui, mais c'est comme s'il était soûl... Moi, je tiens toujours ferme, mais c'est affreux. Karamazov, si je ne vous retiens pas, juste encore une seule question, avant que vous n'entriez ?

— Qu'y a-t-il, Kolia ? demanda Aliocha en s'arrêtant.

— Votre frère, il est innocent, ou il est coupable ? C'est lui qui a tué votre père, ou c'est le laquais ? Ce que vous direz, ce sera vrai. Quatre nuits que je ne dors plus sur cette idée.

— C'est le laquais qui a tué, mon frère est innocent, répondit Aliocha.

— Exactement ce que je disais ! s'écria soudain le petit Smourov.

— Alors, il périra en victime innocente pour la justice ! s'exclama Kolia. Même s'il périt, il est heureux ! Je suis prêt à l'envier !

— Mais voyons, comment est-ce possible, et pourquoi ? s'exclama Aliocha, étonné.

— Oh si, un jour, n'importe quand, je pouvais me sacrifier pour la justice ! reprit Kolia avec enthousiasme.

— Mais pas dans une affaire pareille, pas avec cette honte, pas avec cette horreur ! dit Aliocha.

— Bien sûr… je voudrais mourir pour toute l'humanité, et, la honte, peu importe : périssent nos noms. Votre frère, je le respecte !

— Moi aussi ! cria soudain, et, cette fois, d'une manière totalement inattendue un autre garçon dans la foule, celui-là même qui avait affirmé qu'il savait qui avait fondé Troie, et, après avoir crié, exactement comme la première fois, il devint rouge jusqu'aux oreilles, comme une pivoine.

Aliocha entra dans la pièce. Dans un cercueil bleu ciel, orné de ruches blanches, les mains croisées, les yeux fermés, gisait Ilioucha. Les traits du visage émacié n'avaient quasiment pas changé, et, chose étrange, le cadavre n'émettait presque pas d'odeur. L'expression du visage était sérieuse et comme pensive. C'étaient surtout les mains qui étaient belles, croisées, comme si elles étaient sculptées dans du marbre. On avait mis des fleurs entre ces mains, et tout le cercueil était orné, au-dedans comme au-dehors, de fleurs envoyées dès l'aube par Liza Khokhlakova. Mais d'autres fleurs étaient aussi arrivées de la part de Katérina Ivanovna, et quand Aliocha ouvrit la porte le capitaine, un bouquet de fleurs dans ses mains tremblantes, les éparpillait à nouveau sur son cher petit garçon. Il lança à peine un regard sur Aliocha, d'ailleurs, il ne voulait regarder personne, même sa femme folle et éplorée, sa "mamounette" qui essayait toujours de se lever sur ses jambes malades et de regarder de plus près son petit garçon mort. Quant à Ninotchka, les enfants l'avaient soulevée avec sa chaise et l'avaient mise tout contre le cercueil. Elle restait là, la tête serrée contre lui et, elle aussi, sans doute, elle pleurait en silence. Le visage de Snéguiriov avait l'air animé, mais comme perdu, et, en même temps, farouche. Dans ses gestes, dans les paroles qui lui échappaient, on sentait comme quelque chose de fou. “Papounet, mon papounet !” s’exclamait-il à tout instant, en regardant Ilioucha. Il avait cette habitude, encore du vivant d’Ilioucha, de l’appeler gentiment : “Papounet, mon papounet !”

— Gentil papa, moi aussi, donne-moi des fleurs, prends-les, là, dans ses mains, la petite blanche, là, et donne ! demanda la “mamounette” folle en reniflant. Soit la petite rose blanche dans les mains d’Ilioucha lui avait plu à ce point, soit elle avait eu envie de prendre en souvenir une fleur qu’Ilioucha avait eue entre les mains, toujours est-il qu’elle s’agita de tout son corps, en tendant les mains vers cette fleur.

— J’en donnerai à personne, à personne ! s’exclama cruellement Snéguiriov. Elles sont à lui, les petites fleurs, pas à toi. Tout est à lui, rien à toi !

— Papa, donnez une fleur à maman ! fit soudain Ninotchka, relevant son visage mouillé de larmes.

— Je donnerai rien, et à elle surtout, je donnerai rien ! Elle l’aimait pas. Elle lui a pris son petit canon, l’autre jour, et, lui, il le lui a of-fert, répondit soudain, en sanglotant, le capitaine au souvenir de la façon dont Ilioucha avait cédé le petit canon à sa mère. La pauvre folle se retrouva tout de suite baignée de larmes, le visage dans les mains. Les garçons, voyant finalement que le père ne se détachait pas du cercueil, alors qu’il était temps de le porter, entourèrent soudain le cercueil en foule compacte et entreprirent de le soulever.

— Je veux pas qu’on l’enterre dans l’enceinte ! hurla soudain Snéguiriov. Je vais l’enterrer devant la pierre, devant notre pierre à tous les deux ! C’est Ilioucha qui l’a demandé. Je laisserai pas l’emporter !

Déjà avant, pendant tous ces trois jours, il avait dit qu’il l’enterrerait devant la pierre ; mais intervinrent

Aliocha, Krassotkine, la logeuse, sa sœur, tous les garçons.

— Non mais, ce qu'il s'invente, l'enterrer devant une pierre païenne, exactement comme un pendu, lança sévèrement la vieille logeuse. Là-bas, dans l'enceinte, la terre elle a sa croix. Là-bas, on dira des prières pour lui. De l'église, on entend le chant, et, le diacre, quand il lit, c'est si beau, chaque mot résonne – le moindre mot il lui viendra, comme si c'est sur sa tombe qu'il le lirait exprès.

Le capitaine finit par agiter les bras : "Emportez-le, allez ! où vous voulez !" Les enfants soulevèrent le cercueil, mais, en passant devant la mère, ils s'arrêtèrent une petite minute devant elle et le baissèrent pour qu'elle puisse faire ses adieux à Ilioucha. Mais apercevant soudain tout près d'elle ce visage bien-aimé qu'elle avait regardé pendant tous ces trois jours à une certaine distance, elle fut soudain tout entière prise de tremblements et se mit à secouer sa tête chenue, dans un mouvement hystérique, au-dessus du cercueil, d'avant en arrière.

— Maman, trace-lui un signe de croix, bénis-le, embrasse-le, lui cria Ninotchka. Mais elle, comme un automate, elle n'arrêtait pas d'agiter la tête, sans rien dire, le visage déformé par une douleur brûlante, et, soudain, elle se mit à se frapper la poitrine du poing. On emporta le cercueil. Ninotchka posa une dernière fois ses lèvres sur celles de son frère défunt quand le cercueil passa devant elle. Aliocha, sortant de la maison, voulut se tourner vers la logeuse, pour lui demander de veiller sur celles qui restaient, mais cette dernière ne le laissa même pas finir :

— Je pense bien, je reste avec elles, nous aussi, on est chrétiens. La vieille femme, à ses mots, pleurait.

Il n'y avait pas loin à porter jusqu'à l'église, trois cents pas, guère plus. Le jour était clair, paisible : il gelait, mais pas trop. La cloche de l'office[1] tintait encore. Snéguiriov courait derrière le cercueil, agité et perdu, vêtu de son vieux petit manteau court, quasiment un manteau d'été, tête nue, un vieux chapeau mou à larges bords dans les mains. Il était plongé dans une espèce de souci insoluble, tantôt il tendait le bras pour soutenir la tête du cercueil, et ne faisait que déranger les porteurs, tantôt il courait à côté et cherchait simplement un endroit où se mettre. Une fleur tomba dans la neige, il se précipita littéralement pour la ramasser, comme si, de la perte de cette fleur, c'est Dieu sait quoi qui dépendait.

— Et le petit croûton, le petit croûton, on l'a oublié, s'exclama-t-il soudain dans une terreur profonde. Mais les garçons lui rappelèrent aussitôt que, le croûton de pain, il l'avait déjà pris tout à l'heure, et qu'il l'avait dans sa poche. Il le sortit précipitamment de sa poche, et, rassuré, se tranquillisa.

— Iliouchetchka, qui a demandé, Iliouchetchka, expliqua-t-il sur-le-champ à Aliocha, la nuit, il ne dormait pas, moi, j'étais près de lui, et, d'un seul coup, il me demande : "Mon petit papa, quand on recouvrira ma tombe, émiette dessus un croûton de pain, que les petits moineaux, ils viennent, moi, je les entendrai voleter, et ça me fera une joie de ne pas être seul, en dessous."

— C'est très bien, dit Aliocha, il faut en apporter plus souvent.

— Tous les jours, tous les jours ! balbutia le capitaine, comme en se ranimant tout entier.

1. Le texte russe dit, littéralement, "la cloche de la Bonne Nouvelle".

On arriva enfin à l'église et on déposa le cercueil au centre. Tous les garçons se placèrent autour et restèrent gravement debout pendant toute la durée de l'office. L'église était ancienne et assez pauvre, il y avait beaucoup d'icônes sans revêtement, mais, dans ces églises-là, je ne sais pas, on est mieux pour prier. Pendant l'office, Snéguiriov sembla se calmer un peu, même si, par instants, il se laissait à nouveau submerger par ce souci inconscient et comme égaré ; tantôt il s'approchait du cercueil pour arranger le voile ou la couronne, tantôt, quand un cierge tomba du chandelier, il s'élança soudain pour le remettre et passa dessus toute une éternité. Ensuite, il s'apaisa vraiment et se plaça sans bouger à la tête du cercueil, avec ce même souci obtus qui s'affichait sur son visage comme éberlué. Après l'Apôtre, il chuchota soudain à Aliocha qui se tenait près de lui que, l'Apôtre[1], on ne l'avait pas lu *comme ça*, mais il n'expliqua pas ce qu'il voulait dire. Pendant l'hymne des Chérubins[2], il voulut reprendre le chant, mais il ne l'acheva pas, et, s'agenouillant, il plaqua son front sur le sol de pierre de l'église, et il resta ainsi, prosterné, assez longtemps. On passa finalement au service funèbre, on distribua les cierges. Le père, éperdu, se remit à s'agiter, mais le chant funèbre, attendrissant, bouleversant, éveilla et retourna son âme. Ce fut comme s'il se recroquevillait soudain tout entier : il fondit en sanglots brefs, saccadés, qu'il tenta d'étouffer au début, mais qu'il ne put réprimer, en hoquetant très fort. Quand ce fut le moment des adieux et qu'il fallut fermer le cercueil, il étendit les bras dessus, comme pour empêcher qu'on

1. Une des lectures rituelles pendant l'office : un extrait des Actes, des Epîtres, ou de l'Apocalypse.
2. Un des hymnes de l'office orthodoxe.

pose le couvercle sur Iliouchetchka, et, sans parvenir à s'arracher à lui, il se mit à poser sur la bouche du petit garçon mort des baisers avides et incessants. On finit par le raisonner, on lui avait même fait redescendre les marches, quand, brusquement, il tendit les mains précipitamment et saisit quelques fleurs dans le cercueil. Il les regardait, et ce fut comme si une espèce d'idée nouvelle venait de s'emparer de lui, au point qu'il oublia une minute les choses principales. Petit à petit, ce fut comme s'il tombait dans une espèce de songerie et il cessa de résister quand on souleva le cercueil pour le porter jusqu'à la tombe. Cette tombe était toute proche, dans l'enceinte, tout à côté de l'église, très coûteuse ; elle avait été payée par Katérina Ivanovna. Après le rituel habituel, les croque-morts descendirent le cercueil. Snéguiriov se pencha tellement, ses petites fleurs dans la main, au-dessus du tombeau ouvert, que les garçons, pris de panique, le rattrapèrent par le manteau et voulurent le tirer en arrière. Mais lui, c'était déjà comme s'il ne comprenait plus trop ce qui se passait. Quand on commença d'ensevelir le cercueil, il se mit à indiquer, d'un air soucieux, la terre qui s'accumulait, et commençait même à dire quelque chose, mais personne ne comprenait un mot de ce qu'il disait, et lui-même, d'ailleurs, brusquement, il se tut. Ici, on lui rappela qu'il devait émietter le croûton, et, affolé terriblement, il saisit le croûton et entreprit de l'émietter, en éparpillant des petits morceaux sur la tombe : “Tenez, volez ici, petits oiseaux, tenez, volez, petits moineaux !” marmonnait-il d'un air soucieux. Un des garçons lui fit remarquer qu'avec les fleurs dans la main il lui était plus difficile d'émietter le pain, et qu'il aurait mieux fait de les donner à garder à quelqu'un le temps qu'il le finisse. Mais il s'y refusa, même, d'un seul coup, il prit peur pour ses fleurs, comme si on voulait les lui confisquer totalement et, après avoir lancé un regard vers la tombe, comme pour s'assurer que tout était déjà fait, que les morceaux étaient bien émiettés, d'un coup, à la surprise générale, il se retourna, le plus calmement du monde, et reprit le chemin de chez lui. Ses pas, pourtant, devenaient de plus en plus courts, de plus en plus précipités, il était pressé, c'était tout juste s'il ne courait pas. Les garçons et Aliocha ne le quittaient pas d'une semelle.

— Des petites fleurs pour mamounette, des petites fleurs pour mamounette ! On l'a blessée, mamounette, se mit-il à s'exclamer soudain. Quelqu'un lui cria de mettre son chapeau, parce qu'il faisait froid, mais, à ces mots, il jeta son chapeau sur la neige, comme saisi de colère, et se mit à répéter : "Je veux pas le chapeau, je veux pas le chapeau !" Le petit Smourov ramassa le chapeau et le porta derrière lui. Tous les gamins pleuraient, du premier au dernier, et Kolia plus encore que les autres, de même que le gamin qui avait découvert Troie, et même si Smourov, tenant le chapeau du capitaine, lui aussi, pleurait affreusement, il parvint malgré tout, presque sans s'arrêter, à ramasser un fragment de brique qui faisait une petite masse rouge sur la neige du sentier pour l'envoyer contre une volée de moineaux qui passait à tire-d'aile. On pense bien qu'il les manqua, et il continua de courir en pleurant. A mi-chemin, Snéguiriov s'arrêta brusquement, se tint figé une trentaine de secondes, comme stupéfait par une certaine chose, et, brusquement, rebroussant chemin, il se lança à toutes jambes vers la tombe qu'il avait laissée derrière lui. Mais les garçons le rattrapèrent et s'accrochèrent à lui de tous côtés. Là, impuissant, comme terrassé, il s'effondra dans la neige, et, se débattant, hurlant et sanglotant, commença à crier : "Papounet, Iliouchetchka, mon petit papounet !" Aliocha et Kolia entreprirent de le relever, de le raisonner, de l'apaiser.

— Capitaine, voyons, un homme courageux doit supporter, marmonnait Kolia.

— Les fleurs, vous allez les abîmer, dit aussi Aliocha, et il y a "mamounette" qui les attend, elle est là-bas, elle pleure, parce que, tout à l'heure, vous ne lui avez pas donné les fleurs d'Ilioucha. Il y a encore le lit d'Ilioucha, là-bas…

— Oui, oui, retrouver "mamounette" ! fit Snéguiriov, se souvenant soudain. Ils vont l'enlever le lit, ils vont l'enlever, ajouta-t-il, comme pris de panique à l'idée que, réellement, on pouvait enlever ce lit – il bondit et se remit à courir. Mais ils étaient déjà tout proches, et tout le monde y arriva ensemble. Snéguiriov ouvrit la porte à toute volée et hurla à sa femme, avec laquelle il s'était si cruellement fâché :

— Mamounette, ma chérie, Iliouchetchka t'envoie des petites fleurs, avec tes pauvres jambes malades ! hurla-t-il, lui tendant une brassée de fleurs gelées et cassées alors qu'il se débattait dans la neige. Mais, au même instant, il aperçut devant le lit d'Ilioucha, dans un coin, les souliers d'Ilioucha, posés l'un à côté de l'autre, juste rangés par la logeuse – des petits souliers tout vieux, roussis, racornis, rapiécés. Les apercevant, il leva les bras et se jeta vers eux, tomba à genoux, saisit un petit soulier et, plaquant ses lèvres dessus, se mit à l'embrasser avidement, en criant : "Papounet, Iliouchetchka, mon gentil papounet, tes petits pieds, ils sont où ?"

— Où tu l'as emporté ? Où tu l'as emporté ? hurla la folle d'une voix déchirante. Ninotchka, elle aussi, fondit en sanglots. Kolia se précipita hors de la pièce, suivi par les autres garçons. Aliocha finit, lui aussi, par sortir derrière eux.

— Qu'ils pleurent comme ils en ont besoin, dit-il à Kolia, ici, on ne peut pas consoler. Attendons une petite minute et revenons.

— Non, on ne peut pas, c'est affreux, confirma Kolia. Vous savez, Karamazov, fit-il, baissant soudain la voix pour que personne n'entende, je me sens très triste, et si seulement on pouvait le ressusciter, je donnerais tout au monde !

— Ah, et moi aussi, dit Aliocha.

— Qu'en pensez-vous, Karamazov, il faut qu'on revienne, demain soir ? Il va se soûler, non ?

— C'est possible qu'il se soûle. Nous reviendrons seulement vous et moi, ce sera assez, nous resterons une petite heure, avec la mère et Ninotchka, parce que, si tout le monde arrivait en même temps, nous leur rappellerions tout d'un seul coup, conseilla Aliocha.

— Il y a la logeuse qui est en train de dresser la table, c'est le repas funèbre, ou quoi, le pope doit arriver ; il faut qu'on y retourne maintenant, Karamazov, ou non ?

— Il faut absolument, dit Aliocha.

— C'est étrange, tout ça, Karamazov, un tel malheur, et, d'un seul coup, des crêpes, je ne sais pas quoi, comme tout ça est artificiel dans notre religion !

— Il y aura même du saumon, remarqua soudain tout haut le garçon qui avait découvert Troie.

— Je vous demande sérieusement, Kartachov, de ne plus intervenir avec vos idioties, surtout quand on ne vous parle pas et qu'on se fiche même de savoir si vous existez, trancha Kolia d'une voix énervée. Le garçon s'empourpra aussitôt, mais n'osa rien répondre. Pendant ce temps, tout le monde avançait doucement le long du sentier, quand, d'un coup, Smourov s'exclama :

— Voilà la pierre d'Ilioucha, près de laquelle on voulait l'enterrer !

Tous s'arrêtèrent en silence devant cette grande pierre. Aliocha regarda, et tout le tableau de ce que Snéguiriov avait raconté jadis sur Iliouchetchka, sur la façon dont, en pleurant et en serrant son père dans ses bras, il s'était exclamé : "Mon petit papa, mon petit papa, comme il t'a humilié !" jaillit soudain à son souvenir. Il y eut comme un choc dans son âme. Il toisa d'un regard sérieux et grave les visages adorables, lumineux, de ces écoliers, des camarades d'Ilioucha, et leur dit brusquement :

— Messieurs, je voudrais vous dire un mot, ici, à l'endroit où nous sommes.

Les garçons l'entourèrent et dardèrent aussitôt sur lui leurs regards fixes, chargés d'attente :

— Messieurs, nous nous quitterons bientôt. Je reste encore un peu avec mes deux frères, dont l'un va partir en déportation et l'autre est à l'article de la mort. Mais, bientôt, je quitterai cette ville où nous vivons, et peut-être pour très longtemps. Et donc, nous nous quitterons, messieurs. Accordons-nous donc ici, devant la pierre d'Ilioucha, que nous n'oublierons jamais – d'abord, Iliouchetchka, et puis ensuite nous-mêmes, les uns et les autres. Et quoi qu'il puisse nous arriver plus tard dans la vie, même si nous ne devions nous retrouver que dans vingt ans – souvenons-nous quand même de ce jour où nous avons enterré le pauvre petit garçon contre lequel auparavant vous jetiez des pierres, vous vous souvenez, devant le pont, là-bas ? et que, nous tous, ensuite, nous avons tant aimé. C'était un brave garçon, un garçon adorable et courageux, qui avait le sens de l'honneur et ressentait l'offense amère faite à son père, contre laquelle il s'est révolté. Et donc, d'abord, souvenons-nous de lui, messieurs, pour toute notre vie. Et même si nous sommes pris par les affaires les plus graves, si nous avons atteint des honneurs ou si nous sommes tombés dans le plus grand malheur – malgré tout, n'oubliez jamais qu'ici, un jour, nous nous sommes sentis bien, tous ensemble, réunis par un sentiment si bon, si bien, qui nous aura rendus, nous aussi, peut-être, le temps qu'aura duré notre amour pour ce pauvre garçon, meilleurs que nous ne le sommes vraiment. Mes petits pigeons – permettez-moi de vous appeler comme ça –, mes petits pigeons, parce que vous leur ressemblez beaucoup, à ces petits oiseaux gris-bleu, en ce moment, à la minute où nous sommes, quand je regarde vos visages adorables, gentils – mes bons petits enfants, peut-être que vous ne comprendrez pas ce que je vais vous dire, parce que, souvent, je ne parle pas d'une façon très claire, mais, malgré tout, rappelez-vous, et puis, plus tard, approuvez mes paroles. Sachez aussi qu'il n'y a rien de plus haut, de plus fort, de plus sain, de plus utile à l'avenir pour la vie qu'un bon souvenir, quel qu'il soit, et surtout un souvenir issu de notre enfance, de la maison de notre père. On vous parle beaucoup de votre éducation, mais un souvenir magnifique, sacré, n'importe lequel, que nous gardons de notre enfance, c'est peut-être ça, la meilleure des éducations. Si l'on rassemble ainsi un certain nombre de souvenirs pour la vie, eh bien, pour toute la vie, on est sauvé. Et quand bien même il n'y aurait qu'un seul bon souvenir qui pourrait nous rester dans le cœur, même ça, ça peut servir un jour à nous sauver. Peut-être deviendrons-nous méchants plus tard, peut-être même n'aurons-nous pas la force de nous retenir d'une mauvaise action, et rirons-nous des larmes humaines, ou de ces gens qui disent, comme Kolia, tout à l'heure, s'est exclamé : “Je veux souffrir pour tous les gens” – et nous nous moquerons méchamment, peut-être bien, même de ces hommes-là. Mais, malgré tout, si méchants que nous puissions être, ce qu'à Dieu ne plaise, quand nous nous rappellerons comment nous avons enterré Ilioucha, comment nous l'avons aimé les derniers jours, et comment, là, maintenant, nous avons parlé, tellement amis, tellement ensemble, devant cette pierre, l'homme le plus cruel d'entre nous et le plus sarcastique, si nous devenons cela, malgré tout, n'osera pas se moquer, au profond de son cœur, de ce qu'il a été bon, et bien, à la minute présente ! Bien plus, peut-être, c'est justement ce souvenir qui le retiendra d'un grand mal, et il se reprendra pour dire : "Oui, ce jour-là, j'ai été bon, courageux, honnête." Qu'il ricane en lui-même, ce n'est pas grave, les gens se moquent souvent de ce qui est bon et bien ; c'est juste par frivolité ; mais je vous assure, messieurs, dès qu'il ricanera, il se dira aussitôt, au profond de son cœur : "Non, c'est mal, ce que j'ai fait, de ricaner, parce qu'on ne peut pas se moquer de ça !"

— C'est sûr que ce sera comme ça, Karamazov, je vous comprends, Karamazov ! s'exclama Kolia, des étincelles dans les yeux. Les garçons remuèrent et, eux aussi, ils voulaient crier quelque chose, mais ils se retinrent, dardant sur l'orateur des regards attentifs et attendris.

— Ça, je le dis, au cas où nous deviendrions méchants, poursuivit Aliocha, mais pourquoi donc devrions-nous devenir méchants, n'est-ce pas, messieurs ? Ayons d'abord, et avant tout, de la bonté, ensuite soyons honnêtes, et puis – ne nous oublions jamais les uns les autres. Cela, je vous le répète encore. Je vous donne ma parole, messieurs, pour moi, que je n'en oublierai pas un seul d'entre vous ; je me souviendrai de chaque visage qui me regarde en ce moment, ne serait-ce que dans trente ans. Tout à l'heure, Kolia a dit à Kartachov que, soi-disant, "on se fichait de savoir s'il existait". Mais est-ce que je peux oublier que Kartachov existe, et qu'il ne rougit plus, maintenant, comme l'autre fois, quand il a découvert Troie, non, qu'il me regarde de ses petits yeux, et bons, et tout joyeux. Messieurs, mes gentils messieurs, soyons tous généreux et courageux comme Ilouchetchka, intelligents, et courageux et généreux comme Kolia (qui sera encore bien plus intelligent quand il aura grandi), et soyons donc aussi pudiques, mais malins, et adorables, comme Kartachov. Mais qu'est-ce que j'ai à ne parler que d'eux ? Vous tous, messieurs, je vous aime maintenant, vous tous je veux vous prendre dans mon cœur, et vous aussi, je vous demande de me prendre dans votre cœur à vous ! Bon, et qui donc nous a réunis ici, là, dans ce sentiment si bon, si bien, dont, maintenant, nous nous souviendrons toujours, toute notre vie, et dont nous voulons tous nous souvenir, sinon Ilouchetchka, ce brave garçon, ce garçon adorable, ce garçon qui nous est cher pour les siècles des siècles ! Ne l'oublions donc jamais, bonne et éternelle mémoire pour lui dans nos cœurs, à partir d'aujourd'hui, pour les siècles des siècles !

— Oui, éternelle, éternelle, crièrent tous les garçons de leurs voix sonores, le visage attendri.

— Souvenons-nous de son visage, et de ses habits, de ses pauvres petits souliers, et de son petit cercueil, et de son père malheureux et pécheur, et du courage avec lequel il s'est révolté, lui tout seul, contre toute la classe, pour le défendre !

— Nous nous souviendrons ! Nous nous souviendrons ! crièrent à nouveau les garçons. Il était courageux, il était gentil !

— Ah, comme je l'aimais, s'exclama Kolia.

— Ah, mes petits enfants, ah, mes chers amis, n'ayez pas peur de la vie ! Comme la vie est bien quand on fait quelque chose de bien et de juste !

— Oui, oui, répétèrent les garçons exaltés.

— Karamazov, nous vous aimons ! s'exclama, irrépressiblement, une voix, celle, sans doute, de Kartachov.

— Nous vous aimons, nous vous aimons, reprirent tous les autres. Beaucoup avaient les larmes aux yeux.

— Vive Karamazov ! clama Kolia avec exaltation.

— Et mémoire éternelle au garçon mort ! ajouta à nouveau Aliocha, très ému.

— Mémoire éternelle, reprirent à nouveau les garçons.

— Karamazov ! cria Kolia. Est-ce que c'est vraiment vrai, ce qu'elle dit, la religion, que nous nous lèverons tous d'entre les morts, et nous ressusciterons, et nous nous reverrons, et nous tous, et Ilioutchetchka ?

— Nous nous lèverons, absolument, absolument nous nous verrons, et nous nous raconterons, joyeux, heureux, tout ce qui se sera passé, répondit Aliocha, moitié riant, moitié pris par son exaltation.

— Ah, ce que ça sera bien ! laissa échapper Kolia.

— Bon, et maintenant, terminons les discours et allons au repas funèbre. Ne soyez pas gênés si vous mangez des crêpes. C'est quelque chose d'ancien, d'éternel – là aussi, il y a du bon, fit Aliocha en riant. Allez, allons-y donc ! Voilà, maintenant, nous marcherons main dans la main.

— Et, ça, éternellement, toute la vie, main dans la main ! Vive Karamazov ! cria une nouvelle fois Kolia, exalté, et, une fois encore, tous les gamins reprirent son exclamation.

TABLE

261. HENRY JAMES
Le Motif dans le tapis

262. JACQUES GAILLARD
Rome, le temps, les choses

263. ROBERT LOUIS STEVENSON
L'Etrange Affaire du Dr Jekyll et de Mr Hyde

264. MAURICE MAETERLINCK
La Mort de Tintagiles

265. FRANÇOISE DE GRUSON
La Clôture

266. JEAN-FRANÇOIS VILAR
C'est toujours les autres qui meurent

267. DAGORY
Maison qui pleure

268. BRAM STOKER
Dracula

269. DANIEL GUÉRIN
Front populaire, révolution manquée

270. MURIEL CERF
Le Diable vert

271. BAPSI SIDHWA
La Fiancée pakistanaise

272. JEAN-PIERRE VERHEGGEN
Le Degré Zorro de l'écriture

273. JOHN STEINBECK
Voyage avec Charley

274. NINA BERBEROVA
La Souveraine

275. JOSEPH PÉRIGOT
Le Dernier des grands romantiques

276. FRÉDÉRIC H. FAJARDIE
Gentil, Faty !

277. FÉDOR DOSTOÏEVSKI
L'Eternel Mari

278. COMTESSE DE SÉGUR
Les Malheurs de Sophie / Les Petites Filles modèles / Les Vacances

279. HENRY BAUCHAU
Diotime et les lions

280. ALICE FERNEY
L'Elégance des veuves

281. MICHÈLE LESBRE
Une simple chute

282. JEAN-PIERRE BASTID
La Tendresse du loup

283. ADRIEN DE GERLACHE DE GOMERY
Quinze mois dans l'Antarctique

284. MICHEL TREMBLAY
Des nouvelles d'Edouard

285. FRANZ KAFKA
La Métamorphose et autres récits (vol. I)

286. JEAN-MICHEL RIBES
Monologues, bilogues, trilogues

287. JACQUES LEENHARDT / ROBERT PICHT
Au jardin des malentendus

288. GEORGES-OLIVIER CHÂTEAUREYNAUD
Le Kiosque et le tilleul

289. JACQUES DE VITRY
Vie de Marie d'Oignies

290. ELISABETH K. PORETSKI
Les Nôtres

291. ÉDOUARD AL-KHARRAT
Alexandrie, terre de safran

292. THOMAS HOBBES
De la nature humaine

293. MIKHAÏL BOULGAKOV
Ecrits autobiographiques

294. RUSSELL BANKS
De beaux lendemains

295. RENÉ GOSCINNY
Tous les visiteurs à terre

296. IBRAHIMA LY
Toiles d'araignées

297. FRANÇOIS PARTANT
La Fin du développement

298. HENRI HEINE
Mais qu'est-ce que la musique ?

299. JULES VERNE
Le Château des Carpathes

300. ALPHONSE DAUDET
Les Femmes d'artistes

301. FRÉDÉRIC JACQUES TEMPLE
Les Eaux mortes

302. FRIEDRICH NIETZSCHE
Vérité et mensonge au sens extra-moral

303. INTERNATIONALE DE L'IMAGINAIRE N° 8
Le Corps tabou

304. NANCY HUSTON
Instruments des ténèbres

305. FÉDOR DOSTOÏEVSKI
L'Adolescent (vol. 1)

306. FÉDOR DOSTOÏEVSKI
L'Adolescent (vol. 2)

307. GÉRARD DELTEIL
Schizo

308. VIVANT DENON / ABDEL RAHMAN EL-GABART
Sur l'expédition de Bonaparte en Egypte

309. JEAN-JACQUES ROUSSEAU / MADAME DE LA TOUR
Correspondance

310. MAN RAY
Autoportrait

311. ROBERT BELLERET
Léo Ferré, une vie d'artiste

312. MAXIME VUILLAUME
Mes cahiers rouges

313. HELLA S. HAASSE
Les Routes de l'imaginaire

314. JEAN-CLAUDE GRUMBERG
Dreyfus… / L'Atelier / Zone libre

315. DENIS DIDEROT
Pensées philosophiques

316. LUIS MARTIN-SANTOS
Les Demeures du silence

317. HUBERT NYSSEN
La Femme du botaniste

318. JEAN-FRANÇOIS VILAR
Bastille tango

319. SÉBASTIEN LAPAQUE
Les Barricades mystérieuses

320. ALAIN GHEERBRANT
La Transversale

321. THIERRY JONQUET
Du passé faisons table rase

322. CLAUDE PUJADE-RENAUD
La Nuit la neige

323. *
Mai 68 à l'usage des moins de vingt ans

324. FITZ-JAMES O'BRIEN
Qu'était-ce ?

325. ÉLISÉE RECLUS
Histoire d'une montagne

326. *
Dame Merveille et autres contes d'Egypte

327. ROMAN DE BAÏBARS / 1
Les Enfances de Baïbars

328. ROMAN DE BAÏBARS / 2
Fleur des Truands

329. ROMAN DE BAÏBARS / 3
Les Bas-Fonds du Caire

330. ROMAN DE BAÏBARS / 4
La Chevauchée des fils d'Ismaïl

331. JACQUES POULIN
Volkswagen Blues

332. MIRABEAU
Lettres écrites du donjon de Vincennes

333. CHEVALIER DE BOUFFLERS
Lettres d'Afrique à Mme de Sabran

334. FRANÇOISE MORVAN
Vie et mœurs des lutins bretons

335. FRÉDÉRIC VITOUX
Il me semble désormais que Roger est en Italie

336. JEAN-PIERRE NAUGRETTE
Le Crime étrange de Mr Hyde

337. NADAR
Quand j'étais photographe

338. NANCY HUSTON
Histoire d'Omaya

339. GÉRARD DE CORTANZE
Giuliana

340. GÉRARD GUÉGAN
Technicolor

341. CHARLES BERTIN
La Petite Dame en son jardin de Bruges

342. INTERNATIONALE DE L'IMAGINAIRE N° 9
Deux millénaires et après

343. NINA BERBEROVA
Le Livre du bonheur

344. PÄLDÈN GYATSO
Le Feu sous la neige

345. FÉDOR DOSTOÏEVSKI
Le Double

346. FRÉDÉRIC H. FAJARDIE
Querelleur

347. ANNE SECRET
La Mort à Lubeck

348. RUSSELL BANKS
Trailerpark

349. ZOÉ VALDÉS
La Sous-Développée

350. TORGNY LINDGREN
La Lumière

351. YÔKO OGAWA
La Piscine / Les Abeilles / La Grossesse

352. FRANZ KAFKA
A la colonie disciplinaire et autres récits (vol. II)

353. YING CHEN
Les Lettres chinoises

354. ÉLISE TURCOTTE
Le Bruit des choses vivantes

355. ALBERTO MANGUEL
Dernières nouvelles d'une terre abandonnée

356. MIKA ETCHEBÉHÈRE
Ma guerre d'Espagne à moi

357. *
Les Cyniques grecs : Lettres de Diogène et Cratès

358. BERNARD MANDEVILLE
Recherche sur la nature de la société

359. RENCONTRES D'AVERROÈS
La Méditerranée entre la raison et la foi

360. MICHEL VINAVER
King *suivi de* Les Huissiers

361. ZOÉ VALDÉS
La Douleur du dollar

362. HENRY BAUCHAU
Antigone

363. NANCY HUSTON
Tombeau de Romain Gary

364. THÉODORE MONOD
Terre et ciel

365. FÉDOR DOSTOÏEVSKI
Les Carnets de la maison morte

366. FREDERIC PROKOSCH
Le Manège d'ombres

367. MICHÈLE LESBRE
Que la nuit demeure

368. LEIBNIZ
Réfutation inédite de Spinoza

369. MICHEL TREMBLAY
Le Premier Quartier de la lune

370. JACQUES POULIN
Jimmy

371. DON DELILLO
Bruit de fond

372. GUSTAV REGLER
Le Glaive et le Fourreau

373. INTERNATIONALE DE L'IMAGINAIRE N° 10
Nous et les autres

374. NAGUIB MAHFOUZ
Récits de notre quartier

375. FRANCIS ZAMPONI
Mon colonel

376. THIERRY JONQUET
Comedia

377. GUY DARDEL
Un traître chez les totos

378. HANAN EL-CHEIKH
Histoire de Zahra

379. PAUL AUSTER
Le Diable par la queue *suivi de* Pourquoi écrire ?

380. SIRI HUSTVEDT
L'Envoûtement de Lily Dahl

381. SAND ET MUSSET
Le Roman de Venise

382. CHARLES BERTIN
Les Jardins du désert

383. GEORGES-OLIVIER CHÂTEAUREYNAUD
Le Héros blessé au bras

384. HENRY BAUCHAU
Les Vallées du bonheur profond

385. YVES DELANGE
Fabre, l'homme qui aimait les insectes

386. YING CHEN
L'Ingratitude

387. INTERNATIONALE DE L'IMAGINAIRE N° 11
Les Musiques du monde en question

388. NANCY HUSTON
Trois fois septembre

389. CLAUDE PUJADE-RENAUD
Un si joli petit livre

390. JEAN-PAUL GOUX
Les Jardins de Morgante

391. THÉODORE MONOD
L'Emeraude des Garamantes

392. COLLECTIF
Triomphe de Dionysos

393. B. TRAVEN
Dans l'Etat le plus libre du monde

394. NORBERT ROULAND
Les Lauriers de cendre

395. JEAN-MICHEL RIBES
Palace

396. ZOÉ VALDÉS
Café Nostalgia

397. FRANÇOISE MORVAN
La Douce Vie des fées des eaux

398. BERNARD ASSINIWI
La Saga des Béothuks

399. MICHEL TREMBLAY
Les Vues animées

400. FÉDOR DOSTOÏEVSKI
Le Rêve de l'oncle

401. ANDRÉ THIRION
Révolutionnaires sans Révolution

402. GÉRARD DE CORTANZE
Les enfants s'ennuient le dimanche

403. RENCONTRES D'AVERROÈS
La Méditerranée, frontières et passages

404. RUSSELL BANKS
Affliction

405. HERBJØRG WASSMO
La Véranda aveugle

406. DENIS LACHAUD
J'apprends l'allemand

407. FÉDOR DOSTOÏEVSKI
Nétotchka Nezvanova

408. REZVANI
Le Vol du feu

409. JEAN-JACQUES ROUSSEAU
L'Etat de guerre

410. SERGE QUADRUPPANI
Colchiques dans les prés

411. JEAN-PAUL JODY
Stringer

412. FRANCINE NOËL
Nous avons tous découvert l'Amérique

413. DAVID HOMEL
Il pleut des rats

414. JACQUES POULIN
Chat sauvage

415. MICHEL TREMBLAY
La Nuit des princes charmants

416. ALBERTO MANGUEL
Une histoire de la lecture

417. DANIEL ZIMMERMANN
Les Virginités

418. CAMILO CASTELO BRANCO
Amour de perdition

419. NIKOLAJ FROBENIUS
Le Valet de Sade

420. DON DELILLO
Americana

421. GÉRARD DELTEIL
Dernier tango à Buenos Aires

422. FRANCIS ZAMPONI
In nomine patris

423. INTERNATIONALE DE L'IMAGINAIRE N° 12
Jean Duvignaud

424. INTERNATIONALE DE L'IMAGINAIRE N° 13
Jeux de dieux, jeux de rois

425. CLAUDE PUJADE-RENAUD
Le Sas de l'absence *précédé de* La Ventriloque

426. MICHEL LIS
Le Jardin sur la table

427. MICHEL LIS ET PAUL VINCENT
La Cuisine des bois et des champs

428. FÉDOR DOSTOÏEVSKI
Le Crocodile

429. FÉDOR DOSTOÏEVSKI
Le Petit Héros

430. FÉDOR DOSTOÏEVSKI
Un cœur faible

431. NANCY HUSTON
L'Empreinte de l'ange

432. HELLA S. HAASSE
La Source cachée

433. HERBJØRG WASSMO
La Chambre silencieuse

434. FRANÇOISE LEFÈVRE
La Grosse

435. HUBERT NYSSEN
Le Nom de l'arbre

436. ANTON TCHEKHOV
Ivanov

437. ANTON TCHEKHOV
Pièces en un acte

438. GÉRARD DE CORTANZE
Les Vice-Rois

439. ALICE FERNEY
Grâce et dénuement

440. ANNE-MARIE GARAT
L'Insomniaque

441. FÉDOR DOSTOÏEVSKI
Humiliés et offensés

442. YÔKO OGAWA
L'Annulaire

443. MENYHÉRT LAKATOS
Couleur de fumée

444. ROGER PANNEQUIN
Ami si tu tombes

445. NICOLE VRAY
Monsieur Monod

446. MICHEL VINAVER
Ecritures dramatiques

447. JEAN-CLAUDE GRUMBERG
La nuit tous les chats sont gris

448. VASLAV NIJINSKI
Cahiers

449. PER OLOV ENQUIST
L'Extradition des Baltes

450. ODILE GODARD
La Cuisine d'amour

451. MARTINE BARTOLOMEI / JACQUES KERMOAL
La Mafia se met à table

452. AMADOU HAMPÂTÉ BÂ
Sur les traces d'Amkoullel l'enfant peul

453. HANS-PETER MARTIN / HARALD SCHUMANN
Le Piège de la mondialisation

454. JOSIANE BALASKO *et alii*
Le père Noël est une ordure

455. FÉDOR DOSTOÏEVSKI
Premières miniatures

456. FÉDOR DOSTOÏEVSKI
Dernières miniatures

457. CH'OE YUN
Là-bas, sans bruit, tombe un pétale

458. REINALDO ARENAS
Avant la nuit

459. W. G. SEBALD
Les Emigrants

460. PAUL AUSTER
Tombouctou

461. DON DELILLO
Libra

462. ANNE BRAGANCE
Clichy sur Pacifique

463. NAGUIB MAHFOUZ
Matin de roses

464. FÉDOR DOSTOÏEVSKI
Le Bourg de Stépantchikovo et sa population

465. RUSSELL BANKS
Pourfendeur de nuages

466. MARC de GOUVENAIN
Retour en Ethiopie

467. NICOLAS VANIER
Solitudes blanches

468. JEAN JOUBERT
L'Homme de sable

469. DANIEL DE BRUYCKER
Silex

470. NANCY HUSTON
Journal de la création

471. ALBERTO MANGUEL
Dictionnaire des lieux imaginaires

472. JOYCE CAROL OATES
Reflets en eau trouble

473. ANNIE LECLERC
Parole de femme

474. FÉDOR DOSTOÏEVSKI
Les Annales de Pétersbourg

475. JEAN-PAUL JODY
Parcours santé

476. EDUARD VON KEYSERLING
Versant sud

477. BAHIYYIH NAKHJAVANI
La Sacoche

478. THÉODORE MONOD
Maxence au désert

479. ÉRIC LEGASTELOIS
Adieu Gadjo

480. PAUL LAFARGUE
La Légende de Victor Hugo

481. MACHIAVEL
Le Prince

482. EDUARD VON KEYSERLING
Eté brûlant

483. ANTON TCHEKHOV
Drame de chasse

484. GÖRAN TUNSTRÖM
Le Voleur de Bible

485. HERBJØRG WASSMO
Ciel cruel

486. LIEVE JORIS
Les Portes de Damas

487. DOMINIQUE LEGRAND
Décorum

488. COLLECTIF sous la direction de JEAN-MICHEL RIBES
Merci Bernard

489. INTERNATIONALE DE L'IMAGINAIRE N° 14
Eros & Hippos

490. STEFANO BENNI
Le Bar sous la mer

491. FRANCIS ZAMPONI
Le Don du sang

492. JAMAL MAHJOUB
Le Télescope de Rachid

493. FÉDOR DOSTOÏEVSKI
Les Pauvres Gens

494. GUILLAUME LE TOUZE
Dis-moi quelque chose

495. HEINRICH VON KLEIST
Théâtre complet

496. VIRGINIE LOU
Eloge de la lumière au temps des dinosaures

497. TASSADIT IMACHE
Je veux rentrer

498. NANCY HUSTON
Désirs et réalités

499. LUC SANTE
L'Effet des faits

500. YI MUNYŎL
Le Poète

501. PATRÍCIA MELO
Eloge du mensonge

502. JULIA VOZNESENSKAYA
Le Décaméron des femmes

503. ILAN DURAN COHEN
Le Fils de la sardine

504. AMINATA DRAMANE TRAORÉ
L'Etau

505. ASSIA DJEBAR
Oran, langue morte

506. V. KHOURY-GHATA
La Maestra

507. ANNA ENQUIST
Le Chef-d'œuvre

508. FÉDOR DOSTOÏEVSKI
Une sale histoire

509. ALAIN GUÉDÉ
Monsieur de Saint-George

510. SELMA LAGERLÖF
Le Banni

511. PER OLOV ENQUIST
Le Cinquième Hiver du magnétiseur

512. DON DELILLO
Mao II

513. MARIA IORDANIDOU
Loxandra

514. PLAUTE
La Marmite *suivi de* Pseudolus

515. NANCY HUSTON
Prodige

516. GÖRAN TUNSTRÖM
Le Buveur de lune

517. LYONEL TROUILLOT
Rue des Pas-Perdus

518. REINALDO ARENAS
Voyage à La Havane

519. JOE BRAINARD
I Remember

520. GERT HOFMANN
Notre philosophe

521. HARRY MULISCH
Deux femmes

522. NAGUIB MAHFOUZ
Le Mendiant

523. ANNE BRAGANCE
Changement de cavalière

524. ARTHUR SCHOPENHAUER
Essai sur les femmes

525. INTERNATIONALE DE L'IMAGINAIRE N° 15
Les Spectacles des autres

526. FÉDOR DOSTOÏEVSKI
Les Frères Karamazov (vol. I)

Ouvrage réalisé
par l'Atelier graphique Actes Sud.
Achevé d'imprimer
en mars 2015
par Normandie Roto Impression s.a.s.
61250 Lonrai
sur papier fabriqué à partir de bois provenant
de forêts gérées durablement (www.fsc.org)
pour le compte
d'ACTES SUD
Le Méjan
Place Nina-Berberova
13200 Arles.

Dépôt légal
1re édition : mars 2002
2e édition : juin 2008
N° d'impression : 1500958
(Imprimé en France)